D1097322

مذكرات
هيلاري رودهام كلينتون

خيارات صعبة

شركة المطبوعات للتوزيع والنشر

إن الآراء الواردة في هذا الكتاب لا تعبر بالضرورة عن رأي
شركة المطبوعات للتوزيع والنشر ش.م.ل.

شركة المطبوعات للتوزيع والنشر ش.م.ل.
ALL PRINTS DISTRIBUTORS & PUBLISHERS s.a.l.

الجناح، شارع زاهية سلمان
مبنى مجموعة تحسين الخياط
ص.ب.: ٨٣٧٥ - ١١ بيروت، لبنان
تلفون: ٨٣٠٦٠٨ ١ ٩٦١+ فاكس: ٨٣٠٦٠٩ ١ ٩٦١+
email: tradebooks@all-prints.com
publishing@all-prints.com
website: www.all-prints.com

الطبعة الثالثة ٢٠١٦
ISBN: 978-9953-88-852-1

Originally published as: **Hard Choices.**
Copyright © 2014 by Hillary Rodham Clinton.
All rights reserved.
Published by arrangement with the original publisher, Simon & Schuster, Inc.

ترجمة: ميراي يونس
بالإشتراك مع ساندي الشامي وروزي حاكمة

تدقيق لغوي: حبيب يونس

تصميم الغلاف: ريتا كلزي

صورة الغلاف: Ruven Afanador/Corbis Outline ©

الإخراج الفني: فدوى قطيش

المحتويات

إلى الدّبلوماسيين وخبراء التنمية الأميركيين،

الذين يمثّلون بلادَنا وقيَمَنا خير تمثيل

في الأماكن الكبيرة والصغيرة، الهادئة والمحفوفة بالمخاطر

في كل أنحاء العالم.

إلى ذكرى والِدَيَّ:

هُيو إلسورث رودهام (١٩١١-١٩٩٣)

ودوروثي إيمّا هاويل رودهام (١٩١٩- ٢٠١١)

مقدمة المؤلفة

يواجه كلٌّ منا خيارات صعبة في حياته، بعضُها يفوق قدرته. علينا أن نقرر طريقة تحقيق التوازن بين متطلبات العمل والأسرة: رعاية طفل مريض أو أحد الوالدين الكهلين؛ تصور طريقة دفع قسط الكلية؛ العثور على وظيفة جيدة، وما العمل إذا فقدتها؛ الارتباط بزواج - أو البقاء متزوجًا؛ كيف نمنح أطفالنا الفرص التي يحلمون بها ويستحقونها. تقوم الحياة على خيارات كهذه. فخياراتنا وطريقة تعاملنا معها، تُشَكّل ما نصبح عليه. وقد تعني بالنسبة إلى القادة والدول الفرق بين الحرب والسلام، وبين الفقر والازدهار.

أحمل عرفانًا إلى الأبد لأنني ولدت لأبوين محبَّين وداعمين في بلد قدَّم إليّ الفرص والنّعم كلها، وهي عوامل خارجة عن إرادتي، مهَّدت الطريق للحياة التي عشتها والإيمان والقيم التي اعتنقت. عندما اخترت، في شبابي، ترك مهنة المحاماة في واشنطن للانتقال إلى أركنساس كي أتزوج بيل ونؤسِّس عائلة، سألني أصدقائي: «هل فقدت عقلك؟». سمعت أسئلة مشابهة حين أخذت على عاتقي إصلاح نظام الرعاية الصحية كسيدة أولى، وأسست مكتبي الخاص، وقبلت عرض الرئيس باراك أوباما تمثيل بلدنا بصفتي وزيرةً للخارجية.

عند اتخاذ هذه القرارات، أنصتُّ إلى لغة القلب والعقل معًا. تبعت قلبي إلى أركنساس، حيث انفجر حبًّا مع ولادة ابنتنا تشيلسي؛ وتألم عند خسارة والدي ووالدتي. حثَّني عقلي على التقدم في دراستي وخياراتي المهنية. ووجَّهني قلبي وعقلي معًا إلى الخدمة العامة. في مسيرتي، حاولت ألّا أرتكب الخطأ نفسه مرتين، وأن أتعلَّم، وأتكيَّف، وأحظى بالحكمة لاتخاذ أفضل الخيارات في المستقبل.

وما ينطبق على حياتنا اليومية، يصحّ على المستويات العليا في الحكم. فالحفاظ على أمن أميركا وقوتها وازدهارها يقدّم سلسلة لا متناهية من الخيارات، يترافق الكثير منها مع معلومات ناقصة وضرورات متضاربة. ولعل المثال الأبرز من الأعوام الأربعة التي توليت فيها وزارة الخارجية، قرار الرئيس أوباما إرسال فريق من البحرية في ليلة باكستانية مظلمة، لجلب أسامة بن لادن إلى العدالة. انقسم كبار مستشاري الرئيس. كانت الاستخبارات مقنعة، وإنما غير نهائية، وعواقب الفشل شاقة، والمخاطر كبيرة على الأمن القومي الأميركي، ومعركتنا ضد تنظيم القاعدة، وعلاقتنا مع باكستان. وأهم من ذلك كله، حيوات هؤلاء البحارة الشجعان وطياري الهليكوبتر التي أصبحت على المحك. كان ذلك عرضاً للقيادة جازمًا وشجاعًا، وهو ما لم أشهده يومًا.

يتناول هذا الكتاب الخيارات التي قمت بها كوزيرة للخارجية، وتلك التي قام بها الرئيس أوباما وغيره من القادة في العالم. ثمة فصول تتصدى للأحداث التي تصدرت عناوين الصحف، وأخرى للاتجاهات التي ستستمر في تعريف عالمنا إلى الأجيال المقبلة.

غني عن القول إن عددًا قليلًا من الخيارات المهمة، والشخصيات، والبلدان والأحداث غير مدرجة هنا. كنت سأحتاج إلى المزيد من الصفحات لمنحها المساحة التي تستحق. يمكنني ملء كتاب كامل، فقط لشكر الزملاء الموهوبين والمتفانين الذين اعتمدت عليهم في وزارة الخارجية. فأنا أدين لهم بالكثير لخدمتهم وصداقتهم.

كوزيرة للخارجية، ارتأيت تقسيم الخيارات والتحديات التي تواجهنا فئات ثلاثًا: المشكلات التي ورثناها، ومنها حربان وأزمة مالية عالمية؛ الجديدة منها، وهي غالبًا أحداث غير متوقعة وتهديدات ناشئة، من رمال الشرق الأوسط المتحركة إلى مياه المحيط الهادئ الهائجة، فإلى مناطق الفضاء الإلكتروني المجهولة؛ والفرص التي يقدمها عالم الشبكات العنكبوتية التي يمكنها إرساء أسس الازدهار الأميركي وإحقاق قيادتها في القرن الحادي والعشرين.

قاربت عملي وملئي ثقة بنقاط قوة بلدنا الدائمة، وبعزم حيال ما تبقى خارج معرفتنا وسيطرتنا. وعملت على إعادة توجيه السياسة الخارجية الأميركية نحو ما أسميه «القوة الذكية». فللنجاح في القرن الحادي والعشرين، نحتاج إلى دمج الأدوات التقليدية للسياسة الخارجية، أي الدبلوماسية، والتنمية المساعِدة، والقوة العسكرية، في حين نستنبط أيضًا طاقة القطاع الخاص وأفكاره ونُمَكّن المواطنين، خصوصًا النشطاء والمنظمين والمختصين بحل المعضلات الذين نسميهم المجتمع المدني، كي يواجهوا تحدياتهم الخاصة ويرسموا مستقبلهم. علينا أن نستخدم كل نقاط القوة الأميركية لبناء عالم، فيه المزيد من الشركاء وقلة من الخصوم، المزيد من المسؤولية المشتركة وصراعات أقلّ، المزيد من فرص العمل الجيدة وفقر أقلّ، المزيد من الازدهار القائم على أسس واسعة النطاق، مع أقلّ ضرر على بيئتنا.

وعلى ما هي الحال من خلال إفادتنا من تجاربنا السابقة، أتمنى لو يمكننا العودة بالزمن إلى الوراء وإعادة النظر في بعض الخيارات. لكنني فخورة بما أنجزناه. بدأ هذا القرن بجرح بليغ أدمى بلدنا، مع الهجمات الإرهابية في ١١ أيلول/سبتمبر، والحروب الطويلة التي تلتها، والكساد الكبير. احتجنا إلى القيام بعمل أفضل، وأظننا فعلنا.

وكانت هذه الأعوام أيضًا «رحلة» خاصة لي، حرفيًّا (انتهى الأمر بي بزيارة ١١٢ بلدًا وقطع ما يقارب مليون كيلومتر)، ومجازيًّا، من نهاية حملة العام ٢٠٠٨ المؤلمة إلى الشّركة والصّداقة غير المتوقعتين مع منافسي السابق باراك أوباما. خدمت بلادنا بطريقة أو بأخرى طوال عقود. ولكن خلال أعوام عملي وزيرة للخارجية، تعلمت أكثر نقاط قوانا الاستثنائية، وما الذي سيقودنا إلى تحقيق المنافسة والازدهار في الداخل والخارج.

آمل أن يعود هذا الكتاب بالفائدة على أي شخص يريد أن يعرف ما دافعت عنه أميركا في الأعوام الأولى من القرن الحادي والعشرين، وكذلك كيف واجهت إدارة أوباما التحديات الكبيرة في زمنٍ محفوف بالمخاطر.

وفي حين سيُمعن متتبعو سلسلة واشنطن القصصية المديدة، في وجهات نظري وخبراتي - مَنْ وقف إلى جانب مَنْ، مَنْ عارض مَنْ، مَنْ الرابح ومَنْ الخاسر - فأنا لم أضَعْ هذا الكتاب لهم.

كتبته للأميركيين والناس في كل مكان الذين يحاولون فهم معنى تبدل عالمنا السريع هذا، ويريدون أن يعوا كيف يمكن القادة والدول أن يعملوا معًا ولمَ يتصادمون أحيانًا، وكيف تؤثر قراراتهم في حيواتنا: كيف يؤثر انهيار الاقتصاد في أثينا، اليونان، في الأعمال التجارية في أثينا جورجيا. كيف تترك الثورة في القاهرة، مصر، آثارها على الحياة في القاهرة، إلينوي. ما يعني لقاء دبلوماسي متوتر في سانت بطرسبرغ، روسيا، للعائلات في سانت بطرسبرغ، فلوريدا.

ليس لكل قصة في هذا الكتاب نهاية سعيدة أو حتى نهاية بعد - هذا ليس العالم الذي نعيش فيه - لكنها كلها قصص عن أشخاص يمكننا أن نتعلَّم منهم، سواء اتفقنا معهم أم لا. ما زال للأبطال وجود: صانعو السلام الذين صمدوا عندما بدا النجاح مستحيلًا، القادة الذين تجاهلوا السياسة والضغوط لاتخاذ القرارات الصعبة، الرجال والنساء الشجعان الذين تخلوا عن ماضيهم من أجل صياغة مستقبل جديد وأفضل. تلك بعض القصص التي رويتها.

وضعت هذا الكتاب لتكريم الدبلوماسيين وخبراء التنمية الاستثنائيين الذين تشرفت بأن أتقدمهم، باعتباري وزيرة الخارجية السابعة والستين لأميركا. كتبته لأي شخص في أي مكان يسأل هل ما زالت أميركا تملك ما يؤهلها للقيادة. بالنسبة إلي، الجواب هو «نعم» مدوية. أصبح الحديث عن تراجع أميركا شائعًا، لكن ثقتي بمستقبلنا لم تبلغ يومًا هذا الحد. ففيما يشهد عالم

اليوم معضلات قليلة يمكن الولايات المتحدة حلّها وحدها، هناك حتّى عدد أقل يمكن حلّه من دونها. جلّ ما فعلته ورأيته أقنعني أن أميركا تبقى «الأمة التي لا غنى عنها». وأنا مقتنعة تمامًا أيضًا بأن قيادتنا ليست حقًّا مكتسبًا. يجب على كل جيل أن يستحقها بجهده.

وسيكون كذلك، ما بقينا أوفياء لقيمنا وتذكرنا أننا قبل أن نكون جمهوريين وديمقراطيين، ليبراليين أو محافظين، أو أي من التسميات الأخرى التي تفرقنا بقدر ما تحددنا، أننا أميركيون، ولنا جميعاً مصلحة شخصية ندين بها لبلدنا.

حين شرعت في وضع هذا الكتاب، بُعَيْد مغادرتي وزارة الخارجية، فكَّرت في عدد من العناوين. وللمساعدة، طلَبَت واشنطن بوست من قرائها إرسال الاقتراحات. اقترح أحدهم عنوان «يتطلب الأمر عالمًا» كتتمة مناسبة لـ «يتطلب الأمر قرية». لكنني فضلت بينها كلها: «الرواية التاريخية لبكلة الشّعر: ١١٢ بلدًا، وما زال الأمر يتوقف على شَعري».

في النهاية، كان أفضل عنوان اختصر تجاربي في سلك الدبلوماسية الدولية العالي وأفكاري ومشاعري حيال ما يتطلبُّه الأمر من أجل ترسيخ القيادة الأميركية في القرن الحادي والعشرين، «خيارات صعبة».

الأمر الوحيد الذي لم يكن خيارًا صعبًا بالنسبة إليَّ هو خدمة بلدنا. كان أعظم شرف لي في حياتي.

خيارات صعبة

المحيط المتجمد الشمالي

غرينلاند

خليج
بافن

بحر
سيبير
الشرقي

ألاسكا
(الولايات المتحدة الأميركية)

خليج
هدسن

كندا

خليج بيرينغ

خليج
ألاسكا

٧٠°

٦٠°

٥٠°

المحيط
الأطلسي
الشمالي

الولايات
المتحدة الأميركية

٤٠°

بحر سرغاسو

الولايات المتحدة الأميركية
(هاواي)

برمودا

خليج
المكسيك

المكسيك

جزر الباهاما

جمهورية كوبا
الدومينيكان هايتي جامايكا
بورتو ريكو
دومينيكا
سانت لوتشيا البحر الكاريبي
غرينادا
فينزويلا
كولومبيا

٣٠°

سانت كيتس ونيفيس
أنتيغوا وباربودا
سانت فينست وغرينادا
باربادوس
ترينيداد وتوباجو
غويانا
سورينام
غيانا الفرنسية

الرأس
الأخضر

٢٠°

جزر
مارشال

كيريباتي

خط الاستواء

الإكوادور

جزر غالاباغوس

١٠°

٠°

ناورو

توفالو
فانواتو
فيجي

ساموا الأميركية

ساموا

بيرو

البرازيل

١٠°

نيو كال

تونغا

جزر كوك

بوليفيا

باراغواي

٢٠°

جزيرة إيستر

المحيط الهادئ الجنوبي

تشيلي

الأرجنتين

الأوروغواي

المحيط
الأطلسي
الجنوبي

٣٠°

نيوزيلندا

تريستان
دا كونها

٤٠°

جزر فوكلاند

جورجيا الجنوبية

٥٠°

٦٠°

بحر روس

١٧٠° ١٨٠° ١٧٠° ١٦٠° ١٥٠° ١٤٠° ١٣٠° ١٢٠° ١١٠° ١٠٠° ٩٠° ٨٠° ٧٠° ٦٠° ٥٠° ٤٠° ٣٠° ٢٠°

المحيط المتجمد الشمالي

بحر
برنتس

بحر
كارا

بحر
غرينلندا

بحر
النرويج

إيسلندا

السويد

فنلندا

روسيا

النرويج بحر
الشمال

إستونيا

لاتفيا بحر

لتوانيا البلطق

بيلاروسيا

المملكة هولندا إيرلندا
المتحدة بلجيكا

ألمانيا

بولندا

أوكرانيا

كازاخستان

منغوليا

كوريا
الشمالية

بحر
اليابان

تشيكيا لوكسمبورغ فرنسا
سلوفاكيا النمسا سويسرا
مولدافيا هنغاريا
رومانيا سلوفينيا

أوزبكستان

قرغيزيا

الصيـن

اليابان

كوريا
الجنوبية

بحر قزوين البوسنة والهرسك كرواتيا
بلغاريا صربيا مونتينيغرو
مقدونيا البانيا البحر
اليونان المتوسط

جورجيا

أذربيجان أرمينيا تركيا

تاجكستان

تركمنستان

أفغانستان

إسبانيا البرتغال

مالطا قبرص

سوريا
العراق لبنان اسرائيل
الأردن

إيران

باكستان

نيبال

بوتان

بورما

بحر الصين الشرقي

تايوان

جزر
ماريانا
الشمالية

المغرب

الجزائر

ليبيا

مصر

الكويت
البحرين
الإمارات قطر
عمان

السعودية

الهند

بنغلادش

لاوس

بحر
الصين
الجنوبي

الفيلبين

غوام

الصحراء
الغربية

موريتانيا

مالي

النيجر

تشاد

السودان

اليمن

بحر
العرب

خليج عدن

خليج
البنغال

تايلاند

فيتنام
كمبوديا

ات
المتحدة

السنغال
غامبيا
غينيا بيساو
غينيا
سيراليون
ليبيريا

بوركينا فاسو

نيجيريا

جمهورية أفريقيا
الوسطى

إثيوبيا

إريتريا
جيبوتي

سري لانكا

الملديف

بروناي
ماليزيا سنغافورة

بالاو

وا
الجديدة

غانا توغو ساحل
العاج
بنين

الكاميرون

جنوب
السودان

جمهورية
الكونغو

أوغندا

كينيا

الصومال

اندونيسيا

تيمور الشرقية

غينيا الإستوائية

الغابون

الكونغو
الديمقراطية

رواندا
بوروندي

تنزانيا

سيشل

ساو تومي وبرينسيب
الكونغو

أنغولا

زامبيا

مالاوي

جزر القمر

المحيط
الهندي

أستراليا

نامبيا

بوتسوانا

زيمبابوي

موزامبيق

مدغشقر

موريشيوس

المحيط
الأطلسـي
الجنوبي

سوازيلاند

ليسوتو جنوب
أفريقيا

الجنوب الفرنسي
والأراضي في أنتاركتيكا

أنتاركتيكا

`°٢٠` `°١٠` `°٠` `°١٠` `°٢٠` `°٣٠` `°٤٠` `°٥٠` `°٦٠` `°٧٠` `°٨٠` `°٩٠` `°١٠٠` `°١١٠` `°١٢٠` `°١٣٠` `°١٤٠` `°١`

الجزء الأوَّل

بدايةٌ جديدة

الفصل الأوَّل

٢٠٠٨: فريق من المتنافسين

لِمَ استلقيت، يا ترى، على المقعد الخلفي لشاحنة صغيرة زرقاء نوافذها ملونة؟ سؤال جيّد. حاولت مغادرة بيتي في واشنطن دي سي من دون أن يراني المراسلون الصحافيون المرابطون سرًّا قبالته.

حدث ذلك مساء ٥ حزيران/يونيو ٢٠٠٨، وقد ذهبت إلى اجتماع سري مع باراك أوباما، وهو ليس الاجتماع الذي تمنيت وتوقعت قبل بضعة أشهر. لقد خسرت وهو فاز. لم يتسنّ لنا الوقت بعد للتعامل مع هذا الواقع، وإنما هذا ما حدث: كانت حملة الانتخابات الرئاسية التمهيدية تاريخية بسبب عِرْقه وجنسي، لكنها كانت أيضًا مرهقة وحامية، طويلة ومتكافئة تقريبًا. خاب أملي وأُنهكت قواي. لقد ناضلت جاهدة، حتى النهاية، لكن باراك فاز وحان الوقت لدعمه. فالقضايا والناس الذين خضت حملتي الانتخابية من أجلهم، الأميركيون الذين فقدوا وظائفهم والرعاية الصحية، الذين عجزوا عن تحمل نفقات الغاز أو البقالة أو الكلّية، الذين شعروا أن حكومتهم لم تكترث لهم طوال الأعوام السبعة السابقة، باتوا يعتمدون على حسن أداء الرئيس الرابع والأربعين للولايات المتحدة.

لن يكون الأمر سهلًا عليَّ، أو على فريق عملي ومناصريَّ الذين قدموا كل ما لديهم. وإنصافًا، لن يكون سهلًا أيضًا على باراك أوباما ومؤيديه. توجّست حملته خيفة مني ومن فريق عملي، على ما شعرنا حياله. صدرت تصريحات ساخنة ومواقف جارحة من الجانبين، وعلى الرغم من ضغوط مؤيديه الكثيرة، رفضتُ الاعتراف بالهزيمة حتى فرز الأصوات الأخير.

تحدثت وباراك قبل يومين، مساءً بعد الانتخابات التمهيدية النهائية في مونتانا وداكوتا الجنوبية. «لنجلس ونتحدث عندما يبدو لكِ الأمر منطقيًا»، على ما قال. في اليوم التالي، التقينا عرَضًا في واشنطن على هامش مؤتمر لجنة الشؤون العامة الأميركية - الإسرائيلية المقرر موعده قبل وقت طويل. وعلى الرغم من حراجة الموقف، أعطى مساعدينا المقربين فرصة للبدء بمناقشة تفاصيل الاجتماع المرتقب. من جهتي، كانت الرئيسة المتنقلة لفريق عملي هي هوما عابدين، الداهية التي لا تتعب، والمرأة الشابة اللطيفة التي عملت معي مذ كنت في البيت الأبيض. من جهة أوباما، كان ريجي لوف، لاعب كرة السلة السابق في جامعة ديوك، الذي قلّما ترك جانب باراك. أبقت هوما وريجي خط الاتصال مفتوحًا حتى خلال أشدّ أيام الحملة الانتخابية، خطًّا ساخنًا نوعًا ما، إذ بعد كل انتخاب تمهيدي، وبغض النظر عمن فاز، كنا أنا وباراك نتصل أحدنا بالآخر، ليقر كلٌّ منا بصحة الانتخاب ويقدم التهانئ. تبادلنا مكالمات ودية، ومرحة حتى أحيانًا، أقلّه لأن لأحدنا أسبابه المحقة كي يكون في مزاج جيد. لكن معظم المكالمات أتت مقتضبة، فقط للتحقق من نتائج الصناديق. فمدربو كرة القدم يلتقون عند خط الوسط بعد المباراة، لكنهم لا يتعانقون دومًا.

احتجنا إلى مكان بعيد عن أضواء وسائل الإعلام للالتقاء والتحدث، لذا اتصلت بصديقتي المقربة ديان فاينستاين، سيناتور كاليفورنيا، لأسألها هل يمكننا استخدام منزلها في واشنطن الذي سبق أن زرته، وفكرت أنه يناسبنا، ذهابًا وإيابًا، من دون لفت الانتباه. نجحت الحيلة. انزلقت على مقعد الشاحنة الصغيرة الخلفي ونحن ننعطف شمالًا من الشارع حيث أقطن، نحو جادة ماساشوستس، وكنت في الطريق إليه.

وصلت إلى هناك أوّلًا. وعندما وصل باراك، قدمت إلينا ديان كأس «شاردونيه أوف كاليفورنيا»، ومن ثمّ تركتنا في غرفة الجلوس حيث جلسنا متقابلين على كرسيين مجنحين أمام الموقد. وعلى الرغم من خلافاتنا خلال العام الماضي، كَنَّ كل منا احترامًا للآخر، مكتَسبًا من خبراتنا المشتركة. فالترشح إلى الرئاسة يتطلب جهدًا فكريًا، ويَستنزف عاطفيًا، ويُرهق جسديًا. ولكن مهما تبلغِ الحملة الوطنية من الجنون، تبقَ الديمقراطية هي الفاعلة، بحلوها ومرّها. وقد ساعدتنا معاينة هذه الأمور عن قرب، على تقدير أحدنا الآخر حقّ التقدير لدخوله «الحلبة»، على ما سماها تيودور روزفلت، والسير في هذه الطريق حتى النهاية.

كنت تعرفت إلى باراك أوباما قبل أربعة أعوام، أمضينا اثنين منها كلٌّ في مواجهة الآخر. وكمثل الكثيرين من الأميركيين، أعجبني خطابه، عام ٢٠٠٤ في المؤتمر الوطني الديمقراطي في بوسطن. وكنت دعمت، في وقت سابق من ذاك العام، حملته في مجلس الشيوخ باستضافة جمع التبرعات في منزلنا في واشنطن، وحضرت حملة أُخرى في شيكاغو. واحتفظت في مكتبي في

مجلس الشيوخ، بصورة جمعتني وإياه وميشيل وابنتيهما، التقطت خلال حدث شيكاغو، مما أثار استغراب الكثيرين، مع الوقت. كانت الصورة حيث تركتها عندما تفرَّغت وعدت إلى مجلس الشيوخ بعد الانتخابات التمهيدية. وكزميلين، عملنا معًا على عددٍ من الأولويات المشتركة والتشريعات. بعد إعصار كاترينا، دعوت وبيل، باراك إلى الانضمام إلينا في هيوستن، مع الرئيس جورج إيتش دبليو وباربرا بوش لتفقد الذين أُجلوا من العاصفة، والاجتماع مع مسؤولي إدارة الطوارئ.

كلانا محام، انطلقنا من القاعدة كناشطين في مجال العدالة الاجتماعية. عملتُ، بدايةَ حياتي المهنية، في صندوق الدفاع عن الأطفال، وسجلت الناخبين الإسبان في تكساس، ومثَّلت، كمحامية، الفقراء الحائزين مساعدة مالية، والعاجزين عن دفع تكاليف المحاكم. كان باراك منظمًا أهليًّا في الجانب الجنوبي من شيكاغو. اختلفت قصصنا وتجاربنا الشخصية جدًّا، لكننا تشاركنا الفكرة القديمة أن الخدمة العامة مسعى نبيل، وآمنَّا عميقًا بالمبدأ الأساسي الذي يقوم عليه الحلم الأميركي: لا يهمّ مَن أنت ومِن أين أتيت، إذا عملت جاهدًا والتزمت مبادئ اللعبة، فستحظى بفرصة لبناء حياة تليق بك وبعائلتك.

وترتكز الحملات على إبراز الاختلافات، مما انسحب على حملاتنا. على الرغم من اتفاقنا العام على معظم القضايا، وجدنا أسبابًا كثيرة لنختلف ونستغل أي منفذ لإظهار التباين. وعلى الرغم من استيعابي، كذلك، أن رهانات الحملات السياسية العالية ليست للجبناء أو رقيقي المشاعر، حملتُ أنا وباراك وفريقا عملنا، قائمة طويلة من الشكاوى والمظالم. آن الآوان لتنقية الأجواء. علينا أن ندخل البيت الأبيض، وكان مهمًّا للوطن، ولي أنا شخصيًّا، أن نمضي قدمًا.

حدَّقنا، أحدنا إلى الآخر، كمراهقَيْن في موعدهما الحرج الأوّل، ونحن نرتشف بعض الشاردونيه. كسر باراك الجليد أخيرًا، وحدثني عن الحملة القاسية التي خضتها في وجهه. طلب، من ثَمّ، مساعدتي لتوحيد حزبنا والفوز بالرئاسة. أراد أن نظهر معًا في أقرب وقت، وأن يكون المؤتمر الوطني الديمقراطي في دنفر موحدًا ومحفِّزًا. وأكد أنه يريد مساعدة بيل أيضًا.

وكنت قررت أن أوافق على طلبه المساعدة، لكنني احتجت أيضًا إلى أن أثير بعض مواقف العام الماضي غير السارة. لم يملك أحدٌ منا السيطرة التامة على ما قيل أو ما حدث خلال حملاتنا، وما صدر خصوصًا عن أنصارنا المتحمسين أو الصحافة السياسية، بما فيها سرب واسع من المدوِّنين. فالملاحظات من كلا الجانبين، بما في ذلك بعض ملاحظاتي، فُسّرت خارج سياقها، لكنَّ شحنة العنصرية المنافية للعقل ضد بيل، كانت مؤلمة خصوصًا.

أوضح أوباما أنه لم يصدق هذا الاتهام، ولا فريقه فعل. وفي ما يتعلق بالتعصب الجنسي الذي ظهر خلال الحملة الانتخابية، أعرف أنه ينبع من الاعتبارات الثقافية والنفسية المتعلقة بدور

المرأة في المجتمع، لكن ذلك لم يسهّل الأمر عليّ وعلى مناصريّ. ردًّا عليه، تحدث باراك في شكل مؤثر عن نضال جدَّته في مجال الأعمال واعتزازه الكبير بميشيل وماليا وساشا، وشعوره الحاد أنهن يستحققن الحقوق الكاملة والمتساوية في مجتمعنا.

أشاعت فيَّ صراحةُ حديثنا الطُّمأنينة، وعزَّزت تصميمي على دعمه. وفي وقت كنت أفضِّل أن أسأله دعمي، لا العكس، عرفت أن نجاحه آنذاك أفضل وسيلة لتعزيز القيم وجدولة مفكرة السياسات التقدمية التي ناضلت من أجلها في العامين المنصرمين، وطَوال حياتي.

وحين سأل عمّا يحتاج إليه لإقناع أنصاري بالانضمام إلى حملته، أجبته أن عليه أن يمنحهم الوقت اللازم، وأن جهدًا حقيقيًّا يشعرهم أنهم موضع ترحيب، قد يقنع الغالبية العظمى منهم بدعمه. في النهاية، غدا باراك آنذاك، حامل لواء جدول أعمالنا. إذا استطعتُ التحول من بذل قصارى جهدي للفوز عليه، إلى القيام بكل ما أستطيع لانتخابه رئيسًا، فسيفعلون هم أيضًا ذلك. وهو ما قام به معظمهم في نهاية المطاف. وبعد ساعة ونصف الساعة، قال كل منا ما يريد، وتحدثنا عن طريقة المضي قدمًا إلى الأمام. ولاحقًا تلك الليلة، راسلني باراك،إلكترونيًّا، مقترحًا بيانًا مشتركًا يصدر عن إدارة حملته يؤكد عقد الاجتماع و«مناقشتنا المثمرة» لـ «ما يجب القيام به للفوز في تشرين الثاني/نوفمبر». وسأل كذلك عن رقم هاتف بيل للاتصال به والتحدث إليه مباشرة.

في اليوم التالي، ٦ حزيران/يونيو، استضفت وبيل موظفي حملتي في فناء منزلنا الخلفي في العاصمة. كان يومًا حارًّا جدًّا. حاولنا جميعًا ألّا نوتّر الأجواء، ونحن نتذكر التقلبات والتحولات التي لا تُصدق في مرحلة الانتخابات التمهيدية. وكم أحمل عرفانًا للفريق المتفاني الذي ناضل، في قوة، من أجلي. بعضهم أصدقاء عملوا معنا في الحملات منذ أيام أركنساس، بينما خاض معظم الأصغر سنًّا بينهم السباق للمرة الأولى. لم أشأ أن تثبط الهزيمة عزيمتهم أو أن يتوقفوا عن العمل في السياسة الانتخابية والخدمة العامة، لذا دعوتهم إلى الفَخار بالحملة التي خضناها والاستمرار في العمل من أجل القضايا والمرشحين الذين نؤيدهم. وعرفت أن عليَّ أن أكون القدوة. وإذ لم تكن دردشتي مع باراك أمام المدفأة في الليلة السابقة سوى البداية، إلا أنها كانت المثال. سيحتاج الكثيرون إلى وقت طويل لاستيعاب كل ما حدث، وأعرف أن الناس سيتعظون مني. لذا أوضحت، بدءًا من تلك اللحظة، أنني سأدعم باراك أوباما مئة في المئة.

على الرغم من الظروف، استرخى الجميع وأمضوا وقتًا ممتعًا. أمّا صديقتي العزيزة ستيفاني تابس جونز، عضو الكونغرس من أوهايو، الأميركية الأفريقية الأصل، الشُّجاعة، التي قاومت الضغوط الشديدة وبقيت إلى جانبي طوال الانتخابات التمهيدية، فقد دلَّت قدميها في حوض السباحة وروت قصصًا مضحكة. ماتت فجأة بعد شهرين بسبب تمدد الأوعية الدموية في الدماغ،

وهي خسارة فادحة لعائلتها وناخبيها، ولي ولعائلتي. حتى ذلك اليوم أقلّه، كنا أختَي سلاح، نتطلع إلى مستقبل أفضل.

حددتُ الزمان والمكان اللازمين للظهور الأخير في حملتي، لليوم التالي، وبدأت العمل على خطابي. لم تكن كتابته سهلة. كان عليَّ شكر مناصريَّ، والاحتفاء بأهمية حملتي التاريخية، على أنني المرأة الأولى التي تفوز في الانتخابات التمهيدية، وتأييد باراك بطريقة تساعده في الانتخابات العامة. شكّل ذلك حملًا ثقيلًا ليتحمله خطاب واحد، ولم يتسنَّ لي الكثير من الوقت لتصويبه كما يجب. تذكرت المعارك التمهيدية المريرة التي شهدها مؤتمر الحزب الديمقراطي طوال تاريخه، خصوصًا تحدي تيد كنيدي الفاشل للرئيس كارتر عام ١٩٨٠، ولن أسمح للتاريخ بتكرار نفسه. سيضر ذلك بحزبنا وبلدنا، لذا سأتحرك سريعًا وأدعم باراك علنًا وأنظِّم حملته.

رغبت في تحقيق التوازن بين احترام دعم ناخبيَّ والتطلع نحو المستقبل. اتصلتُ هاتفيًا وقصدتُ، شخصيًا، كاتِبي خطب ومستشارين، وتناقشنا في شأن لهجة الخطاب ولغته المناسبتين. جيم كنيدي، الصديق القديم ذو اللمسة السحرية في اللغة التي تستدعي الصور الذهنية، استيقظ منتصف الليل، وهو يفكر كيف أسهم كل ناخب من الملايين الثمانية عشر الذين صوتوا لي، في تغيير الموقف من النساء، وهو الموقف الذي كان يحول دون حصولهن على مراتب عالية. أعطاني ذلك شيئًا للبناء عليه. لم أشأ تكرار العبارات المهدئة المعهودة؛ سيصدر هذا التأييد بلغتي الخاصة، حجةً شخصيَّة مقنعة عن السبب الذي سيجعلنا نعمل جميعًا من أجل انتخاب باراك. بقيت مستيقظة حتى ساعات الصباح الأولى، جالسة إلى طاولة مطبخنا مع بيل، نراجع الصياغة مرَّة تلو أخرى.

تلوت خطابي السبت ٧ حزيران/يونيو في مبنى المتحف الوطني في واشنطن. واجهنا صعوبة في إيجاد مكان يستوعب عدد المؤيدين والصحافيين المتوقَّع. شعرت بالارتياح عندما اتفقنا على ما اصطُلِح على تسميته «مبنى التقاعد»، بأعمدته المرتفعة وسقوفه العالية، وقد بُني أصلًا لخدمة قدامى الحرب الأهلية والأرامل والأيتام، وغدا نصبًا يخلِّد روحية المسؤولية المشتركة الأميركية. بيل، تشيلسي، ووالدتي دوروثي رودهام ذات الأعوام التسعة والثمانين آنذاك، رافقوني وأنا أشق طريقي إلى المنصة بين الحشود. بكى الناس قبل أن أبدأ الكلام حتى.

ساد الترقب الأجواء المشحونة بالحزن والغضب، وإنما أيضًا بالاعتزاز والحب. ارتدت امرأة زرًّا ضخمًا حمل عبارة «هيلاري للبابوية!». حسنًا، لم يكن ذلك ممكنًا، لكنني تأثرت بمشاعرها.

وإذ صعُبت عليَّ كتابة الخطاب، صَعُبت أكثر تِلاوته. شعرت أنني خذلت ملايين الناس، خصوصًا النساء والفتيات اللواتي ثمّرن أحلامهن فيّ. بدأت بشكر كل من أدار حملتي وصوَّت لي؛

قلت لهم إنني مؤمنة بالخدمة العامة وسأظل ملتزمة «مساعدة الناس على حلّ معضلاتهم وعيش أحلامهم».

وجهت الكلام مباشرة إلى خيبة أمل أنصاري: «على الرغم من أننا عجزنا، هذه المرة، عن تحطيم سقف الموقف الأعلى والأصعب المناهض للمرأة، لكننا، بفضلكم، أحدثنا نحو ١٨ مليون شقًّا فيه، والنور ينبثق عبر هذه الشقوق، كما لم يحدث يومًا، ليملأنا جميعًا بالأمل والإدراك أن الطريق ستكون أسهل، المرّة المقبلة. هكذا كان دومًا تاريخ التقدم في أميركا». وتعهدت قائلة «ستجدونني دائمًا في خطوط الديمقراطية الأمامية، أقاتل من أجل المستقبل». ثمَّ أضفت: «الطريقة من أجل مواصلة معركتنا اليوم، ولتحقيق الأهداف التي وضعناها نصب أعيننا، تكمن في توجيه طاقتنا وعاطفتنا وقوتنا وفعل كل ما يمكننا للمساعدة على انتخاب باراك أوباما رئيسًا مقبلًا للولايات المتحدة».

لقد علمتني الخسارة الكثير، مهما بدا الأمر صعبًا عليّ. نلت حصتي من الخيبات الشخصية والعامة على مرّ الأعوام، لكنني حتى العام ٢٠٠٨ تمتعت بسلسلة غير عادية من النجاحات الانتخابية: أوّلًا كجزء من حملات زوجي في أركنساس وبعدها للرئاسة، ومن ثمّ السباق إلى مجلس الشيوخ عامي ٢٠٠٠ و٢٠٠٦. ليلة انتخابات أيوا، عندما حللت في المركز الثالث، كانت مبَرِّحة.

حين انتقلت إلى نيو هامبشير، وجُبتُ، من ثمّ، مختلف أنحاء البلاد، وجدت قاعدتي وصوتي. ارتفعَت معنوياتي وصلُب تصميمي بفضل الكثيرين من الأميركيين الذين التقيتهم طولَ الطريق. أهديت فوزي في انتخابات أوهايو التمهيدية إلى كل فردٍ في أميركا «عُدَّ مهزومًا لكنه رفض الاستسلام، ولكل شخص تعثَّر ثم عاود الوقوف على رجليه، ولكل مَن يعمل جاهدًا ولا يدركه الكلالُ أبدًا». فقصص الناس الذين التقيتهم أعادت ترسيخ إيماني بخيرات بلادنا غير المحدودة، وكما أقنعتني أيضًا بكثرة العمل المطلوب منّا لضمان تقاسم الجميع تلك الخيرات. وعلى الرغم من أن الحملة كانت طويلة ومرهقة وكلّفتني مالًا كثيرًا، نجح الأمر، في النهاية، في تقديم خيار حقيقي إلى الناخبين عن مستقبل البلاد.

أما الجانب البرّاق الوحيد في الهزيمة فهو أنني خرجت من التجربة وقد أدركت أنني ما عدت أهتم كثيرًا بما يقوله النقاد عني. تعلمت أن آخذ الانتقادات على محمل الجد وإنما ليس شخصيًّا، وقد جعلتني الحملة أختبر ذلك فعلًا، إضافة إلى أنها حررتني. أمكنني ترك شعري منسدلًا، وأعني ذلك حرفيًّا. ففي مقابلة خلال زيارة قمت بها للهند عندما كنت وزيرة للخارجية، سألتني جيل دووترتي من «سي. إن. إن.» عن هوس وسائل الإعلام بظهوري في عواصم العالم بعد الرحلات الطويلة واضعةً نظارتين ومن دون تبرج. «هيلاري على طبيعتها»، على ما قالت. ضحكتُ. «أنا مرتاحة جدًّا إلى المرحلة التي بلغتها في حياتي راهنًا، جيل، لأنني لو أردت وضع النظارتين،

لوضعتهما. ولو أردت ربط شعري، لربطته». فوجئ بعض المراسلين الصحافيين المنتدبين لتغطية الأخبار في وزارة الداخلية عندما كنت أُسقط أحيانًا نقاط الحوار الدبلوماسية لأقول بالضبط ما يخطر في ذهني، سواء كنت أتكلم على زعيم كوريا الشمالية أو أحث الباكستانيين على الكشف عن مكان أسامة بن لادن. لم يعد لدي الكثير من الصبر لأمشي على قشر البيض.

منحتني الخسارة أيضًا فرصةً للتحدث مع زعماء الدول الأُخرى عن طريقة تقبل أحكام شعوبهم الصعبة والمضي قدمًا في تحقيق مصلحة بلادهم. في مختلف أنحاء العالم، يدّعي بعض رؤساء الدول أنهم يساندون الديمقراطية، لكنهم يبذلون قصارى جهدهم من ثمّ، لقمعها عندما يحتج الناخبون أو يقررون التصويت لإخراجهم من منصبهم. أدركت أن الفرصة أتاحت لي تقديم نموذج مختلف. كنت محظوظة طبعًا لأنني خسرت أمام مرشح تتطابق وجهات نظره مع وجهات نظري وتكبد المستحيل ليشملني من ضمن فريق عمله. مع ذلك، فحقيقة أننا كنا متنافسين شرسين وغدونا من ثمّ نعمل معًا، مثالٌ للديمقراطية له وقعه؛ مثال سأثبته في السنوات اللاحقة مرارًا وتكرارًا في وظيفة لم يخطر لي أنني سأقوم بها.

بعد ثلاثة أسابيع على خطابي في مبنى المتحف، كنت في طريقي إلى يونيتي في نيو هامبشير، البلدة التي اختيرت لظهوري الأوّل مع باراك، ليس بسبب اسمها (الوحدة) فحسب، وإنما أيضًا لأن كلًّا منا حاز فيها عدد الأصوات نفسه في الانتخابات التمهيدية. ١٠٧ أصوات لباراك، و١٠٧ أصوات لي. التقينا في واشنطن وانتقلنا في الطائرة المخصصة لحملته الانتخابية. انتظرتنا، عند وصولنا، حافلة سياحية كبيرة لتقلنا إلى يونيتي على مسافة ساعتين. تذكرت جولة الحافلة المذهلة التي قمت بها مع بيل وآل وتيبر غور مباشرة بعد المؤتمر الديمقراطي عام ١٩٩٢ وكتاب تيموثي كراوس الشهير عن حملة العام ١٩٧٢، «الصبية في الحافلة». هذه المرة، كنت «الفتاة» في الحافلة، ولست لا أنا ولا زوجي مرشحَين. تنفست الصعداء، وصعدت إليها.

جلست وباراك نتحدث في بساطة. شاركته بعض تجاربنا في تربية ابنتنا في البيت الأبيض. فكّر وميشيل في ما ستواجهه ماليا وساشا إذا ربح. صُمّم التجمع نفسه، في حقل كبير في يوم صيفي رائع، لإرسال رسالة واضحة: باتت الانتخابات التمهيدية خلفنا وصرنا فريقًا واحدًا. هتف الناس باسمينا وسرنا إلى المنصة على وقع أغنية «يوم جميل» لفريق «يو تو». رُفعت وراء الحشد أحرف كبيرة جسدت كلمة «يونيتي»، ولافتة زرقاء خلف المنصة كُتب عليها: «معًا من أجل التغيير». «بدءًا من اليوم وكل يوم»، قلت للحشد، «سنتكاتف من أجل المُثل التي نتشارك، والقيم التي نعتز بها، والبلد الذي نُحِبّ». حين انتهيت، هتفوا: «شكرًا هيلاري، شكرًا هيلاري». حتى باراك، انضم إليهم. «لقد اختلستم النظر إلى خطابي يا رفاق، وعرفتم مسبقًا السطر الأول»، على ما قال ممازحًا. تكلّم

من ثمّ، في بلاغة ونبل، عن السباق الذي خضته. تحادث بيل وباراك طويلًا قبل أيام، وأوضحا بعض القضايا العالقة منذ الانتخابات التمهيدية ووافقا على القيام بالحملة معًا.

كان الحدث الأبرز لذاك الصيف مؤتمر الحزب الوطني الديمقراطي في دنفر نهاية آب/ أغسطس. حضرت كل مؤتمرات الحزب الديمقراطي منذ العام ١٩٧٦، ولأسباب واضحة، كنت مولعةً بذكريات العام ١٩٩٢ في نيويورك والعام ١٩٩٦ في شيكاغو. طلب مني باراك هذه المرة أن ألقي خطابي في وقت الذروة لترشُّحه رسميًّا، وقد وافقت.

حين آن الآوان، قدمتني تشيلسي. كنت فخورة بها إلى أقصى الحدود وشاكرة لها جدًّا الجهد الذي بذلَته طوال حملة الانتخابات التمهيدية. جابت البلاد وحدها، تحدثت إلى الشباب ونشَّطت الحشود حيثما حلّت. ذُهلتُ عند رؤيتها أمام قاعة المؤتمر المحتشدة، وأدركت كم كبرت ونضجت.

سرعان ما حان دوري. استقبلني بحر من اللافتات الحمر والبيض والزرق التي حملت اسمي «هيلاري». ألقيت الكثير من الخطب، وكان هذا أهمها، أمام جمهور كبير في الساحة، وأمام ملايين يشاهدونني على شاشة التلفزيون. أعترف بأنني توترت. عملت على الخطاب حتى اللحظة الأخيرة، وعندما وصل موكبي اضطر أحد مرافقيَّ إلى القفز من الشاحنة والركض ليسلِّم القرص المدمج المطبوع عليه الخطاب، إلى مشغِّل الملقِّن كي يعرض مضمونه على شاشة. طلب مديرو حملة أوباما مطالعته قبل موعد الحدث، وقلق بعض مستشاريه حين لم أسلمه إياه، من أنني أُخفي شيئًا لا يريدون مني قوله. لكنني، في بساطة، استغللت كل ثانية لأقدمه على أفضل وجه.

لم يكن الخطاب الذي تمنيت طويلًا إلقاءه في المؤتمر، لكنه كان مهمًّا. «سواء صوتُّم لي أو لباراك، المطلوب اليوم أن نتحد كحزب واحد ذي هدف موحد. بتنا فريقًا واحدًا، ولا يستطيع أحدنا أن يبقى على الهامش. هذه معركتنا من أجل المستقبل، ويجب أن نفوز بها معًا»، على ما قلت للحشد. «باراك أوباما مرشحي، ويجب أن يكون رئيسنا». رحب بي بعد ذلك جو بايدن خارج الغرفة الخضراء، وقد جثا على ركبته لتقبيل يدي. «لِمَ يُقال إن الشهامة انتفت من الوجود!»، كما اتصل بي باراك من بيلينغر، مونتانا، ليشكرني.

وقابلت ميشيل في وقت سابق من ذلك اليوم، على هامش هذا الحدث، وقد قدرت أيضًا كل ما نقوم به لمساعدة باراك. لم يكن بيل طبعًا الزوج الوحيد في السباق، وتعلمت وباراك أن عائلة المرشح تتحمل غالباً، وفي صعوبة، تبعات التهجم. لكنني وميشيل تغلبنا على تحديات تربية الأسرة وهي محط أنظار العموم. بعد أشهر، وخلال غداء خاص في الغرفة البيضوية الصفراء في الطبقة الثانية من البيت الأبيض، تحدثنا عن طريقة استقرار العائلة الرئاسية وخططها لمكافحة السمنة لدى الأطفال من خلال الأكل الصحي وممارسة الرياضة. جلسنا إلى طاولة صغيرة ننظر عبر

النوافذ المطلة على الجنوب، من فوق شرفة ترومان، قبالة نصب واشنطن. كانت تلك زيارتي الأولى للجناح العائلي مذ غادرته في ٢٠ كانون الأول/يناير ٢٠٠١. أحببت رؤية الموظفين المقيمين الذين ساعدوا أسرة كل رئيس على الشعور أنها في منزلها في البيت الأبيض. عندما أصبحت السيدة الأولى عام ١٩٩٣، عنى لي الكثير أن أسمع من جاكلين كنيدي، وليدي بيرد جونسون، وبيتي فورد، وروزالين كارتر، ونانسي ريغان، وبربارا بوش ما يروين عن تجاربهن. نال عدد قليل منا شرف العيش في بيت الشعب، وأردت أن أقدم أي دعم ممكن.

ظننت أن خطابي في المؤتمر سيكون الدور الوحيد لي هناك، لكن مجموعة من مندوبيَّ المتعصبين نووا التصويت لي خلال المناداة بالأسماء، في الولايات. سألني مديرو حملة أوباما هل يمكنني الذهاب إلى المؤتمر في اليوم التالي لثني هؤلاء عن موقفهم، والإعلان فورًا بدلًا من ذلك، أن باراك أوباما مرشح حزبنا. وافقت وإنما تفهمت لماذا توسل إليَّ بعض أصدقائي ومؤيديّ ومندوبيّ ألّا أفعل. أرادوا إنهاء ما شرعوا فيه. شاءوا أيضًا أن يسجل التاريخ أن امرأةً فازت بما يقرب من عشرين انتخابًا تمهيديًّا ومؤتمرًا حزبيًّا وحوالى ألف وتسعمئة مندوب، وهو ما لم يحدث قط سابقًا. احتجوا على أن جهودنا لن تنال حقها الصحيح إذا أوقِفَت. تأثرت جدًّا لولائهم الشرس، لكنني اعتقدت أن الأهم أن نُظهر أننا متحدون تمامًا.

وغضب بعض أنصاري أيضًا لأن باراك اختار بايدن ليكون نائبه بدلًا مني، لكنني لم أهتم قط بمنصب نائب الرئيس. تطلعت إلى العودة إلى مجلس الشيوخ، حيث أملت في تولي إصلاح نظام الرعاية الصحية، وتوفير فرص العمل، وغيرها من التحديات الملحة الأُخرى. وافقت، في حرارة، على خيار باراك، وعرفت أن جو سيشكل مغنمًا في الانتخابات والبيت الأبيض.

حافظنا على مشاركتي سرًّا، مما أثار ضجة بين المندوبين والصحافيين عندما ظهرت فجأة بين آلاف الديمقراطيين المتحمسين وقد دُعيت نيويورك إلى الإقرار بنتيجة التصويت. صرحتُ، محاطة بالأصدقاء والزملاء: «لنعلن معًا بصوت واحد، هنا، الآن، وعيوننا شاخصة إلى المستقبل، بحق روح الوحدة، وبهدف الانتصار، مع إيماننا بحزبنا وبلدنا، أن باراك أوباما مرشحنا وسيكون رئيسنا». انتقلت من ثمّ، إلى تعليق طرح الأسماء ورشحتُ باراك بالتزكية. سألَت رئيسة مجلس النواب نانسي بيلوسي من المنصة، هل هناك من يثني على اقتراحي، فضجّ المؤتمر كاملًا بالموافقة. وشاع إحساس بالقوة وصنع التاريخ ونحن نحتشد معًا وراء أوّل مرشح أفريقي أميركي من حزب كبير.

وانتظرتنا مفاجأة أُخرى كبرى ذلك الأسبوع. صباح اليوم الذي أعقب خطاب باراك في المؤتمر، أعلن السيناتور جون ماكين، المرشح المفترض للحزب الجمهوري، أنه اختار حاكمة ألاسكا سارة بايلين نائبة له. تردَّدت «مَن؟» مدوية في أنحاء الوطن كافة. سيتسنى لنا جميعًا التعرف

إليها في الأشهر اللاحقة، ولكن في تلك اللحظة كانت مجهولة تمامًا، حتى لمدمني السياسة. اشتبه أركان إدارة حملة أوباما في أن ترشّحها محاولة سافرة لزعزعة أملهم في الاحتفاء بالنساء اللواتي دعمنني في قوة. أصدروا فورًا بيانًا رافضًا واتصلوا بي آملين في أن أحذوَ حذوهم. لكنني لم أفعل. لن أهاجم بايلين لمجرد كونها امرأة تطلب دعم النساء الأخريات. لم أعتقد أن الأمر منطقي سياسيًّا، ووجدته غير محق. لذا أجبت بالنفي، وقلت لهم إننا سيتسنى لنا متسع من الوقت للنقد. بعد ساعات قليلة، غيرت إدارة حملة أوباما موقفها، وهنأت الحاكمة بايلين.

حضرت وبيل في الأسابيع التالية أكثر من مئة حدث واحتفال لجمع التبرعات، تحدثنا خلالها مع المؤيدين والناخبين المترددين ودعوناهم إلى مناصرة باراك وجو. صباح ٤ تشرين الثاني/ نوفمبر، يوم الانتخاب، ذهبنا إلى مدرسة ابتدائية محلية قرب بيتنا في شاباكوا، نيويورك، لندلي بأصواتنا. كانت نهاية رحلة طويلة لا تصدَّق. التصق بيل تلك الليلة بالتلفزيون، وفعل ما يفعله دومًا في ليالي الانتخابات: تحليل كل المعطيات التي يمكنه أن يجدها عن الإقبال على صناديق الاقتراع ومجموع عدد الأصوات الصادر باكرًا. لم يعد في إمكاننا آنذاك فعل أي شيء إضافي للمساعدة، وحاولت أن أشغل نفسي بأمور أخرى حتى صدور النتيجة. اتضح أنه سيكون نصرًا حاسمًا، من دون لعبة الانتظار الطويلة التي شهدناها عام ٢٠٠٤، أو تلك الأشهر عام ٢٠٠٠. اتصلْتُ هيوما بريجي لوف، وهَنَأْتُ فورًا الرئيس المنتخب، (هكذا بدأت أفكر فيه، وأشير إليه، وأتوجه إليه لحظة انتهت الانتخابات، علمًا أنه سيصبح «السيد الرئيس» بعد تنصيبه). كنت مزهوة، وفخورة، وصراحةً، مرتاحة. آن وقت الزفير، وتطلعت للعودة إلى حياتي وعملي اللذين أحب.

وجدت بعد ظهر الأحد، بعد خمسة أيام على الانتخابات، فرصة مثالية للتخلص من الضغوط. كان هواء الخريف قارسًا، فقررت وبيل الذهاب إلى مانيوس ريفر غورج، أحد المتنزَّهات الكثيرة والقريبة من مكان سكننا في مقاطعة وستشستر. وسط نظام حياتنا المحموم، نتوق غالبًا إلى تصفية عقلينا بالسير معًا مسافات طويلة. لقد انتهت الانتخابات، ويمكنني العودة إلى وظيفتي في مجلس الشيوخ. أُحب تمثيل أهل نيويورك، وقد تركتني الحملة الانتخابية مع جدول أعمال طويل، حرصت على المضي به قدمًا. طفحت فيّ الأفكار، وأملت في أن تعززها كلها علاقتي الوثيقة بالرئيس الجديد.

ولم أكن أعلم كم ستتوثق هذه العلاقة. وإذ كنا نمشي، رنّ هاتف بيل الجوال. عندما أجاب، سمعت صوت الرئيس المنتخب الذي قال له إنه يريد التحدث إلى كلٍّ منا. أوضح له بيل أننا وسط محمية طبيعية وسنعاود الاتصال به حين نصل إلى المنزل. لِمَ يتصل؟ ربما أراد الوقوف على رأينا في فريق العمل الذي يجمعه، أو لوضع استراتيجية تتعلق بتحدٍّ سياسي كبير، من مثل الانتعاش

الاقتصادي أو إصلاح الرعاية الصحية. أو ربما شاء، في بساطة، أن يطلب مساعدتنا لتفعيل النشاط التشريعي في الربيع. ظن بيل، وقد تذكر المدة الانتقالية المحمومة التي سبقت توليه منصب الرئاسة، أن باراك يريد أن نقترح عليه أسماء تليق بالمناصب في البيت الأبيض والإدارة.

صح توقع بيل في شأن الاتصال فور عودتنا إلى المنزل. رتّب الرئيس المنتخب في ذهنه أعضاء الفريق الاقتصادي المحتمل الذي يجمعه لمعالجة الأزمة المالية التي تواجه البلاد. قال لبيل من ثمّ، إنه يتطلع إلى الاجتماع معي في أقرب وقت. افترضت أنه يريد الحديث عن عملنا، في شكل وثيق، على حزمته التشريعية في مجلس الشيوخ.

لكن فضولي أُثير، لذا اتصلتُ بعدد قليل من موظفيَّ في مجلس الشيوخ لأرى ما يجول في خاطرهم، بمن فيهم المتحدث باسمي، فيليب رين. وفيليب حاد الطبع، مخلص، ومصيب في ظنه. يعرف عادة ما يفكر فيه محركو السياسة وواضعوها في واشنطن حتى قبل أن يفعلوا، ويمكنني دائمًا أن أثق به ليعبّر عن رأيه. لم يختلف الأمر هذه المرة. أبلغني فيليب قبل يومين شائعات تتحدث عن طرح اسمي لتولي أي منصب من وزارة الدفاع إلى وزارة البريد، لكنه توقّع واثقًا: «سيعرض عليك وزارة الخارجية». فأجبت فورًا: «هذا سخيف!»، و«لمليون سبب» على ما فكرت. ولم تكن المرة الأولى يتوهم فيها فيليب. صراحةً، لم أكن مهتمة بخدمة الإدارة. أردت العودة إلى مجلس الشيوخ والعمل من أجل نيويورك. منذ التاسع من أيلول/سبتمبر وصولًا إلى الانهيار المالي عام ٢٠٠٨، عاش سكان نيويورك أصعب ثمانية أعوام. أملوا خيرًا في رجوعي عام ٢٠٠٠، وهم يحتاجون الآن إلى مناصر قوي وملتزم في واشنطن. وأحب أن أكون ربّة عملي الخاص وأنسق جدول أعمالي وأجندتي. لكن الانضمام إلى الإدارة يعني التخلي عن بعض تلك الاستقلالية.

حين اتصلت بفيليب الأحد، أبلغني أن وسائل الإعلام انطلقت في التكهن والمزايدات. تحدث برنامج «هذا الأسبوع» في «إيه. بي. سي.» عن شائعات تفيد أن الرئيس المنتخب باراك أوباما يفكّر جديًّا في إيلائي منصب وزارة الخارجية، مضيفًا أن فكرة وجود «فريق من المتنافسين» في الإدارة جذبته، في إشارة إلى التأريخ الأكثر مبيعًا عام ٢٠٠٥ الذي وضعته دوريس كيرنز غودوين، إذ سردت اختيار أبراهام لينكولن عام ١٨٦٠ السيناتور من نيويورك، وليام هنري سيوارد، ليكون وزير خارجيته، بعدما هزمه في ترشيحات الحزب الجمهوري.

أصبحتُ على مرّ الوقت من أشد المعجبين بسيوارد، وأثارت هذه المشابهة فضولي. كان أحد رواد عصره، مصلحًا مستقيمًا في مبادئه، منتقدًا قويًّا للعبودية، حاكمًا وسيناتورًا من نيويورك، وأخيرًا، وزيرًا للخارجية. وقد ساعد الرئيس لينكولن على صياغة إعلان عيد الشكر، ليكرسه يوم

عطلة أميركية. وصفه أحد معاصريه بأنه «لم يتكدر أو يغضب قط، ويعلم من أين تؤكل الكتف، ويحرص على خلق النكتة، ويقدر العمل الحسن، وكان مولعًا بما لذَّ وطاب من الطعام والشراب». عزوت الترابط إلى هذه الأسباب.

كان سيوارد سيناتورًا من نيويورك معتبَرًا جدًّا، عندما حاول بلوغ الترشح إلى الرئاسة، قبل أن يدخل في سباق مع سياسي حذق وصاحب همة من إيلينوي. لم يكن وجه الشبه كاملًا؛ تمنيت ألّا يصفني أحدٌ أبدًا بـ «الببغاء الحكيم»، على ما بدا سيوارد للمؤرخ هنري أدامز. وضحكت سرًّا لأن أكثر مَن أحبط فرص سيوارد في الرئاسة كان الصحافي هوراس غريلي، الذي نُصب له تمثال بارز في شاباكوا.

وراقني سيوارد لأسباب تتخطى، في عمقها، المصادفات التاريخية. لقد زرت بيته في أوبورن، نيويورك، محطة السكة الحديد السرية للعبيد الفارين من الجنوب إلى الحرية. كان يعجّ بتذكارات عن مسيرته المهنية الخارجة عن المألوف ورحلته حول العالم طوال أربعة عشر شهرًا، وقد قام بها بعد مغادرة منصبه. وشمل الجناح الدبلوماسي تنويهات من جميع قادة العالم تقريبًا، وقد توجوا، في معظمهم، ملوكًا، وأشادوا بخادم الديمقراطية المتواضع.

ومع حرصه على الدنيا وما فيها، كرّس سيوارد نفسه لناخبيه، وقابلوه بالمثل. تحدث في بلاغة، عن الشمولية التي يمكن أن تبلغها أميركا الوطن. وترجم أقواله أفعالًا. استقر القائد البطل للسكة الحديد السرية في منزل في مسقط رأس سيوارد، في أرض اشتراها الأخير نفسه. كانت صداقته للينكولن خصوصًا مؤثرة. بعد تقبله الهزيمة في السباق للفوز بترشيح الحزب، عمل سيوارد جديًّا لانتخاب لينكولن، قاطعًا البلاد في القطار وملقيًا الخطب. سرعان ما أصبح أحد المستشارين الثقات للينكولن. كان حاضرًا في البدء، واقترح الفقرة الأخيرة القاطعة للأنفاس في أوّل خطاب افتتاحي للينكولن، الذي حوّله الأخير مناشدة لـ «الملائكة الخيِّرين الموجودين في طبيعتنا». وكان حاضرًا في النهاية؛ فالمؤامرة لاغتيال لينكولن شملت هجومًا منسقًا على سيوارد كذلك، على الرغم من أنه نجا. ترافق لينكولن وسيوارد وقطعا مسافة طويلة معًا، وساعدت صداقتهما وعملهما الجاد على إنقاذ الاتحاد.

ولم يتوقف سيوارد تمامًا عن العمل عندما انتهت الحرب الأهلية. فقد دبر، عام ١٨٦٧، وفي فورة حاسمة لحنكته السياسية، شراء ألاسكا من روسيا. عُدَّ السعر، ٧،٢ ملايين دولار، باهظًا جدًّا، إذ سُميت الصفقة «حماقة سيوارد»، على الرغم من أننا ندرك الآن أنها إحدى أهم صفقات بيع الأراضي في التاريخ الأميركي (وسرقة بسِنتين للفدان). أمضيت بضعة أشهر لا تُنسى في ألاسكا بعد تخرجي مباشرة في الجامعة، أنظف الأسماك وأغسل الأطباق. اليوم، وإذ بدأ ربط

اسمي بوظيفة في الدولة، صرت أسأل هل يطاردني شبح سيوارد؟ مع ذلك، كان علي أن أسأل، إذا طلبني الرئيس المنتخب للخدمة، أتكون حماقة خالصة لو تخليت عن مجلس الشيوخ وجدول أعمالي الخاص كاملًا لمهمة قصيرة الأمد في الدولة؟

في الليلة التي تلت اتصال الرئيس المنتخب الهاتفي ببيل، وكنت في طريقي إلى احتفال توزيع الجوائز على «أجمل نساء العام» في مدينة نيويورك، سألني مراسل هناك هل أنظر في قبولي منصبًا في إدارة أوباما. عبّرت عمّا كنت أشعر به آنذاك: «أنا سعيدة كوني سيناتورًا من نيويورك». كانت تلك الحقيقة. لكنني كنت واقعية أيضًا بما يكفي لأدرك أن أي شيء يمكن أن يحدث في السياسة.

سافرت مع هوما إلى شيكاغو صباح الخميس ١٣ تشرين الثاني/نوفمبر للاجتماع مع الرئيس المنتخب، وفعلت ذلك في هدوء. حين وصلنا إلى مقر الرئاسة الموقّت، أُدخِلتُ إلى غرفة كبيرة (مدفوفة بألواح خشب)، أثاثها بضعة كراسٍ وطاولة واحدة قابلة للطي، لأقابل الرئيس المنتخب وحدي.

بدا مطمئنًا وهادئًا أكثر مما كان عليه طوال أشهر. وعلى الرغم من أنه يواجه أخطر أزمة اقتصادية منذ الكساد الكبير، ظهر واثقًا. وعلى ما سأراه يفعل لاحقًا معظم الأحيان، توجه مباشرة إلى الهدف، متحاشيًا الأحاديث الجانبية، وسألني تولي وزارة الخارجية. قال إنه كان يفكر فيّ لهذا المنصب منذ بعض الوقت، ويعتقد أنني الشخص الأنسب له – ووفق كلماته، الشخص الوحيد – الذي يمكن أن يؤدي هذا الدور في هذه اللحظة من الزمن، مع كل ما تواجهه أميركا من تحديات غير معهودة في الداخل والخارج.

وعلى الرغم من كل الهمس والشائعات والأسئلة الصريحة وجاهيًّا، كنت لا أزال حائرة. قبل أشهر فقط، خضت وباراك أصعب مواجهة في تاريخ الحملات الانتخابية التمهيدية. وهو يدعوني الآن إلى الانضمام إلى إدارته، وتولي أعلى منصب فيها، هو الرابع في التراتبية بعد الرئاسة. يشبه ذلك إعادة عرض الموسم الأخير من مسلسل «الجناح الغربي»؛ وفيه أيضًا يقدّم الرئيس المنتخب إلى خصمه المهزوم منصب وزارة الخارجية. في النسخة التلفزيونية، رفض المنافس العمل بدايةً، لكن الرئيس المنتخب رفض عدّ النفي جوابًا.

في الحياة الواقعية، قدّم الرئيس المنتخب أوباما حجة مدروسة، موضحًا أن عليه أن يركز معظم وقته واهتمامه في الأزمة الاقتصادية ويحتاج إلى شخص ذي مكانة ليمثله في الخارج. أنصتُّ، في عناية، ورفضت من ثمّ عرضه في احترام. شرّفني طبعًا أن أُسأل. يهمني أمر السياسة

الخارجية جدًّا وقد اعتقدت أن من الضروري استعادة مكانة بلدنا المعطوبة في الخارج. كان هناك حربان يجب تهدئتهما، وتهديدات ناشئة ينبغي مواجهتها، وفرص جديدة علينا انتهازها. لكنني شعرت أن عليَّ الانصراف، في حماسة، إلى عكس اتجاه خسارة الوظائف الهائلة التي نراها في بلدنا، وإصلاح نظام رعايتنا الصحية، وتوفير فرص جديدة للأسر العاملة في أميركا. كان الشعب مألومًا ويحتاج إلى بطل يكافح من أجله. كل ذلك وأكثر ينتظرني في مجلس الشيوخ، إضافةً إلى أن ثمة كثيرين من الدبلوماسيين المخضرمين يمكنهم، على ما أعتقد، تولي وزارة الخارجية عن جدارة. «ماذا عن ريتشارد هولبروك؟»، على ما اقترحت، «أو جورج ميتشل». ولكن لا يمكن المماطلة مع الرئيس المنتخب، وغادرت وأنا أقول إنني سأفكر في الموضوع. في رحلة العودة الجوية إلى نيويورك، لم أفكر في أي أمر آخر.

وقبل أن تحط الطائرة في نيويورك، انطلقت التكهنات الصحافية كثيفة. بعد يومين، تصدّر الصفحة الأولى من صحيفة نيويورك تايمز عنوان: «حديث أوباما مع كلينتون يثير أسئلة»، مشيرةً إلى أن احتمال ترشحي إلى أعلى مركز دبلوماسي في البلاد قد يشكّل «نهاية مفاجِئة» لـ «دراما أوباما – كلينتون» للحملة الرئاسية. مع احترامي للرئيس المنتخب، تجنبت حتى التأكيد أن عرضًا قُدّم إلي.

وعدت بأن أفكر في الأمر مليًّا، وفعلت. ناقشت الموضوع شاملًا، مع العائلة والأصدقاء والزملاء طوال الأسبوع التالي. كان بيل وتشيلسي مستمِعَين صبورين، وحثاني على وزن العرض في دقة. انقسم أصدقائي بالتوازي بين الحماسة والشك. كان عليَّ التفكير في أمور شتى، واتخاذ قراري خلال بضعة أيام فقط. كانت المهمة مغرية، وملئي ثقة بإمكان أدائها على أفضل وجه. أمسكت طوال أعوام بالتحديات التي تواجه الولايات المتحدة في العالم وصارعتها، كسيدة أولى وعضو في مجلس الشيوخ على حد سواء، ولدي صداقات بالفعل مع الكثيرين من القادة الكبار، مِن أنجيلا ميركل في ألمانيا إلى حميد كرزاي في أفغانستان.

اتصل بي في ١٦ تشرين الثاني/نوفمبر جون بودستا، وهو الصديق المحظيّ، المشارك في فريق أوباما خلال المرحلة الانتقالية، والرئيس السابق لموظفي زوجي في البيت الأبيض، ليكلمني في بعض القضايا ويؤكد إلحاح الرئيس المنتخب على قبولي المنصب. ناقشنا بعض الاهتمامات العملية الملحة، مثل طريقة تسديد الديون المتبقية من حملتي الانتخابية والمقدرة بأكثر من ستة ملايين دولار إذا توليت منصب وزارة الخارجية، وعليه يجب أن أبقى بعيدة عن السياسات الحزبية. ثم إنني لم أُرِد أن يفعل أي شيء قد يحدّ من عمل بيل لإنقاذ الحياة في العالم، الذي يقوم به من خلال مؤسسة كلينتون. أثارت الصحافة كثيرًا احتمال تضارب المصالح بين جهوده الخيرة ومركزي المتوقع الجديد. حُلّت تلك المسألة سريعًا بعدما دقق الفريق الرئاسي الانتقالي

في لائحة المتبرعين للمؤسسة، ووافق بيل على الكشف عن أسمائهم جميعًا. كذلك وجب على بيل أيضًا التخلي عن التحضير لمؤتمر العمل الخيري المبتكر الذي بدأ به في الخارج، «مبادرة كلينتون العالمية»، تحاشيًا لأي صراع مرتقب. «ما يمكنك القيام به كوزيرة للخارجية يفوق أي عمل أُجبرت على التراجع عنه»، على ما أكد لي بيل.

كان بيل، طوال هذه العملية والسنوات الأربع التالية، على ما كان لعقود، داعمي الأساسي وبوصلتي. ذكرني بالتركيز في «قراءة ثنايا السطور والاتجاهات»، وليس فقط العناوين العريضة واستمراء التجارب.

وقد سعيت إلى مشورة عدد قليل من زملائي الذين أثق بهم. شجعني السيناتوران ديان فينشتاين وباربرا ميكولسكي وعضو الكونغرس إيلين توشر على القبول، وكذلك فعل زميلي تشاك تشامر، السيناتور من نيويورك. وفيما تمتع الكثيرون بالإشارة إلى نقاط الاختلاف بيني وبين تشاك وكم تنافسنا في بعض الأحيان، تبقى الحقيقة أننا شكلنا فريقًا جيدًا، واحترمت سليقته. فاجأني زعيم الغالبية في مجلس الشيوخ هاري ريد عندما قال لي إن الرئيس المنتخب سأله رأيه في الفكرة منذ الخريف، خلال محطة للحملة الانتخابية في لاس فيغاس. وأشار إلى أنه على الرغم من أنه لا يرغب في أن يخسرني في مجلس الشيوخ، لا يمكنه أن يتصور كيف يمكنني أن أرفض الطلب.

وعليه، فقد تابعت مشاوراتي، لأميل في لحظة، إلى القبول، وفي اللحظة التالية أخطط للتشريعات التي أود عرضها في دورة الكونغرس الجديدة. لم أعِ حينذاك ما عرفته لاحقًا عن الخدع التي أعدها أعضاء فريق عملي والرئيس المنتخب ليصعِّبوا علي الرفض. قال لي موظفي إنه عيد ميلاد جو بايدن، لذا اتصلت أعايده قبل يومين من تاريخ ميلاده الحقيقي، فأمنحه فرصةً لمزيد من التملق. وادّعى رام إيمانويل، الرئيس المقبل لموظفي البيت الأبيض، أن الرئيس المنتخب متوعك عندما حاولت الاتصال به لأبلغه رفضي المنصب.

تحدثت أخيرًا والرئيس المنتخب هاتفيًا، في الساعات الأولى من يوم ٢٠ تشرين الثاني/ نوفمبر. أصغى، في اهتمام، إلى مخاوفي، وأجاب عن أسئلتي، وبدا متحمسًا للعمل الذي قد نقوم به معًا. أوضحت له، على الرغم من أن عمل بيل الخيري ودَيْن حملتي يلقيان بثقلهما علي، أن ما يقلقني أكثر أن يكمن أداء مهمتي على أفضل وجه، في مجلس الشيوخ بدلًا من الإدارة. ولأكون صادقة، تقت إلى جدول أعمال منظم بعد الحملة الانتخابية الطويلة. عرضت كل ذلك، واستمع إلي صابرًا، وأكد لي، من ثم، أن في الإمكان معالجة كل مخاوفي.

وكذلك وجه الرئيس المنتخب الحديث، في دهاء، بعيدًا عن عرض العمل، مركّزًا في الوظيفة نفسها. تكلمنا على الحروب في العراق وأفغانستان، والتحديات الدائمة التي تشكلها إيران وكوريا

الشمالية، وكيف يمكن للولايات المتحدة أن تنبعث من الركود بسرعة وثقة. كان تبادل كبير للأفكار في حديث خاص ومريح بعد عام أمضيناه في التهجم أحدنا على الآخر، تحت أضواء المناقشات الحامية المتلفزة في الحملة الانتخابية. وحين عدت إلى تلك المحادثة، لاحقًا، بدت لي أهم مما كانت في ذلك الوقت. كنا نضع الأساس لأجندة مشتركة ستوجه السياسة الخارجية الأميركية للسنوات المقبلة.

مع ذلك، ظل جوابي الرفض. ورفض الرئيس المنتخب مجددًا قبوله. «أريد موافقتك»، على ما قال لي، «أنتِ أفضل شخص لهذا المنصب». لن يقبل الرفض. أثار ذلك إعجابي.

بعدما أقفل الخط، بقيت مستيقظة معظم الليل. ماذا يمكنني أن أتوقع إذا عكست الأدوار؟ لنفترض أنني انتُخبت رئيسةً، وأردت أن يتولى باراك أوباما منصب وزارة الخارجية. لنفترض أنني ورثت التحديات التي تواجهه. بالطبع، لأردت أن يجيب بنعم، وسريعًا، لننصرف إلى حلّ معضلات أخرى، ولرغبت في أن يعمل معًا، وبجهد أكثر، الموظفون العامون الموهوبون، من أجل خير الأمة. كلّما فكرت أكثر في الأمر، وجدت الرئيس المنتخب محقًّا. كانت البلاد في ورطة، في الداخل والخارج، على السواء. احتاج إلى وزير للخارجية يمكنه على الفور اعتلاء المسرح العالمي، ليبدأ بإصلاح الضرر الذي ورثناه.

أخيرًا، انبريت أعود إلى فكرةٍ بسيطة: عندما يسألك رئيسك القيام بواجب، عليك أن تقول نعم. بقدر ما أحببت عملي في مجلس الشيوخ واعتقدت أنني سأسهم بأفضل أدائي هناك، قال إنه يحتاج إلي في وزارة الخارجية. خدم والدي في البحرية في الحرب العالمية الثانية، ودرّب البحارة للذهاب إلى القتال في المحيط الهادئ. وعلى الرغم من أنه تذمر غالبًا من القرارات التي اتخذها مختلف الرؤساء في واشنطن، غرس ووالدتي في أعماقي حسًّا عميقًا بالواجب والخدمة، عززه إيمان عائلتي الميثودية (مذهب مسيحي بروتستانتي، يتبع جون وزلي) التي علمتنا: «قم بالأعمال الحسنة ما استطعت، متى استطعت، لجميع الناس، ما دمت قادرًا». ساعدتني الدعوة إلى الخدمة على اتخاذ قراري بالمغامرة في خوض الانتخابات عندما أطلقت حملتي الأولى في مجلس الشيوخ عام ٢٠٠٠، وساعدتني الآن على اتخاذ الخيار الصعب لمغادرة مجلس الشيوخ وقبول منصب وزيرة الخارجية.

اتخذت قراري صباحًا، وطلبت التحدث إلى الرئيس المنتخب مرة أخرى. بدا في منتهى السعادة لقبولي العرض. أكدّ لي أنني أستطيع الاتصال به مباشرة ورؤيته على انفراد متى احتجت إلى ذلك. وقال إن في إمكاني اختيار فريق عملي الخاص، مع أن لديه بعض الاقتراحات. كشخص عاش في

البيت الأبيض، عرفت أهمية هذه الوعود. أظهر التاريخ مرةً بعد مرة، أن البيت الأبيض قد يهمل وزارة الخارجية، مع نتائج سلبية عادةً. وأكد لي الرئيس المنتخب أن الأمر سيختلف هذه المرة: «سأحرص على نجاحك». ومضى يقول إنه يعلم أن شِرْكَتَنا في السياسة الخارجية ستشوبها أخطاء واضطراب، لكننا سنسعى جاهدين إلى اتخاذ أفضل القرارات الممكنة لبلدنا. لم تكن بعد علاقتنا وثيقة، على ما ستؤول إليه لاحقًا، لكنني تأثرت عندما قال: «خلافًا للتقارير، أعتقد أن في إمكاننا أن نصبح صديقين حميمين». بقي هذا التعليق ماثلًا في ذهني في السنوات التالية.

لقد التزم الرئيس تمامًا وعوده. أطلق لي العنان لاختيار فريق عملي، واعتمد على نصائحي في القرارات الرئيسة، على جدول أعماله، باعتباري كبيرة مستشاري سياسته الخارجية، وأصر على الاجتماع معي غالبًا لكي نتكلم صراحةً. اجتمعنا عمومًا مرّة على الأقل في الأسبوع، إن لم يكن على سفر. ثم كانت هناك اجتماعات الإدارة كاملةً، واجتماعات مجلس الأمن القومي، والاجتماعات الثنائية مع الزعماء الأجانب الزائرين - وكانت تلك مجرد لقاءات في حضور الرئيس. والتقيت، في انتظام، في البيت الأبيض وزير الدفاع ومستشار الأمن القومي. إذا جمعت كل ذلك، على الرغم من جدول عملي المتخم بالسفر، أكون قد حضرت إلى البيت الأبيض أكثر من سبعمئة مرّة خلال أعوام عملي الأربعة. لم أتوقع قط بعد خسارتي الانتخابات، أن أمضي هذا الكم من الوقت هناك.

في السنوات اللاحقة، لم أتفق دومًا مع الرئيس وأعضاء آخرين من فريق عمله؛ ستطالعون في هذا الكتاب بعض هذه الأحداث، ولكن سيبقى غيرها طي الكتمان احترامًا للسرية التي يُفتَرض أن تقوم بين الرئيس ووزير خارجيته، خصوصًا أنه لا يزال في منصبه. وإنما جمعتنا علاقة مهنية قوية. وعلى مرّ الوقت، تكونت صداقتنا الشخصية التي توقعها والتي أقدّرها عميقًا. بعد بضعة أسابيع فقط على عملي في الإدارة، وبعد ظهر نهار معتدل في نيسان/أبريل، اقترح الرئيس أن ننهي أحد اجتماعاتنا الأسبوعية إلى طاولة نزهة خارج المكتب البيضوي في الحديقة الجنوبية، في جوار ملعب ماليا وساشا الجديد. ناسبني ذلك تمامًا. سمت الصحافة اجتماعنا، «الجلسة الاستراتيجية إلى طاولة النزهة»، وسميته «صديقان يتبادلان حديثًا مشوِّقًا».

أعلن الرئيس المنتخب باراك أوباما الأحد ١ كانون الأول/ديسمبر اختياري لمنصب وزيرة الخارجية السابعة والستين. وإذ وقفت إلى جانبه، كرر علنًا ما قاله لي سرًّا: «تعيين هيلاري إشارة تلفت الصديق والعدو إلى جدية التزامي تجديد الدبلوماسية الأميركية».

وفي الشهر التالي، في ٢٠ كانون الثاني/يناير ٢٠٠٩، شاهدت وزوجي في البرد القارس، باراك أوباما يقسم اليمين الدستورية. لقد انتهت منافستنا الشرسة، وبتنا شريكين.

الفصل الثاني

«فوغي بوتوم»: القوّة الذكيّة

كان أوّل وزير خارجية التقيته في حياتي دين أتشيسون. خدم في عهد الرئيس هنري ترومان، بداية الحرب الباردة، وكان صورة مجسَّمة للدبلوماسي الجليل، (خريج المدرسة المحافظة في السياسة). كنت طالبة جامعية عصبية على وشك إلقاء أوّل خطاب علني مهم في شبابي. حدث ذلك ربيع العام ١٩٦٩، وقد قررت إلدي أتشيسون، حفيدة الوزير السابق، وزميلتي وصديقتي في ولسلي، أن صفنا يحتاج إلى خطيبه الخاص في احتفال التخرج. بعد موافقة رئيس كليتنا على الفكرة، طلب مني رفاقي التحدث عن سنواتنا الأربع الصاخبة في ولسلي، وإعداد وداع مناسب قبل أن ننطلق نحو مستقبلنا الغامض.

في الليلة التي سبقت احتفال التخرج، هرولت إلى بيت إلدي وعائلتها، مع خطابي الذي لم يكتمل. قدمتني إلى جدها بـ «الفتاة التي ستتكلم غدًا». كان ابن السادسة والسبعين أنهى للتو مذكراته «الحاضر عند الخلق»، الذي سيحصد جائزة بوليتزر، العام التالي. ابتسم الوزير أتشيسون وصافحني. «أتطلع إلى سماع ما ستقولين»، على ما أفصح. عدت في حال من الذعر إلى غرفة منامتي لأسهر طوال ليلتي الأخيرة فيها.

لم أتصور قط أنني سأتبع، بعد أربعين عامًا، خطى أتشيسون في وزارة الخارجية، هو

٣٧

المعروف، تحببًا، باسم «فوغي بوتوم»، نسبةً إلى حي في العاصمة يطل عليه مبنى الوزارة. قد تبدو أحلام طفولتي أن أصبح رائدة فضاء، أكثر واقعية. وبعدما غدوت وزيرة للخارجية، كثيرًا ما فكرت في رجل الدولة المسن، صاحب الشعر الأشيب، الذي التقيته تلك الليلة في ولسلي. خلف مظهره الرسمي، كان دبلوماسيًّا على درجة عالية من الخيال، كسر البروتوكول عندما اعتقد أنه الأفضل لبلاده ورئيسه.

تشبه قيادة أميركا في العالم سباق التتابع. تُسلّم العصا إلى وزير الخارجية، والرئيس، وجيل بكامله، ونُسأل الجري في السباق بأفضل ما نستطيع، ونسلّم من ثمّ العصا إلى خلفائنا. وعلى ما استفدت من الإجراءات التي اتخذها من سبقوني والدروس التي تعلّمتها منهم، أثمرت المبادرات التي بدأت خلال سنوات عملي في وزارة الخارجية منذ مغادرتي، عندما سلمت العصا إلى الوزير جون كيري.

أدركت سريعًا أن وزير الخارجية يؤدي وظائف ثلاثًا في عمل واحد. فهو كبير دبلوماسيي البلاد، ومستشار الرئيس الأساسي في السياسة الخارجية، والرئيس التنفيذي لوزارة مترامية الأطراف. وجب عليَّ منذ البدء توزيع وقتي وطاقتي بالتوازن بين الواجبات الحتمية المتباينة. كان علي قيادة دبلوماسيتنا العامة والخاصة لإصلاح التحالفات المتوترة وبناء شِرْكات جديدة. ولكن وجب علي أيضًا اللجوء إلى قدر لا بأس به من الدبلوماسية داخل إدارتنا، خصوصًا في مسألة وضع السياسات في البيت الأبيض ومع الكونغرس، إضافةً إلى العمل داخل الوزارة نفسها، للإفادة من موظفينا الموهوبين إلى أقصى حد، ورفع الروح المعنوية، وزيادة الكفاية، وتطوير القدرات اللازمة لمواجهة التحديات الجديدة.

وقد اتصل بي وزير خارجية سابق ونصح لي بالقول: «حاولي ألّا تفعلي كل شيء في آن واحد». سمعت الشيء نفسه من قدامى الوزارات الأخرى. «يمكنكِ محاولة إصلاح السياسات، أو يمكنك محاولة إصلاح البيروقراطية، إنما لا يمكنك القيام بالأمرين معًا».

وكانت النصيحة التي سمعتها كثيرًا: اختاري عددًا قليلًا من القضايا الكبرى وامتلكيها. لم تتوافق أي موعظة مع المشهد الدولي المعقّد الذي ينتظرنا. ربما تمكّن وزير الخارجية في الماضي من التركيز حصرًا على عدد من الأولويات وسمح لنوابه ومساعديه بالتعامل مع الإدارة وبقية العالم. لكن تلك الأيام ولت. وقد تعلّمنا بالطريقة الصعبة (على سبيل المثال، في أفغانستان بعد الانسحاب السوفياتي عام ١٩٨٩) أن إهمال المناطق والتهديدات قد تأتي عواقبه وخيمة. احتجت إلى إيلاء رقعة الشطرنج كلها اهتمامي.

وفي الأعوام التي تلت التاسع من أيلول/سبتمبر، أصبحت السياسة الخارجية الأميركية، لأسباب مفهومة، تركز على التهديدات الكبرى. وتوجب علينا الحذر بطبيعة الحال. لكنني اعتقدت أيضًا أن علينا بذل جهد أكبر لاغتنام الفرص الكبرى، خصوصًا في آسيا - المحيط الهادئ.

لقد أردت معالجة مجموعة من التحديات الناشئة التي ستتطلب اهتمامًا رفيع المستوى واستراتيجيات خلاقة، من مثل طريقة إدارة التنافس على موارد الطاقة تحت البحر من القطب الشمالي إلى المحيط الهادئ، والوقوف في وجه «البلطجة» الاقتصادية التي تمارسها الشركات المملوكة من الدول، وطريقة التواصل مع جيل الشباب في العالم الذي أتيحت له حديثًا وسائل إعلام اجتماعية، على سبيل المثال لا الحصر. عرفت أن التقليديين ذوي النفوذ في مجرى السياسة الخارجية سيسألون هل يستحق أن تصرف وزيرة الخارجية وقتها على التفكير في تأثير تويتر، أو البدء ببرامج لسيدات الأعمال الرائدات، أو مناصرة الشركات الأميركية في الخارج والدفاع عنها. لكنني رأيت أن كل هذا جزء من مهمة الدبلوماسي في القرن الحادي والعشرين.

اجتمع الأعضاء المختارون لفريق الأمن القومي في إدارة أوباما الجديدة، ست ساعات، في شيكاغو في ١٥ كانون الأول/ديسمبر. كانت تلك مناقشتنا الأولى منذ إعلان تعييننا قبل أسبوعين. غصنا سريعًا في بعض المعضلات السياسية الشائكة التي قد نواجهها، بما فيها وضع الحربين في العراق وأفغانستان، ومستقبل السلام المحتمل في الشرق الأوسط. بحثنا أيضًا طويلًا في المشكلة التي ثبتت صعوبة حلها: طريقة الوفاء بوعد الرئيس المنتخب بإغلاق السجن العسكري في خليج غوانتانامو، كوبا، الذي ظل مفتوحًا بعد كل هذه الأعوام.

وقد دخلتُ إدارة أوباما مع أفكاري الخاصة عن القيادة الأميركية والسياسة الخارجية، فضلًا عن العمل الجماعي الذي يُفترض أن يتوقعه أي رئيس من أعضاء مجلس أمنه القومي. نويت أن أكون داعية نشطة لمواقفي داخل الإدارة. ولكن، على ما تعلمت من التاريخ وتجربتي الخاصة، فالعبارة على طاولة هاري ترومان في المكتب البيضوي صحيحة: يتوقف آخر الشوط عند الرئيس. وعرفت أيضًا، بسبب المعركة التمهيدية الطويلة، أن الصحافة ستبحث عن أي إشارة خلاف بيني وبين البيت الأبيض، وتأمل فيها حتى. فقصدت حرمانها تلك الإشارات.

أُعجبت بالأشخاص الذين اختارهم الرئيس المنتخب ضمن فريق عمله. حمل نائب الرئيس المنتخب جو بايدن كنزًا من الخبرة الدولية بسبب قيادته لجنة الشؤون الخارجية في مجلس الشيوخ. ستكون حماسته وحسه الفكاهي موضع ترحيب خلال الساعات الطويلة في غرفة العمليات في البيت الأبيض. فحاولت، كل أسبوع، أن أجتمع مع جو لتناول الفطور في مرصد البحرية، مقر

إقامته الرسمي، القريب من منزلي. وعلى شهامته المعهودة، كان يوافيني إلى السيارة ويرافقني إلى زاوية مشمسة على الشرفة، لنجلس ونأكل ونتحدث. كنا نتفق حينًا، ونختلف أحيانًا أخرى، لكنني قدرت دائمًا محادثاتنا الخاصة والصريحة.

عرفت رام إيمانويل منذ سنوات. بدأ الحملة الانتخابية مع زوجي عام ١٩٩٢، وعمل في البيت الأبيض، وعاد من ثمّ، إلى مسقطه شيكاغو، حيث ترشح إلى الكونغرس. كان نجمًا صاعدًا في المجلس وقاد الحملة التي أنتجت غالبية ديمقراطية جديدة عام ٢٠٠٦، لكنه تخلّى عن مقعده عندما سأله الرئيس أوباما أن يكون رئيس موظفي البيت الأبيض. انتخب لاحقًا عمدة لشيكاغو. واشتُهر بشخصيته القوية ولغته المباشرة الواضحة (الصادرة عنه في قالب مهذب)، لكنه كان أيضًا مفكرًا مبدعًا، وخبيرًا في التشريع، وداعمًا قويًّا للرئيس. خلال المواجهات العسيرة لحملة الانتخابات التمهيدية، بقي رام على الحياد بسبب الروابط القوية التي تجمعني به ومن ثمّ بالسيناتور أوباما، على حد سواء، فقال لصحيفة «شيكاغو تريبيون» المحلية: «أختبئ تحت المكتب». وبما أننا الآن نعمل معًا، سيوفر حضور رام بعض الغِراء الأولي الذي يجمع هذا «الفريق من المتنافسين». أصغى، في ودّ، وأبقى بابه مفتوحًا في الجناح الغربي، حيث تحدثنا في كثير من الأحيان.

وكان مستشار الأمن القومي الجديد جنرال البحرية المتقاعد جايمس جونز الذي تعرفت إليه مذ شاركت في لجنة خدمات القوات المسلحة في مجلس الشيوخ، حيث شغل منصب القائد الأعلى للقوات المتحالفة في أوروبا. كان وسيطًا عادلًا وكريمًا، رصينًا سديد الرأي، يتمتع بروح الدعابة، وكلّها صفات مهمة في مستشار الأمن القومي.

كان نائب الجنرال جونز وخليفته، في النتيجة، توم دونيلون، الذي عرفته منذ عهد إدارة كارتر. شغل توم منصب رئيس موظفي وزير الخارجية وارن كريستوفر، لذا أدرك أهمية وزارة الخارجية وقدر قيمتها. وقد شاطرني حماستي لزيادة التزاماتنا في منطقة آسيا - المحيط الهادئ. صار توم زميلًا قيّمًا، وقد أشرف على المسار السياسي الصعب بين الوكالات المتداخلة التي تحلل الخيارات وتضع القرارات في ملعب الرئيس. ملك موهبة طرح الأسئلة الصعبة التي أجبرتنا على التفكير، في صرامةٍ، في القرارات السياسية المهمة.

اختار الرئيس سوزان رايت سفيرةً إلى الأمم المتحدة، هي التي خدمت في مجلس الأمن القومي، وعملت من ثمّ مديرة مساعدة للشؤون الأفريقية في وزارة الخارجية في تسعينات القرن العشرين. أدت سوزان خلال الانتخابات التمهيدية دور الوكيل الفاعل في حملة أوباما، وكثيرًا ما هاجمتني على شاشة التلفزيون. أدركَتْ أن ذلك جزء من وظيفتها، فوَضَعْنا الماضي خلفنا وعملنا معًا في شكل وثيق - على سبيل المثال، في مجال جمع الأصوات في الأمم المتحدة لفرض عقوبات جديدة على إيران وكوريا الشمالية وجواز إرسال بعثة لحماية المدنيين في ليبيا.

وقد باغت الرئيس الكثيرين عندما أبقى روبرت غايتس وزيرًا للدفاع، هو الذي تمتَّع بمسيرة

مهنية مميزة وخدم ثمانية رؤساء من كلا الطرفين في وكالة الاستخبارات الأميركية ومجلس الأمن القومي، قبل أن يستدعيه الرئيس جورج دبليو بوش من «تكساس إيّ أند إم» عام ٢٠٠٦ ليحل محل دونالد رامسفيلد في البنتاغون. راقبت بوب يعمل من مقعدي في لجنة الخدمات المسلحة، ورأيت أنه سيوفر الاستمرار، وسيكون ذراعًا ثابتة في تعاملنا مع حربين موروثتين، إضافة إلى كونه مدافعًا مقنعًا لإعطاء الدبلوماسية والتنمية المزيد من الموارد، ودورًا أكبر في سياستنا الخارجية. نادرًا ما تسمع، وبكل راحة ضمير، أي مسؤول في واشنطن يقترح ضرورة حصول وكالة أخرى على حصة تمويل أكبر. لكن بوب، وبعدما تأمل مليًّا الصورة الاستراتيجية الكبرى بعد أعوام سيطر فيها الجيش على السياسة الخارجية، اعتقَدَ أن الوقت قد حان للموازنة بين ما أسميه الأبعاد الثلاثية: الدفاع، والدبلوماسية، والتنمية.

وأسهل مكان لرؤية الخلل كان الموازنة. إذ على الرغم من الاعتقاد الشائع أن المساعدات الخارجية بلغت ما لا يقل عن ربع موازنة الاتحاد، ففي مقابل كل دولار تصرفه الحكومة الاتحادية، يذهب قرش واحد فقط إلى الدبلوماسية والتنمية. في خطابٍ ألقاه عام ٢٠٠٧، قال بوب إن موازنة الشؤون الخارجية «صغيرة ومجحفة نسبةً إلى ما ننفقه على الجيش». وعلى ما أشار غالبًا، فإن عديد الأميركيين الكثر الذين يخدمون في الفرق الموسيقية العسكرية يفوق عديد السلك الدبلوماسي بأكمله.

لقد غدونا حليفين منذ البداية، وألّفنا فريقًا متلازمًا في الكونغرس من أجل موازنة أذكى للأمن القومي، لنجد نفسينا في الجانب عينه، في الكثير من مناقشات سياسة الإدارة الداخلية. تحاشينا الاقتتال الداخلي التقليدي بين الدولة والدفاع، الذي بات يشبه في كثيرٍ من عهود الإدارات السابقة، أسماك القرش والطائرات في قصة «ويست سايد ستوري». عقدنا اجتماعات مشتركة مع وزيري الدفاع والخارجية، وجلسنا معًا لإجراء المقابلات الصحافية، لنشكل جبهة موحدة في السياسة الخارجية في شأن القضايا الآنية.

وفي تشرين الأول/أكتوبر ٢٠٠٩، حضّرنا حدثًا مشتركًا لدار البلدية في جامعة جورج واشنطن، بثته وأدارته سي أن أن. سُئلنا رأينا في عملنا معًا وكيف نصفه. رد بوب، ضاحكًا: «معظم حياتي المهنية، لم يتحدث وزيرا الخارجية والدفاع أحدهما إلى الآخر. قد يبلغ الأمر حدًّا شنيعًا في الواقع. لذا من الرائع أن يتحقق هذا النوع من العلاقة حيث يمكننا التحدث معًا... نكون على وفاق، ونعمل جيدًا... ويصح ذلك، صراحةً، استنادًا إلى تجربتي كوزير للدفاع، عندما تكون على استعداد للاعتراف بأن وزير الخارجية هو المتحدث الرئيس باسم سياسة الولايات المتحدة الخارجية. متى تخطيت هذه العقبة، تصطلح كل الأمور».

لقد ورث فريق عملنا قائمة هائلة من التحديات في وقت تضاءلت التوقعات في الداخل والخارج حيال قدرة أميركا على قيادة العالم.

إذا طالعتَ صحف تلك الأيام أو توقفتَ عند رأي لجنة شورى في واشنطن، فقد تسمع أن أميركا في انحدار. توًّا، وبعد الانتخابات الرئاسية عام ٢٠٠٨، نشر مجلس الاستخبارات القومي، وهو مجموعة من المحللين والخبراء يعينهم مدير الاستخبارات الوطنية، تقريرًا ينذر بالخطر تحت عنوان «الاتجاهات العالمية ٢٠٢٥: عالم متبدل». عرض لتوقعات قاتمة عن تراجع النفوذ الأميركي، وازدياد المنافسة العالمية، وتناقص الموارد، وعدم استقرار واسع الانتشار. توقع محللو الاستخبارات أن تقلّ قوة أميركا الاقتصادية والعسكرية النسبية في السنوات المقبلة، وأن يُقوِّض النظام العالمي الذي ساعَدْنا في بنائه والدفاع عنه منذ الحرب العالمية الثانية، النفوذ المتنامي للقوى الاقتصادية الناشئة من مثل الصين، والدول الغنية بالنفط كروسيا وإيران، والجهات الفاعلة، من خارج إطار الدول، مثل تنظيم القاعدة. ووصفوه بعبارات مطلقة غير معهودة: «التحوّل التاريخي للثروة النسبية والقوة الاقتصادية من الغرب إلى الشرق».

لقد كتب بول كنيدي المؤرخ من جامعة ييل، قبل تنصيب الرئيس أوباما بقليل، عمودًا في صحيفة وول ستريت جورنال تحت عنوان «القوة الأميركية إلى زوال». وفي تمحيص لنقدٍ سُمِع غالبًا عامي ٢٠٠٨ و٢٠٠٩، عزا البروفسور كنيدي سبب تراجع قوة الولايات المتحدة إلى الديون المتزايدة، وشدة التأثير الاقتصادي للكساد الكبير، و«التوسع الأمبراطوري المفرط» في حربي العراق وأفغانستان. قدّم مقاربة صُوَرِية لشرح وجهة نظره كيف تخسر أميركا مكانتها كزعيم عالمي من دون منازع: «يمكن شخصًا قويًّا، متوازنًا ومفتول العضل، أن يحمل صعودًا، حقيبة ظهر ثقيلة جدًّا، وقتًا طويلًا. ولكن إذا تراخت قوة هذا الشخص (الأزمات الاقتصادية)، وظل وزن العبء ثقيلًا أو حتّى زاد (مبادئ بوش السياسية)، وأصبحت طبيعة الأرض أصعب (صعود القوى العظمى الجديدة والإرهاب الدولي والدول الفاشلة)، فسيبدأ المتسلق القوي في ما مضى، بالتباطؤ والتعثر. يحدث هذا بالضبط فيما يقترب منه مشاة رشيقون، أعباؤهم أخفُّ ثقلًا، فيحاذونه، وقد يتقدمون عليه».

مع ذلك، بقيتُ أساسًا متفائلة بمستقبل أميركا. تجذَّرَتْ ثقتي، على مرّ السنين، من دراستي واختبارَي الصعود والنزول في التاريخ الأميركي وتقويمي الواضح لمزايا النسبية مقارنةً ببقية العالم. فثروات الأمم تعلو وتنخفض، وسيظل هناك أشخاص يتوقعون الكارثة على قاب قوسين أو أدنى. لكنَّ المراهنة ضد الولايات المتحدة ليست عملًا فطنًا قط. كلّما واجهتنا صعوبة، أحربًا كانت أم انهيارًا اقتصاديًّا أم منافسة عالمية، نهض الأميركيون للتصدي لها بالعمل الجاد والإبداع.

رأيت أن هذه التحليلات المتشائمة تقلّل من قدْر نقاط القوة الأميركية الكثيرة، بما فيها قدرتنا

على الصمود والتجديد. كان جيشنا حتى ذاك الحين، الأقوى في العالم، واقتصادنا الأضخم، ونفوذنا الدبلوماسي لا مثيل له، وجامعاتنا المعيار العالمي، ولا تزال قيمنا في الحرية والمساواة وتوافر الفرص تجذب الناس من كل مكان إلى شواطئنا. ومتى احتجنا إلى حلّ أي معضلة في أي مكان في العالم، أمكننا الاعتماد على عشرات الأصدقاء والحلفاء.

اعتقدت أن ما حدث لأميركا لا يزال خِيار الأميركيين إلى حدّ كبير، على ما كانت الحال دومًا. علينا أن نشحذ أدواتنا، فحسب، وأن نستخدمها على أفضل وجه. وكل هذا الكلام على الانحطاط إنما أكّد نطاق التحديات التي واجهناها. ثبَّتُّ عزمي على سيرة حياة ستيف جوبز وعلى «التفكير في صورة مختلفة»، للنهوض بدور وزارة الخارجية في القرن الحادي والعشرين.

يأتي الوزراء ويرحلون كل بضعة أعوام، لكن معظم العاملين في وزارة الخارجية والوكالة الأميركية للتنمية الدولية يبقون وقتًا أطول بكثير. توظف هاتان الوكالتان معًا حوالى سبعين ألف شخص في العالم، معظمهم مهنيّون محترفون خدموا في شكل مستمر في عهود إدارات كثيرة. عددهم أقل بكثير من الملايين الثلاثة الذين يعملون لحساب وزارة الدفاع، ومع ذلك هو عدد لا بأس به. عندما توليت منصبي كوزيرة، واجه المهنيون في وزارة الخارجية والوكالة الأميركية للتنمية الدولية تقلص الموازنات وازدياد المتطلبات، ورغبوا في قيادةٍ تُدافع عن العمل المهم الذي قاموا به. أردت أن أكون ذاك القائد. ومن أجل ذلك، سأحتاج إلى فريق متقدم يشاركني قيمي ويركز بلا هوادة على حصد النتائج.

وظفتُ شيريل ميلز مستشارتي ورئيسة فريق عملي، وقد أصبحنا صديقتين عندما عملَت هي نائبة مستشار في البيت الأبيض خلال تسعينات القرن العشرين. كانت تتحدث في سرعة وتفكر في سرعة أكبر؛ يشبه ذهنها الشفرة الحادة، إذ يشرّح ويقطع كل مشكلة تعترضها. وكانت أيضًا صاحبة قلب كبير، وولاء لا حدود له، ونزاهة صلبة، والتزام عميق حيال العدالة الاجتماعية. بعد مغادرتها البيت الأبيض، تولت شيريل مناصب قانونية مميزة في القطاع الخاص وجامعة نيويورك، حيث شغلت منصب نائب الرئيس. قالت إنها ستساعدني خلال المرحلة الانتقالية إلى وزارة الخارجية، لكنها لم تشأ أن تترك جامعة نيويورك من أجل مركز دائم في الحكومة. لحسن الحظ، غيّرت رأيها لاحقًا.

ساعدَتني على ضبط «البناء» وإدارته، أي ما سماه كل مَن في الدولة، البيروقراطية، وأشرفَت مباشرة على بعض أولوياتي الرئيسة، بما في ذلك الأمن الغذائي، والسياسة الصحيّة العالمية، وحقوق المثليّين، وهايتي. وأدت دور حلقة الوصل الرئيسة بيني وبين البيت الأبيض في المسائل

الحساسة، بما فيها قضايا الموظّفين. فعلى الرغم من تعهد الرئيس أنني أستطيع اختيار فريق عملي، دارت مناقشات حادة مع مستشاريه، بدايةً، بينما حاولَت هي توظيف أفضل المواهب الممكنة.

تركزت إحدى المناقشات على كابريتشيا مارشال التي أردتها رئيسةً للبروتوكول، الموظف الرسمي الكبير المسؤول عن استقبال القادة الأجانب في واشنطن، وتنظيم مؤتمرات القمة، والتعامل مع السلك الدبلوماسي، والسفر مع الرئيس، واختيار الهدايا التي نودّ أنا والرئيس تقديمها إلى نظرائنا. أدركتُ كسيدة أولى أهمية البروتوكول بالنسبة إلى الدبلوماسية، فتكون مضيفًا سخيًّا وضيفًا كريمًا يُساعد على بناء العلاقات، في حين يمكن أن يؤدي البديل إلى خلافات غير مقصودة. لذلك أردت أن أتأكد أننا أجدنا الاختيار.

ولقد عرفت كابريتشيا ما تتطلبه المهمة، إذ كانت أمينة سر العلاقات الاجتماعية في البيت الأبيض طَوال التسعينات، لكن البيت الأبيض أراد شخصًا دعم الرئيس خلال الانتخابات التمهيدية. رأت أن الأمر ينمّ عن قصر نظر، لكنني استوعبت حتمية بعض المناكفات والعناء لنتوصل إلى دمج الكيانين الواسعَي الانتشار المعروفَين باسم «عالم أوباما» و«بلاد هيلاري». «سنتوصل إلى حلّ»، على ما أكدتُ لكابريتشيا: «لو لم تكوني الشخص المناسب لهذا المنصب، لَما أصررتُ على موقفي».

سألني الرئيس هل نحتاج إلى مفاوضات لإحلال السلام بين شيريل ودنيس ماكدونو، أحد أقرب مستشاريه، لكنهما توصّلا إلى حل من دون أيّ تدخّل، ونالت كابريتشيا الوظيفة. عرفتُ أنها لن تخيِّب الظن، ولم تفعل. روى دنيس لاحقًا كيف استمع هو وزوجته كاري إلى مقابلة لكابريتشيا على شاشة «إن بي أر» صباح أحد الأيام. سُحِرت كاري وسألت عن هذه الدبلوماسية «الأنيقة جدًّا». فاعترف دنيس بأنه عارض أصلًا تعيينها، فوصفته كاري بالمجنون، ووافق على رأيها. قال لشيريل لاحقًا: «لا غَرْوَ أنني خسرت هذه المرة، وحسنٌ أنني فعلت».

وما نجاح كابريتشيا سوى صورة مصغرة عن المسيرة التي قطعناها جميعًا، من حملة المتنافسين إلى زملاء يتبادلون الاحترام. وغدت شيريل ودنيس، المقاتلان القياديان في معاركنا الأولى، ليس زميلين فحسب، بل صديقان أيضًا. تحدثا، دومًا، كل يوم تقريبًا، والتقيا على الفطور في عطلات نهاية الأسبوع، ووضعا الاستراتيجيات وهما يتناولان البيض والشوكولا الساخنة. وقبيل نهاية ولايتي في الخارجية، بعث الرئيس برسالة وداعية إلى شيريل لحظ فيها أن الحال رست بنا على «فريق لا مثيل له» بعدما كنا «فريقًا من المتنافسين».

ولقد عزمت أيضًا تجنيدَ ريتشارد هولبروك، القوة الطبيعية الخارقة، وقد عدّه الجميع الدبلوماسي الأول في جيلنا. بفضل جهوده تحقّق السلام في البلقان في تسعينيات القرن العشرين. وكسفير للأمم المتحدة، أقنع الجمهوريين بدفع مستحقاتنا للأمم المتحدة، وشدد على عدٍّ نقص المناعة البشرية/الإيدز قضية أمنية. بعد وقت قصير من قبولي منصبي الوزاري، طلبتُ منه أن يكون ممثلَنا الخاص في أفغانستان وباكستان. إذ ستواجه الإدارة الجديدة منذ أول يوم لتشكيلها تساؤلات خطيرة عن مستقبل الحرب في أفغانستان، خصوصًا إرسال المزيد من القوات، على ما أراد الجيش. وبغض النظر عمّا يقرره الرئيس، سنحتاج إلى جهود دبلوماسية وتنموية كثيفة في كلا البلدين. امتلك ريتشارد الخبرة ورباطة الجأش لتحقيق هذا الهدف.

ومن الأولويات الأُخرى، على ما كانت الحال دائمًا، متابعةُ مسار السلام في الشرق الأوسط. سألتُ السيناتور السابق جورج ميتشل تسلم زمام جَهدنا. كان جورج نقيضًا لهولبروك، فبقدر ما كان مُنغلقًا، كان ريتشارد منفتحًا، لكنه مَلَكَ ذخرًا من الخبرة والمهارة الحاذقة. مثّل ولاية ماين في مجلس الشيوخ طوال خمسة عشر عامًا، بما فيها ستة، زعيمًا للغالبية. بعد استقالته منتصف التسعينيات، عمل مع زوجي على وضع أسس عملية السلام في إيرلندا. ورئس لاحقًا لجنة شرم الشيخ لتقصي الحقائق، التي حققت في الانتفاضة الفلسطينية الثانية التي بدأت عام ٢٠٠٠.

استخدم كثر من الرؤساء ووزراء الخارجية مبعوثين خاصين لمهمات محددة الهدف وتنسيق السياسات في بعض المسائل التي تعترض إدارتنا. رأيت كم يُفلح الأمر. قال بعض المعلقين إن تعيين دبلوماسيين رفيعي المستوى من مثل هولبروك وميتشل سيقلل دوري في السياسات المهمة واتخاذ القرارات. لم أرَ الأمر بهذه الطريقة. فقد عزز تعيين الأشخاص المؤهلين لتولي المناصب الوزارية بأنفسهم، ما أصبو إليه وصدقية الإدارة. سيكونون القوة المضاعفة، فيقدمون إلي التقارير، وإنما يعملون في شكل وثيق مع البيت الأبيض. وافق الرئيس وحضر إلى مبنى وزارة الخارجية مع نائب الرئيس ليعلن تعيين ريتشارد وجورج. كنت فخورة بأن يوافق رجلان بهذه المكانة على العمل في هذين الدَّورين كجزء من فريقي. بعد مسيرتين طويلتين ومميزتين، لم يتوجب على ريتشارد أو جورج تحمل وزر مهمتين صعبتين، إن لم نقل مستحيلتين. لكنهما لبّيا النداء كموظفين عامين ووطنيين.

وقد احتجتُ أيضًا إلى نائبي أمناء رفيعي المستوى لتشغيل الوزارة. أوصاني الرئيس، ذات مرَّة، بأن أعتمد جيم شتاينبرغ لمنصب نائب أمين الشؤون السياسية. تكهن بعض الصحافيين أن جيم سيُعَدّ «جاسوس» أوباما وتوقعوا أن يسود التوتر بيننا. عددتُ الأمر سخيفًا. عرفت جيم مذ شغل منصب نائب مستشار الأمن القومي في إدارة كلينتون. وقدم خلال انتخابات العام ٢٠٠٨ التمهيدية المشورة السياسية الخارجية إلى الحملتين كلتيهما، وقدرته والرئيس واحترمناه جدًّا. ثم إنه كان

أحد الطلاب من آسيا والمحيط الهادئ، المنطقة التي أردتُ وضعَها ضمن أولوياتي. عرضت عليه الوظيفة، وأوضحت له في اجتماعنا الأول أنني أرانا فريقًا وحدًا، وعبّر عن مشاعر متطابقة. ترك جيم المنصب منتصف العام ٢٠١١ ليصبح عميد كلية ماكسويل في جامعة سيراكيوز. فطلبت من بيل بيرنز أن يتولى منصبه، وهو الدبلوماسي الفائق الموهبة وصاحب الخبرة المحترف.

تقليديًا، كان هناك نائب واحد فقط لوزير الخارجية. وعلمتُ أن الكونغرس سمح بمركز نائب ثانٍ للإدارة والموارد، من دون أن يشغله أحد يومًا. تشوقت إلى تعيين مدير كبير يساعدني في كفاحي من أجل الموارد التي تحتاج إليها الوزارة من الكابيتول هيل والبيت الأبيض، والتأكد من أنها تنفق، في تعقّل. اخترتُ جاك لو، الذي شغل منصب مدير مكتب الإدارة والموازنة، نهاية تسعينات القرن العشرين، إذ أثبتت خبرته المالية والإدارية أنها لا تقدر بثمن، فيما عملنا معًا على تشريع المراجعات السياسية والتغييرات التنظيمية.

وحين طلب الرئيس من جاك العودة إلى مركزه القديم في مكتب الإدارة والموازنة عام ٢٠١٠، نجح طوم نيدس، في سلاسة، في خلافته، هو الذي تمتع بخبرة طويلة في قطاعي الأعمال والخدمة. فالأعوام التي أمضاها رئيسًا لموظفي طوم فولي، رئيس مجلس النواب، ومن ثمّ لصديقي ميكي كانتور النائب والمندوب التجاري للولايات المتحدة، أعدّتْهُ جيدًا للدفاع عن الوزارة في الكونغرس ومساعدة الشركات الأميركية في الخارج. أظهر مهارات رائعة في التفاوض في عدد من القضايا الشائكة، بما فيها مواجهة حساسة جدًّا مع باكستان، فساعد على حلِّها عام ٢٠١٢.

غصتُ عميقًا في التحضير لجلسة تثبيتي أمام لجنة العلاقات الخارجية في مجلس الشيوخ مع اقتراب موعدها. وكان جايك سوليفان، ابن مينوستا الجاد والمتألق وصاحب «أوراق الاعتماد» التي لا تشوبها شائبة (طالب جامعة رودس، كاتب المحكمة العليا، مساعد في مجلس الشيوخ)، مستشارًا ذا ثقة في حملتي الرئاسية، وساعد من ثمّ السيناتور أوباما في المناقشة التحضيرية خلال الانتخابات العامة. طلبت من جايك العمل مع ليسا موسكاتاين، صديقتي وكاتبة الخطب السابقة في البيت الأبيض، التي أدَّت هذا الدور مجددًا في وزارة الخارجية. ساعداني على صياغة رسالة واضحة لجلسة الاستماع، والإجابة عن الأسئلة التي توقعنا أن تُطرح عن كل قضية تحت الشمس. أصبح جايك نائب رئيس موظفي للشؤون السياسة، ولاحقًا مدير تخطيط السياسات، ورافقني تقريبًا أنّى حللت في السنوات الأربع التالية.

أغرقني فريقٌ انتقاليّ يعمل مع المحترفين المتخصصين في الوزارة، في تفاصيل كتب سميكة وجلسات حضروها شخصيًّا عن كل موضوع يمكن تصوره، من موازنة كافيتيريا الوزارة، إلى

المشاغل السياسية لكل عضو في الكونغرس. طالعتُ حصتي العادلة من بيانات الكتب الموجزة، وأُعجبت بعمقِ حصيلة هذا القسم من الوزارة وحجمها وترتيبها. صُرِفت عناية كبيرة على أدق التفاصيل، وسمحت عملية التمحيص الإجمالية (وأحيانًا البيزنطية) للخبراء من مختلف أنحاء الوزارة والإدارة الأوسع، بالاندفاع والمجادلة في جوهر المادة.

وإلى ما أبعد من وقائع المسار الرسمي، أمضيت تلك الأسابيع في المطالعة والتفكير والتواصل مع الخبراء والأصدقاء. تمشيت وبيل في نزهات طويلة، نناقش وضع العالم. زارنا صديقنا القديم طوني بلير في بيتنا في واشنطن مطلع كانون الأول/ديسمبر. أعلمني آخر ما استجدّ في عمله مع «اللجنة الرباعية» - الولايات المتحدة، الأمم المتحدة، الاتحاد الأوروبي وروسيا - في شأن مفاوضات السلام في الشرق الأوسط منذ استقالته من رئاسة مجلس الوزراء في المملكة المتحدة في حزيران/يونيو ٢٠٠٧.

دعتني وزيرة الخارجية كوندوليزا رايس إلى شقتها في مجمّع ووترغيت إلى عشاء خاص، منحنا فرصة لمناقشة التحديات السياسية والقرارات المتعلقة بالموظفين التي قد أواجهها. طلبت أمرًا واحدًا: هل تُبقين لي على سائقك؟ وافقتُ، وسرعان ما صرتُ أعتمد عليه، على ما فعلت كوندي.

أعدّت لي كوندي عشاء آخر مع كبار موظفيها، في الطبقة الثامنة من وزارة الخارجية، في إحدى غرف الطعام الرسمية، المعزولة بعيدًا هناك. أثبتَت نصيحتُها بما يجب أن أتوقّعه في دوري الجديد، أنها مفيدة جدًّا.

لقد تحدثتُ مع وزراء الخارجية السابقين الأحياء، وهم يشكلون ناديًا رائعًا يتجاوز الخلافات الحزبية. قام كل منهم بخطوة في سباق التتابع وحرصوا على مساعدتي على تسلم العصا والانطلاق سريعًا. كانت مادلين أولبرايت صديقتي منذ وقت طويل وشريكتي في تعزيز حقوق النساء وفرصهن، ووافقتْ على ترؤس شِرْكة جديدة بين القطاعين العام والخاص لتعزيز روح المبادرة والابتكار في الشرق الأوسط. أعطاني وارن كريستوفر ما سيظهر أنه أعظم النصائح العملية التي تلقيتها: لا تخططي لإجازات في آب/أغسطس، لأن شيئًا ما يحدث دومًا خلاله، من مثل غزو روسيا جورجيا عام ٢٠٠٨. وتواصل معي هنري كيسينجر، في انتظام، مدققًا في تفاصيل الأمور، وشاركني ملاحظاته الفطنة عن الزعماء الأجانب، وأرسل إليَّ تقارير مكتوبة عن أسفاره. ودعم جايمس بايكر جهد وزارة الخارجية للحفاظ على مراسم الاحتفال بقبول أوراق الاعتماد الدبلوماسية، وتحقيق الهدف الطويل الأمد لبناء متحف للدبلوماسية في واشنطن. وقدّم كولن باول تقويمًا صريحًا للأفراد والأفكار، فأخذته والرئيس في الحسبان. وانضم لورانس إيغلبرغر، ضابط الخدمة الخارجية الأول والوحيد الذي عمل وزيرًا للخارجية، إليّ للاحتفال بالذكرى الخمسين

لتأسيس مركز العمليات في الوزارة (أو «العمليات» على ما كان الجميع في الوزارة يسميه). لكن جورج شولتز قدم إلي أفضل هدية على الإطلاق: دمية دب تغني «لا تقلق، كن سعيدًا» كلما كبست على مخلبه. احتفظت بها في مكتبي، بدايةً للدعابة، لكنها ساعدتني حقًّا، من حين إلى آخر، أن أضغط على الدب وأستمع إلى تلك الأغنية.

فكرت كثيرًا في تجارب من سبقوني، وعدتُ إلى وزير الخارجية الأول، توماس جيفرسون. لطالما كانت صناعة السياسة الخارجية الأميركية سلكًا مشدودًا ومرتفعًا يوازن العمل بين الاستمرار والتغيير. حاولتُ أن أتخيَّل ما فكَّر فيه دين أتشيسون الذي التقيته كل تلك الأعوام السابقة في وليسلي، وسلفه الشهير، جورج سي. مارشال، في شأن الساحة الدولية الصاخبة منذ أيامهما.

لقد قضت مهمة إدارة ترومان، نهاية أربعينات القرن العشرين، بخلق علم جديد، عالم حرّ، يقوم على أنقاض الحرب العالمية الثانية وفي ظل الحرب الباردة. وصف أتشيسون الأمر بأنه مهمة «تقل هولًا بقليل عمّا أتى في الفصل الأوّل من سفر التكوين». تفتّتت الأمبراطوريات القديمة وأخذت قوى جديدة في الظهور. دُمرت معظم أوروبا وهددتها الشيوعية. وارتفع صوت الناس المظلومين طويلًا، وطالبوا بحق تقرير المصير، في ما عُرِف آنذاك بالعالم الثالث.

فهم الجنرال مارشال، بطل الحرب العالمية الثانية الذي شغل منصبي وزارتي الخارجية والدفاع في عهد ترومان، أن أمن أميركا وازدهارها يعتمدان على حلفاء قادرين يشاركوننا مصالحنا ويشترون بضائعنا. وأهم من ذلك، علم أن أميركا تتحمّل مسؤولية قيادة العالم والفرصة متوافرة لذلك، مما يعني تحديات جديدة للريادة بأساليب جديدة.

أطلق مارشال وترومان خطة طموحة لإعادة إعمار بلدان أوروبا المدمرة ودرء انتشار الشيوعية، مستخدمين كل عنصر من عناصر القوة الأميركية: العسكرية، والاقتصادية، والدبلوماسية، والثقافية، والمعنوية. وتوصّلا، بعملهما مع أعضاء الكونغرس، إلى حشد دعم الحزبين لجهودهما وجنّدا قادة الأعمال، ومنظّمي العمال والأكاديميين للمساعدة على شرح أهدافهما للشعب الأميركي.

بعد ستين عامًا، وبنهاية العقد الأوّل من القرن الحادي والعشرين، تجد بلادنا نفسها مجددًا تبحر في عالم سريع التغيّر. جعلت التكنولوجيا والعولمة العالم أكثر ترابطًا واعتمادًا بعضه على بعض من أي وقت مضى، فبتنا نتواجه بالطائرات من دون طيار، ونخوض حرب الإنترنت، ووسائل التواصل الاجتماعية. وبات للمزيد من البلدان، بما فيها الصين والهند والبرازيل وتركيا وأفريقيا الجنوبية، نفوذ في المناقشات العالمية، فيما أدت الجهات الفاعلة غير الرسمية، من مثل نشطاء المجتمع المدني، والشركات المتعددة الجنسيات، والشبكات الإرهابية، أدوارًا أكبر في الشؤون الدولية، الجيدة منها والسيئة.

وعلى الرغم من أن البعض تاق إلى «مبادئ سياسية» لإدارة أوباما - مبادئ عامة موحدة توفّر خارطة طريق بسيطة وواضحة للسياسة الخارجية في هذا العصر الجديد، على ما فعل «الاحتواء» خلال الحرب الباردة - لم يكن هناك أمر بسيط وواضح في الأزمات التي واجهتنا. خلافًا لأيام الحرب الباردة، عندما واجهنا خصمًا واحدًا تمثّل بالاتحاد السوفياتي، وجُب علينا التعامل الآن مع قوى معارضة كثيرة. لذا كان علينا، مثل أسلافنا بعد الحرب العالمية الثانية، أن نطوّر طريقة تفكيرنا لتتماشى والمتغيِّرات التي تحدث حولنا.

وقد أشار غالبًا خبراء السياسة الخارجية إلى نظام المؤسسات والتحالفات والقواعد، الذي أنشئ بعد الحرب العالمية الثانية، باسم «الهندسة المعمارية». ما زلنا نحتاج إلى نظام عالمي قائم على قواعد يمكننا من إدارة التفاعلات بين الدول، وحماية الحريات الأساسية، وحشد العمل المشترك. وإنما يجب أن يكون أكثر مرونة وشمولًا من ذي قبل. شبهتُ «الهندسة» القديمة بالبارثينون في اليونان، مع خطوط محددة وقواعد واضحة. والركائز التي تقوم عليها - حفنة من المؤسسات الكبيرة، والتحالفات، والمعاهدات - قوية في شكل لافت. إنما الزمن يقضي على كل شيء، حتى على أعظم الصروح، وبتنا في حاجة اليوم إلى هندسة جديدة لعالم جديد، تشبه أكثر، روحية فرانك جيري، من الكلاسيكية اليونانية المتكلفة. وفيما كَفَتْ في الماضي بضعة أعمدة قوية لحمل ثقل العالم، بات يحتاج الآن إلى مزيج ديناميكي من المواد، والأشكال والبُنى.

وقد صُنّفت أدوات السياسة الخارجية طوال عقود إما بـ «القوة الصلبة» للقوة العسكرية، وإما بـ «القوة الناعمة» للتأثير الدبلوماسي والاقتصادي والإنساني والثقافي. أردتُ كسرَ قبضة هذا المثال الذي عفَّ عليه الزمن، والتفكير إجمالًا في المكان والطريقة اللذين يتيحان استخدام كل عناصر السياسة الأميركية معًا.

وإلى أبعد من العمل التقليدي المتمثِّل في التفاوض على المعاهدات وحضور المؤتمرات الدبلوماسية، كان علينا - من ضمن مهمات أخرى - إشراك الناشطين في وسائل التواصل الاجتماعي، والمساعدة على تحديد طرق خطوط أنابيب الطاقة، والحد من انبعاثات ثاني أوكسيد الكربون، وتشجيع الفئات المهمَّشة على المشاركة في السياسة، ومناصرة حقوق الإنسان العالمية، والدفاع عن مسار القواعد الاقتصادية المشتركة. ستكون قدرتنا على فعل هذه الأمور المعايير الحاسمة لسلطتنا الوطنية.

قادني هذا التحليل إلى تبني مفهوم يُعرف باسم القوَّة الذكية، وقد دار الحديث عليه في واشنطن، بضعَ سنوات. استخدم العبارةَ جوزيف ناي من هارفرد، وسوزان نوسل من «هيومن رايتس ووتش»، وعدد قليل آخر، علمًا أن معانيها اختلفت قليلًا في ذهن كلّ منا. عنت القوة الذكية بالنسبة إلي الاتحاد السليم بين كل الأدوات - الدبلوماسية والاقتصادية والعسكرية والسياسية والقانونية والثقافية - وفقًا لكل ظرف.

كان هدفنا من القوّة الذكية وتركيزنا الواسع على التكنولوجيا، والشّرَكات بين القطاعين العام والخاص، والطاقة، والاقتصاد، وغيرها من المجالات التي تفوق معايير محفظة وزارة الخارجية، إكمال الأدوات والأولويات الدبلوماسية الأكثر تقليدية، لا استبدالها. أردنا جلب كل الموارد للتأثير في أكبر التحديات الأمنية الوطنية وأصعبها. في هذا الكتاب، سيطالع القارئ، في أمثلة، كيف فَعَلَتْ فعلها. ونظرًا إلى جهدنا في إيران، استخدمنا أدوات مالية جديدة وشركاء من القطاع الخاص لفرض عقوبات صارمة وعزل إيران عن الاقتصاد العالمي. ساعدت طاقتنا الدبلوماسية على خفض مبيعات النفط الإيراني، واستجمعت إمدادات جديدة لتحقيق الاستقرار في السوق. لجأنا إلى وسائل التواصل الاجتماعية للاتصال مباشرة بالشعب الإيراني واستثمرنا في أدوات التكنولوجيا المتفوقة لمساعدة المنشَقّين على التفلُّت من القمع الحكومي. وقد دعم كل هذا، دبلوماسيتنا القديمة الطراز، ومعًا سرنا قُدُمًا في الأهداف الأساسية لأمننا الوطني.

جلست في ١٣ كانون الثاني/يناير ٢٠٠٩ إلى الطاولة قبالة زملائي في مجلس الشيوخ لجلسة الاستماع والتثبيت مع لجنة العلاقات الخارجية. شرحتُ طوال خمس ساعات، ما خططتُ له لإعادة تحديد دور وزير الخارجية وكيف، وأوجزتُ مواقفنا من التحديات الأكثر إلحاحًا، وأجبتُ عن الأسئلة التي تناولَت كل القضايا، مِنْ سياسة القطب الشمالي، مرورًا بالاقتصاد الدولي، وصولًا إلى إمدادات الطاقة.

وأكد مجلس الشيوخ تعييني في ٢١ كانون الثاني/يناير بغالبية ٩٤ صوتًا في مقابل صوتين. وفي وقت لاحق من ذلك اليوم، وفي احتفال خاص صغير في مكتبي في مجلس الشيوخ في مبنى راسل، وقد أحاطني فريق عملي، أقسمتُ اليمين الدستورية أمام القاضية كاي أوبرلي، فيما حمل زوجي الكتاب المقدس.

في ٢٢ كانون الثاني/يناير، وتماشيًا مع التقليد الخاص بجميع وزراء الخارجية الجدد، دخلت إلى وزارة الخارجية من مدخلها الرئيس الواقع على شارع سي. احتشد الزملاء المبتهجون في البهو، وغمرني ترحيبهم الحماسي بالسعادة والعرفان. رفرفَتْ في صف طويل، أعلامُ كل بلدان العالم التي تقيم معها الولايات المتحدة علاقات دبلوماسية. سأزور أكثر من نصف تلك البلدان، ١١٢ منها تحديدًا، أثناء الزوبعة التي كانت على وشك أن تبدأ. «أعتقد، من كل قلبي، أن هذا العهد حقبة جديدة لدور أميركا التاريخي»، على ما قلت في الجَمْع الغفير.

ووراء الحشد في البهو، رأيت أسماء محفورة على الجدران الرخامية، تعود إلى أكثر من مئتي دبلوماسي قتلوا أثناء تمثيلهم أميركا في الخارج، منذ السنوات الأولى لقيام الجمهورية. فقدوا

أرواحهم في الحروب، والكوارث الطبيعية، والهجمات الإرهابية، والأوبئة، وحتى تحطم السفن. عرفت أن من الممكن أن نفقد في السنوات المقبلة مزيدًا من الأميركيين خلال مهماتهم في الأماكن الخطيرة والحساسة، (وقد حدث ذلك، ويا للأسف، من الزلزال في هايتي إلى الهجوم الإرهابي في بنغازي، ليبيا، وغيرهما من الأماكن بين الحادثين). فعزمت، ذاك اليوم، كما كل يوم، أن أفعل كل ما في وسعي لدعم الرجال والنساء الذين يخدمون بلدنا في العالم، وحمايتهم.

يقع مكتب وزير الخارجية في جناح في الطبقة السابعة، معروف باسم «ماهوغاني رو»، حيث عُلِّقت في الرواق صور أسلافي المهيبة. سأعمل إذًا تحت أبصارهم المترقبة. خضع مبنى مكاتبنا وقاعات اجتماعاتنا لحراسة ضباط من خدمة الأمن الدبلوماسي، وللتفتيش، في شكل روتيني، عن أجهزة التنصت. أُطلِق عليه اسم «مرفق المعلومات الحساسة المحجور»، وشعرنا أحيانًا أننا نعمل داخل خزنة عملاقة. منعًا للتنصت، لم يُسمح لأحد بإدخال أي جهاز إلكتروني، حتى الهاتف الخلوي.

بعدما حيَّيتُ فريق عملي، دخلت مكتبي الخاص وجلست إلى طاولة الكتابة للمرة الأولى. انتظرتني رسالة من سلفي، الوزيرة رايس. دُفَّت جدران هذا المكتب الداخلي بخشب الكرز الشمالي الذي اختاره وزير الخارجية السابق جورج شولتز، مما أعطى الغرفة طابعًا دافئًا يختلف عن المكتب الخارجي الكبير حيث سأستقبل الزوار. وضعت هواتف ثلاثة إلى طاولة الكتابة، تتَّصل مباشرة بالبيت الأبيض والبنتاغون ووكالة الاستخبارات المركزية. أضفتُ أريكة حيث أمكنني القراءة في شكل مريح، وحتى أخذ قيلولة أحيانًا، وفي الغرفة المجاورة كان هناك مطبخ صغير وحمام فيه مرذاذ.

سيغدو هذا المكتب قريبًا، بيتي الثاني، حيث سأمضي ساعات طويلة على الهاتف مع زعماء أجانب بينما أتمشى ذهابًا وإيابًا في الغرفة الصغيرة. إنما الآن، في هذا اليوم الأوّل، كحَّلتُ عينيَّ به فقط. تناولتُ رسالة كوندي وفتحتها. كانت موجزة، ودودة، ونابعة من القلب. كتَبَتْ أن منصب وزارة الخاجية «أفضل وظيفة في الإدارة»، وهي على ثقة أنها تركت الوزارة في أيدٍ أمينة. «تملكين أحد أهم المؤهلات لتولي هذه المهمة، فأنتِ تحبين هذا البلد كثيرًا». تأثرتُ جدًّا بكلماتها. وانتظرتُ البدء بالعمل بصبرٍ نافذ.

الجزء الثّاني

عبر المحيط الهادئ

الفصل الثّالث

آسيا: المحور

سار موكبي في شوارع قاعدة أندروز الجوية الهادئة صباح أحد مشرق، منتصفَ شباط/فبراير ٢٠٠٩. قطعنا أكشاك الحراسة والمنازل وحظائر الطائرات، ووصلنا من ثم، إلى المساحة الإسمنتية الفسيحة من مدرج المطار. سأباشر رحلتي الأولى كوزيرة للخارجية. توقفت السيارات قرب طائرة بوينغ ٧٥٧ زرقاء وبيضاء تابعة لسلاح الجو الأميركي، ومزودة ما يكفي من أجهزة الاتصالات المتقدمة لتنسيق الدبلوماسية العالمية من أي مكان في العالم. كُتِب على جنبها، بحروف سود كبيرة، عبارة «الولايات المتحدة الأميركية». خرجتُ من السيارة، وتوقفت قليلًا، وتلقفت المشهد كاملًا.

جلت العالم مع بيل يوم كنت سيدة أولى في الطائرة الرئاسية الأولى، إحدى أكبر الطائرات الحكومية وأروعها. سافرت كذلك كثيرًا بمفردي، في طائرات بوينغ ٧٥٧ تشبه هذه إلى حد كبير، وفي مجموعة متنوعة من الطائرات الصغيرة كسيناتور مشارك في وفود الكونغرس إلى دول كالعراق وأفغانستان وباكستان. ولكن لم تُهيّئني أي من تلك التجارب لما سيكون عليه الأمر، أي تمضية أكثر من ألفي ساعة في الجو طوال أربعة أعوام، وقطع مسافة مليون ميل سَفَرًا. وعليه، ستعني هذه الرحلة سبعة وثمانين يومًا من الهواء المعاد تدويرُه، واهتزازًا ثابتًا للمحركات التوربينية التي ستدفعنا إلى الأمام بمعدل أكثر من ٥٠٠ ميل في الساعة. وتشكّل هذه الطائرة أيضًا رمزًا للأمة

التي يشرفني تمثيلها. مهما بلغ عدد الكيلومترات التي قطعناها أو الدول التي زرناها، لم أفقد قط إحساسي بالفخر عند رؤية هذين اللونين الأيقونيين، الأزرق والأبيض، يشرقان على بعض المدارج البعيدة.

انشغل ضباط الجو داخل الطائرة، إلى يساري، في مقصورة تعج بأجهزة الكمبيوتر والاتصالات، فيما أجرى الطيارون خلفهم فحوصاتهم النهائية. إلى اليمين، أفضى بي ممرٌّ صغير إلى مقصورتي الشخصية، وفيها مكتب صغير، وأريكة يمكن فتحها، وحمام وخزانة، وهواتف مشفَّرة وأخرى غير مشفَّرة.

أبعد من ذلك، كانت المقصورة الرئيسة التي قُسمت ثلاثة أقسام: للموظفين، وللأمن، وللصحافة والعاملين في سلاح الجو. في القسم الأول، كانت هناك طاولتان، كل منها مع أربعة كراسٍ جلدية تواجه بعضها بعضًا، على ما هي الحال في بعض مقصورات القطارات. على إحدى الطاولات، جهز ضباط الخدمة الخارجية لوزارة الخارجية مكتبًا متنقلًا، يرتبط بمركز العمليات في فوغي بوتوم، وهو قادر على إعداد كل شيء، من البرقيات السرية إلى الجداول اليومية المفصلة، على ارتفاع ثلاثين ألف قدم. وعبر الجناح، جهَّز كبار موظفيَّ حواسيبهم المحمولة، أو أجروا الاتصالات الهاتفية، أو حاولوا النوم قليلًا بين المحطات. غطّت الطاولتين عادةً، دفاترُ البيانات السميكة ومسودات خطبٍ مع ملاحظات عليها، ولكن كثيرًا ما ظهرت من تحت الأوراق الرسمية نسخ من مجلة «بيبول» و«يو إس ويكلي».

بدا القسم الأوسط من الطائرة مثل مقصورة من درجة رجال الأعمال على أي رحلة داخلية. ملأ المقاعد خبراء السياسة ذوو الصلة بمكاتب وزارة الخارجية، وزملاء من البيت الأبيض والبنتاغون، ومترجم، وعدد من عملاء الأمن الدبلوماسي. أما القسم الثاني فمقصورة الصحافة، للصحافيين وفرق التصوير الذين غطوا رحلاتنا.

وفي الجزء الخلفي، انصرفت مضيفات سلاح الجو إلى إعداد وجباتنا وتوفير الرعاية الجيدة دومًا لنا. لم يكن ذلك سهلًا مع اختلاف أذواق الجميع الغذائية وأنماط نومهم معظم الأحيان. تسوَّق طاقم الطائرة في الدول التي زرناها وجمَع المؤن، مما سمح ببعض المُتَع غير المتوقعة، من مثل جبنة أوكساكا في المكسيك، وسمك السلمون المدخن في إيرلندا، والفاكهة الاستوائية في كمبوديا. ولكن أنّى حللنا، أمكننا أن نعول على إيجاد أطباقنا المفضلة على القائمة، من مثل سلطة تاكو مع الحبش التي اشتهر بها سلاح الجو.

وقد غدا هذا الأنبوب المزدحم منزلنا في الجو. طلبت من الموظفين ارتداء ثياب مريحة، والنوم قدر الإمكان، والقيام بكل ما يمكنهم ليبقوا أصحاء العقل والبنية وسط قسوة جدول أعمالنا المرهق. وطوال الساعات الألفين تلك في الجو، احتفلنا بأعياد ميلاد، ورأينا دبلوماسيين مشهورين يبكون وهم يشاهدون أفلامًا كوميدية رومنسية خفيفة (وحاولنا ألّا نفشل في إغاظتهم لهذا السبب)، وتعجبنا أمام بيجاما ريتشارد هولبروك ذات اللون الأصفر اللامع، وقد سماها «بِزّة النوم».

في معظم الرحلات، أمضى الفريق وقتًا طويلًا في العمل، وكذلك فعلتُ. ولكن في نهاية جولة دولية طويلة، ساد شعور من الراحة والاسترخاء في طريق العودة إلى الوطن. تمتعنا بكوب من النبيذ، شاهدنا الأفلام، وتبادلنا القصص. وفي أحد الأسفار، شاهدنا فلم «بريتش» عن روبرت هانسن، وهو عميل من مكتب التحقيقات الفدرالي تجسس لمصلحة الروس في عقدي الثمانينات والتسعينات من القرن العشرين. في أحد المشاهد، شكا مؤدي دور شخصية بريتش قائلًا: «لا أثق بامرأة ترتدي بزة. الرجال يرتدون السراويل. لا يحتاج العالم إلى المزيد من النساء على طراز هيلاري كلينتون». وانفجر جميع الموجودين في الطائرة ضحكًا.

تعطلت الطائرة في عدد من المناسبات. ذات مرة، تقطعت بي السبل في المملكة العربية السعودية بسبب صعوبات ميكانيكية، وتمكنتُ من العودة إلى المنزل بطائرة الجنرال دافيد بيترايوس الذي صودف مروره في المنطقة. قدم إلي دافيد، في شهامة، مقصورته، وجلس مع موظفيه. توقفنا منتصف الليل، لتزود الوقود في قاعدةٍ لسلاح الجو في ألمانيا. نزل دافيد من الطائرة وتوجه إلى قاعة القاعدة الرياضية، حيث مارس التمارين طوال ساعة، قبل أن نقلع من جديد.

في تلك الرحلة الأولى في شباط/فبراير ٢٠٠٩، مشيت إلى الجزء الخلفي من الطائرة حيث استوى الصحافيون في مقاعدهم. وقد غطّى معظمهم أخبار وزراء الخارجية السابقين واسترجعوا ذكريات الرحلات الماضية وتكهّنوا بما يمكن توقعه من هذه الوزيرة الجديدة.

اقترح عليّ بعض مستشاريَّ أن تكون أوروبا وجهة رحلتي الأولى، للبدء برأب الصدوع التي تفتحت عبر المحيط الأطلسي في عهد إدارة بوش. واقترح آخرون أفغانستان حيث تُقاتل القوات الأميركية حركةَ تمرد صعبة. كانت المحطة الأولى لكولن باول المكسيك، جارنا الجنوبي الأقرب، وقد حمَلَت الكثير من المعاني. ذهب وارن كريستوفر إلى الشرق الأوسط، الذي تطلّب، في استمرار، اهتمامًا مركزًا. لكن جيم شتاينبرغ، نائبي الجديد، اقترح آسيا، حيث توقعنا أن يُكتب معظم تاريخ القرن الحادي والعشرين. وجدتُ أنه محق، لذا كسرت عادات أسلافي وتوجهت أوّلًا إلى اليابان، ومن ثمّ إلى أندونيسيا، فكوريا الجنوبية، وأخيرًا الصين. وجب علينا أن نبعث برسالة إلى آسيا والعالم تؤكد عودة الولايات المتحدة.

لطالما اعتقدت، إلى أن أصبحت وزيرة للخارجية، أن على الولايات المتحدة أن تفعل المزيد للمساعدة على تشكيل مستقبل آسيا وإدارة علاقتنا المعقدة على نحو متزايد، مع الصين. فمسار الاقتصاد العالمي وازدهارنا الخاص، وتقدم الديمقراطية وحقوق الإنسان، وآمالنا في أن يكون القرن الحادي والعشرون، أقل دموية من القرن العشرين، ارتكزت كلها، على ما يحدث في منطقة آسيا والمحيط الهادئ. تُعَدّ هذه المنطقة الشاسعة، من المحيط الهندي إلى الجزر الصغيرة في المحيط الهادئ، موطنًا لأكثر من نصف سكان العالم، والكثيرين من حلفائنا المؤتمنين والشركاء التجاريين القيمين، ومعظم مسارات التجارة والطاقة الأكثر ديناميكية في العالم. أسهمت الصادرات الأميركية إلى المنطقة في تحفيز انتعاشنا الاقتصادي عقب الركود، واعتمد نمونا في المستقبل على الوصول إلى قاعدة الطبقة المتوسطة الواسعة من المستهلكين في آسيا. وآسيا أيضًا هي مصدر تهديدات حقيقية لأمننا، وأبرزها من الدكتاتورية في كوريا الشمالية التي لا تستقرّ على رأي.

ويُعدّ صعود الصين أكبر تطور استراتيجي ناتج عن ذلك في عصرنا. فهي بلد مملوء بالتناقضات: دولة غنية وذات نفوذ متزايد أخرجت مئات الملايين من حال الفقر، ونظام استبدادي يحاول ستر عيب تحدياته الداخلية الخطيرة، مع حوالى ١٠٠ مليون شخص أو أكثر يتقاضون دولارًا أو أقل في اليوم. هي أكبر مُنتج في العالم للألواح الشمسية وأيضًا أكبر مصدر للغازات المسببة بالاحتباس الحراري، مع بعض أسوأ مناطق العالم الحضرية في تلوث الهواء. ولا تزال الصين التي تحرص على أداء دور رئيس على الساحة العالمية وإنما العازمة التصرفَ بطريقة انفرادية في التعامل مع جيرانها، تحجم عن الاستفهام عن شؤون الدول الأخرى الداخلية، حتى في أقسى الظروف.

قارعت بالحجة، كسيناتور، أن الولايات المتحدة ستضطر إلى التعامل بطريقة حذرة ومنضبطة مع الصين الصاعدة وقوتها المتنامية اقتصاديًّا ودبلوماسيًّا وعسكريًّا. في الماضي، نادرًا ما أتى ظهور قوى جديدة من دون تصادم. وكان الوضع في هذه الحال معقدًا جدًّا بسبب الحد الذي بلغه الترابط بين اقتصادينا. لقد تجاوز حجم التبادل التجاري، عام ٢٠٠٧، بين الولايات المتحدة والصين ٣٨٧ مليار دولار، وبلغ ٥٦٢ مليارًا، عام ٢٠١٣. وملك الصينيون كميات هائلة من سندات الخزينة الأميركية، مما يعني أننا استثمرنا كثيرًا كي ينجح اقتصاد بلدينا. نتيجة لذلك، نتشارك معًا مصلحة قوية في الحفاظ على الاستقرار في آسيا وفي العالم، وضمان التدفق المستمر للطاقة والتجارة. مع ذلك، وراء هذه المصالح المشتركة، كثيرًا ما تبايَنَتْ قيمُنا ووجهات نظرنا العالمية؛ رأينا ذلك في نقاط الاحتكاك القديمة من مثل كوريا الشمالية وتايوان والتيبت، وحقوق الإنسان، وتلك الجديدة، من مثل تغير المناخ والنزاعات في جنوب بحر الصين وشرقه.

جعل كل هذا، التوازنَ صعبًا. احتجنا إلى استراتيجية متطورة تشجع الصين على المشاركة

كعضو مسؤول في المجتمع الدولي، فيما نثبت، في حزم، دفاعًا عن قيمنا ومصالحنا. داومتُ على تناول هذا الموضوع خلال حملتي الرئاسية، عام ٢٠٠٨، وحاججت أن على الولايات المتحدة أن تدرك طريقة لإيجاد أرضية مشتركة والثبات في مكانها في آن. شددتُ على أهمية إقناع الصين بالتزام قواعد اللعبة في السوق العالمية عبر إسقاط الممارسات التجارية التمييزية، والسماح بارتفاع قيمة عملتها، ومنع المواد الغذائية والسلع الفاسدة من الوصول إلى المستهلكين في العالم، من مثل الألعاب الملوثة بطلاء الرصاص السام التي انتهى بها المطاف في أيدي الأطفال الأميركيين. يحتاج العالم إلى قيادة مسؤولة من الصين لإحراز تقدم حقيقي في شأن تغير المناخ، ومنع القتال في شبه الجزيرة الكورية، ومعالجة الكثير من التحديات الإقليمية والعالمية الأخرى، لذا لم يكن من مصلحتنا تحويل بكين فزاعةً لحرب عالمية جديدة. وجب علينا بدلًا من ذلك، إيجاد صيغة لضبط المنافسة وتعزيز التعاون.

وقد بدأت إدارة بوش، بقيادة وزير الخزانة هانك بولسون، حوارًا اقتصاديًّا رفيع المستوى مع الصين حقق تقدمًا في بعض القضايا التجارية المهمة، لكن هذه المحادثات فُصِلَت عن المناقشات الاستراتيجية والأمنية الأوسع. شعر الكثيرون في المنطقة أن تركيز الإدارة على العراق وأفغانستان والشرق الأوسط، قد أدى إلى تخلي أميركا عن دورها القيادي التقليدي في آسيا. بولِغ في بعض هذه المخاوف، لكن الشعور كان مشكلة في حد ذاته. اعتقدتُ أن علينا توسيعَ ارتباطاتنا مع الصين ووضع منطقة آسيا والمحيط الهادئ في مقدم أجندتنا الدبلوماسية.

توافقت وجيم شتاينبرغ سريعًا على أن الشخص الذي يجب أن يدير مكتب وزارة الخارجية لشؤون شرق آسيا والمحيط الهادئ هو الدكتور كورت كامبل. كورت الذي ساعد في تشكيل سياسة آسيا في البنتاغون ومجلس الأمن القومي في عهد إدارة كلينتون، أصبح المهندس الرئيس لاستراتيجيتنا. فإضافةً إلى كونه مفكرًا استراتيجيًّا خلاقًا وموظفًا عامًّا مخلصًا، كان رفيق سفر لا يُكبت، مولعًا بالمزاح، ولا تخلو جعبته أبدًا من نكتة أو قصَّة.

وقد أجريت في الأيام الأولى لتوليَّ منصبي، سلسلة من الاتصالات الهاتفية مع القادة الآسيويين الكبار. اتَّسمت مكالماتي الكثيرة بالصراحة، وكان أهمها مع وزير الخارجية الأسترالي ستيفن سميث. فرئيسه، أي رئيس الوزراء كيفن رود، تكلّم الصينية وكوّن رؤية واضحة عن التحديات والفرص الناجمة عن صعود الصين. وقد انتفعت أستراليا الغنية بالموارد الطبيعية، من الطفرة الصناعية الصينية عبر إمدادها بالمعادن والمواد الخام الأخرى. فأصبحت الصين أكبر شريك تجاري لأستراليا، متجاوزة بذلك اليابان والولايات المتحدة. لكن رود أدرك أيضًا أن السلام والأمن في المحيط الهادئ يعتمدان على القيادة الأميركية، وقدر قيمة الروابط التاريخية بين بلدينا. وآخر ما أراد أن يراه انسحاب أميركا من آسيا أو فقدان نفوذها فيها. أعرب سميث

في تلك المكالمة الأولى عن أمله وأمل رود في أن «تنخرط» إدارة أوباما «في شكل أعمق مع آسيا». قلت له إننا على مسافة واحدة في التفكير، وإنني أتطلع إلى شِرْكة وثيقة. أصبحت أستراليا حليفًا رئيسًا في استراتيجيتنا الآسيوية في السنوات اللاحقة، في عهد رود وخليفته رئيسة الوزراء جوليا جيلارد.

شكّلت جارتها نيوزيلندا تحديًا أكبر. ظلت علاقات الولايات المتحدة ونيوزيلندا محدودة طوال خمسة وعشرين عامًا، مذ حظرت نيوزيلندا على كل السفن النووية زيارة مرافئها الوطنية. مع ذلك، رأيت أن صداقتنا الطويلة ومصالحنا المشتركة تخلق فرصة دبلوماسية مناسبة لسد الفجوة وتشكيل علاقة جديدة بين ولينغتون وواشنطن. وقّعت في زيارتي، عام ٢٠١٠ «إعلان ولينغتون» مع رئيس الوزراء جون كي، الذي ألزم بلدينا العمل معًا في شكل وثيق في آسيا، والمحيط الهادئ، والمنظمات المتعددة الأطراف. وسيلغي وزير الدفاع ليون بانيتا، عام ٢٠١٢، الحظر على السفن النيوزيلندنية من الرسو في القواعد الأميركية، بعد ستة وعشرين عامًا. في السياسة العالمية، قد يكون مدّ اليد إلى صديق قديم مُجديًا بمقدار ما تعود عليه الصداقات الجديدة بالنفع.

وقد عزّزت كل الاتصالات التي أجريتها مع القادة الآسيويين في ذاك الأسبوع الأوّل، اقتناعي بأننا نحتاج إلى اعتماد نهج جديد في المنطقة. تشاورت وجيم مع الخبراء في مختلف الاحتمالات. عرض أحد الخيارات التركيز على توسيع علاقتنا مع الصين، على أساس أن صحة سياستنا معها تسهل ما تبقى من عملنا في آسيا. كان البديل تركيز جهودنا على تعزيز معاهدات التحالف الأميركية في المنطقة (مع اليابان وكوريا الجنوبية وتايلند والفيليبين وأستراليا)، مما يوفر توازنًا مع قوة الصين المتنامية.

دعا المدخل الثالث إلى الموضوع إلى رفع شأن كل المنظمات الإقليمية المتعددة الأطراف والمتآلفة في ما بينها والتنسيق معها، من مثل «آسيان» (رابطة دول جنوب شرقي آسيا)، و«أبيك» (منظمة منتدى التعاون الاقتصادي لآسيا والمحيط الهادئ). لم يتوقع أحد أن نحظى بين ليلة وضحاها بتشكل ائتلافات متماسكة من مثل الاتحاد الأوروبي، لكن مناطق أخرى استفادت من الدروس المهمة عن قيمة المؤسسات المتعددة الجنسيات المنظمة تنظيمًا جيدًا. يمكنها أن توفّر مكانًا للاجتماع مع ممثلي جميع الأمم، حيث تُسمع كل وجهة نظر، وتقدّم فرصٌ إلى الدول للعمل معًا على التحديات المشتركة وحلّ خلافاتها ووضع قواعد ومعايير في السلوك، ومكافأة الدول المسؤولة، في شرعية واحترام، وتساعد على محاسبة تلك التي تنتهك القواعد. إذا دُعمت المؤسسات المتعددة الأطراف في آسيا وحُدِّثت، فيمكنها أن تعزز المعايير الإقليمية في كل شيء، من حقوق الملكية الفكرية، إلى انتشار الأسلحة النووية، إلى حرية الملاحة، وحشد الجهد لمواجهة تحديات من مثل تغير المناخ والقرصنة. كثيرًا ما يكون هذا النوع المنهجي من الدبلوماسية

المتعددة الأطراف بطيئًا ومحبطًا، ونادرًا ما أُعطِيَ أولوية في بلدنا، لكنه قادر على أن يثمر حصةً من المكاسب التي تؤثر في حياة الملايين من الناس.

وتماشيًا مع الموقف الذي راهنت عليه أثناء عضويتي في مجلس الشيوخ وخلال ترشحي إلى الرئاسة، قررتُ أن خيار القوة الذكية يقضي بدمج هذه المناهج الثلاثة. سنُظهر أن أميركا «ملتزمة كليًّا وفي كل شيء» في ما يتعلق بآسيا. كنت مستعدة لتسلم زمام الأمور والسير في الطليعة، لكن نجاح المهمة يتطلب موافقة إدارتنا برمتها ودعمها، بدءًا من البيت الأبيض.

وقد شاركني الرئيس تصميمي عل جعل آسيا نقطة محورية في سياسة إدارتنا الخارجية. نظرًا إلى أنه ولد في هاواي، ونشأ في أندونيسيا، شعر بعلاقة شخصية قوية تربطه بالمنطقة، وأدرك أهميتها. بتوجيه منه، دعمَ استراتيجيتنا موظفو مجلس الأمن القومي، بقيادة الجنرال جيم جونز، يعاونه طوم دونيلون، وخبيرهم لآسيا جيف بادر. ومارسنا طوال السنوات الأربع التالية ما سمَّيته «حشد الدبلوماسية المتقدمة» في آسيا، وهو تعبير استعترته من زملائنا العسكريين. سرَّعنا الخطى ووسَّعنا نطاق تعاملنا الدبلوماسي عبر المنطقة، بإيفاد كبار المسؤولين وخبراء التنمية إلى القاصي والداني، والمشاركة أكثر في المنظمات المتعددة الأطراف، وتأكيد تحالفاتنا التقليدية، والوصول إلى شركاء استراتيجيين جدد. ولأن العلاقات الشخصية ومظاهر الاحترام مهمة جدًّا في آسيا، جعلت من أولوياتي زيارة كل دولة تقريبًا في المنطقة. وستقودني رحلاتي في النهاية من إحدى أصغر جزر المحيط الهادئ، إلى موطن الحائز جائزة نوبل الذي سُجن طويلًا، وصولًا إلى حافة الحدود التي تخضع لأشد حراسة في العالم.

وألقيت في الأعوام الأربعة تلك أيضًا، سلسلة من الخطب لشرح استراتيجيتنا والسبب الذي يوجب على الإدارة الأميركية إيلاء منطقة آسيا والمحيط الهادئ اهتمامًا أكبر. بدأت صيف العام ٢٠١١ بوضع مقالة طويلة ترسم مسارًا للمنطقة من ضمن النهج العام للسياسة الخارجية الأميركية. تراجَعَتْ حدة الحرب في العراق، بينما كانت أفغانستان تشهد تحولًا. وصلنا، بعد عقد من التركيز على مناطق التهديدات الكبرى، إلى «النقطة المحورية». كان علينا بالطبع الاستمرار في التركيز على التهديدات التي ظلت قائمة، لكن الأوان آن لبذل المزيد من الجهد في المناطق التي تقدم فرصًا أكبر.

وقد نشرت مجلة «فورين بوليسي» مقالتي في الخريف تحت عنوان «عصر أميركا في منطقة المحيط الهادئ»، لكن كلمة «المحور» هي التي شخصت إليها الأنظار. فهمها الصحافيون بأنها وصف يوحي بتجدد تركيز الإدارة على آسيا ومنحها اهتمامًا خاصًا، على الرغم من أن الكثيرين في إدارتنا فضلوا عبارة «إعادة التوازن إلى آسيا» الأقل فاعلية. قلق بعض الأصدقاء والحلفاء في أجزاء أُخرى من العالم من أن تعني العبارة صرف اهتمامنا عنهم، لكننا اجتهدنا للتوضيح أن

أميركا تملك القدرة والعزم للدوران حول القطب الآسيوي من دون أن تدير ظهرها للالتزامات والفرص الأخرى.

قضت مهمتنا الأولى بإعادة تثبيت أميركا كقوة في منطقة المحيط الهادئ، من دون إثارة مواجهة لا داعي لها مع الصين. لذا قررت أن أستخدم رحلتي الأولى كوزيرة لتحقيق أهداف ثلاثة: زيارة حليفينا الرئيسيين في آسيا، أي اليابان وكوريا الجنوبية؛ والوصول إلى أندونيسيا، القوة الإقليمية الناشئة ومركز منظمة «آسيان»؛ والبدء بتعاملنا المعوَّل عليه مع الصين.

وقد دعوتُ إلى مأدبة عشاء بداية شباط/فبراير، بعد وقت قصير على تولّيّ منصبي، عددًا من الأكاديميين والخبراء في الشؤون الآسيوية، في وزارة الخارجية. تناولنا الطعام في غرفة استقبال توماس جيفرسون الوزارية الأنيقة في الطبقة الثامنة المخصصة للمراسم الاحتفالية. طُليت جدرانها بالأزرق وأُثثت بقطع أميركية قديمة على الطراز الإنكليزي الذي يعود إلى القرن الثامن عشر، وأصبحت إحدى غرفي المفضلة في المبنى، واستضفتُ ونظمت فيها على مر الأعوام، عشرات المآدب والاحتفالات. بحثنا عن طريقة تمكننا من موازنة مصالحنا في آسيا، التي تبدو أحيانًا متضاربة. على سبيل المثال، إلى أي حد يمكننا الضغط على الصينيين في موضوعَي حقوق الإنسان وتغير المناخ، وفي الوقت نفسه نكسب تأييدهم في القضايا الأمنية من مثل إيران وكوريا الشمالية؟ حثّني ستابلتون روي، السفير السابق إلى سنغافورة وأندونيسيا والصين، على عدم إغفال جنوب شرقي آسيا، على ما أوصاني أيضًا جيم وكورت. تركز الاهتمام الأميركي على مر السنين على شمال شرقي آسيا، بسبب تحالفاتنا والتزامات قواتنا في اليابان وكوريا الجنوبية، لكن دولًا من مثل أندونيسيا وماليزيا واليابان، باتت تنمو أهميتها في المجالين الاقتصادي والاستراتيجي. أيّد روي وغيره من الخبراء خطتنا لتوقيع معاهدة مع «آسيان» التي ستفتح مدخلًا لالتزام أميركي أكبر هناك. بدت خطوة صغيرة قد تعود بمنافع حقيقية لاحقًا.

ذهبت بعد أسبوع إلى «جمعية آسيا» في نيويورك لألقي خطابي الأوّل الرئيس، كوزيرة عن نهجنا في منطقة آسيا والمحيط الهادئ. اقترح أورفيل شيل العلّامة الصيني في جمعية آسيا، ذو الشعر الفضي، أن أستخدم المثل القديم من كتاب صن تزو «فن الحرب» عن جنديين من ولايتين إقطاعيتين متحاربتين، وجدا نفسيهما في قارب يقطعان نهرًا عريضًا أثناء عاصفة. بدلًا من أن يتقاتلا، تعاونا معًا وبقيا على قيد الحياة. يُترجم المثل في اللغة الإنكليزية بما يقارب هذا: «عندما تكونان في قارب مشترك، اعبرا النهر معًا في سلام». بالنسبة إلى الولايات المتحدة والصين، مع مصيري اقتصادينا المترابطين وسط عاصفة مالية عالمية، بدت النصيحة جيدة. وتلقفت الصين جيدًا استخدامي المثل. أشار إلى ذلك رئيس الوزراء ون جياباو وزعماء آخرون

خلال محادثاتنا. بعد أيام قليلة على الخطاب، أقلتني الطائرة من قاعدة أندروز الجوية لأتوجه عبر المحيط الهادئ.

بعد أعوام طويلة أمضيتها في السفر، اكتسبتُ القدرة على النوم تقريبًا في أي مكان، كالطائرات والسيارات، أو أخذ قيلولة صغيرة في غرفة فندق تعيد إليَّ النشاط قبل أي اجتماع. أثناء رحلتي، حاولت النوم متى أُتيح لي ذلك، إذ لم أكن متأكدة متى سيتسنى لي الحصول على قسطٍ من الراحة. وعندما توجب علي البقاء مستيقظة أثناء الاجتماعات والمكالمات الجماعية، شربت أكوابًا كثيرة من القهوة والشاي، وأحيانًا حككتُ بأظفار إحدى يديّ راحة الأُخرى. كانت تلك الطريقة الوحيدة لمواجهة الجدول الزمني المجنون وشدة اضطراب الرحلات الجوية الطويلة. ولكن عندما اتجهت طائرتنا نحو طوكيو وقطعنا خط غرينيتش الدولي[١] عرفت أن لا أمل لي في النوم. لم أستطع التوقف عن التفكير في ما عليَّ القيام به لأستفيد من الرحلة إلى الحد الأقصى.

زرت اليابان للمرة الأولى مع بيل، برفقة وفد تجاري من أركنساس، إبان توليه منصب حاكميتها. كانت آنذاك حليفًا رئيسًا للولايات المتحدة، وإنما أيضًا مصدر قلق متزايد. صارت «معجزة اليابان الاقتصادية» ترمز إلى المخاوف الأميركية المستحكمة في شأن الركود والانحطاط، بقدر ما حدث عند صعود الصين في القرن الحادي والعشرين. حمل غلاف كتاب بول كنيدي «صعود القوى العظمى وسقوطها» عام ١٩٨٧، صورة جسدت العم سام مجهَدًا وهو ينزل عن قاعدة نصب عالمي، فيما يحاول تسلقها من خلفه رجل أعمال ياباني يبدو راسخ العزم والثبات. هل يبدو الأمر مألوفًا؟ عندما اشترت مجموعة شركات يابانية مركز روكفلر التاريخي في نيويورك عام ١٩٨٩، تسببت بحال من الذعر طفيفة في الصحافة. «أميركا للبيع؟»، على ما سألت شيكاغو تريبيون.

في تلك الأيام، كانت هناك مخاوف مشروعة على مستقبل الأميركي، مما ساعد على تأجيج حملة بيل الرئاسية عام ١٩٩٢. ولكن حين استقبلَنا أمبراطور اليابان أكيهيتو والأمبراطورة ميتشيكو، ورحبا بي وببيل في القصر الأمبراطوري في طوكيو صيف العام ١٩٩٣، أمكننا أن نرى فعلًا أن أميركا استعادت قوتها الاقتصادية. واجهت اليابان، على النقيض من ذلك، «العقد الضائع»، بعدما انفجرت فقاعة أصولها وائتمانها، مما ترك البنوك والشركات الأخرى مثقلةً بالديون الهالكة. فاقتصادها الذي أرهب الأميركيين في ما مضى، تباطأ إلى حدّ كبير، مما تسبب لنا ولهم بمجموعة أُخرى كاملة من المخاوف. كانت اليابان لا تزال أحد أكبر الاقتصادات في العالم، وشريكًا رئيسًا لمواجهة الأزمة المالية العالمية. اخترتُ طوكيو محطتي الأولى، للتأكيد أن إدارتنا ترى في تحالفنا حجر زاوية في استراتيجيتنا في المنطقة. وسيستقبل الرئيس أوباما أيضًا رئيس الوزراء تارو أسو في وقت لاحق من ذاك الشهر، وهو أول زعيم أجنبي اجتمع معه في المكتب البيضوي.

(١) الخط اليومي الفاصل الذي يمر بخط الطول ١٨٠ في البحر الهادئ، فيكون اليوم في الغرب سابقًا الجهة الأخرى بيوم واحد. (المترجم)

وقد تجلت قوة تحالفنا في شكل مأسوي في آذار/مارس ٢٠١١، عندما ضرب زلزال بقوة تسع درجات على مقياس ريختر، الساحل الشرقي لليابان، مما أدى إلى موجات تسونامي فاق ارتفاعها مئة قدم، وسبب بانهيار محطة فوكوشيما النووية. قتلت «الكارثة المضاعفة ثلاثيًّا» حوالى عشرين ألف شخص، وشرَّدت مئات الآلاف، وغدت إحدى الكوارث الأكثر تكلفة في التاريخ. باشر الأسطول الأميركي السابع الذي جمعته علاقة وثيقة وطويلة مع قوة الدفاع الذاتي البحرية اليابانية، المساعدة، وكذلك فعلت سفارتنا، فنسقا مع اليابانيين لتقديم الإمدادات الغذائية والطبية، والقيام بمهمات البحث والإنقاذ، وإجلاء المصابين، والاشتراك في مهمات حيوية أُخرى. سُميت العملية «توموداشي»، الكلمة اليابانية التي تعني «الصديق».

هبطتُ في هذه الزيارة الأولى، في طوكيو وسط مشهد من الأبهة والفخامة. فإضافة إلى الثلة العادية من العسكريين المرحبين، حضرت إلى المطار لاستقبالي رائدتا فضاء وأعضاء من الفريق الخاص الأولمبي الياباني. بعد بضع ساعات من النوم في فندق أوكورا التاريخي في طوكيو، وهو صورة مصغرة عن نمط ستينات القرن العشرين وثقافتها، كأنه خارج للتوّ من فلم «ماد مان»، كانت محطتي الأولى جولة سياحية على ضريح ميجي التاريخي. حفلت بقية يومي العاصف بلقاءات تعارف مع الموظفين والعائلات في السفارة الأميركية، وغداء مع وزير الخارجية، واجتماع يدمي القلب مع عوائل المواطنين اليابانيين الذين اختطفتهم كوريا الشمالية، ومناقشة عامة حية مع طلاب من جامعة طوكيو، ومقابلات مع الصحافة الأميركية واليابانية، وعشاء مع رئيس الوزراء، واجتماع في ساعة متقدمة من الليل مع رئيس الحزب المعارض. كان اليوم الأول من أيام كثيرة حافلة بالأحداث سأشهدها طوال أربعة أعوام، مع ما يحمل كل منها مِن نجاحات وإخفاقات دبلوماسية، وما تتركه من آثار في النفس.

وأخص بالذِّكر زيارتي للقصر الأمبراطوري للقاء الأمبراطورة ميتشيكو مرةً أخرى. كانت تكريمًا نادرًا، نتيجة علاقة شخصية رقيقة جمعتنا مذ زرتها كسيدة أولى. تبادلنا التحية ببسمة وعناق، ورحبت بي من ثمّ في جناحها الخاص. انضم إلينا الأمبراطور لنشرب الشاي ونتحدث عن رحلاتي وأسفارهما.

يتطلب التخطيط لرحلة خارجية معقدة كهذه فريقًا كاملًا من الأشخاص الموهوبين. تولت هوما، التي باتت نائبة رئيس موظفي للعمليات، ولونا فالمورو، المسؤولة عن جدولة المواعيد والتي وفقت بين مليون دعوة من دون صعوبة تُذكر، تنسيق عملية واسعة النطاق للتأكد من جمع أفضل الأفكار لتنفيذها عن كل محطة وفي كل حدث. أوضحتُ أنني أريد الذهاب إلى أبعد من زيارات وزارات الخارجية والقصور، لألتقي المواطنين، خصوصًا نشطاء المجتمع والمتطوعين والصحافيين

والطلاب والأساتذة، ورجال الأعمال والعمال والقادة الدينيين، أي المجتمع المدني الذي يساعد على مساءلة الحكومات ويحمل على التغير الاجتماعي. قمت بهذا الأمر مذ كنت سيدة أولى. شبَّهت في خطابٍ، عام ١٩٩٨، في المنتدى الاقتصادي العالمي في دافوس، سويسرا، المجتمع الصحيح بكرسي بثلاث أرجل، تسنده حكومة مسؤولة، واقتصاد منفتح، ومجتمع مدني نابض بالحياة. كثيرًا ما أُهمِلت رجل الكرسي الثالثة.

وبفضل الإنترنت، خصوصًا وسائل التواصل الاجتماعية، كسب المواطنون والمنظمات الاجتماعية سهولة الوصول إلى المعلومات وحرية التعبير عن آرائهم أكثر من أي وقت مضى. وعليه، وجب على الأنظمة الاستبدادية الانتباه إلى مشاعر شعوبها، على ما سنرى في الربيع العربي. كان مهمًّا للولايات المتحدة بناء علاقات قوية مع الشعوب الأجنبية، كما حكوماتها. سيساعد ذلك على ضمان شِرْكات أكثر متانة مع أصدقائنا. وسيؤسس أيضًا دعمًا لأهدافنا وقيمنا متى عارضنا نظامًا ما، فيما شعبه يساندنا. في كثير من الحالات، كان دعاة المجتمع المدني ومنظماته هم الذين يدفعون إلى الأمام، تقدّم بلدانهم. حاربوا الفساد الرسمي، عبأوا الحركات الشعبية، لفتوا إلى معضلات، من مثل التدهور البيئي وانتهاكات حقوق الإنسان وعدم المساواة الاقتصادية. أردت منذ البدء، أن تقف أميركا حازمةً إلى جانبهم، وأن تشجع وتدعم جهدهم.

كان أوَّل لقاء عام لي، في جامعة طوكيو. قلت للطلاب إن أميركا مستعدة للإصغاء مجددًا وحوّلتُ الكلام إليهم. ردوا بوابل من الأسئلة، ليس عن القضايا التي تحتل عناوين الصحف الرئيسة فحسب، من مثل مستقبل التحالف بين الولايات المتحدة واليابان، والأزمة المالية العالمية القائمة. سألوا أيضًا عن حظوظ نجاح الديمقراطية في بورما، وسلامة الطاقة النووية (بطريقة متبصِّرة علمية)، والتوترات مع العالم الإسلامي، وتغير المناخ، وكيف يمكن المرأة أن تنجح في المجتمعات الذكورية. كان اجتماعي العام الأول من سلسلة اجتماعات عقدتها مع الشباب في العالم، وقد أحببت الوقوف على أفكارهم والدخول معهم في مناقشة موضوعية، أخذًا وردًّا. سمعت بعد أعوام أن ابنة رئيس الجامعة جلست بين الحضور ذلك اليوم، وقررت أن تختار العمل الدبلوماسي، وقد انضمت إلى السلك الدبلوماسي الخارجي في اليابان. رأيت بعد بضعة أيام، وفي جامعة «إوها وومانز» في سيول، كوريا الجنوبية، كيف سيأخذني التواصل مع الشباب إلى مجالات تتعدى اهتمامات السياسة الخارجية التقليدية. ما إن صعدت إلى المنصة، حتى علا هتاف الحضور. اصطفت الشابات من ثمّ، مع مكبرات الصوت يطرحن علي - في احترام، وإنما في شغف - أسئلة شخصية جدًّا.

هل يصعب التعامل مع القادة المبغضين للنساء في العالم؟

أجبت أنني أعتقد أن الكثيرين من القادة يختارون تجاهل حقيقة أنهم يتعاملون مع امرأة عندما

يتعاملون معي. لكنني حاولت ألّا أسمح لهم بالنجاة من ذلك. (مع ذلك، يشير الواقع المؤسف إلى أن المرأة في الحياة العامة لا تزال تواجه الكيل غير العادل بمكيالين. حتّى القادة من مثل رئيسة وزراء أستراليا السابقة جوليا جيلارد واجهت تحيزًا جنسيًّا فاحشًا، وهو أمر يجب عدم السكوت عنه في أي بلد).

هلّا أخبرتِنا عن ابنتك تشيلسي؟

يمكنني أن أمضي ساعات في الإجابة عن هذا السؤال. ولكن يكفي أن أقول إنها شخص مدهش وإنني فخورة بها جدًّا.

كيف تصفين الحب؟

عند هذا الحد ضحكتُ وقلت إنني أشعر الآن رسميًّا أنني كاتبة عمود لإسداء النصح أكثر منه وزيرة للخارجية. أطرقت في التفكير ومن ثمّ أجبت: «كيف يمكن لأحدٍ أن يصف الحب؟ أعني أن الشعراء أنفقوا آلاف السنين في الكتابة عن الحب. كتب عنه علماء النفس ومختلف أنواع الكتّاب. أعتقد أنّ من يستطيع أن يصفه، قد لا يكون اختبره بالكامل لأنه علاقة خاصة جدًّا. محظوظةٌ أنا لأن زوجي صديقي الحميم، وما زلنا معًا منذ وقت طويل، أطول مِن عمرِ بعضكن».

بدا أن هؤلاء النسوة يشعرن أنهن يرتبطن بي بطريقة خاصة، ولحسن الحظ، كلمنني براحة وثقة كأنني صديقة أو معلمة أكثر منه مسؤولة حكومية من دولة بعيدة. أردت أن أكون جديرة بإعجابهن. وأملت أيضًا في أن تمكنني محادثات كهذه، وجهًا لوجه، من تجاوز الاختلافات الثقافية وربما إقناعهن بتغيير نظرتهن إلى أميركا.

انتقلت من اليابان إلى جاكرتا، أندونيسيا، حيث استقبلتني مجموعة من الطلاب الصغار من المدرسة الابتدائية التي تعلّم فيها الرئيس أوباما في صغره. شاركت خلال زيارتي في «ذي أوسوم شو»، أحد أكثر البرامج التلفزيونية شعبيةً في البلاد. شعرت كأنني في محطة «إم تي في». صدحت الموسيقا الصاخبة بين الفواصل، وبدا جميع المضيفين فتيّين بما يكفي ليكونوا في المدرسة، لا لإدارة حوار برنامج وطني.

طرحوا السؤال الذي سأسمعه في مختلف أنحاء العالم: كيف يمكنني العمل مع الرئيس أوباما بعدما تنافسنا، في ضراوة، خلال الحملة الانتخابية؟ كانت أندونيسيا لا تزال ديمقراطية فتية جدًّا؛ أطاحت الاحتجاجات الشعبية، عام ١٩٩٨، زعيمها سوهارتو الذي حكم طويلًا، وأُجريت الانتخابات الرئاسية المباشرة الأولى عام ٢٠٠٤. لذا لم يكن مستغربًا أن يكون سكانها قد تعودوا أن يُسجن

الخصوم السياسيون أو يُنفوا بدلًا من تعيينهم في مركز دبلوماسي رفيع. قلت إن خسارة الحملة الضارية أمام الرئيس أوباما لم تكن سهلة، لكن الديمقراطية تنجح فحسب، إذا وضع القادة السياسيون المصلحة العامة فوق مصالحهم الشخصية. أوضحت لهم أنني عندما طلب مني العمل في إدارته قبلتُ لأن كلانا يحب بلده. كانت المرّة الأولى من مرات كثيرة ستُشكل فيها شِرْكَتنا مثالًا يحتذيه الناس الذين يحاولون فهم الديمقراطية في الدول الأخرى.

وكنت ناقشت في الليلة السابقة، إلى مأدبة جمعتني مع قادة المجتمع الوطني، أقيمت في متحف المحفوظات الوطنية في جاكرتا، التحديات الاستثنائية التي واجهها قادة أندونيسيا وشعبها: دمج الديمقراطية، والإسلام، والحداثة، وحقوق المرأة في بلد تُعدّ نسبة سكانه المسلمين الأعلى في العالم. في منتصف القرن العشرين، كانت أندونيسيا لاعبًا صغيرًا نسبيًّا في شؤون المنطقة السياسية. وحين زرتها قبل خمسة عشر عامًا كسيدة أولى، كانت لا تزال بلدًا فقيرًا وغير ديمقراطي. وإنما تغيَّرت، عام ٢٠٠٩، تحت قيادة الرئيس سوسيلو بامبانغ يودويونو البعيدة النظر. رفع النمو الاقتصادي معظم السكان فوق مستوى الفقر، وعملت أندونيسيا على تبادل دروس تحولها عن الدكتاتورية مع دول أُخرى في آسيا.

لقد أُعجبت بشخص يودويونو، الذي أدرك، في عمق، ديناميات الدبلوماسية الإقليمية، وامتلك رؤية للاستمرار في تطوير بلاده. شجعني في محادثتنا الأولى على اتباع نهج جديد في التعامل مع بورما التي حكمها مجلس عسكري قمعي أعوامًا. وقد اجتمع يودويونو مرتين مع جنرال بورما الأعلى المعزول، زان شوي، وقال لي إن المجلس العسكري يبدو مستعدًّا للتحول تدريجًا نحو الديقراطية إذا ساعدته أميركا والمجتمع الدولي على ذلك. أصغيت، في اهتمام، إلى نصيحة يودويونو الحكيمة، وبقينا على اتصال وثيق في شأن تقدم بورما. أصبح التزامنا، في هذه البلد في النهاية، أحد أكثر التطورات إثارة خلال توليَّ وزارة الخارجية.

وكانت جاكرتا أيضًا مقر «آسيان» الدائم، المؤسسة الإقليمية التي حثني ممثلوها في العاصمة واشنطن على وضعها من ضمن أولوياتي. ولحظ مراسل ياباني، أثناء مقابلة في طوكيو، أن خيبة أمل عامرة انتشرت في أوساط الآسيويين الجنوبيين الشرقيين لأن المسؤولين الأميركيين فوَّتوا حضور مؤتمرات آسيان الأخيرة، مما فسره البعض دليلًا إلى تراخي الوجود الأميركي وأفول قوته في منطقة آسيا والمحيط الهادئ، حتّى فيما الصين تسعى إلى توسيع نفوذها. أراد المراسل أن يعرف هل أخطط للاستمرار في هذا النهج، أو هل أعمل على تنشيط مشاركتنا. جسّد السؤال تعطش آسيا إلى دلائل ملموسة إلى قدرات القيادة الأميركية. أجبته أن توسيع العلاقات مع المنظمات من مثل آسيان يُعَدّ جزءًا مهمًّا من استراتيجينا في المنطقة، وخططت لحضور ما أمكنني من اجتماعات.

إذا أردنا تحسين موقفنا في جنوب شرقي آسيا على ما تحاول الصين أن تفعل أيضًا، وتشجيع الدول على الموافقة على التعاون أكثر في مجالات التجارة والأمن والبيئة، فسيكون مكان الانطلاق الأفضل مع آسيان.

لم يسبق لوزير خارجية أميركي زيارة مقر المنظمة. استقبلني الأمين العام لآسيان، سورين بيتسوان، مع باقة من الورد الأصفر، وأوضح أن الأندونيسيين يعدّون اللون الأصفر رمزًا للأمل والبدايات الجديدة. «تُظهر زيارتكم جدية الولايات المتحدة لإنهاء غيابها الدبلوماسي في المنطقة»، على ما قال. بدا لي ترحيبه جارحًا، لكنه كان محقًّا في شأن نياتنا.

كانت محطتنا التالية كوريا الجنوبية، الديمقراطية الغنية والمتقدمة، وحليفنا الرئيس الذي يعيش في ظل جار قمعي ومولع بالقتال إلى شماله. رابطت القوات الأميركية محترسة على حذر هناك منذ نهاية الحرب الكورية، عام ١٩٥٣. طمأنتُ الرئيس لي ميونغ باغ وغيره من كبار المسؤولين خلال لقاءاتي معهم، إلى أن التزام أمتنا الدفاع عن كوريا الجنوبية لم يتغير، وإن تغيرت الإدارة الأميركية.

أما كوريا الشمالية، في المقابل، فهي أكثر دولة توتاليتارية مغلقة، في إحكام، في العالم. يعيش معظم سكانها، البالغ عددهم تقريبًا ٢٥ مليونًا، في فقر مدقع، وقد عانوا مجاعات متكررة، وخضعوا لقمع سياسي شبه مطلق. والنظام الذي قاده في السنوات الأولى من عهد إدارة أوباما، كيم جونغ إيل، المعمّر والغريب الأطوار، وخلفه ابنه الشاب كيم جونغ أون، كرّس معظم موارده المحدودة لدعم جيشه، وتطوير الأسلحة النووية، ومعاداة جيرانه.

تفاوضت إدارة كلينتون، عام ١٩٩٤، على اتفاق مع كوريا الشمالية، تتعهد فيه وقف التشغيل والتشييد للمرافق التي اشتُبِه بأنها تُشكّل جزءًا من برنامج سرّي للأسلحة النووية، في مقابل مساعدتها على بناء مفاعلين نوويين صغيرين ينتجان الطاقة، لا البلوتونيوم المصنف كسلاح. وشقّ الاتفاق مسارًا لتطبيع العلاقات بين بلدينا. توصلنا إلى اتفاق مع كوريا الشمالية في أيلول/سبتمبر ١٩٩٩ يقضي بتجميد اختبارات صواريخها البعيدة المدى. وزارت وزيرة الخارجية مادلين أولبرايت كوريا الشمالية في تشرين الأول/أكتوبر ٢٠٠٠، في مسعى إلى اختبار نيات النظام والتفاوض على اتفاق آخر يُفضي إلى استمرار عمليات التفتيش. ولكن، ويا للأسف، وفيما وعد الكوريون الشماليون بالكثير، لم نصل إلى اتفاق شامل. وما إن تولى الرئيس جورج دبليو بوش منصبه، حتّى غيّر مسار السياسات، وأشار إلى كوريا كجزءٍ من «محور الشر» في خطاب القسم الذي توجه به إلى الأمة عام ٢٠٠٢. بانت الأدلة إلى أن كوريا الشمالية خصبت اليورانيوم سرًّا، واستأنفت، عام ٢٠٠٣، تخصيب

البلوتونيوم. وبحلول نهاية عهد إدارة بوش، كانت بيونغ يانغ صنعت أسلحة نووية بما يكفي لتهديد كوريا الجنوبية والمنطقة.

وجّهتُ في تصريحاتي العلنية في سيول دعوة إلى الكوريين الشماليين. إذا قضوا تمامًا، وفي شكل يمكن التحقق منه، على برنامج أسلحتهم النووية، فإدارة أوباما مستعدة لتطبيع العلاقات، وعقد معاهدة سلام دائمة بديلة من اتفاق الهدنة الطويل الأمد مع شبه الجزيرة، والمساعدة في إمدادها بالطاقة وتلبية احتياجات الشعب الكوري الشمالي الأُخرى، الاقتصادية والإنسانية. وإلّا، فسيستمر عزل النظام. كانت مناورة افتتاحية في دراما كنت متأكدة أنها قد تستمر حتى نهاية عهدنا، على ما حدث طوال عقود، ولم أرجح قط أن تنجح. ولكن، على ما هي الحال مع إيران، النظام الآخر ذي الطموحات النووية، بدأنا بعرض التعهد، آملين في أن ينجح، مع علمنا أنه سيسهل علينا دفع دول أُخرى إلى الضغط على كوريا الشمالية إذا رفضت العرض. كان من المهم جدًّا للصين، راعية بيونغ يانغ وحاميتها منذ وقت طويل، أن تكون جزءًا من جبهة دولية موحدة.

لم يطُل الأمر لنحظى بردّ.

ففي الشهر التالي، آذار/مارس ٢٠٠٩، أعدّ فريق من الصحافيين التلفزيونيين الأميركيين تقريرًا عن الحدود بين الصين وكوريا الشمالية لـ «كارنت تي في»، الشبكة التي أسسها نائب الرئيس الأميركي السابق آل غور وبيعت لاحقًا من محطة «الجزيرة». قصد الصحافيون المكان لتوثيق قصص عن نساء كوريات شماليات تم الاتجار بهن عبر الحدود وأجبرن على ممارسة تجارة البغاء وغيرها من أشكال الرقّ الحديثة. فجر ١٧ آذار/مارس، قاد دليل محلي الأميركيين على طول نهر تومين الذي يفصل بين البلدين، وكان لا يزال متجمدًا بداية الربيع. ساروا وراءه على الجليد، مسافة قصيرة، وإلى أبعد ما أمكنهم من جهة كوريا الشمالية من النهر. ووَفق الصحافيين، عادوا من ثمّ إلى الجانب الصيني. فجأةً، ظهر حرس الحدود الكورية الشمالية مدججين بالأسلحة. ركض الأميركيون، ونجا المنتج برفقة الدليل. لكن الحظ لم يحالف المراسلتين الصحافيتين، يونا لي ولورا لينغ. أوقفتا، وسيقتا عبر النهر إلى شمال كوريا، حيث حُكم عليهما بالسجن اثني عشر عامًا، أشغالًا شاقّة.

نفّذت كوريا الشمالية بعد شهرين تجربة نووية تحت الأرض وأعلنت أنها لم تعد تعدّ نفسها ملزمة ببنود هدنة العام ١٩٥٣. وتمامًا، على ما أعلن الرئيس أوباما في خطاب قسمه عند تنصيبه، مددنا يدًا مفتوحة، لكن كوريا الشمالية استجابت بقبضة مغلقة.

قضت خطوتنا الأولى بالتوجه إلى الأمم المتحدة لمعرفة هل يمكن القيام بأي شيء. وبالتعاون الوثيق مع السفيرة سوزان رايس في نيويورك، أمضيتُ ساعات على الهاتف مع القادة في بكين

وموسكو وطوكيو، وعواصم أُخرى حشدًا لتأييد قرارٍ قوي يفرض عقوبات على نظام بيونغ يانغ. وافق الجميع على أن التجربة النووية أمر غير مقبول، أما ما يجب فعله حيال ذلك فكان قصة أُخرى.

«أعرف أن الأمر صعب على حكومتكم»، على ما قلتُ لوزير الخارجية الصينية يانغ جيتشي في إحدى المكالمات، «(لكن) إن تعاونّا معًا، لدينا فرصة لتغيير حسابات كوريا الشمالية في شأن تكلفة استمرارها في برامجها النووية والصاروخية». رد يانغ أن الصين تشاركنا مخاوفنا في شأن سباق التسلح في المنطقة، ووافق على أنه يتطلب «ردًا ملائمًا وموزونًا». أملت ألّا يكون ما قصده توريةً لعبارة «من دون استخدام القوة».

وقد أثمرَتْ جهودنا منتصف حزيران/يونيو. وافق جميع أعضاء مجلس الأمن في الأمم المتحدة على فرض عقوبات إضافية. قدمنا بعض التنازلات لنحظى بالدعمين الصيني والروسي، لكننا حصّلنا في المقابل أقسى عقوبات فُرضت على كوريا الشمالية يومًا ما، وأغبطني أننا صرنا قادرين على حشد ردٍّ دولي موحد.

ولكن كيف يمكننا مساعدة الصحافيتين المسجونتين؟ سمعنا أن كيم جونغ إيل قد يطلقهما في حال زاره وفد أميركي رفيع المستوى وطلب منه ذلك. ناقشت الموضوع مع الرئيس أوباما وأعضاء آخرين من فريق الأمن القومي. ماذا لو زاره آل غور؟ أو ربما الرئيس السابق جيمي كارتر، المعروف بعمله الإنساني في العالم؟ أو مادلين أولبرايت التي حظيت بخبرة فريدة من نوعها في كوريا الشمالية من خلال عملها الدبلوماسي هناك في تسعينات القرن العشرين؟ لكن الكوريين الشماليين كانوا عقدوا العزم على زائر معين: زوجي بيل. كان طلبًا مفاجئًا. من جهة، لم تتوقف حكومة كوريا الشمالية عن توجيه إهانات غير مقبولة إلي بسبب القضية النووية، بما في ذلك الإشارة إلي بـ «السيدة المضحكة». (تشتهر البروباغندا في كوريا الشمالية بالإفراط في هجماتها الخطابية التي تفوق الحدّ المعقول، ولا معنى لها غالبًا. وقد وصفَت، ذات مرّة نائب الرئيس بايدن بـ «اللص الوقح». واللافت أن ثمة موقعًا إلكترونيًا مختصًّا بالشتائم والبذاءات يحاكي في مضمونه ما يصدر عن كوريا الشمالية من إهانات). من جهة أخرى، بدا أن كيم قدر لبيل لفتته مذ أرسل إليه برقية تعزية بوفاة والده كيم إيل سونغ عام ١٩٩٤. وطبعًا أراد جذب اهتمام العالم الذي سيثار، من مهمة إنقاذ يقودها رئيس سابق.

تكلمت وبيل في الموضوع. كان على استعداد للذهاب إذا أفضى ذلك إلى تحرير الصحافيتين. شجع آل غور أيضًا وعائلتا الصحافيتين، بيل على قبول المهمة. قد يكون البعض كنّ مشاعر سلبية حيال بيل منذ حملة الانتخابات التمهيدية عام ٢٠٠٨، لكن الغالبية ترددت، في بساطة، حيال مكافأة كيم على سلوكه السيئ بهذه الزيارة الرفيعة المستوى، التي ستقلق ربما حلفاءنا. وقد أصابوا في

هذه النقطة: علينا الموازنة بين ما يجب القيام به لإنقاذ المدنيتين الأميركيتين البريئتين مع تجنب التداعيات الجيوسياسية المحتملة.

رأيت أن الأمر يستحق المحاولة. حصّل الكوريون الشماليون فعلًا كل ربح ممكن من الحادث، لكنهم يحتاجون إلى تبرير لإطلاق المرأتين والسماح لهما بالعودة إلى وطنهما. علاوةً على ذلك، إذا لم نفعل شيئًا لحلّ هذه المسألة، فستُعلّق جهودنا مع كوريا الشمالية على أي أمر آخر بسبب سجنهما. عندما عرضتُ الفكرة مباشرة على الرئيس أوباما خلال مأدبة غداء نهاية تموز/يوليو، وافقني على أنها أفضل فرصة لنا.

وعلى رغم اتّسامها بـ «المهمة الخاصة»، نُبّهَ بيل وأعضاء الفريق الصغير المرافق له إلى نقاط أساسية قبل الشروع فيها. شمل جزء مضحك وإنما مهم من التحضيرات، تدريبهم على عقد الحاجِبَين، عندما تُلتقط الصّور الرسمية الحتمية مع كيم.

بدأ بيل بالمهمة بداية آب/أغسطس. نجح بعد أربع وعشرين ساعة على الأرض الكورية الشمالية واجتماع مع كيم وجهًا لوجه، في تحقيق الإفراج الفوري عن الصحافيتين. عادتا إلى البلد مع بيل، حيث انتظرهم في كاليفورنيا استقبال مؤثر من العوائل والأصدقاء وكاميرات التلفزيون. كانت الصور الرسمية الصادرة عن النظام متكلّفة على نحوٍ مناسب: ولا بسمة من الفريق الأميركي. قال بيل بعد ذلك ممازحًا إنه شعر كأنه يؤدي دورًا في فلم لجيمس بوند. لكنه اعتقد أن نجاحه دليل إلى أن النظام الانعزالي سيرد بطريقة إيجابية، أقلّه على بعض النقاط، إذا تمكّنا من إيجاد المزيج المناسب من الحوافز.

سيطالعنا لسوء الحظ مزيد من المعضلات لاحقًا. ففي وقت متقدم من إحدى ليالي آذار/مارس ٢٠١٠، أبحرت سفينة «تشيونان» التابعة للبحرية الكورية الجنوبية قرب المياه الإقليمية الكورية الشمالية. كانت ليلة باردة، ومعظم البحارة الكوريين الجنوبيين المئة وأربعة داخل السفينة، نائمين، أو يأكلون، أو يمارسون الرياضة. ومن دون إنذار مسبق، أطلق مصدر مجهول طوربيدًا انفجر تحت هيكل «تشنويان»، فتحطمت السفينة نُثَرًا، وبدأت بقاياها تغرق في البحر الأصفر، فقتل ستة وأربعون بحارًا. خلُص فريق من المحققين تابع للأمم المتحدة في نيسان/مايو، إلى أن غواصة كورية شمالية صغيرة جدًا مسؤولة على الأرجح عن الهجوم غير المبرر. وفي حين دان مجلس الأمن بالإجماع هذا الهجوم، منعت الصين هذه المرة تسمية كوريا الشمالية مباشرة أو اعتماد أي رد يستدعي القوة والشدة. كان ذلك أحد تناقضات الصين على مرأى ومسمع من الجميع. ادعت الصين حرصها على الاستقرار قبل أي شيء آخر، ومع ذلك تغاضت ضمنًا عن عدوان سافر يزعزع الاستقرار إلى حدّ كبير.

عدتُ وبوب غايتس في تموز/يونيو ٢٠١٠ إلى كوريا الجنوبية للاجتماع مع نظرائنا، والتأكيد لبيونغ يانغ أن الولايات المتحدة مستمرة في الوقوف، في حزم، إلى جانب حلفائها. ذهبنا إلى بانموجوم، المنطقة المنزوعة السلاح التي تفصل كوريا الشمالية عن كوريا الجنوبية منذ العام ١٩٥٣. تبلغ مساحة هذه المنطقة كيلومترين ونصف الكيلومتر، وتقع على خط الطول ٣٨ الذي يمتد عبر شبه الجزيرة بأكملها. تُعدّ من أكثر الحدود المحصنة والملغمة في العالم، وأخطرها على الإطلاق. صعدنا تحت سماء ملبدة إلى نقطة مراقبة مموهة لبرج حراسة يحمل أعلام الولايات المتحدة، والأمم المتحدة، وكوريا الجنوبية. تساقط مطر خفيف فيما وقفنا وراء أكياس الرمل نتأمل، بالمناظير، الأراضي الكورية الشمالية.

وإذ حدقت عبر المنطقة المنزوعة السلاح، صُدمت كيف أن هذا الخط الرفيع يفصل عالمين مختلفين تمامًا. فكوريا الجنوبية مثال ساطع للتقدم، وبلد انتقل، في نجاح، من الفقر والدكتاتورية إلى الازدهار والديمقراطية. اهتم قادتها برفاهية مواطنيهم، ونشأ شبابها في جو من الحرية والفرص المتاحة، ناهيك بأسرع شبكات لتحميل المعلومات في العالم. وعلى بعد كيلومترين ونصف الكيلومتر، قامت كوريا الشمالية، أرض الخوف والمجاعة. كان تناقضًا مطبقًا ومأسويًا.

دخلت وبوب مقر الأمم المتحدة القريب، مع نظرائنا الكوريين الجنوبيين، وعقدنا اجتماعًا عسكريًا مقتضبًا. جلنا أيضًا في مبنى يقع مباشرة على حافة الحدود، نصفه إلى الشمال، ونصفه الآخر إلى الجنوب، صمم على هذا الشكل لتسهيل المفاوضات بين الجانبين. وُضعت حتى طاولة مؤتمرات طويلة بالضبط على الخط الفاصل. وفيما سرنا هناك، وقف جندي كوري شمالي على الطرف الآخر من النافذة، أي على بُعد سنتمترات منا، يحدّق بنا في وجوم وقسوة. لعله كان مستغربًا. ولكن إذا كان هدفه تخويفنا، فقد فشل. بقيت مركزة على مرافقنا، فيما ابتسم بوب مرحًا. التقط مصوِّرٌ هذه اللحظة غير العادية في صورة نُشرت على الصفحة الأولى من صحيفة نيويورك تايمز.

ناقشت وبوب في اجتماعاتنا مع الكوريين الجنوبيين الخطوات التي يمكن اتخاذها للضغط على كوريا الشمالية وثنيها عن مواصلة تصرفاتها الاستفزازية. اتفقنا على تقديم عرض للقوة، لطمأنة أصدقائنا وللتوضيح أن الولايات المتحدة ستحمي الأمن الإقليمي. أعلنا عقوبات جديدة، ورسوَّ حاملة الطائرات «يو إس إس جورج واشنطن» قبالة الشواطئ الكورية لتنضم إلى القوات البحرية الكورية الجنوبية في مناورات عسكرية. في الحصيلة، ستُشارك فيها طوال أربعة أيام، ثماني عشرة سفينة، وحوالى مئتي طائرة، وما لا يقل عن ثمانية آلاف جندي أميركي وكوري جنوبي. ثار غضب بيونغ يانغ والصين على السواء على التدريبات العسكرية، مما أكّد لنا أن رسالتنا قد وصلت.

وقد استضافني وبوب تلك الليلة، الرئيس الكوري الجنوبي لي ميونغ باك، إلى مأدبة عشاء في البيت الأزرق، مقر إقامته الرسمي. شكر لنا وقوفنا إلى جانب كوريا الجنوبية في ساعات الشدة، وعلى ما فعل غالبًا، ربط بين مصيره ومصير أمته، وطريقة ارتقائهما من الفقر إلى الواجهة. كانت كوريا الجنوبية في ما مضى أفقر من كوريا الشمالية، لكنها نجحت بمساعدة الولايات المتحدة والمجتمع الدولي في تطوير اقتصادها - تذكير بإرث القيادة الأميركية في آسيا.

وقد اقتضى جانبٌ آخر من استراتيجيتنا المحورية تفعيل دور الهند أكثر في المشهد السياسي في منطقة آسيا والمحيط الهادئ. سيُشجع وجود ديمقراطية كبرى أُخرى شريكة إلى طاولة القرار في المنطقة، المزيدَ من الدول للتحوّل نحو الانفتاح السياسي والاقتصادي، بدلًا من اتباع مثال الصين كدولةٍ رأسمالية استبدادية.

لقد احتفظتُ بذكريات مؤثرة عن زيارتي الأولى للهند عام ١٩٩٥، وكانت تشيلسي برفقتي. زرنا أحد دور الأيتام التي تديرها الأم تيريزا، الراهبة الكاثوليكية المتواضعة، التي جعلها برّها بالناس وقداستها رمزًا عالميًّا. عجّت دار الأيتام بفتيات تُركنَ في الشوارع أو على مدخل الدار لتعثر عليهن الراهبات؛ تخلت عنهن عوائلهن ولم تقدرهن لأنهن لسن فتيانًا. دفعت زيارتنا الحكومة المحلية إلى تعبيد الطريق الترابية المؤدية إلى دار الأيتام، الأمر الذي عدَّته الراهبات معجزة صغيرة. عندما توفيت الأم تيريزا، عام ١٩٩٧، رَأَسْتُ وفدًا أميركيًّا إلى جنازتها في كالكوتا، لتقديم واجب الاحترام لإرثها الإنساني الرائع. حُمِل نعشها مفتوحًا في الشوارع المزدحمة، ووضع الرؤساء ورؤساء الحكومات والزعماء الدينيون من مختلف الطوائف أكاليل من الزهور البيض على ضريحها. دعتني خليفتها لاحقًا إلى لقاء خاص، في مقر رهبنتها، «مرسلات المحبة». في غرفة بسيطة مطلية بالأبيض، مضاءة فقط ببضع شموع مكرسة، وقفت الراهبات في حلقة صلاة هادئة حول النعش المغلق الذي أُعيد إلى هناك باعتباره مثواها الأخير. لدهشتي، طلبن مني تقديم صلاة خاصة. ترددتُ بدايةً، وأحنيت من ثمّ رأسي وشكرت اللّه أنه منحني حظوة التعرف إلى هذه المرأة الصغيرة الحجم والحازمة والقديسة.

كانت رحلتي الأولى إلى الهند كوزيرةٍ للخارجية صيف العام ٢٠٠٩. في الأعوام الأربعة عشر التي فصلت بين زيارتيَّ، ارتفع معدل التجارة بين بلدينا مِن أقل من ١٠ مليار دولار إلى أكثر من ٦٠ مليارًا، وسيستمر في النمو إلى ما يقرب من ١٠٠ مليار دولار عام ٢٠١٢. كان عدد كبير من الحواجز والقيود لا يزال قائمًا، لكن الشركات الأميركية وصلت في بطء، إلى الأسواق الهندية، لتخلق وظائف وفرص عمل لشعبي البلدين، فيما استثمرت الشركات الهندية أيضًا في الولايات المتحدة، وتقدم

الكثيرون من العمال الهنود ذوي المهارات، بطلبات للحصول على تأشيرات دخول، وساعدوا على انطلاق الشركات الأميركية المبتكرة. وقد تابع أكثر من مئة ألف طالب هندي دراستهم في الولايات المتحدة كل عام؛ بعضهم عاد إلى وطنه ليطبّق مهارته في العمل في بلده، في حين بقي كثرٌ منهم ليسهموا في الاقتصاد الأميركي.

التقيت في نيودلهي شريحةً عريضة من المجتمع من مختلف المجالات، من ضمنها رئيس الوزراء مانموهان سينغ، ورجال أعمال، ونساء رائدات، وعلماء في المناخ والطاقة، وطلّاب. فرحت لرؤية سونيا غاندي، رئيسة حزب المؤتمر الوطني الهندي، التي تعرفتُ إليها في تسعينات القرن العشرين. شرحت لي، مع رئيس الوزراء سينغ، صعوبة ضبط النفس حيال باكستان، وقد واجهتها الهند بعد التفجيرات الإرهابية المنسقة في تشرين الثاني/نوفمبر الماضي. أوضحا لي أن الهند لن تتصرف بهذه الطريقة في حال وقوع هجوم ثانٍ. يشير الهنود إلى هجوم ٢٦ تشرين الثاني/نوفمبر ٢٠٠٨، بـ٢٦/١١، كترداد لهجمات ٩/١١ على بلدنا. وفي وقفة تضامن مع الشعب الهندي، اخترت البقاء في فندق قصر تاج محل الأنيق والقديم في بومباي، أحد المواقع التي تعرضت للهجوم الشنيع الذي أودى بحياة ١٦٤ فردًا، ١٣٨ منهم هنود وأربعة أميركيين. أردت ببقائي هناك وتقديم احترامي إلى النصب التذكاري، أن أبعث برسالة أن بومباي قامت من تحت الأنقاض واستأنفت أعمالها التجارية.

سافرت في تموز/يوليو ٢٠١١، في صيف حار، إلى ميناء مدينة تشيناي الهندي على خليج البنغال، وهو مركز تجاري مفتوح على المسارات الحيوية للتجارة والطاقة الواقعة جنوب شرقي آسيا. لم يزر أي وزير خارجية أميركي هذه المدينة يومًا، لكنني أردت أن أبين أننا نعي أن الهند تعني أكثر من نيودلهي وبومباي. وتحدثت في مكتبة تشيناي العامة، وهي الأكبر في البلد، عن دور الهند على المسرح العالمي، خصوصًا في منطقة آسيا والمحيط الهادئ. رَبَطَت الهند بجنوب شرقي آسيا علاقات قديمة، تعود إلى التجار الذين أبحروا عبر مضيق ملقا إلى المعابد الهندوسية التي تنتشر في المنطقة. أملنا، على ما قلت، أن تتجاوز الهند صراعها المستعصي مع باكستان وتصبح داعية نشطة للديمقراطية وقيم التجارة الحرة في مختلف أنحاء آسيا. وأوضحت للحضور في تشيناي أن الولايات المتحدة تدعم سياسة الهند في «الانفتاح على الشرق». أردناها أيضًا أن «تقود الشرق». فعلى الرغم من بعض الخلافات المستجدة يوميًّا، تدفع الأسس الاستراتيجية لعلاقتنا مع الهند، أي القيم الديمقراطية المشتركة، والالتزامات الاقتصادية، والأولويات الدبلوماسية، مصالحَ البلدين إلى تقارب أوثق. فقد دخلنا مرحلة جديدة، أكثر نضجًا، في علاقتنا.

كان الهدف الرئيس من استراتيجيتنا في آسيا، تعزيز الإصلاح السياسي، كما النمو الاقتصادي.

أردنا أن نجعل من القرن الحادي والعشرين زمنًا، تعرف فيه الشعوب عبر آسيا ليس الازدهار فحسب، وإنما الحرية أيضًا. وكنت متأكدة أن المزيد من الحرية سيحفز إلى المزيد من الازدهار.

ساد صراع في دول كثيرة في المنطقة، في شأن نموذج الحكم الذي يناسب مجتمعها وظروفها. فتعاظم دور الصين، وخليط حكمها العجيب الذي يجمع بين التسلط ورأسمالية الدولة، شكّلا مثالًا جذابًا لبعض القادة. كثيرًا ما سمعنا أن الديمقراطية التي يمكن تطبيقها في أي مكان في العالم، لن تجد موطنًا لها في آسيا. فأوحت هذه الانتقادات أنها غير ملائمة لتاريخ المنطقة، وربما حتّى متناقضة مع القيم الآسيوية.

كثُرت الأمثلة المعاكسة لدحض هذه النظريات. كانت اليابان وماليزيا وكوريا الجنوبية وتايوان، مجتمعات ديمقراطية عادت بمنافع اقتصادية هائلة على شعوبها. منذ العام ٢٠٠٨ وحتى العام ٢٠١٢، كانت آسيا المنطقة الوحيدة في العالم التي حققت مكاسب مضطردة في الحقوق السياسية والحريات المدنية، وفقَ منظمة «فريدوم هاوس» غير الحكومية. على سبيل المثال، أُشيد عالميًّا بالانتخابات التي أجرتها الفيليبين، عام ٢٠١٠، على اعتبار أنها أحرزت تحسنًا عن سابقاتها، وأطلق الرئيس الجديد بنينيو أكينو الثالث برنامجًا متكاملًا لمكافحة الفساد وزيادة الشفافية. كانت الفيليبين حليفًا قيمًا للولايات المتحدة، وعندما ضربها إعصار رهيب نهاية العام ٢٠٠٣، ضمنت شِركتنا أن جهود الإغاثة المشتركة التي تقودها البحرية الأميركية انعكست سريعًا على العمل. وكان هناك بورما، طبعًا. بحلول منتصف العام ٢٠١٢، كان الانفتاح الديمقراطي الذي توقعه الرئيس الأندونيسي يودويونو يسير قدمًا، وباتت أونغ سان سو كي، التي ظلت طوال عقود، ضمير أمتها المسجون، عضوًا في البرلمان.

ولم تكن بعض الأمثلة الأخرى مطمئنة. واصلت حكومات آسيوية كثيرة مقاومة الإصلاحات، وقيّدت اطلاع شعوبها على الأفكار والإعلام، وسجنت مَنْ يعبّر عن وجهات نظر معارضة. ظلّت كوريا الشمالية، تحت حكم كيم جونغ أون، أكثر بلد مغلق وقمعي في العالم، مما جعل الأمور أسوأ مما يمكن أن يتصوره عقل. حققت كمبوديا وفيتنام بعض التقدم، ولكن ليس بما يكفي. علمت في زيارة لفيتنام، عام ٢٠١٠، أن عددًا من المدونين الإلكترونيين البارزين اعتُقلوا في الأيام التي سبقت وصولي. أثرت في لقاءاتي مع المسؤولين الفيتناميين مخاوف محددة في شأن القيود التعسفية على الحريات الأساسية، بما فيها الاعتقالات والأحكام القاسية التي كثيرًا ما تُفرض على المعارضين السياسيين والمحامين والمدونين الإلكترونيين والناشطين الكاثوليك والرهبان والراهبات البوذيين.

لقد قمت بجولة أُخرى طويلة في تموز/يوليو ٢٠١١ في مختلف أرجاء المنطقة، وخصصتها

للتأكيد أن الديمقراطية والرخاء متلازمان. بدأتها مجددًا من اليابان، إحدى أقوى الديمقراطيات وأغناها في العالم، وزرت من ثمّ فيتنام وكمبوديا ولاوس، وكنت أوّل وزيرة خارجية أميركية تطأ قدماها الأخيرة منذ سبعةٍ وخمسين عامًا.

خرجت من زيارتي القصيرة للاوس بانطباعين عامين. أولًا، لا تزال لاوس تحت السلطة الشديدة لحزبها الشيوعي الذي خضع بدوره لسيطرة الصين الاقتصادية والسياسية الزائدة. استفادت بكين من العلاقة لاستخراج الموارد الطبيعية ودفع بناء المشاريع التي لم تعد إلا بالقليل على اللاوسي المتوسط. ثانيًا، لا يزال اللاوسيون يدفعون ثمنًا باهظًا لما خلّفه القصف الأميركي المركز على أراضيهم خلال حرب فيتنام، وعليه اتسمت بأنها «أكثر بلد قُصف، في شدّة، في العالم». لذا زرت مشروعًا في فينتيان تدعمه الوكالة الأميركية للتنمية، لتوفير الأطراف الاصطناعية وإعادة تأهيل آلاف البالغين والأطفال الذين ما زالوا يفقدون أطرافهم بسبب القنابل العنقودية المتناثرة على ثلث مساحة البلاد، وقد عُثر على واحد في المئة منها فقط وأُبطل مفعولها. رأيت ضرورة استمرار الولايات المتحدة في التزام هذا المشروع، واطمأننت إلى أن الكونغرس ضاعف التمويل ثلاث مرات، عام ٢٠١٢، لتسريع أعمال إزالة القنابل.

وكانت منغوليا من أبرز محطات رحلة صيف العام ٢٠١٢ الآسيوية هذه، إذ قمت بزيارة أولى لا تُنسى عام ١٩٩٥. وقد عَرَفَت هذه الدولة النائية، المحصورة بين الصين وسيبيريا، أيامًا صعبة. حاولت الهيمنة السوفياتية طوال عقود فرض الثقافة الستالينية على المجتمع البدوي. وعندما توقَّفَت المساعدات من موسكو، انهار الاقتصاد. لكنني، كمثل الكثيرين من الزائرين، سُحرت بجمال منغوليا المطلق، وسهوبها الواسعة، وطاقة شعبها وعزمه وكرمه. في خيمةٍ تقليدية تُسمّى «غِر»، قدمت إلي عائلة من البدو وعاء من حليب الفرس المخمر، يشبه طعمه اللبن العادي. أما الطلاب والناشطون والمسؤولون الحكوميون الذين التقيتهم في العاصمة، فتركوا وقعًا في نفسي، لإصرارهم على تحويل نظام الحزب الواحد الدكتاتوري، نظامًا سياسيًّا ديمقراطيًّا ومتعددًا. لن تكون مسيرتهم سهلة، لكنهم صمموا على المحاولة. قلت لهم، من الآن وصاعدًا، كلما شكك أحدهم في أن تجذر الديمقراطية في هذه الأماكن غير محتمل، سأجيبه: «إذهب إلى منغوليا! إذهب لترى الناس يتظاهرون في البرد والحرارة المتدنية إلى ما دون الصفر، أو يسافرون مسافات طويلة للإدلاء بأصواتهم في الانتخابات».

ووجدت أن منغوليا والمنطقة المجاورة لها قد تغيرا كثيرًا عندما عدت بعد سبعة عشر عامًا. خلقت تنمية الصين السريعة وطلبها النهم على الموارد الطبيعية، طفرة تعدين في منغوليا، الغنية بالنحاس والمعادن الأُخرى. توسّع الاقتصاد بوتيرة سريعة فاقت ١٧ في المئة، عام ٢٠١١، وتوقع بعض الخبراء أن تشهد منغوليا في العقد المقبل نموًّا سريعًا أكثر من أي بلد في العالم. ظلّ معظم

السكان فقراء، وحافظ الكثيرون منهم على نمط حياتهم البدوية، لكن الاقتصاد العالمي الشامل الذي بدا بعيد المنال، وصل إليهم بقوته الكاملة.

استغربت التحول الناشئ في العاصمة أولان باتور، الفاترة الحركة والنشاط في ما مضى، حين مررتُ في شوارعها. ارتفعت ناطحات السحاب الزجاجية وسط كومة من الخيام التقليدية ومشاريع الإسكان السوفياتية القديمة. في ساحة سخباتار، وقف جنود، بالزي التقليدي المنغولي، يوفّرون الحراسة، في ظل متجر جديد للويس فيتون. دخلت مقر الحكومة، وهو إرث من العصر الستاليني، ارتفع فيه تمثال ضخم لجنكيز خان، المحارب المنغولي من القرن الثالث عشر، الذي شملت أمبراطوريته أراضي أكثر من أي أمبراطورية أخرى في التاريخ. قمع السوفيات سابقًا عبادة شخصية خان، لكنه عاد الآن يثأر في شدّة. التقيت في الداخل الرئيس تساخيا إلبغدورج، في الـ «اليار»(*) المخصص للاحتفال الرسمي. جلسنا في خيمة بدوية تقليدية، داخل مبنى حكومي من العهد الستاليني، لمناقشة مستقبل الاقتصاد الآسيوي المتنامي سريعًا. حديث عن تصادم عالمين!

ولقد دامت الديمقراطية المنغولية منذ زيارتي، عام ١٩٩٥. أجرت البلاد ست انتخابات برلمانية ناجحة. عبر شاشات التلفزة، ناقش المنغوليون من مختلف الاتجاهات السياسية أفكارهم علنًا وفي قوة. وقد سمح قانون حرية الإعلام الذي طال انتظاره، للمواطنين بمراقبة عمل حكومتهم في شكل أوضح. ولكن إلى جانب هذا التقدم، كان هناك ما يدعو إلى القلق. فاقمت طفرة التعدين مشكلات الفساد وعدم المساواة، وباتت الصين مهتمة أكثر بجارتها الشمالية النافعة فجأةً. بدت منغوليا كأنها على مفترق طرق: إما أن تستمر في المسار الديمقراطي وتستخدم ثرواتها الجديدة لرفع مستوى معيشة جميع أفراد شعبها، وإما أن تندفع إلى مدار بكين وتختبر أسوأ أعمال طغيان «لعنة الموارد». رجوت الحض على الطريق الأولى، وتثبيط الثانية.

وكان التوقيت مناسبًا. فمنظمة «مجتمع الديمقراطيات» التي تأسست، عام ٢٠٠٠، تحت قيادة وزيرة الخارجية مادلين أولبرايت لتعزيز الديمقراطيات الناشئة، خصوصًا تلك التابعة سابقًا للكتلة السوفياتية، عقدت قمةً في أولان باتور. ستكون هذه فرصة لتعزيز تقدم منغوليا وبث رسالة عن أهمية الديمقراطية وحقوق الإنسان في آسيا ككل، لتُوَزَّع من فناء الصين الخلفي نفسه.

ليس سرًّا أن الصين هي مركز الحركة المناهضة للديمقراطية في آسيا. مُنحت جائزة نوبل للسلام، عام ٢٠١٠، للصيني المسجون ليو شياوبو، الناشط في حقوق الإنسان، ولحظ العالم كرسيه الفارغ في احتفال أوسلو. حذرتُ بعد ذلك من أنه قد يغدو «رمزًا للإمكانات غير المدركة والوعود غير المحققة في أمّة عظيمة». ازدادت الأمور سوءًا، عام ٢٠١١. ففي الأشهر القليلة الأولى، أوقف

(*) اليار هي الخيمة القابلة للنقل وهي جزء من التراث المنغولي. (المترجم)

واعتُقِل عشوائيًّا عشرات محامي المصالح العامة والكتاب والفنانين والمثقفين والنشطاء، ومن بينهم الفنان المعروف آي ويوي الذي دافعت عن قضيته، على ما فعل آخرون.

شرحت في خطابي في أولان باتور لمَ المستقبل الديمقراطي لآسيا هو الخيار الصحيح. جادل معارضو الديمقراطية في الصين وغيرها، أنه قد يهدد الاستقرار عبر إطلاق العنان للقوى الشعبية الفوضوية. لكن أدلة كثيرة من مختلف أنحاء العالم تؤكد أن الديمقراطية تعزز الاستقرار في الواقع. صحيح أن تضييق الخناق على حرية التعبير السياسي وشد القبضة على ما يقرأ الناس، أو يقولون، أو يرون، قد يخلق وهمًا من الأمن، لكن الأوهام تتلاشى، فيما يدوم توق الناس إلى الحرية. خلافًا لذلك، توفر الحرية صمامات أمان حرجة للمجتمعات. فهي تتيح للناس اختيار قادتهم، وتعطي شرعيةً لهؤلاء القادة لاتخاذ قرارات صعبة وإنما ضرورية لخير المصلحة الوطنية، وتسمح للأقليات بالتعبير عن رأيها سلميًّا.

أردت دحض حجة أخرى، مفادها أن الديمقراطية امتياز يخص البلدان الغنية، وأن الاقتصادات النامية تحتاج إلى التركيز على النمو أوّلًا، لتهتم لاحقًا بشأن الديمقراطية. وكثيرًا ما استُشهد بالصين كمثالٍ رئيس لبلدٍ حقق النجاح الاقتصادي من دو إصلاح سياسي يُذكر. لكن ذلك أيضًا كان «مساومة قصيرة النظر، لا يمكن تحملها في النهاية»، على ما قلت. «لا يمكن، على الأجل الطويل، إحراز تحرر اقتصادي من دون تحرر سياسي. فالدول المنفتحة على الأعمال التجارية والمنغلقة على حرية التعبير، لا بدّ من أن تدفع تكلفة هذا النهج». فمن دون حرية تبادل الأفكار وسيادة قوية للقانون، يفتر الابتكار وريادة الأعمال.

ولقد تعهدت أن تكون الولايات المتحدة شريكًا قويًّا لجميع أولئك المكرسين لحقوق الإنسان والحريات الأساسية، في آسيا والعالم ككل. ردَّدتُ طَوال أعوام: «إذهبوا إلى منغوليا!»، وشعرت بالسرور لأن الكثيرين من نشطاء الديمقراطية فعلوا ذلك أخيرًا. وفي الولايات المتحدة، ذكرت افتتاحية في واشنطن بوست أن خطابي «بشّر بأن تمحور الولايات المتحدة في آسيا سيتخطى مجرد استعراض القوة، ليصبح نهجًا متعدد الطبقات يتناسب مع تعقُّد صعود الصين كقوة عظمى حديثة». أما في الصين، فقد انكبت الرقابة على محو كل ما ورد في خطابي عن الإنترنت.

الفصل الرّابع

الصّين: المياه المجهولة المسالك

أوّل ما جذبت الصين انتباهي، مثل معظم الأميركيين، كان عام ١٩٧٢، عندما قام الرئيس ريتشارد نيكسون بزيارته التاريخية عبر المحيط الهادئ. كنتُ وبيل طالِبَي حقوق، لا نملك جهاز تلفزيون، لذا استأجرنا واحدًا مع سلكَي التقاط، ضبطناهما كل ليلة، لمشاهدة مناظرَ من هذا البلد الذي حُجب عن أنظارنا طوال حياتنا. شعرتُ بالفخر لما أنجزته أميركا خلال ما سمّاه الرئيس نيكسون «الأسبوع الذي غيّر العالم».

إذا عدنا إلى الماضي، يبدو واضحًا أن الجانبين خاطرا جدًّا. غامرا في المجهول، في ذروة الحرب الباردة أقلّه. كان يمكن أن تأتي العواقب السياسية الداخلية خَطِرة على قادة الجانبين، ليُتهموا بالضعف أو بـ «التراخي مع الشيوعية»، من جهتنا. لكن الرجلين اللذين فاوضا في شأن الرحلة، هنري كيسنجر عن الولايات المتحدة، وتشو إن لاي عن الصين، والقادة الذين يمثلانهم، من ثمّ، حسبوا أن الفوائد المحتملة تفوق المخاطر. (مازحتُ هنري بأنه كان محظوظًا لأن الهواتف الذكية ووسائل التواصل الاجتماعي لم تكن موجودة عندما قام بأوّل رحلة سرية إلى الصين. تخيّل لو حاول وزير خارجية القيام بذلك اليوم). نقوم بحسابات مماثلة اليوم عندما نتعامل مع دول نعارض سياستها لكننا نحتاج إلى التعاون معها، أو عندما نريد تجنب ترك الخلافات والمنافسة تنزلق نحو الصراع.

ما زالت علاقة الولايات المتحدة بالصين حافلة بالتحديات. نحن دولتان كبيرتان، مركّبتان، يختلف تاريخانا ونظامانا السياسيان وتطلعاتنا في شكل عميق، لكن اقتصادينا ومستقبلينا أصبحا مترابطين جدًّا. لا يمكن تصنيف هذه العلاقة في خانة الصداقة أو المنافسة، ويمكن ألّا يجوز ذلك أبدًا. فنحن نبحر في مياه مجهولة المسالك. يتطلب البقاء على المسار وتجنب المياه الضحلة والدوامات، على السواء، البوصلة الصحيحة والمرونة لإجراء تصحيح متكرر على المسار، بما يتضمنه الوضع من مقايضات مؤلمة أحيانًا. إذا ضغطنا كثيرًا على إحدى الجبهات، قد نعرّض أخرى للخطر. وعلى المنوال نفسه، إذا تسرعنا في قبول تسوية بالمهاودة أو التوافق، قد نستجلب العدوان. وسط كل هذه العناصر التي يجب أن تؤخذ في الحسبان، من السهل أن نغفل عن حقيقة أن نظرائنا، في الجهة المقابلة، يخضعون للضغوط ولديهم التزاماتهم الخاصة. كلما أسرع الجانبان في اتباع مثال ذينك الدبلوماسيين المقدامين السباقين لزمنهما، لسد الثغر التي تعترض التفاهم والمصالح، توافرت لنا الفرص لإحراز تقدم.

لقد تركَتْ رحلتي الأولى إلى الصين، عام ١٩٩٥، أثرًا شديدًا في نفسي. كان المؤتمر العالمي الرابع المعني بالمرأة، حيث أعلنتُ أن «حقوق الإنسان هي حقوق المرأة، وحقوق المرأة هي حقوق الإنسان»، تجربةً مهمةً بالنسبة إلي. شعرت بثقل الرقابة الصينية عندما منعت الحكومة بث خطابي، سواء في مركز المؤتمرات ككل أو على شاشات التلفزيون والإذاعة. تركز معظم خطابي على حقوق المرأة، لكنني بعثت أيضًا برسالة إلى السلطات الصينية، التي حظرت على نشطاء المجتمع المدني المشاركة في أحداث المؤتمر، وأبعدتهم إلى موقع منعزل في هوايرو، على بعد ساعة في السيارة خارج بكين، ومنعت نهائيًّا النسوة من التيبت وتايوان من الحضور. «تعني الحرية حق الناس في التجمع، والتنظيم والمناقشة علنًا»، على ما أعلنتُ على المنصة. «تعني احترام أولئك الذين تختلف وجهات نظرهم عن وجهة نظر حكومتهم. تعني عدم إبعاد المواطنين عن أحبائهم وسجنهم، والإساءة إليهم أو حرمانهم حريتهم وكرامتهم بسبب تعبيرهم السلمي عن أفكارهم وآرائهم». كانت تلك كلمات صريحة، لم يستخدمها الدبلوماسيون الأميركيون عادةً، خصوصًا على الأراضي الصينية، وقد ألحّ علي بعض مسؤولي الإدارة الأميركية لتغيير الخطاب أو عدم الكلام نهائيًّا. لكنني اعتقدتُ أن من المهم الانتصار للقيم الديمقراطية وحقوق الإنسان في مكان هي فيه عرضة للتهديد الكبير.

عدت إلى الصين في حزيران/يونيو ١٩٩٨ لإقامة أطول. قمت وبيل بزيارة دولة رسمية، وقد رافقتنا تشيلسي وأمي. التمس الصينيون استقباله لدى وصوله باحتفال رسمي في ساحة تيانانمن، حيث سحقت الدبابات التظاهرات المؤيدة للديمقراطية في حزيران/يونيو ١٩٨٩. فكر بيل في

رفض الطلب، لئلا يبدو كأنه يؤيد ذلك التاريخ الشنيع أو يتجاهله، لكنه قرر، في النهاية، أن رسالته عن حقوق الإنسان قد تصل أبلغَ إلى الصين، إذا تصرف كضيفٍ مُراعٍ واجباتِ الاحترام. فاجأنا الصينيون بدورهم، إذ سمحوا ببث مؤتمر بيل الصحافي مع الرئيس جيانغ زيمين من دون إخضاعه للرقابة، وقد توسعا في الحديث عن حقوق الإنسان، بما في ذلك موضوع التيبت المحرَّم. وبثوا كذلك خطاب بيل للطلاب في جامعة بكين، وقد شدد فيه على أن «الحرية الحقيقية تشتمل على أكثر من الحرية الاقتصادية».

عدتُ من الرحلة وقد اقتنعتُ بأن الصين، لو اعتنقت مع الوقت الإصلاح والتحديث، لأمكن أن تصبح قوة عالمية بناءة وشريكًا مهمًّا للولايات المتحدة. لكن الأمر لن يكون سهلًا، ويجب على أميركا أن تكون نبيهة وحذرة في طريقة تعاملها مع هذه الأمة المتنامية.

وقد رجعت إلى الصين وزيرةً للخارجية في شباط/فبراير ٢٠٠٩ بهدف بناء علاقة متينة بما يكفي لتجاوز الخلافات التي لا مفر منها والأزمات التي ستنشأ. أردت أيضًا تثبيت علاقة الصين باستراتيجيتنا الأوسع لمنطقة آسيا، وانخراطها في مؤسسات المنطقة المتعددة الأطراف بطرائق تشجعها على العمل مع جيرانها وفق قواعد متفق عليها. وشئت، في الوقت نفسه، أن تعلم الصين أنها ليست نقطة التركيز الوحيدة لاهتمامنا في آسيا. لن نضحي بقيمنا أو بحلفائنا التقليديين للفوز بعلاقات حسنة مع الصين. فعلى الرغم من نموها الاقتصادي المثير للإعجاب وتطور قدراتها العسكرية، لم تصل بعد لتتفوق على الولايات المتحدة باعتبارها أقوى دولة في منطقة آسيا والمحيط الهادئ. استعددنا للتعامل معها من موقع قوة.

تحدثت إلى أعضاء الوفد الصحافي المرافق قبل وصولنا إلى الصين من كوريا الجنوبية. قلت لهم إنني سأشدد على أواصر التعاون لحل الأزمة الاقتصادية العالمية، وعلى تغير المناخ، والقضايا الأمنية، من مثل كوريا الشمالية وأفغانستان. وذكرتُ، بعد عرض أبرز نقاط جدول الأعمال، أن القضايا الحساسة التي تشمل تايوان والتيبت وحقوق الإنسان ستحضر أيضًا خلال المحادثات، وأضفتُ: «نعرف إلى حد كبير ما سيقولون».

وكان هذا صحيحًا بالطبع. طرح الدبلوماسيون الأميركيون هذه القضايا للبحث طوال أعوام، وأمكن توقع ردود الصينيين. أذكر مناقشة حادة دارت بيني وبين الرئيس السابق جيانغ عن معاملة الصين للتيبت، أثناء عشاء رسمي استضفته فيه وبيل في البيت الأبيض في تشرين الأول/أكتوبر ١٩٩٧. كنت التقيت سابقًا الدالاي لاما لمناقشة محنة التيبتيين، وسألت الرئيس جيانغ شرح القمع الصيني. «الصينيون هم محررو الشعب التيبتي. طالعت الحوادث التاريخية في مكتباتنا، وأعرف أن التيبتيين أفضل حالًا اليوم مما كانوا عليه»، على ما أجاب. «ولكن، ماذا عن تقاليدهم وحقهم في ممارسة شعائر دينهم مثلما يشاءون؟»، تابعتُ. فأصر، في شدة، على أن التيبت جزء من الصين،

وأراد أن يعرف لِمَ يناصر الأميركيون «مستحضري الأرواح» أولئك. التيبتيون «ضحايا الدين، وقد أُعتقوا اليوم من النظام الإقطاعي»، على ما أعلن.

لذا، لم تساورني الأوهام في ما سيقوله لي المسؤولون الصينيون عند طرحي هذه القضايا للبحث. توصلت كذلك إلى اقتناع آخر، بعد النظر في حجم علاقتنا بالصين وتعقيداتها، بأن خلافاتنا العميقة على حقوق الإنسان لا يمكن أن تستبعد ارتباطنا ومشاركتنا في العمل على قضايا أُخرى. علينا أن ننتصر، في قوة، للمنشقين، فيما نسعى أيضًا إلى التعاون في الاقتصاد، وتغير المناخ، وانتشار الطاقة النووية. اعتمدنا هذا النهج مذ زار نيكسون الصين. وعليه، فسر الكثيرون تعليقاتي بمعنى أن حقوق الانسان لن تكون أولوية لإدارة أوباما، ويمكن الصين تجاهلها، وهي مطمئنة. لكن هذا أبعد ما يمكن عن الواقع، على ما ستُظهره الأحداث لاحقًا. ومع ذلك، تلقنت درسًا قيمًا: بما أنني أصبحت كبيرة الدبلوماسيين في أميركا، ستخضع كل كلمة أتفوه بها لمستوى عالٍ من التدقيق، وحتى الملاحظات التي تبدو بديهية قد تُفجر موجة من الجنون تتغذى بها الصحافة.

كان مضى أكثر من عقد على زيارتي السابقة، وبدا السير عبر بكين كمشاهدة فيلم بالحركة السريعة. فحيث قامت يومًا حفنة من المباني الشاهقة، بات يهيمن على المنظر المجمع الأولمبي اللماع وأبراج الشركات التي تطال السماء. أمّا الشوارع التي غصت في ما مضى، بدراجات «فلاييغ بيجون»، فقد ازدحمت بالسيارات. والتقيت أثناء وجودي في بكين مجموعة من الناشطات، كنت تعرفت إلى بعضهن عام ١٩٩٨. في ذلك الوقت، احتشدنا، في حضور وزيرة الخارجية أولبرايت في مكتب مساعدة قانونية ضيق، لنقف على جهدهن للفوز بحقوق المرأة في التملك، وعلى رأيهن في الزواج والطلاق، ومعاملتهن كمواطنات متساويات. بعد أكثر من عشرة أعوام، ازداد حجم المجموعة ونطاق جهودها الجماعية. أصبحت الناشطات يعملن ليس لحقوق المرأة القانونية فحسب، وإنما أيضًا لحقوقها البيئية والصحية والاقتصادية.

وكانت إحداهن الدكتورة غاو ياوجي، وهي امرأة صغيرة القد، تبلغ اثنين وثمانين عامًا، وقد خضعت لمضايقة من الحكومة بسبب حديثها عن الإيدز في الصين وعرضها لفضيحة الدم الملوث. حين التقينا، للمرة الأولى، لفتني صغر قدميها، وقد أُلزِمَتْ في صغرها على ربطهما، ودُهشت لقصتها. لقد ثابرت على العزم خلال الحرب الأهلية، والثورة الثقافية، والإقامة الجبرية، وفصل الأسرة القسري، ولم تتهرب يومًا من التزامها مساعدةَ أكبر عدد ممكن من المواطنين، أقرانها، لحماية أنفسهم من الإيدز.

توسطتُ مع الرئيس جون هينتاو، عام ٢٠٠٧، للسماح للدكتورة غاو بزيارة واشنطن وتلقي جائزة، بعدما حاول المسؤولون المحليون منعها من السفر. وها هي ذي بعد عامين، ما زالت تواجه ضغوط الحكومة. مع ذلك، قالت لي إنها تعتزم مواصلة الدعوة إلى الشفافية والمساءلة. «أصبحتُ

في الثانية والثمانين. لم يبقَ لي الكثير لأعيشه»، على ما قالت. «المسألة مهمة، ولست خائفة». بعد زيارتي بوقت قليل، أُجبرت الدكتورة غاو على مغادرة الصين، وهي تعيش اليوم في مدينة نيويورك، حيث استمرت في الكتابة والحديث عن الإيدز في الصين.

استثمرتُ معظم رحلتي الأولى إلى بكين، كويزرة للخارجية، في التعرف إلى كبار المسؤولين الصينيين. اجتمعت إلى غداء مع عضو المجلس البلدي داي بينغ غو في قصر ضيافة الدولة دياويوتاي التقليدي، حيث أقام الرئيس نيكسون في زيارته الشهيرة، وحيث حللنا أثناء رحلتنا عام ١٩٩٨. سيغدو داي، كما وزير الخارجية يانغ جيتشي، نظيريَّ الأوّلين في الحكومة الصينية. (في النظام الصيني، تعلو مرتبة عضو المجلس البلدي على الوزير، لتأتي مباشرة بعد مرتبة نائب رئيس الحكومة في التسلسل الهرمي).

كان داي، الدبلوماسي المتمرس، مقربًا من الرئيس هو، وبارعًا في إدارة السياسة الداخلية لبنية السلطة الصينية. كان فخورًا بسمعته كرجلٍ من الأرياف، تبوَّأ مراكز الصدارة. وهو قصير القامة، مكتنز، حافظ على نشاطه وصحته، على الرغم من تقدمه في السن، لممارسته التمارين الرياضة في انتظام، والسير مسافات طويلة، وقد أوصاني باعتماده. ناقش، في سهولة، في التاريخ والفلسفة، فضلًا عن الأحداث الآنية. وقد قال لي هنري كيسينجر كم قدر علاقته بداي، وعدّه أحد أروع المسؤولين الصينيين الذين التقاهم يومًا، وأكثرهم انفتاحًا. استذكر داي المنعطف التاريخي الكبير، وردَّد، في استحسان، المثل الذي استخدمته في خطابي في جمعية آسيا: «عندما تكونون في قارب مشترك، اعبروا النهر معًا في سلام». حين قلت له إنني أعتقد أن على الولايات المتحدة والصين كتابة رد جديد على السؤال القديم في ما حدث، عندما التقت قوةٌ متمكنة قوةً ناشئة، وافق في حماسة، وكثيرًا ما ردد عبارتي. على مرّ التاريخ، أدى هذا السيناريو في معظم الأحيان إلى الصراع، لذا كان من واجبنا رسم مسار يجنبنا تلك النهاية، عبر حصر المنافسة في حدود مقبولة وتعزيز التعاون قدر الإمكان.

توافقت وداي فورًا، وتحدثنا كثيرًا على مرّ الأعوام. خضعت أحيانًا لمحاضرات طويلة عن الأخطاء التي ترتكبها الولايات المتحدة في آسيا، وهي إن غلب عليها طابع السخرية، فقد وصلت إلي دومًا مع ابتسامة عريضة. وأحيانًا أخرى، تكلّم أحدنا في عمق وفي صفة شخصية، عن الحاجة إلى وضع العلاقة بين الولايات المتحدة والصين على أسس متينة من أجل سلامة الأجيال المقبلة. وفي إحدى زياراتي الأولى للصين، قدم إلي داي هدايا خاصة، مُختارة في عناية، لتشيلسي ووالدتي، متجاوزًا بذلك البروتوكول الدبلوماسي العادي. وحين أتى بالتالي إلى واشنطن، بادلتُه بالمثل مع هدية لحفيدته الوحيدة، مما راقه كثيرًا. كان أطلعني، في اجتماع سابق، على صورة صغيرة لطفلة، قائلًا: «ما نحن فيه، هو من أجلها وأمثالها». حرّك فيَّ هذا الشعور وترًا حساسًا. فما دفعني إلى

الخدمة العامة بدايةً، حرصي على رفاهية الأطفال. وأُتيحت لي الفرصة، كوزيرة للخارجية، لجعل العالم أكثر أمانًا والحياة أفضل قليلًا للأطفال في أميركا والعالم أجمع، بما فيه الصين. عدَدْتُها فرصة العمر ومسؤولية تمتد طَوالَه. وقد أصبح هذا الشغف المشترك مع داي أساس الروابط المتينة بيننا.

أما وزير الخارجية يانغ فقد ارتقى في صفوف السلك الدبلوماسي بدءًا من مترجم. مكننا تملكه الفريد اللغةَ الإنكليزية من تبادل الأحاديث الطويلة والحيوية أحيانًا، خلال اجتماعاتنا ومكالماتنا الهاتفية الكثيرة. قلّما تخلى عن شخصيته الدبلوماسية، لكنني تمكنتُ في بعض المناسبات من أن ألمح حقيقة الشخص المتخفي وراءها. أخبرني ذات مرّة أنه، كولدٍ ترعرع في شنغهاي، جلس في غرفة الصف غير المدفَّأة يرتجف، يداه باردتان إلى حدٍّ العجز عن الإمساك بالقلم. وغدت مسيرته من المدرسة الباردة إلى وزارة الخارجية، مصدر فخره الخاص في تقدم الصين. كان قوميًّا من دون لَبس، وقد نلنا نصيبنا من المناقرات المتوترة، خصوصًا في ما يتعلق بالمواضيع الشائكة، من مثل بحر جنوب الصين، وكوريا الشمالية، والنزاعات الإقليمية مع اليابان.

في إحدى مناقشاتنا الأخيرة، عام ٢٠١٢، وكانت الوقت متقدمًا، بدأ يانغ يشيد بإنجازات الصين الكثيرة والفائقة، بما في ذلك هيمنتها في المجال الرياضي. كان مضى بالكاد شهرٌ على بطولة الألعاب الأولمبية في لندن، فأشرتُ، في لطف، إلى أن أميركا، في الواقع، حازت أكبر عدد من الميداليات، متخطية بذلك كل الدول. لكن يانغ في المقابل عزا «تراجع حظوظ» الصين في دورة الألعاب الأولمبية إلى غياب نجم كرة السلة ياو مينغ المصاب بعطب. مازحني أيضًا قائلًا بوجوب أن تُقام «أولمبياد دبلوماسية»، مع أحداثٍ من مثل «الأميال المقطوعة»، مما من شأنه أن يُوفر للولايات المتحدة ميدالية إضافية على الأقل.

في أوّل محادثة لي مع يانغ في شباط/فبراير ٢٠٠٩، فاتحني بموضوع لم أتوقعه، بدا يزعجه في وضوح. استعد الصينيون لاستضافة معرض دولي كبير في أيار/مايو ٢٠١٠، يحاكي بفاعلياته أحداث العالم للقرن الماضي. سُئل كل بلد في العالم عن بناء جناح له على أرض المعرض، لتسليط الضوء على ثقافته الوطنية وتقاليده. تقاعست دولتان فقط عن المشاركة، على ما قال لي يانغ: أندورا الصغيرة والولايات المتحدة. رأى الصينيون في الأمر دلالة إلى عدم احترام، وتداعيًا أميركيًّا كذلك. فوجئتُ عندما عرفتُ أننا لم نعمل كما يجب، وتعهدت ليانغ حرصي على أن تُمثَّل الولايات المتحدة خير تمثيل.

وسرعان ما عرفتُ أن «جناح الولايات المتحدة» يعاني نقصًا في التمويل، وهو متأخر في تحضيراته عن الموعد، ومن المرجح ألّا يكتمل إلّا إذا تبدلت الأحوال بسحر ساحر. لم تكن تلك

طريقة جيدة لإبراز القوة الأميركية وقدراتها في آسيا. لذا جعلت بناء الجناح أولوية خاصة، مما عنى جمع الأموال ودعمًا من القطاع الخاص في وقت قياسي.

نجحنا في ذلك، وفي أيار/مايو ٢٠١٠، جال في المعرض ملايين الزوار من مختلف أنحاء العالم. عرض جناح الولايات المتحدة منتوجات وقصصًا تجسد بعض أبرز قيمنا الوطنية: المثابرة والابتكار والتنوع. ما هزَّني فعلًا، تطوُّع الطلاب الأميركيين الذين أدوا مهام الضيافة والإرشاد. مثلوا شريحة كاملة من الشعب الأميركي، بكل نواحي حياته وخلفياتها، وتكلّم جميعهم الصينية. فوجئ الكثيرون من الزوار الصينيين بسماع أميركيين يتكلمون لغتهم بهذا الاندفاع والرغبة. توقفوا وتحدثوا معهم، طرحوا أسئلة، أخبروا نكاتٍ، وتبادلوا قصصًا. كان تذكير آخر بأن التواصل الشخصي يمكن أن يخدم علاقة الولايات المتحدة بالصين بقدر ما تفعل اللقاءات الدبلوماسية واجتماعات القمة، أو ربما أكثر.

وبعد مناقشاتي مع داي ويانغ في زيارتي تلك من شباط/فبراير عام ٢٠٠٩، أُتيحت لي فرصة للقاءين منفصلين مع الرئيس هو، ورئيس مجلس الوزراء ون، من ثمّ. كانت المقابلة الأولى من حوالى اثنتي عشرة ستجمعنا على مر الأعوام. كان المسؤولان الكبيران أكثر تحفظًا من داي ويانغ، وأقل ارتياحًا في المناقشات المطلقة العنان. كلما توسعت وأوغلت في المواضيع والأحداث المطروحة، رفع المسؤولان الصينيان، أكثر، حدة التكهن، والتزام الشكليات، واللياقات المراعية لواجبات الاحترام. لم يرغبا في أي مفاجأة. فالمظاهر مهمة. تعاملا معي في احتراس واحترام، وحتى بقليل من الحذر. كانا يدرسان شخصيتي، مثلما كنت أفعل بدوري.

كان هو لطيفًا، أعرب عن تقديره لقراري زيارة الصين بهذه السرعة. كان الرجل الأقوى في الصين، لكنه افتقد الهيبة الخاصة التي تمتع بها أسلافه، كدينغ زياو بينغ أو جيانغ زيمين. بدا لي كرئيس مجلس إدارة معزول أكثر منه مديرًا تنفيذيًا يؤدي العمل بيديه. كيف تحكم بجهاز الحزب الشيوعي المترامي الأطراف، بكامله، كان سؤالًا مفتوحًا، خصوصًا متى تعلّق الأمر بالجيش.

أما «الجدّ ون»، على ما سمي رئيس الوزراء (المسؤول الثاني)، فقد عمل جاهدًا ليتقدم إلى الصين والعالم بصورة الناعم الكلام، ذي اللهجة الودية. ولكن، في دائرته الخاصة، قد يكون حادًا جدًا، خصوصًا إذا ما حاجج أن الولايات المتحدة مسؤولة عن الأزمة المالية العالمية، أو نحّى جانبًا الانتقادات لسياسات الصين. لم يكن قط مشاجرًا، لكنه كان لاذعًا أكثر مما توحي به شخصيته العامة.

اقترحت في لقاءاتي الأولى مع هذين المسؤولين، جعل الحوار الاقتصادي الأميركي - الصيني الذي بدأ به وزير الخزانة السابق هانك بولسون، حوارًا استراتيجيًا كذلك، ليشمل مجموعة أوسع

من القضايا، ويشارك فيه المزيد من الخبراء والمسؤولين من حكومتينا وعبرهما. لم يكن ذلك عذرًا لوزارة الخارجية لتفتح لنفسها طريقًا إلى المحادثات أو لتقيم جمعية رفيعة المستوى للمناظرات. أدركت أن محادثات منتظمة، قوامها لجنة تنسيق للعلاقة رفيعة المستوى، ستوسع تعاوننا في مجالات جديدة، وتؤسس لمزيد من الثقة والمرونة. سيتعرف صناع القرار من الجانبين بعضهم إلى بعض ويتعوّدون العمل معًا. وستقلل خطوط الاتصال المفتوحة احتمال أن يؤدي سوء الفهم إلى تصاعد حدة التوترات، وقد لا تعرقل النزاعات المقبلة كل ما نحتاج إلى القيام به معًا.

وقد ناقشت هذه الفكرة مع خليفة هانك بولسون في الخزانة تيم جايتنر، خلال مأدبة غداء في وزارة الخارجية بداية شباط/فبراير ٢٠٠٩. تعرفت إلى تيم وراقتني مذ كان رئيس البنك الاحتياطي الفدرالي في نيويورك. كانت خبرته عن آسيا واسعة، وأتقن قليلًا اللغة الصينية، مما جعله شريكًا مناسبًا لالتزامنا مع الصين. ولم يرَ تيم - وأقّر له بذلك - في اقتراحي توسيعَ الحوار، تدخلًا في عمل وزارة الخزانة أو شؤونها. رأى الأمور على ما فعلتُ: فرصة لتوحيد نقاط قوة وزارتينا، خصوصًا في وقت طمست الأزمة المالية العالمية الخط الفاصل بين الأمن والاقتصاد أكثر من أي وقت مضى. إذا وافق الصينيون، فسأقود وتيم الحوارَ الجديد المشترك.

ولم أستبعد تردد بكين، ورفضها حتى. لم ترغب، في النهاية، في مناقشة المواضيع السياسة الحساسة. مع ذلك، اتضح أن الصينيين يحرصون على مزيد من الاتصالات الرفيعة المستوى مع الولايات المتحدة، ويسعون إلى ما وصفه الرئيس هو جين تاو بـ «علاقة إيجابية، تعاضدية وشاملة». وسيغدو سريعًا حوارنا الاستراتيجي والاقتصادي نموذجًا، كررنا تطبيقه مع القوى الناشئة في العالم، من الهند، إلى جنوب أفريقيا، فالبرازيل.

اعتمدت العقيدة الموجهة للسياسة الخارجية الصينية، طوال عقود، على وصية دينغ زياو بينغ: «راقب في هدوء، تعامل مع الأمور برباطة جأش، التزم موقفك، اخفِ قدراتك، تحيَّن الفرصة، وأجهز على الأمور متى أمكن». ودينغ الذي حكم الصين بعد وفاة الرئيس ماو تسي تونغ، اعتقد أن بلاده لم تكن قوية، بما يكفي، لتفرض نفسها على المسرح العالمي، واستراتيجيته في «التخفي والتربص» جنبتها الصراع مع جيرانها عندما انطلق اقتصادها. قابلت وبيل، دينغ، مدة وجيزة خلال جولته التاريخية على الولايات المتحدة عام ١٩٧٩. لم يسبق أن التقيت زعيمًا صينيًّا، وراقبته عن كثب وهو يتفاعل من دون تكلّف مع الضيوف الأميركيين في حفلة استقبال وعشاء في قصر حاكم جورجيا. كان جذابًا، وترك انطباعًا جيدًا، سواء عن شخصه أو استعداده للبدء بانفتاح بلاده على الإصلاح.

إلّا أن بعض المسؤولين الصينيين، خصوصًا العسكريين منهم، تململوا من موقف ضبط النفس هذا، بحلول العام ٢٠٠٩. فقد رأوا أن الولايات المتحدة، أقوى دولة في منطقة آسيا والمحيط الهادئ منذ زمن طويل، بدأت تتراجع فيها، لكنها لا تزال مصممة على منع صعود الصين كقوة عظمى سيدة نفسها. ظنوا أن الوقت حان لاتباع نهج أكثر حزمًا. شجعتهم الأزمة العام ٢٠٠٨ المالية التي أضعفت الولايات المتحدة، وحربا العراق وأفغانستان اللتان استنزفتا الموارد الأميركية واستقطبتا الاهتمام، وتعزيز حضور التيار القومي بين الشعب الصيني. وعليه، بدأت الصين باتخاذ خطوات جريئة في آسيا، لتختبر إلى أي حد يمكنها أن تصل.

وقد لقي الرئيس أوباما استقبالًا فاترًا ملحوظًا خلال زيارته بكين في تشرين الثاني/نوفمبر ٢٠٠٩. أصرّ الصينيون على تنظيم معظم إطلالاته من وراء الكوليس، ورفضوا تقديم أي تنازل في قضايا من مثل حقوق الإنسان أو تقدير قيمة العملة، وقدموا مواعظ عنيفة عن معضلات الموازنة الأميركية. ووصفت صحيفة نيويورك تايمز المؤتمر الصحافي المشترك بين الرئيس أوباما والرئيس صيني هو بـ «المتكلف»، إلى حد تمسيخه في برنامج «ساترداي نايت لايف». وتساءل الكثيرون من المراقبين هل نشهد مرحلة جديدة من العلاقة مع الصين الصاعدة والحازمة التي لم تعد تخبئ مواردها وتعزيز قدراتها العسكرية، لتبتعد عن مبدأ «تخفَّ وتربص»، نحو «اظهر وافعل»؟

كان البحر الحلبة الأكثر إثارة لتثبت الصين وجودها وما لها من حقوق ومطالب. تملك الصين وفيتنام والفيليبين واليابان سواحل تُطل على جنوب بحر الصين وشرقه. وقد تنافست في ما بينها طوال أجيال، على حقوقها في الشواطئ الغنية بسلاسل من الشعاب المرجانية، والصخور، والنتوءات الصخرية، والجزر غير المأهولة بالسكان عمومًا. وتقاتلت الصين وفيتنام، في عنف، جنوبًا على الجزر المتنازع عليها في العقدين السابع والثامن من القرن العشرين. واشتبكت الصين مع الفيليبين في التسعينات على جزر أُخرى. وفي شرق بحر الصين، كانت سلسلة من ثماني جزر غير مأهولة بالسكان، يسميها اليابانيون «سنكاكوس» والصينيون «ديايوس»، موضوع نزاع محتدم وطويل، وما زال إلى يومنا، عام ٢٠١٤، يغلي ويهدد بالانفجار في أي لحظة. وقد أعلنت الصين في تشرين الثاني/نوفمبر ٢٠١٣، عن «منطقة دفاع جوي لتأكيد السيادة» فوق جزء كبير من شرق بحر الصين، شملت الجزر المتنازع عليها، وطلبت من كل الخطوط الجوية الدولية التزام إجراءاتها. رفضت الولايات المتحدة الاعتراف بهذه الخطوة، وفعل كذلك حلفاؤنا، واستمرت طائراتنا في المرور عبر ما نعدُّه مجالًا جويًّا دوليًّا.

قد لا تكون هذه الصراعات جديدة، لكن الرهانات علت. فعلى ما نما اقتصاد آسيا، نشطت كذلك التجارة عبر المنطقة. فقد مرَّ نصف مجموع التبادل التجاري العالمي أقلّه، عبر بحر الصين جنوبًا، بما في ذلك الكثير من الشحنات المتوجهة إلى الولايات المتحدة، أو منها. وحولت

الاكتشافات لاحتياطيات جديدة من موارد الطاقة بعيدًا من الشاطئ ومصائد الأسماك، المياه المجاورة والصخور غير الملحوظة سابقًا، كنزًا دفينًا. فالمنافسات القديمة التي غذاها احتمال وجود ثروات جديدة، باتت قابلة للاشتعال.

وتولّى الذعر جيران الصين وهم يراقبونها طوال عامي ٢٠٠٩ و٢٠١٠ تسارع في تعزيز قواتها البحرية، وتؤكد مطالبتها بتوسيع حدود مياهها الإقليمية لتحظى بالمزيد من الجزر واحتياطيات الطاقة. أتت هذه الإجراءات على نقيض ما أمل نائب وزير الخارجية السابق (ورئيس البنك الدولي لاحقًا) روبرت زوليك، عندما حث الصين على أن تصبح «شريكًا مسؤولًا»، في خطاب صريح العبارة، عام ٢٠٠٥. أصبحت الصين بدلًا من ذلك، ما سميتُه «شريك المصلحة الانتقائية»، لتختار وتؤْثِر متى عليها أن تتصرف كقوة عظمى مسؤولة، ومتى عليها تأكيد حقها في فرض إرادتها على جيرانها الأصغر.

ففي آذار/مارس ٢٠٠٩، بعد شهرين على تولي إدارة أوباما الحكم، اعترضت خمس سفن صينية، السفينة الحربية الصغيرة التابعة للبحرية الأميركية، «ذي إمبايكبل»، على بعد حوالى خمسة وسبعين ميلًا من مقاطعة جزيرة هاينان الصينية. طلب الصينيون من الأميركيين مغادرة ما ادَّعوا أنه مياه إقليمية حصرية. رد طاقم «إمبايكبل» بأنه في مياه دولية وله الحق في الملاحة. ألقى البحارة الصينيون قطعًا من الخشب في المياه لاعتراض مسار السفينة، فردّ الأميركيون برشّ الصينيين بخراطيم من النار، حتى تجرد بعضهم من ثيابه وملابسه الداخلية. أمكن عدُّ المشهد مضحكًا، لو لم يمثِّل مواجهة خطرة. وقد هدّدت مواجهات مماثلة في البحر، وقعت بين الصين وكل من اليابان وفيتنام والفيليبين، طوال العامين التاليين، بالخروج عن السيطرة. كان لا بد من القيام بشيء.

وفضلت الصين حل خلافاتها مع جيرانها ثنائيًا، أو بين ممثلين عن كل دولة، إذ تكون قوتها النسبية في هذه الحالات أكبر، في حين قد يتراجع نفوذها، في الاجتماعات المتعددة الأطراف حيث يمكن الدول الأصغر أن تتآلف. وليس مستغربًا أن تفضل بقية دول المنطقة، في معظمها، المقاربة الثانية، فاعتقدت أن هناك الكثير من المطالب والمصالح المتداخلة التي لا يمكن حلها بالترقيع، وهو الأسلوب الذي عفَّ عليه الزمن. كانت أفضلُ طريقة للوصول إلى حل شامل، جمعَ اللاعبين المعنيين في غرفة واحدة وإعطاءهم جميعًا فرصة للتعبير عن وجهات نظرهم، خصوصًا الدول الصغرى.

وقد وافقتُ على هذا النهج. ليس للولايات المتحدة مطالب إقليمية في جنوب بحر الصين أو شرقه، ولا ننحاز في نزاعات كهذه، ونعارض الجهود الأحادية الجانب لتغيير الوضع الراهن. لدينا

مصلحة موجبة في حماية حرية التجارة، والتجارة البحرية، والقانون الدولي. ولدينا معاهدات تلزمنا دعم اليابان والفيليبين.

تصاعدت مخاوفي عندما كنت في بكين للحوار الاستراتيجي والاقتصادي في أيار/مايو ٢٠١٠، وسمعت للمرة الأولى القادة الصينيين يصفون مطالب البلد الإقليمية في جنوب بحر الصين بـ «المصلحة الأساسية»، إلى جانب المواضيع الساخنة التقليدية من مثل تايوان والتيبت. وحذروا من أن الصين لن تتسامح مع أي تدخل خارجي. وتعطلت لاحقًا الاجتماعات عندما وقف أدميرال صيني وانطلق في جعجعة غاضبة، متهمًا الولايات المتحدة بمحاولة تطويق الصين وقمع صعودها. كان هذا أمرًا غير عادي في قمة مخطط لها، في عناية، وعلى الرغم من أنني افترضت أن الأدميرال حصل، ضمنًا أقلّه، على الضوء الأخضر من أسياده في الجيش والحزب، بدا أن بعض الدبلوماسيين الصينيين فوجئوا مثلي.

وقد عزَّزَت اعتقادي المواجهات في جنوب بحر الصين، في العامين الأولين من إدارة أوباما، أن استراتيجيتنا في آسيا يجب أن تتضمن جهدًا كبيرًا لرفع مستوى المؤسسات المتعددة الأطراف في المنطقة. فأماكن انعقادها المتاحة لم تكن فاعلة، بما يكفي، لحل النزاعات بين الدول أو التعبئة للعمل. وقد بدت للدول الصغرى مثل «الغرب الهمجي»: جبهة من دون سيادة القانون، حيث يخضع الضعيف لرحمة القوي. ولم يكن هدفنا الإسهام في نزع فتيل النقاط الساخنة من مثل جنوب بحر الصين أو شرقه فحسب، ولكن كذلك تعزيز نظام دولي من القواعد والمنظمات في منطقة آسيا والمحيط الهادئ تساعد على تجنب الصراعات في المستقبل، وإحلال شيء من النظام والاستقرار على المدى الطويل في المنطقة، الأمر الذي بدأ يقارب ما أنشأَته أوروبا.

وفي رحلة الإياب من محادثات بكين، قوَّمتُ الوضع مع فريق عملي. رأيت أن الصين بالغت في الاعتزاز بنفسها. فبدلًا من استخدام مرحلة غيابنا الواضح والأزمة الاقتصادية لتعزيز العلاقات الجيدة مع جيرانها، أصبحت أكثر عدوانية تجاههم، وقد وتّر هذا التحول بقية المنطقة. عندما تكون أحوال الحياة جيدة، قلّما تهتم الأمم لتحالفات الدفاع المكلفة، والقواعد والمعايير الدولية القوية، والمؤسسات المتعددة الأطراف المتينة. ولكن، عندما تزعزع الصراعات الأحوال الراهنة، تصبح الاتفاقات ووسائل الحماية تلك أكثر جاذبية، خصوصًا بالنسبة إلى الدول الصغيرة.

يمكن العثور على فرصةٍ ربما وسط كل هذه التطورات المقلقة. بانت إحداها بعد شهرين، في منتدى إقليمي لمنظمة آسيان في فيتنام. حطت طائرتي في هانوي في ٢٢ تموز/يوليو ٢٠١٢، إذ ذهبت إلى مأدبة غداء لمناسبة الذكرى الخامسة عشرة لتطبيع العلاقات بين فيتنام والولايات المتحدة.

أتذكر، في وضوح، ذلك اليوم من تموز/يوليو ١٩٩٥، عندما أطلق بيل الإعلان التاريخي من الغرفة الشرقية في البيت الأبيض، محاطًا بقدامى المحاربين في فيتنام، ومن بينهم السيناتوران جون كيري وجون ماكين. كانت بداية عصر جديد، من أجل تطبيب الجراح القديمة، وتسوية مسألة أسرى الحرب، ورسم مسار لتحسين العلاقات الاقتصادية والاستراتيجية. ذهبنا إلى هانوي عام ٢٠٠٠، في أول زيارة يقوم بها رئيس أميركي. استعددنا نفسيًّا لأن نواجَه باستياء، بل بعداء، ولكن عندما توجهنا إلى المدينة، رأينا حشودًا كبيرة اصطفت في الشوارع للترحيب بنا. واجتمعت جمهرة من الطلاب، الذين نشأوا وهم لا يعرفون إلا السلام بين دولتينا، في جامعة هانوي الوطنية للاستماع إلى خطاب بيل. أنّى ذهبنا، شعرنا بدفء الشعب الفيتنامي وكرم ضيافته، مما يشكّل انعكاسًا لحسن النية التي تطورت بين بلدينا خلال جيل، وشهادة قوية لحقيقة أن ليس على الماضي أن يحدد المستقبل.

عجبتُ عندما عدت إلى هانوي وزيرةً للخارجية، للتقدم الذي حقَّقَتْه فيتنام منذ تلك الزيارة، وكيف استمرت علاقاتنا في التحسن. فقد نما حجم التبادل التجاري إلى نحو ٢٠ مليار دولار عام ٢٠١٠، مقارنةً بأقلّ من ٢٥٠ مليون دولار قبل تطبيع العلاقات التي تتوسع سريعًا كل عام. ففيتنام تمثّل أيضًا فرصة استراتيجية فريدة من نوعها، على الرغم من التحديات التي تحملها. من جهة، ما زالت دولة متسلطة ذات سجل سيئ في مجال حقوق الإنسان، ولاسيما منها حرية الصحافة. ومن جهة أخرى، اتخذَتْ، في ثبات، خطوات لتحرير اقتصادها، وحاولت المطالبة بدور أكبر في المنطقة. على مرّ السنين، أخبرني المسؤولون الفيتناميون أنهم معجبون بأميركا ويحبونها، على الرغم من الحرب التي خضناها ضدهم.

كانت إحدى أهم أدواتنا للالتزام حيال فيتنام، اقتراحَ اتفاق تجاري جديد، سُمي «الشَّرِكة عبر المحيط الهادئ» (تي بي بي)، سيربط ما بين الأسواق في مختلف أنحاء آسيا والأميركتين، ليخفض الحواجز التجارية، فيما يرفع المعايير على العمالة والبيئة والملكية الفكرية. وقد أوضح الرئيس أوباما أن الهدف من مفاوضات «الشَّرِكة عبر المحيط الهادئ»، عقد «اتفاق تجاري قابل للتنفيذ، ذي مستوى عالٍ، وله دلالته، وسيكون فاعلًا إلى حد لا يصدق بالنسبة إلى الشركات الأميركية التي مُنعت، حتى هذه اللحظة، من دخول هذه الأسواق». وكانت مهمة أيضًا للعمال الأميركيين الذين سيستفيدون من المنافسة على أساس الكفاية. وهي مبادرة استراتيجية ستعزز موقف الولايات المتحدة في آسيا.

تعلّم بلدنا بالطريقة الصعبة في العقود القليلة الماضية، أن العولمة والتوسع في التجارة الدولية يعودان بالتكاليف والفوائد كذلك. وقد وعدتُ، في الحملة الانتخابية عام ٢٠٠٨، على ما فعل السيناتور أوباما آنذاك، بالسعي إلى طلب الاتفاقات التجارية الأذكى والأكثر عدلًا. ولأن

المفاوضات على «الشَّرِكة عبر المحيط الهادئ» لا تزال قائمة، من المنطقي ألّا نُصدر حكمًا فيها قبل تقويم الاتفاق النهائي المقترح. من الأسلم القول إن «الشّرِكة عبر المحيط الهادئ» لن تكون مثالية - ولن يتحقق ذلك أبدًا في أي اتفاق تتفاوض عليه عشرات الدول - لكن معاييرها، إذا ما طُبِّقَت ونُفِّذَت، تفيد الشركات والعمال الأميركيين.

وسعت فيتنام كذلك إلى كسب الكثير من هذه الصفقة - ستُغطي «الشَّرِكة عبر المحيط الهادئ» ثلث التجارة العالمية - لذا كان قادتها مستعدين لإجراء بعض الإصلاحات للتوصل إلى اتفاق. ومع ازدياد زخم المفاوضات، شعرت دول أخرى في المنطقة بالطريقة نفسها. لذا سيصبح توقيع اتفاق «الشَّرِكة عبر المحيط الهادئ» الدعامة الاقتصادية لاستراتيجيتنا في آسيا، ليثبت فوائد التعاون الزائد مع الولايات المتحدة والقائم على قواعد النظام.

بدأت بعد ظهر ٢٢ تموز/يوليو الاجتماعات الإقليمية لمنظمة آسيان، في مركز المؤتمر الوطني في هانوي، بمناقشات رسمية طويلة عن التجارة وتغير المناخ والاتجار بالبشر وانتشار الطاقة النووية، وكوريا الشمالية وبورما. ومع توالي الاجتماعات في اليوم الثاني، سيطر موضوع واحد على أذهان الجميع: بحر الصين الجنوبي. فالنزاعات الإقليمية المشحونة بالفعل مع التاريخ والقومية والاقتصاد، أصبحت سؤالًا اختباريًّا حاسمًا: هل تستخدم الصين قوتها المتنامية للسيطرة على مجال النفوذ الواسع، أم تعيد المنطقة تثبيت المعايير الدولية التي تربط حتى أقوى الدول؟ كانت السفن البحرية تتصادم في المياه المتنازع عليها، والصحف تؤجج المشاعر الوطنية في مختلف أنحاء المنطقة، والدبلوماسيون يسعون جاهدين إلى منع الصراع المفتوح. وظلت الصين مع ذلك تصر على أن الموضوع غير مناسب لعقد مؤتمر إقليمي.

اجتمعتُ تلك الليلة مع كورت كامبل وفريق عملي المخصص لآسيا، لمراجعة خططنا لليوم التالي. ما خطر لنا يتطلب دهاءً دبلوماسيًّا، ويستدعي كلَّ الأسس التي وضعناها في المنطقة خلال الأشهر الثمانية عشر الماضية. أمضينا خمس ساعات في صقل الخطاب الذي سألقيه في اليوم التالي، ووضع التفاصيل التي ستنظم تحركاتنا مع شركائنا.

حالما افتُتِحت دورة آسيان، بدأت فصول المسرحية تتوالى. التقطت فيتنام شعرة معاوية. وعلى الرغم من اعتراضات الصين على مناقشة قضية بحر الصين الجنوبي في هذا الاجتماع، رفعت فيتنام المسألة المثيرة للجدل. ومن ثمَّ، أعرب وزراء آخرون، واحدًا تلو الآخر، عن مخاوفهم، ودعوا إلى نهج متعدد الأطراف لحل النزاعات الإقليمية. بعد عامين على استعراض الصين قوتَها وتأكيد هيمنتها، اندفعت المنطقة إلى ردعها. وحين وجدتُ اللحظة مناسبة، أشرت إلى رغبتي في الكلام.

لن تنحاز الولايات المتحدة إلى أي طرف في أي نزاع، على ما قلتُ، لكنها نؤيد النهج المتعدد الأطراف المقترح، وفقًا للقانون الدولي ومن دون إكراه أو تهديد بالقوة. حثثتُ دول المنطقة على حماية الوصول غير المقيد إلى بحر الصين الجنوبي، والعمل على وضع مدوَّنة لقواعد السلوك من شأنها أن تمنع الصراع. وقد استعدَّت الولايات المتحدة لتسهيل هذه العملية لأننا وجدنا أن حرية الملاحة في بحر الصين الجنوبي «مصلحة وطنية». كانت تلك عبارة اختيرت، في عناية، ردًّا على تأكيد الصين السابق أن مطالبها التوسعية الإقليمية في المنطقة تشكّل «مصلحة أساسية».

عندما انتهيت من الكلام، لاحظتُ أن وزير الخارجية الصينية يانغ كان غاضبًا. طلب فاصلًا، مدته ساعة، قبل أن يعود ويتلو رده. قال محدّقًا بي إنه يرفض النزاعات في بحر الصين الجنوبي ويحذر من أي تدخل أجنبي. نظر إلى جيرانه الآسيويين من ثمَّ، وذكّرهم بأنَّ «الصين بلد كبير، أكبر من أي بلدٍ آخر هنا». لم تكن هذه حجة للفوز في تلك القاعة.

لم تحلّ المواجهة في هانوي الخلافات في بحري الصين الجنوبي والشمالي؛ ظلت نشطة وخطرة حتى كتابة هذه السطور. لكن دبلوماسيي المنطقة سيشيرون في الأعوام اللاحقة إلى هذا الاجتماع، على أنه نقطة تحول، سواء في ما يتعلق بالقيادة الأميركية في آسيا، أو بقوة الدفع المضاد للتوسع الصيني.

وإذ هممتُ بالعودة إلى واشنطن، شعرت بثقة أكبر حيال استراتيجيتنا في آسيا، وموقفنا منها. حين انطلقنا بها عام ٢٠٠٩، شكك كثيرون في المنطقة في التزامنا وقوتنا على البقاء. سعى البعض في الصين إلى الاستفادة من هذا التصور. صُممت استراتيجيتنا المحورية في آسيا من أجل تبديد تلك الشكوك. خلال إحدى المناقشات الطويلة مع داي، صاح بي: «لِم لا «تتمحورون» بعيدًا من هنا؟». لقد قطعت أميالًا أكثر مما تخيلته ممكنًا، واستمعت كذلك إلى أغرب الخطابات الدبلوماسية المترجمة. لكن ذلك جزانا تعبنا وعاد علينا بالكثير. لقد خرجنا من الحفرة التي وجدنا نفسنا فيها، منذ تولي إدارتنا الحكم، وأعدنا تثبيت الوجود الأميركي في المنطقة. ستحمل السنوات التالية تحديات جديدة، من التغير المفاجئ في قيادة كوريا الشمالية، إلى مواجهة مع الصين في شأن مصير حقوق إنسانٍ منشقٍ أعمى لجأ إلى السفارة الأميركية واختبأ فيها. وستتوافر فرص جديدة كذلك. ستشعل ومضات التقدم في بورما تحولًا جذريًا وتحمل وعدًا بالديمقراطية إلى لبِّ هذه الدولة المغلقة تمامًا سابقًا. ويرجع الفضل في ذلك إلى جهدنا الدؤوب في التأسيس للثقة المتبادلة وقواعد التعاون، وستبثت العلاقات مع الصين أنها أكثر مرونة مما تجرأ كثر وتخيلوا.

في الطائرة التي أقلتني للعودة من هانوي، ومع ذهني المتلبِّد بدراما بحر الصين الجنوبي، آن

الأوان لأحوّل انتباهي إلى أمور طارئة أخرى. إذ كان يفصلُنا أسبوع عما سيكون أحد أهم الأحداث في حياتي. طالبتُ الصحافة بالمعلومات، ولديَّ عمل كثير لأكون مستعدة. هذه المرّة، لم يتعلق الأمر بقمة رفيعة المستوى، أو بأزمة دبلوماسية. كانت حفلة زفاف ابنتي، وهي يوم تطلعتُ إليه طوال ثلاثين عامًا.

انشرح صدري للاهتمام الذي حازته خطط تشيلسي، ليس في الولايات المتحدة فحسب. سألني صحافي في مقابلة في بولندا بداية تموز/يوليو، كيف كنت أحضر للزفاف فيما أمثل أميركا كوزيرة للخارجية. «كيف توفقين بين مهمتين مختلفتين تمامًا، لكن كلًّا منهما شديد الأهمية؟»، على ما سأل. ويا لها من مهمة صعبة! عندما تزوجت بيل، عام ١٩٥٧، أُقيمت الحفلة في حضور عدد قليل من الأصدقاء وأفراد العائلة، في غرفة استقبال بيتنا الصغير في فايتفيل، أركنساس. ارتديت فستانًا فيكتوري الطراز من الدانتيل والموسلين، كنت وجدته أثناء تسوقي في الليلة السابقة مع والدتي. كم تغيّر الزمن!

خططت تشيلسي وصهرنا العتيد مارك مزفينسكي، لعطلة نهاية أسبوع لا تُنسى مع عائلتيهما وأصدقائهما في راينباك، نيويورك. وبما أنني والدة العروس، كنت مسرورة بالمساعدة، حيث أمكنني، بما في ذلك مراجعة صور تنسيق باقات الورد في طريق عودتي من السفر، لأخضع من ثمّ لجلسات تذوق الأطباق واختيار الفساتين فور وصولي. شعرت أنني محظوظة لأن عملي اليومي حضرني للدبلوماسية المتقنة التي يتطلبها التخطيط لحفلة زفاف كبيرة. انغمست بالدور إلى حد أنني ذيلت توقيعي على بريد إلكتروني أرسلته إلى جميع موظفي وزارة الخارجية لمناسبة عيد الأم، بعبارة «والدة العروس» (اختصرتها بـ MOTB)، وقد أهدت إلي تشيلسي قلادة في عيد الميلاد حملت الأحرف نفسها. وبعد انتهاء مهمتي في هانوي، كنت متشوقة إلى الانغماس في لحظات التحضيرات الأخيرة للحفلة والقرارات التي تنتظرني.

أمضيت معظم يوم الاثنين في البيت الأبيض، حيث اجتمعت مع الرئيس أوباما في المكتب البيضوي، ومع بقية فريق الأمن الوطني في غرفة العمليات، ووزير الدفاع الإسرائيلي الزائر إيهود باراك. سررتُ دائمًا بلقاء إيهود، وكنا آنذاك في لحظة حساسة من مفاوضات السلام في منطقة الشرق الأوسط، ولكن هذه المرة لم أستطع التوقف عن التفكير متى يمكنني المغادرة، لأتوجه على أول رحلة إلى نيويورك.

حلّ أخيرًا موعد اليوم الكبير المنتظر، السبت ٣١ تموز/يوليو. وقد شكلت راينباك البلدة الجميلة في وادي هدسون مع محالّها القديمة ومطاعمها الجيدة، موقعًا مثاليًّا للحفلة. اجتمع أصدقاء تشيلسي ومارك، وأفراد عائلتيهما في أستور كورتس، وهو عقار أنيق من طراز «الفنون الجميلة»، صممه المهندس ستانفورد وايت لجايكوب وآفا أستور بداية القرن العشرين. ولعل حوض

السباحة الداخلي، حيث خضع فرانكلين دلانو روزفلت المصاب بشلل الأطفال، لعلاج طبيعي وفق ما قيل، هو الأول الذي بني لمنزل خاص في أميركا. بعدما قضى جايكوب آستور غرقًا في التايتانيك، انتقل المنزل من مالك إلى آخر، وبات لأعوام، منزلًا للرعاية تديره الكنيسة الكاثوليكية، قبل أن يُرمَّم عام ٢٠٠٨ ليستعيد رونقه الأصلي.

وقد بدت تشيلسي مذهلة تمامًا، وعندما رأيتها تسير مع بيل وسط المقاعد، لم أصدق أن الطفلة التي حملتها بين ذراعي للمرة الأولى في ٢٧ شباط/فبراير ١٩٨٠، كبرت وباتت تلك المرأة الجميلة والرزينة. كان بيل منفعلًا مثلي، وربما أكثر، وسررتُ لأنه استطاع أن يتماسك ويقطع الممر بين مقاعد الحضور. كان مارك مبتهجًا عندما انضمَّت إليه تشيلسي تحت الـ «شوباه»، المظلة من أغصان الصفصاف والزهور التي تُعدُّ جزءًا من تقاليد الزواج اليهودي. عقد مراسم الزواج القس وليام شيلادي والحاخام جيمس بونيت، وضربا على الوتر الصحيح، فنالا في كلامهما استحسان السامعين. ووقف مارك على زجاجة، تماشيًا مع التقاليد اليهودية، وهلل الجميع. ثم رقص بيل مع تشيلسي على أنغام أغنية «ذي واي يو لوك تونايت». كانت أسعد لحظات حياتي، وأكثرها مدعاة للفخر.

راودتني أفكار كثيرة حينذاك. مرت عائلتنا بظروف كثيرة، منها الجيد ومنها الصعب، وها نحن الآن نحتفل بأجمل الأوقات على الإطلاق. كنت سعيدة خصوصًا أن أمي شاركتنا هذه الفرحة. فقد عَرَفَتْ طفولةً صعبة، ولم تحظَ بالحب والدعم اللازمين، ومع ذلك نجحت في أن تكون أمًّا محبة وحنونة لي ولشقيقيَّ، هيو وطوني. جمعتها بتشيلسي علاقة مميزة، وأدركتُ كم عنى لتشيلسي أن تكون جدتها إلى جانبها وهي تحضر لزواجها من مارك.

فكرتُ في المستقبل، والحياة التي سيؤسسها تشيلسي ومارك معًا. كانت أحلامهما وطموحاتهما كثيرة. من أجل هذا، على ما خطر لي، عملت وبيل جديًّا طوال أعوام، للمساعدة على بناء عالم أفضل، كي تكبر تشيلسي في أمان وسعادة، وتبني يومًا ما عائلتها، ويحظى كل طفل في العالم بالفرصة نفسها. تذكرت ما قاله لي داي بينغ غو عندما عرض عليَّ صورة حفيدته: «ما نحن فيه، هو من أجلها وأمثالها». تفرض علينا مسؤوليتنا أن نجد طريقة للعمل معًا، لنتأكد أن أولادنا وأحفادنا سيرثون عالمًا يستحقونه.

الفصل الخامس

بكين: المنشقّ

أتى فريق من المهندسين إلى بيتنا، شمال غربي واشنطن، بعد مدة وجيزة على تثبيت تعييني وزيرةً للخارجية، وركّب هاتفًا مأمونًا أصفر اللون، يمكّنني من التحدث إلى الرئيس أو أي سفير في سفارة بعيدة، في مواضيع حساسة، حتى في أغرب ساعات الليل، وقد ذكّرني دائمًا بأن أزمات العالم ليس بعيدة قط عن المنزل.

رنّ الهاتف الأصفر مساء الأربعاء ٢٥ نيسان/أبريل ٢٠١٢، التاسعة والدقيقة السادسة والثلاثين. كان نائب رئيس موظفي سياسات التخطيط ومديرها جاك سوليفان، يتصل من خطه المأمون في الطبقة السابعة من وزارة الخارجية، حيث دُعي على عجل من يوم عطلةٍ نادرًا ما يحصل عليه. أبلغني أن سفارتنا في بكين تواجه أزمة غير متوقعة وتحتاج فورًا إلى الإرشادات.

قبل أقلَّ من أسبوع، ومن دون علمنا، تمكن ناشط في حقوق الإنسان اسمه تشن غوانغ شانغ، وهو أعمى يبلغ الأربعين من العمر، من الفرار من الإقامة الجبرية في مقاطعة شاندونغ، بعدما تسلق جدار منزله. كسر ساقه، لكنه تمكن من الإفلات من الشرطة المحلية المخصصة لمراقبته. ترك عائلته وراءه، وقطع مئات الأميال ليصل إلى بكين بمساعدة شبكة حديثة من الخلايا السرية المؤلفة من منشقين ومتعاطفين. وإذ اختبأ في بكين، أجرى اتصالًا بضابطة الخدمة الخارجية في السفارة الأميركية التي تربطها علاقات بجمعية حقوق الإنسان الصينية منذ وقت طويل، وأدركت فورًا خطورة الموقف.

اكتسب تشن شهرة سيئة في الصين إذ لُقّب بـ «المحامي الحافي»، لدفاعه عن حقوق المعوقين، ومساعدة القرويين المزارعين على الاحتجاج على السلطات المحلية الفاسدة لاستيلائها غير القانوني على الأراضي، وتوثيق الانتهاكات في سياسة «الطفل الواحد»، من مثل التعقيم القسري والإجهاض. وخلافًا للكثيرين من المنشقين الآخرين الرفيعي المستوى، لم يكن تشن خريجًا في جامعات النخب أو مثقفًا حضريًّا. كان قرويًّا وفقيرًا وعصاميًّا، ورأت فيه الجماهير رجلًا أصيلًا من الشعب. قُبض عليه عام ٢٠٠٥ لرفعه دعوى جماعية نيابة عن آلاف ضحايا القمع الحكومي. وحكمت عليه محكمة محلية بالسجن واحدًا وخمسين شهرًا، لتدمير الممتلكات وعرقلة حركة المرور، على ما يُظَنّ. كان إخفاقًا في العدالة كَسَرَ الحدّ، وصدمةً حتى في بلد قلّما احتكم إلى القانون. بعدما أمضى عقوبته كاملةً، وُضِع في الإقامة الجبرية، محاطًا بحراس مسلحين، فانقطع عن العالم الخارجي.

واليوم، هو مصاب، ومُطارَد، ويطلب مساعدتنا. فالتقى ضابطان من السفارة الأميركية، فجرًا في بكين، تشن سرًّا. ولأن جهاز أمن الدولة الصينية يتعقبه، طلب اللجوء إلى السفارة إذا أمكن ذلك، أقلّه ما يكفي من وقت لتلقي الرعاية الطبية وابتكار خطة جديدة. وافقا على نقل الطلب إلى واشنطن، حيث شقّ سريعًا طريقه وفق المسار الرسمي. استمر تشن في الطواف في ضواحي بكين في السيارة، منتظرًا الرد.

لكن عوامل كثيرة جعلت هذا القرار صعبًا جدًّا، أوّلها الأمور اللوجستية. قَدَمُ تشن مكسورة، وهو مطلوب من العدالة. إذا لم نتحرك سريعًا، قد يُقبَض عليه. ولتزداد الأمور سوءًا، أبقى جهاز الأمن الصيني، في انتظام، حراسة مشددة أمام سفارتنا. إذا حاول تشن الدخول من الباب الأمامي، فسيقبضون عليه بالتأكيد قبل أن نتمكن من فتح القفل حتى. لذا تكمن الطريقة الوحيدة لإدخاله، في أمان، إرسال فريق يقلّهُ في هدوء من الشوارع. قدر بوب وانغ، نائب رئيس بعثتنا في بكين، أن حظوظ تشن في الدخول بمفرده إلى السفارة لا تتجاوز نسبة ١٠ في المئة، فيما تزيد عن ٩٠ في المئة إذا خرجنا واصطحبناه. لكن ذلك بالتأكيد سيضاعف التوتر مع الصين.

وكان التوقيت عاملًا آخر. على ما حدث، كنت أستعد لزيارة الصين بعد خمسة أيام، للمشاركة في «الحوار الاستراتيجي والاقتصادي» السنوي، مع وزير الخزانة تيم غيثنر ونظيرينا الصينيين. كان هذا تتويجًا لعام كامل من العمل الدبلوماسي المضني، ولدينا أجندة حافلة بقضايا مهمة وحساسة، تشمل التوتر في بحر الصين الجنوبي، واستفزازات كوريا الشمالية، واهتمامات اقتصادية من مثل تقويم قيمة العملة وسرقة الملكية الفكرية. إذا وافقنا على مساعدة تشن، يُحتمل أن يغضب جدًّا القادة الصينيون ويلغوا القمة. يمكننا أن نتوقع، في النهاية، تعاونًا أقل بكثير في شأن المسائل ذات الأهمية الاستراتيجية الخطرة.

بدا أن عليَّ أن أقرر بين حماية رجلٍ واحد، وإن كان شخصية رمزية تحظى بتعاطف كبير، وحماية علاقتنا بالصين. من جهة، وُضعت على المحك قيم أميركا الأساسية ومكانتها كمنارة للحرية والفرص، ومن جهة أخرى، الكثير من أولوياتنا الأمنية والاقتصادية الملحة.

فكرت، وأنا أزن هذا القرار، في المنشقين الذين ناشدونا اللجوء إلى السفارات الأميركية في الدول الشيوعية خلال الحرب الباردة. بقي أحدهم، الكاردينال جوزيف مايندزيتي من المجر، خمسة عشر عامًا. وعام ١٩٨٩، أمضى فانغ لي تشي وزوجته لي شو شيان، وهما فيزيائيان صينيان وناشطان بارزان خلال احتجاجات ساحة تيانانمن، تقريبًا ثلاثة عشر شهرًا في السفارة في بكين، قبل أن يتمكنا أخيرًا من السفر إلى الولايات المتحدة. أنذر هذا الإرث، منذ البدء، بقرب حدوث أمر مماثل في حال تشن.

وحضر في ذهني كذلك حادث وقع أخيرًا. ففي شباط/فبراير، أي قبل شهرين فقط، دخل قائد شرطة صيني، اسمه وانغ ليجون، إلى القنصلية الأميركية في تشغندو، عاصمة مقاطعة سيتشوان الشمالية الغربية، يطلب المساعدة. كان وانغ، حتى أمس قريب وقبل أن يُنقَم عليه، اليد اليمنى لبو شي لاي، رئيس الحزب الشيوعي في محافظة مجاورة. وقد ساعد وانغ، بو، على تشغيل شبكة واسعة من الفساد والكسب غير المشروع. وادعى أخيرًا أنه على علم بقتل زوجة بو رجلَ أعمال بريطانيًا، اسمه بريت، فستر على الأمر. كان بو شخصية لافتة ونجمًا صاعدًا في الحزب الشيوعي الوطني، لكن انتهاكاته المذهلة للسلطة، بما في ذلك التنصت المزعوم على الرئيس هو جين تاو، أثار حفيظة كبار مسؤولي الحزب في بكين، وبدأوا التحقيق في شأن بو ووانغ. وخوفًا من أن يُقضى عليه، كما بريت، مسمومًا، هرب وانغ إلى قنصليتنا في تشنغدو ورأسه حافل بالقصص.

وقد حاصرت قوات الأمن الموالية لبو المبنى عند دخول وانغ إليه. ساد جو من التوتر. لم يكن وانغ ليجون من المنشقين المدافعين عن حقوق الإنسان، ولكن لا يمكننا أن نسلّمه إلى الرجال في الخارج؛ قد يعني ذلك حكمًا بالإعدام، ليستمرَّ التستر على الوقائع. ولا يمكننا كذلك إبقاؤه في القنصلية إلى ما لا نهاية. وعليه، بعد سؤال وانغ ما يريد، اتصلنا بالسلطات المركزية في بكين واقترحنا أن يسلم نفسه طوعًا إليها إذا وافقت على الاستماع إلى شهادته. لم يكن لدينا فكرة عمّا ستثيره قصته، على ما ثَبُت، وإلى أي حدّ ستتعامل معها بكين جديًا. وافقنا على ألّا نقول شيئًا عن هذه المسألة، وقد شكر لنا الصينيون تحفظنا.

وسرعان ما بدأت تتهاوى مكعبات الدومينو. أُزيح بو من السلطة، ودينت زوجته بالقتل. عجزت حتى الرقابة الصينية المشددة عن إيقاف ما سيصبح فضيحة هائلة، زعزعت الثقة بقيادة الحزب الشيوعي في وقت حسّاس. كان مقررًا أن يُسلّم الرئيس هو ورئيس مجلس الوزراء ون السلطة إلى جيل جديد من القادة بداية العام ٢٠١٣. رغبوا، في شدة، في عملية انتقال سلسة، وليس وسط جو

من الغضب الوطني على الفساد والمكائد. وحينذاك، أي بعد شهرين تمامًا، واجهَنا اختبارٌ آخر، وأدركت أن القيادة الصينية على شفير الهاوية أكثر من أي وقت مضى.

طلبت من جايك أن يحضّر مكالمة هاتفية جماعية مع كورت كامبل، والنائب والوزير بيل بيرنز، والمستشارة شيريل ميلز. وكان كورت نسق في شكل وثيق، مع سفارتنا في بكين مذ أجرى تشن اتصاله الأول، وأعلمني أن أمامنا أقلّ من ساعة ربما لاتخاذ القرار. وقد جمعت السفارة الفريق الذي كان مستعدًا للانتقال إلى نقطة الالتقاء المتفق عليها، ما إن أعطي أمرًا بذلك. بحثنا في الأمر مرة أخرى، وقلت من ثمّ: «اذهبوا واصطحبوه».

في النهاية، لم يكن تصرفنا بعيدًا عن المسلك القويم. لطالما اعتقدت أن أعظم مصدر للقوة والأمن هو قيم أميركا، وبما يفوق حتى قدرتنا العسكرية والاقتصادية. ليست هذه مجرد مثالية؛ الأمر قائم على تقويم لموقفنا الاستراتيجي الواضح للعيان. لقد تحدثت الولايات المتحدة عن حقوق الإنسان في الصينٍ طوال عقود، عبر الإدارات الديمقراطية والجمهورية على حد سواء. كانت صدقيتنا اليوم على المحك، مع الصينيين وكذلك مع الدول الأخرى في المنطقة والعالم. إذا لم نساعد تشن، فسيُقوَّض موقفنا في كل مكان.

وكنت أقوم كذلك بمقامرة مدروسة، وهي أن الصينيين، بما أنهم مضيفو القمة المقبلة، وظفوا جهدهم بقدر ما فعلنا لتبقى الأمور على المسار الصحيح. أخيرًا، مع فضيحة بو شي لاي وانتقال القيادة الوشيك، كان لديهم ما يشغلهم ولن تفتح شهوتهم على أزمة جديدة. كنت على استعداد للمراهنة على أن بكين لن تنسف العلاقة برمتها بسبب هذا الحادث.

ما إن أعطيتُ الضوء الأخضر، حتى توالت الأمور سريعًا. غادر بوب وانغ السفارة للقاء تشن. في الوقت نفسه، وقع على عاتق جايك إطلاع البيت الأبيض على ما يحدث. شرح حججي وأجاب عن أسئلة تنطوي على شكوك. قلق بعض مساعدي الرئيس من أننا على وشك إفساد علاقة أميركا بالصين. ولكن لم يشأ أحد منهم أن يكون مسؤولًا عن ترك تشن لمصيره عبر إعطائنا أمرًا بالتخلي عن المشكلة. أرادوني ووزارة الخارجية فحسب، أن نحلّها بأي وسيلة.

وبينما كان جايك يتحدث إلى البيت الأبيض، دارت في شوارع بكين فصول دراما تشبه روايةً للتجسس. وصلت سيارة السفارة إلى نقطة الالتقاء، على مسافة خمس وأربعين دقيقة، حيث لمح بوب تشن. ورأى أيضًا قوات الأمن الصينية. وجب عليه التصرف فورًا. فدفع تشن داخل السيارة، وألقى سترة على رأسه، وانطلق سريعًا. أبلغ بوب واشنطن ما يحدث عبر جهاز في السيارة، فعقدنا أنفاسنا جميعًا، آملين ألّا يُقبض عليهما قبل أن يصلا إلى أرض السفارة الآمنة. أخيرًا، حوالى

الثالثة فجرًا في واشنطن، اتصل بوب مجددًا ليطمئننا: انتهت المهمة، وتشن يتلقى العناية الطبية من طبيب السفارة.

تحدثت طوال اليومين التاليين مع بيل بيرنز، وكورت، وشيريل، وجايك، عما يجب القيام به لاحقًا. كانت الخطوة الأولى الاتصال بالصينيين، وإعلامهم أن تشن في سفارتنا لكننا لم نجزم في وضعه، والطلب منهم من ثمّ، أن نجتمع كي نتوصل إلى قرار قبل افتتاح القمة. رأينا أننا إذا استطعنا مناقشة هذه المسألة بحسن نية، نكون قد قطعنا منتصف الطريق نحو الحل.

قضت الخطوة الثانية بأن نتحدث مع تشن نفسه. ما الذي يريده بالضبط؟ هل هو مستعد لتمضية السنوات الخمس عشرة المقبلة من حياته في السفارة، مثل الكاردينال مايندزيتي؟

وبعدما خططنا لمسار الأمور، طلبت من كورت أن يسافر إلى بكين في أسرع ما يمكن ليدير المفاوضات شخصيًّا. غادر في وقت متقدم من الجمعة ٢٧ نيسان/أبريل، ليصل قبل فجر الأحد. لحق به بيل في اليوم التالي. ثم استدعينا أيضًا السفير غاري لوك من عطلة عائلية في بالي، وتعقبنا المستشار القانوني لوزارة الخارجية، العميد السابق لكلية القانون في يال، هارولد كوه، الذي صودف أنه يزور منطقة نائية في الصين. عندما تمكنت شيريل من الاتصال به، سألته كم سيستغرق منه الوصول إلى خطٍ آمن، أجابها: ساعات أربعًا أقلّه. «اذهب»، على ما قالت له، «سأشرح لك الأمر متى وصلت إلى هناك».

عندما حطت طائرة كورت في بكين، اتجه فورًا إلى ثُكن البحرية في طبقة السفارة الثالثة. كان وجود قوات الأمن الصينية حول المجمع تضاعف، في وضوح، منذ اليوم السابق، وبدا من الداخل كأنه في حال حصار. بدا تشن واهنًا وضعيفًا. كان يصعب التصديق أن هذا الرجل النحيف، مع نظارتيه الداكنتين الكبيرتين، كان في وسط حادث دولي يتفاعل.

وقد شعرت بالارتياح عندما أعلمني كورت أن بعض الأخبار الجيدة على الأقل كانت في انتظاره: وافق الصينيون على عقد اجتماع. كان الأمر في حد ذاته واعدًا، على اعتبار أننا نتحدث عن أحد مواطنيهم، وقد أويناه في سفارتنا على الأراضي الصينية. وأهم من ذلك، بدا أن تشن قد تعهد لبوب وغيره من ضباط السفارة الذين يتكلمون الصينية، معلنًا رغبته الأكيدة في البقاء في الصين بدلًا من طلب اللجوء أو البقاء في الثكن إلى الأبد. تحدث تشن عن الاعتداء الذي تعرض له على أيدي السلطات المحلية الفاسدة في شاندونغ، وأعرب عن أمله في أن تتدخل الحكومة المركزية في بكين وتفيَه حقه. كانت ثقته كبيرة برئيس مجلس الوزراء ون، الذي عُرِف عنه تعاطفه مع الفقراء والمحرومين. وكان «الجد ون» سيساعد بالتأكيد لو عرف فقط ما الذي يحدث.

وفيما انتظرنا البدء بالمفاوضات، قلقين، كان هناك سبب لنتفاءل في حذر. ما لم يكن واضحًا

على الفور في تلك الساعات الأولى وتبين لاحقًا، هو أن تشن مفاوض بارع، أفكاره خيالية، ولا يمكن توقع فعله، تمامًا كالقادة الصينيين في الجهة المقابلة.

كان نظير كورت عن الجانب الصيني دبلوماسيًّا ذا خبرة، اسمه كوي تيان كاي، عُيّن لاحقًا سفيرًا في الولايات المتحدة. اتفقت وكورت على أن يبدأ بالتفاوض، في حذر، ويؤسس لأرضية مشتركة ما، في لقائه الأول مع كوي. لا يمكن أن نسلّم تشن، في أي حال من الأحوال، ولكن أردت أن تُحل هذه الأزمة سريعًا وفي هدوء، لحماية العلاقة والقمة. احتاج الجانبان إلى نتيجة مربحة. هذا ما خططنا له على الأقل.

لم يرَ الصينيون الأمر من هذا المنظار. «سأقول لكم كيف تُحل هذه القضية»، على ما قال كوي. «سلّمونا تشن فورًا. إذا كنتم تأبهون حقًّا للعلاقة بين الولايات المتحدة والصين، هذا ما ستفعلونه». ردَّ كورت محترسًا، وعرض على الصينيين فرصة الحضور إلى السفارة لإجراء محادثات مباشرة مع تشن. كان ذلك كافيًا لإثارة غضب كوي، لينطلق طوال ثلاثين دقيقة في خطبة لاذعة عن سيادة الصين وكرامتها، وعلا صوته وزادت حماسته كلما استفاض في الكلام. فنحن نقوض العلاقة بين البلدين ونهين الشعب الصيني، وتشن جبان، يختبئ تحت التنانير الأميركية. وخلال الساعات والأيام التالية، سيتحمل فريق عملنا خمس جلسات تفاوض إضافية، كلها على المنوال نفسه، في غرف استقبال رسمية في وزارة الخارجية. وضمَّ الوفد الصيني، إضافة إلى كوي، عددًا من كبار مسؤولي جهاز أمن الدولة، وبدوا جميعًا متوترين. وكثيرًا ما اجتمعوا مع كوي قبل جلسات التفاوض وبعدها، لكنهم لم يتكلموا قط أمام الأميركيين. وشهد كورت، ذات مرّة، مشادة حادة بين كوي ومسؤول أمني كبير، لكنه لم يستطع سماع التفاصيل. بعد عشر دقائق، لوَّح كوي بيده منزعجًا ليصرف زميله.

واستمع الفريق في السفارة إلى تشن يتحدث عن رغبته في دراسة القانون والاستمرار في مناصرة تحقيق الإصلاحات في الصين. كان على دراية بقصص عن المعارضين المنفيين الذين فقدوا نفوذهم بمجرد أن غادروا البلاد وعاشوا في غياهب الولايات المتحدة الآمنة. ليس هذا ما يريده. وكان ذلك اهتمام قدِره هارولد كوه. فوالده، وهو دبلوماسي كوري جنوبي، فرّ من سيول بعد الانقلاب العسكري عام ١٩٦١ وذهب إلى المنفى في الولايات المتحدة. وتحدث هارولد بتأثر عن الصعوبات التي سيواجهها تشن إذا قرر مغادرة الصين.

وإلى جانب كون هارولد أحد أكبر فقهاء القانون في أمتنا، كان أيضًا مديرًا جامعيًّا مكتمل الصفات والمواهب، وتجربته هناك، ستُجدي هنا. وضع خطة يمكن أن تُخرج تشن من السفارة،

وتُجنبه مسألة اللجوء المشحونة عاطفيًا، وتوفّر حلًّا يحفظ ماء وجه الصينيين قبل افتتاح القمة. ماذا لو قُبِل تشن في جامعة صينية ليدرس الحقوق، في مكان ما بعيدًا من بكين، ومن ثمّ، بعد مدة من الزمن، ربما عامين، سيغادر لمتابعة دراسته في جامعة أميركية؟ لهارولد علاقات وثيقة مع الأساتذة والإداريين في جامعة نيويورك التي بدأت بعملية بناء حرم شنغهاي الجامعي، وبين ليلة وضحاها أقنع الجامعة بتقديم منحة دراسية إلى تشن. سمح لنا ذلك بتقديم صفقة متكاملة للصينيين.

كان الصينيون مشكّكين، لكنهم لم يرفضوا العرض جملة وتفصيلًا. بدا أن قيادة الحزب الشيوعي تحاول السير على حبل مشدود بين العمل في شكل بنّاء معنا وإنقاذ «الحوار الاستراتيجي والاقتصادي»، وإرضاء مطالب العناصر الأكثر تشددًا في الجهاز الأمني. ووصلت الأوامر أخيرًا لكوي: افعل ما يلزم لحل هذه المسألة.

وفي وقت متقدم من مساء يوم الاثنين، ٣٠ نيسان/أبريل، بعد خمسة أيام على المكالمة الأولى، ركبتُ طائرة تابعة لسلاح الجو من قاعدة أندروز في اتجاه بكين. أعطى ذلك المفاوضين حوالى عشرين ساعة إضافية لإقرار التفاصيل نهائيًا. كانت أصعب رحلة يمكنني أن أتذكرها. ومن البيت الأبيض، بعث الرئيس برسالة واضحة: لا تُفسدوا الأمور.

وظهَرَتْ، في بطء، خطوط الاتفاق العريضة. سيُنقل تشن أوّلًا إلى مستشفى في بكين لتلقى الإصابات التي تعرض لها أثناء هربه، العناية الطبية اللازمة. سيحظى بعد ذلك بفرصة ليطلع السلطات المختصة على الانتهاكات التي عاناها في الإقامة الجبرية في شاندونغ. وسيلتم شمله، وتاليًا أسرته التي واجهت مضايقات مستمرة منذ فراره من المنزل. سيغادر بكين من ثمّ لسنتين ليتعلم في مكان آخر في الصين، ويُحتمل أن يتابع دراسته في الولايات المتحدة. وستبقى السفارة الأميركية على اتصال به طوال تلك المدة. عرض كورت قائمة لخمس جامعات صينية أو ست يُمكن النظر فيها. طالع كوي اللائحة وانفجر غضبًا. «لا يمكنه أن يذهب إلى دار المعلمين شرق الصين»، صاح كوي. «لن أشارك هذه الرجل الكلية التي أنتمي إليها!». ويعني هذا أننا وصلنا إلى مكان ما.

وفي السفارة، بدا تشن مترددًا. أراد أن يتكلم مع عائلته، ويأتي أفرادها إلى بكين قبل اتخاذ أي قرار نهائي؛ لا يريد انتظار لم الشمل. خشي كورت العودة إلى الصينيين مع طلب آخر بعدما تنازلوا عن الكثير، لكن تشن أصر على موقفه. بالتأكيد، لم يصدق الصينيون الأمر. شملوا في انتقادهم كورت والفريق، ورفضوا الفكرة. لن يُسمح بمجيء زوجة تشن وأطفاله إلى بكين قبل أن يُقَر الاتفاق نهائيًا.

كنا في حاجة إلى رفع مستوى الرهون. اشتهر الصينيون بحساسيتهم المرهفة تجاه البروتوكول

ومراعاتهم واجبات احترام السلطة. قررنا استخدام ذلك لمصلحتنا. كان بيل بيرنز صاحب أعلى رتبة دبلوماسية في الإدارة الأميركية، وسفيرًا سابقًا في الأردن وروسيا يحظى بمكانة عند الجميع. وأهم من ذلك، هو من أكثر الناس الذين قابلتهم في حياتي هدوءًا وركانةً، صفتان نحتاج إليهما كثيرًا إلى طاولة المفاوضات. حين وصل، يوم الاثنين، انضم إلى جولة المحادثات. جلس بيل قبالة كوي، وقدّم حجة بسيطة ومقنعة، من دبلوماسي إلى آخر: اجمعوا الأسرة فقط وسيروا في القمة قدمًا، ومن ثم يمكننا جميعًا تجاوز هذا الحادث. وافق كوي بطيبة خاطر، ورفع الطلب إلى رؤسائه. عند منتصف الليل، وبينما كنت لا أزال في مكان ما فوق المحيط الهادئ، تبلغت أن الأسرة ستُنقل صباحًا في القطار من شاندونغ. كل ما نحتاج إليه الآن، هو خروج تشن من السفارة.

ما إن حطّت طائرتي صباح ٢ أيّار/مايو، حتى أرسلت جايك مباشرة إلى السفارة مع تشجيعي الخاص لتشن. بعد الرحلة الماراتونية، أخلينا معظم النهار من الارتباطات، وكان الحدثُ الرسمي الأول عشاءً خاصًّا مساءً مع نظيري الصيني، عضو مجلس الدولة، داي بينغ غو.

ظلّ تشن متوترًا. شعر بالأمان في الثُّكن البحرية، حيث اعتنى به طبيب السفارة، وبات على علاقة وثيقة بالموظفين، خصوصًا السفير غاري لوك، أوّل أميركي صيني يتولى هذا المنصب. هاجر جدّ غاري من الصين إلى ولاية واشنطن، حيث عمل خادمًا، أحيانًا في مقابل دروس في اللغة الإنكليزية. أما غاري فوُلِد في سياتل، حيث امتلكت عائلته محل بقالة صغيرًا، وواظب على العمل إلى أن أصبح حاكم واشنطن ووزيرًا للتجارة. كان تجسيدًا حيًّا للحلم الأميركي، وكنت فخورة بأن يكون ممثلنا في هذا الوضع الدقيق.

أمضى غاري وهارولد ساعات مع تشن، يشجعانه، ويهدئان مخاوفه، ويتحدثان عن آماله المستقبلية. رتبا مكالمتين هاتفيتين مع زوجة تشن التي اتجهت بالقطار سريعًا نحو بكين. أخيرًا قفز تشن، بعزمه وحماسته الكاملين، وقال: «لنذهب». بدا أن الدراما الطويلة والصعبة اقتربت من خواتيمها.

خرج تشن من السفارة متّكِئًا على ذراع السفير وممسكًا بيد كورت، ومشى نحو شاحنة صغيرة تنتظره. حين صعد إليها، في أمان، اتصل بي جايك من هاتفه المحمول وأعطاه لتشن. سنحت لنا الفرصة لنتحادث أخيرًا، بعد أيام كثيرة مرهقة من الانتظار والقلق. «أريد أن أقبّلكِ»، على ما قال. في تلك اللحظة، راودني الشعور نفسه حياله.

وصلت الشاحنة إلى جوار مستشفى تشاويانغ وسط حشد من وسائل الإعلام وقوات الأمن. كان الصينيون شديدي الدقة في عرض المشاهد النهائية لهذه الصفقة: التمَّ شملُ تشن مع زوجته

وأولاده، ونُقل من ثمّ ليعالجه فريق من الأطباء، يرافقه موظفو سفارتنا. أصدرتُ بيانًا صحافيًّا صيغ، في عناية، في أوّل تعليق لي على الحادث، فقلت: «يسرني أننا تمكنا من تسهيل دخول تشن غوانغ تشنغ إلى السفارة الأميركية وخروجه منها بطريقة تعكس خياراته وقيمنا». أما الصينيون فنددوا بالتدخل الأميركي في شؤونهم الداخلية، على ما توقعتُ، لكنهم أبقوا على مسار القمة وقاوموا رغبتهم في إعادة القبض فورًا على تشن.

بعد وصول تشن، في أمان، إلى المستشفى، حان وقت مأدبة العشاء. استقبلنا داي وكوي في معبد وانشوسي، وهو مجمّع من القرن السادس عشر من الباحات الهادئة والفيلات المزخرفة التي تضم مجموعة كبيرة من التحف القديمة. رافقني داي، فخورًا، في جولة، وفيما تأملنا، في إعجاب، تماثيل اليَشَم (الجاد) النفيسة ونقوش الخط البارعة الجمال، بدا الشعور بالارتياح واضحًا. وعلى ما أُحبّ أنا وداي أن نفعل، تحدثنا تفصيلًا عن أهمية العلاقة بين الولايات المتحدة والصين، والمنعطفات التاريخية. تناول الوفدان العشاء، وانسحبتُ من ثمّ مع داي، يرافقنا كورت وكوي، إلى غرفة صغيرة لمحادثة خاصة. مضى زمن مذ أراني داي للمرة الأولى صورة حفيدته واتفقنا على العمل معًا لنتأكد من أن يرث الأطفالُ غدًا أفضل. واليوم، نجونا من أعنف أزمة، والجسور لم تنقطع. ولكن لا يمكن داي إلا التنفيس عن مكنوناته. قال لي إننا ارتكبنا خطأً فادحًا بإيلاء تشن ثقتنا، إذ يُقال إنه مجرم غشاش. وناشدني من ثمّ، ألّا أفاتح الرئيس هو ورئيس الحكومة ون بالقضية عند لقائهما لاحقًا في بحر الأسبوع. اتفقنا على أن الأوان آن لإعادة التركيز على الاهتمامات الاستراتيجية الملحة للقمة، من كوريا الشمالية إلى إيران.

―――――――

ودار حديث آخر في المدينة. قرر فريق السفارة إعطاء تشن وزوجته بعض الخصوصية بعد المحنة الطويلة. وإذ باتا على انفراد في غرفة المستشفى، بدأ المنشق وأفراد عائلته يقوّمون من جديد القرار الذي اتخذه. بعد المعاملة السيئة التي تعرضوا لها، كيف يمكنهم أن يثقوا بالسلطات الصينية لتفي بالتزاماتها حيال شروط الاتفاق؟ بالنسبة إلى تشن، بدأت الفكرة العظيمة للبقاء في الصين والحفاظ على الصلات على الرغم من المخاطر، تبدو أقل جاذبية مذ خرج عن نطاق حماية السفارة واجتمع مع أحبائه الذين يُحتمل أن يعرضهم للخطر. وتحدث كذلك هاتفيًّا مع بعض الأصدقاء من جمعية حقوق الإنسان القلقين على سلامته، والذين حثوه على مغادرة البلاد، ومع الصحافيين الذين سألوا عن بقائه في البلد وشككوا فيه. ومع تقدم ساعات الليل، بدأت إجاباته وقراراته تتغير.

وفي معبد وانشوسي، بدأت التقارير الصحافية المقلقة تقرقع على أجهزة البلاك بيري التي حملها زملائي. عند خروجي من الاجتماع مع داي، بدا واضحًا أن الأمور لا تسير على ما يرام. نقل

الصحافيون عن تشن في غرفة المستشفى قوله إنه «لم يعد يشعر بالأمان»، وإن الأميركيين تخلوا عنه، وقد غير رأيه في شأن البقاء في الصين. حتى إنه نفى أن يكون قد قال لي إنه يريد أن يقبلني! (اعترف لاحقًا للصحافة بأنه كان محرجًا لأنه تحدث معي بإلفةٍ وثيقة). كان تنسيقنا للخطة المعد، في عناية، ينهار تمامًا.

وقد دعوت إلى اجتماع طارئ في جناحي عند عودتنا إلى الفندق. وفي حين بدا تشن يتحدث في سهولة إلى كل مراسل وناشط من بكين إلى واشنطن، عجز جميع من في السفارة عن الاتصال به عبر الهواتف الجوالة التي وضعناها، لسخرية القدر، في خدمته. لم نسمع أي تصريح رسمي من الصينيين حتى ذاك الحين، لكنهم طالعوا التقارير نفسها التي وصلت إلينا، وازدادت الإجراءات الأمنية أمام المستشفى في شكل ملحوظ خلال ساعة. لم أستطع حتى أن أتصور داي وكوي يتحضران ليلقيا علي سلسلة ملحمية مِن «قلنا لكِ ذلك».

قدم إلي كورت، في شجاعة، استقالته في حال ازدادت الأمور سوءًا. رفضتها وجاهيًا، وقلت إننا في حاجة إلى البدء بالعمل على تنقيح الخطة. سنصدر أولًا بيانًا يوضح أن تشن، خلافًا لما ورد في بعض التقارير الإخبارية المفبركة، لم يطلب اللجوء قط، وبالتأكيد لم يُرَدّ طلبه هذا قط. ثانيًا، إذا ظل تشن حتى الصباح مصرًّا على الذهاب إلى الولايات المتحدة، علينا أن نجد طريقة لمعاودة الاتصالات مع الحكومة الصينية في هذا الشأن، مهما كان الأمر صعبًا ومؤلمًا، والتفاوض على اتفاق جديد. لا يمكننا أن نتحمل ترك هذه المسألة تعتمل علنًا وتطغى على القمة. ثالثًا، سأستمر في المشاركة في أحداث «الحوار الاستراتيجي والاقتصادي» المقررة، كأن شيئًا لم يحدث، تماشيًا واتفاقي مع داي. مع هذه الأوامر، خرج فريق عملي من جناحي قلقًا وأكثر من منهك. لم يَنَمْ أحد منا كثيرًا تلك الليلة.

بدا اليوم التالي كأنه تمرين سوريالي على تعدُّد المهام الدبلوماسية. وبفضل التدابير المدروسة التي اتخذتها الحكومة تحضيرًا للقمة، كانت شوارع بكين المزدحمة عادةً، وهواؤها الملوث أكثر صفاءً، فسار موكبنا سريعًا في المدينة صباح ذلك اليوم. ولكن لم يبدُ ما ينتظرنا بهذا الوضوح، إذ ستحدث أمور كثيرة في الساعات القليلة التالية.

وصلنا إلى قصر الضيافة «دياويوتاي»، المجمع المترامي الأطراف لدور الضيافة التقليدية، والحدائق، وقاعات الاجتماعات. وفيه تفاوض عام ١٩٧١ هنري كيسنجر مع تشون إن لاي، ليضعا الأسس لزيارة الرئيس نيكسون التاريخية، وتطبيع العلاقات، وكل ما سيلي. وفيه أيضًا، خلال اجتماعاتنا، عام ٢٠١٠، انفجر غضب أدميرال صيني لتتكشف تصدعات عدم الثقة العميقة التي

ما زالت تقسم بلدينا. فتساءلتُ، نظرًا إلى المأزق الراهن، بأي توجه من هاتين الحالين سيستقبلنا مضيفونا الصينيون.

أتت الإجابة سريعًا، ومذ بدأت الخطابات الرسمية الأولى. عمل داي والقادة الصينيون الآخرون، بجهد واضح، على ما فعلتُ وتيم غيثنر، على إضفاء طابع من السويّة والهدوء على الأجواء. كرروا أحاديثهم النموذجية عن صعود الصين المتناسق وأهمية عدم تدخل الدول الأخرى في شؤونها الداخلية؛ لكن التصريحات، وإن كانت مألوفة، أخذت منحى آخر في ضوء الأحداث الأخيرة. عندما حان دوري، تجنبتُ قضية تشن وركزت على إيران وكوريا الشمالية وسوريا، وقائمة طويلة من التحديات التي نحتاج إلى تعاونٍ مع الصين لمواجهتها وحلّها. لكنني أضفت: «الصين التي تحمي حقوق جميع مواطنيها ستكون أمةً أقوى وأكثر ازدهارًا، وشريكًا أقوى طبعًا لتحقيق أهدافنا المشتركة». كان هذا أقرب ما لمحت إليه عن الأزمة الراهنة ذاك الصباح.

انتقلنا بعد الخطب إلى مجموعات صغيرة لنغوص في جدول الأعمال في شكل أكثر تفصيلًا. وعلى الرغم من أن فصول الدراما التي تتكشف في غرفة مستشفى في الطرف الآخر من المدينة حضرت غالبًا في أذهاننا، توافرت لنا الفرصة للعمل على شؤون أهم، لا يمكننا تحمل إضاعتها. لذا جلستُ ساعاتٍ أتابع الفاعليات والمناقشات، وأطرح الأسئلة وأثير الاهتمامات.

سمح كورت لنفسه دومًا، في تلك الأثناء، بالخروج من الاجتماعات ليرصد تطورات قضية تشن. لم تكن الأخبار مطمئنة. لم تنجح السفارة في الاتصال به عبر هاتفه الجوال، وحدّ الصينيون من الوصول إلى المستشفى، وبرز فجأة المتظاهرون أمامها، يرتدي بعضهم النظارات الداكنة على غرار تشن في تحية لبطلهم، ليزداد قلق قوات الأمن الصينية. وعلى الرغم من كل ذلك، لم يتوقف تشن عن التحدث مع الصحافيين الأميركيين الذين استمروا في قرع الطبول حيال رغبته الجديدة في مغادرة الصين والانتقال إلى الولايات المتحدة، والسؤال هل فعلنا ما في وسعنا لمساعدته.

أما في الولايات المتحدة، وفي ظل المناكفات السياسة تحضيرًا للانتخابات النصفية، كانت واشنطن تغلي. أعلن رئيس مجلس النواب الجمهوري جون بوينر، أنه «منزعج جدًّا» من التقارير التي أفادت أن تشن «أُجبر على الرغم من إرادته على مغادرة السفارة الأميركية وسط وعودٍ واهية وتهديدات محتملة بإيذاء عائلته». وذهب إلى أبعد من ذلك ميت رومني، حاكم ماساشوستس السابق والمرشح الجمهوري إلى الرئاسة. قال إنه «يوم أسود للحرية، ويوم عار على إدارة أوباما». لا أدري هل علِم المنتقدون أننا فعلنا ما أراده تشن بحذافيره. واعتمد البيت الأبيض خطة شاملة للحد من الضرر، وتلقينا التوجيهات إلى بكين: أصلحوا الأمور.

طلبتُ من كورت والسفير لوك استئناف المفاوضات مع كوي فورًا، ومحاولة إقناعه بإخراج

تشن من البلاد. سهُل قول ذلك أكثر من فعله. ارتاب الصينيون تمامًا من سعينا إلى إعادة البحث في اتفاق لم يرغبوا في إتمامه أساسًا. أومأ كوي برأسه فقط، وقال إن كورت «يجب أن يعود إلى واشنطن ويستقيل». في تلك الأثناء، بلغ الأمر بتشن مستوًى آخر. فعلى الرغم من أنه لم يتحدث مع أحد في السفارة الأميركية، تمكن من الاتصال بلجنة في الكونغرس ليحظى بجلسة استماع: بوب فو، وهو ناشط مقرب من تشن، أدار مكبر صوت هاتفه الجوال الآي فون، ووضعه أمام لجنة من الكونغرس برئاسة العضو كريس سميث. «أخاف على سلامة عائلتي وحياتها»، قال تشن، وكرر طلبه السفر إلى الولايات المتحدة. كان الأمر أشبه بصبّ الزيت على نار السياسة المحتدمة.

لقد حان الوقت لأتدخل. إذا رفض كوي التفاوض، فسأوقف هذه التمثيلية وأرفع القضية مباشرة إلى داي. هل تذهب سدًى كل هذه الأعوام التي أسَّست لعلاقتنا؟ كان مقررًا أن ألتقي، الجمعة، الرئيس هو ورئيس الوزراء ون في قاعة الشعب الكبرى، وكان مهمًّا بالنسبة إلي وإلى داي أن يعقد هذان اللقاءان من دون مشكلات. فمصالحنا تقتضي الوصول إلى حل.

التقيت داي صباح ٤ أيّار/مايو، وشكرت له احترام الصين الجانب المتعلق بها من الاتفاق. شرحت له، من ثمّ، العاصفة السياسة التي هبَّت على الولايات المتحدة والصعوبات التي تسببها لنا. بدا داي مدهوشًا عندما وصفت له المهزلة التي دارت في جلسة الاستماع في الكونغرس. لم يحدث شيء قط من مثل هذا في الصين. ما الذي يجب أن نقوم به الآن؟ وفق الاتفاق الأساسي، كان يُفترض أن يلتحق تشن بمدرسة في الصين لمدة من الوقت، ويتابع علومه من ثمّ في جامعة أميركية. فتغيير الجدول الزمني لا يعني صفقة جديدة؛ سيكون، في بساطة، تعديلًا للاتفاق القائم. حدق بي داي، في هدوء، لبعض الوقت، وتساءلت ما الأفكار التي تتبادر إلى ذهنه وراء سلوكه الرواقي. استدار، في بطء، نحو كوي الذي بدا مضطربًا، وأوعز إليه أن يحاول إيجاد حل للتفاصيل مع كورت.

توجهت، في شجاعة، وإن لم أكن مطمئنة تمامًا، نحو قاعة الشعب الكبرى للقاء المسؤولين الكبيرين. إيفاءً بوعدي، لم أتناول قضية تشن مع هو أو لاحقًا مع ون. لم أكن في حاجة إلى ذلك. بَدَوا أثناء مناقشاتنا مشتّتَي الذهن، لكنهما كانا لطيفين. تحدثنا غالبًا في العموميات، من دون الدخول في تفاصيل القضايا الكبرى التي تواجه مستقبل علاقتنا، فيما هرع مساعدونا إلى إيجاد حل لمعضلتنا المشتركة. كان هو وون على مشارف نهاية الأعوام العشرة من مدة ولايتهما، واتجهنا نحن أيضًا نحو انتخاب قد يعيد تشكيل إدارتنا. ولكن، وإن تغيّر اللاعبون، ستبقى اللعبة أساسًا هي إياها.

غادرتُ قاعة الشعب الكبرى، واجتزتُ ميدان تيانانمين إلى المتحف الوطني في الصين، لحوار دار على التبادلات التعليمية والثقافية مع عضو مجلس الدولة ليو يان دونغ، صاحبة أرفع منصب لامرأة في الحكومة الصينية. والسيدة ليو ابنة نائب وزير زراعة سابق، علاقتها قوية بالحزب الشيوعي، وقد ترقت لتصبح إحدى سيدتين فقط شغلتا مقعدًا في المكتب السياسي. جمعتنا علاقة حميمة على مر السنين، وأسعدتني رؤية وجه ودود في هذا الوقت العصيب.

متحف بكين الوطني هائل الحجم، صُمم لمضاهاة قاعة الشعب الكبرى على الجانب الآخر من الميدان، لكن مجموعته ظلت تعاني نقصًا بعدما استولت تايوان، بواسطة قوات الجنرال تشيانغ كاي شيك المنسحبة عام ١٩٤٨، على أثمن تحف الفن الصيني. هو أشبه بجرح للكرامة الوطنية يتطلب التئامه زمنًا طويلًا. وما إن صعدنا الدرجات المرتفعة الأولى حتى التفت كورت وسألني: «هل تشعرين أننا فعلنا الصواب؟». كان سؤالًا معقولًا بعد ما شهدناه من مخاطر دبلوماسية عالية وتقلبات ومنعطفات مرهقة للأعصاب. نظرت إليه، وقلت: «اتخذتُ قرارات كثيرة مذ توليتُ هذا المنصب، أصابتني بتقرح في المعدة. لا أشعر بذلك اليوم. هذا ثمن زهيد تدفعه الولايات المتحدة الأميركية لتظل على ما هي عليه». هذا ما احتاج كورت إلى سماعه، وكانت تلك الحقيقة.

استقبلتنا داخل المتحف مجموعة كبيرة من الأطفال الصينيين والأميركيين، يلوحون بالأعلام ويلقون التحية. في الطبقة العلوية، غنَّت جوقة من الطلاب الصينيين والأميركيين أغنيتي ترحيب، واحدة باللغة الإنكليزية، والأخرى بالصينية. أخيرًا، تقدم طالبان ليتحدثا عن تجربتيهما في شأن الدراسة في الخارج. تكلمت الشابة الصينية بالإنكليزية عن إقامتها في نيويورك، الرحلة الملهمة للطموح، والموسعة للآفاق، والموقدة للذهن إلى أميركا التي قرأت عنها فقط. وكان الشاب الأميركي بليغًا بقدرها، واصفًا باللغة الصينية دراسته في الصين، وكيف ساعدته على فهم العلاقة بين بلدينا في شكل أفضل.

أحيانًا، وسط كل الأبهة الدبلوماسية لهذه القمم وظروفها، مع كلماتها المُعَدَّة وتفاصيلها المدروسة، قد تخترقها لحظة إنسانية معبّرة لتذكرنا لماذا نحن هنا أساسًا. وكانت هذه إحدى تلك اللحظات. فكَّرت، وأنا أصغي إلى الطلاب يعبرون عن الكثير من التعاطف والحماسة، في كل الجهد الذي نضعه في ما ينصرف عنه النقاد، باعتباره الجانب «الليِّن» من الدبلوماسية: التبادلات التعليمية، والجولات الثقافية والتعاون العلمي. جعلت من أولوياتي إرسال المزيد من الطلاب الأميركيين إلى الصين، وحددت الهدف بمئة ألف خلال أعوام أربعة، لأنني اقتنعت بأنه سيساعد على إقناع المسؤولين الصينيين الحذرين بأننا جادون في توسيع شركتنا معهم. قد تحتل هذه البرامج بعض عناوين الصحف، لكنها تملك قدرة التأثير في الجيل المقبل من القادة الأميركيين والصينيين بطريقة لن تتطابق مع أي مبادرة أخرى. وإن كان هؤلاء الطلاب مؤشرًا،

يعني ذلك أنها تفعل فعلها. نظرتُ عبر الطاولة إلى ليو، وكوي والآخرين، وأدركت أنهم يشعرون بالأمر أيضًا.

حين جلس كوي مع كورت وفريقه بعد الغداء للبحث في الخطوات التالية في قضية تشن، اختلفَت نبرته في شكل ملحوظ. فعلى الرغم من خلافاتنا، كنا نعمل معًا على إنقاذ العلاقة والمستقبل الذي يمثله هؤلاء الطلاب. سارع كورت وجايك بعد ذلك، إلى وضع بيان مقتضب مصوغ في عناية، لن يعترف باتفاق صريح، وإنما سيوضح أننا توصلنا إلى حل. سيتقدم تشن، كمواطن صيني ذي مكانة جيدة، بطلب تأشيرة دخول إلى الولايات المتحدة، وسيوافق عليها سريعًا الجانبان. سيتمكن لاحقًا من طلب عائلته لموافاته، ويبدأ دراسته في جامعة نيويورك.

وبالعودة إلى قصر الضيافة، انضممتُ وتيم غيثنر إلى نظيرينا على المنصة لتلاوة الملاحظات العامة الختامية للحوار الاستراتيجي والاقتصادي. راجعت في تعليقاتي المواضيع المهمة التي تم تناولها خلال الأيام القليلة الماضية. فلحظت أن هناك عددًا من الخلافات القوية، لكن أربعة أعوام من العمل الشاق سمحت لنا بالوصول إلى مستوى من الثقة الطويلة الأمد، مما يكفي لتحمل الاضطرابات والتصدعات. واقتبستُ بعض ما جاء في حكمة طاويّة صينية، ترجَمْتُها بالقول: «في القيادة، على المرء أن يرى الأمور من منظار شامل». حاولنا أن نفعل ذلك في هذه الأزمة، من دون أن نغفل اهتماماتنا الاستراتيجية أو قيمنا الأساسية. نظرت إلى الحضور، وقلت: «نحتاج إلى بناء علاقة مرنة، تسمح لكلٍّ منا بالازدهار وتحمل مسؤولياته الإقليمية والعالمية من دون منافسة ضارة، أو عداء، أو صراع. لن يؤدي التفكير السلبيُّ الحصيلة، إلّا إلى نتائج حصيلتها سلبية».

قضت العادة بألّا يسمح الصينيون بالرد على الأسئلة في هذه «المؤتمرات الصحافية» الختامية، وعليه، بعد البيانات الرسمية، عدتُ وتيم غيثنر إلى الفندق لأول جلسة، بالمعنى الصحيح، مع الصحافة العالمية منذ وصولنا إلى بكين. أتى السؤال الأول من مات لي، من وكالة أسوشييتدبرس، متوقعًا: «السيدة الوزيرة، لن أفاجئك، على ما أعتقد، لأصل إلى الأسئلة التي ستسمعينها مني، والتي تتعلق كلّها بفيلٍ في الغرفة تقفّى آثارنا، ككلب، ولزِمنا لزومًا شديدًا»، على ما بدأ. ابتسمتُ للتورية المختلطة: «الفيل الذي تقفى أثرنا. هذا جيد، بداية جيدة مات». خفَّف الضحك الذي انفجر في الغرفة، التوتر قليلًا. وتابع مُلحًّا: «كيف استجاب مسؤولو القيادة العليا الصينيون الذين تحدثت معهم، نداءاتك نيابة عن (تشن)؟ هل أنت واثقة بأنهم سيسمحون له بمغادرة البلاد ليذهب إلى الولايات المتحدة مع عائلته ويتابع دراسته؟ وكيف تردين على المنتقدين في الوطن وكل مكان آخر، الذين يقولون إن الإدارة لم تؤدِّ المهمة في إتقان؟».

آن الأوان أخيرًا لوضع حد لهذه القضية وطيّها نهائيًّا. بدأتُ بتلاوة النص المُعدّ في عناية، والذي اتفقنا عليه مع الصينيين، وأضفت إليه من ثمّ، بعض أفكاري:

«اسمحوا لي أن أبادر بالقول إن كل جهدنا مع السيد تشن تركز، منذ البدء، على خياراته وقيمنا. وسرَّني اليوم أن سفيرنا تحدث إليه مجددًا، وتوافرت الفرصة لموظفي السفارة وطبيبها للقائه، وأكدّ أنه يريد السفر وعائلته إلى الولايات المتحدة، حيث يمكنه متابعة دراسته. وفي هذا الصدد، شجعنا أيضًا البيان الرسمي الذي أُصدرته الحكومة الصينية اليوم، ووافقت فيه على طلبه السفر إلى الخارج لهذا الغرض. وأُحرِز تقدم خلال ساعات اليوم، لمساعدته على تحقيق المستقبل الذي يريد، وسنبقى على اتصال معه فيما تسير العملية قدمًا. ولكن، اسمحوا لي أن أُضيف أن الأمر لا يتعلق بالمنشقين المعروفين فحسب، بل وبحقوق الإنسان وتطلعات أكثر من مليار شخص هنا في الصين، والمليارات في العالم، ومستقبل هذه الأمة العظيمة وجميع الأمم. سنواصل الالتزام مع الحكومة الصينية على أعلى المستويات لوضع هذه الاهتمامات في صلب دبلوماسيتنا».

حين توقفت الكاميرات عن البث وانصرف الصحافيون إلى كتابة تقاريرهم، شعرت بالرضا حيال هذا القرار. وبعد المؤتمر الصحافي، دعوت فريق عملي إلى مأدبة عشاء استحقَّها عن جدارة، لتناول الأطباق الصينية الشهيرة، أبرزها بط بكين. روى كورت وهارولد المواقف السخيفة التي اعترضتهما خلال الأسبوع الماضي، وشعرنا أخيرًا بالراحة والاسترخاء وضحكنا. في اليوم التالي، توجهت إلى المطار واستقللت الطائرة إلى داكا، بنغلادش.

كان تشن لا يزال في المستشفى، وأدركنا جميعًا إمكان فشل الاتفاق الثاني على ما حدث سابقًا. لن يشعر أحد منا بالارتياح ما لم يصل، في أمان، إلى الأراضي الأميركية. بناءً على تفاهمنا مع الصينيين، قد يتطلب الأمر أسابيع. التزم الصينيون جانبهم من الاتفاق طوال الأزمة، ولم يساورني شك في أنهم سيفعلون ذلك مرة أخرى. وفعلًا، وصل تشن وعائلته في ١٩ أيّار/مايو إلى الولايات المتحدة الأميركية، لينال منحته الدراسية من جامعة نيويورك.

لقد شعرت بالفخر لما حققه فريق عملي وجميع موظفي السفارة الأميركية في بكين. لم يتعلق الأمر بقضية رجل واحد، فحسب. أمضينا أربعة أعوام في التحضير لحلّ أزمات من هذا النوع: أسسنا للحوار الاستراتيجي والاقتصادي وغيره من الآليات الدبلوماسية، وطوَّرنا عاداتٍ من الثقة بين نظراء الجانبين من أعلى مراكز السلطة إلى أدناها، ورسخنا العلاقة الأميركية - الصينية في إطار المصلحة المتبادلة والاحترام، ولكن بقيت أيضًا قضايا حقوق الإنسان والقيم الديمقراطية

عالقة. بدا الأمر بدايةً، أشبه بالمشي على حبل دقيق ومشدود، ولكن ثَبُت في النهاية، على ما شعرت، أنه يستحق العناء، ودفعنا إلى الاعتقاد أن علاقتنا قوية كفايةً لتحمّل أزمات لا بدّ منها في المستقبل، نظرًا إلى الاختلاف في وجهات نظرنا وقيمنا ومصالحنا.

كان أحد أهدافنا الرئيسة من الخطة المحورية، زيادة مشاركتنا الفاعلة في الشؤون الآسيوية، بطريقة تتقدم فيها مصالحنا في منطقة مزدهرة وأكثر انفتاحًا على الديمقراطية، من دون إضعاف جهودنا لبناء علاقةٍ إيجابية مع الصين. ليست التوترات في علاقتنا إلّا انعكاسًا للخلافات على القضايا المطروحة، ووجهات النظر المختلفة إلى ما يجب أن يكون عليه العالم، أو أقلّه آسيا. تريد الولايات المتحدة مستقبلًا من الازدهار المشترك، والمسؤوليات المشتركة لإحلال السلام والأمن. والطريقة الوحيدة لبناء ذلك السلام، تطوير آليات التعاون وطرائقه، وحثّ الصين على مزيد من الانفتاح والحرية. لهذه الأسباب عارضنا قمع الصين حرية الإنترنت، والناشطين السياسيين من مثل تشن، والأقليات التيبتية والمسلمين اليوغور. ولهذه الأسباب أردنا حلولًا سلمية بين الصين وجيرانها في شأن مطالبهم الإقليمية.

يظن الصينيون أننا لا نقدر ما حققوه وكم تغيروا، أو عمق خوفهم الدائم من الصراعات الداخلية والتفكك. يستاءون من انتقادات الغرباء. يدَّعون أن الشعب الصيني حرٌّ أكثر من أي وقت مضى، حرٌّ في العمل والتنقل وادِّخار المال وجمع الثروات. لهم الحق في أن يفخروا بأنهم أخرجوا أكبر عدد من الناس من الفقر، بوتيرة لم تعرفها أي دولة في العالم. رأوا أن علاقتنا يجب أن تقوم على المصلحة الذاتية المتبادلة وعدم التدخل، بعضنا في شؤون بعض.

حين نختلف، يعتقدون أن السبب يكمن في خوفنا من ارتقاء الصين سلم المسرح العالمي، ونريد احتواءه. نعتقد أن الخلاف جزء طبيعي من علاقتنا، ولو أمكننا تدبير خلافاتنا لتعزَّز التعاون في ما بيننا. لا مصلحة لنا في احتواء الصين. لكننا نصر على أن تتَّبع القواعد التي تربط كل الدول.

وبعبارة أخرى، لا تزال هيئة المحلّفين خارجًا. يجب على الصين اتخاذ بعض الخيارات الصعبة، وعلينا كذلك أن نفعل. علينا اتباع استراتيجية تجتاز اختبار الزمن: العمل من أجل أفضل نتيجة، وإنما التخطيط لشيء أقل؛ والتمسك بقيمنا. وعلى ما قلت لكورت وجايك في تلك الليلة المتوترة، حين توسَّلَ إلينا تشن اللجوء إلى السفارة، إن دفاعنا عن حقوق الإنسان عالميًّا هو أعظم مصادر قوة أميركا. فصورة تشن، الأعمى والجريح، من خلال سعيه إلى الوصول، على الرغم من المخاطر، إلى المكان الوحيد الذي عرف أنه يناصر الحرية والفرص، أي سفارة الولايات المتحدة، ذكّرنا بمسؤوليتنا في الحرص على أن تبقى بلادنا منارة للمنشقين والحالمين في أنحاء العالم جميعًا.

الفصل السّادس

بورما: السَّيِّدة والجنرالات

كانت نحيفة، وحتى ضعيفة البنية، لكنها تمتعت بصلابة خُلُق لا تُخفى. دلّ مظهرها على رِفعة خفيّة، وأَطّر ذهنَها المتوقد جسدٌ سُجِن طويلًا. حَمَلَت الصفات التي لمحتُها سابقًا في غيرها من السّجناء السياسيين السابقين، بمن فيهم نيلسون مانديلا وفاكلاف هافل. وقد حملَت على منكبيها، مثلهما، آمال أمّة كاملة.

المرة الأولى التي التقيت فيها أونغ سان سو كيي، في الأول من كانون الأول/ديسمبر ٢٠١١، ارتدى كلانا لباسًا أبيض. بدت كأنها مصادفة ميمونة. بعد أعوام طويلة من القراءة عن هذه المنشقة البورمية الشهيرة والتفكير فيها، تقابلنا أخيرًا وجهًا لوجه. كانت أُطلِقت من الإقامة الجبرية، وقد سافَرْتُ آلاف الأميال لأتحدث معها عن آفاق الإصلاح الديمقراطي في بلدها المتشدد سلطويًّا. جلسنا إلى عشاء خاص، على شرفة مقر رئيس البعثة الدبلوماسية الأميركية في رانغون، وهو منزل جميل من الطراز الكولونيالي القديم، على بحيرة إنيا. شعرت كأننا نعرف أحدنا الآخر منذ زمن طويل، على الرغم من أننا تعارفنا للتو.

كان لدي أسئلة كثيرة لأطرحها، وهي كذلك. بعد أعوام على عدِّها رمزًا للحركة المؤيدة للديمقراطية، استعدَّت لتجربتها الأولى مع الديمقراطية الفعلية. كيف ينتقل المرء من المعارضة إلى مزاولة الشؤون السياسية؟ كيف تترشحين إلى أرقى المناصب، وتضعين نفسك في خط

المواجهة بطريقة جديدة تمامًا؟ كانت محادثة سهلة وصريحة، وسرعان ما بدأنا ندردش، ونخطط، ونضحك كصديقتين حميمتين.

أدركنا أن اللحظة حساسة. فبلدها، الذي سماه الجنرالات الحاكمون ميانمار، والمنشقون بورما، بدأ يخطو خطوته التجريبية الأولى نحو التغيير التاريخي. (طوال أعوام، حافظت إدارتنا على سياسة رسمية صارمة قضت باستخدام اسم بورما فقط، لكن البعض، في النهاية، بدأ يستعمل الاسمين بالتبادل. في هذا الكتاب، استخدمت اسم بورما، على ما فعلتُ في ذلك الوقت). يسهل أن تنعكس الأوضاع، ليعود البلد إلى سفك الدماء والقمع، على ما حدث سابقًا. ولكن، إذا استطعنا وضعها في المسار الصحيح، تصبح احتمالات تحقيق التقدم، أفضل من أي وقت مضى.

طمعت الولايات المتحدة بالفرصة لمساعدة بورما على الانتقال من الدكتاتورية إلى الديمقراطية والعودة إلى الأسرة الدولية. فبورما تستحق الجهد، وشعبها جدير بأن يحظى بفرصة التمتع بنِعَم الحرية والازدهار. يضاف إلى ذلك التقاطعات الاستراتيجية الضخمة. إذ تقع بورما وسط جنوب شرقي آسيا، المنطقة حيث تعمل الولايات المتحدة والصين على حد سواء على زيادة نفوذهما. قد تصبح عملية إصلاح ذات دلالة، معلمًا لاستراتيجيتنا المحورية، يُعطي دفعة لنشطاء الديمقراطية وحقوق الإنسان عبر آسيا وخارجها، وينطوي على توبيخ للحكومة الاستبدادية. إذا فشلنا، مع ذلك، قد تأتي نتيجتها عكسية. قد يكمن الخطر في أن يكون جنرالات بورما يتلاعبون بنا. لعلهم كانوا يأملون في أن تكفي إشارات متواضعة لكسر عزلتهم الدولية، من دون أن يحدث أي تغيير في أي مكان على الأرض. ورأى الكثيرون من المراقبين الجديين في الولايات المتحدة أنني أقوم بخيار خاطئ بتواصلي معهم، في حين يبدو الوضع غامضًا جدًا. أدركتُ حجم المخاطر، ولكن حين وازنتُ كل العوامل، وجدت أننا لا نستطيع تفويت هذه الفرصة.

جلست وسو كيي وتحدثنا طوال ساعتين. أرادت أن تعرف كيف سترد أميركا على الإصلاحات التي يدرسها النظام. قلت لها إننا ملتزمون تطبيق مبدأ عملٍ بعمل؛ لدينا الكثير من الجزر لنقدمه(*)، من إعادة العلاقات الدبلوماسية كاملة، إلى تخفيف العقوبات وتحفيز الاستثمار. لكننا في حاجة إلى إطلاق المزيد من السجناء السياسيين، وإلى انتخابات ذات صدقية، وإلى حماية الأقليات وحقوق الإنسان، وإنهاء العلاقات العسكرية مع كوريا الشمالية، ووسيلة لوضع حد للنزاعات العرقية القائمة منذ زمن طويل في الريف. كل خطوة نقوم بها، على ما أكدتُ لها، تهدف إلى إحراز مزيد من التقدم.

وكانت سو كيي شديدة الإدراك للتحديات المقبلة، والرجال الذين يسيطرون على بلادها.

(*) في استلهام لمثل العصا والجزرة. (المترجم)

فقد قاد والدها الجنرال أونغ سان، معركة استقلال بورما ضد البريطانيين واليابانيين التي توجت بالنجاح، ليغتاله خصومه السياسيون عام ١٩٧٤. سُجِنت سو كيي للمرة الأولى في تموز/ يوليو ١٩٨٩، بعد أقلّ من عام على دخولها المعترك السياسي، بعد انتفاضة ديمقراطية فاشلة ضد الحكم العسكري. وضِعت في الإقامة الجبرية وأُطلِقت منها، مراتٍ مذذاك. حين سمح العسكريون بانتخابات عامة، حقق حزبها فوزًا مدويًّا، فألغى الجنرالات فورًا التصويت. حازت العام التالي جائزة نوبل للسلام، فتسلمها نيابةً عنها أولادها وزوجها الدكتور مايكل أريس، الأستاذ في جامعة أوكسفورد والباحث المميز في البوذية التيبتية. خلال أعوام إقامتها الجبرية، لم ترَ سو كيي عائلتها إلّا بضع مرات، وحين شُخِّصت إصابة أريس بسرطان البروستات، لم تمنحه الحكومة البورمية تأشيرة دخول ليمضي أيامه الأخيرة معها. اقترح المسؤولون بدلًا من ذلك أن تغادر سو كيي البلاد، فاشتبهت بأن ذلك يعني المنفى الدائم، وعليه، رفضت، ولم يتسنّ لها وداع أريس الذي توفي عام ١٩٩٩.

تعلّمت سو كيي أن تشكك في النيات الحسنة، وطوَّرَتْ، في إتقان، حسها بالحكم على صحة الأشياء من عدمها، مما يتنافى وصورتها المثالية. فإمكان الانفتاح الديمقراطي حقيقي، على ما فكَّرت، وإنما يجب تفحصه واختباره في عناية. اتفقنا على الاجتماع مجددًا في اليوم التالي للغوص أكثر في التفاصيل، وهذه المرة في منزلها.

افترقنا، وكان عليَّ أن أقرص نفسي. حين أصبحت وزيرةً للخارجية عام ٢٠٠٩، تصوَّرَتْ قِلَّةٌ أن تكون هذه الزيارة ممكنة. قبل عامين فقط، أي عام ٢٠٠٧، شاهد العالم مرعوبًا الجنود البورميين يطلقون النار على حشود من الرهبان (بلباسهم الأصفر الزعفراني)، كانوا يحتجون سلميًّا على الحكم العسكري. واليوم، تقف البلاد على شفا حقبة جديدة. كان هذا تذكيرًا بالسرعة التي يمكن أن يتغير بها العالم، وكم هو مهم للولايات المتحدة أن تكون مستعدة لتلبية حاجات هذا التغيير عندما يحل، والمساعدة في تشكيله.

وبورما دولة يبلغ عدد سكانها ٦٠ مليونًا تقريبًا، تقع استراتيجيًّا بين شبه القارة الهندية ومنطقة دلتا الميكونغ، جنوب شرقي آسيا. عرفت في ما مضى بـ «وعاء رُزّ آسيا»، وقد استحوذت، بمعابدها العريقة وجمالها الآسر، على خيال المسافرين والكتاب من مثل روديارد كيبلينغ وجورج أورويل. غدت خلال الحرب العالمية الثانية ساحة معركة بين اليابانيين وقوات الحلفاء. وأسهم جنرال أميركي حاد اللسان، عُرف بلقب «جو الخل» ستيلويل، في إعادة فتح «طريق بورما» الشهير كمسار إمداد حيوي إلى الصين، وساعدت قيادة والد سو كيي زمن الحرب، على تحقيق الاستقلال البورمي وضمانه بعد انتهاء الصراع.

حوّلت عقود من الحكم العسكري وسوء الإدارة الاقتصادية البلدَ، دولة منبوذة فقيرة. وتُصنف بورما اليوم ضمن أسوأ الدول المنتهكة لحقوق الإنسان في العالم. كانت مصدرًا لعدم الاستقرار والعداء وسط جنوب شرقي آسيا، ويُشكِّل نموها في تجارة المخدرات، وعلاقاتها العسكرية مع كوريا الشمالية، تهديدًا للأمن العالمي.

وقد انفتحت الطريق أمامي إلى رانغون في اجتماع غير عادي في كابيتول هيل، في كانون الثاني/يناير ٢٠٠٩. عرفتُ ميتش ماكونيل إلى حدّ معقول، بعد ثمانية أعوام معًا في مجلس الشيوخ، ونادرًا ما تطابقت وجهتا نظرنا في أي موضوع. لم يُخفِ زعيم القلّة الجمهورية المحافظ من كنتاكي، نيتَه معارضةَ أجندة إدارة أوباما الجديدة بكاملها تقريبًا. (قال مرّةً: «الأمر المهم الوحيد الذي نريد تحقيقه، أن يكون الرئيس أوباما رئيسًا لمرة واحدة»). ولكن، رأيت أن هناك أمرًا واحدًا في السياسة الخارجية قد يمكننا العمل عليه معًا. كان السيناتور ماكونيل مناصرًا متحمسًا للحركة المؤيدة للديمقراطية منذ تشديد الإجراءات الوحشية عام ١٩٨٨. قاد على مر السنين الكفاح من أجل فرض عقوبات على النظام العسكري في بورما، وأقام اتصالات بالمجتمع المعارض، بمن فيه سو كيي نفسها.

تسلمت منصبي وأنا مقتنعة بأننا نحتاج إلى إعادة النظر في سياستنا حيال بورما، وتساءلت هل يوافق السيناتور ماكونيل. وقد أعلن النظام، عام ٢٠٠٨، دستورًا جديدًا، وخطّط لإجراء انتخابات العام ٢٠١٠. بعد فشل انتخابات العام ١٩٩٠، أخذت قلة من المراقبين احتمالات التصويت الجديدة على محمل الجد. وكان لا يزال ممنوعًا على سو كيي الترشح، وأقر الجنرالات القوانين في شكل يضمن حيازة العسكريين ربع المقاعد في البرلمان أقلّه، والأرجح، الغالبية العظمى منها. ولكن حتى هذا الإجراء المتواضع نحو الديمقراطية، كان تطورًا مثيرًا للاهتمام مع هذا النظام القمعي.

وتأكيدًا على ذلك، كانت هناك لحظات من الآمال الواهية سابقًا. فعام ١٩٩٥، أطلق النظام في شكل غير متوقع سو كيي من الإقامة الجبرية، وسافرت مادلين أولبرايت، وكانت آنذاك سفيرة الولايات المتحدة في الأمم المتحدة، إلى رانغون لتُعاين استعداد النظام العسكري لتخفيف قبضته. حملت ملصقًا من مؤتمر الأمم المتحدة للنساء في بكين، وقّعَته ونساء أُخريات. ولكن ثبُت أن الاصلاحات بعيدة المنال. وأثناء زيارتي لتايلاند المجاورة، عام ١٩٩٦، ألقيت خطابًا في جامعة تشيانغ ماي، دعوت فيه «إلى حوار سياسي حقيقي بين أونغ سان سو كيي والنظام العسكري». بدلًا من ذلك، بدأ الجنرالات، مطلع العام ١٩٩٧، بتقييد تحركات سو كيي ونشاطاتها السياسية، وبحلول العام ٢٠٠٠ وُضعت من جديد في الإقامة الجبرية. اعترف بيل ببطولتها، بمنحها أرفع وسام مدني أميركي، «وسام الحرية الرئاسي»، الذي عجزت طبعًا عن تسلمه شخصيًّا. وفشل آنذاك التعامل

بين الدولتين. ولكن بحلول العام ٢٠٠٩، صعُب القول إن سياستنا في فرض العزلة والعقوبات كانت ناجعة في تحسين الأوضاع. هل هناك شيء آخر يمكننا القيام به؟

قلت للسيناتور ماكونيل إنني أريد إعادة النظر في شأن سياستنا كاملة حيال بورما، وأملتُ أن يشارك فيها. بدًا مشكّكًا، وإنما وافقني تمامًا. ستكون مراجعتنا السياسية مدعومة من الحزبين. أراني السيناتور، فخورًا، رسالة من سو كيي، وضعها في إطار وعلّقها على جدار في مكتبه. بان واضحًا كم غدت هذه المسألة شخصية بالنسبة إليه. وعدتُه بالتشاور الدائم معه كلما تقدمنا في هذا الموضوع.

أردت كذلك رؤية سيناتور آخر. جيم ويب، المحارب القديم في فيتنام الحائز أوسمة، ووزير البحرية في عهد الرئيس ريغان، الذي أصبح اليوم سيناتورًا ديمقراطيًّا عن ولاية فرجينيا، ورئيس اللجنة الفرعية للعلاقات الخارجية لشؤون منطقة شرق آسيا والمحيط الهادئ، في مجلس الشيوخ. كان مشاكسًا وغير تقليدي، وصاحب وجهات نظر ثاقبة في ما يتعلق بالسياسة الأميركية في جنوب شرقي آسيا. قال لي جيم إن العقوبات الغربية قد نجحت في إفقار بورما، إلا أن النظام الحاكم ترسّخ وجنح نحو جنون العظمة أكثر. وأعرب عن قلقه أيضًا من أننا نخلق عن غير قصد، فرصة للصين لتوسّع نفوذها الاقتصادي والسياسي في البلد. استثمرت الشركات الصينية كثيرًا في السدود والمناجم ومشاريع الطاقة في مختلف أنحاء بورما، بما في ذلك خط أنابيب رئيس جديد. اعتقدَ جيم أن مراجعة السياسة حيال بورما فكرة جيدة، لكنه غير مهتم إذا سارت الأمور في بطء. دفعني إلى أن أكون خلاقة وحازمة، ووعدني بأن يفعل الشيء نفسه من موقعه في اللجنة الفرعية.

وقد تلقيت دعمًا من الجانب الآخر من الكابيتول، حيث كان صديقي عضو الكونغرس جو كراولي من نيويورك، من المناصرين المتقدمين لفرض عقوبات على النظام منذ مدة طويلة. وجو من المحافظين على القديم المستقيمي الرأي، وهو من كوينز. حين كنت في مجلس الشيوخ وتواجهنا ضمن أحداث نيويورك، غنّى لي أغاني إيرلندية. ألهمه معلمه في لجنة الشؤون الخارجية في مجلس النواب، الراحل توب لانتوس العظيم، دعم حقوق الإنسان في بورما. سأعوّل أيضًا على دعمه ومشورته للسير قدمًا.

وقد استمزجت في رحلتي الأولى إلى آسيا، في شباط/فبراير ٢٠٠٩، آراء القادة الإقليميين، في شأن الأوضاع في بورما.

كان أكثرهم تشجيعًا الرئيس الأندونيسي سوسيلو بامبانغ يودويونو. قال لي إنه تحدث مع الجنرالات البورميين، واستنتج مقتنعًا أن التقدم ممكن. كان لذلك ثقله في نظري، على اعتبار أنه

كان جنرالًا، وقد خلع زيه العسكري وترشح إلى منصب الرئاسة. وأهم من ذلك، أفاد أن النظام قد يكون مهتمًا للبدء بحوار مع الولايات المتحدة. لم يكن لدينا سفير في بورما منذ أعوام، وإنما بقيت هناك قنوات لنتواصل عبرها أحيانًا. بدا احتمال الوصول إلى محادثات مثيرًا للاهتمام.

أرسلت إلى بورما، في آذار/مارس، ستيفن بليك، وهو دبلوماسي بارز، ومدير مكتب وزارة الخارجية للبرّ الأكبر من جنوب شرقي آسيا. وإظهارًا لحسن النية، أتاح له النظام لقاءً وحيدًا مع وزير الخارجية. وافق بليك، في المقابل، على أن يكون المسؤول الأميركي الأوّل الذي يسافر من رانغون إلى ناي بي تاو، وهي عاصمة جديدة بناها العسكريون عام ٢٠٠٥ في منطقة نائية وسط الأدغال؛ وفق إشاعة سرت، اختير الموقع بناءً على نصيحة أحد علماء الفلك. لم يُسمح له، مع ذلك، بلقاء سو كيي، أو الجنرال الكبير المسن والمنعزل، ثان شوي. عاد بليك إلى الولايات المتحدة مقتنعًا بأن النظام مهتم حقًّا بالحوار، وأن بعض مَن في القيادة متململون من عزلة البلاد التامة. لكنه شكك في أن يؤدي ذلك إلى تقدم فعلي قريبًا.

وحدثت من ثمّ في أيار/مايو، تلك الشواذات التاريخية التي لا يمكن التنبؤ بها، والتي تسمح بإعادة تشكيل العلاقات الدولية. فجون يتاو، وهو محارب قديم في فيتنام، من ميسوري، ويبلغ الثالثة والخمسين من العمر، قد أصبح مهووسًا بسو كيي. سافر في تشرين الثاني/نوفمبر ٢٠٠٨ إلى رانغون، وسبح في بحيرة إنيا إلى المنزل حيث سُجِنت. وإذ تجنب زوارق الشرطة وحراس الأمن، تسلق يتاو سياجًا ووصل إلى المنزل من دون أن يكشفه أحد. ذُعِرت مدبرات منزل سو كيي حين وجدنه، إذ لا يُسمح للزوار غير المُصرح لهم بدخول المنزل، ووجود يتاو يعرضهم جميعًا للخطر. وافق، على مضض، على المغادرة من دون رؤية سو كيي.

لكن يتاو عاد في الربيع التالي. كان فقد من وزنه سبعين رطلًا، ونُقِل عن زوجته خشيتها أن يكون يعاني اضطرابًا مرضيًّا عقليًّا. مع ذلك، قطع بحيرة إنيا سباحةً مجددًا في أيار/مايو ٢٠٠٩. رفض هذه المرة أن يغادر، وادعى أنه منهك من التعب وحاله الصحية سيئة. سمحت له سو كيي بالنوم على الأرض، واتصلت من ثمّ بالسلطات. اعتُقِل يتاو، الخامسة والنصف من صباح ٦ أيار/مايو، فيما حاول المغادرة سباحة عبر البحيرة. كذلك اعتُقِلت سو كيي ومدبرات منزلها، الأسبوع التالي، لانتهاكهن شروط الإقامة الجبرية. دينَ يتاو أخيرًا وحُكِم عليه بالسجن سبعة أعوام أشغالًا شاقة، في حين حُكِم على سو كيي والعاملين معها ثلاثة أعوام، خفضها ثان شوي فورًا إلى ثمانية عشر شهرًا مع استمرار الإقامة الجبرية. سيضمن ذلك بقاءها سجينة خلال الانتخابات الموعودة، عام ٢٠١٠. «الجميع غاضب من هذا الأميركي البائس. هو سبب كل هذه المشكلات. إنه معتوه»، على ما قال للصحافة أحد محامي سو كيي.

انتابني الغضب أنا أيضًا حين سمعت الخبر. يجب ألّا تدفع سو كيي، والتقدم الذي أملنا كثيرًا في أن يتحقق في بورما، ثمن التصرفات الطائشة لأميركي مضلَّل. وجب عليَّ مساعدته، مع ذلك، لأنه مواطن أميركي. اتصلت بالسيناتورين ويب وماكونيل لوضع استراتيجية. عرض جيم الذهاب إلى بورما للتفاوض على إطلاق يتاو، ووافقت. فالأمر يستحق المحاولة.

ووقع منتصف حزيران/يونيو حدث آخر كاد يؤدي إلى انفجار. بدأت البحرية الأميركية تتعقب سفينة شحن كورية شمالية حمولتها ألفا طنٍّ متوجهة إلى بورما، واشتبهنا وحلفاءنا الكوريين في أنها تحمل معدات عسكرية، بما فيها قاذفات صواريخ وقطع صاروخية محتملة. إذا كان ذلك صحيحًا، فهو يُعدّ انتهاكًا مباشرًا لحظر الاتجار بالأسلحة الكورية الشمالية الذي فرضه مجلس الأمن الدولي ردًّا على التجارب النووية في أيّار/مايو. ووردت تقارير عن اتصالات بين الجيش البورمي وشركة كورية شمالية ذات خبرة في التكنولوجيا النووية، وزيارات سرية للمهندسين والعلماء.

أرسل البنتاغون مدمرة لتتبع سرًّا سفينة الشحن الكورية الشمالية، وهي تبحر في المياه الدولية. خوّلنا قرار مجلس الأمن تفتيش السفينة، لكن الكوريين الشماليين أنذروا بأنهم يعدّون ذلك عملًا حربيًّا. اتصلنا بالدول الأخرى في المنطقة، بما فيها الصين، طلبًا للمساعدة. من الأهمية بمكان أن يُطبِّق كل ميناء ترسو فيه السفينة في طريقها، قرار الأمم المتحدة ويفتش الحمولة. وافق وزير الخارجية الصينية يانغ على أن القرار «يجب أن يُنفذ بطريقة صارمة بحيث يمكن إبلاغ رسالة موحدة قوية إلى كوريا الشمالية». في اللحظة الأخيرة، تراجع الكوريون الشماليون، وغيرت السفينة مسارها وعادت إلى بلادها.

ذهب السيناتور ويب في آب/أغسطس إلى ناي بي تاو. وافق هذه المرة ثان شوي على لقائه. حمل جيم ثلاثة بنود في أجندته. أولًا، سأل أن يعود يتاو إلى الولايات المتحدة لأسبابٍ إنسانية، فالرجل امتنع عن تناول الطعام وهو يعاني أمراضًا. ثانيًا، طلب مقابلة سو كيي، الأمر الذي لم يُسمح لبليك بالقيام به. ثالثًا، حثَّ ثان شوي على إنهاء إقامة سو كيي الجبرية، والسماح لها بالمشاركة في العملية السياسية، على أنها السبيل الوحيد كي تُؤخذ الانتخابات المقبلة على محمل الجد. أصغى ثان شوي في عناية، من دون أن يفصح عما يجول في ذهنه. ولكن، في النهاية، حصل جيم على طلبين من الثلاثة. ذهب إلى رانغون واجتمع مع سو كيي. سافر من ثمّ إلى تايلاند مع يتاو في طائرة تابعة لسلاح الجو الأميركي. وحين تحدثتُ مع جيم بالهاتف، أشعرتني نبرة صوته بارتياحه. لكن سو كيي ظلت محتجزة.

أعلنتُ، الشهر التالي، نتائج مراجعة سياستنا في بورما، في الأمم المتحدة في نيويورك. لم تتغير أهدافنا: نريد أن تُجرى إصلاحات ديمقراطية ذات صدقية؛ وإطلاق جميع السجناء السياسيين، بمن فيهم سو كيي، فورًا ومن دون شروط؛ وحوار جدي مع مجموعات المعارضة وكل

قِلّة عرقية. لكننا خلصنا إلى أن «الالتزام بدلًا من العقوبات، خيار خاطئ». لذا، سنستخدم في مسارنا الوسيلتين معًا لتحقيق أهدافنا، والتعامل مباشرة مع كبار المسؤولين البورميين.

لم يتحقق تقدم ملموس يذكر، العام التالي. ظلت سو كيي رهن الإقامة الجبرية، على الرغم من السماح لها بمقابلة كورت كامبل. ووصَفَت لكورت عزلتها وطقوسها اليومية التي تشمل الاستماع إلى إذاعة بي بي سي وصوت أميركا، لتقف على الأحداث التي تدور خارج أسوار سجنها. واقتطعت صحيفة تديرها الدولة سو كيي من صورة جمعتها وكورت، نُشرت بعد لقائهما.

وخلافًا لما حدث عام ١٩٩٠، لم تحقق الحركة المؤيدة للديمقراطية انتصارًا ساحقًا في انتخابات العام ٢٠١٠. بدلًا من ذلك، ادعى الحزب المدعوم من العسكريين فوزًا كبيرًا، على ما كان يُتوقع. انضمت المجموعات المعارضة ومنظمات حقوق الإنسان الدولية إلى الولايات المتحدة في إدانة عملية التصويت باعتبارها مزورة إلى حد كبير. رفض النظام السماح للصحافيين أو المراقبين الأجانب برصد العملية الانتخابية. وبدا كل شيء متعَوَّدًا ومتوقعًا، في شكل يثير الإحباط. فوَّت الجنرالات فرصة البدء بمرحلة انتقالية نحو الديمقراطية والمصالحة الوطنية، في حين غاص الشعب البورمي أكثر في الفقر والعزلة.

وعلى الرغم من أن نتائج الانتخابات أتت مخيبة للآمال، أطلق الجنرالات، بعد أسبوع على التصويت، أي في تشرين الثاني/نوفمبر ٢٠١٠، في شكل غير متوقع سو كيي من الإقامة الجبرية. وقرر من ثم، ثان شوي التقاعد، ليحل محله جنرال آخر رفيع المستوى، هو ثين سين الذي شغل سابقًا منصب رئيس مجلس الوزراء. خلع بزته العسكرية ورأس حكومة مدنية شكليًّا. وعلى عكس أعضاء النظام الآخرين، جال ثين سين في أنحاء المنطقة، وعرفه جيدًا الدبلوماسيون الآسيويون، ورأى عن كثب كيف تمتع جيران بورما بمزايا التجارة والتكنولوجيا، فيما بلاده راكدة. كانت رانغون في ما مضى، إحدى أكثر المدن الكسموبوليتانية في جنوب شرقي آسيا؛ فأدرك ثين سين إلى أي حد تخلّفت آنذاك عن أماكن من مثل بانكوك وجاكرتا، وسنغافورة وكوالا لمبور. وفق البنك الدولي، استخدمت عام ٢٠١٠ نسبة ٠,٢ من السكان فقط الإنترنت. وانتفت فيها الهواتف الذكية لأن خدمات الشبكة الخلوية غير كافية. بدا التباين بينها وبين جيرانها واضحًا جدًّا.

اتصلتُ للمرة الأولى، في كانون الثاني/يناير ٢٠١١، بأونغ سان سو كيي الخارجة من السجن حديثًا، لأسمع رأيها في هذه التطورات. هزّني سماع صوتها أخيرًا، وبدا لي أن حريتها بعثت فيها الهمة. شكرَت لي الدعم الثابت الذي حظيت به على مرّ السنين من الولايات المتحدة والرؤساء من كلا الحزبين، وسألتني عن زفاف ابنتي. خطا حزبها إلى تنظيم صفوفه، مختبرًا نية الحكومة

الجديدة، فأوضحتُ لها أننا نريد المساعدة، وأننا مستعدون لتبادل الدروس المستفادة من الحركات الأخرى المؤيدة للديمقراطية في مختلف أنحاء العالم. «آمل في أن أتمكن من زيارتك في أحد الأيام»، على ما قلت. «والأفضل حتى، أن تأتي لزيارتي!».

أقسم ثين سين ذلك الربيع، اليمين الدستورية رئيسًا رسميًّا لبورما. ودعا فجأةً سو كيي إلى عشاء في منزله المتواضع. كانت إشارة لافتة من أكثر الرجال نفوذًا في البلاد، إلى المرأة التي خشيها العسكريون طويلًا وعدُّوها أحد أخطر أعدائهم. حضّرت زوجة ثين سين الطعام، وأكلوا أمام لوحة لوالد سو كيي. سيجتمعان مرةً أُخرى ذاك الصيف. وكانت المحادثات الأولى اختبارًا تجريبيًّا. فالجنرال والمنشقة كانا حذرين أحدهما من الآخر، وهو أمر مفهوم. لكن الأكيد، أن شيئًا ما كان يحدث.

أردت أن تؤدي الولايات المتحدة دورًا بناء في تحفيز نزعات الحكومة الجديدة الخيرة، من دون التسرع في احتضانها قبل أن تنضج، أو خسارة النفوذ الذي توفره عقوباتنا القوية. قد تكون إعادة العلاقات الدبلوماسية رسميًّا، مع سفير أميركي في بورما، أمرًا سابقًا لأوانه، لكننا نحتاج إلى قناة دبلوماسية جديدة للبدء باختبار نيات ثين سين. سألتُ كورت وفريق عمله خلال جلساتنا الاستراتيجية، ابتكار سيناريوهات مختلفة لخطواتنا المقبلة وتطويرها. عيّنّا خبيرًا متمرسًا في الشؤون الآسيوية اسمه ديريك ميتشل، كأوّل ممثل خاص لنا في بورما. وقد أنشأ هذا المنصب الكونغرس في تشريع قدمه عضو الكونغرس الراحل توم لانتوس نهاية العام ٢٠٠٧، ووقعه الرئيس بوش ليسري كقانون، عام ٢٠٠٨، لكنه لم يطبَّق قط. قد لا يعطي اختيار ممثل خاص لبورما الهيبة التي يفرضها تعيين سفير دائم، لكنه سيفتح الباب من أجل تحسين الاتصالات.

يقطع نهر إيراوادي بورما من الشمال إلى الجنوب، ولطالما كان قلب البلاد النابض ثقافيًّا وتجاريًّا. وقد ذكره جورج أورويل بقوله إنه «يلمع مثل الألماس في البقع التي تنتشر عليها أشعة الشمس»، وتحدّه مساحات شاسعة من حقول الرز. وتطفو في اتجاه مجرى النهر من الغابات الداخلية نحو البحر، حزم من جذوع خشب الساج، وهو سلعة تصدير بورمية رئيسة. وإذ تغذي الإيراوادي أنهار جبال الهيمالايا الشرقية الجليدية، فإن مياهه تُوزع على عدد لا يُحصى من قنوات الري وشبكاته، لتُغذي المزارع والقرى التي تقع على أطرافه، من أعلى البلاد إلى أسفلها، وحول الدلتا الواسعة والخصبة عند مصبه. وعلى غرار نهر الغانج في الهند ونهر ميكونغ في فيتنام، يحتل إيراوادي مكانةً مقدسة في المجتمع البورمي. وعلى حدّ قول سو كيي، هو «الطريق الطبيعية الكبيرة، والمصدر الوافر للغذاء، والبيئة الطبيعية لأجناس متنوعة من النبات والحيوانات المائية، والداعم لأساليب الحياة التقليدية، والوحي الذي ألهم الأعمال الأدبية التي لا تحصى شعرًا ونثرًا».

لكن كل ما تقدّم، لم يمنع شركة صينية لتوليد الطاقة تديرها الدولة البورمية، من استخدام العلاقة الطويلة الأمد بين الصين والجنرالات الحاكمين، للفوز بإذنٍ يسمح ببناء أوّل سدّ لتوليد الطاقة الكهرومائية في أعلى مجرى نهر إيراوادي. هدّد هذا المشروع الكبير بالتسبب بإلحاق الكثير من الأضرار بالاقتصاد المحلي والنظام البيئي، لكنه عنى للصين فوائد كبيرة. غذى بالكهرباء سد مايتسون، على ما بات يعرف، إضافة إلى ستة سدود أخرى بناها الصينيون شمال بورما، المدن جنوب الصين المتعطشة إلى الطاقة. بحلول العام ٢٠١١، نزل العمال الصينيون ذوو الخوذات إلى ضفاف منابع نهر إيراوادي، في المرتفعات الشمالية النائية التي هي موطن جماعة كاشين العرقية الانفصالية. بدأ الصينيون بتفجير الأنفاق وحفرها وبنائها، ونُقل آلاف القرويين الذين يسكنون في جوارها.

لم يأتِ هذا المشروع التخريبي مفاجئًا في بلدٍ حكمه طويلًا المستبدون المزاجيون. ما كان مفاجئًا، ردّ فعل العامة. منذ البدء، عارضت مجموعات كاشين السد، ولكن سرعان ما امتدت الانتقادات إلى مناطق أُخرى من البلاد، وظهرت حتى في الصحف الخاضعة لرقابة مشددة. وحصل النشطاء على بيان عن الأثر البيئي للسد، يقع في تسعمئة صفحة، وضعه عالم صيني، حذر فيه من الأضرار التي سيلحقها بالأسماك وغيرها من الحيوانات البرية عند المصب، إضافةً إلى قربه من خط صدع زلزالي كبير، وشكك في ضرورة المشروع وصوابه. وقد حرّك الغضب الناتج عن الضرر البيئي المتوقع على نهر إيراوادي المقدس، الاستياء الشعبي العميق الجذور نحو الصين، الراعي الأجنبي الرئيس للنظام العسكري. وعلى ما رأينا في دول استبدادية أُخرى، كثيرًا ما يكون فرض الرقابة على ذوي النزعة القومية أصعب من فرضها على المعارضة.

اجتاحت بورما موجة غير مسبوقة من الغضب الشعبي. وفي آب/أغسطس ٢٠١١، نشرت سو كيي التي ابتعدت نسبيًّا عن الأضواء بعد إطلاقها من الإقامة الجبرية، رسالة مفتوحة تنتقد السد. وبدت الحكومة الجديدة والمدنية، ظاهريًّا، منقسمة على ذاتها ومأخوذة على حين غرة. فعقد وزير الإعلام، وهو جنرال متقاعد، مؤتمرًا صحافيًّا وتعهّد، دامعًا، حماية إيراوادي. لكن مسؤولين حكوميين آخرين تجاهلوا المخاوف الشعبية وأصروا على الاستمرار في مشروع السد على ما خُطط له. تناول أخيرًا ثين سين المسألة في البرلمان. بما أن الشعب انتخب الحكومة، على ما قال، تقع على عاتقها مسؤولية الرد على مخاوفه. وسيتوقف بناء السد المثير للجدل.

كان هذا من أكثر الدلائل إقناعًا حتى ذاك الحين، أن الحكومة الجديدة قد تكون جدية في شأن الإصلاحات. كذلك كان تنصلًا رسميًّا مفاجئًا من الصين، التي استقبلت المعلومات مذعورةً.

أُعجِبْتُ بنجاح المجتمع المدني الناشئ في بورما، الذي اضطُهد طويلًا ومُنِع من التنسيق والتحدث في حرية. ذكرتني الخضة التي انتابت البلاد ضد سد مايتسون بفكرة ثاقبة رائعة لإليونور

روزفلت. «من أين تبدأ، في النهاية، حقوق الإنسان العالمية؟»، على ما سألت في خطاب ألقته عام ١٩٥٨ في الأمم المتحدة، وأعطت من ثمّ الجواب: «في الأماكن الصغيرة، القريبة من المنزل والوطن... في عالم المرء الشخصي؛ في الحي الذي يسكنه؛ في المدرسة أو الكلية التي يقصدها؛ في المصنع، أو المزرعة، أو المكتب حيث يعمل؛ من دون تحفيز جهود المواطنين المتضافرة ليتشبثوا بوطنهم، عبثًا نبحث عن التقدم في العالم الأوسع». حُرِم شعب بورما طويلًا الكثير من حرياته الأساسية. مع ذلك، أثار الاعتداء البيئي والاقتصادي غضبه أخيرًا، لأنه أساء إلى الوطن بطريقة مباشرة وملموسة. رأينا ظاهرة مماثلة في الاحتجاجات لمكافحة التلوث في الصين. ما يبدأ كشكوى ركيكة يمكن أن يغدو تحركًا أكبر. حين ينجح المواطنون في إلزام حكوماتهم استجابة همومهم اليومية، يمكن توقُّع المزيد من التغييرات الجوهرية. هذا جزء مما أسمّيه، جعل «حقوق الإنسان حقيقةً بشرية».

بدا وكأن وقف بناء السد قد أطلق العنان لسيل نشاط جديد. بدأت الحكومة في ١٢ تشرين الأول/أكتوبر بالإفراج عن بضع مئات من أكثر من ألفي سجين سياسي. وصادقت في ١٤ منه على تنظيم نقابة عمالية، للمرة الأولى منذ ستينات القرن العشرين. وأتت هذه التحركات عقب خطوات متواضعة في وقت سابق من ذاك العام لتخفيف قيود الرقابة، ونزع فتيل النزاعات مع جماعات الأقليات العرقية المسلحة في الريف. وشرعت الحكومة أيضًا في مناقشات مع صندوق النقد الدولي تتعلق بالإصلاحات الاقتصادية. وتحدثت سو كيي المتفائلة، في حذر، إلى أنصارها في رانغون، ودعت إلى إطلاق المزيد من السجناء وإصلاحات إضافية.

رصدنا عن كثب هذه الأحداث في واشنطن، واحترنا كيف نزنها. احتجنا إلى التحقق أكثر ممّا يحدث فعلًا على الأرض. فطلبت من كبير مسؤولي الحقوق البشرية في وزارة الخارجية، مايك بوسنر، مرافقة ديريك ميتشل إلى بورما، ومحاولة إدراك مقاصد الحكومة الجديدة. اجتمع مايك وديريك بداية تشرين الثاني/نوفمبر مع أعضاء البرلمان، ودارت مناقشات مشجعة على مزيد من الإصلاحات، بما في ذلك السماح بحرية التجمع وفتح باب التسجيل للأحزاب السياسية. ظل حزب سو كيي محظورًا، وهي لن تكون قادرة على الترشح إلى الانتخابات إلّا في حال تغيّر القانون. كان ذلك أحد أبرز اهتمامات زعماء المعارضة المشككين الذين التقوا مايك وديريك. وأشاروا أيضًا إلى العدد الكبير من السجناء السياسيين الذين لا يزالون محتجزين، والتقارير عن انتهاكات خطيرة لحقوق الإنسان في المناطق الإثنية. حثتنا سو كيي وآخرون على عدم التحرك على عجل لرفع العقوبات ومكافأة النظام، قبل أن تتوافر لنا أدلة أكثر عن التقدم الديمقراطي. بدا لي ذلك معقولًا، ولكن وجب علينا أيضًا الاستمرار في الارتباط بالقيادة وتطبيع هذه التطورات المبكرة.

مطلع تشرين الثاني/نوفمبر، وبينما كان مايك وديريك يجتمعان مع المعارضين والمشرعين في بورما، انشغلت والرئيس أوباما في التخطيط لوسيلة تمكننا من رفع سياستنا المحورية إلى المستوى التالي. أدركنا أن رحلة الرئيس المقبلة إلى آسيا ستكون أفضل فرصنا لإثبات ما المقصود بالمحور. بدأنا مع اجتماعات أبيك الاقتصادية في هاواي، ليذهب الرئيس من ثمّ إلى أستراليا. توقفتُ في الفيليبين للاحتفال بالذكرى الستين لمعاهدة دفاعنا المشترك، على سطح المدمرة يو إس إس فيتزجيرالد في مانيلا، ووافيت الرئيس من ثمّ إلى تايلاند، حليف رئيس آخر.

وصلت والرئيس في ١٧ تشرين الثاني/نوفمبر إلى بالي، أندونيسيا، لحضور اجتماع «قمة شرق آسيا»، واجتماع الولايات المتحدة - آسيان للقادة، وهو أهم تجمع سنوي لرؤساء الدول من مختلف أنحاء آسيا. كانت المرة الأولى يحضرُ رئيس أميركي قمة شرق آسيا. كان ذلك شهادة على التزام الرئيس أوباما توسيع مشاركتنا في شؤون المنطقة، ونتيجة مباشرة للأسس التي وضعناها بدايةً، عام ٢٠٠٩، من خلال توقيع «معاهدة آسيان للصداقة والتعاون»، وجعل الدبلوماسية المتعددة الأطراف أولويةً في آسيا. وعلى ما حدث في فيتنام العام السابق، شغلت النزاعات الإقليمية في بحر الصين الجنوبي أذهان الجميع. وتمامًا على ما فعَلَتْ في اجتماع آسيان في هانوي، رفضت الصين مناقشة المسألة في جلسة مفتوحة، متعددة الأطراف، خصوصًا تلك التي تشمل الولايات المتحدة. «يجب ألّا تتدخل القوى الخارجية، بموجب أي ذريعة»، على ما قال الرئيس الصيني، ون جيا باو. أتى كلام نائب وزير الخارجية مباشرًا أكثر. «نأمل ألّا تُناقش مسألة بحر الصين الجنوبي في قمة شرق آسيا»، على ما قال للمراسلين الصحافيين. لكن الدول الصغيرة، بما فيها فيتنام والفيليبين، صممت على مناقشة الموضوع. وكنا حاولنا في هانوي تقديم نهج تعاوني نحو الحل السلمي للنزاعات في بحر الصين الجنوبي، ولكن في الأشهر التي تلت هذا اللقاء، تصلبت بكين في موقفها أكثر.

بعد ظهر ١٨ تشرين الثاني/نوفمبر، رافقت الرئيس أوباما إلى اجتماع القادة الخاص، فالتقينا سبعة عشر رئيس دولة ووزراء خارجيتهم. لم يُسمح بدخول أي موظف آخر أو صحافي. أنصت الرئيسان أوباما وون في هدوء، فيما بدأ الزعماء الآخرون المناقشة. وكان رؤساء سنغافورة والفيليبين وفيتنام وماليزيا من أوائل المتحدثين، ولدى جميعهم مصالح في بحر الصين الجنوبي. وطوال الساعتين التاليتين، تحدث كل زعيم بدوره، ليكرر تقريبًا المبادئ التي ناقشناها في هانوي: ضمان الوصول الحر وحرية الملاحة، وحل النزاعات سلميًّا وبالتعاون ضمن إطار القانون الدولي، وتجنب الإكراه والتهديدات، ودعم قواعد السلوك. بدا واضحًا أن هناك توافقًا في الآراء في القاعة. تحدث القادة في وضوح ومن دون مواربة، ولكن أيضًا من دون حدّة. حتى الروس وافقوا على أنها قضية مهمة ومناسبة لتناقشها المجموعة.

أخيرًا، وبعدما تحدث ستة عشر زعيمًا آخر، تناول الرئيس أوباما مكبر الصوت. بما أن كل الحجج عُرِضت جيدًا، رحّب بالتوافق وأكد دعم الولايات المتحدة للنهج الذي فصّله قادة المنطقة. «على الرغم من أننا لسنا من المطالبين بحق في نزاع بحر الصين الجنوبي، ولا نتحيز لأحد الجانبين»، على ما قال، «لنا مصلحة قوية في الأمن البحري عمومًا، وفي حل قضية بحر الصين الجنوبي تحديدًا، باعتبارنا قوة قائمة في منطقة المحيط الهادئ، ودولة بحرية، وتجارية، وضامنة للأمن في منطقة آسيا والمحيط الهادئ». حين أنهى الرئيس كلامه، نظر إلى المجتمعين، بمن فيهم الرئيس ون الذي بدا منزعجًا في شكل واضح. كان الوضع أسوأ مما واجهه في هانوي. لم يرِد أن تُناقَش مسألة بحر الصين الجنوبي إطلاقًا؛ وبات آنذاك أمام جبهة موحدة. وعلى عكس وزير الخارجية يانغ في هانوي، لم يطلب الرئيس ون استراحة. ردَّ، في أدب، ولكن في حزم، مدافعًا عن تصرفات الصين، ومصرًّا مجددًا على أن المنتدى هذا غير مناسب للبحث في أمورٍ كهذه.

وفي حين دارت الفصول على هذا المسرح الدبلوماسي، كنت أركز على قدم المساواة، على ما تكشّف من أحداث بورما. ففي الأسابيع التي سبقت الرحلة، أوصى كورت بخطوات جديدة جريئة للتعامل مع النظام وتشجيع المزيد من الإصلاحات. كنت ناقشت قضية بورما مع الرئيس أوباما ومستشاريه للأمن القومي، الذين أرادوا ألّا نخفض مستوى حذرنا من النظام، أو نخفف عنه الضغط قبل الأوان. كان لدي حليف قوي في البيت الأبيض، يساعد على دفع التعامل مع النظام البورمي: بن رودس، مساعد الرئيس منذ زمن طويل، الذي شغل منصب نائب مستشار الأمن القومي. وافقني بن على أننا وضعنا الأساس ويلزمنا المضي قدمًا. مع ذلك، كان هناك شخص معين أراد الرئيس أن يسمع رأيه ليطمئن إلى أن الوقت مناسب لذلك. طلبت من كورت وجايك التحدث مع سو كيي والتحضير لمكالمة هاتفية بينها وبين الرئيس. ومن الطائرة الرئاسية المتجهة من أستراليا إلى أندونيسيا، كلّمها هاتفيًّا للمرة الأولى. فشددت على الدور المهم الذي يمكن أن تؤديه أميركا، لتساعد بلدها على التوجه نحو الديمقراطية. وروى أيضًا الفائزان بجائزة نوبل للسلام قصصًا عن كلبيهما. بعد المكالمة، كان الرئيس على استعداد للتحرك إلى الأمام. في اليوم التالي، وقفت إلى جواره على المنصة في بالي، حيث أعلن عبر مكبرات الصوت أنه طلب مني السفر إلى بورما شخصيًّا للتحقق من آفاق الإصلاح الديمقراطي وتوثيق العلاقات بين بلدينا. «بعد أعوام من الظلام، نرى ومضات من التقدم»، على ما قال. سأكون أوّل وزير خارجية يزور بورما بعد أكثر من نصف قرن على قطع العلاقات بين بلدينا.

وفي طريق العودة من أندونيسيا إلى الولايات المتحدة، سابقني عقلي للتخطيط للرحلة المقبلة. ستتوافر لي الفرصة لأتعرّف إلى ثين سين وأبدي فيه رأيًا، وألتقي سو كيي أخيرًا. هل نجد

وسيلة لنحرّك ومضات التقدم تلك التي تحدث عنها الرئيس، ونشعل حقًّا الإصلاحات الديمقراطية البعيدة المنال؟

توقفت الطائرة في اليابان لتزود الوقود وسط أمطار غزيرة. انتظرني ضابطان تابعان للخدمة الخارجية، من ذوي الخبرة في بورما، في مقر سفارتنا في طوكيو. بعد سماع إعلان الرئيس، جلبا لي رزمة من الكتب عن البلد، ونسخة من فيلم عن سو كيي المعروفة بالسيدة. كان هذا جل ما أحتاج إليه. شاهد فريق العمل، إضافة إلى الصحافيين المعتمدين في الرحلة، الفيلم ونحن نتجه شرقًا عبر المحيط الهادئ إلى واشنطن، حيث بدأت فورًا بالتخطيط لرحلتي إلى بورما.

وصلت إلى ناي بي تاو في وقت متقدم من بعد ظهر ٣٠ تشرين الثاني/نوفمبر ٢٠١١. كان مهبط الطائرات الصغير في العاصمة النائية معبدًا، وإنما غير مضاء بما فيه الكفاية للهبوط بعد غروب الشمس.

قبل مغادرتنا واشنطن بدقائق، أرسل خبراء الشؤون الآسيوية في وزارة الخارجية مذكرةً، تنصح للفريق المسافر بعدم ارتداء الملابس ذات اللون الأبيض، أو الأسود، أو الأحمر، بسبب المعايير الثقافية المحلية. ليس غريبًا أن نتلقى مذكرات من هذا النوع؛ هناك أماكن ترتبط فيها ألوان معينة ببعض الأحزاب السياسية أو المجموعات العرقية. لذا، بحثت جدّيًّا في خزانتي، محاولةً العثور على ملابس ذات ألوان مناسبة لبورما. كنت اشتريت سترة بيضاء جميلة تتوافق قماشتها مع المناخات الحارة. فإذا حملتها معي، هل يُفسر ذلك عدم فطنة ثقافية؟ حزمتها في أمتعتي في حال كان الخبراء مخطئين. وتأكيدًا على ذلك، حين خرجنا من الطائرة، استقبلنا بورميون يرتدون كل الألوان التي دُعينا إلى تجنبها. أملت ألّا يكون ذلك دلالة إلى مفاهيم خاطئة أعمق من قبلنا، ولكن، على الأقل، أمكنني ارتداء سترتي البيضاء في أمان.

خرج موكبنا من المطار إلى مساحة من الحقول الواسعة المكشوفة. بدت الطريق السريعة الفارغة تتسع لعشرين ممرًّا. لمحنا أحيانًا دراجة هوائية، ولكن لا سيارات أُخرى، وقلة قليلة من الناس. مررنا بمُزارع يرتدي قبعة تقليدية من القش مخروطية الشكل، ويركب عربةً مملوءة بحشيش العلف، يجرها ثور أبيض. بدا كأننا نشاهد من النافذة عصرًا آخر.

لمحنا من بعيد، أبراج المباني الحكومية الغائرة في ناي بي تاو. بنى العسكريون المدينة سرًّا عام ٢٠٠٥، وحصنوها بالأسوار والخنادق المائية للدفاع عنها ضد غزو أميركي افتراضي. عاش قلة من الناس هناك. كانت معظم المباني فارغة أو غير مكتملة، والمكان أشبه بـ «قرية بوتيمكين»(١).

(١) قرية غير حقيقية، نسبةً إلى جورج بوتيمكين الروسي. (المترجم)

زرت في اليوم التالي الرئيس ثين سين في مكتبه المخصص للاستقبالات الرسمية. جلسنا على كراسٍ مذهبة تحت ثريا من الكريستال ضخمة في قاعة فسيحة. على الرغم من المكان والوضع، كان ثين سين منضبطًا ومتواضعًا في شكل غريب، خصوصًا لرئيس دولة وقائد مجلس عسكري. كان قصير القامة ومنحنيًا قليلًا، شعره خفيف ويضع نظارتين. بدا أشبه بمحاسبٍ أكثر منه جنرالًا. حين شغل منصب رئيس الوزراء في الحكومة العسكرية، ظهر دائمًا في بزة الجيش الخضراء المنشّاة في شدة، لكنه ارتدى يومذاك الرداء البورمي الأزرق التقليدي، مع صندالين، وسترة بيضاء.

تكهن كثيرون داخل بورما وخارجها أن الحاكم السابق، ثان شوي، اختار ثين سين الدمث الأخلاق خلفًا له لأنه رآه، على السواء، غير مهدد للعالم الخارجي، ولين الطبع بما يكفي ليتقدم إلى واجهة صفوف المتشددين في النظام. فاجأ ثين سين الجميع حتى ذاك الحين، في إظهار استقلالية غير متوقعة وقوة ثابتة في دفع أجندة إصلاحاته الناشئة.

وقد شجعتُه خلال مناقشتنا، موضحةً الخطوات التي يمكن أن تؤدي إلى الاعتراف الدولي ببورما وتخفيف العقوبات عنها. «أنتم في المسار الصحيح. وعلى ما تعرفون، ستعترضكم خيارات صعبة وعقبات قاسية يجب التغلب عليها»، على ما قلت، «لكنها فرصة لكم للتخلي عن إرث تاريخي لبلدكم». وسلمته أيضًا رسالة من الرئيس أوباما، أكّدت النقاط نفسها.

رد ثين في عناية، لتُطل عبر عباراته المنمقة شرارات مخفية من روح الدعابة وحس بالطموح ونفاذ البصيرة. ستستمر الإصلاحات، على ما قال، وهدنته كذلك مع سو كيي. وكان على علم تمامًا بالمشهد الاستراتيجي الأوسع. «يقع بلدنا بين عملاقين»، أضاف، في إشارة إلى الصين والهند، وأحتاج إلى الحرص على عدم المخاطرة وتعطيل العلاقات مع بكين. إنه شخص فكر طويلًا، في عمق ووضوح، في مستقبل بلده والدور الذي يمكن أن يؤديه لتحقيق ذلك.

قابلت في رحلاتي ثلاثة أنواع أقلّه من زعماء العالم: أولئك الذين يشاركوننا قيمنا ونظرتنا إلى العالم، وهم شركاء طبيعيون؛ وأولئك الذين يريدون القيام بالأمور على أفضل وجه، ويفتقدون إلى الإرادة السياسية أو القدرة على تحقيق ذلك؛ وأولئك الذين يرون مصالحهم وقيمهم مغايرة تمامًا لمصالحنا وقيمنا، ويفعلون كل ما في وسعهم لمعارضتنا متى أُتيح لهم ذلك. تساءلت إلى أي فئة ينتمي ثين سين. حتى لو كان صادقًا في رغبته في تطبيق الديمقراطية، هل كانت مهاراته السياسية قوية بما يكفي للتغلب على المعارضة الراسخة بين زملائه العسكريين، وفرض هذا التحول الوطني الصعب؟

مِلت طبعًا إلى اعتناق آمال ثين سين في أن يعزز الاعتراف الدولي سلطته في الداخل. لكن

بعض الأسباب دعت إلى توخي الحذر. قبل الإفصاح عن الكثير، احتجت إلى لقاء سو كيي، ومقارنة الملاحظات. انخرطنا في رقصة دبلوماسية حساسة، ومن المهم ألّا تزِلَّ خطواتنا.

انتقلنا بعد الاجتماع إلى قاعة كبيرة لتناول الغداء، حيث جلست بين ثين سين وزوجته. أمسكَت بيدي وتحدثت في شكل مؤثر عن عائلتها وآمالها في تحسين حياة الأطفال في بورما.

قصدنا من ثمّ البرلمان، لعقد اجتماعات مع شريحة كبيرة من المشرعين اختارهم العسكريون بعناية فائقة. ارتدوا ألبسة تقليدية ذات ألوان زاهية، بما في ذلك القبعات مع الأبواق والفرو المطرز. بدا بعضهم متحمسًا للالتزام بين الولايات المتحدة والنظام، وتحقيق المزيد من الإصلاحات. وشكك البعض الآخر، في وضوح، في كل التغيير القائم، وتاقوا إلى العودة إلى الأساليب القديمة.

التقيت رئيس مجلس النواب شوي مان، وهو جنرال سابق أيضًا، في قاعة عملاقة أُخرى، تحت لوحة من المناظر الطبيعية البورمية الخاصة التي يبدو أنها تمتد أميالًا. كان محدثًا لبقًا وحسن المحيا. «كنا ندرس عن بلدكم في محاولةٍ لفهم طريقة إدارة البرلمان»، قال لي. سألت هل قرأ كتبًا أو تشاور مع خبراء. «آه، لا»، أجاب، «كنا نشاهد السلسلة التلفزيونية ذي ويست وينغ (الجناح الغربي)». ضحكتُ ووعدت بأن أزوده معلومات إضافية.

جلست ذلك المساء، بعد عودتي إلى الفندق، إلى طاولة كبيرة مع الوفد الصحافي الأميركي المرافق، وحاولت أن ألخص ما اتضح لي خلال النهار. أتت الخطوات التي اتخذتها الحكومة المدنية مهمة، بما فيها تخفيف القيود على وسائل الإعلام والمجتمع المدني، والإفراج عن سو كيي من الإقامة الجبرية إضافةً إلى مئتي سجين سياسي آخر، وسن قوانين العمل والانتخابات الجديدة. ووعدني ثين سين بأن يبني على هذا التقدم ويدفع من خلاله إلى مزيدٍ من الإصلاحات البعيدة المنال، وأردت أن أصدّقه. لكنني أدركت أن ومضات التقدم هذه يمكن أن تُطفأ في سهولة. يقول مثل بورمي قديم: «عندما تُمطر، اجمع مياه المطر». قضت الظروف بتعزيز الإصلاحات وتثبيتها للمستقبل، لكي تترسخ وتصبح غير قابلة للنقض. وقلت لثين سين صباحًا، إن الولايات المتحدة مستعدة للسير في طريق الإصلاحات مع الشعب البورمي، إذا اختار الاستمرار في التحرك في ذاك الاتجاه.

استغرقت الرحلة إلى رانغون أربعين دقيقة، لكنني شعرت أنني أدخل عالمًا آخر بعد زيارة ناي بي تاو، مدينة الأشباح السوريالية، حيث مقر الحكومة. يعيش في رانغون أكثر من أربعة ملايين شخص، شوارعها مزدحمة، وتتمتع بسحر كولونيالي بدأ يذوي. إذ أرخت عقودٌ من العزلة وسوء

الإدارة بظلالها على واجهات الأبنية المتداعية والمقشرة الطلاء، ولكن يمكن المرء أن يتصور لماذا سُميت هذه المدينة يومًا ما «جوهرة آسيا». يرتفع وسط رانغون شويداغون باغودا، وهو معبد بوذي بُني قبل ٢٥٠٠ عام، مع أبراج ذهبية لامعة وعدد لا يحصى من تماثيل بوذا الذهبية. واحترامًا للعادات المحلية، خلعت حذائي ومشيت حافية في قاعات المعبد الرائعة. يكره حراس الأمن خلع أحذيتهم؛ يشعرهم ذلك أنهم أقل استعدادًا في حال الطوارئ. لكن الصحافيين الأميركيين وجدوا الأمر مسليًّا، وأعجبهم النظر إلى أظافر رجليَّ المطلية، التي وصفها أحدهم بـ«صفارات الإنذار الحمر المثيرة».

وبرفقة حشدٍ من الرهبان والمتفرجين، أشعلت شموعًا وبخورًا أمام تمثال ضخم لبوذا. انتقلنا من ثمّ، لرؤية أحد الأجراس الهائلة، وهو يزن، وفق ما أُشيع، أربعين طنًّا. أعطاني الرهبان عصا مذهبةً ودعوني إلى القرع على الجرس ثلاث مرات. تاليًا، ووفق التعليمات، سكبت أحد عشر كوبًا من الماء على تمثال صغير لبوذا من المرمر الأبيض، كدلالة تقليدية إلى الاحترام. وسألت «هل يمكنني تمني إحدى عشرة أمنية؟». كان ذلك مدخلًا رائعًا إلى الثقافة البورمية. لكن زيارة المعبد تخطت مجرد مشاهدة معالم المدينة؛ فأملت في أن أبعث من خلالها، برسالة إلى الشعب البورمي تؤكد أن أميركا مستعدة للتعامل معه، ومع حكومته كذلك.

التقيت أخيرًا ذلك المساء، سو كيي، في الفيلا قرب البحيرة حيث تعوَّد السفراء الأميركيون السكن. ارتديت سترتي البيضاء وسروالًا أسود؛ نسيت رسميًّا آنذاك مذكرة الملابس التحذيرية. وما أثار استغراب الجميع، وصول سو كيي في زي مماثل. تناولنا شرابًا مع ديريك ميتشل وكورت كامبل، وجلسنا من ثمّ إلى عشاء خاص، كلانا فقط. نال حزبها رخصة في تشرين الثاني/نوفمبر ٢٠١١، وبعد اجتماعات كثيرة بين قادته، قرروا المشاركة في انتخابات العام ٢٠١٢. قالت لي سو كيي إنها ستترشّح إلى الانتخابات البرلمانية. فبعد أعوام طويلة من العزلة القسرية، كانت الخطوة احتمالًا مهيبًا.

عرضت خلال العشاء انطباعاتي عن ثين سين والمسؤولين الحكوميين الآخرين الذين قابلتهم في ناي بي تاو. وشاركتها أيضًا بعض ذكرياتي عن ترشحي الأول إلى الانتخابات. طرحتُ أسئلة كثيرة عن عملية الترشيح ومسارها. كان ذلك موضوعًا شخصيًّا بالنسبة إليها. فإرث والدها المغدور، بطل الاستقلال البورمي، أرخى بثقله عليها وحفَّزها على المضي قدمًا. ومنحها هذا التراث سيطرة على نفسية الأمة، لكنه خلق أيضًا صلة وصل مع الجنرالات أنفسهم الذين سجنوها طويلًا. كانت ابنة ضابط، وابنة الجيش، ولم تفقد يومًا احترامها للمؤسسة ورموزها. فقالت واثقةً: يمكننا التعامل معهم. فَكَّرْتُ في نيلسون مانديلا معانقًا حراس سجنه السابقين بعد احتفال

تنصيبه رئيسًا لأفريقيا الجنوبية. كانت تلك لحظة من المثالية العليا والواقعية الراسخة، على حدٍّ سواء. تمتعت سو كيي بالمزايا نفسها. فعزمت تغييرَ بلدها، وبعد عقود من الانتظار، كانت مستعدة لتقديم التنازلات، والمهادنة، وجعل قضيتها مشتركة مع خصومها القدامى.

قبل أن نفترق ذاك المساء، تبادلتُ وسو كيي هدايا خاصة. أحضرت لها رزمة من الكتب الأميركية، رأيت أنها ستستمع بمطالعتها، ولعبة لكلبها ليمضغها. فأهدت إلي قلادة من الفضة، صمَّمتها بنفسها، مستندة إلى جراب البذور من النمط البورمي القديم.

اجتمعتُ مع سو كيي مجددًا صباح اليوم التالي، في منزل طفولتها الاستعماري القديم على الجانب الآخر من البحيرة، ذي الأرضيات الصلبة والسقوف العالية. كان سهلًا أن ننسى أنه كان سجنها أيضًا طوال أعوام. عرفتني إلى شيوخ حزبها، الثمانيين الذين عرفوا الاضطهاد طويلًا، وبالكاد صدقوا التغييرات التي يرونها. جلسنا حول طاولة خشبية مستديرة كبيرة، واستمعت إلى قصصهم. وكان لسو كيي أسلوبها الخاص في التعامل مع الناس. قد تكون من المشاهير العالميين ورمزًا في بلادها، لكنها أظهرت لهؤلاء الشيوخ ما يستحقون من احترام واهتمام، وأحبوها لذلك.

تمشينا لاحقًا في حدائقها المتألقة بالأزهار الوردية والحمر. كانت حواجز الأسلاك الشائكة التي حدّت الممتلكات، تذكيرًا صارخًا بعزلتها الماضية. وقفنا على الشرفة، يدًا بيد، وتحدثنا إلى حشد من الصحافيين الذين تجمعوا هناك.

«كنْتِ مصدر إلهام»، قلتُ لسو كيي. «انتصرت لشعب بلادك الذي يستحق الحقوق والحريات نفسها التي يتمتع بها الناس في كل مكان». ووَعَدْتُ بأن تكون الولايات المتحدة صديقة شعب بورما في مسيرته التاريخية نحو غدٍ أفضل. شكرت لي، في حفاوة، كل الدعم والاستشارات التي قدمناها طوال الأشهر والأعوام الماضية. «سيشكل هذا بداية مستقبل جديد بالنسبة إلينا جميعًا، شرطَ أن نتمكن من الحفاظ عليه». حملت عباراتها مزيجًا من التفاؤل والحذر اللذين شعرنا بهما جميعًا.

غادرتُ منزل سو كيي وتوجهت إلى معرض فني مجاور، مخصص لأعمال الفنانين الذين ينتمون إلى الكثير من الأقليات العرقية في بورما، وهي تشكل ما يقرب من أربعين في المئة من السكان. غطّت الجدران صور وجوهٍ كثيرة من بورما. تحمل نظراتهم الفخر، وإنما الحزن أيضًا. مذ حققت البلاد استقلالها عام ١٩٤٨، شن الجيش البورمي حربًا على الجماعات الانفصالية المسلحة في جيوب البلاد العرقية. ارتكب الجانبان الفظائع، وعلق المدنيون وسط إطلاق النار المتبادل، لكن الجيش كان الجاني الرئيس. كانت هذه الصراعات الدموية العقبات الرئيسة أمام

حقبة جديدة، أمَلنا في أن تدخلها بورما قريبًا، وقد أكدت لثين سين ووزرائه أهمية وضع حد لها بطرائق سلمية. أخبرني ممثلون عن جميع المجموعات العرقية الرئيسة كم عانى الشعب هذه الصراعات، وأمل في وقف إطلاق النار. سأل البعض بصوت عالٍ هل تشملهم الحقوق والحريات الجديدة التي تشهدها بورما. وسيلازم هذا السؤال عملية الإصلاح، ويتردد كثيرًا.

كانت بشائر التقدم حقيقية. إذا أطلق ثين سين المزيد من السجناء السياسيين، وأقر قوانين جديدة تحمي حقوق الإنسان، وسعى إلى وقف إطلاق النار في الصراعات العرقية، وقطع الاتصالات العسكرية مع كوريا الشمالية، وضمن انتخابات حرة ونزيهة عام ٢٠١٢، فسنبادله بالمثل بإعادة العلاقات الدبلوماسية كاملة، وتعيين سفير، وتخفيف العقوبات، وتكثيف الاستثمارات والمساعدات الإنمائية في البلاد. على ما قلت لسو كيي، سنلتزم تطبيق مبدأ عمل بعمل. وقد أملتُ في أن تكون زيارتي قد وفرت الدعم الدولي الذي يحتاج إليه المصلحون لإثبات صدقيتهم والمضي قدمًا في عملهم. وارتفعت في شوارع رانغون ملصقات تجمعني وسو كيي ونحن نسير في حديقة منزلها. أصبحت صورتها شائعة تقريبًا مثل صورة والدها.

تمنيت حينذاك لو أستطيع مشاهدة المزيد من هذا البلد الخلاب، والسفر عبر مجرى إيراداوي صعودًا، ورؤية ماندالاي. عاهدت نفسي على أن أعود قريبًا مع عائلتي.

بقيت وسو كيي على اتصال وثيق خلال الأشهر التالية، فيما تقدمت عملية الإصلاح، لنتحدث خمس مرات يوميًّا بالهاتف. سُررتُ جدًّا عندما حازت مقعدًا في البرلمان في نيسان/أبريل ٢٠١٢، على ما فعل أربعون من مرشحي حزبها، فازوا بكل المقاعد التي تنافسوا عليها، باستثناء واحد فقط. لم تُلغَ النتائج هذه المرة، وسُمح لها بتولي منصبها. أمكنها آنذاك وضع مهاراتها السياسية في خدمة بلدها.

سافرت سو كيي إلى الولايات المتحدة في أيلول/سبتمبر ٢٠١٢، في جولة دامت سبعة عشر يومًا. تذكرت أمنيتنا المشتركة في أوّل اتصال هاتفي بيننا. لقد زرتها في بلدها، وها هي اليوم تزورني. جلسنا في زاوية دافئة خارج مطبخ بيتي في واشنطن، وحيدتين.

لقد شهدت بورما في الأشهر التي تلت زيارتي تغييرات مثيرة. دفع ثين سين حكومته، في بطء وإنما في ثبات، نحو المسار الذي ناقشناه في ناي بي تاو. التقيته مجددًا خلال فصل الصيف في مؤتمر في كمبوديا، حيث أعاد تأكيد التزامه الإصلاح. أُفرج عن مئات السجناء السياسيين، بمن فيهم الطلاب الذين نظموا عام ١٩٨٨ التظاهرات المؤيدة للديمقراطية، والرهبان البوذيون الذين شاركوا في احتجاجات العام ٢٠٠٧. وُقِّع وقف هش لإطلاق النار مع بعض الجماعات المتمردة

التي تمثل الأقليات العرقية. بدأت الأحزاب السياسية تنتظم من جديد، وسرعان ما سُمح لصحف يملكها القطاع الخاص بالصدور للمرة الأولى منذ نصف قرن تقريبًا.

بدأت الولايات المتحدة، ردًّا على ذلك، بتخفيف العقوبات، وعيَّنت رسميًّا ديريك ميتشل أول سفير لها منذ أعوام. انضمت بورما مجددًا إلى المجتمع الدولي، وتقرر ترئيسها منظمة آسيان، عام ٢٠١٤، وهو هدف طويل الأمد. وفي حين بدأ الربيع العربي يفقد بريقه في منطقة الشرق الأوسط، أعطت بورما العالم أملًا جديدًا في إمكان الانتقال سلميًّا من الدكتاتورية إلى الديمقراطية. وقد دعم التقدم الذي أحرزته الحجة القائلة إن مزيجًا من العقوبات والمشاركة قد يكون أداة فاعلة لدفع عملية التغيير، حتى في أكثر المجتمعات المغلقة. إذا استطعنا إخراج الجنرالات البورميين من العزلة واستدراجهم إلى التجارة الدولية بكل احترام، يمكن إذًا إصلاح أي نظام.

كانت إعادة النظر في صواب سياستنا الخارجية التقليدية حيال بورما عام ٢٠٠٩، ومن ثمّ تجربة التعامل المباشر معها ضد نصيحة الكثيرين من الأصدقاء في الوطن، خيارًا محفوفًا بالمخاطر، لكنه كان مجزيًا بالنسبة إلى الولايات المتحدة. فالتقدم في بورما، عقب جولة الرئيس أوباما الآسيوية المُجمَع على نتائجها الإيجابية في تشرين الثاني/نوفمبر ٢٠١١، والتي ساعدت على محو الذكريات المتبقية من العام ٢٠٠٩ في بكين، جعل سياسة المحور التي اعتمدتها الإدارة تبدو كأنها نجاح. ما زالت أسئلة كثيرة تُطرح عما سيحدث لاحقًا، على السواء في بورما ومختلف أنحاء المنطقة، لكن الصحافي جايمس فالوز، ذا الخبرة الطويلة في الشؤون الآسيوية، كتب في شباط/فبراير ٢٠١٢، باهتمام شديد، عن سياسة المحور ورحلة الرئيس إلى منطقة المحيط الأطلسي: «تشبه كثيرًا مقاربة نيكسون حيال الصين، وأعتقد أنها ستُدرس في النهاية، لأنها مزيج حاذق من السلطة المتشددة واللينة، والحوافز والتهديدات، والإلحاح والصبر، إضافة إلى التضليل المتعمد، والفاعل». ووصف جهودنا البروفسور والتر راسل ميد، الناقد الدائم للإدارة، بأنها «انتصار دبلوماسي حاسم على ما يمكن أن يلحظ الجميع».

ولكن، على الرغم من التقدم الذي شهدناه في بورما، بدت سو كيي قلقة حين التقينا في واشنطن. ما إن وصلَتْ إلى منزلي، حتى طلبت أن نتحدث على انفراد. تكمن المشكلات، على ما قالت، في السجناء الذين ما زالوا يذوون خلف القضبان، وبعض الصراعات العرقية التي ازدادات سوءًا، وتدفق أموال الشركات الأجنبية الذي خلق فرصًا جديدة للفساد.

باتت سو كيي في البرلمان آنذاك، تعقد الصفقات، وتنسج علاقات جديدة مع خصومها السابقين، وتحاول جاهدةً تحقيق التوازن بين الضغوط الملقاة على عاتقها. اكتسب شوي مان، رئيس مجلس النواب، مكانةً، وطورت سو كيي علاقة عمل إيجابية معه؛ قدرت استعداده للتشاور معها في القضايا المهمة. وما عقّد الوضع السياسي احتمال ترشح ثين سين، شوي مان، وسو

كيي إلى الرئاسة عام ٢٠١٥. فدارت المناورات خلف الكواليس، وتغيرت التحالفات، وازدادت حدة التنافس السياسي. أهلًا وسهلًا بالديمقراطية!

لقد دفع ثين سين بورما نحو التقدم، ولكن هل يمكنه إنهاء مهمته؟ إذا أوقفت سو كيي تعاونها معه، لا يمكن توقع ما سيحدث. قد تنهار الثقة الدولية. سيغدو ثين سين عرضة للمتشددين الناقمين على الإصلاحات، وما زالوا يأملون في دحرها. ناقشتُ وسو كيي ضغوط التنافس التي تواجهها. تعاطفت معها جدًّا لأنني شهدت عملية الشد والجذب في الحياة السياسية. وقد عرفتُ، بفضل أعوام من التجارب المؤلمة، صعوبة التعامل وديًّا، ناهيك بالزمالة، مع أولئك الذين كانوا يومًا خصومك السياسيين. رأيت أن خيارها الأفضل يكمن في أن تعضَّ على جرحها، وتتابع دفع ثين سين إلى الوفاء بالتزاماته، وتحافظ على شركتهما أقلّه حتى الانتخابات المقبلة.

أُدرك أن هذا ليس سهلًا، على ما قلت. لكنكِ الآن في موقعٍ حيث كل ما ستفعلينه لن يكون سهلًا. عليكِ تصور طريقة لمواصلة العمل معه إلى أن يتوافر مسار بديل. هذا جزء من العمل السياسي. أنتِ على المسرح الآن، ولست مسجونة بحكم الإقامة الجبرية. عليكِ إبراز الكثير من الاهتمامات والأدوار المختلفة في آن، لأنكِ داعية لحقوق الإنسان، وعضوًا في البرلمان، ومرشحة محتملة إلى الرئاسة عام ٢٠١٥. استوعبت سو كيي كل هذا، لكن الضغط عليها كان هائلًا. احتُفي بها كأنها قديسة حيّة، ومع ذلك عليها أن تتعلم الالتفاف والتعامل كأي مسؤول منتخب. كان توازنًا هشًّا.

انتقلنا إلى غرفة الطعام حيث انضممنا إلى كورت، وديريك وشيريل ميلز. ونحن نتناول الطعام، تحدثت سو كيي عن المقاطعة التي تمثلها في البرلمان. وبقدر ما ركزت على الشؤون المهمة في السياسة الوطنية، كانت مهووسة أيضًا بتفاصيل الخدمة الانتخابية وحل المشكلات. وكنت أدركتُ الشعور نفسه حين انتخبني سكان نيويورك عضوًا في مجلس الشيوخ الأميركي. إذا استطعت إصلاح الحفر في الطرق، لا شيء آخر يهم.

وقد أسديت إليها نصيحة أخيرة. ستتلقى في اليوم التالي ميدالية الكونغرس المذهَّبة في احتفال ضخم في بهو الكابيتول الأميركي. سيكون اعترافًا تستحقه عن أعوام أمضتها قائدة رأي «غدًا، حين تتسلمين ميدالية الكونغرس المذهبة، أعتقد أن عليكِ قول شيء لطيف عن الرئيس ثين سين»، على ما قلتُ لها.

ولقد انضممت بعد ظهر اليوم التالي إلى زعماء الكونغرس وحوالى خمسمئة عضو آخر في مبنى الكابيتول لتكريم سو كيي. حين جاء دوري في الكلام، تذكرت تجربة لقائي وسو كيي في المنزل الذي سُجنت فيه أعوامًا، وقارنتها بجولتي قبل أعوام مع نيلسون مانديلا في جزيرة روبن.

«فصلَتْ بين هذين السجينين السياسيين مسافاتٌ شاسعة، لكن كليهما يتمتّع بمزايا غير مألوفة، وسماحة خلق، وإرادة لا تتزعزع»، على ما قلتُ. «وقد أدركا شيئًا، أعتقد أن على الجميع أن يفهمه: يوم خرجا من السجن، وانتهت الإقامة الجبرية، لم ينتهِ الكفاح. كان ذلك بداية لمرحلة جديدة. يتطلب التغلب على الماضي، وتعافي بلد جريح، وبناء الديمقراطية، التخلي عن صورة الرمز والانتقال إلى العمل السياسي». نظرتُ إلى سو كيي، وتساءلتُ هل فكّرت في ما اقترحته عليها الليلة الماضية. بدت متأثرة في وضوح بالحدث الآني، وشرعَت من ثمّ في الكلام.

«أقف قوية هنا لعلمي أنني بين أصدقاء سيقفون إلى جانبنا ونحن نواصل مهمتنا المتمثلة في بناء دولة، توفّر لجميع القاطنين فيها، السلام والرخاء وحقوق الإنسان الأساسية التي يحميها القانون»، على ما قالت. وأضافت من ثمّ: «تمكنّا من إحراز التقدم في هذه المهمة بفضل التدابير الإصلاحية التي وضعها الرئيس ثين سين»، التقت نظراتنا، وابتسمت. «من أعماق قلبي أشكركم، شعب أميركا وممثليه الحاضرين هنا، لصوننا في قلوبكم وعقولكم طوال الأعوام المظلمة، حين بدت لنا الحرية والعدالة بعيدتي المنال. ستعترضنا صعوبات خلال مسارنا الجديد، لكنني واثقة بأننا سنتغلب على كل العقبات بمساعدة أصدقائنا ودعمهم».

سألتني لاحقًا، وعيناها تلمعان: «ما رأيكِ في ما قلت؟».

«كان عظيمًا، عظيمًا جدًّا»، أجبت.

«حسنًا، سأحاول، سأحاول حقًّا».

التقيت ثين سين الأسبوع التالي في الجمعية العمومية للأمم المتحدة في نيويورك، وتناولنا الكثير من القضايا الشائكة التي أثارتها معي سو كيي. بدا متمالكًا نفسه أكثر مما كان في اجتماعنا الأول، في ناي بي تاو، وأصغى في عناية. لن يكون ثين سين أبدًا سياسيًّا ذا موهبة قيادية، لكنه برهن أنه قائد فاعل. أشاد بسو كيي في خطابه في الأمم المتحدة، باعتبارها شريكة في الإصلاح، للمرة الأولى في اجتماع عام، وتعهد مواصلة العمل معها لتحقيق الديمقراطية.

قرر الرئيس أوباما في تشرين الثاني/نوفمبر ٢٠١٢، أن يرى بنفسه «بشائر التقدم» في بورما. كانت هذه رحلته الخارجية الأولى مذ أُعيد انتخابه، وستكون الأخيرة لنا كفريق عمل وسفر. بعدما عُدنا معًا ملك تايلاند في المستشفى في بانكوك، اتجهنا إلى بورما حيث مكثنا ست ساعات، قبل أن ننتقل للمشاركة في قمة شرق آسيا في كمبوديا. خطط الرئيس لاجتماعين مع ثين سين وسو كيي، ولقاء من ثمّ مع الطلاب في جامعة يانغون. احتشدت الجموع في الشوارع لدى مرورنا، ولوح الأطفال بالأعلام الأميركية. وهرع الناس لرؤية ما استحال تخيلُه في الأمس القريب.

بدت رانغون كأنها مدينة أخرى، ولمَّا يمضِ أكثر من عام على زيارتي الأخيرة. اكتشف المستثمرون الأجانب بورما، واندفعوا لتوظيف أموالهم في ما عَدُّوه حدّ آسيا الفاصل. كانت المباني الجديدة قيد الإنشاء، وارتفعت أسعار العقارات. وبدأت الحكومة بتخفيف القيود على الإنترنت، وتوسيع شبكاته في بطء. وتوقع خبراء الصناعة أن تنمو سوق الهواتف الذكية التي لم تعرفها بورما حتى العام ٢٠١١، ليصل عمليًّا عدد مستخدميها إلى ستة ملايين عام ٢٠١٧. وآنذاك، أتى رئيس الولايات المتحدة نفسه إلى بورما. «انتظرنا هذه الزيارة منذ خمسين عامًا»، على ما قال أحد المحتشدين على الطريق لمراسل صحافي. «تمتاز الولايات المتحدة بسيادة العدالة والقانون. أرغب في أن يحذو بلدنا حذوها».

انضممتُ وكورت إلى الرئيس ومساعدته المقربة فاليري جاريت، لنركب في الطريق من المطار سيارة الليموزين الرئاسية المصفحة التي تُنقل إلى أي مكان يقصده الرئيس (وتُدلّل باسم «الوحش»). ونحن نسير عبر المدينة، نظر الرئيس من النافذة ورأى قبة معبد شويداغون الذهبية وسأل عن المكان. شرح له كورت مكانة المعبد الرئيسة في الثقافة البورمية، وقال له إنني زرته لأظهر احترامي للشعب البورمي وتاريخه. وسأل الرئيس لِم لَم يُقرِّر أن يزوره هو أيضًا. خلال عملية التخطيط للرحلة، اعترض جهاز الأمن السري على زيارة المعبد الذي يعج دومًا بالناس. شعر بالقلق حيال المخاطر الأمنية التي تشكلها حشود المصلّين (علاوةً على أنهم لا يريدون خلع أحذيتهم!)، ولم يشأ أحد إغلاق الموقع وإزعاج جميع الزوار الآخرين. بعدما ألِفتُ طوال أعوام هموم جهاز الأمن السري، اقترحت أنه قد يوافق على «محطة غير مجدولة» أو على ما يسميه الجهاز «من دون تسجيل». لن يعرف أحد أن الرئيس آت، فتستكين بعض مخاوف جهاز الأمن. إضافةً إلى ذلك، متى قرر الرئيس الذهاب إلى مكان، من الصعب جدًّا ثنيه عن ذلك. ومباشرةً بعد لقاء الرئيس ثين سين، كنا نتمشى في أروقة المعبد القديم، يحوطنا رهبان بوذيون متفاجئون، حتى شُبِّه للناظر أننا سائحَان عاديان أكثر منّا رئيس دولة ووزيرة خارجيته.

بعد الاجتماع مع ثين سين والزيارة المفجئة للمعبد، وصلنا إلى منزل سو كيي، ورحبت بالرئيس، في ما كان أمسِ سجنها، وبات اليوم قطبًا للنشاط السياسي. تعانقنا كصديقتين، على ما أصبحنا. شكَرَت للرئيس دعم أميركا للديمقراطية في بورما، لكنها حذرت: «أقسى لحظة في أي تحول هي حين نعتقد أن النجاح على مرأى منا. يتوجب علينا من ثمّ أن نحذر ألّا نكون خُدعنا بسراب النجاح».

نهاية قصة بورما لم تُكتَب بعد، وما زالت التحديات القائمة كثيرة. استمر الصراع العرقي، منذرًا بانتهاكات جديدة لحقوق الإنسان. وهزت البلاد خصوصًا عام ٢٠١٣ وبداية عام ٢٠١٤، موجات عنف غوغائية ضد روهينغيا، وهي جماعة إثنية من المسلمين. وأثار موجةً من الانتقادات

قرارُ طرد «أطباء بلا حدود» من المنطقة وعدم احتساب أصوات روهينغيا في الانتخابات المقبلة. هدد كل ذلك بتقويض التقدم وإضعاف الدعم الدولي. ستكون الانتخابات العامة عام ٢٠١٥ اختبارًا رئيسًا للديمقراطية الوليدة في بورما، والمطلوب مزيد من العمل لتأتي حرةً ونزيهة. في اختصار، يمكن بورما أن تتابع تقدمها، أو تنزلق إلى الوراء. سيكون دعم الولايات المتحدة والمجتمع الدولي حاسمًا.

يصعب أحيانًا مقاومة حبس الأنفاس في شأن بورما. ولكن علينا أن نبقى حذرين ومتيقظين حيال التحديات والصعوبات التي تنتظرنا. يفتقر البعض في بورما إلى الإرادة لإكمال المسيرة الديمقراطية، في حين يملك آخرون الإرادة، لكنهم يفتقرون إلى الوسائل لتطبيقها. ما زالت الطريق طويلة، والرحلة في بدايتها. مع ذلك، وعلى ما قال الرئيس أوباما للطلاب في جامعة يانغون ذاك اليوم من تشرين الثاني/نوفمبر ٢٠١٤، إن ما حققه الشعب البورمي حتى ذاك الحين، هو دليل ساطع إلى قوة الروح البشرية، والتوق العالمي إلى الحرية. بالنسبة إلي، تبقى ذكريات تلك الأيام من ومضات التقدم والأمل المشكوك فيه، من أهم ما عشته كوزيرة للخارجية، وتأكيدًا للدور الفريد الذي يمكن، ويجب أن تؤديه الولايات المتحدة في العالم، كراعية للكرامة والديمقراطية. كانت هذه أميركا بأبهى حُللها التي عملنا من أجلها.

الجزء الثّالث

الحرب والسَّلام

الفصل السّابع

أفغانستان - باكستان: الموجة العارمة

جال الرئيس أوباما حول الطاولة يسأل كلَّ واحد منا رأيه. هل علينا نشر مزيد من القوات لتشارك في الحرب الدائرة في أفغانستان منذ ثمانية أعوام؟ إذا وجب ذلك، ما العدد المفترض بنا إرساله؟ وما هي المهمة التي ستضطلع بها؟ وكم سيستغرق بقاؤها هناك قبل أن تعود إلى الوطن؟ كانت هذه بعض أصعب الخيارات التي يجب أن يتخذها كرئيس. ستأتي انعكاساتها قاسية على رجالنا ونسائنا في الجيش، وعوائل العسكريين، وأمننا القومي، ومستقبل أفغانستان كذلك.

حدث ذلك قبل ثلاثة أيام من عيد الشكر عام ٢٠٠٩، بعد الثامنة مساء. جلس الرئيس إلى رأس طاولة طويلة في غرفة عمليات البيت الأبيض، يحوطه أعضاء مجلس الأمن القومي. جلستُ قرب مستشار الأمن القومي جيم جونز، عن يسار الرئيس، وقبالة نائب الرئيس بايدن، ووزير الدفاع روبرت غايتس، ورئيس هيئة الأركان المشتركة مايك مولن. غطّت الطاولة أمامنا أوراق ومجلدات. (بعد أشهر على مراقبة ضباط البنتاغون يأتون إلى غرفة العمليات مع عروض «باور بوينت» مبهرجة وخرائط ملونة، طلبت من موظفي وزارة الخارجية أن يكونوا أكثر ابتكارًا في قولبة أفكارهم، وعليه، حفلت الاجتماعات بالخرائط والرسوم البيانية الملونة).

كان هذا لقائي الثالث خلال يوم واحد مع الرئيس أوباما في البيت الأبيض، والمرّة التاسعة

التي يجتمع فيها أركان فريق الأمن الوطني منذ أيلول/سبتمبر، لمناقشة طريقة التعامل مع الحرب في أفغانستان. نظرنا إلى التحدي من كل زاوية يمكن تصورها. وأخيرًا، صوَّبنا على خطة لزيادة عدد القوات الأميركية في أفغانستان إلى ثلاثين ألف جندي بحلول منتصف العام ٢٠١٠، على أن يستكمل حلفاؤنا إضافة عشرة آلاف جندي، سينفذون نهجًا جديدًا، يرتكز على توفير الأمن في المدن الأفغانية، ودعم الحكومة، وتقديم الخدمات إلى الشعب، بدلًا من خوض معركة استنزاف مع مقاتلي طالبان. وستكون هناك مراجعة كاملة للتقدم، نهاية العام، لنبدأ بسحب القوات في تموز/يوليو ٢٠١١، على أن يخضع عددها والسرعة التي ستتم فيها العملية، للمناقشة، وفق ما تُمليه، على الأرجح، الأوضاع الميدانية.

انقسم الفريق على مندرجات هذه الخطة التي أيدها وزير الدفاع غايتس والقادة العسكريون، في شدة؛ وعارضها نائب الرئيس بايدن بالقوة نفسها. حتى ذاك الحين، استُعرضت الحجج الرئيسة في شكل جيد، لكن الرئيس أراد أن يتأكد من مواقفنا، مرّة جديدة.

وأفغانستان الجبلية، غير الساحلية، التي تقع بين باكستان شرقًا وإيران غربًا، موطن لحوالى ٣٠ مليون شخص، هم من أفقر الناس في العالم، وأقلّهم تعليمًا، وأكثر من تحمل أجسادهم ندوبًا خلَّفتها المعارك. سُميّت «مقبرة الأمبراطوريات» لأن جيوشًا كثيرة غزتها وحاولت احتلالها، فسقطت إعياءً من تضاريسها التي لا ترحم. دعمت في ثمانينيات القرن العشرين، الولايات المتحدة والسعودية وباكستان تمردًا هناك ضد الحكومة العميلة السوفياتية. انسحب السوفيات عام ١٩٨٩، ومع هذا النصر تضاءل الاهتمام الأميركي بهذه الدولة.

وبعدما شهدت أفغانستان حربًا أهلية في التسعينات، سيطرت عليها طالبان، وهي مجموعة متطرفة ذات وجهات نظر ثقافية من العصور الوسطى، بقيادة رجل دين متشدد أعور اسمه الملّا عمر. فرضوا قيودًا شديدة على النساء باسم الإسلام، فأُجبِرن على الاحتجاب عن الأنظار، وارتداء البرقع الذي يغطيهن تمامًا من الرأس حتى أخمص القدمين مع فتحة مخرمة لعيونهن، وتجنب الخروج من المنزل إلا برفقة ذكرٍ من الأسرة؛ ومُنِعت الفتيات والنساء من ارتياد المدارس وحُرِمن حقوقهن الاجتماعية والاقتصادية. عاقبت طالبان، في شدة، النسوة اللواتي انتهكن قواعدها، بدءًا بالتعذيب وصولًا إلى الإعدام العلني. وكانت القصص التي تتسرب من البلاد مرعبة. أذكر أني سمعت عن امرأةٍ مسنة جُلدت بسلك حديدي حتى كُسرت ساقها، لأن كاحلها بانت من تحت البرقع. بدا صعبًا التصديق أن البشر يمكن أن يكونوا بهذه القسوة، وذلك باسم اللّه.

آلمني جدًّا ما كان يحدث، وبدأت كسيدة أولى أتناول الموضوع علنًا في محاولةٍ لحشد إدانة

دولية. «لم تُدَس يومًا حقوق المرأة الأساسية بفظاعة ومنهجية كما يحدث في أفغانستان تحت حكم طالبان وقبضتها الحديدية»، على ما أعلنت في احتفال اليوم العالمي للمرأة في الأمم المتحدة عام ١٩٩٩.

وقدمت طالبان كذلك ملاذًا آمنا إلى أسامة بن لادن وغيره من إرهابيي القاعدة. وقد تجذر كثر من هؤلاء المتعصبين الذين جاءوا من أماكن أخرى، في المنطقة بعد قتال السوفيات. وردًّا على تفجير سفارتنا في شرق أفريقيا عام ١٩٩٨، استخدمت إدارة كلينتون صواريخ كروز لضرب معسكر تدريب لتنظيم القاعدة في أفغانستان، حيث يقيم بن لادن، على ما أفادت تقارير الاستخبارات، لكنه تمكن من الفرار. وقعت من ثمّ، الهجمات الإرهابية في ١١ أيلول/سبتمبر ٢٠٠١. وبعدما رفضت طالبان تسليم بن لادن، أمر الرئيس بوش بغزو أفغانستان ودعم جماعة متمردة تُسمّى التحالف الشمالي لإطاحة حركة طالبان من السلطة.

ولّد الانتصار السريع بإسقاط نظام طالبان في أفغانستان، تمردًا مستمرًّا، إذ أعادت حركة طالبان تنظيم نفسها في ملاذات آمنة عبر الحدود في باكستان. وكسيناتور، زرت أفغانستان مرات ثلاث، الأولى عام ٢٠٠٣، حين شاركت قواتنا في قندهار عشاء عيد الشكر، ومن ثمّ عام ٢٠٠٥ فعام ٢٠٠٧. لن أنسى قول أحد الجنود الأميركيين الذين التقيتهم: «أهلًا بكم في الخطوط الأمامية للجبهة المنسية من الحرب على الإرهاب». أفادت طالبان من انشغال إدارة بوش في العراق، وبدأت تسترد عبر أفغانستان المناطق التي اضطرت، بدايةً، إلى التخلي عنها. بانت الحكومة المدعومة من الغرب في كابول فاسدة وعاجزة. كان الأفغانيون جائعين ومحبطين وخائفين، والقوات الأميركية الموجودة لا تكفي لفرض استتباب الأمن، وظهر أيضًا أن إدارة بوش لا تملك استراتيجية لوقف مسار الانحدار.

دعوت خلال الحملة الانتخابية عام ٢٠٠٨ إلى تجديد التركيز على أفغانستان، وكذلك فعل السيناتور أوباما. قد يتطلب الأمر مزيدًا من القوات، على ما حاججتُ، وإنما أيضًا استراتيجية جديدة شاملة، تتناول دور باكستان في الصراع. وقلت في خطاب ألقيته في شباط/فبراير ٢٠٠٨ «إن المناطق الحدودية بين باكستان وأفغانستان من أهم المناطق وأخطرها في العالم». «كان تجاهل هذه الحقائق عمّا يحدث ميدانيًّا في أفغانستان وباكستان على السواء، من أخطر إخفاقات سياسة إدارة بوش الخارجية». استمر تصاعد الهجمات على القوات الأميركية وحلفائها، وأصبح عام ٢٠٠٨ أكثر الأعوام دمويةً في أفغانستان حتى ذاك الحين، مع سقوط ما يقرب من ثلاثمئة جندي من قوات التحالف في المعارك.

حين تولى الرئيس أوباما منصبه في كانون الثاني/يناير ٢٠٠٩، وجد طلبًا من البنتاغون ينتظره، يسأل إرسال آلاف القوات الإضافية إلى أفغانستان لمنع هجوم متوقع لطالبان في الصيف،

وتوفير الأمن للانتخابات الرئاسية المقبلة. ناقشنا الاقتراح في أحد الاجتماعات الأولى لمجلس الأمن القومي، بعد احتفال التنصيب الرئاسي. على الرغم من أن حملتنا الانتخابية تعهدت دعم حربنا في أفغانستان بكل أنواع الموارد، اقتضى الصواب أن نسأل هل من المنطقي نشر المزيد من القوات قبل أن يتوافر لنا الوقت لاتخاذ قرار في شأن استراتيجية جديدة؟ لكن اللوجستية العسكرية اللازمة لنشر تلك القوات، استدعت اتخاذ قرار سريع.

وافق الرئيس في ١٧ شباط/فبراير على نشر سبعة عشر ألف جندي. وكلّف بروس ريدل قيادة فريق المراجعة الاستراتيجية، وهو محلل في وكالة الاستخبارات المركزية من ذوي الخبرة وعلى اطلاع واسع على الصراع، إضافةً إلى ميشيل فلورنوي، المسؤولة الثالثة في هرمية وزارة الدفاع، وريتشارد هولبروك، ممثلنا الخاص في أفغانستان وباكستان. وأوصوا في التقرير الذي عرضوه في آذار/مارس، بدلًا من النظر إلى أفغانستان وباكستان كقضيتين منفصلتين، بوجوب مقاربتهما كتحدٍّ إقليمي واحد، واختصاره بعبارة «أف - باك»، ويجب كذلك التركيز أكثر على تدريب القوات الأفغانية لتتولى المهام التي نقوم بها وحلفاءنا. استجابةً لذلك، نشر الرئيس أوباما أربعة آلاف مدرب عسكري أميركي إضافي للعمل مع قوات الأمن الوطنية الأفغانية. وشددت مراجعة ريدل على الحاجة إلى استخدام «جميع عناصر السلطة الوطنية» في حملة مدعومة بالكامل لمكافحة التمرد. «ليس من الناحية العسكرية فحسب»، على ما أوضح ريدل، بل «من الناحية المدنية، كذلك». شمل هذا تكثيف العمل الدبلوماسي الإقليمي، وتوسيع التنمية الاقتصادية، ودعم الزراعة، وبناء البنية التحتية. تحملت معظم وزر هذا العمل وزارة الخارجية والوكالة الأميركية للتنمية.

أعلن الرئيس استراتيجيته العسكرية والمدنية لأفغانستان وباكستان في ٢٧ آذار/مارس. وحدد هدفًا محصورًا للحرب: «تعطيل القاعدة في أفغانستان وباكستان، وتفكيكها، ودحرها، ومنع عودتها إلى البلدين على السواء في المستقبل». وعبر إعادة التركيز على تنظيم القاعدة تحديدًا، غافلًا عن متمردي طالبان الذين كانوا ينفذون معظم العمليات القتالية على الأرض، ربط الرئيس الحرب بمصدرها: هجمات ١١ أيلول/سبتمبر. وأثار أيضًا احتمال التوصل إلى عملية سلام ومصالحة تشمل المتمردين المستعدين لها، وتعزل المتطرفين المتشددين.

وقد شهد الصيف قتالًا مريرًا في أفغانستان، على الرغم من ارتفاع عدد القوات الأميركية إلى ثمانية وستين ألف جندي. استمر تمرد طالبان في اكتساب القوة، وتدهور الوضع الأمني. وأشارت التقارير إلى ارتفاع عدد مقاتلي طالبان خلال الأعوام الثلاثة الأخيرة ليبلغ خمسة وعشرين ألفًا. وازدادت الهجمات على قوات حلف شمال الأطلسي، وأوقعت أكثر من ٢٦٠ قتيلًا بين حزيران/يونيو وأيلول/سبتمبر، مقارنة بأقل من مئة في الأشهر الأربعة السابقة. وأقال الرئيس في أيّار/مايو

القائد العام من منصبه، وعيّن مكانه اللفتانت جنرال ستانلي ماكريستل. وأوضح الوزير غايتس أن هذا التبديل فرضته الحاجة إلى «طريقة تفكير ووجهة نظر جديدتين» في الموضوع. وشاب، من ثمّ، الانتخابات الرئاسية الأفغانية في آب/أغسطس تزوير واسع النطاق. فطلب الجنرال ماكريستل من الرئيس في أيلول/سبتمبر النظر في نشر مزيد من القوات. وحذر من أن يؤدي عدم الدعم بمزيد من الموارد، إلى فشل جهود الحرب.

ولم يكن ذلك ما أراد أن يسمعه البيت الأبيض. لذا، قبل أن يلبي الرئيس طلب البنتاغون، شاء أن يتأكد من أننا تحققنا من مختلف المعطيات والأحداث الطارئة. فانطلق في مراجعة استراتيجية شاملة ثانية، قادها بنفسه هذه المرة. بدأ الرئيس أوباما منذ يوم أحد في منتصف أيلول، وطوال الخريف، يجتمع في انتظام، مع كبار مستشاريه للأمن القومي في غرفة العمليات في البيت الأبيض، لمناقشة أصعب المسائل التي طرحتها حربٌ، ستغدو الأطول في التاريخ الأميركي.

طرح أخيرًا الجنرال ماكريستال، يدعمه الجنرال دافيد بيترايوس قائد القوات الأميركية في المنطقة، خيارات ثلاثًا: نشر قوة إضافية صغيرة، لا يتجاوز عددها عشرة آلاف جندي، لدعم تدريب الجيش الأفغاني؛ أو إرسال أربعين ألف جندي لمقاتلة طالبان في المناطق المتنازع عليها؛ أو إيفاد أكثر من ثمانين ألف جندي لبسط الأمن في البلاد كاملة. كان الجنرالان محاربين بيروقراطيين يتمتعان بخبرة، ومن مثل شخصيات رواية «غولدي لوكس»، كثيرًا ما يقدمان خيارات ثلاثة ردًّا على أي سؤال، ويتوقعان نهايةً أن يحظى الأوسط بأفضلية.

وقد أثبت الجنرال بيترايوس أنه داعية بارع. كان حادّ التفكير، متبصّرًا، قادرًا على المنافسة، وذا دراية سياسية، استقى حججه من الدروس القاسية التي تعلمها في العراق. فالإرث الغامض لتلك الحرب خيم بظلاله على مناقشاتنا في شأن أفغانستان.

استلم بيترايوس قيادة الجهود الأميركية الفاشلة في العراق بداية عام ٢٠٠٧، وسط تمرد قاتل آخر. وأشرف على حشد من أكثر من عشرين ألف جندي أميركي إضافي، انتشروا في بعض أكثر المناطق خطورة في البلاد. وأعلن الرئيس بوش في كانون الثاني/يناير ٢٠٠٧، زيادة القوات في العراق في خطاب، في وقت الذروة لأمة مشكّكة.

وكان قراره إرسال المزيد من القوات مفاجئًا نوعًا ما، إذ كانت لجنة من الحزبين تحظى بمكانة، هي «مجموعة دراسة وضع العراق»، أصدرت تقريرها، وأوصت بتسليم قوات الأمن العراقية مسؤوليات ومهامَّ إضافية، وسحب القوات الأميركية، وإطلاق جهود دبلوماسية مكثفة في المنطقة. اختار الرئيس بوش أساسًا أن يفعل العكس. ذكر في خطابه الدبلوماسية الإقليمية، وبذل المزيد

لتشجيع المصالحة بين الطوائف المنقسمة والفصائل السياسية في العراق، لكن معظم التركيز أتى على الأمن الذي يمكن أن توفره قوات أميركية إضافية.

شككتُ آنذاك في صوابية القرار. فبعد أعوام من النداءات غير المستجابة والفرص الضائعة، طُرحت التساؤلات عن قدرة إدارة بوش على تدبير تصعيد كبير. سافرت في اليوم التالي إلى العراق مع السيناتور إيفان بايه من ولاية إنديانا وعضو الكونغرس جون ماكهيو من نيويورك، والأخير جمهوري، شغل في عهد الرئيس أوباما منصب وزير الجيش. كانت تلك زيارتي الثالثة للعراق، منذ جولتي هناك عام ٢٠٠٥ مع أعضاء مجلس الشيوخ جون ماكين، وسوزان كولينز، وروس فينغولد، وليندسي غراهام. أردت أن أشاهد بعيني كيف تغيرت الأمور، وأتحدث إلى قواتنا وقادتنا لأقف على وجهات نظرهم من التحديات التي واجهناها.

ودفعتني أسباب أخرى إلى الشك. يعود انعدام ثقتي بإدارة بوش إلى خريف العام ٢٠٠٢، حين تبجَّحَتْ بتقارير الاستخبارات الحاسمة عن أسلحة الدمار الشامل لدى نظام صدام حسين. بعد تقويم الأدلة، وسعيي إلى الحصول على ما في وسعي من الآراء من داخل الحكومة وخارجها، من الديمقراطيين والجمهوريين على حد سواء، صوتتُ بالموافقة على العمل العسكري في العراق إذا فشلت الجهود الدبلوماسية، ويعني هذا عمليات التفتيش عن الأسلحة.

ولقد ندمت كثيرًا لأنني منحت الرئيس بوش فائدة التشكيك في ذلك التصويت، إذ أكد لاحقًا أن القرار أعطاه السلطة، وحيدًا من دون غيره، ليقرر متى ينفد وقت التفتيش عن الأسلحة. وآن أوان ذلك في ٢٠ آذار/مارس ٢٠٠٣، فأعلن الحرب، فيما توسل إليه مفتشو الأسلحة الدوليون إمهالهم بضعة أسابيع لإنهاء مهمتهم. وخلال الأعوام التي تلت، تمنى الكثيرون من أعضاء مجلس الشيوخ لو صوتوا ضد القرار. كنت أحدهم. ومع استمرار الحرب، ومع كل رسالة أبعث بها إلى عائلة في نيويورك فقدت ابنًا أو ابنة، أبًا أو أمًا، يصبح خطئي أكثر إيلامًا.

طلب منا الرئيس بوش بعد خمسة أعوام أن نثق به مجددًا، وهذه المرة في شأن اقتراحه زيادة عدد القوات، فلم أوافق على العرض. لم أصدق أن مجرد إرسال مزيد من الجنود سيخرجنا من الفوضى التي غرقنا فيها. جيشنا هو الأفضل في العالم، وقواتنا تبذل كل جهدها للنجاح في أي مهمة يُطلب منها أداؤها. لكن تحميله العبء وحده، من دون استراتيجية دبلوماسية قوية موازية، ليس أمرًا عادلًا ولا حكيمًا. احتجنا إلى الاثنين معًا في حال أردنا الوصول إلى لب التحديات الكامنة: الصراعات الطائفية التي تمزق البلاد، فضلًا عن المنافسات الإقليمية الخارجية التي تدور على الساحة العرقية. بدا أن معظم المسؤولين في إدارة بوش غير مهتمين بعمل من هذا النوع، بما في ذلك مواجهة سوريا وإيران أو إشراكهما، على الرغم من أنهما شكلتا جزءًا كبيرًا من التحديات الكامنة التي واجهتنا في العراق. ذهبت الولايات المتحدة إلى الحرب عام ٢٠٠٣ مع

نصف استراتيجية فقط، ووزارة خارجية كولن باول كلها، ولكن مع حرمانها المشاركة في التخطيط لما بعد الحرب. ولن ننجح بهذا النصف فقط. حين استلمت منصبي في وزارة الخارجية لاحقًا، وشاهدت خبرة المهنيين المحترفين فيها، روعني أكثر كيف استبعدتهم إدارة بوش إلى أقصى حد.

حين مثل بيترايوس أمام لجنة الخدمات المسلحة في مجلس الشيوخ، في جلسة استماع قبل تأكيد تعيينه نهاية كانون الثاني/يناير ٢٠٠٧، ضغطت عليه في هذه النقاط. أشرت إلى أن دليل مكافحة التمرد الذي كتبه بنفسه في كلية القيادة والأركان العامة التابعة للجيش في فورت ليفنوورث في ولاية كنساس، يقول إن التقدم العسكري يرتبط بالتقدم السياسي الداخلي، وهذا الأخير لا يمكن أن يتحقق من دون الآخر. وقد تعلمنا الدرس نفسه عند محاولة إحلال السلام في منطقة البلقان. «يتم إرسالك لتشرف على سياسة لا تعكس صراحةً تجربتك أو نصيحتك»، على ما قلت، «وضعتَ الكتاب، جنرال، لكن السياسة لا تكمن في الكتب. طُلب منك تربيع الدائرة، لتجد حلًّا عسكريًّا لأزمة سياسية».

ولحسن الحظ، حين وصل بيترايوس إلى العراق، اتبع استراتيجية تتطابق، وأكثر، مع ما دعا إليه في كتاباته، وما حثثته عليه خلال جلسة الاستماع بدلًا من النهج الذي اتبعته إدارة بوش حتى ذاك الحين. أصبحت استراتيجية بيترايوس الشاملة لمكافحة التمرد تُعرف بأحرفها الأولى «كوين»، وركزت على حماية نقاط تجمع السكان المدنيين، واستأثرت بقلوب العراقيين وعقولهم من خلال تعزيز العلاقات المشتركة ومشاريع التنمية. أصبح شعار الاستراتيجية: «نَظِّف، اثْبُت وابنِ». كان الهدف تطهير منطقة معينة من المتمردين، والدفاع عنها لمنعهم من العودة إليها، والاستثمار في البنية التحتية ودعم السلطة حتى يشهد السكان تحسنًا في حياتهم ويبدأوا بالدفاع عن أنفسهم. غادرت القوات الأميركية تحت قيادة بيترايوس قواعدها الضخمة والمحصنة جدًّا، وانتشرت في الأحياء والقرى، مما عرضها مباشرةً للأذى، وإنما مكنها أيضًا من توفير الأمن.

وما كان أيضًا مهمًّا بالقدر نفسه، إن لم يكن أكثر، حدوث تغيير في أصول اللعبة ميدانيًّا، قلّةٌ لحظته. فعدد من شيوخ السنة الذين دعموا التمرد سابقًا، طفح كيلهم من وحشية تنظيم القاعدة تجاه شعبهم، وانشقوا عن المتطرفين. ففي ما أصبح يعرف بـ «الصحوة السنية»، تحوّل أكثر من عشرة آلاف مقاتل قبلي عن جماعتهم، وانتهى بهم الأمر على جدول الرواتب الأميركي. غيّرت هذه الأحداث جذريًّا مسار الحرب.

أمّا في الولايات المتحدة، فكانت السياسة الداخلية بالتأكيد جزءًا من خلفية الجدل الدائر على زيادة القوات. بدا واضحًا حتى ذاك الحين حجم الخطأ الذي ارتكبناه في العراق. في حين قسمت الحرب في العراق أميركا منذ البداية، كان الشعب الأميركي عام ٢٠٠٦، وبغالبية ساحقة، يعارضها، وهو ما جسده في تشرين الثاني/نوفمبر ذاك، في الانتخابات النصفية. وعلى ما خبِرنا

في فيتنام، من الصعب جدًّا الاستمرار في حرب طويلة ومكلفة من دون دعم الشعب الأميركي، وروح التضحية المشتركة. لم أعتقد أن علينا تصعيد التزام أميركا في العراق مع هذه المعارضة الساحقة في الداخل.

خلال ولايتي في مجلس الشيوخ، قَدِرْتُ آراء الكثيرين من الجمهوريين، أحدهم جون وارنر من فرجينيا. تولّى السيناتور وارنر سابقًا وزارة البحرية في عهد الرئيس نيكسون، وكان عضوًا بارزًا في لجنة الخدمات المسلحة في مجلس الشيوخ، التي شاركت فيها. صوّت لمصلحة قرار العراق عام ٢٠٠٢، وحين عاد من زيارة له نهاية عام ٢٠٠٦، أعلن أن الحرب أصبحت من وجهة نظره «في مكانٍ آخر»، مما أثار موجة من الاحتجاجات داخل حزبه وخارجه. هذه العبارة الصادرة عن جون وارنر، التي قُلِّل شأنها ولم تؤخَذ في الحسبان، كانت في الواقع اتهامًا ودعوةً إلى التغيير.

أنّى سافرت، قابلت أشخاصًا متصلبين في معارضتهم الحرب، حتى استأتُ من نفسي نتيجةً لذلك. عارضها كثر منذ البدء، وانقلب آخرون عليها مع مرور الوقت. كان أكثرهم تصلبًا عوائل الجنود التي عانت نفسيًّا وأرادت عودة أحبائها إلى الوطن، وقدامى المحاربين القلقين على رفاقٍ ما زالوا في الخدمة في العراق، والأميركيين على مختلف طبقاتهم الاجتماعية وانتماءاتهم، الذين أحزنتهم خسارة خيرة شبابنا. وأحبطتهم أيضًا هذه الحرب التي أضعفت مكانة بلدنا في العالم، فأقحمنا نفسنا فيها من دون طلب من أحد ومن دون أن تعود علينا بفائدة، وعرّضت كذلك مصالحنا الاستراتيجية في المنطقة للانتكاس.

وعلى الرغم من إدراكي أن لا أحد سيدقق في تصويتي عام ٢٠٠٢ مهما قلت أو فعلت، كان الأفضل لو عبَّرت عن أسفي سريعًا وبأبسط لغة مباشرة ممكنة. أمضيت معظم الوقت حتى ذاك الحين أقول إنني نادمة على الطريقة التي استخدم فيها الرئيس بوش سلطته، ولو عرفنا آنذاك ما علمناه لاحقًا، لما تمّ التصويت. لكنني امتنعت عن استخدام كلمة «خطأ»، ولم يكن السبب المصلحة الخاصة السياسية، إذ طالبني ناخبيَّ الأساسيون والصحافة في النهاية بأن أقول الكلمة. حين صوتت على التفويض إلى السلطة عام ٢٠٠٢، قلت إنه «أصعب قرار اتخذته مطلقًا». اعتقدت أنني تصرفت بحسن نية واتخذت أفضل قرار ممكن مع ما توافر لي من معلومات، ولم أكن الوحيدة في الوقوع في الخطأ. لكنني ما زلت أتصرف على هذا النحو، بكل بساطة وسهولة.

يُعدُّ الاعترافُ بالخطأ، في ثقافتنا السياسية، دليل ضعفٍ، فيما هو في الواقع علامة قوة الشعوب والأمم وترقيها. هذا درس آخر تعلمته وخبرته كوزيرة للخارجية.

حمّلني منصبي الوزاري حصتي من المسؤولية عند إرسال الأميركيين إلى أمكنة غير آمنة لحماية أمننا الوطني. شاهدت، كسيدة أولى، بيل يتعامل مع خطورة هذه القرارات، وكسيناتور في

لجنة الخدمات المسلحة، عملت عن كثب مع زملائي والقادة العسكريين على تطبيق رقابة صارمة عليها. ولكن، لا شيء يشبه الجلوس إلى الطاولة في غرفة عمليات البيت الأبيض لمناقشة مسائل الحرب والسلام ومواجهة العواقب غير المقصودة في كل قرار يُتخذ. لا شيء يُعِدُّك لتلقي نبأ استشهاد مَن أرسلته إلى الخدمة في مكان خطير.

لن أستطيع أبدًا تغيير تصويتي على قرار الحرب في العراق، مهما رجوت. ولكن يمكنني محاولة المساعدة على تعلّم الدروس المناسبة من تلك الحرب، وتطبيقها في أفغانستان وغيرها من المناطق التي تبرز فيها التحديات، حيث لدينا مصالح أمنية أساسية. صممت على القيام بذلك بالضبط حين تواجهنا في المستقبل خيارات صعبة، مع مزيد من الخبرة، والحكمة، والشك والتواضع.

اقترح الجنرالان بيترايوس وماكريستل تطبيق استراتيجية «كوين» المتبعة في العراق على أفغانستان. وهما يحتاجان، للقيام بذلك، إلى قوات إضافية، على ما فعلا في العراق. ولكن، ماذا لو لم يكن هناك هذه المرة ما يعادل الصحوة السنية؟ هل من الممكن أننا نتعلم الدروس الخاطئة من العراق؟

وكان نائب الرئيس بايدن أكثر المعارضين حدّةً لمقترحات البنتاغون. كانت زيادة عدد القوات بالنسبة إليه فكرة لا أمل لها في النجاح. أفغانستان ليست العراق. والجهد لـ «بناء الأمة» على نطاق واسع، في مكانٍ تنعدم فيه البنية التحتية والسلطة في الحكم، محكوم عليه بالفشل. واعتقد أن طالبان لا يُمكن أن تُهزَم، وإرسال مزيد من القوات الأميركية دعوة إلى مستنقع دموي آخر. حاجج نائب الرئيس بدلًا من ذلك لاعتماد خطوة عسكرية أصغر، والتركيز على مكافحة الإرهاب. وقد أثار الجنرال جونز ورام إيمانويل مخاوف مماثلة.

كمنت المشكلة في هذه الحجة، في حال استمرت طالبان في الاستيلاء على مناطق في البلد، أن تطبيق عمليات فاعلة لمكافحة الإرهاب سيغدو أصعب بكثير. لن نملك شبكات الاستخبارات الضرورية نفسها لتحديد مواقع الإرهابيين أو القواعد التي تشن منها الهجمات، داخل أفغانستان أو خارجها. كان لتنظيم القاعدة ملاذات آمنة في باكستان، وإذا تنازلنا عن أجزاء كبيرة من أفغانستان لطالبان، فسيقيم التنظيم مجددًا ملاذات آمنة فيها.

وشكك كذلك ريتشارد هولبروك في اقتراح زيادة عدد القوات. عرف أحدنا الآخر منذ تسعينيات القرن العشرين، حين شغل منصب كبير المفاوضين في منطقة البلقان في عهد زوجي. اقترح هولبروك عام ١٩٩٦ أن أزور البوسنة وألتقي القادة الدينيين، وجماعات المجتمع المدني،

والنسوة اللواتي تحمَّلن العبء الأكبر من العنف. كانت تلك مهمة خارجة عن المألوف لسيدة أولى، ولكن، على ما أدركتُ لاحقًا، نادرًا ما يصرف ريتشارد هولبروك اهتمامه على الأمور العادية.

وهولبروك شخصية كبيرة ومهيبة، ذات موهبة خارقة وطموح لا يحدّ. بعدما التحق بالخدمة الخارجية عام ١٩٦٢ وهو في الحادية والعشرين من عمره، وقد طغت عليه مثالية حقبة كنيدي، بلغ سن الرشد في فيتنام. وهناك أدرك مباشرةً، الصعوبات التي تواجه مكافحة التمرد. وقد ارتقى سريعًا في المناصب. ففي عهد إدارة كارتر، وكان لم يتجاوز بعد الخامسة والثلاثين، أصبح مساعد وزير الخارجية لشؤون منطقة شرق آسيا والمحيط الهادئ، ليساعد على تطبيع العلاقات مع الصين. وحجز مكانته في التاريخ بتعامله المتأني مع الدكتاتور الصربي سلوبودان ميلوسيفيتش عام ١٩٩٥، والتفاوض على اتفاقات دايتون للسلام لإنهاء الحرب في البوسنة.

ترسخت علاقتي بريتشارد على مرّ الأعوام. حين كان سفيرًا في الأمم المتحدة خلال العامين الأخيرين من عهد إدارة كلينتون، عملنا معًا على موضوع الإيدز والقضايا الصحية العالمية. وتقربت أيضًا من زوجته، كاتي مارتون، الصحافية والكاتبة. نظم ريتشارد وكاتي حفلات عشاء رائعة، لنُفاجأ أحيانًا بالمدعوين؛ قد يكون بينهم أحد الفائزين بجائزة نوبل، أو نجمة سينمائية، أو حتى ملكة. وحضّر لي في إحدى الليالي مفاجأة غير عادية: سمعني مرّة أتحدث بطريقة إيجابية عن «جيش الخلاص»[1]. وعليه، أعطى إشارة خلال العشاء، لتُفتح الأبواب على مصراعيها ويدخل أعضاء فرقة «جيش الخلاص» بخطوات عسكرية، يغنون وينفخون في الأبواق. تهلل وجه ريتشارد ابتهاجًا وضحك ملء فمه.

حين توليت منصبي في وزارة الخارجية، عرفت أنه يتوق إلى العودة إلى العمل، لذا طلبت منه تولي ملف أفغانستان - باكستان في الوزارة، الذي يحتاج إلى مواهبه الضخمة وشخصيته. وقد زار ريتشارد أفغانستان للمرة الأولى عام ١٩٧١، ومذذاك وقع تحت سحرها. بعد زيارات خاصة للمنطقة عامي ٢٠٠٦ و٢٠٠٨، كتب مقالات كثيرة حثّ فيها إدارة بوش على وضع استراتيجية جديدة للحرب، مع زيادة التركيز على باكستان. وافقت على تحليله، وكلفته جمع فريق متخصص يشمل أفضل مَن يمكنه إيجاده من المفكرين، من داخل الحكومة وخارجها، ليضع أفكاره موضع التنفيذ. جنّد سريعًا أكاديميين، وخبراء من المنظمات غير الحكومية، وموهوبين ناشئين ومميزين من تسع وكالات وإدارات اتحادية، وحتى ممثلين من الحكومات الحليفة. كانت مجموعة من الأشخاص الغريبي الأطوار، والخلاقين، والمتفانين في العمل، ومعظمهم فتي جدًّا؛ ربطتني بهم علاقة وثيقة، خصوصًا بعد موت ريتشارد.

(١) مؤسسة دينية مسيحية للتبشير ومساعدة الفقير. (المترجم)

ويلزم بعض الوقت للتعود على أسلوب ريتشارد الجارف في العمل. متى خطرت له فكرة، لا بد من أن يعبّر عنها فورًا، ليتصل بي مرارًا وتكرارًا، ينتظرني خارج مكتبي، يدخل ويشارك في اجتماعات لم يُدْعَ إليها، حتّى إنه لحق بي مرة إلى مراحيض السيدات لينهي عرض وجهة نظره، وذلك في باكستان! إذا رفضت اقتراحًا قدمه، ينتظر بضعة أيام، يتصرف كأن شيئًا لم يحدث، ليطرحه مرةً جديدة، ومتى صحت أخيرًا: «ريتشارد، قلت لا. لِمَ تعيد طرح الموضوع؟»، كان ينظر إليّ في براءة ويقول: «افترضت، فحسب، أنك ستعترفين في مرحلة ما بأنك كنتِ على خطأ، وأنا على صواب». إنصافًا، حدث ذلك أحيانًا. جعلته هذه المثابرة بالضبط، الخيار الأفضل لهذه المهمة الطارئة.

دعوت، بداية عام ٢٠٠٩، ريتشارد ودايف بيترايوس إلى أمسية في بيتي في واشنطن، كي تتوطد معرفة أحدهما بالآخر. تميز كلاهما بالحيوية والأفكار التي لا تنضب، ورأيت أنهما سيتفقان. غاصا مباشرةً في المعضلات السياسة الشائكة، وتبادلا المعلومات. وقالا معًا نهاية السهرة: «لنلتقِ غدًا مساءً».

وشارك ريتشارد اهتمام دايف باستراتيجية هجومية لمكافحة التمرد، تركز على تعزيز صدقية الحكومة في كابول وإضعاف تأثير طالبان، كخيار بديل. لكنه شكك في ضرورة إرسال عشرة آلاف جندي إضافي لتحقيق ذلك. قلق من أن تؤدي زيادة القوات وارتفاع حدة القتال إلى نفور المدنيين الأفغان، وتقويض أي نيّة خيّرة لإحراز التنمية الاقتصادية وتحسين الحكم.

واعتقد ريتشارد، اعتمادًا على تجاربه في البلقان، أن السياسة والدبلوماسية هما المدخلان الرئيسان لإنهاء الحرب. أراد قيادة حملة دبلوماسية لتغيير الديناميات الإقليمية التي استمرت في تأجيج الصراع، خصوصًا العلاقات المتنافرة بين باكستان وأفغانستان، وباكستان والهند. ودفعنا أيضًا إلى النظر في مصالحة بين المقاتلين الأفغان المتحاربين، وعَدّها أولوية رئيسة.

بدأ ريتشارد يزور العواصم الإقليمية، ويبحث عن أي مدخل دبلوماسي، وإن صغيرًا، يمكن أن يؤدي إلى حلّ سياسي، فيما حثَّ أيضًا الدول المجاورة لأفغانستان على زيادة التبادل التجاري والاتصالات عبر حدودها. وشجع الكثيرين من حلفائنا وشركائنا على تعيين ممثليهم الخاصين، ليتوافر له نظراء يمكنه التفاوض معهم.

ونظّم في شباط/فبراير ٢٠٠٩، بعد بضعة أسابيع فقط على تولينا مناصبنا، «مجموعة اتصال» دولية في شأن أفغانستان، شملت حوالى خمسين دولة، إلى جانب ممثلين عن منظمة الأمم المتحدة، وحلف شمالي الأطلسي، والاتحاد الأوروبي ومنظمة التعاون الإسلامي. أراد من كل دولة أو مجموعة أسهمت بقواتٍ داخل أفغانستان، أو تبرعت لها بالأموال، أو مارست نفوذها فيها، أن

تشارك في المسؤولية عبر الاجتماع غالبًا بهدف التنسيق. وساعد هولبروك وفريقه بعد شهر، الأمم المتحدة على التخطيط لمؤتمر دولي كبير يتعلق بأفغانستان، في لاهاي في هولندا. حتى إنني وافقت على دعوة إيران من أجل اختبار إمكان التعاون على المصالح المشتركة في أفغانستان، من مثل تحسين أمن الحدود والحد من تهريب المخدرات. وتبادل هولبروك حديثًا قصيرًا هناك على الغداء مع كبير الدبلوماسيين الإيرانيين، أحد أعلى الاتصالات المباشرة بين البلدين بعد هجمات ١١ أيلول/سبتمبر.

ودعا هولبروك، داخل أفغانستان نفسها، إلى «انخراط مدني أكثر»، من شأنه أن يضع موضع التنفيذ توصيات مراجعة ريدل لزيادة المساعدات كثيرًا، من أجل تحسين حياة الأفغانيين اليومية وتعزيز وضع الحكومة في كابول. ودفع كذلك إلى تحويل العمليات الأميركية لمكافحة المخدرات عن المزارعين الذين سعوا إلى زراعة الأفيون لتحصيل لقمة العيش، نحو تجار المخدرات الذين كانوا يزدادون ثراءً، واستخدموا ثرواتهم للمساعدة على دعم التمرد. وحاول إعادة تنظيم برامج التنمية لمنظمة التنمية الأميركية في أفغانستان وباكستان على السواء، ووجهها نحو المشاريع التي تترك انطباعًا إيجابيًا لدى الناس، بما في ذلك السدود الكهرومائية في باكستان المتعطشة إلى الطاقة. وغدا مهووسًا ببروباغندا الحرب التي انتصرت فيها طالبان، على الرغم من تفوق مواردنا وتكنولوجيتنا. لقد استخدم المتمردون أجهزة راديو لاسلكية متنقلة، ثبتوها على الحمير، والدراجات النارية، والشاحنات الصغيرة لبث الرعب، وتخويف السكان المحليين، متجنبين أن تكشفها قوات التحالف. أثارت هذه المشكلة غضب ريتشارد.

وخلّفت زوبعة النشاط هذه بعض الأضرار الجانبية. فرأى البعض في البيت الأبيض في جهده للتنسيق بين مختلف وكالات الإدارة تعديًا على مصالحهم الخاصة. انزعج منه مستشارو البيت الأبيض الأصغر سنًّا متى أتى على ذكر الدروس المستقاة من حرب فيتنام. أما المسؤولون العاملون على الحملة العسكرية فلم يفهموا، ولا قدروا، تركيزه على المشاريع الزراعية وأبراج الهاتف الخلوي. فأسلوب هولبروك، ابن المدرسة الدبلوماسية القديمة - هذا المزيج من الارتجال، والإطراء، والمفاخرة في الكلام الذي هزم ميلوسيفيتش - لم يتماشَ ومراد البيت الأبيض في اعتماد مسار سياسي منظم مع أقل قدر ممكن من الدراما. آلمتني رؤية مثل هذا الدبلوماسي البارع مهمشًا، من دون أن يفِيَه أحدٌ حقَّه. دافعت عنه كلما تيسر لي ذلك، بما يشمل محاولات شتى لإجباره على الاستقالة من مهمته.

ووصل الحد بمستشاري البيت الأبيض أن طلبوا مني وجاهيًّا وصراحةً، التخلص من ريتشارد. «إن أراد الرئيس أن أطرد ريتشارد هولبروك، عليه أن يقول لي ذلك بنفسه»، على ما أجبت. تكلمت

من ثمّ مباشرة مع الرئيس أوباما، على ما فعلت دومًا متى واجهتني صعوبة. شرحت لماذا أعدُّ ريتشارد قيمة مضافة، فتقبل الرئيس توصيتي، وواصل ريتشارد عمله المهمّ.

لقد اقتنعت بأن ريتشارد محق في حاجتنا إلى اعتماد حملة دبلوماسية رئيسة وانخراط مدني أكبر على السواء، لكنني عارضته حين جادل أن القوات الإضافية ليست ضرورية لإنجاح العمل. «كيف نُجبر طالبان على الحضور إلى طاولة السلام إذا كان لديها كل هذا الزخم؟»، سألته. «من أين يأتي انخراط المدنيين في قندهار وطالبان تسيطر عليها؟».

بدا طوال اجتماعاتنا المنتظمة في غرفة العمليات، أن الرئيس يميل إلى فكرة نشر عشرة آلاف جندي إضافي على ما ناشد القادة العسكريون، بالترافق مع الدبلوماسيين الجدد وخبراء التنمية الذين أوصينا بهم أنا وريتشارد. ولكن، ظلت تراوده أسئلة كثيرة، أبرزها كيف نتجنب التزامًا غير محدود لحربٍ بلا نهاية. كيف تنتهي اللعبة؟

أَمَلْنا أن تكون الحكومة والجيش الأفغانيان، في النهاية، قويين كفاية ليتحمّلا المسؤولية، ويوفرا الأمن لبلدهما، ويصدّا التمرد ويبقياه بعيدًا؛ عند هذا الحد، ستنعدم الحاجة إلى المساعدة الأميركية وتبدأ قواتنا بالعودة إلى الوطن. لهذه الغاية، كنا وحلفاءنا ندرّب الجنود الأفغان، ونطوّر وزارات الحكومة الأفغانية، ونطارد المتمردين؛ هدَفنا من كل ذلك إلى تمهيد الطريق كي يبسط الحكم الأفغاني سلطته. ولكن، ليتحقق هذا السيناريو، كنا نحتاج إلى شريك ثقة في كابول، مستعد لتولي هذه المسؤوليات. وفي خريف العام ٢٠٠٩، لم يكن أحد إلى طاولة غرفة العمليات واثقًا بأنه متوافر.

═══

كان التحدث مع حميد كرزاي، رئيس أفغانستان، تمرينًا محبطًا غالبًا. هو ظريف، مثقَّف، ومتحمس لاقتناعاته. وهو أيضًا متكبر، عنيد، وسريع الغضب عند أي احتقار مُتوقع. مع ذلك، لم يكن في إمكاننا تجنبه، أو التعامل مع الجوانب التي توافقنا من شخصيته، فحسب. شئنا أم أبينا، كان كرزاي ركيزةً لمهمتنا في أفغانستان.

وكرزاي سليل عائلة بشتونية عريقة، ذات تاريخ طويل في السياسة الأفغانية. عينته الأمم المتحدة عام ٢٠٠١ زعيمًا انتقاليًّا بعد سقوط نظام طالبان، واختاره رئيسًا موقتًا لاحقًا، المجلسُ التقليدي الكبير لشيوخ القبائل، اللويا جيرغا. وفاز من ثم عام ٢٠٠٤ بمنصب الرئاسة لخمسة أعوام، في أول انتخابات رئاسية تُجرى في البلاد. كافح كرزاي لتوفير الأمن والخدمات الأساسية خارج العاصمة كابول، هو المسؤول عن بلد مزَّقَتْه الخصومات العرقية، ودمَّرته عقود من الحرب، وزعزع استقرارَه التمردُ المستمر. وخيّب، في انتظام، آمال شركائه الأميركيين بمواقف رعناء

في حوارات معهم وجهًا لوجه أو بتصريحات صحافية. لكنه أثبت أنه السياسي الحقيقي المتبقي الذي ألّب، في نجاح، الفصائل الأفغانية المتناحرة إحداها على الأخرى، وتمكن من تشكيل روابط شخصية قوية مع الرئيس جورج دبليو بوش. على الرغم من سمعته الزئبقية، كان كرزاي في الواقع متّسقًا تمامًا حين يتعلق الأمر بأولوياته الأساسية، أي الحفاظ على سيادة أفغانستان ووحدتها، وسلطته الخاصة.

لقد خَبِرْتُ كرزاي وعرفته جيدًا إلى حدٍّ ما، بعد هجمات ٩/١١. وكنت في حزيران/يونيو ٢٠٠٤ رافقته إلى فورت درام في ولاية نيويورك ليتمكن من شكر جنود الفرقة الجبلية العاشرة، إحدى أهم الفرق المعبأة للحرب في الجيش الأميركي، لخدمتها في أفغانستان. على مرّ الأعوام، شرّفني لقاء رجال الفرقة الجبلية العاشرة ونسائها، سواء في فورت درام، أم في العراق وأفغانستان. كلما زرت إحدى منطقتي الحرب أثناء ولايتي في مجلس الشيوخ، حاولت أن أجد الوقت للتحدث مع الجنود من نيويورك لأقف على حقيقة ما كان يحدث على الأرض. تلقيتُ تقارير مؤلمة عن عدم كفاية الدروع ومركبات الهمفي غير الحصينة، ولكن أيضًا قصصًا عن الشجاعة والمثابرة. حين انضم إلي كرزاي في فورت درام، بدا متعاطفًا وشاكرًا التضحيات التي تبذلها الفِرق من أجل بلاده. وإنّما في أوقات أخرى خلال الأعوام، بدا أنه يلقي اللوم على الأميركيين أكثر من طالبان للعنف المنتشر في بلاده. وهذا أمرٌ صَعُب تقبله.

مع ذلك، كنا في حاجة إلى كرزاي، لذا عملت جاهدةً للتواصل معه. كنا على علاقة جيدة على المستويين الشخصي والسياسي. وعلى ما هي الحال مع الكثيرين غيره من زعماء العالم، عاملت كرزاي طويلًا في احترام ولطف. وكلما أتى إلى نيويورك، حاولت أن أجد الوسائل لأشعره أنه الضيف المكرَّم. وفي تلك اللقاءات، أثبت ما يمكن أن تسفر عنه الشركة معه. في أحد الأيام، ذهبنا للتنزه في حديقة الورود في حوزة دمبارتون أوكس في جورج تاون، وجلسنا من ثمّ لتناول الشاي في المشاتل التابعة لها. تحدث، في صراحةٍ أكثر من المعتاد، عن التحديات التي تواجهه في أفغانستان، ولاسيما منها التهديدات المتواصلة التي تسببها ملاذات المتمردين الآمنة في باكستان. وفي مقابل استقبالاتي له في واشنطن، قام بالمستحيل ليكون مضيافًا خلال زياراتي لكابول، بما يشمل تقديمي إلى زوجته في مقرهما العائلي الخاص.

وترشح كرزاي في آب/أغسطس ٢٠٠٩، ليعاد انتخابه رئيسًا في تصويت وجد المراقبون الدوليون أنه تعرّض لعملية تزوير. دعت الأمم المتحدة إلى جولة جديدة لإعادة التصويت بين كرزاي وأقرب منافس له، عبدالله عبدالله، لكن كرزاي رفض السماح بذلك. غضب مما عدّه تدخلًا أجنبيًّا في الانتخابات (كان متأكدًا أن هولبروك دبّر مكيدةً لإطاحته)، وأُصيب باليأس من إمكان فقدان سلطته. جُرحت كبرياؤه لأن فوزه لم يُعلن بعد التصويت الأول، حتى هدَّد المأزق

بحلول تشرين الأول/أكتوبر، بعرقلة الدعم الدولي لحكومته وتبديد صدقيته، المحدودة أصلًا، لدى الشعب الأفغاني.

«فكّر في العواقب التاريخية التي ستنعكس سواء عليك، كأوّل زعيم مُنتخب ديمقراطيًّا، وعلى بلدك»، على ما ناشدتُه عبر الهاتف، محاوِلةً التوصل إلى تسوية قد تحافظ على استقرار البلاد وشرعية النظام في كابول. «لديك الفرصة لتبرز مع حكومة جديدة بقيادتك، لكن ذلك يعتمد على الخيارات التي ستقوم بها للمضي قدمًا».

وثبت كرزاي على مواقفه. دافع لنقض المزاعم عن عمليات التزوير الواسعة في الانتخابات. «كيف نقول للمواطنين إن تصويتهم كان مزورًا؟»، على ما سأل. في النهاية، لقد تحدوا تهديدات طالبان وتحذيراتها من المشاركة في الانتخابات. «بُتِرَت أصابع الناس وقُطعت أنوفهم، اغتيل كثر، ضحّت الشابات بالكثير، وفعلت كذلك قواتكم، أن نَعُدَّ كل ذلك باطلًا ونلغيه، سيناريو مخيف». كان كرزاي محقًّا في شأن التضحيات التي قدمها الأفغانيون، لكنه مخطئ في طريقة تكريمه لهم.

تناقشنا كثيرًا في الأيام القليلة التالية. شرحت لكرزاي أنه إذا وافق على إعادة عملية التصويت، والمرجَّح أن يفوز فيها، فسيكسب دعم المجتمع الدولي ومواطنيه، وتتعزز صدقيته لديهما على السواء. وسرّني أن السيناتور جون كيري، رئيس لجنة العلاقات الخارجية، يخطط لزيارة كابول. سيمسي حليفًا قيمًا على الأرض، ليساعدني على إقناع كرزاي بالموافقة على جولةٍ ثانية من التصويت. كان مجتمعًا مع كيري، فيما أنا أحدثه بالهاتف من مكتبي في وزارة الخارجية، وقد حاولنا الدفاع عن قضيتنا استنادًا إلى تجاربنا. «لقد ترشحت إلى الرئاسة، وكذلك فعل زوجي»، على ما ذكّرت كرزاي. «أدركُ معنى الخسارة والربح، تمامًا مثلما يعرف السيناتور كيري. نقدّر صعوبة اتخاذ قرارات كهذه».

ولقد شعرت أننا نحرز تقدمًا، لذا حين قرر كيري العودة إلى واشنطن لشؤون تتعلق بمجلس الشيوخ، طلبت منه أن يبقى في كابول بعض الوقت. فسألني أن أتصل بزعيم الغالبية في مجلس الشيوخ هاري ريد كي لا يُعقَد أي تصويت قبل عودته، ووافق ريد عند الاتصال على ألّا يتعدى غياب كيري يومًا واحدًا لحاجته إليه.

ورضخ كرزاي أخيرًا، بعد أربعة أيام من الضغط. سيوافق على نتائج مراقبي الأمم المتحدة ويسمح بعملية تصويت ثانية تُجرى بداية تشرين الثاني/نوفمبر. انسحب عبدالله المتوتر في النهاية، وأُعلن فوز كرزاي. لم يكن الوضع مُستحبًّا، لكننا تجنبنا أقلّه ضربة قاضية لشرعية كرزاي الكاملة، وانهيار حكومته المُحتمل، وشكوك الكثيرين من الأفغان في الديمقراطية.

حضرت منتصف تشرين الثاني/نوفمبر حفلة تنصيب كرزاي في كابول. خضعت المدينة

لإجراءات أمنية مشددة، فيما اجتمع فيها القادة من مختلف أنحاء العالم. وخلال مأدبة العشاء الطويلة في القصر الرئاسي عشية ذلك اليوم، شددت في كلامي مع كرزاي على نقاط كثيرة. أكدت أولًا أن الوقت آن لنتكلم جديًّا على طريقة انتقال مسؤولية فرض الأمن من التحالف الدولي بقيادة الولايات المتحدة الأميركية، إلى الجيش الوطني الأفغاني. لا يتوقع أحد أن يحدث الأمر بين ليلة وضحاها، لكن الرئيس أوباما أراد ضمانات أن الولايات المتحدة لن تقوم بالتزام غير محدود.

وتحدثت مع كرزاي كذلك عن إمكان التوصل إلى اتفاق سياسي يضع يومًا ما حدًّا للقتال. هل يمكن إقناع ما يكفي من متمردي طالبان بإلقاء السلاح وقبول أفغانستان الجديدة عبر مفاوضات أو حوافز ما؟ أم أننا نتعامل مع مجموعة من المتطرفين العنيدين الذين لن يقبلوا أي تسوية أو توافق؟ بان مستحيلًا التغلب على العقبات التي تعترض مسار سلام من هذا النوع. ولكن، على ما ذكَّرتُ كرزاي، لن يستطيع أحد عبور الباب إن لم يكن مفتوحًا، وهو أصرَّ دومًا على مواصلة المفاوضات مع طالبان وفقَ شروطه. كانت إحدى مشكلاتنا الرئيسة معه أنه لم ينظر إلى طالبان على أنها خصمه الرئيس في الحرب، بل اعتقد أن باكستان هي العقدة. تقاعس حتى عن زيارة ميدان المعارك حيث تقاتل قواتُه طالبان. رأى أن على أفغانستان وقوات التحالف بذل جهد كبير ضد باكستان، فيما يتولى هو التفاوض مع أصدقائه البشتونيين التابعين لطالبان. ولسوء حظه، لم تعامله طالبان بالمثل. وجب على القوات الأميركية والدبلوماسيين تمهيد الطريق ووضع الأسس ليصل الأفرقاء إلى المفاوضات. في تلك الأثناء، تعامل كرزاي مع أي شخص ادّعى أنه يمثّل طالبان.

وأوضحت له أخيرًا أن الضرورة تقتضي، بعد الجدل الذي دار على صحة الانتخابات، بألّا يألو جهدًا في اتخاذ إجراءات صارمة ضد الفساد. كان وباءً في أفغانستان، يُضعِف الموارد، ويؤجج ثقافة استباحة القانون، وينفِّر الشعب الأفغاني. احتاج كرزاي إلى خطة تقتلع «الفساد اليومي» من جذوره، من الرشوة التي هي جزء من المعيشة الأفغانية، وصولًا إلى طمع المسؤولين الكبار الخبيث، إذ حوّل هؤلاء، في انتظام، موارد ضخمة من المساعدات الدولية ومشاريع التنمية إلى جيوبهم. وكان أسوأ مثال على ذلك نهب مصرف كابول. لم نطلب أن تصبح كابول «مدينة فاضلة ومنارة مشرقة على تلة»، ولكن كان الحد من السرقة والابتزاز أمرًا حيويًّا للمجهود الحربي.

وسار كرزاي في اليوم التالي على بساط أحمر، يحيط به حرس الشرف بالزي العسكري. من رأى هؤلاء الجنود فقط، مع قفازاتهم البيض المنشّاة وأحذيتهم اللماعة، أدرك أن الجيش الوطني الأفغاني الناشئ ما زال بعيدًا كل البعد عن تولي مهمة القتال بمفرده ضد طالبان. لكنهم بدوا، في ذلك اليوم أقله، واثقين وممسكين بزمام القيادة.

وكذلك بدا كرزاي. على عادته، ظهر بصورة مسرحية مثيرة، مع ردائه المميز وقبعته الأنيقة. كنتُ من النساء القليلات الحاضرات، لذا رافقني في جولة للقاء قادة الباشتون الذين أتوا، على

ما قال، من جانبي الحدود غير المعترف بها بين أفغانستان وباكستان. والباشتون من أكثر الناس الجذابين واللافتين في العالم. فوجوههم الحادة التقاسيم وعيونهم الثاقبة، الزرق غالبًا، أبرزتها أكثر عمائمهم الكثيرة التفاصيل والمعَدَّة في عناية. كرزاي سليل هؤلاء القوم، ولم ينسَ ذلك قط.

ألقى كرزاي خطابه الرئاسي الأول داخل القصر، تحيط به الأعلام الأفغانية وباقات ضخمة من الزهور الحمر والبيض. تناول تقريبًا كلّ الأمور ووضعها في نصابها الصحيح. تعهد، في قوة، القضاء على الفساد. وأعلن التدبير الجديد الذي ناقشناه، والذي يطلب من المسؤولين الحكوميين تسجيل أصولهم من أموالٍ وممتلكات، كي يمكن مراقبة الثروات والنفوذ بسهولة أكبر. وأوجز أيضًا الخطوات التي تفضي إلى تحسين تقديم الخدمات الأساسية، وتعزيز نظام العدالة، وتوسيع الفرص التعليمية والاقتصادية. وقدم عرضًا إلى المتمردين: «نرحب بجميع المواطنين المغرر بهم الذين يرغبون في العودة إلى ديارهم والعيش في سلام، وقبول الدستور، ونحن على استعداد لتقديم المساعدة اللازمة إليهم»، محذرًا، مع ذلك، من أن الدعوة لا تشمل تنظيم القاعدة والمقاتلين المرتبطين مباشرة بالإرهاب الدولي. ولكي يثبت جديته في الموضوع، تعهد عقد لويا جيرغا أُخرى لمناقشة إطلاق عملية السلام والمصالحة.

وأهم من ذلك كلّه، التزم كرزاي تسريع الجهود لإنشاء قوة أمنية وطنية أفغانية، قادرة وفاعلة، لتحل محل القوات الأميركية والدولية على مرّ الزمن. «نحن مصممون على أن تتولى القوات الأفغانية، خلال خمس سنوات، مسؤولية بسط الأمن والاستقرار في البلاد كافةً»، على ما قال. وهذا ما أراد سماعه الرئيس أوباما.

التقيتُ مع الرئيس أوباما في ٢٣ تشرين الثاني/نوفمبر، أوّلًا في اجتماع للإدارة ظهرًا، ومن ثم في اجتماع بعد الظهر في المكتب البيضوي مع نائب الرئيس بايدن، وأخيرًا ليلًا في جلسة لمجلس الأمن القومي في غرفة العمليات في البيت الأبيض. أتى ذلك النهار تتويجًا لأشهر من النقاش.

وضعت الرئيس في تفاصيل زيارتي لكابول، بما فيها مناقشاتي مع كرزاي. عرضت من ثمّ وجهة نظري، بدءًا بالحجّة المسلَّم بها، وهي أننا لا يمكننا التخلي عن أفغانستان. حاولت الولايات المتحدة القيام بذلك عام ١٩٨٩ بعد الانسحاب السوفياتي، ودفعنا ثمنًا باهظًا لسماحنا بأن تصبح البلاد ملاذًا آمنًا للإرهابيين، والوضع الراهن غير مقبول. الجنود الأميركيون يموتون، والحكومة في كابول تخسر مزيداً من سلطتها على الأرض كل يوم. لا بد من تغيير شيء ما.

دعمت اقتراح القادة العسكريين زيادة القوات، يرافقها انخراط مدني وجهود دبلوماسية في أفغانستان والمنطقة على السواء، من أجل وضع حد للصراع. رأيت أن زيادة عدد القوات كان

حاسمًا لخلق مرحلة تسمح بانتقال المسؤولية إلى الأفغان، وتوفير الاستقرار والأمن لتشكيل الحكومة وتقويتها، وضمان النفوذ لمتابعة الحل دبلوماسيًّا.

شاركت الرئيس إحجامه عن التزام غير محدود، من دون شروط أو تطلعات. لذا ألححتُ على كرزاي في شدة، ليقدِّم تصورًا في خطابه الافتتاحي عن انتقال مسؤولية حفظ الأمن إلى الأفغان. يجب أن يأتي في الأولوية التخطيط لتولي هذه المسؤولية، والحصول على دعم المجتمع الدولي للسير قدمًا.

أنصت الرئيس في عناية إلى كل الحجج التي قدمها المجتمعون إلى الطاولة. تأخر الوقت، ولم يكن مستعدًّا لاتخاذ قرار نهائي. ولكن، في غضون أيام قليلة، وبعد مراجعة أخيرة للخيارات العسكرية مع غايتس وมولن، سيفعل.

قرر الرئيس أن يعلن سياسته الجديدة في خطاب يلقيه في ويست بوينت. بعد دعوة الزعماء الأجانب والاجتماع مع أعضاء الكونغرس، رافقته في مروحية «مارين وان» إلى قاعدة أندروز لسلاح الجو، حيث ركبنا الطائرة الرئاسية إلى مطار ستيوارت الدولي في نيويورك، ومنه انتقلنا مجددًا في مروحية «مارين وان» أُخرى إلى ويست بوينت. كقاعدة عامة، لستُ مولعة بالمروحيات. فضجيجها مزعج، وهي ضيّقة، وتتحدى الجاذبية بجهد قوي. لكن المروحية الرئاسية «مارين وان» مختلفة، فهي تتسع لاثني عشر راكبًا، وتبدو بمقصورتها البيضاء والخضراء كطائرة صغيرة، مع مقاعد جلدية بيض، وستائر زرق، وهديرها أقرب إلى هدير محرك السيارة. فالإقلاع من الحديقة الجنوبية في البيت الأبيض، والتحليق فوق «الناشيونال مول»، والمرور في محاذاة تمثال الحرية في نيويورك حتى يخيل إليك أن في استطاعتك لمس الرخام، كانت كلها تجربة فريدة.

جلست في هذه الرحلة بين غايتس ومولن، وقبالة جونز والرئيس الذي أعاد قراءة مسودة الخطاب. هذا الرئيس انتُخب، مِن ناحية، بسبب معارضته الحرب في العراق وتعهده وضع حدّ لها. واليوم، هو على وشك أن يشرح للشعب الأميركي لماذا يضاعف مشاركتنا في حربٍ أخرى في بلد بعيد. كانت المناقشات صعبة، لكنني اعتقدت أن الرئيس قام بالخيار الصحيح.

حين وصلنا إلى ويست بوينت، استويت في مقعدي إلى جانب الوزير غايتس في قاعة مسرح أيزنهاور، أمام بحر من التلامذة الضباط ببزاتهم الرمادية. عن يمين غايتس، جلس الجنرال إريك شينسكي، وزير شؤون قدامى المحاربين. حين شغل منصب رئيس أركان الجيش عام ٢٠٠٣، حذَّر إدارة بوش مسبقًا من أن إحكام السيطرة على الأمن في العراق بعد الغزو يحتاج إلى زيادة القوات بما يفوق كثيرًا العدد المقرر. نتيجةً لاستقامته، انتُقد شينسكي، وهُمِّش، إلى أن تقاعد في

النهاية. وها نحن الآن، بعد حوالى سبعة أعوام، نناقش مرّة أخرى عدد القوات المطلوبة فعلًا من أجل تحقيق أهدافنا.

بدأ الرئيس خطابه مذكّرًا الحضور بالأسباب التي دفعت الولايات المتحدة إلى القتال في أفغانستان. «لم نستدعِ هذه الحرب»، على ما قال. ولكن، حين هاجمت القاعدة أميركا في ١١ أيلول/سبتمبر ٢٠٠١، الهجوم الذي خططت له في حماية حكم طالبان في أفغانستان، فُرِضت الحرب علينا. شرح من ثمّ كيف استنزفت الحرب في العراق الموارد وصرفت الاهتمام عن الجهد المبذول في أفغانستان. حين تولى الرئيس أوباما منصبه، لم يتعدَّ عدد القوات الأميركية في أفغانستان اثنين وثلاثين ألفًا، مقارنةً بـ ١٦٠ ألفًا في العراق في ذروة الحرب. «لم نخسر أفغانستان، لكنها تراجعت أعوامًا»، على ما قال، «فيما اكتسبت طالبان زخمًا». وشدد على نقطة ارتكاز مهمتنا في أفغانستان: تعطيل تنظيم القاعدة، وتفكيكه ودحره من أفغانستان وباكستان، والحؤول دون قدرته على تهديد أميركا وحلفائها في المستقبل. وأوضح أنه سيرسل ثلاثين ألف جندي إضافي لتنفيذها، علاوةً على ما سيسهم به حلفاؤنا من قوات. وأضاف: «بعد ثمانية عشر شهرًا، ستبدأ قواتنا بالعودة إلى الوطن».

كان الأمد المحدد أكثر وضوحًا مما توقعت، وقلقت من أن يُرسل إشارة خاطئة إلى الصديق والعدو على حدٍّ سواء. على الرغم من اعتقادي الراسخ بضرورة وضع حدٍّ زمني لمهمة القوات الإضافية وتسريع انتقال مسؤولية حفظ الأمن إلى الأفغان، رأيت من مصلحتنا ألّا نكشف أوراقنا كاملة. مع ذلك، وبما أن وتيرة الانسحاب لم تحدد، سيتسنى لنا الوقت لإنجاز هذه المهمة.

وقد شدد الرئيس على تحفيز التنمية الاقتصادية في أفغانستان والحدّ من الفساد، لينصبَّ تركيز مساعدتنا على قطاعات معينة، من مثل الزراعة التي ستؤثر فورًا في معيشة الشعب الأفغاني، وكذلك وضع معايير جديدة للمساءلة والشفافية.

تولّى النائب والوزير جاك ليو مسؤولية تعبئة الموظفين وجمع الأموال من أجل «زيادة الانخراط المدني» في أفغانستان. حدد أولوياتِه هولبروك وفريقُه، بالتنسيق مع سفارتنا في كابول: منح الأفغان دورًا فاعلًا للمشاركة في صنع مستقبل بلدهم، وتوفير بدائل من التطرف والتمرد، ذات صدقية. خلال العام التالي، سيزيد ثلاثة أضعاف عدد الدبلوماسيين وخبراء التنمية والمتخصصين المدنيين الآخرين في أفغانستان، ويتضاعف حضورنا ميدانيًّا حوالى ست مرات. وبعدما غادَرْتُ الإدارة، كان الأفغان أحرزوا تقدمًا. ازداد النمو الاقتصادي وتراجع إنتاج الأفيون. انخفض معدل وفيات الأطفال بنسبة ٢٢ في المئة. تحت حكم طالبان، التحق بالمدارس ٩٠ ألف ذكر، من دون الإناث. عام ٢٠١٠، ارتفع عدد الطلاب إلى ٧،١ مليون، حوالى ٤٠ في المئة منهم من الإناث. نالت

النساء الأفغانيات أكثر من مئة ألف قرض شخصي صغير لتأسيس أعمال تجارية والانخراط في الاقتصاد الرسمي. دُرِّب مئات الآلاف من المزارعين وأُمدّوا بالبذور والتقنيات الجديدة.

لم تساورني الأوهام ذلك اليوم، في ويست بوينت، وقد أدركت الصعوبة التي سنواجهها لتغيير مسار الحرب في أفغانستان. ولكن، بعد أخذ كل الأمور في الحسبان، أعتقد أن الرئيس قام بالخيار الصحيح وعزز موقفنا لتحقيق النجاح. مع ذلك، كانت التحديات المقبلة هائلة. نظرت إلى التلامذة الضباط الذين شغلوا كلّ المقاعد في المسرح الضخم. جلسوا واستمعوا، في اهتمام، إلى قائدهم الرئيس يتحدث عن حرب سيقاتل فيها قريبًا عدد كبير منهم. كانت بعض الوجوه فتية، تحمل وعدًا وتصميمًا، وتستعد لمواجهة عالم خطير على أمل جعل أميركا مكانًا أكثر أمانًا. أملت أننا نقوم بالصواب عبر تأديتهم هذه المهمة. حين أنهى الرئيس كلمته، توجه نحو الحشود لمصافحتها، وتحلّق التلامذة الضباط حوله.

الفصل الثّامن

أفغانستان: لإنهاء حرب

كان ريتشارد هولبروك مفاوضًا من الطراز الرفيع. في العقد التاسع من القرن العشرين، وعلى ما وصف في كتابه الرائع، «لإنهاء حرب»، أرهب سلوبودان ميلوسيفيتش، وهدده، وداهنه، وشرب معه الويسكي؛ لم يترك وسيلةً إلّا استخدمها ليحشر الدكتاتور الصربي أكثر فأكثر في زاويةٍ ضيقة، حتّى استسلم أخيرًا. في أحد الأيام الصعبة من محادثات السلام التي استضافتها الولايات المتحدة في دايتون، في ولاية أوهايو، وحين رفض ميلوسيفيتش تقديم أي تنازل، اصطحبه ريتشارد إلى حظيرة مملوءة بالطائرات العسكرية في قاعدة رايت باترسون للقوات الجوية، ليدُلّه بالعين المجردة إلى قوة أميركا العسكرية. كانت الرسالة واضحة: اختر بين أمرين، إما الحل، وإما مواجهة العواقب. كانت المفاوضات عرضًا مبهرًا من المهارة الدبلوماسية، والحرب التي بدت مستعصية، انتهت.

وقد تاق ريتشارد أن يُحقق في أفغانستان ما فعله في البلقان: مصالحة الأفرقاء المتنازعين، والتفاوض لإنهاء الحرب سلميًّا. أدرك صعوبة الأمر، وأسرّ إلى أصدقائه أنها أصعب مهمة في مسيرته المهنية الحافلة بـ«المهمات المستحيلة». لكنه كان مقتنعًا، على ما قال لي منذ البداية، بأن الأمر يستحق المحاولة من أجل تهيئة الظروف لعملية السلام. إذا أمكن إقناع طالبان أو الضغط عليها لقطع علاقاتها بتنظيم القاعدة، والتوافق مع الحكومة في كابول، قد يتحقق السلام، وتعود القوات الأميركية، في أمان، إلى الديار. في النهاية، وعلى الرغم من نفوذ باكستان والولايات المتحدة وآخرين، وتورطهم، فهذه ليست حربًا بين الدول؛ إنها حرب بين الأفغان لتحديد مستقبل

وطنهم. وعلى ما لحظ ريتشارد ذات مرّة: «في كل حرب من هذا النوع، هناك دومًا طاقة في جدار يستطيع أن ينفذ منها الأشخاص الذين يرغبون في الدخول وإيجاد ملاذ».

يخبرنا التاريخ أن التمرد نادرًا ما ينتهي في حفلة استسلام على متن سفينة حربية. ينفد وقوده بدلًا من ذلك بفضل المساعي الدبلوماسية الحثيثة، وإدخال التحسينات على نوعية معيشة الناس ميدانيًّا، والمثابرة الدؤوبة لأولئك الذين يريدون السلام.

بحثتُ وهولبروك في احتمالات الحل السياسي للصراع، وناقشنا في أولى محادثاتنا وسيلتين لمقاربة المشكلة: إما نبدأ بحلها من الأعَمّ إلى الأخَصّ، وإما العكس. بدت الأولى مباشرة أكثر. كان هناك سبب وجيه للاعتقاد أن الكثيرين من مقاتلي القاعدة العاديين غير مؤدلجين. فهم مزارعون أو قرويون التحقوا بحركة التمرد لأنها توفر لهم دخلًا ثابتًا ونفوذًا في بلدٍ دمره الفقر والفساد. إذا عُرض عليهم العفو وغيره من الحوافز، فسيتخلى بعض هؤلاء المقاتلين طوعًا عن حمل السلاح ليندمجوا مجددًا في المجتمع المدني، خصوصًا أن الضغط العسكري الأميركي المتزايد أجهدهم. إذا اقتنعت أعداد كبيرة منهم بالقيام بذلك، فلن يستمر في التمرد إلا المتطرفون المتشددون، مما يسهّل التحدي على حكومة كابول.

كانت المقاربة الثانية، من الأخصّ إلى الأعمّ، أصعب، ولكن يُحتمل أن تكون حلًّا قاطعًا. فقادة طالبان متشددون دينيًّا، أمضوا حياتهم عمليًّا في القتال. ربطتهم علاقات وثيقة بتنظيم القاعدة وضباط الاستخبارات الباكستانية، ومعارضتهم للنظام في كابول مستفحِلة. قد يصعب إقناعهم بوقف القتال، ولكن مع ما يكفي من الضغط، قد يدركون أن المعارضة المسلحة عقيمة، والوسيلة الوحيدة لأداء دور في الحياة العامة الأفغانية تأتي عبر المفاوضات. رأى ريتشارد أن علينا اتباع النهجين في آن، على الرغم من الصعوبات التي سنواجهها، ووافقته الرأي.

وفي آذار/مارس ٢٠٠٩ أيّد فريق مراجعة ريدل الاستراتيجية، نهج إعادة الإدماج من الأعمّ إلى الأخصّ، لكنه رفض احتمال حدوث عملية سلام من الأخصّ إلى الأعمّ. «لا يمكننا التوافق مع قادة طالبان والوصول إلى اتفاق يشملهم»، على ما أعلن. مع ذلك، حدّد الفريق المبادئ الأساسية التي يجب اتباعها في المقاربتين على السواء. لتتم المصالحة، يجب على المتمردين إلقاء سلاحهم، ونبذ تنظيم القاعدة، والاعتراف بالدستور الأفغاني. ويجب ألّا تأتي المصالحة على حساب التقدم في أفغانستان في ما يتعلق بالمساواة بين الجنسين، وحقوق الإنسان، أو أن تؤدي إلى عودة السياسات الرجعية.

وقد شغلني الموضوع الأخير وانصرفت له في حماسة منذ كنت سيدة أولى، واستمررت أُعنى به خلال ولايتي في مجلس الشيوخ. بعد سقوط طالبان عام ٢٠٠١، عملت مع غيري من النساء

الأعضاء في مجلس الشيوخ على دعم مجلس النساء الأميركي الأفغاني الذي رئسته السيدة الأولى لورا بوش، وبرامج أُخرى للنساء الأفغانيات اللواتي نشدن مزيدًا من الحقوق والفرص. وحين توليتُ منصب وزارة الخارجية، طلبت أن تأخُذَ كل برامجنا التنموية والسياسية في أفغانستان في الحسبان، احتياجات المرأة الأفغانية واهتماماتها. فخلق الفرص للنساء ليست مسألة أخلاقية فحسب، بل وأمر حيوي لاقتصاد أفغانستان وأمنها. وفي حين ظلت المرأة الأفغانية عمومًا تواجه ظروفًا حياتية صعبة، إلّا أننا عاينّا بعض النتائج المشجعة. كان متوسط العمر المحتمل للنساء عام ٢٠٠١ أربعة وأربعين عامًا، وارتفع عام ٢٠١٢ إلى اثنين وستين عامًا. وانخفضت في شكلٍ ملحوظ معدلات وفيات الأمهات، والرضَّع، والأطفال الذين تقلّ أعمارهم عن خمسة أعوام. تخرجت حوالى ١٢٠ ألف فتاة في المدرسة خلال تلك الأعوام، وخمسة عشر ألفًا تسجلن في الجامعات، وحوالى خمسمئة امرأة التحقن بالكليات الجامعية. تُعد هذه الأرقام مدهشة إذا عَدَدْنا أنها كانت أقرب إلى الصفر في كل المجالات، بداية القرن الحادي والعشرين.

وعلى الرغم من هذا التقدم، واجهت المرأة الأفغانية تهديدات مستمرة لأمنها ومكانتها الاجتماعية، ليس من طالبان فحسب. ففي ربيع العام ٢٠٠٩، على سبيل المثال، وقّع الرئيس كرزاي قانونًا جديدًا رهيبًا، قيّد في شكل كبير النسوة اللواتي ينتمين إلى القلَّة الشيعية، مستهدفًا جماعة عرقية تسمى الهزارة، تتّبع التقاليد الثقافية المحافظة. فالقانون الذي تضمَّن أحكامًا تضفي الشرعية على فعل الاغتصاب الزوجي، وتفرض على النسوة الشيعيات الحصول على إذن من أزواجهن للخروج من المنزل، انتهك في شكل صارخ الدستور الأفغاني. وقد آزر كرزاي هذا الإجراء للحصول على دعم قادة الهزارة المتشددين، وهو ليس عذرًا طبعًا. راعني الأمر، وأعلمت كرزاي بذلك.

لقد اتصلت بكرزاي ثلاث مرّات في يومين، لحثّه على إلغاء القانون. إذا أمكن تجاهل الدستور والتغاضي عن حقوق هذه القلة، لن يكون ممكنًا ضمان حقوق أحد، رجالًا كانوا أم نساء. سيقوّض ذلك، من وجهة أخلاقية، قضية نظامه ضد طالبان. عرفت كم تَهُمُّ كرزاي العلاقات الشخصية والاحترام المتبادل، لذا أوضحت له جليًّا أن الأمر يتعلق بي شخصيًّا. شرحت له أنه إذا سمح بتطبيق هذا القانون الجائر، فسيصعب علي أن أفسِّر للنسوة الأميركيات، بمن فيهن زميلاتي السابقات في مجلس الشيوخ، لماذا يجب علينا الاستمرار في دعمه. استوعب كرزاي ما أقصد، ووافق على تعليق القانون وردِّه إلى وزارة العدل لمراجعته. أُدخِلت تعديلات غير كافية، إلّا أنها كانت خطوة في الطريق الصحيحة. مراعاةً لعهودي مع كرزاي، كتمتُ عمومًا هذا النوع من الدبلوماسية الشخصية. أردته أن يعلم أن في استطاعتنا أن نتحدث، ونتجادل، من دون أن يُنْشَر ذلك في الإعلام.

كلما التقيت نسوةً أفغانيات، سواء في كابول أو في مؤتمرات دولية في العالم، شرحن لي في شكلٍ مؤثّر، كم يرغبن في أن أساعد في بناء دولتهن وقيادتها، فضلًا عن مخاوفهن بأن يُضحى بمكاسبهن متى انسحبت القوات الأميركية، أو عقد كرزاي اتفاقًا مع طالبان. ستكون تلك مأساة، ليس للنسوة الأفغانيات فحسب، بل وللبلد ككل. لذا، شددت في كل مناقشة تتعلق بإعادة دمج المتمردين والمصالحة مع طالبان، أن من غير المقبول المقايضة بحقوق المرأة الأفغانية لشراء السلام. لن يكون ذلك سلامًا على الإطلاق.

ولقد جعلت معايير مراجعة ريدل لإعادة الدمج – التخلي عن العنف، نبذ تنظيم القاعدة، دعم الدستور – أسس سياستي الدبلوماسية. في أول مؤتمر دولي كبير لنا عن أفغانستان في لاهاي في آذار/مارس ٢٠٠٩، تحدثت إلى الوفود المجتمعة عن ضرورة التفريق بين «متطرفي تنظيم القاعدة وطالبان، وأولئك الذين التحقوا بصفوفهما ليس عن اقتناع، بل بدافع اليأس». وفي مؤتمر دولي في لندن في كانون الثاني/يناير ٢٠١٠، وافقت اليابان على إيداع ٥٠ مليون دولار، لتوفير الحوافز المالية وتشجيع المقاتلين العاديين على وقف القتال. تعهدت أن تقدم الولايات المتحدة تمويلًا كبيرًا، وأقنعنا الدول الأُخرى بأن تحذوَ حذونا.

سُئلتُ في مقابلةٍ في لندن «هل فوجئ الأميركيون أو شعروا بالقلق» حين عرفوا أن الإدارة الأميركية تحاول التوافق مع بعض متمردي طالبان، فيما يرسل الرئيس مزيدًا من القوات لمحاربة الحركة نفسها. «لا يمكننا اتباع وسيلة من دون الأخرى»، على ما أجبت، «يُرجّح ألّا تنجح زيادة عدد القوات في الوصول إلى حل من دون جهد سياسي... وأن تحاول عقد سلام مع أعدائك من دون قوة عسكرية تعضدك، أمر لن يكتب له النجاح أيضًا. لذا، في الواقع، هي استراتيجية موحدة، تحمل الكثير من المنطق في معانيها». تلك كانت حجتي خلال مناقشتنا الكثيرة في غرفة عمليات البيت الأبيض عن زيادة عدد القوات، تماشيًا مع اقتناعاتي في شأن القوة الذكية. لكنني اعترفت بأن هذه الاستراتيجية وإن كانت صائبة، قد يصعب قبولها. لذا أضفت: «أعتقد أن الأساس في سؤالك، هو قلق الناس الذين يقولون: حسنًا، انتظروا لحظة. هؤلاء هم الأشرار. فلمَ نتفاوض معهم؟». السؤال محقّ. لكننا في هذه المرحلة، لا نتحدث عن مصالحةٍ مع العقول الإرهابية المدبرة أو قادة طالبان الذين حموا أسامة بن لادن. وأوضحت أن كل ما نحاول فعله هو تحييد المتمردين غير الأيديولوجيين الذين وقفوا إلى جانب طالبان من أجل راتبٍ تشتد حاجتهم إليه.

وكانت تلك الحقيقة، بالنسبة إلينا، أقلّه. أما كرزاي فتابع سعيه إلى عقد محادثات مباشرة مع قادة طالبان، تطبيقًا لتصريحاته عن المصالحة في خطابه الافتتاحي عام ٢٠٠٩. فعقد، صيف العام ٢٠١٠، مؤتمرًا تقليديًّا لشيوخ القبائل من مختلف أنحاء أفغانستان ليدعموا جهوده. ثم عيّن

«المجلس الأعلى للسلام» بقيادة الرئيس الأفغاني السابق برهان الدين رباني استعدادًا لمباشرة المفاوضات. (اغتيل رباني في شكلٍ مأسوي في أيلول/سبتمر حين هاجمه انتحاري خبأ المتفجرات في عمامته. ووافق ابنه على خلافته في المجلس).

وكان أبرز من اعترض طريق الجهود الأفغانية الأوليّة هذه، عناصر من جهاز الاستخبارات الباكستانية. ربطت هؤلاء علاقات قوية بطالبان، تعود إلى زمن النضال ضد السوفيات في ثمانينات القرن العشرين. استمروا في تقديم ملاذ آمن للمسلحين داخل باكستان، ودعموا التمرد في أفغانستان كوسيلة لإبقاء الوضع في كابول مختل التوازن، والتحصن ضد احتمال النفوذ الهندي فيها. لم يشأ الباكستانيون أن يتوصل كرزاي إلى سلام منفصل مع طالبان لا يأخذ مصالحهم في الحسبان. وكانت تلك إحدى العقبات التي واجهها. وكان عليه أن يقلق من معارضة حلفائه في التحالف الشمالي القديم، والكثيرون منهم من الأقليات العرقية، من مثل الطاجيك والأوزبك، وقد اشتبهوا بأن كرزاي سيغدر بهم ويسلّمهم إلى أصدقائه الباشتون في طالبان. بدا واضحًا أن جمع كل هؤلاء اللاعبين والمصالح للتوصل إلى سلام دائم يشبه حلّ مكعّب روبيك.

وقد ضجت كابول، خريف العام ٢٠١٠، بتقارير عن قناة اتصال جديدة بين كرزاي وقيادة طالبان. عقد مساعدو كرزاي عددًا من الاجتماعات مع شخص عَبَرَ الحدود من باكستان وأمَّنت مروره قوات التحالف، ونُقِل من ثمّ بطائرة تابعة لحلف شمالي الأطلسي إلى كابول للقاء كرزاي نفسه. ادعى الرجل أنه الملا أختار محمد منصور، قائد رفيع المستوى في طالبان، وهو مستعد للتفاوض. وقد أكد بعض مقاتلي طالبان الموقوفين هويته حين رأوا صورته. كان ذلك احتمالًا مثيرًا.

سئلت والوزير غايتس عن صحة هذه التقارير في تشرين الأول/أكتوبر، في قمةٍ لحلف شمال الأطلسي في بروكسل، في بلجيكا. أكدنا دعمنا لاستطلاع أي مسعى من أجل مصالحة ذات صدقية، لكنني حذرت: «قد تبذل الكثير من الجهود المختلفة للوصول إليها، وقد تكون مشروعة أو غير مشروعة أو غير صادقة للتوصل إلى أي مصالحة بحسن نية».

وبررت الوقائع شكوكي، لسوء الحظ. بدأت القصة تتداعى في أفغانستان. أكّد بعض الأفغانيين الذين عرفوا منصور، أعوامًا، أن الرجل لا يشبهه في شيء. وذكرت صحيفة نيويورك تايمز في تشرين الثاني/نوفمبر أن الحكومة الأفغانية حددت هوية الرجل بأنه محتال، وليس عضوًا في قيادة طالبان. وأوردت مجلة ذي تايمز أن «الحدث يشبه فصلًا من رواية تجسس». بالنسبة إلى كرزاي، كان خيبة أمل مريرة.

وفي حين كان الأفغان ينتقلون من طريق مسدودة إلى أخرى، ركّز هولبروك وفريقه، بمن فيهم العلّامة المميز فالي نصر، على باكستان، التي اعتقدوا أنها أحد المفاتيح الرئيسة لحل اللغز

كاملًا. احتجنا إلى حمل الباكستانيين على المشاركة في صنع مستقبل أفغانستان، وإقناعهم بأن مصلحتهم من السلام تفوق ما تحققه لهم الحرب.

تشبَّث ريتشارد بـ «اتفاق تجاري للترانزيت» متعثر بين أفغانستان وباكستان، قبع في الأدراج ولم تعمل به الدولتان منذ ستينات القرن العشرين. إذا طبقتاه، فسيخفِّض الحواجز التجارية ويسمح بمرور البضائع والسلع الاستهلاكية عبر الحدود التي استخدمت غالبًا في الأعوام الأخيرة لتحركات القوات وشحنات الأسلحة. علّل منطقيًّا أن تمكُّن الأفغان والباكستانيين من تعاطي التجارة معًا، قد يجعلهم يتعلمون العمل معًا على مكافحة المتشددين الذين يهددونهم. وستُعزّز التجارة المتزايدة الاقتصاد على جانبي الحدود وتُقدِّم إلى الناس بدائل من التطرف والتمرد، من دون الإشارة إلى أن كل جانب ستكون له مصلحة مرهونة بنجاح الآخر. دفع نجاح البلدين إلى استئناف المفاوضات وحلِّ خلافاتهما العالقة.

سافرت إلى إسلام أباد، عاصمة باكستان، في تموز/يوليو ٢٠١٠، لأشهد على التوقيع الرسمي. جلس وزيرا التجارة الأفغاني والباكستاني جنبًا إلى جنب، يحدقان إلى المجلدات السميكة الخضر أمامهما، والتي تحمل الاتفاق النهائي. وقف ريتشارد وراءهما، إلى جانب رئيس الوزراء الباكستاني يوسف رضا جيلاني. راقبنا الرجلين يوقعان الاتفاق، ليقفا من ثمَّ ويتصافحا. رحب الجميع بهذه الخطوة الملموسة، آملين في أن تمثّل طريقة جديدة في التفكير، أكثر منها مجرد صفقة تجارية.

كانت تلك اللَّبِنَة الأولى من تصور عام أنشأناه وسميناه «طريق الحرير الجديدة»، وهي شبكة موسعة من الروابط التجارية والاتصالات التي ستجمع بين أفغانستنان وجيرانها، لتعطي كلًّا منهم حصة في تعزيز السلام والأمن المشترك. وخلال الأعوام القليلة التالية، صرفت الولايات المتحدة ٧٠ مليون دولار لتحسين الطرق الرئيسة بين أفغانستان وباكستان، بما في ذلك ممر خيبر الشهير. وشجعنا كذلك باكستان على شمول الهند ضمن لائحة «الدول المقربة» منها، والهند على رفع القيود عن الاستثمارات وتدفق الأموال الباكستانية، وما زالت العلاقات بين البلدين تتحسن، علمًا أن التنسيق بينهما في أي شأن كان من المهمات المستحيلة، نظرًا إلى انعدام ثقة إحداهما بالأُخرى. وبدأت الكهرباء من أوزبكستان وتركمانستان تُغذي الشركات الأفغانية، والقطارات تسير على خط السكك الحديد الجديد من الحدود الأوزبكية إلى مدينة مزار الشريف الأفغانية شمالًا. ووُضعت الخطط لبناء خط أنابيب قد ينقل يومًا ما قيمته مليارات من الدولارات من الغاز الطبيعي من آسيا الوسطى الغنية بموارد الطاقة، عبر أفغانستان، إلى آسيا الجنوبية المتعطشة إلى إمدادات الطاقة. كانت هذه التحسينات كافة، استثمارات طويلة الأمد لغدٍ أكثر سلامًا وازدهارًا، في منطقة أعاقها طويلًا عن التقدم، الصراع والتنافس. سار هذا التصور الجديد بطيئًا، لكنه بث في مدة محدودة شعورًا بالأمل وإمكان التقدم في أمكنة كانت تفتقر إليه في شدة.

لقد حاولت في إسلام أباد، في تلك الرحلة في تموز/يوليو ٢٠١٠ (وفي كل زيارة أُخرى)، أن أضغط على القادة في باكستان ليَعُدّوا الحرب مسؤولية مشتركة. احتجنا إلى مساعدتهم لإغلاق الملاذات الآمنة التي يدبِّر فيها متمردو طالبان الهجمات القاتلة عبر الحدود. وعلى ما أكّد ريتشارد دومًا، لن تنجح أي دبلوماسية في حلّ الصراع، من دون دعم باكستان. وفي مقابلة تلفزيونية مع خمسة صحافيين باكستانيين أُجريت في منزل السفير الأميركي – وقضت خطتي بأن أستفز الصحافة الباكستانية المعادية، لأظهر مدى جديتنا في الالتزام - سُئلت عن إمكان تحقيق مثل هذه التسوية، في حين ما زالت قواتنا تحارب في ساحة المعركة في الجانب الآخر. «لا يوجد تناقض بين محاولة كسر هؤلاء الذين عقدوا العزم على القتال، وفتح منفذٍ لأولئك الذين هم على استعداد للمصالحة والاندماج مجددًا في المجتمع»، على ما أجبت.

في الواقع، لم نفقد الأمل أنا وريتشارد، في أن يقبل قادة طالبان التفاوض يومًا ما. وحدثت تطورات مثيرة للاهتمام. قصد ريتشارد القاهرة خريف العام ٢٠٠٩، إذ أبلغه كبار المسؤولين المصريين أن عددًا من ممثلي حركة طالبان، بمن فيهم مساعد الزعيم الأعلى، الملا عمر، زاروهم أخيرًا. وأفاد كذلك دبلوماسي ألماني بداية العام ٢٠١٠ أنه اجتمع مع المساعد نفسه، هذه المرّة في منطقة الخليج العربي، وبدا أنه على اتصال مباشر بزعيم طالبان المراوغ. وأهم من ذلك كله، أراد إيجاد وسيلة للتحدث معنا مباشرة، على ما قيل.

رأى ريتشارد أنه مدخل لا بد من اختباره، في حين كان زملاؤنا في البنتاغون، ووكالة الاستخبارات المركزية، والبيت الأبيض مترددين. اتفق كثيرون في الرأي مع تحليل مراجعة ريدل، أن كبار قادة طالبان متطرفون لا يمكنهم أبدًا المصالحة مع حكومة كابول. اعتقد آخرون أن الوقت لم يحن بعد للمفاوضات. لقد بدأ للتو تعزيز القوات الأميركية، ويلزمها زمن لتفعل فعلها. لم يرغب البعض في مواجهة المخاطر السياسية التي ستنجم عن الانخراط مباشرة مع عدو مسؤول عن قتل الجنود الأميركيين. تفهمت هذا التشكيك، لكنني طلبت من ريتشارد أن يستكشف الأمر في هدوء.

بدأ ريتشارد الملحاح الاتصال بوسيط طالبان، الذي كشفت هويته التقارير الإعلامية لاحقًا بأنه سيِّد طيِّب آغا، المكنّى بـ «إيه - رود» (أي العصا)، اسمًا على مسمى. قال الألمان والمصريون، على السواء، إنه الصفقة الحقيقية، وهو موفد يحق له التكلم باسم الملا عمر وقيادة طالبان العليا. وافقهم النروجيون الرأي، وقد كانوا على اتصال بطالبان. لم نكن متأكدين، خصوصًا أن قنوات أخرى كانت متاحة، وتبيّن أنها فقاقيع صابون، لكننا شعرنا أن المسألة تستحق أن نسلكها حذرين.

في الخريف، وبينما كانت الحكومة الأفغانية تعاني الأمرَّين، دجلَ حركة طالبان، سرنا في اجتماع استكشافي أوّل في ألمانيا في سرية تامة. اتصل ريتشارد، بعد ظهر يوم أحد من تشرين الأول/أكتوبر، بنائبه فرانك روجيرو، الذي خدم مستشارًا مدنيًّا مع الجيش في قندهار، وطلب

منه أن يتهيَّأ للذهاب إلى ميونيخ للاجتماع مع «إيه - رود». كان روجيرو في السيارة مع ابنته ذات الأعوام السبعة، يعبران جسر بنجامين فرانكلين في فيلادلفيا. قال له ريتشارد أن يتذكر هذه اللحظة، لأننا قد نكون نصنع التاريخ. (هذا هو هولبروك على حقيقته، مع ميله الذي لا يُكبت إلى الدراما. رأى نفسه يصارع التاريخ واعتقد دومًا أنه سينتصر).

وقد أعطى ريتشارد روجيرو تعليماته النهائية، بعد يوم على عيد الشكر. «أهم هدف من الاجتماع الأوّل، أن نحصل على آخر»، على ما قال له. «كُن دبلوماسيًّا، ولا تتخطَّ الخطوط الحمر التي أذنت بها الوزيرة، وقُدْهُم إلى التفاوض. الوزيرة تتابع الموضوع عن كثب، لذا اتصل بي لحظةَ ينتهي الاجتماع». وكانت الخطوط الحمر، الشروط نفسها التي رددتُها طوال عام: إذا أرادت طالبان حقًّا الوصول إلى سلام، عليها وقف القتال، وقطع علاقاتها بالقاعدة، وقبول الدستور الأفغاني، بما في ذلك المواد المتعلقة بحماية حقوق المرأة. كانت هذه الشروط غير قابلة للتفاوض. ولكن، إلى ما بعد ذلك، على ما قلت لريتشارد، كنت منفتحةً على دبلوماسية خلاقة قد تقودنا إلى السلام.

وصل روجيرو وجيف هايز، من موظفي مجلس الأمن القومي في البيت الأبيض، بعد يومين إلى منزل هيَّأه الألمان في قرية خارج ميونيخ. كان المضيف مايكل شتاينر، المبعوث الألماني الخاص إلى أفغانستان وباكستان. كان إيه - رود شابًّا، في آخر العقد الثالث، لكنه عمل مع الملا عمر منذ أكثر من عقد، وهو يتكلّم الإنكليزية، وذو خبرة في الدبلوماسية الدولية، على عكس الكثيرين من قادة طالبان. وافق المجتمعون على ضرورة الحفاظ على السرية التامة، ومنع أي تسرب؛ إذا عرف الباكستانيون بهذا الاجتماع، قد يقوِّضون المحادثات على ما فعلوا في جهود كرزاي سابقًا.

تحدث المجتمعون طوال ست ساعات، يتحسس أحدهم أخبارًا عن الآخر في حذر، ويخوضون، في عناية، في القضايا الشائكة المطروحة للبحث. هل يمكن الوصول مع الأعداء الألدّاء إلى نوعٍ من التفاهم يضع حدًّا للحرب ويعيد بناء الدولة التي دمرتها؟ بعد أعوام من القتال، كان صعبًا جدًّا أن نجلس معًا ونتحدث وجهًا لوجه، فليثق أحدنا بالآخر، أقلّه. شرح روجيرو شروطنا. بدا أن همّ طالبان الأوّل، مصير مقاتليها المحتجزين في خليج غوانتانامو وسجونٍ أُخرى. وفي كل نقاش عن السجناء، طالبنا بالإفراج عن الجندي الرقيب بوي بردغال، الذي أُسر في حزيران/يونيو ٢٠٠٩. لن يتم أي اتفاق في شأن الأسرى، ما لم يعد الرقيب إلى دياره.

توجه ريتشارد في اليوم التالي إلى مطار دولز في فيرجينيا للقاء روجيرو. لم يستطع الانتظار للحصول على تقرير مباشر، لينقل إليّ المعلومات لاحقًا. جلسا في مطعم هاري في المطار، وتحدث روجيرو فيما تناول ريتشارد التشيزبرغر.

جاء روجيرو وريتشارد إلى مكتبي في الطبقة السابعة في وزارة الخارجية للاجتماع معي في حضور جاك سوليفان، للبحث في طريقة السير في المفاوضات قدمًا، في ١١ كانون الأول/ديسمبر ٢٠١٠، بعد أيام قليلة على عودة روجيرو من ميونيخ. كنا منشغلين آنذاك أيضًا بمراجعة السياسة العامة التي وعد بها الرئيس أوباما حين وافق على زيادة عدد القوات. لن يقول أحد إن الأمور تسير على أفضل ما يرام في أفغانستان، ولكن أمكن ملاحظة بعض التطورات المشجعة. ساعدت القوات المضافة على الحدّ من قوة طالبان، وتحسن الوضع الأمني في كابول والمحافظات الرئيسة، من مثل هلمند وقندهار. وقد بدأت جهودنا الإنمائية بإحداث فارق في الاقتصاد، ودبلوماسيتنا مع المنطقة والمجتمع الدولي تكسب زخمًا.

وكنت سافرت مع الرئيس أوباما في تشرين الثاني/نوفمبر إلى قمة لقادة حلف شمال الأطلسي في لشبونة، في البرتغال. أكدت القمة المهمةَ المشتركة في أفغانستان، ووافَقت على مسار نقل مسؤولية حفظ الأمن إلى القوات الأفغانية بحلول نهاية العام ٢٠١٤، مع التزام حلف شمال الأطلسي الدائم حماية الأمن والاستقرار في البلد. وأهم من ذلك، بعثت القمة برسالة قوية تؤكد مساندة المجتمع الدولي لاستراتيجية الرئيس أوباما، التي أعلنها في ويست بوينت. تساعد زيادة القوات الأميركية، المدعومة من تلك التابعة لحلف شمال الأطلسي وشركائنا في التحالف، على تهيئة الظروف للتحولات السياسية والاقتصادية، فضلًا عن انتقال مسؤولية حفظ الأمن، وإرساء الأسس للحملة الدبلوماسية. كانت هناك خارطة طريق واضحة لإنهاء العمليات العسكرية الأميركية والدعم المستمر اللذين عرفناهما ضروريين لبقاء الديمقراطية الأفغانية. لدينا الآن قناة سرية مع قيادة طالبان، بدت حقيقية، وقد تقود يومًا إلى محادثات سلام فعلية بين الأفغان. (اختصرت الناطقة باسمي توريا تولاند، بموهبتها الفذة في الاقتباس، جهودنا المشتركة الثلاثة لهذه المرحلة بعبارة «حارِب، فاوِض، ابنِ»، وقد راقني جدًّا هذا الاختزال).

وقد تحمس ريتشارد جدًّا للزخم الذي انتجته قمة لشبونة، وردَّد طوال مراجعتنا السياسية لمن يود أن يسمع، أن الدبلوماسية يجب أن تكون عنصرًا رئيسًا في استراتيجينا المتقدمة. في ١١ كانون الأول/ديسمبر، تأخر على الاجتماع في مكتبي، موضحًا أنه انشغل مع السفير الباكستاني أوّلًا، وفي البيت الأبيض من ثمّ. وكان على عادته، يضج بالأفكار والآراء. وبينما كنا نتحدث، هدأ فجأة، واحمرّ وجهه بطريقة تنذر بالخطر. «ما الأمر ريتشارد؟»، سألته. عرفتُ للتوّ أن الوضع خطير. نظر إلي وقال: «شيء فظيع يحدث». بدا شكله مذريًا، فأصررت على أن يقصد الفريق الطبي في الطبقة السادسة من مبنى وزارة الخارجية. وافق على مضض، وساعده على الوصول إلى هناك جايك، وفرانك، وكلير كولمان مساعدتي التنفيذية.

أرسل فورًا الفريق الطبي ريتشارد إلى مستشفى جامعة جورج واشنطن القريبة. نزل بالمصعد

إلى المرأب حيث نقلته سيارة أسعاف، وقد رافقه دان فلدمان، أحد مساعديه المقربين. حين وصل إلى غرفة الطوارئ، عاين الأطباء تمزقًا في الشريان الأورطي، وأخضعوه فورًا لجراحة دامت إحدى وعشرين ساعة. كان الضرر شديدًا، والتشخيص لا ينذر بالخير، لكن أطباء ريتشارد لم يستسلموا.

كنت في المستشفى حين انتهت الجراحة. كان الأطباء «متفائلين في حذر»، وقالوا إن الساعات القلية المقبلة، دقيقة وحاسمة. وتجمّع هناك، إلى جانب كاتي، زوجته، وأولادهم، أصدقاؤه الكثر. وتطوع فرق عمله في وزارة الخارجية لتبادل نوبات العمل، لمساعدة كاتي على استقبال سيل الزوار في البهو، وطوال ساعات مديدة، لم يغادر أحدهم المستشفى. وتلقى مركز خدمات الهاتف في المستشفى اتصالات لا تحصى من قادة العالم القلقين على وضع ريتشارد، وأصرّ الرئيس الباكستاني آصف علي زرداري، على التحدث إلى كاتي للاطمئنان، وأفادها أن الناس في مختلف أنحاء باكستان يصلّون من أجل زوجها.

ظل ريتشارد متمسكًا بأهداب الحياة، صباح اليوم التالي، وقرر الأطباء ضرورة إجراء جراحة أُخرى، في محاولةٍ لوقف النزيف المستمر. رفعنا جميعًا الصلوات، وبقيت على مقربة من المستشفى، على ما فعل كثيرون آخرون يحبّون ريتشارد. اتصل الرئيس كرزاي حوالى الحادية عشرة صباحًا، وتحدثّ مع كاتي. «من فضلك، أبلغي زوجك أننا نحتاج إليه ليعود إلى أفغانستان». وفيما هما يتحادثان، تلقت كاتي مكالمة أخرى من الرئيس زرداري، الذي وعد بمعاودة الاتصال. كان سيسر ريتشارد بأن هذا العدد من الناس الذائعي الصيت أمضى ساعات وساعات لا يتحدث عن شيء إلا عنه. كم سيكره أن يفوته الأمر.

بعد الظهر، أفاد طبيب ريتشارد الجرّاح، الذي صودف أنه من باكستان، أنَّ «وضع ريتشارد يميل إلى التحسن»، على الرغم من بقائه في حالٍ حرجة. تعجب الأطباء من صلابته وشدة مقاومته من أجل البقاء. بالنسبة إلينا، نحن الذين نعرفه ونحبه، لم يكن الأمر مفاجئًا إطلاقًا.

بعد ظهر الاثنين، وإذ بقي وضع ريتشارد على حاله، وافقت كاتي وعائلتها على الانضمام إلى احتفال مقرر منذ مدة طويلة للسلك الدبلوماسي في وزارة الخارجية، في حضور الرئيس أوباما. رحبتُ بالجميع في قاعة بنيامين فرانكلن في الطبقة الثامنة، وبدأت ببضع كلمات عن صديقنا الذي يصارع من أجل الحياة، على بعد بضعة مبانٍ فقط. قلت إن الأطباء «يتعلمون ما عرفه الدبلوماسيون والطغاة في العالم منذ زمن طويل: لا يوجد أصلب من ريتشارد هولبروك».

لكنَّ الوضع ساء بعد ساعات قليلة. توفي ريتشارد هولبروك حوالى الثامنة مساءً في ١٣ كانون الأول/ديسمبر ٢٠١٠، وكان في التاسعة والستين فقط. بدا انزعاج الأطباء جليًّا لأنهم عجزوا عن إنقاذه، لكنهم لحظوا أن ريتشارد وصل إلى المستشفى بوجاهةٍ غير مألوفة لشخصٍ في وضعه

الصحي الخطير. دخلت غرفته في هدوء مع عائلته: كاتي، ابناه دافيد وأنتوني، ولداه من زواجه الأول، إليزابيث وكريس، وزوجة ابنه ساره، لأنضم من ثمّ إلى حشدٍ من الأصدقاء والزملاء في الطبقة السفلى. بكى الناس وهم يتحدثون عن ضرورة الاحتفاء بما حققه ريتشارد في حياته، وإنما أيضًا مواصلة العمل الذي كرّس له نفسه.

وقرأت بصوتٍ عالٍ على المجتمعين البيان الرسمي الذي أصدرته للتو: «فقدت أميركا الليلة أحد أشرس أبطالها وموظفيها العامين الموهوبين. خدم ريتشارد هولبروك البلد الذي أحبه طوال نصف قرن تقريبًا، ممثلًا الولايات المتحدة في مناطق الحرب البعيدة ومحادثات السلام الرفيعة المستوى، دائمًا في تألق بارز وعزم لا مثيل له. كان فريدًا من نوعه، رجل دولة حقيقيًّا، وهذا ما يجعل وفاته أكثر إيلامًا». شكرت الطاقم الطبي وجميع الذين رفعوا الصلوات وقدموا الدعم طوال الأيام الماضية. «على عادته، قاتل ريتشارد حتى اللحظة الأخيرة. تعجب الأطباء من صلابته وقوة إرادته، ولكن بالنسبة إلى أصدقائه، كان هذا ريتشارد الذي عرفوه».

بدأ الجميع يتبادلون قصصهم المفضلة عن ريتشارد ويستعيدون مآثر هذا الرجل المميز. بعد قليل، وفي خطوةٍ أعتقد أن ريتشارد كان ليوافق عليها، توجَّهت مجموعة كبيرة منا إلى مقهى فندق ريتز كارلتون القريب. عقدنا طوال ساعات جلسة مرتجلة واحتفلنا بذكرى ريتشارد. كان للجميع حكايات رائعة ليرووها، بكينا وضحكنا بالقدر نفسه، وأحيانًا في آنٍ واحد. درّب ريتشارد جيلًا كاملًا من الدبلوماسيين، كثرٌ منهم تحدث في شكلٍ مؤثر عمّا عنى له أن يكون ريتشارد معلمه، وكيف أثّر في حياته ومسيرته المهنية. وأخبرنا دان فيلدمان أنّ ريتشارد قال، وهو في الطريق إلى المستشفى، إنه يَعُدُّ فريقه في وزارة الخارجية «الأفضل بين الذين عمل معهم يومًا».

شارك أصدقاء ريتشارد وزملاؤه من مختلف أنحاء العالم في منتصف كانون الثاني/يناير، في مركز كنيدي في واشنطن، في صلاة جنائزية إحياءً لذكراه. كان من جملة من أبّنه، الرئيس أوباما، وزوجي. تكلمتُ ختامًا. حين نظرت إلى الحشد الكبير، وتلك شهادة على أصالة ريتشارد في صداقته، تذكرت كم سأفتقد وجوده إلى جانبي. «قلّةٌ من الناس في أي زمن، وخصوصًا في زمننا، تستطيع أن تقول: أوقفتُ حربًا. صنعتُ سلامًا. أنقذتُ أرواحًا. ساعدتُ دولًا في لأم جراحها. ريتشارد هولبروك قام بهذه الأمور»، على ما قلت، وأضفت: «هذه خسارة شخصية وخسارة لبلدنا. تنتظرنا تحديات كثيرة، والأفضل لو كان ريتشارد هنا، يقودنا جميعًا إلى الجنون في ما يجب القيام به».

لم أشأ أن أترك وفاة ريتشارد تعيق العمل الذي التزمه إلى أقصى الحدود، وهذا ما شعر به فريق

عمله. كنا ناقشنا فكرة خطاب مهم عن احتمالات السلام والمصالحة في أفغانستان. وكنت على ثقة بأن ريتشارد يريدنا المضي به قدمًا. لذا تركنا حزننا جانبًا، واستأنفنا العمل.

طلبت من فرانك روجيرو أن يكون مبعوثنا الرسمي، وأرسلته إلى كابول وإسلام أباد في الأسبوع الأول من كانون الثاني/يناير ٢٠١١، ليُعلم كرزاي وزرداري بما أخطط لقوله. أردت أن أُعطي ثقلًا وزخمًا لفكرة المصالحة مع طالبان، وأردناهما أن يكونا مستعدَّين. كان كرزاي ملتزمًا، ومشجعًا، ومشككًا في آن. «ما الذي تبحثون فيه فعلًا مع حركة طالبان تلك؟»، على ما سأل. كان قلقًا، تمامًا مثل الباكستانيين، أن نعقد صفقة من دونه، ونتركه عرضة للخطر.

وفي حين كنت أعمل على الخطاب مع فريق العمل في واشنطن، توجه روجيرو إلى قطر لاجتماع ثان مع إيه - رود، وسيطنا مع طالبان. كنا متخوفين من شرعيته وقدرته على نقل المعلومات إلى طالبان، لذا اقترح روجيرو اختبارًا. طلب من إيه - رود أن يبث سلاح البروباغندا بيانًا يحتوي كلمات معينة. إذا فعلوا، فسنعلم أنه على اتصال بهم. في المقابل، قال روجيرو لإيه - رود إنني في خطابي المقبل، سأفتح بابًا للمصالحة بأقوى لغةٍ استخدمها أحد المسؤولين الأميركيين حتى اليوم. وافق إيه - رود ووعد بأن ينقل الرسالة إلى رؤسائه. صدر البيان لاحقًا بالعبارات المتفق عليها.

وقد وجب علي أن أختار خلفًا لهولبروك قبل أن أنهي خطابي. يستحيل أن يملأ أحد مركزه، لكننا احتجنا إلى دبلوماسي كبير آخر ليقود فريق عمله ويواصل المهام المطلوبة. استنجدت بمارك غروسمان، وهو سفير متقاعد محترم، التقيته أثناء خدمته في تركيا. ومارك هادئ، لا يحب الظهور، وصورة معاكسة تمامًا لسلفه، لكنه أظهر مهارة فريدة ودقة في العمل.

انتقلت إلى نيويورك منتصف شباط/فبراير، وذهبت إلى جمعية آسيا التي تولى ريتشارد مرة رئاسة مجلسها، لألقي محاضرة باسمه، وقد أصبحت على مرّ الزمن تقليدًا سنويًا. بدأت بعرض تفاصيل الزيادة العسكرية والمشاركة المدنية اللتين أعلنهما الرئيس أوباما في ويست بوينت. شرحت من ثمّ، أننا أضفنا جهدًا كبيرًا ثالثًا، يرتكز على الدبلوماسية، يهدف إلى توجيه الصراع نحو حل سياسي قد يكسر التحالف بين القاعدة وطالبان، لينهي التمرد، ويساعد على تحقيق الاستقرار في أفغانستان وفي المنطقة ككل. كان ذلك تصوّرنا منذ البداية، وما جادلت في شأنه وأكدته في عملية المراجعة السياسية للرئيس أوباما، عام ٢٠٠٩. باتت هذه الآلية تتحرك إلى الأمام ونحو الهدف مباشرة.

ولكي يفهم الأميركيون استراتيجيتنا، من المهم أن نوضح لهم الفارق بين إرهابيي القاعدة الذين هاجمونا في ١١ أيلول/سبتمبر ٢٠٠١، وطالبان التي تضم متطرفين أفغانًا يتمردون على

الحكومة في كابول. وقد دفع متمردو طالبان ثمنًا باهظًا لقرارهم، عام ٢٠٠١، حين تحدّوا المجتمع الدولي وحموا القاعدة. ويجبرهم، راهنًا، الضغط المتصاعد لحملتنا العسكرية على اتخاذ قرار مشابه. إذا وافقت طالبان على معاييرنا الثلاثة، يمكن أفرادَها الانخراطُ في المجتمع الأفغاني. «هذا هو الثمن للوصول إلى قرار سياسي يضع حدًّا للأعمال العسكرية التي تستهدف قيادتهم وتفتك بصفوفهم»، على ما قلت، وتضمن كلامي تحولًا خفيًّا في الأسلوب، وإنما مهمٌّ، لأصف هذه الخطوات بأنها «حصيلة ضرورية» لأي تفاوض، بدلًا من استخدام «شروط مسبقة». كان تغييرًا بسيطًا، لكنه سيمهد الطريق لإجراء محادثات مباشرة.

وأعترف، على ما فعلت مرات كثيرة سابقًا، بأن فتح باب للمفاوضات مع طالبان لن يتقبله أميركيون كثر بعد أعوام من الحرب. كانت إعادة دمج المقاتلين العاديين فكرةً بغيضةً بما يكفي؛ التفاوض مباشرةً مع كبار القادة العسكريين، أمر مختلف تمامًا. ولكن، قد يسهل العمل الدبلوماسي إذا تعاملنا فحسب مع أصدقائنا، والسلام لا يُصنَع بهذه الطريقة. أدرك الرؤساء الذين عايشوا الحرب الباردة ذلك، حين تفاوضوا مع السوفيات على اتفاقات الحد من التسلح. وعلى ما قال الرئيس كنيدي: «يجب ألّا نفاوض أبدًا بدافع من الخوف، وإنما يجب ألّا نخاف من التفاوض»، كرس ريتشارد هولبروك حياته للقيام بذلك، وفاوض طاغية شنيعًا مثل ميلوسيفيتش لأن ذلك أفضل طريقة لإنهاء حرب.

وقد ختمت خطابي بحث باكستان والهند وغيرهما من دول المنطقة على دعم عملية السلام والمصالحة، التي من شأنها أن تعزل القاعدة وتمنح الجميع شعورًا جديدًا بالأمان. إذا استمر جيران أفغانستان في عَدّ الأخيرة ميدانًا لتنفيس صراعاتهم، لن ينجح السلام أبدًا. سيتطلب الأمر دبلوماسية مضنية، ولكن كنا في حاجة إلى التفاوض في الداخل مع الأفغان، وفي الخارج مع دول المنطقة.

ولقد تصدر الخطاب بعض عناوين الصحف الرئيسة المحلية، لكنه هزّ العواصم الأجنبية، خصوصًا كابول وإسلام أباد. أدرك جميع الأطراف آنذاك أننا جادون في مواصلة عملية السلام مع طالبان. ووصف أحد الدبلوماسيين في كابول تأثير الخطاب بأنه «تحول زلزالي» سيشجع جميع الجهات على السعي النَّشِط إلى السلام.

كانت الغارة التي نفذتها القوات الخاصة التابعة للبحرية الأميركية، والتي قتلت أسامة بن لادن في مجمع في أبوت أباد، في باكستان، في أيار/مايو ٢٠١١، انتصارًا كبيرًا في المعركة ضد تنظيم القاعدة، ونقطة سوداء إضافية في علاقتنا المتوترة أصلًا مع باكستان. لكنني اعتقدت أنها قد

تقوي موقفنا مع طالبان. بعد خمسة أيام على الغارة، التقى روجيرو إيه - رود للمرة الثالثة، ولكن في ميونيخ مجددًا. طلبت منه تمرير رسالة مباشرة مني: مات أسامة بن لادن؛ إنه الوقت المناسب لتقطع طالبان علاقتها بالقاعدة نهائيًا، وتخلّص نفسها، وتصنع السلام. لم يبدُ إيه - رود متأثرًا لموت بن لادن، وظل مهتمًّا بالتفاوض معنا.

بدأنا بمناقشة التدابير التي يحتاج إليها الطرفان لتوطيد الثقة المتبادلة. وطلبنا من طالبان إصدار بيانات رسمية تؤكد انفصالها عن تنظيم القاعدة والإرهاب الدولي، والتزامها المشاركة في عملية السلام مع كرزاي وحكومته. أرادت طالبان، من جهتها، أن يُسمح لها بفتح مكتب سياسي في قطر، يوفّر مكانًا آمنًا لإجراء المفاوضات والانخراط في العملية في المستقبل. لم نعارض الفكرة، لكنها أثارت عددًا من التحديات. يعُدُّ المجتمع الدولي الكثيرين من قادة طالبان إرهابيين، ولا يمكنهم الظهور علنًا من دون التعرض لملاحقة قانونية. ويجب أن توافق باكستان كذلك على تحركاتهم العلنية. ومن الممكن جدًّا أن يرى كرزاي في موقع طالبان المتقدم في قطر تهديدًا مباشرًا لشرعيته وسلطته. بدا أن التحكم بكل هذه المخاوف ممكن، لكنها ستتطلب دبلوماسية حاذقة، متأنية.

اتفقنا، في خطوةٍ أولى، على أن نبدأ بالعمل مع الأمم المتحدة لتزيل أسماء بعض أعضاء طالبان الكبار عن لائحة الإرهابيين المطلوبين للعدالة، التي تفرض حظرًا على سفرهم وتنقلاتهم. ووافق مجلس الأمن الدولي سريعًا على التفريق بين لائحتي طالبان والقاعدة، ومعالجة كل منهما على حدة - وهذا دليل مباشر إلى ضرورة التفريق بين التنظيمين الذي قدمته في خطابي - مما سمح لنا بالتحرك بمرونة أكبر. وأرادت طالبان الإفراج عن مقاتليها في غوانتانامو؛ لكننا لم نكن بعد مستعدين لاتخاذ هذه الخطوة.

وقد سرّب المسؤولون الأفغان منتصف أيّار/مايو معلومات عن محادثاتنا السرية مع طالبان، وذكروا اسم آغا على أنه وسيطنا معها، إلى صحيفة واشنطن بوست ومجلة دير شبيغل الأسبوعية الألمانية. أدركت طالبان سرًّا أن التسريب لم يأتِ من جهتنا، لكنها عبَّرت علنًا عن غضبها وعلقت المحادثات اللاحقة. أما السلطات الباكستانية المستاءة أساسًا من الغارة على بن لادن، فقد ثارت حفيظتها بسبب إبعادها عن محادثاتنا مع طالبان. تحركنا سريعًا لضبط الوضع. ذهبت إلى إسلام أباد وأعلمت الباكستانيين في شأن اتصالاتنا مع طالبان وطلبت منهم عدم معاقبة إيه - رود. طلبت أيضًا من روجيرو السفر إلى الدوحة وتمرير رسالة إلى طالبان عبر القطريين، تحثهم على العودة إلى طاولة المفاوضات. وبداية تموز/يوليو، أعلمنا القطريون أن آغا مستعد لاستئناف المحادثات.

استؤنفت المحادثات فعلًا في الدوحة في آب/أغسطس. وسلّم إيه - رود روجيرو رسالةً إلى الرئيس أوباما، قال إنها من الملا عمر شخصيًّا. ودار جدل في الإدارة الأميركية على بقاء الملا

عمر على قيد الحياة، وتسلمه وحده مسؤولية قيادة طالبان والتمرد. ولكن، إن كانت الرسالة من الملا عمره أو غيره من القادة الكبار، فلهجتها ومضمونها بَدَوَا مشجعَين، إذ ورد فيها أن الأوان قد آن ليتخذ الجانبان خيارات صعبة في شأن المصالحة والعمل على إنهاء الحرب.

وأجرِيَتْ مناقشات بناءة في شأن فتح طالبان مكتبًا في الدوحة وإمكان تبادل السجناء. وانضم مارك غروسمان إلى المحادثات للمرّة الأولى، وساعدته لمسته الشخصية على السير بالأمور إلى الأمام.

زرت كابول في تشرين الأول/أكتوبر، فقال لي كرزاي، في حضور سفيرنا ريان كروكر ذي الخبرة الواسعة، والذي جمعته علاقة جيدة به، إنه متحمس جدًّا لما نقوم به، ودعانا إلى «الإسراع» في تحقيق المشروع. وبدأت في واشنطن مناقشات جدية تتعلق بقابلية نجاح عملية محدودة لإطلاق الأسرى، على الرغم من أن البنتاغون لم يدعم الفكرة، ولم يكن متأكدًا من إمكان توفير الظروف الملائمة للموافقة على مكتب لطالبان في قطر. مع ذلك، بدت الأمور تسير على ما يرام، نهاية الخريف. فقد تقرر عقد مؤتمر دولي كبير عن أفغانستان في بون، في ألمانيا، في الأسبوع الأول من كانون الأول/ديسمبر. كان هدفنا إعلان افتتاح المكتب الذي سيتم مباشرة بعد المؤتمر. سيكون ذلك الدليل الملموس إلى أن عملية سلام حقيقي تأخذ مجراها.

وشكّلت بون جزءًا من الحملة الدبلوماسية التي أعلنتها في خطابي في جمعية آسيا، وهي تهدف إلى تعبئة المجتمع الدولي الأوسع لمساعدة أفغانستان على تحمل مسؤولياتها في مواجهة التحديات الكثيرة التي تنتظرها. ساعد غروسمان وفريقه على تنظيم سلسلة من القمم والمؤتمرات في اسطنبول وبون وكابول وشيكاغو وطوكيو. والتزم المجتمع الدولي في طوكيو، عام ٢٠١٢، تقديم مساعدات اقتصادية إلى أفغانستان، حتى العام ٢٠١٥، لتستعد لـ «عقد من التغيير»، يتميز بتقليل المساعدات وزيادة التجارة. وبدءًا من العام ٢٠١٥، سيفوق تمويل قوات الأمن الوطنية الأفغانية ما قيمته أربعة مليارات دولار سنويًّا. تبقى قدرة الأفغان على تحمل مسؤوليات أمنهم الخاص شرطًا أساسيًّا لتحقيق أي شيء يتمنونه في المستقبل.

وقد تحوّل مؤتمر بون في كانون الأول/ديسمبر ٢٠١١ كارثةً قوضت جهودنا لتحقيق السلام. إذ عارض كرزاي المتقلب الطبع فكرة افتتاح مكتب لطالبان في قطر، معنفًا غروسان وكروكر. «لِم لم تعلماني بأمر هذه المحادثات؟»، على ما سأل، علمًا أنه قبل أشهر قليلة حثّنا على التعجيل فيها. تخوف كرزاي مجددًا من أن يُستبعد وتتزعزع سلطته. وقد قضت خططنا دومًا بأن تؤدي هذه المحادثات بين الولايات المتحدة وطالبان، إلى مفاوضات موازية بين الحكومة الأفغانية والمتمردين. وتوافقنا على هذا التسلسل للأمور مع إيه - رود، وناقشناه مع كرزاي. لكن الأخير أصرّ آنذاك على أن يحضر ممثلون عنه، الاجتماعات المقبلة بيننا وبين طالبان. رفض إيه - رود

هذا الاقتراح حين عرضه غروسمان وروجيرو، وعدّ، من وجهة نظره، أننا نغير قواعد اللعبة. فانسحبت طالبان مجددًا من المحادثات في كانون الثاني/يناير ٢٠١٢.

وصعبت إعادتهم إلى المحادثات هذه المرة، ودخلت عملية السلام في نوم عميق. مع ذلك، وبناءً على تصريحات علنية مختلفة طوال العام ٢٠١٢، بدا أن نقاشًا يدور في صفوف طالبان على فوائد المفاوضات، في مقابل الاستمرار في القتال. وأعلنت شخصيات رئيسة أن الحل التفاوضي أمر لا بدّ منه، لتعكس بذلك رفضًا قاطعًا استمر طوال عقد. لكن الآخرين التزموا، في قوة، خيار المعارضة. وفي نهاية العام ٢٠١٢، ظل الباب مفتوحًا أمام المصالحة، وإنما في جانب منه.

قبل أن أغادر منصبي بوقت قليل، دعوت الرئيس كرزاي إلى مأدبة عشاء في كانون الثاني/يناير ٢٠١٣، مع وزير الدفاع ليون بانيتا وعدد قليل من كبار المسؤولين، في وزارة الخارجية في واشنطن. اصطحب كرزاي معه رؤساء مجلسه الأعلى للسلام ومستشارين كبارًا آخرين. اجتمعنا في قاعة جيمس مونرو في الطبقة الثامنة، تحيط بنا تحف تعود إلى الأيام الأولى للجمهورية الأميركية، وتحدثنا عن مستقبل الديمقراطية في أفغانستان.

مضى أكثر من ثلاثة أعوام مذ تناولت العشاء مع كرزاي عشية تنصيبه. واليوم، كنت على وشك أن أسلِّم مهامي في وزارة الخارجية إلى السيناتور كيلي، وستجرى قريبًا انتخابات في أفغانستان لاختيار خليفة لكرزاي، أو هذا ما خُطِّط له، أقلّه. تعهد كرزاي علنًا التزام الدستور وترك منصبه عام ٢٠١٤، لكن معظم الأفغان تساءلوا هل يفي بالوعد. فالانتقال السلمي للسلطة من حاكم إلى آخر، اختبار حاسم لأي ديمقراطية، وليس خارجًا عن المألوف لقادة هذه المنطقة من العالم (وغيرها أيضًا) إيجاد سبل لتمديد ولاياتهم.

وقد حضضتُ كرزاي على البقاء على عهده، في خلوةٍ طويلة جمعتنا قبل العشاء. إذا استطاعت حكومة كابول التعامل بصدقية مع مواطنيها، وتقديم الخدمات، وتطبيق العدالة في شكل صحيح وفاعل، فسيقوض ذلك الميل إلى التمرد ويزيد احتمالات المصالحة الوطنية. ويتوقف على جميع المسؤولين الحكوميين، وخصوصًا كرزاي، احترام الدستور وسيادة القانون. فالإشراف على انتقال دستوري، فرصة لكرزاي لتعزيز إرثه كأبٍ لأفغانستان الديمقراطية، التي يسودها الأمن والسلام.

أدركت كم سيصعب الأمر عليه. كان بهو مبنى الكابيتول في واشنطن مقرًّا لسلسلة لوحات وطنية معبّرة، تصوِّر لحظات فخر من الأيام الأولى لديمقراطيتنا، منذ رحلة روّاد الهجرة[1] إلى النصر في يورك تاون. وهناك لوحة خصوصًا، اعتقدت دومًا أنها تحاكي روح بلدنا الديمقراطي،

---

(١) جماعةٌ من الإنكليز كانوا أول من هاجر إلى أميركا. (المترجم)

تمثّل الجنرال جورج واشنطن يدير ظهره للعرش المقدم إليه، ويتخلّى عن مهامه قائدًا عامًّا للجيش. سيُنصَّب رئيسًا لولايتين، لينسحب طوعًا من الحكم. كان فعل نكران الذات هذا، السمة المميزة لديمقراطيتنا، ويُعَدُّ أهمّ من انتصار انتخابي أو حفلة تنصيب لتسلم الحكم. إذا أراد كرزاي أن يتذكره الناس على أنه جورج واشنطن أفغانستان، عليه أن يحذو حذوه ويتخلى عن العرش.

والموضوع الثاني الذي أثرته مع كرزاي تعلّق بعملية السلام المتعثرة مع طالبان. وكرزاي هو من أوقفها نهاية العام ٢٠١١، فأردته أن يعيد النظر في هذا الشأن. إذا انتظرنا إلى أن تبدأ القوات الأميركية بالانسحاب من أفغانستان، فسيضعف موقفنا، أنا وهو، أمام طالبان. الأفضل أن نفاوض من موقع قوة.

وطرح كرزاي خلال العشاء سلسلة أسئلة تعبّر عن مخاوفه المألوفة: كيف نتحقق من أن مفاوضي طالبان يتكلمون فعلًا باسم القيادة؟ هل يقبض الباكستانيون على خيوط اللعبة من إسلام أباد؟ من يقود المحادثات، الأميركيون أم الأفغان؟ وأجبت عن أسئلته، واحدًا تلو آخر. حاولت أن يقاسمني شعوري أن هناك حاجة ملحة إلى تحريك عملية المفاوضات، واقترحت خطة لا تتطلب منه الاتفاق مباشرة مع طالبان على فتح مكتب لها في قطر. كل ما كان عليه القيام به، على ما قلتُ، إصدار بيان رسمي يدعم الفكرة، وأطلب من ثمّ، من أمير قطر توجيه دعوة إلى طالبان لاستئناف التفاوض، ويكون الهدف فتح المكتب وتنظيم اجتماع بين المجلس الأعلى الأفغاني للسلام وممثلين عن طالبان في غضون ثلاثين يومًا. وفي حال فشل المسعى الأخير، يُقفَل المكتب. وبعد نقاشٍ عسير، وافق كرزاي أخيرًا.

وفي حزيران/يونيو ٢٠١٣، بعد أشهر قليلة على مغادرتي وزارة الخارجية، افتُتِح أخيرًا مكتب طالبان للمفاوضات في قطر. لكنَّ التفاهم الجديد، الذي تطلّب الوصول إليه أعوامًا، انهار في أقلَّ من شهر. رفعت طالبان علمًا في حفلة الافتتاح معلنةً أنّه يمثّل «إمارة أفغانستان الإسلامية»، الاسم الرسمي الذي حملته البلاد في العقد التاسع من القرن العشرين، حين تولّت هي السلطة. وكنا أوضحنا منذ البداية أن استعمال المكتب بهذه الطريقة لن يكون مقبولًا. كان هدفنا دائمًا تعزيز النظام الدستوري في أفغانستان، وعلى ما أكدتُ لكرزاي، سنظل متمسكين بسيادة البلد ووحدته. ولأسباب مفهومة، كاد كرزاي يصاب بالسكتة الدماغية. بدا المكتب بالنسبة إليه أشبه بمقر حكومة في المنفى من مكانٍ للتفاوض، وهو ما خشيه دائمًا. رفضت طالبان التراجع عن موقفها، فقُطِعت العلاقات، وأُغلِق المكتب.

حين أستعرض، اليوم، كل ذلك، كمواطنة عادية، أشعر بالخيبة، لكنني لست متفاجئة. لو كان صُنْع السلام سهلًا، لتمّ منذ زمن بعيد. عرفنا أن القناة السرية مع طالبان تسديدة بعيدة، وعرضة للفشل أكثر من النجاح، لكنها كان تستحق التجربة. وأعتقد أننا أرسينا الأساس الإيجابي

الذي قد يساعد جهود السلام في المستقبل. هناك مجموعة من الاتصالات اليوم بين الأفغان وطالبان، وأثرنا المناقشات داخل طالبان التي أظن أنها ستشتد مع مرور الزمن. لن تغيب الحاجة إلى المصالحة والتسوية السياسية، وهي ضرورية اليوم أكثر من أي وقت مضى.

وأتساءل: ما كان فكّر فيه ريتشارد؟ حتى اللحظة الأخيرة، لم يفقد ثقته بقوة الدبلوماسية لحلّ حتى أصعب العقد. أتمنى لو ظلّ معنا، يلوي ذراع أحدهم، يربِّت على كتف آخر، ويذكِّر الجميع بأن الوسيلة للشروع في إنهاء الحرب تكون البدء بتبادل الحديث.

الفصل التّاسع

باكستان: الشَّرف الوطني

ساد الصمت غرفة الدائرة التلفزيونيّة المغلقة الآمنة في الطبقة السفلى من الجناح الغربي. جلس قربي الوزير بوب غايتس بقميصه، من دون سترة، مكتوفًا وعيناه شاخصتان في اهتمام، إلى الشاشة. كانت الصورة مغشاة، ولكن لا لبس فيها. اخترقت إحدى مروحيتي البلاك هوك الجزء العلوي من الجدار الحجري المحيط بالمجمع وتحطمت. تحقق أحد أسوأ مخاوفنا.

وعلى الرغم من أن الرئيس أوباما جلس متحاملًا على نفسه، يراقب المشهد، إلّا أن فكرةً واحدة خطرت لنا جميعًا: إيران عام ١٩٨٠، حين انتهت مهمة إنقاذ الرهائن بحادث تحطم هليكوبتر واحتراقها في الصحراء، مخلفة ثمانية قتلى أميركيين، ودولتنا وجيشنا مثقلان بالجراح. هل ينتهي الأمر بالطريقة نفسها؟ كان بوب آنذاك مسؤولًا كبيرًا في وكالة الاستخبارات المركزية. ولا شك في أن الذكرى أرخت بثقلها عليه، وعلى الرجل الجالس إلى الطاولة في الجهة المقابلة، الرئيس أوباما. لقد أعطى الأمر النهائي، مخاطِرًا مباشرة بحيوات فريق القوات الخاصة للبحرية وطياري الهليكوبتر، وربما بمصير ولايته الرئاسية المرتبط بنجاح هذه العملية. وكل ما يمكنه القيام به راهنًا، مشاهدة الصور المنقولة إلينا لاسلكيًّا.

لقد حدث ذلك في ١ أيَّار/مايو، عام ٢٠١١. خارج البيت الأبيض، شهدت واشنطن أحدًا ربيعيًّا هادئًا، فيما ازدادت داخله حدة التوتر مذ أقلعت طائرتا الهليكوبتر من قاعدة في شرق أفغانستان،

قبل حوالى ساعة من الزمن. كان هدفهما مجمعًا محصنًا في أبود أباد في باكستان، حيث اعتقدت وكالة الاستخبارات المركزية أن أسامة بن لادن أكثر رجل مطلوب للعدالة في العالم، يختبئ. أوصلتنا إلى هذا اليوم أعوام من العمل المضني لوكالة الاستخبارات المركزية، تلتها أشهر من النقاش في شأن المحاسبة الذاتية على أعلى مستويات إدارة أوباما. ويقع الحمل الآن على طياري المروحيتين المجهزتين بأحدث التطويرات، وقوات البحرية الخاصة التي تحملانهما.

تمثّل الامتحان الأوّل في اجتياز الحدود الباكستانية. جُهزت مروحيتا البلاك هوك هاتان بالتكنولوجيا المتقدمة، المصممة لتسمح لهما بالعمل من دون أن يكشفهما الرادار، ولكن، هل ينجح الأمر؟ كانت علاقتنا بباكستان، حليفة الولايات المتحدة اسميًّا في محاربة الإرهاب، متوترة جدًّا أصلًا. وفي حال اكتشف الجيش الباكستاني توغلًا سريًّا في مجاله الجوي، هو المتأهب دومًا خوفًا من هجوم مفاجئ من الهند، قد يردّ في قوة.

وقد ناقشنا طويلًا موضوع إبلاغ باكستان أمر الغارة قبل موعدها المحدد، لتجنب هذا السيناريو وانهيار العلاقات الذي يمكن أن يليها. في النهاية، وعلى ما ذكّرنا دائمًا بوب غايتس، سنظل في حاجة إلى تعاون باكستان لإعادة إمداد قواتنا في أفغانستان وملاحقة الإرهابيين الآخرين في المنطقة الحدودية. لقد وظفت قدرًا كبيرًا من الوقت والجهد لتحسين العلاقة مع باكستان على مرّ الأعوام، وأدركت كم سيشعر مسؤولوها بالإهانة إن لم نشاركهم هذه المعلومة. لكنني عرفت أيضًا أن عناصر من جهاز الاستخبارات الباكستانية تربطهم علاقات بطالبان، والقاعدة ومتطرفين آخرين، وسبق لنا أن خَبِرْنا التسريبات. كانت مخاطر إخفاق العملية كاملةً مكلفة جدًّا.

وسأل مسؤول كبير آخر في الإدارة عند نقطةٍ ما، هل علينا أن نقلق من خدش الشرف الوطني الباكستاني بطريقةٍ لا تُعوّض. ربما، في تلك اللحظة، كان إحباطي المكبوت من التعامل مع الكلام الموارب والخداع من بعض الجهات في باكستان، أو الذكريات التي لا تزال حارقة من أعمدة الدخان في مانهاتن السفلى، مما أثار انفعالي، ولن أسمح بأن تفوّت الولايات المتحدة أفضل فرصة لنا للقبض على بن لادن مذ فقدناه في تورا بورا، في أفغانستان. «وماذا عن شرفنا الوطني؟»، قلت ساخطةً. «وماذا عن خسائرنا؟ وما المشكلة إن لاحقنا رجلًا قتل ثلاثة آلاف شخص بريء؟».

تمر الطريق إلى أبوت أباد بالممرات الجبلية في أفغانستان، وبأنقاض سفاراتنا المدمرة في شرق أفريقيا، وبحطام السفينة الحربية الأميركية كول، وبهجمات ١١ أيلول/سبتمبر ٢٠٠١، وبالإرادة المثابرة لحفنةٍ من ضباط الاستخبارات الأميركية الذين لم ينقطعوا يومًا عن مطاردة

محاطة بأصدقائي ومؤيدي في مبنى المتحف الوطني في واشنطن دي سي، حيث أنهيت حملتي الانتخابية الرئاسية في ٧ حزيران/يونيو ٢٠٠٨، ودعمت باراك أوباما بعد إحداث «١٨ مليون شق في السقف الزجاجي الأعلى والأقسى».

بعد ليلة طويلة من الكتابة وإعادة الكتابة، أضع وبيل اللمسات الأخيرة على خطابي الوداعي قبل مغادرة المنزل في ٧ حزيران/ يونيو ٢٠٠٨.

٣

٤

على الرغم من التنافس القاسي خلال حملتينا الانتخابيتين، تحدثت وباراك في سهولة في الحافلة التي تقودنا إلى الحدث المشترك الأوّل في حزيران/يونيو ٢٠٠٨ في يونيتي، نيو هامبشير، المدينة التي اختيرت ليس بسبب اسمها فحسب، بل لأننا حِزْنا فيها عدد الأصوات نفسه في الانتخابات التمهيدية. صُمِّم التجمع في يونيتي لإيصال رسالة مفادها أن الانتخابات التمهيدية باتت خلفنا وبتنا الآن فريقًا واحدًا.

٥

في ١ كانون الأول/ديسمبر ٢٠٠٨، أعلن الرئيس المنتخب أوباما اختياري الوزيرة السابعة والستين للخارجية، إلى جانب الأعضاء الآخرين في فريق الأمن القومي. ويبدو وراءنا: مستشار الأمن القومي - المُعيَّن جنرال البحرية المتقاعد جايمس جونز، نائب الرئيس - المُنتخب جو بايدن، وزير الدفاع روبرت غايتس، وزيرة الأمن الوطني - المُعيَّنة جانيت نابوليتانو، والمدعي العام - المُعيَّن إريك هولدر.

الأسفل: نائب الرئيس بايدن يُشرف على قسمي اليمين الشرفي في مكتبي في وزارة الخارجية في ٢ شباط/فبراير ٢٠٠٩، فيما بيل، وتشيلسي، ووالدتي دوروثي يحملون الكتاب المقدس. وكنت حلفت اليمين قبل أسابيع في مكتبي في مجلس الشيوخ مباشرة بعد تأكيد التصويت كي أبدأ مهمتي فورًا.

٦

٧

أمشي في بهو وزارة الخارجية للمرة الأولى بعد اختياري وزيرةً في ٢٢ كانون الثاني/يناير، وقد أغبطني الاستقبال الحار وأشعرني بالفخر.

٨

سيكون مرحَّبًا به دومًا لطف نائب الرئيس بايدن وفكاهته خلال ساعات العمل الطويلة في غرفة عمليات البيت الأبيض. وحاولنا أيضًا أن نتناول الفطور معًا مرَّة في الأسبوع في المرصد البحري، مقرّه الرسمي.

كان لي شرف تولي منصب وزاري في إدارة الرئيس أوباما، وتصورنا هنا مع الرئيس أوباما ونائب الرئيس بايدن في البهو الكبير في البيت الأبيض في ٢٦ تموز/يوليو ٢٠١٢. الجالسون، من اليسار: وزير النقل راي لحود؛ القائمة بأعمال وزيرة التجارة ريبيكا بلانك؛ الممثلة الدائمة في الأمم المتحدة سوزان رايس؛ ووزير الزراعة توم فيلساك. الواقفون في الصف الثاني، من اليسار، هم: وزير التعليم أرن دونكن؛ المدعي العام إيريك إيتش. هولدر الابن؛ وزيرة العمل هيلدا إل. سوليس؛ وزير الخزانة تيموثي إف. غيثنر؛ كبير موظفي البيت الأبيض جاك لو (الذي شغل سابقًا منصب نائب وزيرة الخارجية)؛ وزير الدفاع ليون بانيتا؛ وزير شؤون المحاربين القدامى إريك كاي. شينسكي؛ وزيرة الأمن الوطني جانيت نابوليتانو؛ والممثل التجاري الأميركي رون كيرك. الواقفون في الصف الثالث، من اليسار، هم: وزير الإنماء السكني والتخطيط البيئي شون دونوفان؛ وزير الطاقة ستيفن شو؛ وزيرة الخدمات الصحية والإنسانية، كاثلين سبليوس؛ وزير الداخلية كن سالازار؛ مديرة وكالة حماية البيئة ليزا بي. جاكسون؛ المدير القائم بأعمال مكتب الإدارة والموازنة جيفري دي. زيانتس؛ رئيس مستشاري المجلس الاقتصادي آلان كروغر؛ ومدير الإدارة للأعمال كارين جي. ميلز.

١٠

مع بعض زملائي الرائعين في وزارة الخارجية. تألف فريق عملي من ضباط ومدنيين ومستشارين.

١١

أتحدث والسيدة الأولى ميشيل أوباما عن تجربتينا سيدتين أوليين، وبعض أخبارنا مضحكة.

١٢

في يوم العمل الأول وزيرةً، وقد زار الرئيس أوباما ونائبه بايدن الوزارة لإعلان تعيين ريتشارد هولبروك (إلى اليسار) ممثلًا رسميًا في أفغانستان وباكستان، والسناتور جورج ميتشل (إلى اليمين) مبعوثًا خاصًا لعملية السلام في الشرق الأوسط.

١٣

أتناول غداء خفيفًا في كافيتيريا وزارة الخارجية. حاولت قدر المستطاع تناول وجبات صحية، لكن ذلك شكّل تحديًا، خصوصًا في الرحلات وعلى الطرق.

١٤

كبار مستشاريّ، من اليسار إلى اليمين، جاك سوليفان، فيليب رين وهوما عابدين في بيتنا بعيدًا من الوطن، في طائرة ٧٥٧ التابعة لسلاح الجو البيضاء والزرقاء، وأمضينا فيها، طوال أربعة أعوام، ما مجموعه ثمانيةً وسبعين يومًا!

١٥

اقترح الرئيس أوباما في أحد أيام نيسان/أبريل ٢٠٠٩ أن ننهي اجتماعنا خارج المكتب البيضوي في الحديقة الجنوبية للبيت الأبيض. حاولنا أن نلتقي أقلّه مرّة أسبوعيًا. وقد زرت البيت الأبيض أكثر من سبعمئة مرّة في أعوام خدمتي الأربعة.

١٦

أنزل سلّم الطائرة للمرة الأولى وزيرةً في طوكيو، اليابان، في ١٦ شباط/فبراير ٢٠٠٨. كسرت التقليد وقصدت آسيا في جولتي الأولى، لأؤكد أنها «محور» في سياستنا الجديدة.

١٧

سررت بلقائي الأمبراطورة اليابانية ميشيكو، التي فرحت بأنني قررت أن تكون اليابان محطتي الأولى في جولتي على آسيا وزيرةً.

١٨

مع مجموعة من الطلاب من المدرسة التي تعلّم فيها الرئيس أوباما في صغره، في جاكارتا، أندونيسيا، في شباط/فبراير ٢٠٠٩. وأندونيسيا قوة إقليمية صاعدة ومركز لمنظمة دول شرق جنوبي آسيا (آسيان)، شريك مهم لانخراطنا في آسيا.

١٩

في آب/أغسطس ٢٠٠٩، توصَّل بيل إلى إطلاق الصحافيتين الأميركيتين العاملتين في تلفزيون «كارنت»، لاورا لينغ (في الوسط) وأونا لي (إلى يمين الصورة)، بعد التفاوض مع دكتاتور كوريا الشمالية كيم جونغ الثاني. كانت لحظة عودتهما إلى الولايات المتحدة مؤثرة جدًا. ويقف مع بيل مؤسسو تلفزيون «كارنت» ومنهم جويل حياط ونائب الرئيس السابق آل غور.

٢٠

أنظر ووزير الدفاع بوب غايتس عبر منظارين، إلى كوريا الشمالية المعزولة في مركز مراقبة حدودي في المنطقة المنزوعة السلاح في آب/أغسطس ٢٠١٠.

٢١

جندي كوري شمالي يحدِّق إلينا من النافذة بينما كنت أجول وبوب غايتس في مبنى في المنطقة المنزوعة السلاح، أكثر الحدود المحصنة في العالم.

٢٢

أشاهد عرضًا تقليديًّا لراقصين هنديين في مؤسسة كالاكشيترا في شيناي، في الهند عام ٢٠١١، مما ذكرني بثروة البلد التاريخية والثقافية.

٢٣

أقابل عضو مجلس الدولة الصيني داي بينغ قوه للمرة الأولى في شباط/فبراير ٢٠٠٩، في بكين. أراني يومًا صورة حفيدته ولحظ أن «ما نحن فيه، هو من أجلها وأمثالها».

٢٤

وزير الخارجية الصينية يانغ جاي شي يزورني في وزارة الخارجية في آذار/مارس ٢٠٠٩. يعد بروز الصين من أهم التطورات الاستراتيجية ذات العواقب في عصرنا. لا يمكن تصنيف علاقتنا في خانة الصداقة أو العداوة، وقد لا يحدث الأمر أبدًا. لذا صرفت جهدًا ووقتًا للمحافظة على التوازن الدقيق بيننا.

٢٥

انضممت إلى الرئيس أوباما ووزير الخزانة تيم غيثنر ونظرائنا الصينيين، في مقر السفير الأميركي في لندن، حيث شاركنا جميعًا في اجتماع مجموعة العشرين في نيسان/أبريل ٢٠٠٩. من يسار الصورة إلى يمينها: عضو مجلس الدولة الصيني داي بينغ قوه، نائب رئيس الوزراء وانغ غي شان، الرئيس هو جين تاو، الرئيس أوباما، أنا، والوزير غيثنر.

٢٦

حين علمت أن الولايات المتحدة من الدول القليلة غير المشاركة في معرض شنغهاي الدولي، شكلت فريقًا خاصًا لتحقيق نجاح الجناح الأميركي. وأفضل جزء من زيارتي للمعرض في أيّار/مايو ٢٠١٠، التحدث إلى الطلاب اليافعين الصينيين والأميركيين.

أكثر اللحظات فخرًا لـ «والدة العروس»: احتفال زفاف تشيلسي في ٣١ تموز/يوليو ٢٠١٠ في راينبك، نيويورك. انضممت وبيل إلى تشيلسي، وزوجها مارك، ووالدتي دوروثي. عنى الكثير لتشيلسي أن تكون جدتها إلى جانبها وهي تحضّر الاحتفال لتتزوج مارك.

٢٨

٢٩

أعلى الصفحة: المنشق الصيني تشن غوانغ تشنغ خارجًا من السفارة الأميركية في بكين، يرافقه المستشار القانوني هارولد كول، والسفير الأميركي في الصين غاري لوك، ومساعد وزيرة الخارجية لشؤون منطقة شرق آسيا والمحيط الهادئ كورت كامبل. **أسفل الصفحة**: كان لي الحظ أن ألتقي تشن في كانون الأول/ديسمبر ٢٠١٣، في واشنطن دي سي.

٣٠

مع رئيس بورما ثين سين في مكتبه الرسمي المزخرف في ناي بي تاو عام ٢٠١١. كنت وزيرة الخارجية الأميركية الأولى التي تزور رسميًّا البلد المغلق منذ حوالى خمسين عامًا، في محاولة لتعزيز التقدم الديمقراطي.

٣١

أتأمل مدهوشة ما يحوطني وأنا أجول في معبد بادوغا المميز خلال زيارتي لرانغون، بورما، في كانون الأول/ ديسمبر ٢٠١١.

٣٢

خلال أول لقاء مع البورمية الحائزة جائزة نوبل للسلام، أونغ سان سو كيي، ارتدى كلانا الأبيض. بدت مصادفة ميمونة. شعرت كأننا نعرف إحدانا الأخرى منذ زمن طويل، وكنا التقينا للتو.

٣٣

في زيارتي الثانية لمعبد بادوغا خلال جولة مع الرئيس أوباما، قرعت الجرس الضخم ثلاث مرات. أملنا في البعث برسالة إلى شعب بورما مفادها أن الولايات المتحدة مهتمة بالانخراط معهم، إضافةً إلى علاقاتها مع حكومتهم. (لاحظوا قدميَّ الحافيتين!).

٣٤

الرئيس أوباما مراقبًا، فيما أودع أونغ سان سو كيي بعناق مؤثر في تشرين الثاني/نوفمبر ٢٠١٢. سو كيي مصدر إلهام لبلدها ولي، وأعشق الصداقة التي تربطنا.

بن لادن. ولم تضع العملية ضد بن لادن حدًّا لتهديد الإرهاب أو تقهر الأيديولوجيا البغيضة التي تغذيه. فالنضال مستمر. لكنها كانت مفصلًا مهمًّا في معركة أميركا الطويلة ضد تنظيم القاعدة.

---

١١ أيلول/سبتمبر ٢٠٠١، تاريخ محفور في ذهني وذكرى لا تمحى، على ما هي الحال تمامًا لكلّ أميركي. صعقتُ بما رأيت ذلك اليوم، وبصفة كوني سيناتورًا عن نيويورك، شعرت بمسؤولية كبيرة في مساندة شعب مدينتنا المجروحة. بعد ليلة أرق طويلة في واشنطن، سافرت إلى نيويورك مع تشاك شومر، شريكي في مجلس الشيوخ، في طائرة خاصة تتبع لوكالة إدارة الطوارئ الاتحادية. خضعت المدينة لإجراءات أمنية مشددة، ولم يُسمح إلّا لطائرتنا بعبور أجواء المنطقة، إلى جانب مقاتلات القوات البحرية التي قامت بدوريات فوقها. ركبنا في مطار لا غوارديا طائرة هليكوبتر، وتوجهنا إلى مانهاتن السفلى.

كان الدخان لا يزال يتصاعد من الركام، حيث قام يومًا المركز العالمي للتجارة. وإذ حلقنا فوق المنطقة المنكوبة، أمكنني رؤية الأعمدة الملتوية والهياكل المدمرة تلوح فوق أوّل المتطوعين لعمليات الإغاثة وعمال البناء الذين يبحثون بين الأنقاض عن الناجين. فالصور التلفزيونية التي رأيتها في الليلة السابقة، لم تلتقط منظر الرعب كاملًا. كان أشبه بمشهد من جحيم دانتي.

حطت مروحيتنا في ويست سايد قرب نهر هدسون. قابلت وتشاك الحاكم جورج باتاكي، والعمدة رودي جولياني، وغيرهما من المسؤولين، وتوجهنا سيرًا نحو الموقع. كان الهواء لاذعًا، وزاد الدخان الكثيف من صعوبة التنفس أو الرؤية. ارتديت قناعًا، لكن الهواء أحرق حلقي ورئتي وأجرى دمعي. أحيانًا، كان يطل في الظلام من بين الغبار، رجال الإطفاء يركضون في اتجاهنا، ويحملون فؤوسًا، وقد غطّاهم السخام. بعضهم كان في الخدمة من دون توقف، مذ أسقطت الطائرتان البرجين، وجميعهم خسر أصدقاء ورفاقًا. وقد فقد مئات المتطوعين الشجعان حيواتهم أثناء محاولتهم مساعدة الآخرين، وسيعاني مئات غيرهم أوضاعًا صحية مؤلمة طوال أعوام مقبلة. أردت أن أعانقهم، وأشكرهم، وأقول لهم إن كل شيء سيكون على ما يرام. لكنني لم أكن متأكدة بعد هل تصطلح الحال.

وفي مركز القيادة الموقت في أكاديمية الشرطة في الشارع العاشر، أُبلِغتُ وتشاك حجم الأضرار الرهيب. ستحتاج نيويورك إلى الكثير من المساعدة لتستعيد عافيتها، وكان من واجبنا العمل للتأكد من أنها ستحصل عليها. غادرت ذلك المساء في آخر قطار توجه جنوبًا، قبل إغلاق

محطة بن. وأوّل ما قمت به صباحًا في واشنطن، أنني قصدت السيناتور الذائع الصيت روبرت بيرد من ويست فرجينيا، رئيس لجنة المخصصات، لأعرض قضية تمويل أعمال الإغاثة. استمع إليَّ، وقال: «عُدّيني سيناتور نيويورك الثالث». وستأتي أفعاله على قدر أقواله في الأيام التالية.

توجهت وتشاك بعد الظهر إلى البيت الأبيض، حيث اجتمعنا مع الرئيس بوش في المكتب البيضاوي، لنبلغه أن ولايتنا تحتاج إلى ٢٠ مليار دولار. فوافق فورًا، وساندنا طوال تحركاتنا السياسية التي تطلّبها توفير تلك المساعدة الطارئة.

ولم تهدأ الاتصالات الهاتفية في مكتبي، من أشخاص يطلبون البحث عن مفقودين من أسرهم، أو يسألون المساعدة. فرئيسة موظفيَّ، تاميرا لوزاتو، وفريقا عملي في مجلس الشيوخ، في العاصمة واشنطن أو في نيويورك، جهدوا على مدار الساعة، فيما بدأ أعضاء مجلس الشيوخ الآخرين بإرسال المساعدات.

رافقنا في اليوم التالي، أنا وتشاك، الرئيس بوش إلى نيويورك في طائرة رئاسية، حيث أنصتنا إليه وهو يقف على كومة من الأنقاض، وقال في حشد من رجال الأطفاء: «إني أسمعكم، وبقية العالم تسمعكم أيضًا! وقريبًا سيسمع أصواتنا جميعًا مَن دمّروا هذين البرجين!».

ثم زرت مع بيل وتشيلسي، في الأيام التالية، مركزًا موقتًا لإحصاء المفقودين في مخزن أسلحة الفوج التاسع والستين، ومركزًا للمساعدات العائلية على الرصيف الـ ٩٤. التقينا عائلات تحتضن صور أحبائها المفقودين، تأمل وتصلي أن يُعثر عليهم. وعُدتُ الناجين الجرحى في مستشفى سانت فنسنت، ومركزًا لإعادة التأهيل في مقاطعة وستشستر حيث نُقِل عدد من الضحايا المحترقة. التقيت سيدة اسمها لورين مانينغ؛ وعلى الرغم من أن أكثر من ٨٠ في المئة من جسدها احترق في شكلٍ رهيب، وفرص بقائها على قيد الحياة لا تزيد عن ٢٠ في المئة، صارعَتْ بإرادة صلبة وجهد شديد من أجل البقاء، ونجت. أصبحت لورين وزوجها غريغ اللذان يربيان ولدين، الناطقين باسم الأُسر الأخرى المتضررة من هجمات ١١ أيلول/سبتمبر. والناجية المدهشة الأخرى هي ديبي ماردنفلد، التي نُقِلَت إلى مستشفى داون تاون في جامعة نيويورك باعتبارها المجهولة الهوية جاين دو، وقد سقط عليها حطامٌ من الطائرة الثانية، فسحق ساقيها وتسبب بإصابات بليغة في أنحاء جسدها. زرتها مرات وتعرفت إلى خطيبها غريغوري سانت جون. قالت لي ديبي إنها تريد أن تكون قادرة على الرقص يوم زفافها، لكن الأطباء شكوا في أن تبقى على قيد الحياة، فكيف بالمشي؟ إلّا أن ديبي خالفت كل التوقعات. بعد ثلاثين جراحة وخمسة عشر شهرًا في المستشفى، عاشت، ومشت، وبمعجزة، رقصت حتّى يوم زفافها. طلبت مني ديبي أن أُشارك بكلمة في الحفلة، ولن أنسى يومًا السعادة المرتسمة على وجهها وهي تسير نحو المذبح.

وبالغضب والعزيمة نفسيهما، أمضيت أعوام خدمتي سيناتورًا أكافح لتوفير الرعاية الصحية وتمويلها لأكثر متضرري المنطقة المنكوبة. ساعدت في تأسيس صندوق تعويض ضحايا ٩/١١، ولجنة ٩/١١، ودعمت تنفيذ توصياتهما. فعلت كل ما في وسعي للحث على ملاحقة بن لادن والقاعدة، وتحسين جهود دولتنا في حربها على الإرهاب.

انتقدت والسيناتور أوباما خلال حملة عام ٢٠٠٨ الانتخابية إدارة بوش، لإهمالها قضية أفغانستان وعدم تركيزها على البحث عن بن لادن. توافقنا بعد الانتخابات على أن الملاحقة الحثيثة للقاعدة، أمر حاسم لأمننا القومي، ويجب أن نجدد جهدنا لإيجاد بن لادن وسوقه إلى العدالة.

وقد رأيت أننا نحتاج إلى استراتيجية جديدة في أفغانستان وباكستان، ونهج جديد لمكافحة الإرهاب في مختلف أنحاء العالم، يستخدم مجموعة متكاملة من القوة الأميركية لمهاجمة الشبكات الإرهابية المالية، وقواعد تجنيد الإرهابيين، والملاذات الآمنة، فضلًا عن النشطاء والقادة. قد يتطلب الأمر عملًا عسكريًّا جريئًا، وجمعًا محترسًا للمعلومات، وإلحاحًا على تطبيق القانون، ودبلوماسية دقيقة، لتعمل جميعًا معًا، فتكون، في اختصار، القوة الذكية.

توالت كل هذه الذكريات في ذهني وأنا أشاهد القوات الخاصة تقترب من المجمَّع في أبوت أباد. فكرت في جميع العائلات التي عرفتها وعملت معها والتي فقدت أحِبَّةً في هجمات ٩/١١ قبل عقد تقريبًا. لقد حُرِمت العدالة طوال عشرة أعوام، وقد تكون في متناول اليد أخيرًا.

واجه فريق أمننا القومي التهديد الذي شكلّه الإرهاربيون، والضرورة الملحة للقضاء عليه، قبل أن يخطوَ الرئيس أوباما حتى داخل المكتب البيضاوي للمرة الأولى.

انضممت في ١٩ كانون الثاني/يناير ٢٠٠٩، قبل يوم من تنصيب الرئيس الجديد، إلى اجتماعٍ لكبار مسؤولي الأمن القومي في إدارة بوش المنتهية ولايتُه وإدارة أوباما المقبلة، في غرفة عمليات البيت الأبيض، للبحث في ما لا يمكن تصوّره: ماذا لو انفجرت قنبلة في المركز التجاري الوطني خلال خطاب الرئيس؟ هل يضطر جهاز الأمن السري إلى إنزاله عن المنصة فيما العالم كله يراقب المشهد؟ أدركت من السمات التي ظهرت على وجوه فريق بوش أن لا أحد يملك جوابًا جيدًا. ناقشنا طوال ساعتين طريقة الرد على التقارير عن تهديد إرهابي حقيقي يستهدف احتفال التنصيب. اعتقدَتْ الاستخبارات أن متطرفين صوماليين مرتبطين بـ «حركة الشباب» التابعة لتنظيم القاعدة، يحاولون التسلل عبر الحدود الكندية مزودين خططًا وضعوها لاغتيال الرئيس الجديد.

هل ننقل الاحتفال إلى مكان مغلق؟ أم نلغيه نهائيًّا؟ لا يمكن اختيار أيٍّ من الاحتمالين. يجب

أن يقام احتفال التنصيب على ما هو مخطط له؛ فالانتقال السلمي للسلطة، رمز من الرموز المهمة جدًّا للديمقراطية الأميركية. لكنّ ذلك عنى أن يُضاعف الجميع الجهد لمنع وقوع هجوم، وضمان سلامة الرئيس.

أُقيم احتفال التنصيب، في النهاية، من دون وقوع حوادث، وثبت أن التهديد الصومالي إنذار كاذب. لكن تلك الواقعة ذكرتنا بأننا، وفيما نحن نحاول طي الصفحة على جوانب كثيرة من حقبة إدارة بوش، علينا أن نبقى يقظين دائمًا في وجه شبح الإرهاب الذي وَسَمَ تلك الأعوام.

ولقد رسمت التقارير الاستخبارية صورة مقلقة. فالغزو الذي قادته الولايات المتحدة في أفغانستان عام ٢٠٠١، أطاح نظام طالبان في كابول وضرب حلفاءها في تنظيم القاعدة وفرّقهم. لكنَّ مقاتلي طالبان عاودوا تنظيم صفوفهم، وقادوا هجمات المتمردين ضد القوات الأميركية والأفغانية من الملاذات الآمنة في المناطق القبلية التي ينعدم فيها القانون عبر حدود باكستان، حيث يُرجح أن قادة القاعدة يختبئون أيضًا. وغدت المنطقة الحدودية تلك بؤرة لتجمع إرهابي عالمي. وما دامت هذه الملاذات الآمنة مفتوحة، ستخوض قواتنا في أفغانستان معارك شاقة، وستتاح الفرصة للقاعدة لتنظيم هجمات دولية جديدة. دفعني تحليلي المنطقي هذا إلى تعيين ريتشارد هولبروك ممثلًا خاصًّا في أفغانستان وباكستان على السواء. فقد غذَّت تلك الملاذات الآمنة عدم الاستقرار في باكستان نفسها. وشنّ الفرع الباكستاني لحركة طالبان تمردًا دمويًّا على الحكومة الديمقراطية الهشة في باكستان. ومن شأن سيطرة المتطرفين هناك أن تغدو سيناريو كابوس للمنطقة والعالم.

اعتقل مكتب التحقيقات الفدرالي في أيلول/سبتمبر ٢٠٠٩، مهاجرًا أفغانيًّا يبلغ الرابعة والعشرين من العمر، واسمه نجيب الله زازي، وقد شكّ في أنه تدرب مع تنظيم القاعدة في باكستان، وهو يخطط لهجوم إرهابي في مدينة نيويورك. أقرّ لاحقًا بأنه مذنب في التآمر لاستخدام أسلحة الدمار الشامل ولارتكاب جريمة قتل في بلد أجنبي، وتوفير الدعم المادي لمنظمة إرهابية. كان ذلك سببًا آخر لنشعر بالقلق في شأن ما يحدث في باكستان.

حدقت إلى عيني الرئيس الباكستاني آصف علي زرداري الحزينتين، ومن ثمّ إلى صورة قديمة وضعها أمامي، تعود إلى أربعة عشر عامًا خلت، لكنّ الذكريات التي حملتها ظلت حية بالقدر نفسه منذ التُقِطت عام ١٩٩٥. كانت لزوجته الراحلة بنازير بوتو، رئيسة وزراء باكستان السابقة، الأنيقة والمتألقة في حلة حمراء زاهية ووشاح رأس أبيض، تُمسك بيدي ولديها، وقد وقفت إلى جانبها ابنتي تشيلسي، وعلت وجهها أمَّارة التعجب والإثارة للقاء هذه السيدة الرائعة واستكشاف بلدها. وها أنا ذا في الصورة أيضًا، وكانت تلك أوّل رحلة خارجية لي، سيدةً أولى، من دون بيل. كم كنت

شابة آنذاك، مع تسريحة شعر مختلفة ومنصب مختلف، وإنما فخورة تمامًا بتمثيل بلدي في بلدٍ يعاني ظروفًا صعبة، في المقلب الآخر من العالم.

لقد حدث الكثير في المرحلة الممتدة من العام ١٩٩٥ إلى اليوم. عانت باكستان الانقلابات، والدكتاتورية العسكرية، والتمرد المتطرف العنيف، والمصاعب الاقتصادية المتصاعدة. والأكثر إيلامًا من كل هذا، اغتيال بنازير بينما كانت تقود حملة انتخابية لإعادة الديمقراطية إلى باكستان عام ٢٠٠٧. واليوم، في خريف العام ٢٠٠٩، كان زرداري أوّل رئيس مدني منذ عقدٍ من الزمن، وأراد أن يجدد الصداقة بيننا وبين بلدينا، على ما أردت أنا أيضًا. لذا أتيت إلى باكستان، وزيرةً للخارجية، في وقتٍ تزداد المشاعر المعادية للولايات المتحدة في كل أنحاء البلد.

كنت وزرداري نستعد للذهاب إلى عشاء رسمي مع كثر من النخب الباكستانية، لكننا جلسنا أولًا نستذكر الماضي. طلبت مني وزارة الخارجية عام ١٩٩٥ أن أزور الهند وباكستان، لأثبت أن هذا الجزء الاستراتيجي والمضطرب من العالم مهم للولايات المتحدة، ولدعم الجهود الرامية إلى تعزيز الديمقراطية، وتوسيع الأسواق الحرة، وتعزيز ثقافة التسامح وحقوق الإنسان، بما فيها حقوق المرأة. وباكستان التي انفصلت عن الهند في تقسيم صارخ ومضطرب عام ١٩٤٧، عام وُلدتُ، كانت حليفًا دائمًا للولايات المتحدة في الحرب الباردة، لكنَّ علاقتنا ظلت دائمًا أيضًا فاترة. وقبل أسابيع ثلاثة من قيامي بتلك الرحلة عام ١٩٩٥، قتل المتطرفون موظفَين في القنصلية الأميركية في كراتشي. وقد قُبض على أحد المتآمرين الأساسيين في عملية تفجير مركز التجارة العالمي عام ١٩٩٣، رمزي يوسف، لاحقًا في إسلام أباد وسُلِّم إلى الولايات المتحدة. لذا كان مفهومًا قلقُ جهاز الأمن السري من تصميمي على الخروج من الدوائر والمجمعات الحكومية الرسمية، لزيارة المدارس والمساجد والعيادات الصحية. لكن وزارة الخارجية وافقتني على القيمة الحقيقية لهذا النوع من التعامل المباشر مع الشعب الباكستاني.

تطلّعتُ إلى لقاء بنازير بوتو التي انتُخبت رئيسة للوزراء عام ١٩٨٨. وشغل والدها، ذو الفقار علي بوتو، منصب رئاسة الحكومة في سبعينيات القرن العشرين، قبل أن يُخلع بانقلاب عسكري ويُشنق. بعد أعوام في الإقامة الجبرية، برزت بنازير في ثمانينات القرن العشرين رئيسة لحزبها السياسي. استحقت سيرتها الذاتية عن جدارة عنوان «ابنة المصير». فهي تروي قصة تثبت كيف مكّنها تصميمها، وعملها الشاق، ودهاؤها السياسي من ارتقاء سلم السلطة في مجتمع ما زالت كثيرات من نسائه يعشن في عزلة صارمة، تسمّى البردة. يُمنع عليهن أن يراهن الرجال من خارج العائلة، وأن يتركن منازلهن من دون أن يتحجبن تمامًا، في حال سُمح لهن بالخروج. واختبرت ذلك

مباشرة حين اتصلت بالخاتون نسرين ليغاري، زوجة الرئيس فاروق أحمد خان ليغاري، التقليدية جدًّا.

كانت بنازير الشخصية الشهيرة الوحيدة التي وقَفْتُ من أجل رؤيتها وراء شريط فاصل. فخلال إجازة عائلية في لندن صيف العام ١٩٨٧، لاحظت وتشيلسي تجمّع حشد كبير أمام فندق ريتز. قيل لنا إن بنازير بوتو ستصل بعد قليل. بدافع الفضول، انتظرنا مع الحشد وصول موكبها. خرجَت من الليموزين وقد لفها حجاب من الشيفون الأصفر من رأسها حتى أخمص قدميها، وتوجهت إلى بهو الفندق حيث بدت لي رشيقة، وهادئة وجدية.

وبعد ثمانية أعوام فقط، أي عام ١٩٩٥، كنت سيدة الولايات المتحدة الأولى، وبنازير رئيسة وزراء باكستان. وتبيّن أن لنا أصدقاء مشتركين من أيام دراستها في جامعتي أكسفورد وهارفرد. قالوا لي إن لديها سحرًا غريبًا: عينان لامعتان، ابتسامة حاضرة دومًا، ميل إلى الفكاهة يصحبه ذكاء حاد. وصدقوا في ذلك. حدثتني صراحةً وفي بساطة، عن التحديات السياسية ومشكلة المساواة بين الجنسين التي واجهتها، والتزامها تعليم الفتيات الذي يُعدُّ فرصة تقتصر إلى حدّ كبير على الطبقة العليا الثرية. ارتدت آنذاك بنازير «الشلوار القميص»، الزي الوطني الباكستاني، وهو عبارة عن سترة طويلة تنساب فوق سروال فضفاض، بدَوَا عمليَّين وجذابَين، وغطت رأسها بأوشحة جميلة ومتناسقة معهما. أُعجبتُ وتشيلسي جدًّا بهذا الزي، فارتديناه إلى عشاء رسمي أُعِدَّ على شرفنا. ارتديت الحرير الأحمر، فيما اختارت تشيلسي اللون الأخضر الفيروزي. جلستُ إلى مأدبة العشاء بين بنازير وزرداري. كُتِب الكثير عن زواجهما وتناولتهما الإشاعات، لكنني شهدت عمق مودتهما وممازحتهما المتبادلة، وعاينتُ كم جعلها سعيدة تلك الليلة.

انطبعت الأعوام التالية بالألم والصراع. فاستولى الجنرال برويز مشرف على السلطة في انقلاب عسكري عام ١٩٩٩، فنفى بنازير وسجن زرداري. بقينا على اتصال، والتمَسَتْ مساعدتي للإفراج عن زوجها. لم يُحكم عليه قط بالتهم الموجهة إليه، وأُطلق أخيرًا عام ٢٠٠٤. بعد هجمات ١١ أيلول/سبتمبر، وتحت ضغوط شديدة من إدارة بوش، تحالف مشرف مع الولايات المتحدة في الحرب على أفغانستان. ولكن، وجب عليه أن يعرف أن عناصر من أجهزة الاستخبارات والأمن في باكستان حافظوا على علاقاتهم بطالبان وغيرها من المتطرفين في أفغانستان وباكستان، وهي علاقات تعود إلى زمن النضال ضد الاتحاد السوفياتي في ثمانينات القرن العشرين. وعلى ما قلتُ غالبًا لنظرائي الباكستانيين، كان هذا الأمر يجلب المتاعب، كمثِلِ من يحفظ الثعابين السامة في فنائه الخلفي، متوقعًا منها أن تلسع جيرانه فحسب. وتأكيدًا لذلك، ازداد عدم الاستقرار والعنف والتطرف، وانهار الاقتصاد. وقد أخبرني أصدقائي الباكستانيون الذين التقيتهم في التسعينيات:

«لا يمكنكِ أن تتخيلي تردي الأوضاع راهنًا. الحال مختلفة تمامًا عمّا كانت حتى أمس قريب. نخاف حتى أن نقصد بعض أجمل مناطق بلدنا».

حين عادت بنازير إلى باكستان في كانون الأول/ديسمبر ٢٠٠٧، من منفاها الذي استمر ثمانية أعوام، اغتيلت في تجمع انتخابي في روالبندي، ليس بعيدًا من مقر قيادة الجيش الباكستاني. بعد اغتيالها، اضطر مشرّف إلى التخلي عن مهامه بسبب الاحتجاجات الشعبية، وتولى زرداري منصب الرئاسة وسط موجة جارفة من الحزن الوطني. لكنّ حكومته المدنية كافحت لإدارة التحديات الأمنية والاقتصادية المتفاقمة في باكستان، وبدأت حركة طالبان الباكستانية توسّع انتشارها من منطقة الحدود النائية وصولًا إلى وادي سوات الأكثر اكتظاظًا بالسكان، والذي تفصله مئات الأميال فقط عن إسلام أباد. وقد فرَّ مئات الآلاف من منازلهم حين بدأ الجيش الباكستاني بمطاردة المتطرفين. وانهار وقف لإطلاق النار بين حكومة الرئيس زرداري وحركة طالبان في شباط/ فبراير ٢٠٠٩، بعد أشهر فقط على توقيعه.

وإذ تفاقمت المشكلات في بلدهم، أنحى كثر من الباكستانيين باللائمة على الولايات المتحدة ووجهوا غضبهم نحوها، تغذيه وسائل الإعلام المأجورة التي سوقت نظريات عن مؤامرة مشبوهة. اتهمونا بإثارة المتاعب مع طالبان واستغلال باكستان لغاياتنا الاستراتيجية الخاصة، والتقرب من منافسهم التقليدي، الهند، وتفضيلها عليهم. كانت تلك أكثر الادعاءات المعقولة. ففي بعض استطلاعات الرأي، انخفض الرضى عن أميركا إلى أقل من عشرة في المئة، على الرغم من مساعدات بمليارات الدولارات أسهمنا فيها على مرّ الأعوام. في الواقع، أثارت حزمة المساعدات الجديدة الضخمة التي أقرّها الكونغرس الانتقادات في باكستان، إذ نُظر إليها أنها ترتبط بشروط كثيرة، معقدة جدًّا. كان الأمر مثيرًا للجنون. وصعَّبَ الغضب الشعبي على الحكومة الباكستانية التعامل معنا في عمليات مكافحة الإرهاب، وسهّل على المتطرفين إيجاد المأوى والمجنَّدين. لكنّ زرداري أظهر مهارة سياسية أكثر مما كان متوقعًا. توصَّل إلى تسوية موقَّتة مع القادة العسكريين، وكانت حكومته المنتخبة ديمقراطيًّا الأولى التي تستكمل ولايتها في تاريخ باكستان.

وعليه، قررتُ خريف العام ٢٠٠٩ زيارة باكستان، ومواجهة المشاعر المعادية للأميركيين. طلبت من موظفيَّ التخطيط لرحلة غنية بالمشاركة العامة، من مثل لقاءات في البلديات، وطاولات مستديرة مع وسائل الإعلام، وغيرها. حذروني: «ستكونين عبارة عن كيس ملاكمة»، ابتسمت وأجبت: «لا تخافوا عليّ».

لقد واجهت نصيبي من الرأي العام المعادي على مرّ الأعوام، وتعلمت أننا لا يمكننا أن نتجاهله أو نستره بالكلام المعسول بدلًا من إصلاحه. ستقوم دائمًا خلافات جوهرية بين الشعوب والدول، ويجب ألّا نفاجأ في شأن ذلك. من المنطقي أن ننخرط مباشرةً مع الشعب، ونصغي إليه، ونتبادل

معه وجهات النظر، في احترام. قد لا يُغيّر ذلك أذهان الكثيرين وطريقة تفكيرهم، لكنها الطريقة الوحيدة للتحرك نحو حوار بناء. يجب علينا في عالمنا الراهن المترابط جدًّا، أن نزيد قدرتنا على التواصل مع الشعوب، والحكومات كذلك، لتكون جزءًا من استراتيجية أمننا القومي.

وقد هيّأتني الأعوام التي أمضيتها في العمل السياسي لهذه المرحلة من حياتي. سئلت غالبًا كيف أتقبّل الانتقادات الموجهة مباشرة إليّ. وانحصرت إجاباتي في نقاط ثلاث: أوّلًا، إذا اخترت العمل في الشأن العام، تذكَّر نصيحة إليونور روزفلت، واجعل جلدك سميكًا مثل جلد وحيد القرن؛ ثانيًا، تعلّم أن تأخذ الانتقاد على محمل الجدّ، ولكن ليس شخصيًّا. يمكن أن يُعلِّمك نقادك دروسًا لا يستطيع أن يقدمها أصدقاؤك، أو لن يفعلوا، فأُحاوِلُ فرز الدافع إلى النقد، أحزبيًّا كان أم أيديولوجيًّا أم تجاريًّا أم جنسيًّا، وأحلّله لأرى ما يمكن أن أتعلّم منه، وأتجاهل البقية؛ ثالثًا، هناك معيار مرضي ملازم في الكيل بمكيالين، يُطبَّق على النساء في السياسة - يتعلق بالملابس ومقاسات الجسم وطبعًا تسريحات الشعر - ولا يمكن تجنبه، وإنما يجب ألّا يعرقلك. ابتسم، وتابع مسارك. استخلصت هذه النصائح بعد أعوام من التجارب، وسوء التقدير، والأخطاء الوافرة، لكنها ساعدتني على تخطي عقبات كثيرة في مختلف أنحاء العالم، على قدر ما فعلت في بلدي.

ولمساعدتي على نقل الصورة الحقيقية لأميركا وتقبُّل النقد، استعنت بإحدى أذكى المديرات التنفيذيات في وسائل الإعلام، جوديث ماكهيل، لتتولى منصب نائبة الوزيرة للدبلوماسية والشؤون العامة. وقد ساعدت في تأسيس قناتي إم تي في وديسكفري، ورئستهما، وهي ابنة ضابط موظف في السلك الخارجي. بصفتها هذه، ساعدتنا على شرح سياساتنا لعالم مشكِّك، ومواجهة البروباغندا والتجنيد المتطرِفَين، ودمج استراتيجية اتصالاتنا العالمية ببقية أجندة قوتنا الذكية. وأصبحت أيضًا ممثلتي في «مجلس حكام الولايات للإذاعة»، الذي يشرف على صوت أميركا ووسائل الإعلام الأخرى التي تموِّلها الولايات المتحدة في أنحاء العالم. كان ذلك جزءًا مهمًّا من تواصلنا الخارجي خلال الحرب الباردة، مما سمح للناس المأسورين خلف الستار الحديدي بمتابعة الأخبار والمعلومات غير الخاضعة للرقابة. لكننا لم نواكب التغيّر التكنولوجي ومتطلبات السوق الإعلامية. اتفقت وجوديث على حاجتنا إلى إصلاح قدراتنا وتحديثها، ولكن ثَبُتَ أن إقناع الكونغرس أو البيت الأبيض بجعل الأمر من الأولويات، مهمة شاقة.

رأيت أن مهامي تقضي بأن أدفع باكستان إلى مزيد من الالتزام والتعاون في مكافحة الإرهابيين، ومساعدة حكومتها على تعزيز الديمقراطية، وتحقيق الإصلاحات الاقتصادية والاجتماعية التي تقدم إلى المواطنين بديلًا من التطرف، قابلًا للنجاح عمليًّا. وجب عليَّ أن أضغط وأنتقد من دون فقدان مساعدة باكستان في الصراع الذي يُعَدُّ فاصلًا في مستقبل بلدينا.

وما إن وصلت إلى إسلام أباد نهاية خريف العام ٢٠٠٩، حتى انفجرت سيارة مفخخة في سوق مزدحمة في بيشاور، المدينة التي تقع على بعد تسعين ميلًا فقط شمال غربي العاصمة. فاق عدد القتلى المئة، معظمهم من النساء والأطفال. وقد طالب المتطرفون المحليون بمنع النساء من التسوّق هناك، وبدا أن الانفجار صُمِّم لاستهداف أولئك الذين رفضوا الخضوع للتخويف. وغطت مشاهد الجثث المحروقة والدمار والدخان شاشات التلفزة في باكستان. هل أتى توقيت الانفجار مصادفة، أم شاء المتطرفون إيصال رسالة؟ في كل الأحوال، ارتفعت الرهانات والمخاطر لهذه الزيارة الدقيقة أساسًا.

كانت المحطة الأولى في رحلتي، اجتماعًا مع وزير الخارجية الباكستانية شاه محمود قريشي، الذي يقع مبنى وزارته على مسافة قصيرة من السفارة الأميركية داخل المربع الأمني للمقارّ الدبلوماسية في إسلام أباد. والعاصمة الباكستانية مدينةٌ خضعت لتخطيط مدني، تحيط شوارعها الواسعة الجبال الخضر المنخفضة، وقد بُنيت في ستينات القرن العشرين لنقل المؤسسات الحكومية بعيدًا عن المركز التجاري في كراتشي، وأقرب إلى مقر قيادة الجيش في روالبندي. وحتى حين تتولى حكومة مدنية المسؤولية اسميًّا، يظل تأثير «الجيش» حاضرًا. سألني أحد الصحافيين المرافقين، فيما طائرتنا تحلق فوق إسلام أباد، هل كنت مقتنعة بأن الجيش الباكستاني وجهاز الاستخبارات قد قطعا علاقاتهما نهائيًّا مع الإرهابيين؟ لا، أجبت، لم أكن مقتنعة.

نظر الباكستانيون، أعوامًا طويلة، إلى الاضطرابات على الحدود الشمالية الغربية، على أنها بعيدة جدًّا، خصوصًا أن المنطقة لم تخضع يومًا لسيطرة الحكومة الوطنية تمامًا، وانشغلوا أكثر بالمشكلات العملية الملحة من مثل نقص الكهرباء والبطالة. لكنّ العنف انتشر آنذاك، وبدأت المواقف تتغير.

وفي المؤتمر الصحافي الذي أعقب اجتماعنا، بدا قريشي مستاءً من التفجير وتوجه بكلامه إلى المتطرفين، فقال: «لن نستسلم. سنقاتلكم. هل تظنون أنكم بمهاجمة الأبرياء ستثبطون عزيمتنا؟ لا، لن نفعل؟». انضممت إليه في إدانة التفجير، وقلت بعبارات قوية: «أريد أن تعلموا أن باكستان ليست وحدها في هذه المعركة». وأعلنت أيضًا مشروع مساعدات كبرى جديدة للحد من نقص الطاقة المزمن الذي يعطِّل الاقتصاد الباكستاني.

وجلست لاحقًا ذلك المساء، مع مجموعة من مراسلي التلفزيون الباكستاني. كانت أسئلتهم، منذ اللحظة الأولى، مريبة ومعادية. ومن مثل الكثيرين من الأشخاص الذين التقيتهم ذاك الأسبوع، ألحوا في السؤال عن الشروط المتعلقة بحزمة المساعدات الجديدة التي أقرَّها الكونغرس أخيرًا. ظننت أنني سأسمع بعض عبارات التقدير، نظرًا إلى سخاء المساعدة والظروف الاقتصادية العصيبة التي نعانيها نحن. بدلًا من ذلك، لم يحمل كل ما سمعته إلّا الغضب والشك حيال سبب

ارتباط صرف التمويل بـ «شروط معينة». ضاعف مشروع القانون مساعدتنا ثلاث مرات، ومع ذلك جعل الباكستانيون قضيتهم، الشرط المتعلق بربط المساعدة العسكرية بجهود البلاد لمحاربة طالبان. بدا الطلب معقولاً، لكن رد القادة العسكريين أتى سلبيًّا، فرفضوا أن يقال لهم ما يجب أن يفعلوا بمالنا. رأى كثر من الباكستانيين في الشرط إهانة لسيادتهم وكرامتهم. وفوجئتُ بحدة الانتقاد وسوء الفهم المتعلقين بهذه المشكلة، وكيف دقق الكثيرون في كل كلمة من التشريعات بحثًا عن إهانةٍ ممكنة. قلّة من الأميركيين يقرأون قوانيننا بهذه الدقة. «أعتقد أن علاقاتك العامة وسحر هجومك لا بأس بهما، وشرح موقفك جيد أيضًا»، قال أحد الصحافيين، «لكننا نعتقد أن مشروع القانون يخفي أجندة ما». حاولت أن أبقى هادئة. هدفت هذه المساعدة إلى إعانة الناس، لا أكثر. «آسفة جدًّا لأنك اعتقدت ذلك، لم تكن تلك نيتنا»، على ما أجبت. «دعني أكون واضحة جدًّا: لستم مجبرين على قبول هذا المال. لستم ملزمين قبول أي مساعدة منا».

بدا جليًّا أن مقاربتنا لمساعدة التنمية الباكستانية لن تنجح. والسبب، إما علاقتنا السياسة السيئة التي انعكست على موضوع المساعدات، وإما أن المساعدات لم تُخصص وتُنفق بطريقة تترك انطباعًا إيجابيًّا لدى الشعب الباكستاني، أو كلاهما على السواء.

وحين تولّيت منصب وزارة الخارجية، كانت الولايات المتحدة تموِّل أكثر من مئة مشروع في باكستان، معظمها صغير نسبيًّا، ومحدد الهدف. تولت الوكالة الأميركية للتنمية بعضها مباشرةً، ولكن لتنفيذ غالبيتها، استعنّا بمصادر خارجية من مثل المقاولين لتعود عليهم بالربح، والمنظمات غير الربحيّة كذلك، بما فيها المنظمات الخاصة غير الحكومية، والجمعيات الخيرية الدينية، ومعاهد الأبحاث. دُفِع للمقاولين، سواء أسفرت برامجهم عن نتائج يمكن التحقق منها أو لا، أم عززت مصالح بلادنا وقيمها. هناك الكثير من البرامج الممولة أميركيًّا والتي لم تتمكن سفارتنا من إحصائها. فليس مستغربًا أن يقول لي الباكستانيون إنهم لا يرون تأثير الجهود الأميركية.

وقد عملت مع ريتشارد هولبروك، قَبْل رحلتي إلى باكستان وبعدها، على وضع استراتيجية لمعالجة هذه الاهتمامات والمخاوف. اتفقنا على أن الجهد كلّه يحتاج إلى تنسيق، حتى يكون متقن الإنجاز وسريعًا. يلزم وكالة التنمية الأميركية للتنمية توحيد البرامج وتمكينها في مشاريع تحمل توقيعها، لتلقى دعمًا بين الباكستانيين ويظهر تأثيرها الفاعل في البلدين على السواء. بما أننا ننفق أموالاً في باكستان توازي عشرة أضعاف ما نصرفه في كل الدول الأُخرى مجتمِعَةً، يبدو هدفًا سهل التحقيق.

لم يُنجز شيء بالسرعة المطلوبة في رأيي، لكنَّ الوكالة الأميركية للتنمية أعلنت في نيسان/ أبريل ٢٠١٢، أنها وضعت خطة محددة واستراتيجية لباكستان، تُركِّز على خفض عدد البرامج من

١٤٠، عام ٢٠٠٩، إلى ٣٥ في أيلول/سبتمبر ٢٠١٢، تدعم الطاقة، والنمو الاقتصادي، والاستقرار، والصحة والتعليم. كان ذلك على الأقل خطوة في الاتجاه الصحيح.

شدد الباكستانيون، طوال زيارتي في تشرين الأول/أكتوبر ٢٠٠٩، على الخسائر البشرية والتكاليف المالية التي يتكبدونها في مكافحة الإرهاب، والتي نظر الكثيرون إليها على أنها حرب أميركا التي فُرِضَت ظلمًا عليهم، وقضت على ثلاثين ألف ضحية مدنية وعسكرية؟ ألا يمكنهم تحقيق سلام منفصل مع المتطرفين والعيش في أمان؟ «عانيتم هجمة واحدة في ٩/١١، ونحن نعاني يوميًّا في باكستان هجمات على طراز ١١ أيلول/سبتمبر»، على ما قالت لي امرأة في لاهور. تفهمت مشاعرهم، وأنّى ذهبت، نوهت بتضحيات الشعب الباكستاني. وحاولت أن أشرح أيضًا أهمية هذا الصراع من أجل مستقبل باكستان ومستقبلنا كذلك، خصوصًا أن المتطرفين راهنًا يوسعون انتشارهم خارج المناطق الحدودية. «لا أعرف بلدًا يمكن أن يقف موقف المتفرج، وهو يشاهد قوة الإرهابيين يخيفون الناس ويستولون على أجزاء كبيرة من بلدكم»، على ما قلت للطلاب. طلبت منهم أن يتخيلوا رد فعل الولايات المتحدة لو اجتاز الإرهابيون الحدود من كندا واستولوا على مونتانا. هل نقبل ذلك لأنَّ مونتانا نائية وقليلة الكثافة السكانية؟ بالطبع لا. لن نسمح أبدًا بمثل هذا السيناريو في أي مكان من وطننا، ويجب ألّا تقبله باكستان كذلك.

وطُرحت عليَّ أسئلة كثيرة أيضًا عن الطائرات من دون طيّار. تحوَّل سريعًا استخدام هذه الطائرات أكثر العناصر فاعلية وإثارة للجدل في استراتيجية إدارة أوباما ضد تنظيم القاعدة والإرهابيين من أمثالها في المناطق التي يصعب الوصول إليها. سيرفع الرئيس أوباما السرية في النهاية عن الكثير من تفاصيل هذا البرنامج ويشرح سياسته للعالم، ولكن كل ما أمكنني قوله عام ٢٠٠٩، كلّما سُئلتُ عن الموضوع: «لا تعليق». وقد عُلِم على نطاق واسع أن العشرات من كبار الإرهابيين سُحبوا من ساحة المعركة، وعرفنا لاحقًا أن بن لادن نفسه، قلق من الخسائر الباهظة التي تلحقها بهم الطائرات من دون طيّار.

وناقشنا، في عمق، مواضيع تتعلق بإدارة المفاهيم الضمنية القانونية، والأخلاقية، والاستراتيجية لاستخدام الطائرات من دون طيار، وعملنا جاهدين على وضع المبادئ التوجيهية والرقابة والمساءلة الواضحة. قدّم الكونغرس الأساس القانوني محليًّا، حين أذن باستخدام القوة العسكرية ضد تنظيم القاعدة بعد ١١ أيلول/سبتمبر، وكان لدينا دوليًّا أساس قانوني بموجب قوانين الحرب والدفاع عن النفس. بدأت الإدارة تشرح أسباب الضربات الجوية خارج العراق وأفغانستان للجان المختصة في الكونغرس. تبقى الأفضلية لاحتجاز الإرهابيين واستجوابهم ومحاكمتهم عندما تكون تلك الخيارات متاحة. ولكن، حين تنتفي القدرة على القبض على الإرهابيين المنفردين الذين يشكلون تهديدًا حقيقيًّا للشعب الأميركي، توفّر الطائرات من دون طيّار بديلًا مهمًّا.

وافقت الرئيس حين قال إن «هذه التكنولوجيا الجديدة تثير تساؤلات بليغة في شأن مَن المستهدف، ولماذا؛ وفي شأن الإصابات المدنية، وخلق أعداء جدد؛ وفي شأن شرعية هذه الضربات في ظل القانونين الأميركي والدولي؛ وفي شأن المساءلة والأخلاق». أمضيت وقتًا في مناقشة تعقيدات هذه القضايا مع هارولد كوه، المستشار القانوني في وزارة الخارجية، وهو عميد سابق لكلية الحقوق في جامعة يال، وخبير في القانون الدولي معروف. حاجج هارولد أننا، على ما هي الحال مع كل سلاح جديد، نحتاج إلى وضع تشريعات ومعايير شفافة تُنظّم استخدامها وفقًا للقانون المحلي والدولي ومصالح الأمن القومي الأميركي. فَعَدُّ أميركا دولة القوانين هو إحدى نقاط قوتنا الكبيرة، وكانت المحكمة العليا واضحة في رأيها أن مكافحة الإرهاب لا يمكن أن تحدث من دون «مسوّغ قانوني».

خضع كل قرار فردي لتنفيذ ضربة جوية، لمراجعة قانونية وسياسية صارمة. دعمت أحيانًا ضربة جوية معينة لأنني اعتقدت أنها مهمة لأمن الولايات المتحدة القومي، وتتوافق مع المعايير التي حددها الرئيس. وعارضت أحيانًا أُخرى؛ وقد تجادلنا وعلا صراخنا أنا وصديقي العزيز ليون بانيتا، مدير وكالة الاستخبارات المركزية، في شأن ضربةٍ مقترحة. ولكن، في كل الأحوال، رأيت من الضروري أن تشكّل هذه الضربات جزءًا من استراتيجية القوة الذكية الأكبر لمكافحة الإرهاب، التي تشمل الدبلوماسية، وتطبيق القانون، والعقوبات، وغيرها من الوسائل.

وقد قامت الإدارة الأميركية بكل ما في وسعها لتحييد المدنيين عند تنفيذ الضربات. على الرغم من كل تلك الجهود، فإن التقارير - غير الصحيحة أحيانًا، ولكن ليس دائمًا - عن سقوط ضحايا مدنية من جراء ضربات الطيارات من دون طيار، أججت الغضب والمشاعر المناهضة لأميركا. ولأن البرنامج ظل يخضع للسرية، لم أستطع أن أؤكد صحة هذه التقارير أو أنفيها. ولم يحق لي حتى التعبير عن تعاطف أميركا حيال خسارة الأبرياء، أو شرح مسارنا في العمل الذي يسبب أقلّ ضرر ممكن على المدنيين، خصوصًا حين يُقارَن بالأعمال العسكرية التقليدية، من مثل الصواريخ أو القاذفات - علاوةً على العواقب التي يخلفها بقاء الإرهابيين في المكان.

وكان السؤال الشائع الآخر في باكستان، كيف تتوقع أميركا أن تؤخذ على محمل الجد في شأن رغبتها في تعزيز التنمية والديمقراطية، بعدما دعمت مشرف طوال أعوام. ووصف أحد الصحافيين التلفزيونيين سلوكنا بعبارة «بسط السجادة الحمراء للدكتاتور». استرجعنا معًا بعض الأمور، وتحدثنا عن جورج بوش، ومشرف، ومن يتحمل مسؤولية بعض الأحداث. أخيرًا، قلت له: «اسمع، يمكننا إما أن نتجادل في شأن الماضي - وهو موضوع شيّق دائمًا، ولكن لا يمكن تغييره - وإما أن نقرر أن نصنع مستقبلًا مختلفًا. الآن، أنا أصوّت لتشكيل مستقبل مختلف». لست متأكدةً أنني أقنعته، ولكن في نهاية الحلقة، هدأت حدة غضب المجموعة، بعض الشيء أقلّه.

بعدما انغمست طويلًا في مقابلاتي مع الصحافيين، حان وقت الاجتماعات والعشاء مع الرئيس زرداري. آنذاك، وفي لحظة هدوء قبل أن نتوجه إلى قاعة الطعام الرسمية في القصر الرئاسي، أراني صورتي مع تشيلسي وبنازير وولديهما.

سافرت في اليوم التالي إلى لاهور، المدينة القديمة الغنية بالعمارة المغولية الرائعة. اصطف الآلاف من أفراد الشرطة على طول الطريق حين دخلنا المدينة. شاهدت بعض لافتات الترحيب المعلقة في الشوارع، لكنني مررت أيضًا بحشود من الشبان الذين حملوا شعارات من مثل «هيلاري عودي إلى بلادك»، أو «هجمات الطائرات من دون طيار هي الإرهاب».

وقد واجهت في لقاء مع طلاب إحدى الجامعات، مزيدًا من الأسئلة: لِمَ تدعم أميركا الهند دائمًا بدلًا من باكستان؟ ما الذي يمكن أن تقوم به أميركا لحل مشكلة النقص في الطاقة والضعف في التعليم، ولمَ، مجددًا، أتت حزمة المساعدات مرفقة بالكثير من الشروط؟ ولِمَ يُصنف الطلاب الباكستانيون المتبادلون مع طلاب أميركيين، إرهابيين في أميركا؟ كيف لنا أن نثق بأميركا وقد خذلتنا مرات كثيرة سابقًا؟ حاولتً تقديم إجابات كاملة ومحترمة. «يصعب أن نتقدم إذا نظرنا دائمًا إلى الوراء في مرآة الرؤية الخلفية»، على ما أشرت. ساد الغرفة جو من التجهم والاستياء، مع طاقة إيجابية قليلة لم أشهد لها مثيلًا في زياراتي لمختلف جامعات العالم.

ووقفت من ثمّ، شابة طالبة في كلية الطب، وعضو في «بذور السلام»، وهي منظمة دعمتُها طويلًا وهدفها جمع الشباب من مختلف الثقافات، وعلى الرغم من كل الانقسامات والصراعات، شكرتني، في نبلٍ، باعتباري مصدر إلهام لجميع الشابات في العالم، ليتركز سؤالها سريعًا على الطائرات من دون طيار. أشارت إلى الأضرار الجانبية التي لحقت بالمدنيين الباكستانيين، وسألت: ما دامت هذه الضربات الجوية مهمة، لِمَ لا تتقاسم الولايات المتحدة التكنولوجيا اللازمة والمعلومات الاستخبارية مع الجيش الباكستاني وتسمح له بالتعامل معها. فوجئت بتغيّر نبرتها، ولكن حين نظرت إليها مليًّا، تذكرت أيام دراستي، وكيف شككتُ، وأنا طالبة، في رموز السلطة. لا يخاف الشباب غالبًا من قول ما نفكّر فيه جميعًا ولا نجرؤ على التعبير عنه بصوت عالٍ. لو وُلِدْتُ في باكستان، مَنْ يعلم، لوقفتُ ربما مكانها في تلك اللحظة.

«حسنًا، لن أتحدث عن ذلك تحديدًا»، على ما رددتُ، فيما راجعت ذهنيًّا ما أستطيع قوله من الناحية القانونية، وفي هذه المرحلة، عن الطائرات من دون طيّار، «ولكن، عمومًا، اسمحوا لي بأن أقول إن حربًا تُخاض راهنًا. وأحمد اللّه أن الجيش الباكستاني اضطلع بجهدٍ عسكري محترف جدًّا وناجح. وآمل في أن يضع الدعم الذي توفره الولايات المتحدة، وشجاعة الجيش الباكستاني، حدًّا لها قريبًا. إنما، لسوء الحظ، سيوجد دائمًا أولئك الذين يسعون إلى نشر الإرهاب، ولكن يمكن القضاء عليهم وردعهم، في النهاية، في حال تحوَّل المجتمع ضدهم فجأةً. لذا أعتقد أن الحرب

التي تخوضها حكومتكم وجيشكم راهنًا، مهمة جدًّا لمستقبل باكستان، وسنستمر في مساعدة الحكومة والجيش للقضاء على هذه الحرب».

أشكّ في أن أكون قد أقنعتها. كانت محقة، لكنني لم أستطع قول ما جال في رأسي: نعم، تكبّد الباكستانيون ثمنًا باهظًا في هذه المعركة ضد التطرف، مدنيين وجنودًا على حد سواء. يجب ألّا تُنسى أبدًا هذه التضحيات. والحمد لله أن الجيش الباكستاني تحرّك أخيرًا في المناطق المتنازع عليها من مثل وادي سوات. لكنّ الكثيرين من قادة الجيش وأجهزة الاستخبارات الباكستانية كان هاجسهم الهند، فإما غضوا الطرف عن تمرد حركة طالبان وغيرها من الجماعات الإرهابية، وإما ساعدوها وشجعوها، وهذا ما هو أسوأ. نظمت القاعدة هجماتها على الأراضي الباكستانية وأفلتت من العقاب. وعليه، فالخيارات المطروحة أمام الباكستانيين صعبة، إذ عليهم أن يقرروا مصير البلد حيث يريدون أن يحيوا، وإلى أي حدّ هم مستعدون لفرض الاستقرار والأمن فيه.

لقد أجبت ما أمكنني عن كل الأسئلة. وإن لم يعجبهم ما قلت، أردت التأكد أن جميعهم فهم أن أميركا تسمع وتستجيب اهتماماتهم.

حان آنذاك موعد لقاءٍ آخر مع الصحافيين المحليين، ومرةً أخرى أديت دور كيس الملاكمة. سمعت الأسئلة نفسها عن عدم احترام أميركا السيادة الباكستانية، وشاركت في صدقٍ واحترام، قدر ما استطعت. وعلى ما وصفت الصحافة موقفي، بدوت «مستشارة زواج أكثر مني دبلوماسية». الثقة والاحترام طريقان في اتجاهين، على ما ذكّرت السائلين. كنت مستعدة لتقبل وجهة نظر نزيهة عن سجل أميركا في المنطقة، وتحمّل مسؤولية عواقب أفعالنا. على سبيل المثال، غادرت أميركا سريعًا أفغانستان بعد انسحاب السوفيات عام ١٩٨٩. وعلى الباكستانيين أيضًا أن يتحملوا مسؤولياتهم ويحاسبوا قادتهم بالطريقة نفسها التي يمحّصون فيها أفعالنا. «لا أؤمن باللف والدوران في ما يتعلق بالقضايا الشائكة، لأنني لا أعتقد أن ذلك يعود بالفائدة على أحد»، على ما قلت.

بعد الإجابة عن سؤال تعلّق بإلزامنا باكستان خوض حرب أميركا من دون مساعدة كافية، جلت بنظري على الصحافيين حولي، ومعظمهم أنحى باللائمة سريعًا على الولايات المتحدة وحمّلها مسؤولية كل متاعبهم. «اسمحوا لي أن أطرح عليكم سؤالًا واحدًا»، على ما قلت، «وجدَتْ القاعدة ملاذًا آمنًا في باكستان منذ العام ٢٠٠٢. يصعب عليَّ أن أُصدّق أن لا أحد في حكومتكم يعرف مكان الإرهابيين، أو يستطيع ملاحقتهم إن أراد ذلك... يهُمّ العالم أن يرى اعتقال الرؤوس المدبرة لهذا التنظيم الإرهابي وقتلها، وعلى ما نعلم إلى اليوم، هي في باكستان».

ساد الصمت القاعة لحظةً. قلت تمامًا ما يعتقده حقيقةً كل مسؤول أميركي، من دون أن يعبّر عنه علنًا. فبن لادن ومساعدوه الكبار، يختبئون، أغلب الظن، في باكستان، وعلى أحدهم

أن يعرف أين. أُعيد تكرار تصريحي على التلفزيون الباكستاني، إلى ما لا نهاية، ذلك المساء، وسارع المسؤولون الباكستانيون إلى نفي علمهم أي شيء عن الموضوع. وسُئل في واشنطن روبرت جيبس، السكرتير الصحافي في البيت الأبيض، «هل يعتقد البيت الأبيض أن من اللائق لوزيرة الخارجية كلينتون الإعلان صراحةً في تصريحاتها أمام الباكستانيين، عدم رغبتهم في العثور على الإرهابيين داخل حدودهم؟»، وردّ جيبس: «لائق ومناسب تمامًا».

في اليوم التالي، وفي جولة أُخرى مع الصحافة الباكستانية، أدليت بالتصريح نفسه: «لا بدَّ من أن أحدًا ما، في مكان ما في باكستان، يعرف أين يختبئ هؤلاء القوم».

دعاني ليون بانيتا إلى زيارته في مقر وكالة الاستخبارات المركزية في لانغلي، في فرجينيا، بعد أشهر قليلة على رحلتي إلى باكستان. عرفت ليون وزوجته سيلفيا منذ عقود. إذ أدى، وهو مدير لمكتب الإدارة والموازنة في إدارة كلينتون، دورًا مهمًّا في صياغة خطة بيل الاقتصادية الناجحة، وتمريرها. وحين تولّى من ثمّ، منصب رئيس موظفي البيت الأبيض، ساعد إدارة كلينتون خلال المرحلة العصيبة الممتدة بين سيطرة الجمهوريين على الكونغرس عام ١٩٩٤، وإعادة انتخاب بيل عام ١٩٩٦. وليون الأميركي الإيطالي الذي يفخر بأصوله، داهية وصريح وميزته دماثته خلال ترؤسه موظفي البيت الأبيض، ناهيك بنباهته وأحكامه الصائبة. سُررت حين سأله الرئيس العودة إلى الحكومة مديرًا لوكالة الاستخبارات المركزية، ووزيرًا للدفاع لاحقًا. وكان ليون يشارف الانتهاء من وضع استراتيجية تتعلق بحربنا على تنظيم القاعدة. وقد أظهرت نتائج ملموسة عمليات الإدارة العسكرية والدبلوماسية والاستخبارية ضد الشبكة الإرهابية، لكنني وليون اعتقدنا أننا نحتاج إلى القيام بعملٍ أفضل لمكافحة البروباغندا المتطرفة وقطع الطريق على القاعدة ومنع وصولها إلى التمويل والمجندين والملاذات الآمنة.

وقد توجهت إلى لانغلي بداية شباط/فبراير ٢٠١٠. يحوي مدخل المقر المذكور في عددًا لا يُحصى من قصص التجسس، وُضعت على نصب تذكاري رسمي. نُحتت مئة نجمة تقريبًا في الرخامِ، تخلّد كلٌّ منها ذكرى ضابطٍ من وكالة الاستخبارات قُتل أثناء تأدية واجبه، بمن فيهم الذين أُبقيت هوياتهم سرية. تذكّرت زيارتي الأولى للانغلي، ممثّلةً زوجي في احتفال تأبين ضابطين من الوكالة قُتلا رميًا بالرصاص على بعد شارع فقط من المكان، بداية العام ١٩٩٣. كان القاتل مهاجرًا باكستانيًّا، اسمه مير إيمال كانسي، تمكّن من الفرار من البلد، ولكن قُبض عليه لاحقًا في باكستان التي سلّمته إلى الولايات المتحدة، حيث دينَ وأُعدم. لم يكن مضى عليَّ، سيدةً أولى، سوى أسابيع معدودة، وترك احتفال لانغلي انطباعًا دائمًا فيَّ عن تفاني أولئك الذين يخدمون سرًّا في وكالة الاستخبارات المركزية.

واليوم، بعد سبعة عشر عامًا، تعاني وكالة الاستخبارات المركزية الأسى مرة أخرى. ففي ٣٠ كانون الأول/ديسمبر ٢٠٠٩، قُتل سبعة ضباط في تفجير انتحاري في قاعدة عسكرية شرقَ أفغانستان. كان ضباط الأمن والاستخبارات في المجمّع على وشك لقاء مخبر للقاعدة يحتمل أن يكون ذا شأن، حين فجَّر نفسه بحزام ناسف خفيّ. عُدّ الهجوم ضربةً رهيبةً للوكالة المترابطة الشبكات، ولليون نفسه الذي استقبل نعوش الضحايا السبع المدثرة بالعلم الأميركي في قاعدة دوفر للقوات الجوية في ديلاوير.

وقد نشر ليون مقالة افتتاحية في صحيفة واشنطن بوست، دافع فيها عن موظفيه ضد الانتقادات غير المبررة عن «الجهاز الضعيف»، وأوضح أن «عملاءنا انخرطوا في مهمة دقيقة في جزء خطير من العالم، وظفوا فيها مهاراتهم وخبراتهم واستعدادهم لتحمّل المخاطر. هكذا ننجح في ما نقوم به، وندفع أحيانًا في الحرب ثمنًا باهظًا عنه». كان ليون محقًّا، سواء عن أهمية خدمة بلدنا في المناطق الخطرة أو حقيقة المخاطر التي تنطوي عليها. أدرك معظم الأميركيين أن قواتنا العسكرية كثيرًا ما تكون عرضةً للأذى، لكنَّ الأمر نفسه ينطبق على ضباط استخباراتنا ودبلوماسيينا وخبرائنا للتنمية، على ما تمَّ تذكيرنا في شكلٍ مأسوي خلال تولّيّ منصبي الوزاري.

حين وصلت إلى لانغلي للاجتماع مع ليون، رافقني إلى مكتبه في الطبقة السابعة التي تطِّل على غابات فيرجينيا وبوتوماك وضواحيهما.

وسرعان ما انضم إلينا محللون من مركز مكافحة الإرهاب التابع للوكالة، لوضعنا في تفاصيل القتال ضد القاعدة. ناقشنا طريقةً تمكّنُ وزارة الخارجية من العمل في شكل وثيق مع أجهزة الاستخبارات على مواجهة التطرف العنيف في أفغانستان، وباكستان، وغيرهما من النقاط الساخنة في العالم. شدد فريق وكالة الاستخبارات المركزية خصوصًا على مساعدتنا الضرورية في حروب المعلومات على الإنترنت وموجات الأثير، ووافقت. ما زالت شكاوى الباكستانيين الغاضبة تطِّن في أذني. وأغاظني، على ما قال ريتشادر هولبروك ذات مرة، أننا نخسر معركة الاتصالات أمام متطرفين يعيشون في الكهوف. وأهم من ذلك، علينا إيجاد سبل للحدّ من انتشار التطرف أو تعبئة مزيد من الإرهابيين ليحلوا محل أولئك المقضي عليهم في ساحة المعركة. ونحتاج أيضًا إلى انخراط مزيد من الدول في القتال ضد القاعدة، خصوصًا الدول ذات الغالبية المسلمة التي يمكنها المساعدة على مكافحة البروباغندا المتطرفة وتجنيد الإرهابيين. وجهت وليون فريقينا ليعملا معًا ويخططا لمقترحات ملموسة يمكن أن نعرضها على الرئيس. خلال أشهر قليلة، وبفضل قيادة مستشاري لمكافحة الإرهاب داني بنيامين، وضعنا استراتيجية ذات محاور أربعة.

أوّلًا، للقيام بعمل أفضل سعيًا إلى الفوز في المنافسة على الفضاء الإلكتروني، بما فيه مواقع وسائل الإعلام وغرف الدردشة حيث تبث القاعدة والمنظمات التابعة لها البروباغندا وتجند

الأتباع، أردنا إنشاء مركز جديد للاتصالات الاستراتيجية لمكافحة الإرهاب، يقوم في وزارة الخارجية وإنما يعتمد على خبراء من كل وزارات الإدارة. سيرتبط هذا المركز المفصلي بفرق من العسكريين والمدنيين في مختلف أنحاء العالم، ليضاعف قوة اتصالات سفاراتنا وجهودها من أجل استباق البروباغندا المتطرفة، وتكذيبها، والتغلب عليها. وسنوسع كذلك «فريق التواصل الرقمي»، ليغدو كتيبة من المتخصصين في الاتصالات الذين يتحدثون، في طلاقة، اللغات الأردية والعربية والصومالية وغيرها، كي يقارعوا المتطرفين على الإنترنت ويجيبوا عن أي معلومة مضللة ومناهضة للولايات المتحدة.

ثانيًا، ستقود وزارة الخارجية حملة دبلوماسية من أجل التنسيق على أفضل وجه مع الشركاء والحلفاء في مختلف أنحاء العالم، الذين يقاسموننا مصلحتنا في مكافحة التطرف العنيف. إذ بعد عقد تقريبًا على هجمات ٩/١١، لم يكن هناك أي محفل دولي ليدعى إليه في انتظام، صناع القرار ومكافحو الإرهاب الأساسيون. لذلك تصورنا تأسيس «المنتدى العالمي لمكافحة الإرهاب»، الذي سيجمع عشرات البلدان، ويشمل الكثير من دول العالم الإسلامي، لتبادل الخبرات ومواجهة التحديات المشتركة، من مثل تعزيز الحدود التي يسهل اختراقها، والرد على مطالبة الخاطفين بفدية.

ثالثًا، أردنا زيادة تدريب الموظفين المكلفين تطبيق القوانين الأجنبية، وكذلك عدد قوات مكافحة الإرهاب. وكانت وزارة الخارجية عملت مع سبعين ألف موظف رسمي تقريبًا من أكثر من ستين دولة كل عام، واختبَرَتْ تجربة بناء القدرات لمكافحة الإرهاب في اليمن، وباكستان، ودول المواجهة الأُخرى. أردنا القيام بأكثر من ذلك.

رابعًا، أردنا استخدام البرامج والشَّرِكات الإنمائية المحددة الأهداف مع المجتمع المحلي المدني، في محاولةٍ لترجيح كفة الميزان بعيدًا عن التطرف، في النقاط الساخنة الخاصة بتجنيد الإرهابيين. مع مرور الوقت، كنا وجدنا أن المجندين يميلون إلى أن يأتوا في مجموعات، بتأثير من العائلة والشبكات الاجتماعية. قد لا نكون قادرين على وضع حدّ للفقر أو بسط الديمقراطية في كل بلد في العالم، ولكن من خلال التركيز على أحياءٍ معينة وقرى وسجون ومدارس، قد نتمكن من كسر حلقة التشدد وتعطيل سلاسل التجنيد.

ولقد اعتقدت أن هذه المبادرات الأربع ستكمل ما تقوم به أجهزة الاستخبارات والجيش، ناهيك بجهود وزارة الخزانة الشديدة لتعطيل شبكات تمويل الإرهاب ونهج القوة الذكية المتماسكة لمكافحة الإرهاب. طلبت من داني بنيامين أن يضع البيت الأبيض في تفاصيل خططنا، ويحدد لي موعدًا لشرح استراتيجيتنا للرئيس وبقية أعضاء مجلس الأمن.

دعم بعض مستشاري الأمن القومي في البيت الأبيض خطتنا، فيما قلق آخرون. أرادوا أن يتأكدوا أن وزارة الخارجية لا تحاول اغتصاب دور البيت الأبيض بصفة كونه المنسق الرئيس بين مختلف الوكالات ونشاطاتها، خصوصًا حين يتعلق الأمر بالاتصالات. شرح داني، صابرًا، أن القصد من هذه المبادرة أن تكون مستهدِفة جدًّا لمكافحة البروباغندا المتطرفة. ومن أجل تنقية الأجواء، وعلى ما اقتضت الضرورة مرات كثيرة سابقًا، قررت أن أقدمها إلى الرئيس مباشرةً.

قدمت استراتيجيتنا بداية حزيران/يونيو، في اجتماع مبرمج على جدول المواعيد، مع الرئيس أوباما وفرق الأمن الداخلي ومكافحة الإرهاب كاملةً. حضّر داني عرضًا مفصلًا على «باور بوينت»، شرح المبادرات الأربع، والموارد والسلطات التي نحتاج إليها لتنفيذها. دعمني بانيتا فورًا، قائلًا للرئيس إن هذا هو المطلوب بالضبط. وافق وزير الدفاع غايتس. تحدث المدعي العام إريك هولدر ووزيرة الأمن الداخلي جانيت نابوليتانو، إيجابًا أيضًا. التفتنا من ثمّ إلى الرئيس، فلاحظت أنه منزعج بعض الشيء. «لا أعرف ما الذي يجب أن أقوم به هنا، ليصغي إليّ الناس»، على ما قال ساخطًا. لم تكن تلك بدايةً جيدة. «لقد طلبت هذا النوع من الخطط منذ أكثر من عام!». كان ذلك الضوء الأخضر من رأس السلطة. «لدينا كل ما نحتاج إليه»، على ما قلت لداني لاحقًا. «فلنباشر العمل».

«أمسكنا طرف الخيط. لدينا دليل».

حدث ذلك بداية آذار/مارس ٢٠١١. كنت أتناول الغداء مع ليون بانيتا في غرفة طعام خاصة في الطبقة الثامنة في وزارة الخارجية.

قال لي قبل مدة قصيرة بعد اجتماع في غرفة العمليات، إنه يريد أن يحدثني في موضوع مهم، على انفراد، من دون موظفين، ومن دون تدوين ملاحظات. عرضت أن أزوره في مكتبه في لانغلي، لكنَّه أصرَّ على أن يأتي إلى وزارة الخارجية. وعليه، اجتمعنا إلى غداء، وكنت متلهفة إلى سماع ما في جعبته.

انحنى ليون نحوي وأخبرني أن وكالة الاستخبارات المركزية تتبع طرف أفضل خيط أمسكته منذ أعوام، ويُحتمل أن يقودها إلى المكان الذي يختبئ فيه أسامة بن لادن. عملت الوكالة على الموضوع في هدوء وسريّة تامة منذ بعض الوقت. بدأ ليون يسرب المعلومات في بطء إلى كبار مسؤولي الإدارة، بدءًا بالبيت الأبيض. التقى بوب غايتس في البنتاغون، في كانون الأول/ديسمبر. وفي شباط/فبراير، اجتمع مع قادة هيئة الأركان المشتركة والأدميرال بيل ماكرافن، قائد قيادة

العمليات الخاصة المشتركة، الذي يمكن أن تُستدعى قواته لقيادة هجوم، في حال كانت المعلومات الاستخبارية دقيقة بما فيه الكفاية. وها هو ذا يخبرني، لأنه أرادني أن أنضم إلى مجموعة صغيرة في البيت الأبيض لمناقشة ما يجب القيام به.

كنت أعرف أن الرئيس أوباما قال لليون بعد احتفال تنصيبه بمدة وجيزة، إنه يريد أن تعيد وكالة الاستخبارات المركزية تركيز جهودها على تنظيم القاعدة، والعثور على بن لادن. عمل الوكلاء والمحللون من دون كَلالٍ في لانغلي وفي الميدان، ويبدو راهنًا أن جهودهم تسفر عن نتائج. مضى عقدٌ تقريبًا مذ وقفتُ أمام كومة البرجين المشتعلة في منطقة نيويورك المنكوبة، وما زال الأميركيون يطلبون العدالة. لكنَّني عرفت أيضًا أن الاستخبارات عمل غير مؤكد، وأن أدلة سابقة فشلت ولم تؤتِ نتيجة.

توجَّب عليَّ ألّا أُخبر أحدًا في وزارة الخارجية، أو أي مكان آخر، عمّا يحدث في هذا الشأن، مما وضعني في ظروف محرجة مع موظفيّ. منذ أكثر من عشرين عامًا، لم أستطع القيام بأي شيء يُذكر، من دون أن يلحظ ذلك عشرون شخصًا على الأقل، ولكن مع بعض التضليل، أنجزت المهمة، في نجاح، على الرغم من صعوبتها.

واجتمعت مجموعتنا الصغيرة في البيت الأبيض مرات كثيرة في آذار/مارس ونيسان/أبريل. عرض ليون وفريق عمله القضية التي دفعتهما إلى الشك في أن «هدفًا عالي القيمة»، يُحتمل أنه بن لادن، يعيش في مجمَّع محصَّن بسور، في مدينة أبوت أباد الباكستانية، ليس بعيدًا من أكاديمية التدريب العسكرية الأولى في البلاد، وهي تعادل ويست بوينت عندنا. بدا بعض محللي الاستخبارات واثقين تمامًا بأنهم عثروا أخيرًا على رَجُلِهم. كان آخرون أقلّ ثقة، خصوصًا أولئك الذين شهدوا فشل العملية الاستخبارية التي خلُصت إلى أن صدام حسين يملك أسلحة الدمار الشامل. دقَّقنا في التقارير، واستمعنا إلى الخبراء، وقوَّمنا احتمالات الجانبين.

وقد ناقشنا أيضًا خياراتنا. كان الأوّل مشاركة الباكستانيين المعلومات الاستخبارية وتوجيه عملية دهم مشتركة، لكنني وآخرين ظننا أنّنا لا يمكننا الثقة بالباكستانيين، فوضع الرئيس فورًا هذا الخيار خارج البحث. اقترح ثانٍ قصف المجمّع من الجو. لن يشكِّل هذا خطرًا كبيرًا على الجنود الأميركيين، ولكن يُرجح أن يُخلِّف أضرارًا جانبية جسيمة في حيٍّ مكتظ بالسكان، ولن تتوافر وسيلة للتيقُّن من أن بنِ لادن كان حقًّا هناك. قد يؤدي استخدام صاروخ موجَّه يُطلق من طائرة من دون طيّار أو منصَّة أُخرى إلى الحدِّ من الضرر، ولكن لن تكون هناك أيضًا وسيلة للكشف على الجثة وتحديد هويتها، أو جمع أي معلومة استخبارية مفيدة أخرى من المجمّع. وأسوأ من ذلك، أن يُخطئَ الهدف، أو ألّا يؤدي إلى النتيجة المطلوبة. الطريقة الوحيدة للتيقن أنه كان هناك، والتأكد أكثر أنه قُتِلَ أو قُبِضَ عليه، إقحام قوات العمليات الخاصة في عمق باكستان لدهم المجمَّع.

كان عملاء الأدميرال ماكرافن الخاصون من ذوي المهارات والخبرات العالية، ولكن لم يكن هناك أدنى شك في أنَّ هذا الخيار يُشكّل إلى حدٍّ بعيد الخطر الأكبر، خصوصًا إذا أفضى الأمر برجالنا إلى الاشتباك مع قوات الأمن الباكستانية، على بُعدِ مئات الأميال مِن ملاذٍ آمن.

وانقسم كبار مستشاري الرئيس على فكرة الغارة. فأوصى ليون وطوم دونيلون، وقد أصبح مستشار الأمن القومي، قطعًا بإطلاق العملية. أما بوب غايتس، الذي أمضى عقودًا، محللًا في وكالة الاستخبارات المركزية، فلم يؤيد الفكرة. اعتقدَ أن الاستخبارات ظرفية، وقلق من أن يعرِّض للخطر، أي انفجار في العلاقة مع الباكستانيين، جهود إيقاف الحرب في أفغانستان. وحمل بوب كذلك ذكريات أليمة من عملية «مخلب النسر» (إيغل كلو)، أي محاولة الإنقاذ الفاشلة والمأسوية للرهائن في إيران عام ١٩٨٠، والتي خلَّفت ثمانية قتلى من الجنود الأميركيين حين اصطدمت طائرة هليكوبتر بطائرة نقل، ولا يرغب أحد في أن يتكرر هذا السيناريو الكابوس. رأى أن مخاطر الغارة عالية جدًّا، وفضَّل ضربةً من الجو، على الرغم من أنه غيَّر رأيه في النهاية. وبقي نائب الرئيس بايدن مشكّكًا.

كانت هذه المناقشات صعبة ومجهدة. فخلافًا لمعظم القضايا التي تعاملت معها، وزيرةً للخارجية، وبسبب التكتم الشديد على هذه المسألة، لم أستطع أن أتشاور مع أي مستشار أثق به، أو أتصل بأي خبير.

وأخذت الموضوع على محمل الجدّ. ولكن، بعدما تمت العملية، رأى الرئيس أوباما أن يتصل بالرؤساء الأربعة السابقين الأحياء لإبلاغهم شخصيًّا أمرها، قبل أن يظهر على التلفزيون ليُعلم المواطنين. لذا، حين تكلم مع بيل، بدأ بالقول: «أفترض أن هيلاري قد أخبرتك بالأمر...». ولم يكن لبيل أدنى فكرة عمّا يتحدث عنه الرئيس. قالوا لي ألّا أُخبِر أحدًا، وفعلت. فمازحني بيل لاحقًا بالقول: «مَنْ كان ليظُن أن في إمكانكِ أن تحفظي سرًّا!».

لقد احترمت مخاوف بوب وجو في شأن مخاطر الغارة، لكنني استنتجت أن الاستخبارات مقنعة، والمخاطر زادت من فوائد النجاح. كان يجب فقط أن نتأكد ونثق بأنها ستنجح.

كانت تلك وظيفة الأدميرال ماكرافن، الذي مذ التحق بالقوات البحرية ترقى في صفوفها، بما في ذلك قيادة فريق القوات الخاصة للهدم تحت الماء. كلَّما زادت معرفتي به وشاهدت طريقة تخطيطه للعملية، شعرت بثقة أكبر. حين سألت عن مخاطر الغارة على المجمَّع، أكَّد لي الأدميرال ماكرافن أن قوات العمليات الخاصة التي يرأس، نفَّذت مئات المهمات المشابهة في العراق وأفغانستان، وأحيانًا عمليتين، أو ثلاثًا، أو أكثر في ليلة واحدة. كانت عملية مخلب النسر كارثة، لكنَّ قوات العمليات الخاصة تعلمت منها الكثير. يبقى الجزء المعقد من الغارة، الوصول إلى أبوت

أباد من دون إثارة الرادار الباكستاني وردّ القوات الباكستانية الأمنية المتمركزة في الجوار. متّى حطّت قواته البحرية الخاصة في المكان، ستنجز المهمة.

وتدربت في شكلٍ مكثف للمهمة قوات العمليات الخاصة التابعة للبحرية و«الملاحقون الليليون» (نايت ستوكر)، عنيتُ طياري الجيش التابعين لفوج العمليات الخاصة الجوية ١٦٠. وشمل التدريب تمرينين على مجسمين للمجمع بالحجم نفسه، في موقعين سريين مختلفين في الولايات المتحدة. وتمّ كذلك تدريب كلب بلجيكي مالينوا، اسمه كِيْرو، عمل مع القوات الخاصة البحرية.

واستدعى الرئيس أوباما المجموعة إلى اجتماع أخير في ٢٨ نيسان/أبريل ٢٠١١، في غرفة العمليات في البيت الأبيض. جال حول الطاولة وسأل الجميع عن توصيتهم النهائية. أنا والرئيس محاميان، وتعلمت مع الوقت طريقة التماس تحليله المنطقي. لذلك، عرضت القضية منهجيًّا، بما يشمل الضرر المحتمل على علاقتنا مع باكستان ومخاطر فشل العملية. ولكن، على ما ختمتُ، تستحقّ فرصة القبض على بن لادن حيًّا كل هذا العناء. وعلى ما اختبرت بنفسي، تنحصر علاقتنا مع باكستان في المعاملات التجارية والمالية فقط، وترتكز على المصالح المتبادلة، لا على الثقة. لن تتأثر بشيء وستدوم. أعتقد أن علينا تنفيذ العملية.

وطُرِحت أيضًا مسألة التوقيت والخدمات اللوجستية. لا بد من تنفيذ الغارة تحت جنح الظلام، لذا أوصى الأدميرال ماكرافن بشنها في أقرب ليلة غير مقمرة، أي السبت، ٣٠ نيسان/أبريل، أي بعد يومين فقط. أثار هنا بعض المسؤولين قلقًا غير متوقع. حُدِّد السبت موعد عشاء مراسلي البيت الأبيض السنوي، وهو حدث رسمي رفيع المستوى، يُخبِر الرئيس عادةً خلاله النكات أمام حشدٍ من الصحافيين والمشاهير. قلِق هؤلاء المسؤولون ألّا يتمكن الرئيس من المشاركة في العشاء والعرض في حال اضطر إلى متابعة مَجَرَيات الغارة. وفي حال ألغاه أو غادر باكرًا، سيثير الشكوك ويعرض للخطر سرية العملية. وتعهد الأدميرال ماكرافن، الجندي الشجاع الباسل، أن يؤجل المهمة إلى الأحد في حال كان هذا القرار نهائيًّا، على الرغم من أن أي تأخير جديد سيشكّل مشكلة كبيرة.

لقد شهدت في حياتي أحاديث سخيفة كثيرة، لكن ما أسمع راهنًا فاقها جميعًا. كنا نناقش إحدى أهم مهام الأمن القومي التي سيتخذها الرئيس يومًا، وهي معقدة أصلًا وخطيرة بما فيه الكفاية. إذا أراد قائد القوات الخاصة أن تُنفَّذ السبت، فهذا ما يجب أن نقوم به. لا أذكر تحديدًا ما قلت، لكنَّ بعض وسائل الإعلام ذكرت لاحقًا أنني استخدمت كلمة من أحرفٍ أربعة لأصف عشاء المراسلين. لم أنفِ الخبر.

ووافقني الرئيس الرأي، وقال إنه سيدّعي أنه اضطُر، في حال ساءت الأمور، إلى مغادرة

العشاء، بسبب ألم أصاب معدته. في النهاية، كان من المتوقع أن يغطي الضباب أبوت أباد، السبت، ووجب تأجيل العملية إلى الأحد. لم يكن السبب على الأقل احتفالًا في واشنطن.

أخذ الرئيس وقتًا بعد الاجتماع النهائي ليفكّر في الأمر. فالفريق ما زال منقسمًا، والقرار يعود إليه وحده. أعطى الأمر من ثمَّ؛ فالعملية المسماة «نبتون سبير»، ستنطلق.

أمضيت مساء السبت في احتفال زفاف إحدى صديقات ابنتي المقربات. فالعروس الشابة جندية استراتيجية تتقن اللغة الصينية، تابعت دراسات عن الجيش الصيني، وهي وأصدقاؤها الحاضرون جميعًا أذكياء وجذابون. كانت ليلة ربيعية باردة، وخلال الاحتفال على سطح مبنى يطّل على نهر بوتوماك، وقفت جانبًا أنظر إلى النهر وأفكر في ما سيحدث في اليوم التالي. تقدّم مني بعض الضيوف وكلّموني، وسرعان ما تحلّق حولي حوالى عشرة منهم. سألني من ثمّ أحدهم: «معالي الوزيرة كلينتون، هل تعتقدين أننا سنقبض على بن لادن يومًا؟». بالكاد استوعبت الصدمة وتمالكت نفسي، وقد فوجئت بأنه طرح السؤال هذا المساء تحديدًا. أجبت أخيرًا: «آمل في ذلك طبعًا».

قطعت في اليوم التالي، الأحد ١ أيّار/مايو، الثانية عشرة والنصف، مسافةَ الدقائق الخمس عشرة التي تفصل بين منزلي والبيت الأبيض، وانضممت إلى كبار أعضاء فريق مجلس الأمن القومي الآخرين، في غرفة العمليات. كان موظفو البيت الأبيض أحضروا طعامًا جاهزًا، وارتدى الجميع لباسًا غير رسمي. انضم إلينا أيضًا ضابطان من وكالة الاستخبارات المركزية طاردا بن لادن منذ أكثر من عقد؛ صَعُب عليهما أن يصدّقا أنَّ بحثهما عنه قد ينتهي قريبًا. استعرضنا تفاصيل العملية مرة أُخرى، بما في ذلك المكالمات التي سنقوم بها، من ثم.

الثانية والنصف بتوقيت واشنطن، أقلعت طائرتا بلاك هوك تحملان فريق قوات العمليات البحرية الخاصة من قاعدة في جلال أباد شرق أفغانستان، حيث كانت الساعة، الحادية عشرة. ما إن عبرتا الحدود إلى باكستان، حتى رافقتهما ثلاث مروحيات نقل كبيرة من طراز تشينوك، مع التعزيزات المستعدة للانتشار، إذا دعت الحاجة.

قطع أزيز مراوح طائرتي البلاك هوك الصمت السائد في أبوت أباد حوالى دقيقتين، قبل أن تنقضّا على المجمَّع. استطعنا أن نراهما في وضوح، كيف اقتربتا سريعًا على علو مخفوض، على شاشة الفيديو في قاعة المؤتمرات الصغيرة حيث اجتمعنا، إلى جانب غرفة العمليات الأوسع. من ثمَّ، وبدلًا من أن تحوم إحدى المروحيتين في الأجواء فيما القوات الخاصة «تتدلى سريعًا» منها وتقفز إلى الأرض على ما قضت الخطة، بدأت تفقد توازنها. «حطّ الطيار اضطرارًا» واصطدم ذيل المروحية بحائط المجمَّع. (حددت قيادة الجيش لاحقًا المشكلة: أحاط نموذج المجمع الذي

تمّ فيه التدريب سياجٌ من الشريط الشائك بدلًا من الجدار الحجري، مما غيَّر ديناميكيات تدفق الهواء المطلوبة وأثّر في قابلية تشغيل البلاك هوك). وكأنَّ ما حدث لا ينذر بالخطر، بما فيه الكفاية، وجب على طيار الهليكوبتر الثانية، المفترض أن تحط على سطح المجمَّع لتنزل منها القوات الخاصة، أن يرتجل، فتجاوز المجمّع سريعًا من دون توقف، وهبط بدلًا من ذلك خارجه.

كانت تلك أصعب لحظة عشتها في حياتي والأشدّ توترًا. تذكرت سريعًا ليس، فحسب، حادث إيران المأسوي الذي خشي بوب، في حدس، تكراره منذ البداية، وإنما أيضًا حادث «بلاك هوك داون» في الصومال عام ١٩٩٣، حين قُتِل ثمانية عشر جنديًّا أميركيًّا في مقديشو. هل تشهد الولايات المتحدة كارثة جديدة؟ فكّرت في الرجال الذي يخاطرون بحيواتهم هناك، منتصف الليل في المقلب الآخر من العالم، والتقطت أنفاسي. هناك صورة مشهود لها عن ذلك النهار تظهرني ويدي مطبقة على فمي فيما نحن نحدّق جميعًا في الشاشة. لا أستطيع أن أجزم في أي لحظة التُقطت الصورة، لكنَّها نقلت ما شعرت به في ذلك الوقت.

واستطعنا أخيرًا أن نزفر: حطّت البلاك هوك المعطَّلة ونزلت منها القوات الخاصة، مستعدةً لشن الهجوم. كان العمل البطولي الأول من سلسلة طويلة ذاك المساء، والأدميرال ماكرافن محق: عرف فريقه كيف يتخطى كل عقبة اعترضته. واستمرت المهمة.

شاهدنا على الفيديو المنقول تحركات القوات الخاصة المرتجلة، تتسل عبر فناء المجمَّع، وتدخله بحثًا عن بن لادن. وخلافًا لبعض التقارير الإخبارية وما يُعرض في الأفلام السينمائية، لم نملُك أي وسيلة لمعرفة ما كان يحدُث داخل المبنى نفسه. كل ما أمكننا القيام به، انتظار آخر الأخبار من الفريق الموجود في مكان الحدث. نظرت إلى الرئيس. كان هادئًا. نادرًا ما افتخرت بالخدمة إلى جانبه، على ما فعلت اليوم.

بعد ما خيِّل إلي أنّه دهر، وفي الواقع لم ينقضِ أكثر من خمس عشرة دقيقة، تبلغنا من ماكرافن أنَّ القوات عثرت على بن لادن، وقد «قُتِل أثناء العملية». مات أسامة بن لادن.

وصلت إحدى طائرات الهليكوبتر الاحتياطية لنقل فريق القوات الخاصة إلى مكان آمن، إضافةً إلى جثة بن لادن وكنز من المعلومات الاستخبارية التي جمعها. ولكن وجب عليه أوّلًا تفجير المروحية المعطلة كي لا يتم اكتشاف التكنولوجيا المتقدمة التي تحملها وفحصها. وبينما زرع بعض أفراد الفريق المتفجرات، جمّع آخرون النساء والأطفال الذين يعيشون في المجمع - عائلات بن لادن وأُخرى غيرها - وراء جدار آمن ليحميهم من الانفجار. وسط كل مخاطر هذا اليوم وضغوطه، دلّت لفتة جيشنا الإنسانية هذه إلى أهمية القيم الأميركية.

حين علم الرئيس أن فريق القوات الخاصة وصل إلى أفغانستان، وتأكّد أنَّ الجثة تعود إلى بن لادن على ما حُدِّد، آن دوره ليتوجه بكلمةٍ إلى الأمة. سرت معه، إضافةً إلى بايدن، وبانيتا، ودونيلون، ومايك مولن، وجيم كلابر مدير الاستخبارات الوطنية، إلى القاعة الشرقية، المكان الذي قصدته مرات لا تحصى للإدلاء بخطب، أو حضور عروض موسيقية، أو المشاركة في مآدب رسمية. كنت راهنًا ضمن مجموعة صغيرة، أشاهد الرئيس يلقي كلمةً تاريخية. أنهكتني الانفعالات والتوتر المتواصل الذي شهدناه هذا اليوم، ناهيك بالأسابيع والأشهر التي أدت إليه. شعرت بالفخر والتقدير وأنا أستمع إلى الرئيس يصف العملية الناجحة. وفي طريق عودتنا عبر الممر المجاور لحديقة الزهور، سمعنا هديرًا غير متوقع وراء البوابات. رأيت من ثمّ، حشدًا كبيرًا من الشباب، معظمهم من طلاب الجامعات المجاورة، تجمعوا خارج البيت الأبيض في احتفال عفوي، يلوحون بالأعلام الأميركية، ويهتفون «الولايات المتحدة الأميركية!». كانوا أطفالاً حين هاجم تنظيم القاعدة الولايات المتحدة في ٩/١١، ونشأوا في ظل الحرب على الإرهاب التي ستبقى في وجدانهم، ما حيوا. عبروا عن ارتياحٍ عمَّ البلد كاملًا بعدما انتظر طويلًا أن تتحقق العدالة.

وقد توقفت، في هدوء، وأصغيت إلى الصيحات والهتافات. فكَّرت في العائلات التي أعرفها في نيويورك وما زالت مفجوعة على أحبَّة فقدتهم في ذلك اليوم الرهيب. هل يجدون قدرًا من العزاء الليلة؟ والناجون، من مثل لورين مانينغ وديبي ماردنفلد وغيرهما، الذين تعرضوا لإصابات بليغة، هل يواجهون المستقبل مجددًا بتفاؤل وثقة؟ فكَّرت أيضًا في ضباط وكالة الاستخبارات المركزية الذين لم يتخلوا يومًا عن مطاردة بن لادن حتى حين لم تتوافر لهم المعلومات الصحيحة، وكذلك فريق القوات البحرية الخاصة والطيارين الذين أدوا مهتهم، في دقة، وأفضل مما وعد به الأدميرال ماكرافن، وجميعهم عادوا إلى ديارهم.

لم أكن أتطلَّع إلى المحادثات الصعبة التي تنتظرني مع الباكستانيين. وعلى ما هو متوقع، حين انتشر الخبر، قامت قيامة البلد ولم تقعد. شعر الجيش بالإذلال وثار الشعب على ما عدَّه انتهاكًا لسيادة باكستان. ولكن حين اتصلت بالرئيس زرداري، بدا حصيفًا أكثر منه عدائيًّا. «يظن الشعب أنني ضعيف»، على ما قال، «لكنَّني لست ضعيفًا. أعرف بلادي، ولقد قمت بكل شيء ممكن. لا أستطيع أن أنكر أن أكثر رجل مطلوب للعدالة في العالم، كان في بلادي. تقع مسؤولية الفشل على الجميع لأننا لم نعلم». وأكدّ أنَّ باكستانٍ صديقة الولايات المتحدة منذ ستة عقود، ووصف الحرب على الإرهاب بعبارات خاصة عميقة: «أُقاتل من أجل حياتي، وحياة أولادي مستقبلًا»، على ما قال. «أُقاتل الناس الذين قتلوا أمَّ أطفالي».

تعاطفت مع زرداري وأبلغته أن عددًا من كبار المسؤولين الأميركيين في طريقهم إلى الاجتماع

معه شخصيًا، وإني سآتي متى سمحت لي الظروف بذلك. لكنني كنت أيضًا حازمة معه: «السيّد الرئيس، أعتقد اعتقادًا راسخًا أنَّ في إمكان علاقة بلدينا أن تستمر في شكلٍ يخدم مصالحنا المشتركة، وسنتضرر على حدّ سواء في حال انتهى تعاوننا الوثيق. ولكن، أريد أن أكون واضحة، باعتباري صديقة حميمة وشخصًا يحترمك جدًّا. إن إيجاد هذا المسار يتطلب منك ومن بلادك القيام بخيارات. نريد مزيدًا من التعاون».

سأكرس طاقتي كاملةً في الأشهر التالية للحفاظ على علاقتنا الهشة، على ما فعل سفيرنا في إسلام أباد، كاميرون مونتر وفريقه. أوشكَتِ الانقطاع مرات، لكنَّ المصالح الأساسية المشتركة التي وصفتها لزملائي خلال مناقشاتنا في البيت الأبيض، ظلّت تعيد جمع البلدين مرّةً بعد أخرى. حتّى من دون بن لادن، سيبقى الإرهاب تهديدًا لا يمكن أن تتجاهله أي دولة. ما زالت باكستان تواجه تمرد طالبان القاتل ومشكلات اجتماعية واقتصادية متصاعدة.

وقد قتلت القوات الأميركية في تشرين الثاني/نوفمبر ٢٠١١، بعد ستة أشهر من عملية أبوت أباد، أربعة وعشرين جنديًّا باكستانيًّا في حادث مأسوي، على الحدود مع أفغانستان. قدمت الولايات المتحدة تعازيها سريعًا، لكنَّ ردود الفعل الباكستانية أتت قوية. أغلقت الحكومة الباكستانية خط إمداد حلف شمال الأطلسي في أفغانستان، وأطلق البرلمان مراجعة للعلاقات مع الولايات المتحدة. أراد الباكستانيون اعتذارًا مباشرًا، فيما رفض البيت الأبيض استجابة الطلب. تكدست حاويات الشحن العسكرية طوال شهور، مما خلق تحديات لوجستية لقواتنا، إضافةً إلى تكاليفنا المالية التي فاقت مئة مليون دولار شهريًّا، وحُرِمَ الباكستانيون إيرادات هم في أشدّ الحاجة إليها.

وإذ تعذّرت إعادة فتح خطوط الإمدادات قبل قمة حلف شمال الأطلسي في شيكاغو، في أيَّار/مايو ٢٠١٢، اقترحت على الرئيس أوباما أننا في حاجة إلى مقاربة مختلفة لحلِّ المأزق. وافق على أن أقوم بالمحاولة، على الرغم من اعتراضات مجلس الأمن القومي ووزارة الدفاع. فبعض مستشاري الرئيس، ومراعاةً لحملة إعادة انتخابه، توجسوا من فكرة أي اعتذار، خصوصًا من البلد الذي أوى بن لادن. ولكن لمساعدة إمداد قوات الائتلاف، وجب علينا ترتيب هذا الأمر. قلت للرئيس إنني سأتقبل أي هجمات سياسية محتملة. التقيت الرئيس زرداري في شيكاغو، وأبلغته أنني في حاجة إلى مساعدته لإعادة فتح خط الإمداد، بقدر ما تحتاج حكومته إلى الدّفعات التي تتلقاها في مقابل السماح للقوافل بعبور باكستان. وأوفدت نائب وزيرة الخارجية، توم نيدس، المفاوض ذا الخبرة، لاجتماع منفرد مع وزير المال الباكستاني. كان هذا الواجب من الدواعي التي تُظهر أن الاستعداد للاعتراف بالخطأ ليس ضعفًا وإنَّما حل بالتراضي لمصلحة الأمة. لذلك أعطيت توم توجيهات واضحة: كُنْ حذرًا، وعاقلًا، وتوصَّل إلى اتفاق.

وقد ساعد فتح القنوات على تهدئة المشاعر الباكستانية. حين التقيت في حزيران/يونيو، في

اسطنبول، وزير الخارجية هينا رباني خار الذي حل محل قريشي، أمكنني أن أقول إننا اقتربنا من الحلّ. وتوصلنا إلى اتفاق بداية تموز/يوليو. اعترفت بالأخطاء التي أدت إلى خسائر في الأرواح العسكرية الباكستانية وقدمت مرة أُخرى تعازينا الحارَّة. وأسف كلا الجانبين للخسائر الناجمة عن الحرب على الإرهاب. أعاد الباكستانيون فتح الحدود، مما سمح لنا بإتمام سحب قوات الائتلاف المخطط له بتكاليف تقلّ كثيرًا عمّا كنا سندفعه لو اضطررنا إلى اعتماد مسار آخر. أبقى توم ووزير المال حوارهما مفتوحًا، ونشرا حتى مقالة افتتاحية مشتركة عرضت لمجالات التعاون المحتملة، خصوصًا في مجال التنمية الاقتصادية.

قدمت المفاوضات والاتفاق النهائي على خطوط الإمداد دروسًا عن الطريقة التي تُمكّن الولايات المتحدة وباكستان من العمل معًا في المستقبل لتحقيق المصالح المشتركة. متى غادرت القوات الأميركية المقاتلة أفغانستان، ستتغيَّر طبيعة علاقتنا. ولكن سيظل للبلدين مصالح، يعتمد أحدهما فيها على الآخر. لذلك نحن نحتاج إلى طرائق للعمل معًا في شكل بنَّاء. لا مفرَّ من خلافات وتباينات مستقبلًا، ولكن إذا أردنا الحصول على نتائج، لا خيار آخر لنا إلا أن نبقي على تركيزنا وواقعيتنا.

وفي الوقت نفسه، تلقى تنظيم القاعدة صفعة قوية، على الرغم من أنَّه لم يُهزم بعد. وبفضل العملية في أبوت أباد، عادت القوات الخاصة مع معلومات استخبارية جديدة وقيِّمة عن طريقة عمل تنظيم القاعدة داخليًّا، ستضيف إلى ما سبق أن أدركناه عن انتشار المنظمات التابعة له: حركة الشباب في الصومال، وتنظيم القاعدة شمال أفريقيا في المغرب الإسلامي، وتنظيم القاعدة في شبه الجزيرة العربية، التي غدت من أكبر التهديدات راهنًا. فوفاة بن لادن، وفقدان هذا العدد الكبير من كبار مساعديه، سيحطّان بالتأكيد من قدرة نواة تنظيم القاعدة في أفغانستان وباكستان على شن هجمات جديدة على الغرب. لكنّ ذلك قد يحوِّل السلطة والزخم إلى المنظمات التابعة له، مما يخلق تهديدًا أكثر انتشارًا وتعقيدًا.

وقد تيقَّنت، في مواجهة هذا التحدي المتزايد، أننا نحتاج إلى مواصلة نهج القوة الذكية لمكافحة الإرهاب الذي شرحته للرئيس عام ٢٠١٠. عملنا في وزارة الخارجية، في تأنٍّ ودقة، على تطوير الوسائل والقدرات التي سنحتاج إليها، بما في ذلك توسيع مكتبنا لمكافحة الإرهاب إلى دائرة كاملة الصفات يرأسها مساعد وزير الخارجية. لكنَّ العمل مع بقية أعضاء الحكومة قد يكون بطيئًا في شكل محبط. وجب علينا أن نكافح من أجل كل قرش للتمويل. وعلى الرغم من تصريحات الرئيس الواضحة في تموز/يوليو ٢٠١٠، تطلَّب البيت الأبيض عامًا لإصدار أمر تنفيذي يقضي بإنشاء مركز الاتصالات الاستراتيجي لمكافحة الإرهاب، وقد تبلغناه أخيرًا في ٩ أيلول/سبتمبر

٢٠١١. وزرت في اليوم نفسه كلية جون جاي للعدالة الجنائية في نيويورك، وألقيت خطابًا رئيسًا يشرح استراتيجيتنا، ليستأثر الجانب المدني لمكافحة الإرهاب منها بنصيب كبير.

وافتتحت المنتدى العالمي لمكافحة الإرهاب بعد اثني عشر يومًا، على هامش الجمعية العمومية للأمم المتحدة. شغلت تركيا منصب الرئيس المشارك، وانضمت إلينا ثلاثون دولة، بما فيها دول شرق أوسطية، وأخرى ذات غالبية مسلمة. وكانت النتائج الأوَّلية خلال العامين التاليين مشجعة. وافقت الإمارات العربية المتحدة على استضافة مركز دولي يركّز على مكافحة التطرف العنيف، وتقرر فتح مركز عن العدالة وسيادة القانون في مالطا. وستدرب هذه المؤسسات أفراد الشرطة والمربِّين ورجال الدين وقادة المجتمعات وصنَّاع القرار. ستجمع خبراء الاتصالات الذين يفهمون طريقة تقويض البروباغندا المتطرفة، ووكلاء تطبيق القانون الذين يمكنهم مساعدة الحكومات والمجتمعات على أن تتعلم حماية نفسها من الإرهابيين. وستعمل أيضًا مع المربِّين الذين يمكنهم وضع مناهج خالية من الكراهية، ومدّ المعلمين بالوسائل التي تحمي الأولاد المعرضين للتجنيد من الإرهابيين.

ركَّز المنتدى العالمي لمكافحة الإرهاب اهتمامه، بدايةً، على موضوع الخطف في مقابل فدية، الذي تبيّن أنَّه أداة التمويل الرئيسة للمنظمات التابعة للقاعدة في شمال أفريقيا والعالم، خصوصًا بعد إغلاق قنوات مالية أُخرى أمامها. وبدعم قوي من الولايات المتحدة، وضع المنتدى خطة عمل أوقفت الدول عن دفع الفدية التي لا تشجعُ إلّا على مزيدٍ من عمليات الخطف. دعم مجلس الأمن التابع للأمم المتحدة الخطة، وحدَّد الاتحاد الأفريقي دورات تدريبية لمساعدة القوات الأمنية في مختلف أنحاء المنطقة على تطوير تكتيكات بديلة.

وقد حققنا بعض التقدم على جبهة الاتصالات كذلك. على سبيل المثال، حين اجتاح الربيع العربي الشرق الأوسط، عمل مركز الاتصالات الاستراتيجية لمكافحة الإرهاب، جاهدًا، ليُظهر أن تنظيم القاعدة في المقلب الباطل والمعاكس للتاريخ. أنتج فريق العمل فيديو قصيرًا بثَّه على الإنترنت، يبدأ بتسجيل لزعيم القاعدة الجديد أيمن الظواهري، يدّعي فيه أن العمل السلمي لن يُحدث التغيير في الشرق الأوسط، تليه لقطات عن الاحتجاجات السلمية في مصر والاحتفالات بسقوط مبارك. أثار الفيديو موجة من الردود في المنطقة. «لا شأن للظواهري في مصر؛ سنحل مشكلاتنا بأنفسنا»، على ما كتب أحد المعلقين على موقع منتدى مصر.

يتقدم هذا النوع من المعارك الأيديولوجية، في بطء، ولا تظهر نتائجه إلّا تدريجًا، لكنَّه مهم، لأن القاعدة والمنظمات الإرهابية التابعة لها لا يمكنها الاستمرار والبقاء من دون التدفق المستمر للمجندين الجدد كي يحلوا محل الإرهابيين الذين يُقتلون أو يُقبَض عليهم، ولأنَّ في استطاعة البروباغندا التي لا رادع لها أن تؤجج عدم الاستقرار وتوعِز بشن هجمات جديدة. شاهدنا ذلك

في أيلول/سبتمبر ٢٠١٢، حين ثار غضب المتطرفين في العالم الإسلامي بسبب شريط فيديو مجهول المصدر بُثَّ على الإنترنت يتهجم على النبي محمد، مما أسفر عن استهداف السفارات والقنصليات الأميركية في دولٍ كثيرة.

إذا خطونا إلى الوراء ونظرنا من منظار أوسع، يمكننا أن نرى أن التطرف العنيف يرتبط تقريبًا بكل المشكلات العالمية المعقدة اليوم. يمكنه أن يترسخ في المناطق التي تعاني الأزمات والفقر، ويزدهر في ظل القمع وغياب سيادة القانون، ويثير الكراهية بين الجماعات التي عاشت جنبًا إلى جنب طوال أجيال، ويستغل الصراعات داخل الدول وفي ما بينها. هذه هي حجة أميركا لتنخرط في أصعب مناطق العالم وتواجه أقسى التحديات.

الجزء الرّابع

بين الأمل والتّاريخ

الفصل العاشر

أوروبا: الرّوابط التي تجمع

تعلّمت في المدرسة الابتدائية أغنيةً لفتيات الكشّافة تقول: «اعقد صداقات جديدة، ولكن حافظ على القديمة. الأولى فضة، والأُخرى ذهب». بالنسبة إلى أميركا، تحالفنا مع أوروبا يوازي الذهب، وأكثر.

حين هوجمت الولايات المتحدة في ٩ أيلول/سبتمبر ٢٠٠١، ناصرتنا الدول الأوروبية من دون تردد. وعنونت صحيفة لوموند الفرنسية: «جميعُنا أميركيون». وفي اليوم الذي تلا الهجوم، استند حلف شمال الأطلسي، للمرة الأولى في التاريخ، إلى المادة الخامسة من معاهدة واشنطن التي تنص على أن الهجوم على حليف واحد هو هجوم على جميع الحلفاء. بعد عقود من وقوف الأميركيين إلى جانب الأوروبيين في أماكن كثيرة تمتد من يوتا بيتش[١]، إلى تشيك بوينْت تشارلي[٢]، وصولًا إلى كوسوفو، أعلمنا الأوروبيون أنهم يقفون إلى جانبنا ساعة الشدّة.

لكنَّ العلاقة تدهورت لاحقًا، بعد كل هذا التضامن. إذ عارض معظم حلفائنا الأوروبيين قرار غزو العراق. استاء كثرٌ من أسلوب إدارة الرئيس جورج دبليو بوش، «أَمَعَنا أنتم، أم ضدنا»، وقد جسده وزير الدفاع دونالد رامسفيلد بوصفه القاسي لفرنسا وألمانيا باعتبارهما «أوروبا العجوز»،

---

(١) اسم عملية أُطلقت على إنزال النورماندي عام ١٩٤٤. (المترجم)

(٢) اسم أطلقه الحلفاء على أشهر نقطة تفتيش على حائط برلين. (المترجم)

في ذروة الجدل في شأن العراق بداية العام ٢٠٠٣. وتراجعت إلى حد بعيد وجهات النظر الإيجابية الأوروبية تجاه أميركا وصولاً إلى العام ٢٠٠٩، إذ انخفض التأييد من ٨٣ في المئة في المملكة المتحدة و٧٨ في المئة في ألمانيا عام ٢٠٠٠، إلى ٥٣ و ٣١ في المئة، على التوالي، نهاية العام ٢٠٠٨. وعلى الرغم من ذلك، بدا واضحًا أنَّ إدارة أوباما الجديدة سهَّلت علينا العمل.

ولعلَّ الذخر الحقيقي الذي بدَّل الرأي العام الأوروبي، «ظاهرة أوباما». تحمّس لرئيسنا كثر من الأوروبيين عبر القارة. بصفته مرشحًا، أشعل حماسة حشد هائل في تموز/يوليو ٢٠٠٨، يزيد عن مئتي ألف شخص، في برلين. فأعلن العنوان الرئيس لصحيفة فرنسية في اليوم التالي: «حلمٌ أميركي». وزادت التطلعات إلى حد العجز عن ضبطها، وأصبح تحويل كل تلك الطاقة الإيجابية تقدمًا دائمًا، تحديًّا مبكرًا.

وعلى الرغم من هِنات عهد بوش، ظلّت روابطنا راسخة، من دون أن يؤثر فيها أي خلاف على سياسات معينة. بقي حلفاؤنا الأوروبيون شركاء أميركا وملاذها الأول عند كل تحدٍّ. وأهم من ذلك كله، تحالف القيم المتجذرة في الالتزام العميق حيال الحرية والديمقراطية. وإذ بدأت ندوب الحربين العالميتين والحرب الباردة تدخل طي النسيان، ظلَّ أوروبيون كثر يأخذون في الحسبان التضحيات الجمة التي قدمها الأميركيون للحفاظ على حريتهم. فستون ألف جندي أميركي دُفنوا في فرنسا وحدها.

هدفت كلّ الإدارات الأميركية، منذ نهاية الحرب الباردة، إلى رؤية أوروبا موحدة، وحرّة وآمنة، وارتكزت على الفكرة الرئيسة القائلة بإمكان الشعوب والدول تخطي الصراعات القديمة لرسم مستقبل سلمي ومزدهر. وقد شهدت صعوبة هذا الأمر، وإلى أي حدّ تقيّد سلاسل التاريخ أجيالاً ومجتمعات كاملة. سألت، ذات مرّةٍ، مسؤولة من جنوب أوروبا عن الأوضاع في بلدها. فبدأت حديثها بالقول: «منذ الحروب الصليبية...». إلى تلك العصور الغابرة تعود الذكريات المتناقَلة في أوروبا، وفي العالم ككل في الواقع، كأن القرنين العشرين والحادي والعشرين مجرَّد قشرةٍ سطحيَّة. حتّى وإن ربطت الذاكرة الجيران والحلفاء وجمعتهم في الظروف العصيبة، تُبقي أيضًا الأحقاد القديمة حيَّة وتمنع الناس من تحويل تركيزها إلى المستقبل. مع ذلك، أظهرت شعوب أوروبا الغربية أن التخلص من أعباء الماضي ممكن، حين تصالحت في الأعوام التي تلت الحرب العالمية الثانية. ورأينا ذلك مجددًا بعد سقوط جدار برلين، وحين بدأت أوروبا الوسطى وأوروبا الشرقية عملية الاندماج في ما بينها، ومع دول الاتحاد الأوروبي، من ثمَّ.

وقد تحقق بحلول العام ٢٠٠٩ تقدم تاريخي في معظم أنحاء القارة، وبدا لنا بطرائق مختلفة، أننا أقرب من أي وقت مضى، إلى رؤية أوروبا الموحدة، والحرة والآمنة. لكنها كانت هشة أكثر مما تصوَّر معظم الأميركيين. فعلى طول أطراف أوروبا، رزحت الاقتصادات الأوروبية الجنوبية تحت

عبء الأزمات المالية، وظلت دول البلقان تصارع ندوب الحرب، وتعرضت الديمقراطية وحقوق الإنسان للمخاطر في الكثير من الجمهوريات السوفياتية السابقة، وغزت روسيا في عهد بوتين جورجيا، مما أيقظ المخاوف القديمة. وعمل وزراء الخارجية الذين سبقوني على بناء تحالفاتنا في أوروبا، ودعم التحرك نحو المزيد من الوحدة والحرية والسلام في مختلف أنحاء القارة. وجاء دوري اليوم لأتسلَّم زمام المبادرة، وأبذل كل ما في وسعي لتجديد الروابط القديمة وتحييد الصراعات القديمة أيضًا.

تقوم العلاقات بين الدول على المصالح المشتركة والقيم، ولكن أيضًا على شخصيات المسؤولين. يهم العنصر الشخصي في الشؤون الدولية أكثر مما يعتقد البعض، ليحسنها أو يسيء إليها. فالصداقة التي جمعت مثلًا بين رونالد ريغان ومارغريت ثاتشر، ساعدت على النصر في الحرب الباردة، والعداوة بين خروتشيف وماو ساعدت على خسارتها. أخذت هذا في الحسبان، حين باشرتُ اتصالاتي بالقادة الأوروبيين الكبار في أول يوم لي كوزيرة للخارجية. بعضهم أعرفهم وأحبّهم مذ كنت سيدةً أولى وسيناتورًا. سيغدو آخرون أصدقاء جدًا. ولكن سيكونون جميعًا شركاء قيّمين في العمل الذي أملنا في تحقيقه.

باشرت كل اتصال برسالة اطمئنان من أميركا، تجدد فيها التزامها. ودفعني دافيد ميليباند، وزير الخارجية البريطانية، إلى ابتلاع ريقي والابتسام في آن، حين قال: «يا إلهي، سلَّمكِ أسلافكِ عالمًا مملوءًا بالأزمات. وظيفتك شاقة، ولكن أعتقد أنَّكِ هرقل المناسب لهذه المهمة». شعرتُ بالإطراء (على ما يُفترض أن أقوم به)، لكنني أوضحت أن ما نحتاج إليه، على ما أظن، تجدد الشَّركة والعمل المشترك، وليس بطلًا أسطوريًّا وحيدًا.

وأثبت دافيد أنه شريك لا يقدَّر بثمن. كان شابًّا وحيويًّا وذكيًّا وخلاّقًا وجذابًا، وابتسامته حاضرة دومًا. وجدنا وجهات نظرنا متطابقة جدًّا عن تغيُّر العالم. آمن بأهمية المجتمع المدني وشاركني قلقي في شأن الأعداد المتزايدة للشباب العاطل من العمل والمتفكك في أوروبا، والولايات المتحدة، وفي العالم. وإضافةً إلى زمالتنا المهنية الجيدة، أصبحنا صديقين حقيقيين.

أما رئيس دافيد فكان رئيس الوزراء المنتمي إلى حزب العمال غوردون براون، خليفة طوني بلير. وانتهى الأمر بغوردون، الأسكتلندي الذكي والمثابر، مشرفًا على الركود الاقتصادي الذي ضرب بريطانيا، في شدة. تسلَّم أعباء ثقيلة، بما في ذلك حِملُ تأييد طوني بلير قرار بوش غزو العراق الذي لم يرضَ عنه الشعب البريطاني. حين استضاف «مجموعة العشرين» في لندن في نيسان/أبريل ٢٠٠٩، لاحظت الإجهاد الذي يرزح تحته. خسر الانتخابات التالية، وحلَّ محلَّه

دافيد كاميرون من حزب المحافظين. اتفق الرئيس أوباما وكاميرون فورًا، مذ التقيا بدايةً، في اجتماع على انفراد قبل فوز الأخير. تواصلا في سهولة واستمتع كل منهما برفقة الآخر. اجتمعت مع كاميرون مرَّات كثيرة على مرّ الأعوام، في حضور الرئيس أوباما أو من دونه. كان محبًّا للاطلاع وحريصًا على تبادل الآراء في شأن الأحداث العالمية، من انتشار الربيع العربي، إلى الأزمة في ليبيا، فالجدل الدائر على التقشف الاقتصادي في مقابل النمو.

وقد اختار كاميرون وزيرًا للخارجية ويليام هيغ، الزعيم السابق لحزب المحافظين والخصم السياسي العنيد لطوني بلير نهاية تسعينات القرن العشرين. قبل الانتخابات، وكان لا يزال مرشحًا إلى منصب وزير الخارجية، زارني في واشنطن. بدأ كلٌّ منا يدرس الآخر، حذرًا، ولكن لحسن حظي، وجدته رجل دولة حكيمًا، يتمتع بحس سليم وروح دعابة. وأصبح أيضًا صديقًا عزيزًا. كنت من المعجبين بالسيرة التي وضعها عن ويليام ويلبرفورس، القائد المناصر لإنهاء العبودية في إنكلترا في القرن التاسع عشر. حمل هيغ إلى وظيفته، مفهومًا يقول إن الدبلوماسية بطيئة، ومملَّة غالبًا، لكنَّها ضرورية جدًّا. فخلال العشاء الوداعي الذي أقامه على شرفي عام ٢٠١٣ في السفارة البريطانية في واشنطن، شمل نخبه الكلمات الدرر هذه: «كان اللورد سالزبوري، وزير الخارجية البريطانية السابق العظيم ورئيس الوزراء، من قال إن الانتصارات الدبلوماسية تتكوَّن من سلسلة من المزايا التي تتطلب مجهرًا كي تراها: من اقتراح حكيم هنا، إلى كياسة مناسبة هناك، من تنازل عاقل في لحظةٍ ما ومثابرة بعيدة النظر في لحظةٍ أخرى، إلى اللباقة المؤرقة، والهدوء الراسخ، والصبر الذي لا يمكن أن تهزه أي حماقة، أو استفزاز، أو عناد». فلخص فعلًا تجربتي رئيسةً لسلك أميركا الدبلوماسي، وذكَّرني بأن هيغ كان في رفع الأنخاب، كمثل دافيد بيكهام (في رفع الكؤوس)!

وقد وجدت عبر القناة الإنكليزية شركاء آخرين لا يُنسَون. كان برنارد كوشنير وزير الخارجية الفرنسية، طبيبًا اشتراكيًّا في خدمة الرئيس نيكولا ساركوزي من حزب المحافظين. أسس برنارد منظمة أطباء بلا حدود، التي توفر الرعاية الطبية في مناطق الكوارث والصراعات، في بعض أفقر المناطق على وجه الأرض. كان لاعبًا أساسيًّا بعد الزلزال المدمر في هايتي في كانون الثاني/يناير ٢٠١٠. وعملت كذلك في شكل وثيق مع خلفه آلان جوبيه، ولاحقًا مع لوران فابيوس الذي عيّنه خليفة ساركوزي، فرانسوا هولاند الذي انتُخِب رئيسًا في أيَّار/مايو ٢٠١٢. وعلى الرغم من أنهما من حزبين سياسيين متعارضين، كان جوبيه وفابيوس محترفَين بارعين، ورفقتهما ممتعة.

معظم القادة هادئون بطبعهم، حين تقابلهم شخصيًّا، أكثر مما يبدون علنًا، باستثناء ساركوزي الذي تجد حضوره أكثر دراماتيكية ومتعة. يُعدُّ اللقاء معه دائمًا مغامرة. قد يقفز ويحرك يديه ويجهر بالكلام ليشرح وجهات نظره، فيما تكافح مترجمته لمواكبته، وتنجح عادةً في تقليد حركات وجهه وجسمه بطريقةٍ لا تشوبها شائبة. ساركوزي غزير الكلام، يتناول مواضيع السياسة

الخارجية بطريقة تغلب عليها المناجاة الشخصية، ممّا يصعّب على سامعه الوصول معه إلى نتيجة، لكنني لم أيأس قط من المحاولة. لا يتوانى عن الدردشة و«القيل والقال»، واصفًا عَرضًا قادة العالم الآخرين بالمجانين والعجزة؛ أحدهم كان «مخدّرًا - مشوش الذهن»؛ آخر لديه جيش «لا يعرف أن يحارب»؛ وثالث يتحدر من سلالةٍ من «المتوحشين». سأل ساركوزي دومًا لمَ جميع الدبلوماسيين الذين يأتون لمقابلته مسنون، وهم رجال قد غزا الشيب رؤوسهم. قد يضحك، يناقش، ويجادل، لكنَّ الأمر يُفضي به، في النهاية، إلى الموافقة على ما يجب أن نقوم به. عزم ساركوزي على إعادة تأكيد مكانة فرنسا كقوة عالمية كبرى، وحرص على تحمّلها المزيد من الأعباء الدولية، وهذا ما رأيته يحدث في ليبيا. وعلى الرغم من استفاضته في الكلام والمديح، كان دومًا نبيلًا. وفي يوم بارد من كانون الثاني/يناير ٢٠١٠، وبينما كنت أصعد أدراج قصر الإليزيه في باريس لمصافحته، فقدت حذائي، مما جعلني أقف حافية أمام الصحافة التي سارعت، في ابتهاج، إلى التقاط الصور. أمسك بيدي، في لطف، وساعدني على انتعال حذائي. أرسلت إليه لاحقًا نسخة من الصورة، وعلّقتُ عليها: «قد لا أكون سندريلا، لكنك ستبقى دومًا أميري الساحر».

وكان أقوى قادة أوروبا، مع ذلك، امرأة، ذات طبع معاكس لطبع ساركوزي: المستشارة الألمانية أنجيلا ميركل. قابلت أنجيلا للمرَّة الأولى عام ١٩٩٤، في زيارة لبرلين مع بيل. جاءت من ألمانيا الشرقية السابقة، وتولّت منصب وزيرة شؤون المرأة والشباب في عهد المستشار هلموت كول. حين عرّفوني إليها، وصفوها بأنها «امرأة شابة تعِدُ بالكثير»، كلمات ثبتت صحتها لاحقًا. بقينا على اتصال طوال أعوام، وشاركنا حتى في برنامج تلفزيوني ألماني عام ٢٠٠٣. انتُخِبَتْ عام ٢٠٠٥ مستشارة، وكانت أوَّل امرأة قائدة في بلدها. وعلى الرغم من كل ادعاءات أوروبا التقدمية في شأن مسائل الرعاية الصحية وتغير المناخ، بدت القارة كأنها «نادي الفتيان» القديم الجليل، وكان مشجِّعًا أن نرى أنجيلا تغير الأمور.

وقد ازداد إعجابي بأنجيلا أثناء تولِّيَّ منصبي وزيرة للخارجية. كانت حازمة، ذكية، واضحة المواقف، صريحة العبارة، لم تتوانَ يومًا عن التعبير لي عمّا يجول في خاطرها تمامًا. عالمة بارعة هي، إذ درست الفيزياء وحازت شهادة دكتوراه عن أطروحة في الكيمياء الكَمِّيَّة، وكانت مطلعة خصوصًا على المسائل التقنية من مثل تغيّر المناخ والطاقة النووية. أدخلت فضولها عن كل ما يتعلق بالعالم، في صلب كلِّ محادثة، متسلحة بتساؤلات عن الأحداث والشعوب والآراء؛ وكان تغييرًا مرحبًا به في مقابل ما يتناوله قادة العالم الآخرون الذين يبدون معتقدين أنهم ملِّمون بكلّ ما يتوجب معرفته.

وحين قامت المستشارة بزيارة دولة لواشنطن في حزيران/يونيو ٢٠١١، أقمت مأدبة غداء على شرفها ورحبتُ بها في حرارة. ردًّا على ذلك، قدمت إلي صحيفةً ألمانية غطت زيارة قمت

بها لبرلين أخيرًا، وقد وضعتها في إطار. ما إن رأيت الصورة، حتى استولى عليّ الضحك. حملت الصفحة الأولى صورتنا، نقف جنبًا إلى جنب، لكنّ رأسينا اقتطعا منها، ولم يظهر منّا إلّا يدانا متشابكتين، ونحن نرتدي بزتين متشابهتين. تحدّت الصحيفة قراءها معرفة أي منا أنجيلا ميركل، وأي منا هيلاري كلينتون. وجب عليّ أن أعترف بأن من الصعب معرفة ذلك. ظلت الصورة معلقة في مكتبي طوال ولايتي وزيرةً.

وقد خضعت قيادة أنجيلا لاختبارٍ قاسٍ خلال أسوأ أعوام الأزمة المالية العالمية. تضررت أوروبا كثيرًا من جراء الانهيار وواجهت تحدياتٍ فريدة من نوعها بسبب العملة الموحدة المشتركة بين الكثير من دولها، اليورو. ورزحت الاقتصادات الضعيفة، في اليونان وإسبانيا والبرتغال وإيطاليا وإيرلندا، تحت عبء الدين العام الهائل، وتراجُع النمو، وارتفاع البطالة، ولم تملك الوسائل السياسية المالية التي تمكنها من السيطرة على الوضع، والتي تتوافر من تداول العملة الخاصة بكل دولة. وأصرت ألمانيا، أقوى اقتصاد في منطقة اليورو، وفي مقابل مساعدتها في حال الطوارئ هذه، على أن تتخذ هذه الدول تدابير جذرية لخفض الإنفاق وإصلاح موازناتها.

وطرحت الأزمة معضلة سياسية ضخمة. في حال إخفاق هذه الاقتصادات الضعيفة في الوفاء بديونها، قد تنهار منطقة اليورو كاملة، مما سيدخل العالم واقتصادنا في دوامة الفوضى. وقلقت كذلك من أن يؤدي التقشف الزائد في أوروبا إلى تباطؤ النمو أكثر، ليصعب عليها وعلى بقية العالم الخروج من الحفرة. في الولايات المتحدة، ردّ الرئيس أوباما على الركود بدفع برنامج استثماري جريء، عبر الكونغرس، لتحفيز النمو مجددًا، والعمل على خفض الدين العام الوطني، على أمد طويل. بدا منطقيًّا اقتراح أن تخطو أوروبا خطوات مشابهة بدلًا من مجرد خفض الإنفاق، مما سيقلص الحركة الاقتصادية أكثر.

أمضيت ساعات طويلة أحدث القادة الأوروبيين عن هذه التحديات، بمن فيهم ميركل. قد يوافق المرء أو لا على سياساتها المالية والنقدية، ولكن من المستحيل ألّا يُعجب بإرادتها الفولاذية. وعلى ما لحظت عام ٢٠١٢، كانت «تحمل أوروبا على منكبيها».

كانت أقوى حلقة في السلسلة عبر الأطلسي، الناتو، التحالف العسكري الذي يشمل كندا، علاوةً على شركائنا الأوروبيين. (ينظر كثرٌ من الأميركيين إلى علاقتنا بكندا كأنّها من المسلمات، لكنَّ جارنا الشمالي شريك لا غنى عنه في كل شيء تقريبًا نقوم به في العالم). نجح حلف شمال الأطلسي الذي تأسس بداية الحرب الباردة، في احتواء الاتحاد السوفياتي ودول حلف وارسو طوال أربعة عقود. بعد نهاية الحرب الباردة، تنظم التحالف لمواجهة مخاطر جديدة تهدد المجتمعات عبر

الأطلسي. شعرت عمليًّا كل الجمهوريات السوفياتية السابقة، غير روسيا نفسها، أنها غير محصنة من دون بعض الضمانات الأمنية من الغرب، نظرًا إلى خوفها من أن تعاود روسيا يومًا ما سلوكها العدواني التوسعي. وقرر الناتو، برئاسة الولايات المتحدة، أن يفتح باب الانتساب أمام أي دولة من دول الشرق. وأنشأ التحالف كذلك شبكة من الشّركات مع جمهوريات سوفياتية سابقة كثيرة، ومجلسًا استشاريًّا مع روسيا نفسها. وعلى ما أوضحت إدارة كلينتون آنذاك، سيحتفظ الناتو، من ضمن تعامله مع التحديات الجديدة، بما سُميّ قدرته على «التضييق» مستقبلًا على روسيا، إذا هددت مجددًا جيرانها.

وبينما كانت قوات حلف شمال الأطلسي تقاتل في كوسوفو لإحلال السلام، احتفلتُ وبيل بذكرى التحالف الخمسين، في قمة لقادته في نيسان/أبريل ١٩٩٩، مستضيفين في واشنطن أكبر تجمع لرؤساء الدول. شهد الاجتماع تفاؤلًا كبيرًا بمستقبل أوروبا وحلف شمال الأطلسي. وأشار فاكلاف هافل، أوّل رئيس لجمهورية تشيكوسلوفاكيا ما بعد الحرب الباردة، والمدافع الشرس عن الديمقراطية، إلى الآتي: «هذه أوّل قمة للتحالف يحضرها ممثلون عن... دولٍ كانت أعضاء في حلف وارسو قبل عشرة أعوام فقط... دعونا نأمل في أننا ندخل حقبة لا يقرر مصير الدول فيها طغاة أجانب أقوياء، بل الدول نفسها هي من يقرر». وإن لم يحدث ذلك، وجب أن يضيف، دعونا نستعد للدفاع عن الحرية التي اكتسبناها.

وانضمت إلى الناتو عام ٢٠٠٤ سبع دول أُخرى من الكتلة الشرقية السابقة، ليتمدد الحلف أكثر. وكذلك فعلت ألبانيا وكرواتيا، في ١ نيسان/أبريل ٢٠٠٩، ليصل عدد الأعضاء إلى ثمانٍ وعشرين دولة. وبدأت دول أُخرى، مثل أوكرانيا والبوسنة والهرسك ومولدوفا وجورجيا، تستكشف إمكانات انضمامها مستقبلًا إلى عضوية الاتحاد الأوروبي وحلف شمال الأطلسي.

وعقب ضم روسيا غير الشرعي شبه جزيرة القرم بداية العام ٢٠١٤، جادل البعض في أن توسع الناتو إما تسبب في العدوان الروسي، وإما أثار حفيظة روسيا وحضَّها عليه. أنا لا أتفق مع هذا الطرح، ولكن تبقى الأصوات الأكثر إقناعًا في دحض ذلك، أصوات القادة والشعوب الذين عبروا عن عرفانهم بقبول عضويتهم في حلف شمال الأطلسي. أعطاهم ذلك مزيدًا من الثقة بمستقبلهم، في ضوء طموحات الرئيس الروسي فلاديمير بوتين. أدركوا أن ادعاء بوتين أن فتح باب عضوية الناتو تهديد لروسيا، يعكس رفضه لتقبل فكرة أن تقوم علاقات روسيا مع الغرب على المصالح المتبادلة والشركة، على ما اعتقد بوريس يلتسين وميخائيل غورباتشيف. يجدر بأولئك الذين منحوا موقف بوتين صدقية، أن يتأملوا الحد الذين يمكن أن تبلغه خطورة الأزمة - وكم سيكون صعبًا احتواء المزيد من العدوان الروسي لو لم تكن دول شرق أوروبا ووسطها حلفاء الناتو راهنًا. سيظل باب الناتو مفتوحًا، وعلينا أن نكون واضحين وحازمين في تعاملنا مع روسيا.

وإلى أن تسلَّم الرئيس أوباما منصبه، كان حلف شمال الأطلسي أصبح مجتمعًا ديمقراطيًا يضم مليار شخص تقريبًا، ويمتد من البلطيق شرقًا، إلى ألاسكا غربًا. في زيارتي الأولى لمقر حلف الناتو في بروكسل في آذار/مارس ٢٠٠٩، دوت الإثارة في الممرات في شأن «عودة» الشّركة الأميركية. شعرت بالشيء نفسه وأمضيت ساعات طويلة مع وزراء خارجية الناتو وأمينه العام، أندرز فوغ راسموسن، رئيس وزراء الدانمارك السابق، القائد ذي الخبرة والمهارة اللتين يحتاج إليهما التحالف.

وشهدت لقاءات أخرى بعض العثرات، ولكن لم تكن جميعًا خطيرة. فأظهرت مثلًا بلغاريا التي انضمت إلى حلف الناتو عام ٢٠٠٤، أنها شريك وفيّ، في أفغانستان وفي مهمات أخرى. مع ذلك، حين زرت عاصمتها صوفيا في شباط/فبراير ٢٠١٢، بدا جليًّا أن رئيس الوزراء بويكو بوريسوف عصبي المزاج في ما يتعلق باجتماعنا. عرفتُ أننا سنناقش قضايا خطيرة وأملت في أن تسير الأمور على ما يرام. نحن حلفاء، في النهاية. «السيدة الوزيرة، قلقت حين شاهدت اللقطات التلفزيونية لحظة خروجك من الطائرة»، على ما بدا، «أبلغني رئيس موظفيَّ أنك حين تربطين شعرك، تكونين في مزاج سيئ». وكان شعري مربوطًا في الواقع في تلك اللحظة (ربما أثرت بمظهري ذاك ذكريات سيئة عن عملاء الكي جي بي والموالين للحزب الشيوعي). نظرت إلى رئيس الوزراء الأصلع، فابتسمت، وقلت: «يتطلب تصفيف شعري وقتًا أطول مما يستغرق الأمر منك ذلك». ضحك. وحالما فككنا هذه العقدة، انصرفنا إلى اجتماعنا المثمر.

أجهدت حرب أفغانستان الطويلة قدرات الناتو، وفضحت الثُّغَر في كمال عدته. خفض بعض الحلفاء موازنات دفاعهم، وتركوا للآخرين (الولايات المتحدة غالبًا) تحمُّل توانيهم عن العمل. عانى الجميع الأزمة الاقتصادية، وارتفعت أصوات على جانبي الأطلسي تسأل عن لزوم الناتو بعد عشرين عامًا من نهاية الحرب الباردة.

فقد رأيت أن الناتو ضروري لمواجهة التهديدات المتنامية في القرن الحادي والعشرين. لا تستطيع الولايات المتحدة القيام بكل شيء بنفسها، ولا يتوجب عليها ذلك؛ من هنا تأتي أهمية بناء الشركات على المصالح والأهداف المشتركة. ويبقى الناتو أكثر الشركاء قدرة على ذلك، خصوصًا مذ صوَّت أعضاؤه على العمل «خارج المنطقة» للمرة الأولى في البوسنة عام ١٩٩٥، مما شكّل اعترافًا بأن أمننا الجماعي يمكن أن يتهدد إلى ما وراء الهجمات المباشرة على دول الناتو نفسها. وضحى حلفاء الناتو بدمائهم وثرواتهم في أفغانستان، وهو التزام يجب ألّا ننساه أبدًا.

استطعنا أن نظهر عام ٢٠١١ صلة الناتو بالقرن الحادي والعشرين ولزومه، حين تولى التحالف زمام المبادرة بالتدخل العسكري لحماية المدنيين في ليبيا، ليعمل بالإجماع وللمرة الأولى مع جامعة الدول العربية ودولها الأعضاء جميعًا. شارك في العملية أربعة عشر حليفًا وأربعة شركاء

عرب بإرسال قوات بحرية وجوية، وأثبتت أنها مهمة ناجحة مشتركة، خلافًا لآراء بعض النقاد. أسهمت الولايات المتحدة بقدرات فريدة من نوعها، لكن حلفاءنا، وليس نحن، نفذوا أكثر من ٧٥ في المئة من الطلعات الجوية وتولوا قصف تسعين في المئة من الأهداف الستة آلاف التي دُمّرَت في ليبيا. وكان ذلك انعكاسًا دقيقًا لتوزيع العمل قبل عقد تقريبًا، خلال تدخل الناتو في كوسوفو، حين تولّت الولايات المتحدة مسؤولية قصف ٩٠ في المئة من الدفاعات الجوية والأهداف العسكرية. وعلى الرغم من أن بريطانيا وفرنسا مهدتا الطريق مع جيشيهما القادرين، فالجهد لم يقتصر عليهما. خصصت إيطاليا سبع قواعد جوية لتحط فيها مئات الطائرات الحليفة. وشاركت الطائرات البلجيكية والكندية والدانماركية والهولندية، إضافة إلى طائرات من الإمارات العربية المتحدة وقطر والأردن، بأكثر من ستة وعشرين ألف طلعة جوية. وساعدت القوات البحرية اليونانية والإسبانية والتركية والرومانية على فرض حظر على الأسلحة في عرض البحر. كان الجهد جماعيًّا حقيقيًّا، على ما كان مقصودًا من الناتو تمامًا.

وإذا عُدَّ الناتو أحد أنجح التحالفات العسكرية في التاريخ، فإن الاتحاد الأوروبي أحد أنجح المنظمات السياسية والاقتصادية. فخلال زمن قصير، وافقت الدول التي خاضت حربين عالميتين في القرن العشرين على اتخاذ القرارات بالتوافق وانتخاب ممثلين لبرلمان مشترك. وعلى الرغم من بيروقراطية الاتحاد الأوروبي غير العملية، صمد واستمر بمعجزة.

ولقد كُرّم الاتحاد الأوروبي بمنحه نوبل السلام عام ٢٠١٢، لإسهاماته الكثيرة في تحقيق السلام والازدهار داخل حدوده وخارجها. حقق شركاؤنا الأوروبيون الكثير في العالم، فرديًّا وجماعيًّا. لا يُعلى على النروج في دعم المشاريع الصحية العامة العالمية. أما إيرلندا، الدولة التي أفنتها المجاعة يومًا ما، فسباقة في القضاء على الجوع. في حين وضعت هولندا المعايير للعمل على القضاء على الفقر والتنمية المستدامة. ووفرت دول البلطيق، أستونيا ولاتفيا وليتوانيا، دعمًا وخبرةً لا يقدران بثمن للنشطاء المؤيدين للديمقراطية في العالم. وعُدَّ الدانماركيون والسويديون والفنلديون روادًا في قضية تغيّر المناخ. ويمكن أن تطول القائمة وتطول.

رَغِبْتُ في توسيع شركتنا مع الاتحاد الأوروبي، خصوصًا في مجالي الطاقة والاقتصاد. بداية ولاية الرئيس أوباما الأولى، حثثت الاتحاد الأوروبي على إنشاء مجلس الطاقة الأميركي الأوروبي لتنسيق الجهود عبر الأطلسي من أجل مساعدة الدول الضعيفة، خصوصًا في أوروبا الشرقية والوسطى، على تطوير مواردها الخاصة من الطاقة، حيث أمكن، وتقليل اعتمادها على الغاز الروسي. وبدأت الولايات المتحدة والاتحاد الأوروبي أيضًا بمناقشة اتفاق اقتصادي شامل، يوفق بين الأنظمة، ويزيد التبادل التجاري، ويحفز النمو على جانبي المحيط الأطلسي.

لا تحتاج أي علاقة من علاقاتنا مع أوروبا إلى رعاية على ما هي الحال مع تركيا، البلد الذي يفوق عدد سكانه السبعين مليون نسمة، غالبيتهم الساحقة من المسلمين، وقد وضعت قدمًا في أوروبا وأخرى في جنوب غربي آسيا. وتركيا الحديثة، التي أنشأها مصطفى كمال أتاتورك، على أثر تفكك الأمبراطورية العثمانية بعد الحرب العالمية الأولى، كان المقصود أن تكون دولة ديمقراطية علمانية منفتحة على الغرب. انضمت إلى حلف شمال الأطلسي عام ١٩٥٢، وكانت حليفًا يُعتمد عليه خلال الحربَ الباردة، أرسلت قواتها للقتال إلى جانبنا في كوريا واستضافت قواعد القوات الأميركية طوال عقود. إلّا أنَّ الجيش التركي الذي عدَّ نفسه ضامنًا لتصوّر أتاتورك، تدخل مراتٍ طَوالَ أعوام، لإسقاط الحكومات التي رآها إسلامية جدًّا، أو يسارية جدًّا، أو ضعيفة جدًّا. ربما تناسب ذلك مع الحرب الباردة، لكنه أعاق التقدم الديمقراطي.

وقد أخذت أعوام عهد بوش، ويا للأسف، تؤثر سلبًا في علاقتنا، وتراجع تأييد الرأي العام التركي للولايات المتحدة إلى ٩ في المئة فقط عام ٢٠٠٧، وهي أدنى نسبة في ٤٧ بلدًا شملتها دراسة قام بها ذاك العام مركز بيو للأبحاث في شأن المواقف العالمية.

وازدهر الاقتصاد التركي في الوقت نفسه، مسجلًا أسرع معدل نمو في العالم. وبينما رزحت بقية أوروبا تحت عبء الأزمة المالية وعانت منطقة الشرق الأوسط الركود، برزت تركيا قوةً إقليمية. وراحت تختبر، من مثل أندونيسيا، إمكان تعايش الديمقراطية والحداثة وحقوق المرأة والعلمانية والإسلام بعضها مع بعض، فيما شعوب الشرق الأوسط تراقبها. كان من مصلحة الولايات المتحدة أن تنجح هذه التجربة، وتعود الصلات الحسنة بين بلدينا إلى عهدها السابق، وإنما أكثر ثباتًا.

لقد زرت تركيا في رحلتي الأولى إلى أوروبا، وزيرةً. واستطعت، إضافةً إلى لقاءاتي مع كبار المسؤولين الأتراك، بمن فيهم رئيس الوزراء رجب طيب أردوغان والرئيس عبداللّه غول، أن أتواصل مع الشعب التركي، على ما فعلت أنّى حللت. كان لذلك أهمية خاصة في البلدان التي تريد حكوماتها العمل معنا، لكنَّ قطاعات واسعة من سكانها لا تثق عمومًا بالولايات المتحدة أو هي معادية لها. حاولت عبر طرح قضيتي مباشرة على الشعب، بواسطة وسائل الإعلام، التأثير في المواقف، التي بدورها قد تعطي الحكومات غطاءً سياسيًّا أكبر لتتعاون معنا.

ودُعيت إلى المشاركة ضيفةً في برنامج تلفزيوني ذي شعبية اسمه «هايدي جل بيزميلي أول»، أي «تعال وانضم إلينا»، وهو يشبه بمضمونه برنامج «فيو» (وجهة نظر)، ويتوجه إلى شريحة واسعة من المجتمع التركي، خصوصًا النساء. وسألتني المضيفات، وهن مجموعة متنوعة من النساء، عن القضايا السياسية الجدية، علاوة على الكثير من الأسئلة الشخصية. كان الحوار وديًّا، ومضحكًا، وشاملاً.

«متى كانت آخر مرّة وقعتِ في الحب وشعرتِ أنك إنسانة عادية ذات حياة بسيطة؟»، على ما طرحَت إحداهن. لم يكن هذا سؤالًا طبيعيًّا لوزيرة خارجية، لكنه نوع من المواضيع التي قد تساعدني على الوصول إلى المشاهدين. تحدثت عن لقائي زوجي في كليَّة الحقوق، ووقوعنا في الحب، وتأسيسنا حياتنا معًا، وتوقفت عند التحدي المتمثل بتربية أسرة معروفة لدى الناس، وهم يتابعون أخبارها. «أعتقد أن أحبّ اللحظات إلى قلبي، حين نجتمع أنا وزوجي وابنتي ونقوم بأشياء بسيطة»، على ما قلتُ، «أقصد، نذهب إلى السينما، نتحدث، نلعب الورق وألعابًا تثقيفية. نمشي معًا. أحاول أن أفعل هذا مع زوجي كلّما أتيحت لي الفرصة. ابنتي منهمكة في حياتها الخاصة راهنًا، لكنها تنضم إلينا متى استطاعت ذلك. الأمر ليس سهلًا، لكنني أفعل ما في وسعي لتتوافر لنا هذه الأوقات الهادئة، بعيدًا عن الأضواء، فيختلي الإنسان بنفسه ويجلس مع الأشخاص الذين يحبهم ويستمتع برفقتهم. وتلك أفضل لحظات الحياة».

صفق الجمهور الحاضر في الاستوديو، في حرارة، وأتت الأصداء التي تلقتها سفارتنا لاحقًا مشجعة. بدت مفاجأة سارة، بالنسبة إلى أتراك كثر فقدوا ثقتهم بأميركا وقادتها، أن يروا وزيرة خارجية الولايات المتحدة شخصًا عاديًّا، يعاني همومًا واهتمامات تشبه ما يعانون. ولعلّ النتيجة تجعلهم يتقبلون أكثر ما عليَّ قوله عن مستقبل العلاقات الأميركية - التركية.

ولقد أمسك رجل واحد بمفتاح مستقبل تركيا وعلاقتنا: رئيس الوزراء أردوغان. (في النظام التركي، منصب الرئيس شرفي إلى حد بعيد، ورئيس الوزراء هو من يدير فعليًّا الحكومة). قابلت أردوغان للمرّة الأولى حين كان رئيسًا لبلدية اسطنبول في تسعينات القرن العشرين. بدا سياسيًّا طموحًا، قويًّا، مخلصًا وفاعلًا. انتخب الأتراك أوّلًا حزبه الإسلامي عام ٢٠٠٢، وأعادوا الكرَّة عامي ٢٠٠٧ و ٢٠١١. رأى رئيس الوزراء أردوغان في هذه الانتخابات الثلاثة، إيعازًا وتفويضًا لتغيير كاسح. ولاحقت حكومته في شدة، القادة العسكريين بعد الحديث عن انقلاب مزعوم، وأحكمت قبضتها على السلطة أكثر من أي حكومة مدنية سابقة. (يشير مصطلح «الإسلاميين» عمومًا إلى الناس والأحزاب الذين يدعمون دورًا توجيهيًّا للإسلام في السياسة والحكومة. وهو يشمل مجموعة واسعة، من أولئك الذين يعتقدون أن القيم الإسلامية يجب أن توجّه القرارات السياسية العامة، إلى أولئك الذين يعتقدون أن كل الأحكام والقوانين يجب أن تخضع للسلطات الإسلامية، أو تصوغها حتى، لتتوافق مع الشريعة الإسلامية. ليس جميع الإسلاميين على حد سواء. في بعض الحالات، كانت المنظمات والقادة الإسلاميون معادين للديمقراطية، بمن فيهم بعض الذين دعموا الأيديولوجيا والأعمال الإرهابية الراديكالية المتطرفة. لكن هناك أحزابًا سياسية في مختلف أنحاء العالم ذات انتماءات دينية - الهندوسية، والمسيحية، والإسلام - تحترم قواعد السياسة الديمقراطية، ومن مصلحة أميركا تشجيع جميع الأحزاب والقادة السياسيين ذوي الانتماءات

الدينية على تبني الديمقراطية الشاملة ونبذ العنف. أي إيحاء بأن المؤمنين الإسلاميين أو الناس من أي دين كانوا، لا يمكن أن يزدهروا في ظل حكم ديمقراطي، هو أمر مهين وخطير وباطل. فهم يفعلون ذلك في بلادنا كل يوم).

وأتت بعض التغييرات إيجابية بقيادة أردوغان. فبدافع متطلبات الاتحاد الأوروبي لعضويتها المحتملة (التي لم تتحقق إلى اليوم)، ألغت تركيا محاكم أمن الدولة، وأصلحت قانون العقوبات، ووسعت نطاق حق الاستعانة بمحام، وخففت القيود عن التعليم والبث الإذاعي باللغة الكردية. وأعلن أردوغان أيضًا نية حكومته السعيَ إلى سياسة خارجية «تنتفي فيها الأزمات مع جيران تركيا». ودعا إلى مبادرة حل النزاعات الإقليمية القديمة وأداء دور فاعل في الشرق الأوسط، أحمد داود أوغلو، أحد مستشاري أردوغان الذي أصبح لاحقًا وزيرًا للخارجية. وكانت نتائج المبادرة جيدة، وفي أغلب الحالات بنَّاءة. لكنَّها حمَّست تركيا أيضًا على قبول اتفاقٍ دبلوماسي غير كفي مع جارتها إيران، لم يفعل شيئًا يُذكر لمعالجة اهتمامات المجتمع الدولي ببرنامج طهران النووي.

وعلى الرغم من التطورات الإيجابية في عهد أردوغان، تزايد القلق، إلى حدّ الخوف من طريقة تعامل حكومته مع المعارضين السياسيين والصحافيين. أثار التضييق على الرأي العام المعارض التساؤلات عن المنحى الذي يقود إليه أردوغان دولته، والتزامه الديمقراطية. اشتبه المعارضون في أن هدفه، في النهاية، تحويل تركيا دولة إسلامية، لا مكان فيها للمعارضة، ودعمت بعض تصرفاته هذا الخوف. سجنت حكومته الصحافيين بمعدلٍ مثير للقلق في ولايتيه الثانية والثالثة، وقادت حملة صارمة على المحتجين السائلين عن بعض المراسيم. وظلّ الفساد مشكلة كبيرة، وعجزت الحكومة عن التماشي مع أدنى متطلبات مواطنيها من أبناء الطبقة المتوسطة.

وكانت القضايا الدينية والثقافية حساسة جدًّا في بلدٍ تعايش الإسلام والعلمانية في توازن غير مستقر، وتمَّ التضييق أحيانًا على المنتمين إلى عقائد دينية مختلفة. وحدث أن تعمقت معرفتي خلال الأعوام ببطريرك الكنيسة اليونانية الأرثوذكسية، صاحب القداسة البطريرك المسكوني برثلماوس، واحترمت التزامه الصادق الحوار بين الأديان وحرية ممارسة الشعائر الدينية. رأى البطريرك في أردوغان شريكًا بناءً، لكنَّ الكنيسة ظلت تنتظر من الحكومة إعادة ممتلكاتها المصادرة وفتح دير هالكي اللاهوتي المغلق منذ زمن طويل. وقد دعمت مطلب البطريرك وقمت بعدد من المساعي لإعادة فتح الـ «هالكي»، الذي لم يتحقق بعد، ويا للأسف.

وحين تحدث أردوغان عن إعطاء الطالبات الحق في ارتداء الحجاب في الجامعات، عدَّ البعض ذلك خطوةً إلى الأمام من أجل الحرية الدينية، وحق المرأة في اختيار مسارها. ورأى البعض الآخر أنه ضربة للعلمانية، وإشارة إلى زحف الثيوقراطية التي ستقلص حقوق المرأة، في النهاية. ويشير ذلك إلى عمق التناقضات التي تطبع تركيا القرن الحادي والعشرين، إذ قد تكون

وجهتا النظر محقتين. وكان أردوغان فخورًا ببناته المكتملات الصفات، اللواتي ارتدين الحجاب، وطلب نصيحتي في شأن إحداهن لمتابعة دراستها العليا في الولايات المتحدة.

أمضيت ساعاتٍ أتحدث إلى أردوغان، غالبًا بصحبة داود أوغلو فقط، وقد تولّى الترجمة لنا. وداود أوغلو أكاديمي مندفع، تحوّل إلى العمل الدبلوماسي والسياسي، وكتاباته عن الطريقة التي تُمَكِّن تركيا من استعادة مكانةٍ ذات أهمية عالمية تلاءمت ووجهات نظر أردوغان. حمل إلى منصبه شغفًا وسعة اطلاع، وطوَّرنا علاقة عمل مثمرة وودية، لم تنقطع قط، على الرغم من توترها مرات.

وأثبتت تركيا، طوال الأعوام الأربعة التي أمضيتها وزيرةً، أنها شريك مهم، وبعض الأحيان محبِط. اتفقنا أحيانًا (وعملنا معًا في شكل وثيق في أفغانستان وسوريا، ومكافحة الإرهاب، وغيرها من القضايا)، ولم نتفق في أحيانٍ أُخرى (برنامج إيران النووي).

وقد ساعد الوقت والاهتمام اللذان صرفناهما أنا والرئيس أوباما، على توطيد علاقتنا بتركيا، لكنَّ الأحداث الخارجية، خصوصًا التوتر المتصاعد مع إسرائيل، عرّضتها لتحديات جديدة. واستمرت كذلك الديناميات الداخلية في تركيا في تعكير الأوضاع. اندلعت احتجاجات ضخمة عام ٢٠١٣ ضد حكم أردوغان الشديد الوطأة، تلتها تحقيقات عن الفساد واسعة النطاق، طاولت عددًا من وزرائه المتورطين. وحتى وضع هذا الكتاب، كانت المناطق المحافظة في تركيا لا تزال تدعم أردوغان في شدة، على الرغم من تزايد حكمه الاستبدادي، والاتجاه الذي ستسلكه تركيا في المستقبل، غير مؤكد. لكن المؤكد أنَّ تركيا ستستمر في أداء دور مهم في الشرق الأوسط وأوروبا على حدٍّ سواء، وستظل علاقتنا ذات أهمية جوهرية للولايات المتحدة.

كان هدف سياسة تركيا الخارجية، انعدام المشكلات مع جيرانها، طَموحًا جدًّا، خصوصًا أنها تورطت في عدد من النزاعات الطويلة الأمد مع الدول المجاورة. فالمواجهة المريرة مع تركيا في شأن جزيرة قبرص، الدولة المتوسطية، استمرت طوال عقود؛ إضافةً إلى الصراع المشحون عاطفيًّا مع أرمينيا، الجمهورية السوفياتية السابقة، الصغيرة وغير الساحلية، التي تقع في القوقاز، شرق تركيا. هذان مثالان على العداوات القديمة التي يمكن أن تعوق أيَّ تقدم جديد.

ولم تنشأ بين تركيا وأرمينيا علاقات دبلوماسية رسمية قط، حين برزت أرمينيا دولةً مستقلة بعد تفكك الاتحاد السوفياتي. وازدادت حدة التوتر بسبب حرب أرمينيا مع حليف تركيا أذربيجان، بداية تسعينات القرن العشرين، على شريط جبلي متنازع عليه اسمه ناغورني - قره باخ. ولا يزال هذا النزاع يشتعل أحيانًا ويتحوّل قتالًا، بين جنود الطرفين المرابطين على الحدود.

وتسمّى أحيانًا نزاعات مثل نزاع تركيا - أرمينيا وناغورني - قره باخ «النزاعات المجمدة»،

لأنها مستمرة منذ أعوام، والأمل في حلّها ضئيل. حين أنظر إلى كل التحديات التي واجهناها في أوروبا والعالم، كان يغريني تجاهل هذه المناطق الساخنة باعتبارها غير قابلة لحلّ، ولكن كان لكل منها عواقب استراتيجية أوسع. على سبيل المثال، شكَّل النزاع في القوقاز حاجزًا أمام خططنا لمد أنابيب الغاز الطبيعي من آسيا الوسطى إلى الأسواق الأوروبية لتخفيف اعتمادها على مصادر الطاقة الروسية. وتمثّل هذه الصراعات مجتمعة عقبات أمام أوروبا التي حاولنا المساعدة على بنائها. اعتقدت أن استراتيجية تركيا القائمة على انعدام المشكلات مع جيرانها، قد تخلق فرصةً للتفاوض على هذه الصراعات المجمدة، أو ربما حلّها، لذا طلبت من مساعدي في وزارة الخارجية للشؤون الأوروبية والأوروبية الآسيوية، فيل غوردون، أن يرى ما يمكننا القيام به.

عملنا طوال العام ٢٠٠٩ في شكل وثيق مع الشركاء الأوروبيين، بمن فيهم سويسرا وفرنسا وروسيا، والاتحاد الأوروبي، على دعم المفاوضات بين تركيا وأرمينيا، التي أملنا أن تؤدي إلى إنشاء علاقات دبلوماسية رسمية، وفتح الحدود أمام التجارة. تكلمت هاتفيًا مع مسؤولين من البلدين حوالى ثلاثين مرة خلال الأشهر الأولى من تولي منصبي وتشاورت وجهًا لوجه مع داود أوغلو ووزير الخارجية الأرمنية إدوارد نالبانديان.

تصلب المتشددون في البلدين في معارضة التسوية، وضغطوا على الحكومتين لمنع إتمام الصفقة. ولكن خلال الربيع والصيف، وبفضل الجهود التي بذلها المسؤولون السويسريون، بدأت تتركز شروط اتفاق من شأنها فتح الحدود المشتركة بين البلدين. ووُضعت الخطط لمراسم التوقيع الرسمي في سويسرا في تشرين الأول/أكتوبر، ليُقدم الاتفاق إلى برلماني البلدين للموافقة عليه. ومع اقتراب الموعد، ضاعفنا تشجيعنا، بما في ذلك اتصال هاتفي من الرئيس أوباما بنظيره الأرمني. بدت الأمور على أحسن ما يرام.

سافرت إلى زوريخ في ٩ تشرين الأول/أكتوبر، لأشهد على توقيع الاتفاق مع وزراء خارجية فرنسا وروسيا وسويسرا، والممثل الأعلى للاتحاد الأوروبي. غادرت الفندق بعد ظهر اليوم التالي، وتوجهت إلى جامعة زوريخ حيث يقام الاحتفال. ولكن وقعت مشكلة. لقد امتنع وزير الخارجية الأرمنية عن الحضور، إذ قلق مما خطط لقوله داود أوغلو أثناء احتفال التوقيع، ورفض فجأةً مغادرة الفندق. بدا وكأن أشهرًا من المفاوضات الدقيقة ستذهب سدًى. غيّر موكبي وجهته وقفل عائدًا، في سرعة، إلى فندق «دولدر غراند هوتيل». وفيما انتظرتُ في السيارة، صعد فيل غوردون والمفاوض السويسري الرئيس، للعثور على نالبانديان واصطحابه إلى احتفال التوقيع. لكنّه رفض أن يتزحزح من مكانه. نزل فيل إلى الطبقة السفلى ليبلغ المعنيين، ووافاني إلى السيارة المركونة آنذاك وراء الفندق. وباشرتُ المكالمات؛ اتصلت من هاتف خلوي، بنالبانديان، ومن آخر بداود أوغلو. استمررنا في الأخذ والرد طوال ساعة، محاولين ردم الفجوة وإقناع نالبانديان بالخروج من

غرفته. «هذا أمر مهم جدًا، هذا ما يجب أن تنظروا من خلاله إلى ما هو أبعد، لقد قطعنا شوطًا كبيرًا»، على ما قلت لهما.

صعدت أخيرًا إلى الطبقة العليا لأتحدث إلى نالبانديان وجهًا لوجه. ماذا لو ألغينا، في بساطة، الخطابات التي ستُلقى في هذا الحدث؟ وقّعا الوثيقة، ولا تدليا بتصريحات، ثم غادِرا. وافق الطرفان، وخرج نالبانديان، أخيرًا. نزلنا الأدراج، ورافقني في سيارتي السيدان إلى الجامعة. واستغرقنا الأمر ساعة ونصف الساعة من الشدّ والدفع في المكان ليصعدا فعلًا إلى المنصة. تأخرنا ثلاث ساعات، ولكن كنا هناك، أقلّه. عقدنا احتفال مراسم التوقيع على عجل، مع شعور كبير بالارتياح، غادر الجميع بأسرع ما استطاعوا. وإلى اليوم، لم توافق أي من الدولتين على البروتوكولات، ولا تزال العملية متعثرة؛ مع ذلك، وفي مؤتمر كانون الأول/ديسمبر ٢٠١٣، اجتمع وزيرا خارجية تركيا وأرمينيا طوال ساعتين للبحث في طريقة للتقدم في المفاوضات، وما زلت آمل في أن تؤدي إلى انفراج.

اتصل بي الرئيس أوباما ليهنئني، وكنت في طريقي إلى المطار. لم يتمّ الأمر بطريقة لائقة، ومع ذلك خطونا خطوة إلى الأمام في منطقة حساسة. ووصفت لاحقًا جريدة نيويورك تايمز جهودي في ذلك النهار بـ «دبلوماسية سيارة الليموزين عبر الهاتف». في الواقع، لم أكن في سيارة ليموزين، وباستثناء ذلك، كان الوصف ملائمًا.

أيقظت حروب البلقان في تسعينات القرن العشرين ذكريات أليمة وخوفًا من أن تتحوّل الأحقاد القديمة عنفًا جديدًا مدمرًا.

حين زرت البوسنة في تشرين الأول/أكتوبر ضمن جولةٍ على البلقان استمرت ثلاثة أيام، سررت بالتقدم الذي شاهدته، بقدر ما حزنت لما تبقى علينا القيام به. بات الأولاد يقصدون المدارس في أمان، والأهل يذهبون إلى أعمالهم، ولكن لم تتوافر فرص العمل الجيدة، بما فيه الكفاية، واشتدت المصاعب الاقتصادية، وبدأ السخط يحتدم. وكانت ضراوة الكراهية العرقية والدينية التي غذّت الحروب هدأت، لكن التيارات الطائفية والقومية الخطيرة لا تزال قائمة. كانت البلاد عبارة عن اتحاد جمهوريتين، إحداهما يهيمن عليها البوسنيون المسلمون والكروات، والأخرى صرب البوسنة. وقد أحبط صرب البوسنة كل المحاولات لإزالة الحواجز التي تعوق النمو والحكم الرشيد، على أمل عنيد في أن يصبحوا يومًا جزءًا من صربيا، أو حتى بلدًا مستقلًا. وبقي بعيدًا عن المتناول، الرجاء بالاستقرار والفرص الجيدة التي يمثلها الاندماج في الاتحاد الأوروبي أو حلف شمال الأطلسي.

شاركتُ في سارايفو في مناقشة مفتوحة مع الطلاب وقادة المجتمع المدني، في المسرح

الوطني التاريخي الذي رُمِّم بعد تعرضه لأضرار جسيمة إبّان الحرب. وقف شاب ليتحدث عن زيارته للولايات المتحدة من ضمن برنامج التبادل الذي ترعاه وزارة الخارجية وتستضيفه الكليات والجامعات الأميركية. وصفها «في بساطة، بأنها إحدى أفضل التجارب» في حياته، وناشدني الإبقاء على دعم التبادل الأكاديمي وتوسيعه. وحين سألته أن يوضح سبب أهميتها في اعتقاده، أجاب: «الأمر الرئيس الذي تعلمناه، اختيار التسامح بدلًا من التعصب، والعمل معًا من أجل احترام الجميع بالتساوي... كان هناك مشاركون من كوسوفو وصربيا في الوقت نفسه، ولم يبالوا بالقضايا التي تعصف ببلديهم لأنهم أدركوا... أننا أصدقاء، يمكننا أن نتحاور، وأن نتفاعل معًا؛ لا مشكلة تحول دون ذلك إذا أردنا حقًّا القيام به». أحببتُ هذه الجملة البسيطة: «اختيار التسامح بدلًا من التعصب». قبضت تمامًا على التحول الذي بدأت تنتهجه شعوب البلقان. كان الوسيلة الوحيدة للشفاء من جراحها القديمة والجديدة.

وانتقلت من ثمَّ إلى كوسوفو. كانت كوسوفو في تسعينات القرن العشرين جزءًا من صربيا، وواجه سكانها ذوو الغالبية العرقية الألبانية، هجمات قوات ميلوسيفيتش الوحشية والطرد القسري. عام ١٩٩٩، قادت الولايات المتحدة حملة لقوات الناتو الجوية، وقصفت القوات والمدن الصربية، بما فيها بلغراد، لوقف التطهير العرقي. أعلنت كوسوفو استقلالها عام ٢٠٠٨، واعترف بها المجتمع الدولي بغالبيته دولةً جديدة. لكنَّ صربيا رفضت الاعتراف باستقلال كوسوفو، وواصلت ممارسة نفوذ كبير في منطقة الحدود الشمالية، حيث يعيش الكثيرون من الصرب. واستمرت صربيا في تشغيل معظم المستشفيات والمدارس والمحاكم وتمويلها حتّى هناك، ووفرت قوات الأمن الصربية الحماية، مما أسهم في تقويض سيادة كوسوفو، وتفاقم الانقسامات الداخلية في البلاد، وتوتر العلاقات بين الدولتين الجارتين. ووقف الوضع المتأزم حجر عثرة أمام التقدم الاقتصادي والاجتماعي الذي يحتاج كلا البلدين إلى تحقيقه، بما يشمل التقدم إلى عضوية الاتحاد الأوروبي. فثبت أن التاريخ والأحقاد القديمة يصعب تجاوزها. وكان أحد أهداف زيارتي دفع الطرفين إلى حلّ.

وحين وصلت إلى بريشتينا، عاصمة كوسوفو، اصطفت الحشود المتحمسة على طريق المطار، تلوح بالأعلام الأميركية وتهتف عند مرور موكبنا، وقد اعتلى أحيانًا الصغار أكتاف الكبار ليتمكنوا من رؤية المشهد. واضطر موكبنا إلى التوقف عند وصولنا إلى ساحة المدينة، التي تحوي تمثالًا ضخمًا لبيل، بسبب كثافة الحشود. وقد أسعدني ذلك؛ أردت أن ألقي التحية على الجموع. فقفزت من السيارة، وبدأت بالمصافحة والعناق. لمحت قبالة الساحة دكانًا رائعًا صغيرًا لبيع الألبسة حمل اسم: هيلاري. لم أقاوم رغبتي في زيارته. وقال صاحب المتجر إن المحل يحمل اسمي، تيمنًا بي، «كي لا يشعر بيل بالوحدة في الساحة».

وبعد بضعة أشهر، في آذار/مارس ٢٠١١، جلس ممثلون لكوسوفو وصربيا معًا في بروكسل، تحت رعاية الاتحاد الأوروبي. كانت تلك المرة الأولى التي يتحادثون بهذه الطريقة، مباشرة ومطولًا. حضر الدبلوماسيون الأميركيون كل اجتماع، وحثوا الطرفين على تقديم التنازلات التي قد تؤدي إلى تطبيع العلاقات وفتح باب عضوية الاتحاد الأوروبي، في نهاية المطاف. ولم يكن هذا ممكنًا إلّا إذا حُلَّت قضايا الحدود. استمرت المحادثات طوال ثمانية عشر شهرًا. وتوصل المفاوضون إلى اتفاقات متواضعة في شأن حرية التنقل والجمارك وضبط الحدود. وفيما استمرت صربيا في نكران استقلال كوسوفو، أسقطت اعتراضاتها عن مشاركتها في مؤتمرات إقليمية. وقد حثثُ الناتو في الوقت نفسه، على مواصلة مهمته العسكرية في كوسوفو، حيث بقي حوالى خمسة آلاف جندي لدعم السلام من إحدى وثلاثين دولة منذ حزيران/يونيو عام ١٩٩٩.

ظلَّت القضايا الرئيسة من دون حلّ، حين انتُخِبَت حكومة قومية جديدة في صربيا ربيع العام ٢٠١٢. قررت وكاثي آشتون، كبيرة مسؤولي السياسة الخارجية في الاتحاد الأوروبي (ممثلته العليا للشؤون الخارجية والسياسة الأمنية)، السفر معًا إلى البلدين لنرى هل يمكننا كسر الجمود وتسريع الوصول إلى تسوية نهائية. كانت كاثي شريكًا قيمًا في هذا الموضوع وقضايا أُخرى كثيرة. وقد شغلت في بريطانيا منصب رئيسة مجلس اللوردات، ووزيرة فيه في عهد رئيس الوزراء غوردون براون. من ثمَّ، وبعد عام عملت خلاله مفوضةً أوروبية للتجارة، اختيرت لمنصب الشؤون الخارجية في الاتحاد الأوروبي، وأتى الأمر مفاجئًا قليلًا، لأنها، مثلي، لم تسلك مسارًا مهنيًّا دبلوماسيًّا تقليديًّا، لكنها أظهرت أنها شريكة فاعلة وخلاقة. كانت واقعية، (خصوصًا باعتبارها بارونة، على ما كنت أمازحها)، يسهل التعامل معها، وعملنا معًا في شكل وثيق ليس على القضايا الأوروبية فحسب، بل على قضيتي إيران والشرق الأوسط أيضًا. وقد جذبت كل منا انتباه الآخرين في لقاء موسع حين زلّ لسان أحد زملائنا عن غير قصد، وحتى من دون وعي، وتفوه بعبارة متعصبة ضد المرأة، فقلَّبنا أعيننا، في بطء، معًا.

وقد قمنا بجولات في البلقان معًا، في تشرين الأول/أكتوبر ٢٠١٢، وحثثنا كل بلد على اتخاذ تدابير ملموسة وتعزيزها من أجل تطبيع العلاقات. وقال لنا رئيس وزراء كوسوفو هاشم تقي: «كوسوفو اليوم، ليست البلد الذي نحلم به. نحن نعمل في استمرار من أجل الوصول إلى كوسوفو الأوروبية، والأوروبية الأطلسية، وندرك أن علينا بذل المزيد من الجهد». اجتمعت وكاثي أيضًا مع ممثلين عن القلة العرقية الصربية في الكنيسة الارثوذوكسية الصربية في بريشتينا، وقد تعرض أبناء منها للحرق أثناء أعمال الشغب المعادية للصرب عام ٢٠٠٤. قلقوا على مستقبلهم في كوسوفو المستقلة، وشكروا جهود الحكومة الأخيرة لتكون أكثر شمولًا وتتيح فرص عمل للعرقيين الصرب. كان هذا نوع المصالحة الشعبية الذي أردنا تعزيزه. وكانت رئيسة كوسوفو

المسلمة المهيبة لطيفة يحيى آغا، حليفنا في دفع عجلة التغيير والمصالحة داخل بلدها. وعلى ما وصفت كاثي الأمر، لم تقتصر هذه الدبلوماسية على تطبيع العلاقات بين الدول، بل كانت «تطبيعًا للحياة، ليشعر الناس الذين يعيشون شمالًا أن في استطاعتهم الانصراف إلى حياتهم اليومية، باعتبارهم جزءًا من المجتمع».

في نيسان/أبريل ٢٠١٣، وبفضل جهد كاثي المتواصل، والبناء على الدعائم التي أرسيناها معًا، توصل رئيس وزراء كوسوفو هاشم تقي، ورئيس وزراء صربيا إيفيكا دكيتش إلى اتفاق تاريخي لحل النزاعات على طول حدود بلديهما، والتحرك نحو التطبيع، وفتح الباب إلى عضوية الاتحاد الأوروبي. وافقت كوسوفو على إعطاء مزيد من الاستقلالية للمجتمعات المحلية الصربية في الشمال، وصربيا على سحب قواتها. وتعهد الجانبان بعدم تدخل أحدهما في سعي الآخر إلى تكامل أوروبي أشمل. وفي حال تشريعهما تنفيذ الاتفاقات، ستتوافر أخيرًا فرصة لشعبي كوسوفو وصربيا من أجل بناء مستقبل سلمي ومزدهر يستحقانه.

لقد حملتني رحلتي الأخيرة وزيرةً للخارجية في كانون الأول/ديسمبر ٢٠١٢ إلى إيرلندا الشمالية مجددًا، المكان الذي عمل فيه الناس في شدة، وعانوا الكثير من أجل التخلي عن خلافاتهم الماضية. سيكونون الأوائل ليعلنوا على الملأ، من الجانبين الكاثوليكي والبروتستانتي المنقسمين طائفيًا، أن عملهم لم ينتهِ بعد، وتحديهم الأكبر يكمن في تحفيز النشاط الاقتصادي، بما فيه الكفاية، من أجل إحداث ازدهار شامل تفيد منه جماعتا السكان، على السواء. مع ذلك، وإلى مأدبة غداء في بلفاست، حيث أحاطني، في سرور، الأصدقاء القدامى والمعارف، رحنا نتذكر الأشواط التي قطعناها معًا.

حين انتُخب بيل رئيسًا للمرة الأولى، كانت الاضطرابات مستعرة في إيرلندا الشمالية منذ عقود. أراد معظم البروتستانت البقاء جزءًا من المملكة المتحدة، في حين شاء الكاثوليك الانضمام إلى جمهورية إيرلندا الجنوبية، وتركت أعوام طويلة من العنف، الجانبين موغري الصدر، يطعن أحدهما الآخر. كانت إيرلندا الشمالية عبارة عن جزيرة داخل جزيرة. شارعًا فشارعًا، حيث ظهر جليًا الانتماء الحقيقي لكل فرد، في تجسيدٍ لتقليدٍ قديم: الكنيسة التي تذهب إليها الأسرة، المدرسة التي يقصدها الأطفال، بزة فريق كرة القدم التي يرتدون، الشارع الذي يسيرون فيه، في أي ساعة من النهار، مع مَنْ مِن الأصدقاء. لاحظ الجميع كل شيء. وكان هذا يحدث في أيّ نهار عادي.

وقد عيّن بيل، عام ١٩٩٥، السيناتور السابق جورج ميتشل مبعوثًا خاصًا إلى إيرلندا الشمالية.

وغدا أوّل رئيس أميركي يزورها حين سافرنا إلى بلفاست لاحقًا من ذاك العام، وأنار أضواء شجرة الميلاد أمام حشد واسع.

عدت إلى إيرلندا الشمالية كلَّ عام تقريبًا حتى نهاية ذلك العقد، وبقيت منخرطة في شؤونها سيناتورًا في الأعوام التي تلت. ساعدت عام ١٩٩٨ على تنظيم «مؤتمر الأصوات الحيوية» للنساء في بلفاست اللواتي ضغطن من أجل التوصل إلى اتفاق سلام. وأصبحت همساتهن «كفى!»، صرخةً لم يعد من الممكن تجاهلها. وبينما تحدثت على المنصة، رفعت نظري وشاهدت جيري أدامز، ومارتن ماكغينيس، وغيرهما من قادة السين فين، الجناح السياسي للجيش الجمهوري الإيرلندي، يجلسون في الصفوف الأولى على الشرفة في القاعة. رأيت وراءهم قادة حزب الوحدويين الذين يرفضون التحدث مع السين فين. واتضح من حقيقة حضورهم معًا - إلى مؤتمر نسائي من أجل السلام - انفتاحهم على الوصول إلى تسوية.

عُدَّ «اتفاق الجمعة العظيمة» الذي وُقِّع ذاك العام ووضع إيرلندا الشمالية على مسار السلام، انتصارًا دبلوماسيًّا، خصوصًا لبيل وجورج ميتشل اللذين قاما بالكثير ليجمعا الطرفين. وأهم من ذلك، كان شهادةً لشجاعة شعب إيرلندا الشمالية. شعرت أنه إحدى تلك اللحظات حين «يتناغم الأمل والتاريخ»، على حد تعبير الشاعر الإيرلندي الكبير شيموس هيني. وأتى التنفيذ صعبًا، لكنَّ السلام بدأ يعود بالمنافع. انخفضت البطالة، وارتفعت قيمة المساكن، وازداد عدد الشركات الأميركية التي استثمرت أموالها في إيرلندا الشمالية.

وحين عُدتُ إليها وزيرةً للخارجية عام ٢٠٠٩، كانت الأزمة المالية العالمية أوقعت خسائر فادحة في «النمر السلتي»[1] المحتفى به. وقد أُزيلت الحواجز والأسلاك الشائكة من الطرق، لكنَّ عملية نزع السلاح و«انتقال السلطات» التي يُفترض بها أن تمنح إيرلندا الشمالية مزيدًا من الحكم الذاتي، تعرضت لخطر المماطلة. وظل كثرٌ من الكاثوليك والبروتستانت يعيشون في شكلٍ متمايز، في أحياءٍ منفصلة، بعضها لا يزال مقسومًا بجدران فعلية، وقد حملت، للمفارقة، اسم «جدران السلام».

وقُتِل في آذار/مارس ٢٠٠٩ جنديان بريطانيان في مقاطعة أنتريم، وشرطي في مقاطعة أرماغ. وبدلًا من أن تثير الاغتيالات العنف، أتى تأثيرها معاكسًا. إذ سار الكاثوليك والبروتستانت معًا في مسيرات احتجاج، وحضروا الاحتفالات الدينية، وأعلنوا بصوتٍ واحد رفضهم العودة إلى الأيام الخوالي. كان يمكن عمليات القتل أن تغدو نقطة انطلاق للعودة إلى الوراء، لكنَّها أثبتت بدلًا من ذلك المراحل التي قطعتها إيرلندا الشمالية. وفي زيارة في تشرين الأول/أكتوبر ٢٠٠٩، وفي اتصالاتي المتكررة كذلك برئيس وزراء إيرلندا الشمالية بيتر روبنسون، والنائب

(١) أطلق على ما يُسمّى النمو الاقتصادي الإيرلندي. (المترجم)

والوزير الأوَّل مارتن ماكغينيس، وغيرهما من القادة، حثثتهم على مواصلة نزع سلاح الجماعات شبه العسكرية واتخاذ الخطوات النهائية لانتقال السلطات، خصوصًا وضع القطاعات الرئيسة التي تُعنى بفرض الأمن والعدالة تحت سيطرة حكومة إيرلندا الشمالية.

وقد ذكرت أعضاء برلمان إيرلندا الشمالية، في كلمة خلال عقده دورةً استثنائية، بأن «صعوبات اعترضت مسار السلام في إيرلندا الشمالية، جعلته يبدو مستحيلًا أحيانًا، وقدّ سُدَّت سُبُل التقدم أمامه، لكنَّكم وجدتم دومًا وسيلةً للقيام بما اعتقدتم أنه حق لشعب إيرلندا الشمالية عليكم». وبسبب هذه المثابرة «أصبحت إيرلندا نموذجًا في العالم، يُدرك من خلاله أن في إمكان حتى ألد الأعداء، التغلب على الاختلافات، والعمل معًا من أجل الخير العام المشترك. وعليه، أشجعكم على المضي قدمًا بالإرادة والعزم نفسيهما. وأتعهد أن تبقى الولايات المتحدة إلى جانبكم، وأنتم تعملون من أجل السلام والاستقرار الدائمين».

وبعد أسابيع على زيارتي، أصيب شرطي بجروح بليغة في انفجار سيارة مفخخة، وبدا مجددًا أن نسيج السلام الهش قد يتمزق. لكنَّه صمد، مرَّةً أخرى. وتوصل الطرفان في شباط/فبراير ٢٠١٠، إلى اتفاق جديد على تنظيم سلطات جهاز الشرطة وعملها في ضبط الأمن في البلد، سُمِّي اتفاق هيلزبره. وعاد المسار نحو سلام دائم إلى التقدم، على الرغم من كل الجهود التي بذلها المتطرفون من الجانبين لعرقلته. وشاهدنا في حزيران/يونيو ٢٠١٢ أعظم دليل على التغيير القائم: زارت الملكة إليزابيث إيرلندا الشمالية، وصافحت مارتن ماكغينيس. أتت لفتةً صَعُبَ تصوُّر حدوثها قبل بضعة أعوام فقط.

عدت إلى بلفاست في كانون الأول/ديسمبر عام ٢٠١٢، بعد سبعة عشر عامًا من زيارتي الأولى لها، وسارعت إلى زيارة صديقة قديمة، هي شارون هوغي التي بعثَت، عام ١٩٩٥، ولم تكن تتجاوز الرابعة عشرة، برسالة مؤثرة إلى بيل، تتحدث فيها عن المستقبل الذي تحلم به لنفسها ولإيرلندا الشمالية، وقد قرأ مقتطفات منها وهو يضيء شجرة الميلاد في بلفاست. «أُصيب الجانبان بالأذى، وعلى الجانبين أن يغفرا»، على ما كتبت. وحين كبرت شارون قليلًا، عملت متدربةً في مكتبي في مجلس الشيوخ، لتساهم في خدمة مدينة نيويورك مع جماعتها الإيرلندية الأميركية الكبيرة والمعتزة بنفسها. تعلَّمَت الكثير في واشنطن، وحين عادت إلى ديارها، ترشحت إلى الانتخابات وفازت، وغدت عمدة أرماغ. وعندما حضرت إلى مأدبة الغداء تلك، عام ٢٠١٢، ارتدت قلادة وظيفتها الرسمية، وأخبرتني أنها تتحضر للزواج في وقت لاحق من ذلك الشهر. فكّرت في الأسرة التي ستؤسسها شارون، وجميع الأطفال الذين يترعرعون في إيرلندا الشمالية منذ «اتفاق الجمعة العظيمة». منحت لهم الفرصة ليحيوا من دون آلام الاضطرابات. وأملت في ألّا يعودوا أبدًا إلى الماضي، ليغدو سلامهم وتقدمهم مصدر إلهام لبقية أوروبا والعالم.

الفصل الحادي عشر

روسيا: إعادة الضّبط والتّقهقر

يفرض الرجال الشديدو المراس خيارات صعبة، ولكن لا أحد يقوم بذلك على ما يفعل فلاديمير بوتين، رئيس روسيا. تتشكّل نظرة بوتين إلى العالم من إعجابه بالقياصرة الأقوياء في التاريخ الروسي، ومصلحة روسيا على الأمد الطويل في السيطرة على الدول التي تقع على حدودها، وتصميمه الشخصي على ألّا تظهر أبدًا بلاده مرة أُخرى ضعيفة أو تحت رحمة الغرب، على ما اعتقد أنه حدث بعد انهيار الاتحاد السوفياتي. أراد تأكيد قوة روسيا عبر الهيمنة على جيرانها والسيطرة على سبل وصولها إلى مصادر الطاقة. وأراد أيضًا أن يؤدي دورًا أكبر في الشرق الأوسط، من أجل زيادة نفوذ موسكو في تلك المنطقة والحد من تهديد المسلمين المستعصي داخل حدود روسيا الجنوبية وخارجها. وسعى، من أجل تحقيق هذه الأهداف، إلى الحد من نفوذ الولايات المتحدة في أوروبا الوسطى والشرقية وغيرها من المناطق التي يعدُّها جزءًا من المجال الروسي، ومواجهة جهودنا، أو على الأقل كتمها، في البلدان التي عكرها الربيع العربي.

يساعد كل ذلك على تفسير سبب ضغط بوتين أوّلًا على الرئيس الأوكراني فيكتور يانوكوفيتش، للتخلي عن علاقاته الوثيقة بالاتحاد الأوروبي نهاية عام ٢٠١٣، ولِمَ غزا، من ثم، بعد تفكك حكومة يانوكوفيتش، شبه جزيرة القرم وضمها. وإذا امتنع بوتين ولم يندفع إلى ما وراء شبه جزيرة القرم نحو شرق أوكرانيا، فليس لأنه فقد شهوته إلى المزيد من السلطة والأراضي والنفوذ.

ويرى بوتين الجغرافيا السياسية لعبة حصيلتها صفر، إذا فاز فيها أحدهم، لا بدّ من أن يكون الآخر خاسرًا. هذا مفهوم قديم لكنه خطير جدًّا، وقد تطلب من الولايات المتحدة إظهار القوة والصبر على حد سواء. ولكي نحافظ على علاقتنا مع الروس، وجب علينا العمل معهم على مسائل محددة متى أمكننا ذلك، وحشد الدول الأخرى للعمل معنا من أجل منع سلوكهم السلبي أو الحد منه عند الحاجة. بدا التوصل إلى هذا التوازن صعبًا، لكنه ضروري، على ما وجدت طوال أعوامي الأربعة وزيرةً.

لاحظ ونستون تشرتشل أنّ «لكي تتحقق الوحدة الحقيقية في أوروبا، يجب أن تكون روسيا جزءًا منها»، وحين انهار الاتحاد السوفياتي، عام ١٩٩١، ساد أمل كبير في أن يحدث ذلك. أتذكّر الفرح العارم لحظة مشاهدة بوريس يلتسين يقف على دبابة في موسكو، وقد أحبط انقلابًا نفذّه المتشددون السوفيات القدماء الذين هددوا ديمقراطية روسيا الجديدة. أبدى يلتسين استعداده للتخلص من الأسلحة النووية الموجهة نحو المدن الأميركية، وتدمير خمسين طنًّا من البلوتونيوم، والتوقيع على اتفاق تعاون مع حلف الناتو. لكنَّه واجه معارضة شديدة لسياسته في الداخل ممن أرادوا البقاء على مسافة من أوروبا والولايات المتحدة، والحفاظ على أكبر قدر ممكن من السيطرة على جيرانهم، والتضييق على قوة الديمقراطية الروسية الجامحة.

وقد عجز يلتسين، بعدما خضع لجراحة في القلب عام ١٩٩٦، عن استعادة عافيته وقوة تركيزه المطلوبة لإدارة النظام السياسي الروسي العسير ضبطه. تقاعد في شكل غير متوقع ليلة رأس السنة عام ١٩٩٩، قبل ستة أشهر من انتهاء ولايته، ممهدًا الطريق لمن اختاره خلفًا له، وهو ضابط استخبارات سابق غير معروف من سانت بطرسبرغ اسمه فلاديمير بوتين.

افترض معظم الناس أن بوتين اختير لأنّه سيكون ذا ولاء في حماية يلتسين وعائلته، وسيحكم بقوة أكثر مما فعل سلفه. بدا نظاميًّا ولائقًا، مارس فن الجودو، وبعث أملًا وثقةً في الروس الذين عانوا الكثير من التغيير السياسي والمحن الاقتصادية. لكنّه أثبت مع الزمن أنَّه رقيق الجلد ومستبد، يمتعض من النقد ويأخذ، في النهاية، بالشدّة والضبط من يخالفه الرأي أو يناقشه، ليشمل ذلك الصحافة الحرة والمنظمات غير الحكومية.

وحين التقى الرئيس جورج بوش للمرة الأولى بوتين في حزيران/يونيو ٢٠٠١، قال بلهجة تبرز السمعة الحسنة: «استطعت أن أدرك كنه روحه». وجعل الرئيسان «الحرب على الإرهاب» قضيتهما المشتركة، وقد وجدها بوتين مفيدة، فحاذت حملته الوحشية في جمهورية الشيشان المضطربة ذات الغالبية المسلمة، حرب أميركا على تنظيم القاعدة. لكنّ العلاقات تدهورت سريعًا. ومما رفع

حدة التوتر، حرب العراق، وسلوك بوتين الاستبدادي في الداخل، وغزو روسيا لجيورجيا في آب/ أغسطس ٢٠٠٨.

نما الاقتصاد الروسي مدفوعًا بعائدات النفط والغاز، فسمح بوتين بأن تتركز الثروة في أيدي القلة المترابطة سياسيًّا، بدلًا من توظيفها على نطاق واسع في مقدرات الشعب الروسي وبنية البلاد التحتية. وانتهج سياسة عدوانية في تطبيق رؤية «روسيا الكبرى» التي أوهنت عزيمة جيرانه واستحضرت ذكريات سيئة عن التوسعية السوفياتية. واستخدم صادرات روسيا من الغاز الطبيعي لترهيب الأوكرانيين وغيرهم في كانون الثاني/يناير ٢٠٠٦، ومرَّة أُخرى في كانون الثاني/يناير ٢٠٠٩ عبر قطع الإمدادات ورفع الأسعار.

وكانت الهجمات على الصحافة من أفظع التطورات في روسيا الجديدة، إذ واجهت الصحف والتلفزيونات والمدونات الإلكترونية ضغوطًا شديدة لاتباع خط الكرملين. وغدت روسيا، منذ العام ٢٠٠٠، رابع أخطر بلد في العالم على الصحافيين، وإن لم يبلغ سوء الوضع ما شهده العراق، لكنه كان أسوأ من الصومال أو باكستان. قُتل بين عامي ٢٠٠٠ و ٢٠٠٩ حوالى عشرين صحافيًّا في روسيا، ودينَ القاتل بقضية واحدة.

وقد رأيت ضرورةً في التحدث عن دعم الحريات الصحافية ومعارضة حملة الترهيب الرسمية، حين زرت موسكو في تشرين الأول/أكتوبر ٢٠٠٩. وفي احتفال استقبال في «سباسو هاوس»، مقر السفراء الأميركيين الفخم في روسيا منذ العام ١٩٣٣، التقيت الصحافيين والمحامين، وغيرهم من قادة المجتمع المدني، بمن فيهم ناشط أخبرني عن تعرضه للضرب المبرح على أيدي رعاع مجهولين. وقد رأى هؤلاء الروس أصدقاءهم وزملاءهم يتعرضون للتضييق والترهيب، وحتّى القتل، ومع ذلك ظلوا يمارسون عملهم، يكتبون ويتكلمون، رافضين أن تكتم أصواتهم. فأكدتُ لهم أن الولايات المتحدة ستثير سرًّا وعلنًا قضايا حقوق الإنسان مع الحكومة الروسية.

والمكان الذي تقول فيه شيئًا، مهمٌّ بقدر ما تقول. أمكنني أن أتحدّث ما شئت مع النشطاء في «سباسو هاوس»، لكنَّ الروس لن يسمعوا أبدًا كلامي. لذا سألت السفارة عن محطة إذاعية تستطيع استضافتي. وتوافرت واحدة، اسمها «إيخو موسكفي» أو «صدى موسكو»، خُيِّل إليّ أنَّها أقرب إلى منفذٍ للبروباغندا منها إلى معقلٍ للصحافة الحرة. فأكد لي دبلوماسيونا أنها من أكثر المحطات استقلالية، ونزاهة في التفكير، وشدة في اللهجة في روسيا.

وسُئلت في المقابلة الحيّة عن بعض القضايا الملحة في العلاقة بين الولايات المتحدة وروسيا، بما يشمل جورجيا وإيران، لننتقل من ثمَّ إلى مسألة حقوق الإنسان في روسيا. «ليس لدي شك في أن الديمقراطية من مصلحة روسيا»، على ما قلت، «ويُعدُّ احترام حقوق الإنسان، واستقلال

القضاء، ووسائل الإعلام الحرة، من الأسس لبناء نظام سياسي قوي ومتوازن، وتحقيق الرخاء المشترك على نطاق أوسع. سنستمر في قول ذلك، وسنواصل دعم أولئك الذين يناصرون هذه القيم». وتحدثنا عن سجن الصحافيين، وتعرضهم للضرب والقتل. «أعتقد أن الناس ينتظرون من حكومتهم اتخاذ موقف والاعتراف بالظلم، وسيحاولون منع هذا السلوك ويُخضعون للعدالة من يشارك في هذه التصرفات»، على ما أضفت. وظلت المحطة تبث، وتحافظ على استقلاليتها. وقد حُجِب موقعها الإلكتروني، ويا للأسف، موقتًا، خلال الحملة على المعارضة بعد غزو القرم عام ٢٠١٤. يبدو أن الكرملين يتحرك لمواصلة القضاء على كل الأصوات المعارضة.

واجه بوتين عام ٢٠٠٨ نهاية ولايته الدستورية، بعد ثمانية أعوام على توليه منصب الرئاسة، مما دفعه إلى مبادلة المهام مع رئيس وزرائه ديمتري مدفيديف. بدا التبديل بدايةً، مهزلةً، كأنه وسيلة ليستمر بوتين في القبض على السلطة وإنما من موقع آخر، وليس هناك شك في أنه الدافع إلى ذلك. لكنَّ مدفيديف فاجأ كثرًا باللهجة الجديدة التي حملها إلى الكرملين. بدا منفتحًا أكثر على الآراء المعارضة في الداخل، وانتهج سياسة المصالحة أكثر مع الخارج، واهتم بتنويع الاقتصاد الروسي إلى ما أبعد من الغاز والنفط والسلع الأساسية الأخرى.

وقد شككت عند تسلمي منصبي الوزاري في ثنائيِّ القيادة في روسيا، لكنني أملت في أن نجد مجالات حيث يمكننا العمل معًا. انتقدتُ، من موقعي كسيناتور، في استمرار، حكم بوتين، لكنني أدركت أن رؤية روسيا تهديدًا فحسب ليس من مصلحتنا، في وقتٍ نحتاج إلى التعامل معها على قضايا معينة.

وتُعدُّ مسألة الدول التي تعمل معًا على قضايا معينة وتختلف على أُخرى، جزءًا من النقاش الكلاسيكي داخل حلقات السياسة الخارجية. هل يجب على الولايات المتحدة وقف المفاوضات على الحد من التسلح والتجارة، لأننا نعترض على العدوان الروسي في جورجيا؟ أم يجدر بنا طرح القضايا في مسارين متوازيين؟ فالمعاملات الدبلوماسية المستقيمة ليست دائمًا مريحة وسهلة، ولكنْ كثيرًا ما تكون ضرورية.

وقد اعتقدت والرئيس أوباما عام ٢٠٠٩، أنَّ في وسعنا تحقيق المصالح الوطنية الأميركية الرئيسة مع روسيا، باعتماد نهج يقوم على ثلاثة عناصر: إيجاد مجالات محددة للتعاون حيث تلتقي مصالحنا؛ البقاء على موقف ثابت حيث تختلف مصالحنا؛ والانخراط المستمر مع الشعب الروسي نفسه. وأصبح هذه النهج يُعرف باسم «إعادة الضبط».

صغنا هذا النهج في وزارة الخارجية، وقد تولى قيادة تخطيطنا له بيل بيرنز، الذي شغل

منصب سفير الولايات المتحدة في روسيا طوال ثلاثة أعوام، وقدم نظرة ثاقبة عن دسائس شخصيات الكرملين الغامضة. كان مدفيديف قائدًا شابًّا، وصل إلى السلطة من دون أن تُثقِل كاهله أعباء الحرب الباردة. أما بوتين، فعلى نقيض ذلك، ترعرع في الكي. جي. بي خلال العقدين السابع والثامن من القرن العشرين، وسيرته الذاتية اختصار نهائي للحرب الباردة. من وجهة نظري، وعلى الرغم من تبديل المناصب، ظلَّ بوتين قوةً هائلة من شأنها جعل محاولات توسيع التعاون أكثر صعوبة. وفي حال توافرت الفرص لتحقيق ذلك - وقد رأيت أنها متوافرة - سيكون السبب تقويم الجانبين الثاقب، وإدراكهما الشديد لأهمية المصالح المشتركة.

وقد التقيت للمرة الأولى وزير الخارجية الروسية سيرغي لافروف في آذار/مارس ٢٠٠٩. وقال لي ريتشارد هولبروك، الذي عرف لافروف حين شغلا منصب سفيرين في الأمم المتحدة، نهاية تسعينات القرن العشرين، إنه دبلوماسي بارع ذو ذهن متقد، يخدم قادته في موسكو بدهاء وحماسة، من دون غطرسة، (وليقول ريتشارد ذلك، فهو يعني الكثير!). ولافروف، البرونزي اللون دومًا والأنيق المظهر، يتحدث الإنكليزية في طلاقة، ويتذوَّق الويسكي الفاخرة وشِعر بوشكين. شابَ الخلل علاقته بوزيرة الخارجية السابقة كوندوليزا رايس، لسبب وجيه، خصوصًا بعدما غزت روسيا جورجيا. لم تختفِ هذه التوترات، ولكن وجب علينا التعاون في حال أردنا التقدم في مجال السيطرة على انتشار الأسلحة النووية، أو العقوبات على إيران، أو الوصول إلى حدود أفغانستان الشمالية. لعل في إمكان دعابة أن تكسر الجليد.

فروح الدعابة في السياسة أمر ضروري. والأسباب التي تدفعك إلى الضحك على نفسك، لا تعد ولا تحصى. كم مرةٍ، شاركت، وأنا سيناتور لنيويورك، في برنامج دافيد لاترمان لإخبار نكتة عن بزتي الرجالية؟ (الجواب ثلاث مرّات). وخلال حملة العام ٢٠٠٨ الانتخابية، شاركت في شكل مفاجئ في برنامج «ساترداي نايت لايف» مع إيمي بويهلر، التي قلدت في إتقان «هيلاري كلينتون»، مع ضحكتها المدوية التي لا تُنسى. في الدبلوماسية، وأحاديثها المكتوبة في دقة بسبب فوارق اللغة والاختلافات الثقافية، يضيق مجال الفكاهة. لكنها تأتي أحيانًا مفيدة، على ما حدث ذات مرَّة.

فقد قال نائب الرئيس بايدن، في كلمة في مؤتمر الأمن في ميونيخ في شباط/فبراير: «لقد حان الوقت للضغط على زر إعادة الضبط، وإعادة النظر في المجالات الكثيرة حيث يمكننا العمل مع روسيا، ويجب علينا العمل معًا». أعجبتني فكرة «إعادة الضبط» - ليس باعتبارها وسيلةً تفضي بنا إلى تجاهل خلافاتنا الحقيقية، ولكن لضمِّها إلى أجندة أوسع إلى جانب مجالات اهتماماتنا ومصالحنا المشتركة. وأثناء مناقشتي الموضوع مع فريق عملي خلال المرحلة التي سبقت لقاءاتي مع لافروف في جينيف، في سويسرا، خطرت لنا فكرة غريبة. لِمَ لا نقدم هدية إلى لافروف: زر إعادة ضبط حقيقي؟ قد يحمل ذلك الناس على الضحك، بمن فيهم لافروف، ويؤكد التزامنا بدايةً

جديدة تتصدر عناوين الصحف، بدلًا من تركيزها على خلافاتنا. قد يبدو الأمر خارجًا عن العرف ربما، لكنه يستحق المحاولة.

قابلت لافروف في الصالون البانورامي من فندق إنتركونتيننتال، وقد حمل هذا الاسم بسبب المنظر الذي يطل عليه في جينيف. قبل أن نجلس، قدمت إليه علبةً خضراء صغيرة مربوطة بشريط. وإذ انطلقت الكاميرات تلتقط الصور، فتحت العلبة وأخرجت منها زرًّا أحمر معلقًا على قاعدة صفراء أخذناها من مسبح الفندق، وقد كُتِب عليها بالروسية «بيريغروزا». ضحكنا وضغطنا على الزر معًا. «لقد سعينا جهدنا لنختار الكلمة الروسية الصحيحة، هل تعتقد أننا أفلحنا؟»، على ما سألتُ. قرأ وزير الخارجية الكلمة في دقة، فيما قطع الأميركيون الآخرون في القاعة أنفاسهم، خصوصًا من يتكلمون الروسية، وهم الذين اختاروا العبارة. «لم تكتبوها في شكل صحيح»، على ما قال. هل يتحول المزاح الخفيف حادثًا دوليًّا؟ استمررتُ في الضحك، وكذلك فعل لافروف، فارتاح الجميع. «يجب أن تكون بيريزاغروزغا»، على ما شرح، «وما كُتب يعني زيادة الشحن». «حسنًا»، أجبت، «لن نسمح لك بأن تفعل بنا هذا، أعِدُكَ».

في الواقع، لم تكن تلك أفضل لحظاتنا في إثبات المهارات اللغوية الأميركية. ولكن، بما أننا هدفنا إلى كسر الجليد والتأكد من ألّا ينسى أحد أبدًا عبارة «إعادة الضبط»، فقد حقق خطأنا في الترجمة، لنا ذلك. وأشار لافروف إلى أنه سيأخذ الزر معه إلى بلاده ويبقيه على مكتبه. وحاول لاحقًا فيليب رينس، الذي ابتكر فكرة الدعابة أصلًا، أن يصحح الخطأ الإملائي. فاقترب من سفير روسيا في سويسرا، الذي حمل الزر، وطلب منه أن يسمح له بتغيير العبارة. «لا أظن أن في استطاعتي القيام بذلك قبل أن أتحدث إلى وزير خارجيتي»، على ما أجاب السفير حذرًا. «حسنًا، إن لم يسمح لنا وزيرك بتصحيح الخطأ، فستنفيني وزيرتي إلى سيبيريا!»، صاح فيليب. ويجب أن أعترف، فقد أغرتني الفكرة.

وفي اجتماع الرئيس أوباما الأوّل مع نظيره الروسي مدفيديف، في لندن، في نيسان/أبريل ٢٠٠٩، تقابل الوفدان الأميركي والروسي إلى طاولة غرفة طعام رسمية في «وينفيلد هاوس»، مقر إقامة السفير الأميركي. كنت المرأة الوحيدة إلى جانبي الطاولة. وكانت تلك أول رحلة يقوم بها الرئيس أوباما إلى الخارج منذ توليه منصبه، وهي عبارة عن جولة استراتيجية عبر أوروبا لحضور اجتماع مجموعة العشرين، وقمة الناتو، وزيارات للحلفاء الأساسيين، وسررت لأنني برفقته. سمح لنا المسار الذي سلكناه معًا طوال أعوام، منذ هذه الزيارة الأولى للندن، وصولًا إلى رحلتنا التاريخية النهائية إلى بورما عام ٢٠١٢، بأن نتشاور ونرسم الاستراتيجيات بعيدًا عن صخب واشنطن اليومي. وقبل أحد اجتماعاتنا في براغ، في رحلة نيسان/أبريل هذه، انتحى بي جانبًا وقال: «هيلاري، يجب أن أتحدث إليك». لفّ ذراعه على كتفي، وسار بي نحو النافذة. تساءلتُ عن القضية السياسية

الحساسة التي يود مناقشتها. بدلًا من ذلك، همس في أذني: «هناك شيء ما عالق بين أسنانك». كان الأمر محرجًا بالتأكيد، لكنّه نوع الكلام الذي لا يدور إلا بين الأصدقاء، والدليل أن كلًّا منا سيدعم الآخر دائمًا.

وقد طرح الرئيسان، خلال هذا الاجتماع الأوّل بين الأميركيين والروس، فكرة معاهدة جديدة تخفض عدد الأسلحة النووية لدى الطرفين، وتمكّن من إيجاد أرضية مشتركة في شأن أفغانستان والإرهاب والتجارة، وإيران حتى، على الرغم من الخلافات المتعلقة بالدفاعات الصاروخية وجورجيا. وأشار مدفيديف إلى تجربة روسيا في أفغانستان في ثمانينات القرن العشرين، ليصفها بـ «المذرية»، وقال إنهم مستعدون للسماح للولايات المتحدة بنقل الشحنات العسكرية عبر أراضيهم لإمداد قواتنا. ويعد ذلك مهمًّا، لأنه سيعزز موقفنا أمام باكستان، التي تسيطر في المقابل على طريق وحيدة تمد قواتنا في أفغانستان بالجنود والعتاد. وقد فاجأني اعتراف مدفيديف أيضًا بأن روسيا قلّلت أهمية قدرة إيران النووية المتنامية. «تبيَّن أنكم على حق»، على ما قال. وكانت علاقة روسيا بإيران معقدة: باعت الأسلحة من طهران، وساعدتها حتّى على بناء محطةٍ للطاقة النووية، لكنها لا تريد أن تسمح بانتشار الأسلحة النووية أو عدم الاستقرار على جهتها الجنوبية المضطربة أصلًا. وعلى ما سيرد في الكتاب لاحقًا، أسهم تعليق مدفيديف في فتح الباب أمام تعاونٍ أقوى في شأن إيران، وسيؤدي في النهاية إلى تصويت تاريخي في الأمم المتحدة، بفرض عقوباتٍ جديدة صارمة عليها. مع ذلك، لم يغير موقفه المعارض لمخططاتنا في شأن الدفاع الصاروخي في أوروبا، على الرغم من تصميمها بطريقة تحمينا من التهديدات المتحملة من إيران، وليس من روسيا، وقد شرحنا ذلك وقلناه مرات.

وأكدَّ الرئيس أوباما تجاوبَه الصريح، ووعد بمتابعة سريعة للمعاهدة الجديدة للحد من الأسلحة النووية، فضلًا عن تعميق التعاون في شأن أفغانستان والإرهاب، ودخول روسيا إلى منظمة التجارة العالمية. وأتت المناقشة، من بدايتها إلى نهايتها، صريحة ومستفيضة في شأن القضايا الصعبة، على ما توقعنا من مدفيديف. وبدا نهج «إعادة ضبط» العلاقة يسير في المسار الصحيح.

وعمل فريق من المفاوضين طوال عام في وزارة الخارجية، بقيادة نائبة الوزيرة إيلين توشر ومساعدة الوزيرة روز غوتيمولر، مع نظرائهم الروس من أجل تسوية كلّ تفصيلٍ في «المعاهدة الاستراتيجية الجديدة للحد من الأسلحة النووية» أو ما عُرف باسم «ستارت الجديدة»، التي وضعت قيودًا على أعداد الرؤوس النووية على القاذفات والصواريخ الأميركية والروسية. وبعدما وقَّع الرئيسان أوباما ومدفيديف المعاهدة في نيسان/أبريل ٢٠١٠، بدأتُ أعمل على مسألة إقناع زملائي السابقين في مجلس الشيوخ، بالموافقة عليها، وتعاونت على هذا الموضوع في شكل وثيق مع مساعدي للشؤون التشريعية، ريتش فيرما، المساعد السابق لزعيم الغالبية في مجلس الشيوخ

هاري ريد والمتضلع من خبايا سُبل الكابيتول هيل التي يصعب أحيانًا اختراقها. اتصلت بأعضاء مجلس الشيوخ الجمهوريين الكبار، فقالوا إنهم لا يثقون بالروس، وقلقوا ألّا تتمكن الولايات المتحدة من التحقق من امتثالهم إلى بنود المعاهدة. فشرحت أن المعاهدة أعطتنا آليات للقيام بذلك، وفي حال لم يقرن الروس القول بالفعل، يمكننا الانسحاب متى شئنا. وذكَّرتهم بأن الرئيس رونالد ريغان، حتى مع فلسفته «ثِق ولكن تأكَّد»، وقَّع اتفاقات نزع السلاح مع الروس. وشددت على أن الوقت جوهري؛ فمعاهدة «ستارت» القديمة انتهت، ومضى أكثر من عام من دون أن يتوافر لنا مفتشون للأسلحة على الأرض في روسيا ليتحققوا مما يحدث في قواعد صواريخهم. شكّل ذلك هفوة لن نسمح باستمرارها.

وقد تحدثت مع ثمانية عشر سيناتورًا، معظمهم من الجمهوريين، في الأسابيع التي سبقت التصويت. وعملت مع الكونغرس بصفة كوني وزيرةً للخارجية على الكثير من القضايا، خصوصًا مع وزارة الموازنة، وكانت تلك تجربتي الأولى في لَيّ الأذرع نيابة عن البيت الأبيض مذ غادرت مجلس الشيوخ. كان مفيدًا اعتمادي على علاقاتي بزملائي السابقين، التي بنيتها طوال ثمانية أعوام، من أجل التوصل إلى سَن التشريعات والتشاور في أمور اللجان. ووقف إلى جانبنا أيضًا سيّد محرِّكي مجلس الشيوخ، نائب الرئيس بايدن، والفريق الذي يحمل لواء الحزبين على رأس لجنة العلاقات الخارجية في مجلس الشيوخ، الرئيس جون كيري من ماساتشوستس، والعضو الأعلى في التراتبية ريتشارد لوغار من إنديانا.

وتابعنا الاقتراب من غالبية الثلثين المطلوبة في مجلس الشيوخ بموجب الدستور للموافقة على المعاهدة، ولكن صَعُبَ العثور على الأصوات النهائية. وتضاءلت احتمالات نجاحنا بعد الانتخابات النصفية في تشرين الثاني/نوفمبر ٢٠١٠، حين سيطر الجمهوريون على مجلس النواب، وحازوا ثلاثة وستين مقعدًا إضافيًا، وضيقوا على الغالبية الديمقراطية في مجلس الشيوخ، إذ سلبوها ستة مقاعد. وعلى الرغم من النكسة هذه، حثني السيناتور لوغار على الحضور إلى الكابيتول هيل شخصيًا لإتمام الصفقة النهائية. كانت التوقعات قاتمة، لكنني ظللتُ أتابع اتصالاتي الهاتفية وزرت الكابيتول مرة أخرى قبل عيد الميلاد تحديدًا لأقدم استئنافي الأخير. صوَّت مجلس الشيوخ في تلك الليلة، في نجاح، لإنهاء النقاش، وفي اليوم التالي مرت المعاهدة وحازت ٧١ صوتًا في مقابل ٢٦. وأتت انتصارًا للحزبين، وللعلاقات الأميركية الروسية، ولعالم أكثر أمانًا.

تطورت علاقة الرئيسين أوباما ومدفيديف مع الوقت إلى صلات شخصية، مما سمح بمزيد من فرص التعاون. وفي اجتماع طويل عقدته مع مدفيديف خارج موسكو في تشرين الأول/أكتوبر ٢٠٠٩، عرض خطةً لبناء ممر للتكنولوجيا العالية في روسيا على غرار السيليكون فالي في الولايات المتحدة. وحين اقترحت عليه أن يزور الأصلي في كاليفوريا، التفت إلى مساعديه وطلب منهم

متابعة الموضوع. وفي الواقع، شملت زيارته للولايات المتحدة عام ٢٠١٠ محطةً هناك، وأُعجب بما رآه، بكل المقاييس. أمكن أن يكون ذلك البداية لتحقيق رؤية مدفيديف في اقتصاد روسي متنوع - لو سمح بوتين بذلك.

وأدى نهج إعادة الضبط إلى عدد من النجاحات السريعة، بما في ذلك فرض عقوبات شديدة على إيران وكوريا الشمالية، وفتح طريق الإمداد شمالًا لتجهيز قواتنا في أفغانستان، وإدخال روسيا إلى منظمة التجارة العالمية، والفوز بدعم الأمم المتحدة لفرض منطقة من الحظر الجوي في ليبيا، وتوسيع التعاون في مجال مكافحة الإرهاب. لكنَّ اللهجة بدأت تتغيَّر نهاية العام ٢٠١١. إذ أعلن مدفيديف في أيلول/سبتمبر أنه لن يرشح نفسه ليُعاد انتخابه؛ في المقابل، سيستعيد بوتين منصبه عام ٢٠١٢. أكَّد خلط الأوراق هذا ما قلته قبل أربعة اعوام: كان مدفيديف يحافظ فقط على كرسي بوتين دافئًا.

وقد تحدثت التقارير من ثمّ، عن عمليات تزوير واسعة في الانتخابات البرلمانية في روسيا في كانون الأول/ديسمبر، إذ مُنعت الأحزاب السياسية المستقلة من حق المشاركة والانتخاب، وأُبلغ عن محاولات لحشو صناديق الاقتراع بالأصوات، والتلاعب بلوائح الناخبين، ومخالفات صارخة أُخرى. وتعرَّض كذلك مراقبو الانتخابات الروسية المستقلون لمضايقات، وواجهت مواقعهم على شبكة الإنترنت هجمات إلكترونية. وأَعربتُ في مؤتمر دولي في ليتوانيا عن مخاوفي الجدية من هذه التقارير. «يستحق الشعب الروسي، مثل الناس في كل مكان، حق إسماع صوته واحتساب تصويته»، على ما قلت، «ويعني هذا أنه يستحق انتخابات حرة ونزيهة وشفافة، وقادة يستطيع أن يسائلهم». ويبدو أن عشرات الآلاف من المواطنين الروس بلغوا النتيجة نفسها، فخرجوا إلى الشوارع للاحتجاج. وحين ملأت الجو هتافات: «بوتين لص»، وجَّه بوتين انتقاده مباشرةً إليّ. «مهَّدَت الطريق لبعض الجهات في بلادنا وأعطتها الإشارة»، على ما ادَّعى. ليتني امتلكت هذه السلطة! حين رأيت الرئيس بوتين لاحقًا، انتقدت تصريحاته: «أستطيع تصوُّر الناس في موسكو، يستيقظون صباحًا ويقولون، هيلاري كلينتون تريدنا أن نتظاهر. لا تحدث الأمور بهذه الطريقة، السيّد الرئيس». مع ذلك، لو ساعد ذلك حتى عددًا قليل من الناس ليجدوا الشجاعة ويطالبوا بالديمقراطية الحق، لسار كل شيء إذًا، على ما يرام.

وقد استعاد بوتين رسميًّا لقب الرئيس في أيَّار/مايو ٢٠١٢، ورفض بعد ذلك بوقت قصير دعوة الرئيس أوباما إلى حضور قمة الدول الصناعية الثماني الكبرى في كامب دافيد. هبَّت رياح باردة من الشرق. وأرسلت في حزيران/يونيو مذكرة إلى الرئيس أوباما، أُحدّد فيها وجهات نظري. لم يعد يتعامل مع مدفيديف، وعليه أن يستعد لاتخاذ موقف متشدد. كان بوتين «مستاءً جدًّا من الولايات المتحدة، ومرتابًا في تصرفاتنا»، على ما حاججتُ، وهو عازمٌ استعادة النفوذ الروسي

الضائع في المناطق المجاورة، من أوروبا الشرقية إلى آسيا الوسطى. قد يُطلِق على مشروعه اسم «التكامل الإقليمي»، لكن هذا رمز لإعادة بناء الأمبراطورية المفقودة. كنت مع الرئيس أوباما حين جلس للمرة الأولى مع بوتين، رئيسي دولتين، على هامش اجتماع مجموعة الدول العشرين في لوس كابوس، في المكسيك. «ساوِمْ في حزم»، على ما نصحت له، لأنَّ بوتين «لن يقدِّم الهدايا».

وسرعان ما اتبعت روسيا نهجًا غير بناء في شأن قضايا رئيسة كثيرة، خصوصًا الصراع في سوريا، حيث دعمت نظام الأسد في حربه الوحشية، وصدت كل محاولات الأمم المتحدة من أجل تنظيم ردٍّ دولي قوي. وشنَّ الكرملين حملة صارمة في الداخل على المعارضين، والمنظمات غير الحكومية، والمواطنين المثليين، وعاد يستقوي على جيرانه.

وقد أُصيب بخيبة أمل مريرة، أولئك الذين توقعوا أن يفتتح نهج إعادة الضبط حقبة جديدة بين الولايات المتحدة وروسيا ترتكز على حسن النيات. ولمن هم مثلنا، ممن كانت توقعاتهم وضيعة - وقد أدركوا صعوبة الاتفاق على القضايا الشائكة وأملوا في أن يخلق الحد من تصريحات الطرفين مساحة للتقدم في مسائل محددة - أدّى النهج ذلك وظيفته. لاحقًا، وبعد غزو القرم عام ٢٠١٤، أنحى البعض في الكونغرس باللائمة على نهج إعادة الضبط في إنهاض همة بوتين. أعتقد أن هذا الرأي يسيء فهم بوتين ونهج إعادة الضبط على السواء. فهو في النهاية غزا جورجيا عام ٢٠٠٨ وواجه عواقب قليلة، من الولايات المتحدة وغيرها. غزا بوتين جورجيا والقرم لأسبابه الخاصة، ووفقًا لجدوله الزمني الخاص، وردًّا على الأحداث الميدانية. فلا خطاب إدارة بوش القاسي، ولا مبدأ الحرب الاستباقية، ولا تركيز إدارة أوباما على التعاون العملي حرصًا على المصالح الأساسية، صدّت كلها هذه الاعتداءات أو دعت إليها. فالنهج الذي اعتمدناه لم يكن جائزة؛ كان اعترافًا بأن لأميركا الكثير من المصالح الاستراتيجية والأمنية المهمة، وعلينا أن نحرز تقدمًا حيث أمكننا. ويبقى هذا صحيحًا راهنًا.

من أجل فهم تعقيدات علاقتنا مع روسيا خلال مرحلة إعادة الضبط وما حاولنا تحقيقه، يكفي النظر إلى مثال واحد فقط: آسيا الوسطى والتحدي المتمثل في تزويد قواتنا في أفغانستان الإمدادات.

عقب هجمات ٩/١١، وفيما أعدت الولايات المتحدة العدة لغزو أفغانستان، استأجرت إدارة بوش القواعد السوفياتية السابقة في دولتين بعيدتين في آسيا الوسطى موقعهما استراتيجي، أوزبكستان وقيرغيزستان، حيث استُخدمت لنقل الجنود والإمدادات جوًّا إلى أفغانستان. ونظرًا إلى الديناميات الدولية غير العادية آنذاك، لم تعترض روسيا، على الرغم من عَدِّها هاتين

الجمهوريتين السوفياتيتين السابقتين والمتخلفتين، كأنهما من ضمن دائرة نفوذها. ولكن، سرعان ما شجع الكرملين الحكومتين الأوزبكية والقيرغيزية على التأكد من ألّا يبقى الأميركيون في شكل دائم. كانت آسيا الوسطى بالنسبة إلى بوتين، فناء روسيا الخلفي. وكان حذرًا من تأثير الاقتصاد الصيني المتنامي والوجود العسكري الأميركي على السواء.

عام ٢٠٠٩، كان الرئيس أوباما في مراحل التخطيط الأولى من أجل زيادة عدد القوات الأميركية في أفغانستان، ليعقبه انسحاب على مراحل بدءًا من العام ٢٠١١. وعنى هذا أن الجيش الأميركي يحتاج مجددًا إلى نقل كميات كبيرة من القوات والعتاد إلى المناطق الجبلية، غير الساحلية، ومنها. ومرَّ خط الإمداد المباشر إلى أفغانستان عبر باكستان، لكن هذه الطريق كانت عرضة لهجمات متمردي طالبان، ونوبات غضب المسؤولين الباكستانيين. أراد مخططو البنتاغون طريقًا بريّة ثانية، ولو أطولَ وأكثر كلفة، لضمان عدم انقطاع الإمداد عن قواتنا. وبدا المكان الطبيعي للبحث، آسيا الوسطى، حيث يمكن إفراغ الحمولة في موانئ بحر البلطيق، ومن ثمَّ شحنها في القطارات طوال آلاف الأميال عبر روسيا، إلى كازاخستان وأوزبكستان، وأخيرًا عبر حدود أفغانستان الشمالية. ويمكن في الوقت نفسه نقل القوات جوًّا من القاعدة الجوية في قرغيزستان، التي لا تزال مفتوحة. وستوفر شبكة التوزيع الشمالية، على ما صارت تُعرف، إيرادات سخية لأنظمة فاسدة، لكنها ستعزز أيضًا المجهود الحربي كثيرًا. كانت عبارة عن إحدى التسويات الكلاسيكية في السياسة الخارجية. ولكن قبل الاستمرار في التخطيط لسلوك هذه الطريق، وجُب علينا الحصول على موافقة روسيا كي تسمح لنا بنقل المعدات العسكرية القاتلة عبر أراضيها.

وقد شدد الرئيس أوباما في اجتماعه الأوّل مع مدفيديف، على أن شبكة التوزيع الشمالية تُعَدُّ مِن أولوياتنا، على أنها جزء من إعادة الضبط. ردًا على ذلك، قال مدفيديف إن روسيا مستعدة للتعاون (والاستفادة من رسوم العبور). وحين زار الرئيس أوباما موسكو في تموز/يوليو ٢٠٠٩، وُقّع اتفاق رسمي يسمح بنقل المعدات العسكرية القاتلة عبر روسيا.

وأخفى اتفاق مدفيديف على عبور الأسلحة القاتلة أجندة أُخرى، مع ذلك. بالنسبة إلى الكرملين، كان النفوذ في آسيا الوسطى مضمارًا يراهن عليه، ويجب صونه بحرص شديد. حتى وإن سمحت روسيا للشحنات الأميركية بعبور أراضيها، فقد عملت على توسيع بصمتها العسكرية الخاصة عبر آسيا الوسطى، مستخدمةً حضورنا ذريعةً من أجل زيادة سيطرتها على أنظمة المنطقة وتقويض علاقاتها المتنامية مع واشنطن. بدا الأمر كأنه النسخة الحديثة من «اللعبة الكبرى»، المنافسة الدبلوماسية المفصلّة في القرن التاسع عشر بين روسيا وبريطانيا من أجل التفوق في آسيا الوسطى - باستثناء أن مصلحة أميركا في المنطقة محصورة في شكل ضيق، ولا تسعى إلى الهيمنة.

سافرتُ بداية كانون الأول/ديسمبر ٢٠١٠ إلى قيرغيزستان وكازاخستان وأوزبكستان واجتمعت مع قادتها لإبقاء الأمور في المسار الصحيح. وفي لقاء عام مع الطلاب والصحافيين في بشكيك، أجبت عن الأسئلة الخاصة بالعلاقات مع موسكو. «ما موقع قيرغيزستان في إعادة الضبط مع روسيا؟»، على ما سأل أحد الشبان. وشرحت أنَّ هدفنا، ولو اختلفت دولتانا على أمورٍ كثيرة - وذكرت جورجيا وحقوق الإنسان خصوصًا - العمل معًا على أجندةٍ إيجابية والتغلب على إرثٍ طويلٍ من عدم الثقة.

وتابع أحد الصحافيين بسؤال عن نهج إعادة الضبط، هل يأتي على حساب قيرغيزستان وآسيا الوسطى: «هل تدور منافسة بين روسيا والولايات المتحدة، وأعني، في المنطقة، ولاسيما في قيرغيزستان؟». أجبته أننا نحاول تجنب مثل هذا السيناريو، وهدف إعادة الضبط تخفيف حدَّة التوتر بين واشنطن وموسكو، مما يساعد الدول من مثل قيرغيزستان التي تشعر أحيانًا أنها محاصرة في الوسط. لكن الصحيح، على ما أضفت، أن قيرغيزستان ديمقراطية ناشئة في منطقة من الأنظمة الاستبدادية. فالديمقراطية تتراجع في روسيا، وتنتفي في الصين، اللاعب الكبير الآخر في المنطقة. لذلك، لن يكون الأمر سهلًا. «أعتقد أن من المهم بالنسبة إليكم أن تقيموا علاقات مع الكثيرين، ولكن ألّا تعتمدوا على أحد»، على ما قلت، «حاولوا أن توازنوا بين مختلف علاقاتكم، واحصلوا على أفضل مساعدة ممكنة».

وحين تهيَّأ بوتين لاستعادة الرئاسة في موسكو، نشر مقالة، خريف العام ٢٠١١ في صحيفة روسية، معلنًا عزمه استعادة النفوذ المفقود في الجمهوريات السوفياتية السابقة، وخلق «وحدةٍ قوية، فائقة القومية، قادرة على أن تصبح قطبًا في العالم الحديث». قال بوتين إن هذا الاتحاد الأوراسي الجديد «سيغير التكوين الجغرافي السياسي والجغرافي الاقتصادي للمنطقة بكاملها». عدَّ البعض هذه العبارات حملة تهديد، لكنني اعتقدت أنها تكشف أجندة بوتين الحقيقية، التي تهدف فعلًا إلى «إعادة السيطرة السوفياتية» على محيط روسيا. وسيكون توسيع الاتحاد الجمركي مجرد خطوة أولى.

لم تقتصر طموحات بوتين على آسيا الوسطى. استخدم في أوروبا كل ما يملك من نفوذ لمنع الجمهوريات السوفياتية السابقة من بناء علاقات مع الغرب، بما يشمل قطع الغاز عن أوكرانيا، وحظر واردات النبيذ المولدوفي، ومقاطعة منتوجات الألبان الليتوانية. وامتدت نظرته الطامعة شمالًا، إلى دائرة القطب الشمالي، حيث فتح ذوبان الجليد طرقًا تجارية جديدة وفرصًا للتنقيب عن النفط والغاز. وفي خطوة رمزية عام ٢٠٠٧، أودعت غواصة روسية العلم الروسي على أرضية المحيط قرب القطب الشمالي. وأدهى من ذلك، أعاد بوتين فتح القواعد العسكرية السوفياتية القديمة في ذاك القطب.

ناقشت مع الرئيس أوباما تهديدات بوتين وطريقة مواجهتها. وحرصت كذلك على السفر إلى الدول التي شعرت أنها مهددة. في جورجيا، التي زرتها مرتين، دعوت روسيا إلى إنهاء «احتلالها»، الكلمة التي تثير بعض الذعر في موسكو، والانسحاب من الأراضي التي احتلتها عام ٢٠٠٨.

أتت أزمة أوكرانيا وغزو روسيا شبه جزيرة القرم عام ٢٠١٤، بمثابة «مكالمة إيقاظ» لأميركيين كثر. فهذا الجزء من العالم الذي لم يخطر في بال كثيرين إلا قليلًا منذ نهاية الحرب الباردة، عاد فجأةً محط أنظار. ولم تكن الأزمة الأوكرانية مفاجئةً، بل تذكير أخير بأهداف بوتين الطويلة الأجل. وبعد أخذ هذه الطموحات في الحسبان، عملت إدارة أوباما وحلفاؤها الأوروبيون، في هدوء، طوال أعوام، على الحدِّ من نفوذ بوتين وصدّ مكائده.

ففي الأول من كانون الثاني/يناير ٢٠٠٩، أوقف تكتل الطاقة الروسي القوي المملوك من الدولة، صادرات الغاز الطبيعي إلى أوكرانيا. وضيَّق هذا، بدوره، إمداد جزء من أوروبا بمصادر الطاقة. قضى من البرد أحد عشر شخصًا في الأيام العشرة الأولى، عشرة منهم في بولندا، حيث انخفضت درجات الحرارة إلى عشر درجات على مقياس فهرنهايت، دون الصفر. ولم تكن تلك المرَّة الأولى؛ في الواقع حدث أمر مشابه قبل ثلاثة أعوام بالضبط، في منتصف شتاء بارد آخر.

كانت أوكرانيا التي تضمّ جالية روسية كبيرة وقلة تتكلم الروسية، على صلة وثيقة وإنَّما متناقضة مع موسكو طوال قرون. فالثورة البرتقالية التي أعقبت الانتخابات الأوكرانية المتنازع عليها عام ٢٠٠٤، حملت إلى السلطة حكومة موالية للغرب، نشدت تقريب العلاقات مع الاتحاد الأوروبي، مما أثار غضب بوتين. وكان قطع إمداد الغاز عام ٢٠٠٦ وسيلته لإيصال رسالة مهمة إلى قادة كييف ذوي النزعة الاستقلالية. وحاول، عام ٢٠٠٩، أن يرفع أسعار مصادر الطاقة الروسية، ويذكِّر الجميع بقوته. بث هذه الخطوة البرد في كل أنحاء أوروبا، التي يعتمد معظمها على الغاز الروسي؛ فإذا انقطع عن أوكرانيا، فسيفتقده بالتالي الجميع. وُقِّع اتفاق جديد بعد تسعة عشر يومًا، وبدأ الغاز يتدفق مجددًا إلى أوكرانيا، تزامنًا مع موعد تنصيب الرئيس أوباما.

تحدثت في شهادتي خلال جلسة الموافقة على تعييني أمام لجنة العلاقات الخارجية في مجلس الشيوخ في كانون الثاني/يناير، في ذروة الأزمة، عن أهمية تعزيز حلف الناتو والتحالف عبر الأطلسي، وأكدت نيتي إيلاء أمن الطاقة «الأولوية في دبلوماسيتنا». واستشهدت بالأزمات في أوروبا الشرقية على أنها «بضعة أمثلة أخيرة تُظهر الأثر الذي يخلفه موضوع الطاقة الحساس على خيارات سياستنا الخارجية في العالم، مما يحد من فاعليتها أحيانًا ويلزمنا التعامل مع البعض».

وناقشت هذا التحدي مع وزير الخارجية البولندية رادوسلاف سيكورسكي، في محادثتي

الهاتفية الأولى معه، بعد أسبوع على تولّيَّ منصبي. «نريد سياسةً جديدةً، ومصدرًا جديدًا»، على ما قال لي سيكورسكي. وحبَّذ فكرة مد خط أنابيب عبر البلقان وتركيا، يصل أوروبا بمصادر الغاز الطبيعي في بحر قزوين. وصار يُعرف بخط أنابيب الممر الجنوبي وبرز كإحدى أهم مبادراتنا الدبلوماسية من أجل الطاقة. وقد عينت السفير ريتشارد مورنينغستار مبعوثًا خاصًّا كي يتفاوض على الاتفاقات اللازمة من أجل إطلاق المشروع. لكن الموضوع تعقَّد، بسبب الصراع الذي طال أمده بين أذربيجان، الدولة المصدرة الرئيسة في بحر قزوين، وجارتها أرمينيا. وأسس مورنينغستار علاقة عمل بناءة مع رئيس أذربيجان، إلهام علييف، إلى حدٍّ دفعني إلى أن أوصي بتعيينه سفيرًا لنا هناك. زرت أذربيجان مرتين بهدف تشجيع جهود السلام في المنطقة، وتعزيز الإصلاحات الديمقراطية، ودفع مد خط الأنابيب، وشملت لقاءاتي قادة قطاع الصناعة في المعرض السنوي للنفط والغاز في بحر قزوين، في باكو عام ٢٠١٢. وقد غادرتُ وزارة الخارجية والاتفاقات تأخذ مجراها، ويُتوقع أن يبدأ البناء عام ٢٠١٥، ليباشَر تصدير الغاز عبر الأنابيب عام ٢٠١٩.

وقد حثثتُ قادة الاتحاد الأوروبي حين التقيتهم في آذار/مارس ٢٠٠٩، على جعل موضوع الطاقة أولويةً ملحةً في العمل. وعملت لاحقًا مع كاتي أشتون من الاتحاد الأوروبي على إنشاء مجلس الطاقة الأميركي الأوروبي. وانتشر خبراء فرق الطاقة الأميركية في أنحاء أوروبا لمساعدة الدول على استكشاف البدائل من الغاز الروسي. وعندما زرت بولندا في تموز/يوليو ٢٠١٠، أعلنتُ ووزير الخارجية سيكورسكي، التعاون الأميركي - البولندي من أجل إطلاق مبادرة عالمية لاستخراج الغاز من صخر السِّجيل، والاستفادة من تقنيات الاستخراج الحديثة بطريقة آمنة ومستدامة بيئيًّا. وكانت عمليات التنقيب بدأت في بولندا.

وساعد توسيع إمدادات الغاز الطبيعي الأميركي على تخفيف قبضة روسيا على إنتاج الطاقة الكهربائية في أوروبا، ليس لأننا بدأنا بتصدير الغاز، وافرًا، بل لأننا لم نعد في حاجة إلى استيراده. والغاز الذي كان يتوجه إلى الولايات المتحدة، وجد طريقه إلى أوروبا. وحصل المستهلكون هناك على غاز أرخص، مما اضطُر شركة غازبروم إلى المنافسة، ولم تعد تُملي شروط العرض والطلب.

لم تحظَ هذه الجهود ربما باهتمام كبير في الولايات المتحدة، لكنها لم تُخفَ على بوتين. فعام ٢٠١٣، حين تفاوضت أوكرانيا على تمتين الصلات التجارية بالاتحاد الأوروبي، شَعَرَ بالتأكيد أن النفوذ الروسي يتراجع. هدد بوتين برفع أسعار الغاز إذا تمَّت الصفقة، وقد فاقت ديون أوكرانيا لروسيا ثلاثة مليارات دولار، فيما موارد البلاد المالية في حال من الفوضى. وفي تشرين الثاني/نوفمبر، تخلّى الرئيس الأوكراني يانوكوفيتش فجأة عن الاتفاق المكتمل تقريبًا مع الاتحاد الأوروبي، وسرعان ما قبل من الكرملين كفالةً بقيمة ١٥ مليار دولار.

أثار هذا التغيير المفاجئ غضب أوكرانيين كثر، خصوصًا أولئك الذين يسكنون في العاصمة كييف، ومناطق البلاد غير الناطقة باللغة الروسية. حلموا بالعيش في ديمقراطية أوروبية مزدهرة، وواجهوا آنذاك احتمال سيطرة موسكو عليهم مجددًا. اندلعت احتجاجات واسعة النطاق، أزكى حدَّتَها إطلاقُ الحكومة النار على متظاهرين. ووافق ياكونوفيتش، تحت الضغط، على إجراء إصلاحات دستورية وانتخابات جديدة. وتمّ التوصل إلى اتفاق بين الحكومة وقادة المعارضة بوساطة دبلوماسيين من بولندا وفرنسا وألمانيا. (شارك الروس في المفاوضات، لكنهم رفضوا توقيع الاتفاق). مع ذلك، رفضت الحشود في الشوارع التسوية، وطالبت باستقالة ياكونوفيتش. وما أثار الدهشة، أنه غادر قصره وفرَّ من كييف شرقًا، لينتهي به الأمر في روسيا. ردًّا على ذلك، طلب البرلمان الأوكراني من قادة المعارضة تشكيل حكومة جديدة.

أثارت هذه التطورات حفيظة موسكو. وتحت ستار حماية المواطنين الروس والأوكرانيين من أصل روسي مما سمّاه بوتين الفوضى والعنف في أوكرانيا، أرسل قوات روسية لاحتلال شبه جزيرة القرم على البحر الأسود، التي كانت جزءًا من روسيا حتى خمسينات القرن العشرين، ولا تزال موطنًا لروس عرقيين كثر وللمنشآت البحرية الروسية الكبرى. وعلى الرغم من تحذيرات الرئيس أوباما والقادة الأوروبيين، نظم الكرملين استفتاءً مزورًا لانفصال شبه جزيرة القرم، قاطعه معظم المواطنين غير الناطقين بالروسية. وقد دانت الجمعية العمومية للأمم المتحدة الاستفتاء، نهاية آذار/مارس بغالبية ساحقة.

ولا يزال مستقبل أوكرانيا في خطر حتى الانتهاء من كتابة هذه السطور. سيراقب العالم كله ليرى ما ستؤول إليه الأمور، خصوصًا غيرها من دول الاتحاد السوفياتي السابقة، التي تخاف على استقلالها من امتداد النفوذ الروسي. وجلُّ ما قمنا به منذ العام ٢٠٠٩ من أجل تعزيز حلف الناتو، وإعادة الاستقرار إلى العلاقات المتوترة عبر الأطلسي، وتقليل اعتماد أوروبا على الغاز الروسي، وضعتنا في موقف أقوى لمواجهة هذا التحدي، على الرغم من أن بوتين يملك أيضًا أوراقًا كثيرة ليكشفها. وعلينا أن نستمر في هذا العمل.

أمضيتُ ساعات، طوال أعوام، أفكر في طرائق تساعدني على فهم بوتين.

في زيارة لمنزله الريفي خارج موسكو في آذار/مارس ٢٠١٠، خضنا نقاشًا حادًّا في شأن التجارة ومنظمة التجارة العالمية، ظل يدور في حلقة مفرغة. لم يتراجع بوتين عن موقفه قيد أنملة، وبالكاد أصغى إلى ما أقول. حاولت ساخطةً تغيير مسار الحديث. عرفت ذات مرة عنه شغفه بالحفاظ على الحياة البرية، وهو موضوع يعنيني جدًّا أيضًا. من دون مقدمات، سألته:

«رئيس الوزراء بوتين، أخبِرني ما تفعله لإنقاذ النمور في سيبيريا». حدَّق بي متفاجئًا. لقد استأثرت بانتباهه أخيرًا.

وقف بوتين وطلب مني أن أتبعه. تركنا مساعدينا، وقادني عبر ممر طويل إلى مكتبه الخاص. فوجئ بنا عدد من حراس الأمن الضخمين الذين تسكعوا في المكان. قفزوا متأهبين عند مرورنا. ووراء باب مصفح، وصلنا إلى مكتبه، وجدار قريب يحمل خارطة كبيرة لروسيا. وانطلق في خطاب حماسي باللغة الروسية عن مصير النمور في الشرق، والدببة القطبية في الشمال، وغيرها من الأنواع المهددة بالانقراض. دُهشت لرؤية هذا التغيير في تعامله واهتمامه. سألني أن يرافقه زوجي إذا رغب في رحلة بعد بضعة أسابيع لإحصاء الدببة ودمغها في فرانز جوزف لاند. أجبته بأنني سأسأله، وفي حال لم يستطع مرافقته، سأنظر في جدول أعمالي. رفع بوتين حاجبه ردًّا على ذلك. (وعلى ما تبيَّن لاحقًا، لم يذهب أيٌّ منا).

ثم دار حديث مرتجل آخر مع بوتين، يستحق الذكر، في أيلول/سبتمبر ٢٠١٢، في اجتماع منتدى التعاون الاقتصادي لآسيا ومنطقة المحيط الهادئ الذي استضافته فلاديفوستوك. وقد مثّلت الرئيس أوباما الذي لم يتمكن من الحضور بسبب جدول حملته الانتخابية الزمني. استاء بوتين ولافروف من غياب الرئيس، وانتقادي الشديد دعم روسيا لبشار الأسد في سوريا. لم يوافقا على لقاء بيني وبين بوتين إلّا قبل موعد العشاء بخمس عشرة دقيقة. ولكن، وتماشيًا مع البروتوكول، سيجلس ممثل الولايات المتحدة باعتباره البلد المضيف السابق لآبيك، إلى جانب مضيف هذا العام، مما يعني أنني سأجلس قرب بوتين.

تحدثنا عن تحدياته، من حدود روسيا الطويلة مع الصين شرقًا، إلى المقاطعات الإسلامية المضطربة داخل روسيا وعبر حدودها. أخبرت بوتين عن زيارتي الأخيرة لسانت بطرسبرغ حيث أُقيم نصب تذكاري لضحايا الحصار النازي للمدينة (سُميّت لاحقًا لينينغراد)، الذي استمر من العام ١٩٤١ حتى العام ١٩٤٤، وأسفر عن مقتل أكثر من ستمئة ألف شخص. ضرب هذا على وتر قائد روسيا الحساس الملمّ بالتاريخ. فانطلق في قصة عن والديه اللذين لم أسمع أو أقرأ عنهما. خلال الحرب جاء والد بوتين من الخطوط الأمامية إلى الديار لتمضية عطلة قصيرة. حين دنا من الشقة التي يسكنها مع زوجته، رأى كومة جثث في الشارع يحمّلها رجال في شاحنة مركونة قريبًا. وإذ اقترب أكثر، لمح ساقي امرأة ترتدي حذاءً عرف أنه يخص زوجته. ركض وطالب بالجثة. وبعد مناقشة طويلة، استسلم الرجال وسلموه إياها، فحمل والد بوتين زوجته بين ذراعيه، وبعد فحصها، أدرك أنها لا تزال على قيد الحياة. نقلها إلى شقتهما، واعتنى بها إلى أن استعادت عافيتها. وبعد ثمانية أعوام، أي عام ١٩٥٢، وُلِد ابنهما فلاديمير.

حين نقلت هذه القصة إلى سفير الولايات المتحدة في روسيا مايك ماكفول، وهو خبير بارز في الشؤون الروسية، قال لي إنه لم يسمع عنها سابقًا. وبدا واضحًا أنني لا أملك وسيلة للتحقق من قصة بوتين، لكنني فكرت فيها غالبًا. بالنسبة إلي، هي تلقي الضوء على ما آل إليه الرجل، والبلد الذي يحكم. إنَّه يختبر المرء دومًا، ودومًا يتخطى الحدود.

وقد كتبت إلى الرئيس أوباما، بينما كنت أستعد لمغادرة وزارة الخارجية في كانون الثاني/ يناير ٢٠١٣، مذكرة أخيرة عن روسيا وعمّا يجب أن يتوقعه من بوتين خلال مدة ولايته الثانية. مضت أربعة أعوام مذ سمحت لنا إعادة الضبط بإحراز تقدُّم في شأن الحد من التسلح النووي، والعقوبات على إيران، وأفغانستان، والاهتمامات الرئيسة الأخرى. ما زلت أعتقد أن من مصلحة أميركا الوطنية الطويلة الأجل، تأسيس علاقة عمل بنَّاءة مع روسيا، إذا أمكن ذلك. ولكن علينا أن نكون واقعيين حيال نيات بوتين، والخطر الذي يشكلُّه على جيرانه والنظام العالمي، وتصميم سياستنا وفقًا لذلك. وأشرت على الرئيس، بعبارات واضحة، أن أيَّامًا صعبة تنتظرنا، ويُرجح أن تسوء علاقتنا بموسكو قبل أن تتحسن. قد يهتم مدفيديف بتحسين العلاقات مع الغرب، لكنَّ بوتين استولى عليه انطباع خاطئ أننا نحتاج إلى روسيا أكثر ممّا هي تحتاج إلينا. عدَّ الولايات المتحدة، في المقام الأوَّل، منافسًا. وهو يعدو خائفًا بسبب استيقاظ المعارضة المحلية، وانهيار الأنظمة الاستبدادية في منطقة الشرق الأوسط وأماكن أُخرى. لم تكن تلك السياسة وصفة لعلاقة إيجابية.

واقترحت من ثمَّ، بعد أخذ كل ذلك في الحسبان، تحديد مسار جديد. حقق لنا نهج إعادة الضبط ثمارًا قليلة في مجال التعاون الثنائي، ولسنا في حاجة إلى نسف تعاوننا في مسألتي إيران وأفغانستان. ولكن علينا أن نوقف أي جهد جديد. لا تظهر حريصًا جدًّا على العمل معًا. لا تتملَّق بوتين بإيلائه اهتمامًا مميزًا. أرفض دعوته إلى عقد قمة رئاسية في موسكو في أيلول/سبتمبر. وأوضِح أن التعنت الروسي لن يثنينا عن متابعة مصالحنا وسياساتنا المتعلقة بأوروبا وآسيا الوسطى وسوريا، وغيرها من المناطق الساخنة في العالم. فالقوة والعزم يشكلان اللغة الوحيدة التي يفهمها بوتين. يجب أن نوصل إليه رسالة أن لأفعاله عواقب، فيما نطمئن حلفاء الولايات المتحدة إلى أننا نناصرهم.

لم يوافق الجميع في البيت الأبيض على تحليلي القاسي نسبيًّا. قبِل الرئيس دعوة بوتين إلى قمة ثنائية في الخريف. ولكن غدا صعبًا خلال الصيف تجاهل سلبية المسار، خصوصًا مع إدوارد سنودن، المتعهِّد الذي سرَّب أسرار وكالة الأمن القومي إلى الصحافيين، ومنحه بوتين حقَّ اللجوء إلى روسيا. ألغى الرئيس أوباما قمة موسكو، وبدأ يتخذ موقفًا أكثر تشددًا معها. ووصلت العلاقات إلى الحضيض عام ٢٠١٤، مع الأزمة الأوكرانية.

وإلى ما يتعدى حدَّ شبه جزيرة القرم والعواقب الدولية الأُخرى التي سبَّبها حكم بوتين، أصبحت

روسيا نفسها موضوعَ بحثٍ، للإمكانات والطاقات المهدورة. فالأدمغة ورؤوس المال تهاجر، ويجب ألا تسير الأمور على هذا النحو. فروسيا مُنْعَمٌ عليها، ليس بمواردها الطبيعية الهائلة فحسب، وإنَّما أيضًا بقوتها العاملة المثقفة. وعلى ما تناقشت مع بوتين ومدفيديف ولافروف طوال أعوام، يمكن أن ترسم روسيا مستقبلًا آمنًا ومزدهرًا باعتبارها جزءًا من أوروبا، بدلًا من معاداتها. يكفي النظر إلى الاتفاقات التجارية التوسعية التي يمكن روسيا أن تفاوض عليها، لو اختلف موقفها. بدلًا من إخافة أوكرانيا وغيرها من الدول المجاورة، يمكنها أن تشارك في المزيد من التعاون العلمي مع الاتحاد الأوروبي وشركاء الولايات المتحدة، وتوسيع الابتكار، وتطوير التكنولوجيات المتقدمة، لتحاول بناء مركز أعمالها في التكنولوجيا الفائقة وذات المستوى العالمي، على ما توخى مدفيديف. وأعتقد أيضًا أن في استطاعة روسيا تحقيق مصالحها الاستراتيجية على أمد طويل، إذا لم يركز بوتين اهتمامه على استصلاح الأمبراطورية السوفياتية وسحق المعارضة الداخلية. قد يدرك أن قدرة روسيا على التعامل مع المتطرفين على طول حدودها الجنوبية، ومع الصين كذلك شرقًا، ستعززها علاقات أوثق مع أوروبا والولايات المتحدة. قد يرى أوكرانيا على ما يريد أن يُنْظَر إليها، جسرًا بين أوروبا وروسيا من شأنه أن يزيد الازدهار ويحقق الأمن الذي يحلم به الجميع. ولكن، ويا للأسف، تبقى روسيا، إلى اليوم، تحت حكم بوتين مجمدة بين ماضٍ لا تستطيع التخلي عنه، ومستقبل لا تدرك اعتناقه ليلتئم شملها.

الفصل الثّاني عشر

أميركا اللاّتينية:
الديمقراطيّون والديماغوجيّون

هو سؤال قد يأتي الجواب عنه مفاجئًا: إلى أي جزء من العالم يذهب أكثر من ٤٠ في المئة من مجمل صادرات الولايات المتحدة؟ ليس إلى الصين، التي لا تستورد أكثر من ٧ في المئة، ولا إلى الاتحاد الأوروبي، حيث تمثل نسبة صادراتنا ٢١ في المئة. الإجابة الصحيحة، الأميركيتان. في الواقع، أهم وجهتين لصادراتنا، جارانا القريبان: كندا والمكسيك.

وفي حال كانت هذه المعلومة جديدة بالنسبة إلى البعض، ليسوا وحدهم من لا يعرف ذلك. فمعظمنا في الولايات المتحدة، لدينا صورة عفَّ عليها الزمن، عمّا يحدث في قارتنا. ما زلنا نفكر في أميركا اللاتينية أرضًا للانقلابات والجريمة بدلًا من منطقة تزدهر فيها الأسواق والشعوب الحرة، ومصدرًا للمهاجرين والمخدرات بدلًا من وجهة للتجارة والاستثمار.

وقد حقق جيراننا الجنوبيون تقدمًا اقتصاديًّا وسياسيًّا مذهلًا خلال الأعوام العشرين الأخيرة. وتضم أميركا اللاتينية ستًّا وثلاثين دولة وإقليمًا (كلها تقريبًا ديمقراطيات)، يبلغ مجموع سكانها حوالى ٦٠٠ مليون نسمة، وقد شهدت طبقاتها المتوسطة توسعًا سريعًا، وهي غنية بالطاقة والإمدادات، وناتجها المحلي الإجمالي يفوق خمسة تريليونات دولار.

وتشابكت، عميقًا، اقتصادات الولايات المتحدة وجيرانها منذ زمن طويل، بسبب قربنا

بعضنا من بعض. إذ تتقاطع خطوط الإمداد في المنطقة، وكذلك الشبكات الأسرية، والاجتماعية والثقافية. ويرى البعض في هذه الروابط القوية تهديدًا للسيادة والهوية، لكنني أرى في اعتمادنا المتبادل منفعة نسبية يجب أن نَبني عليها، خصوصًا أننا نحتاج راهنًا إلى تشجيع زيادة النمو في الداخل. يمكننا تعلم الكثير من قصة تحوُّل أميركا اللاتينية وما تعني للولايات المتحدة والعالم، خصوصًا إذا أردنا تحقيق الاستفادة القصوى من «قوة القرب» هذه في الأعوام المقبلة.

يعود مردُّ مفاهيمنا الراهنة الخاطئة عن أميركا اللاتينية، إلى قرن من التاريخ الصعب. كانت أميركا اللاتينية ساحة معركة للمنافسة الأيديولوجية بين الولايات المتحدة والاتحاد السوفياتي، وغدت كوبا أبرز مثال على نقطة وميض الحرب الباردة، لكنَّ معارك بالوكالة اندلعت في شكلٍ أو آخر، في أعلى نصف الكرة الغربي وأسفله. ساعد انهيار الاتحاد السوفياتي وانتهاء الحرب الباردة على الإيذان بحقبة جديدة في المنطقة. هدأت الحروب الأهلية الطويلة والقاسية، وحملت الانتخابات حكومات ديمقراطية جديدة إلى السلطة، وبدأ النمو الاقتصادي ينتشل الناس من الفقر. ودعا زوجي عام ١٩٩٤ كل ديمقراطيات المنطقة إلى قمة الأميركيتين الأولى في ميامي، حيث التزمنا جميعًا الاجتماع كل أربعة أعوام، ليستمر تكاملنا الاقتصادي وتعاوننا السياسي.

كانت هذه القمة أحد الجهود الكثيرة التي بذلتها إدارة كلينتون لإقامة شركة أوسع مع جيراننا. قدمت الولايات المتحدة مساعدة حاسمة إلى المكسيك والبرازيل خلال أزمتهما المالية. وبدعمٍ من الحزبين في الكونغرس، وضعنا «خطة كولومبيا» وموَّلناها، وهي حملة طموحة للمساعدة على الدفاع عن أقدم ديمقراطيات أميركا الجنوبية من مهربي المخدرات والجماعات المسلحة، وفي هايتي، ساعدت على الانقلاب على انقلاب، واستعادة الديمقراطية الدستورية. ودلالةً إلى التقدم الذي بلغته المنطقة، شاركت قوات من ديمقراطيات كثيرة في أميركا اللاتينية في مهمة الأمم المتحدة في هايتي. ووفق مركز بيو للأبحاث، بلغ تأييد الرأي العام للولايات المتحدة في أميركا اللاتينية ٦٣ في المئة عام ٢٠٠١.

وبصفة كونه حاكم ولاية تكساس الذي أيَّد إنماء التجارة وإصلاح الهجرة، حاز الرئيس جورج بوش مكانة رفيعة في المنطقة. وطوَّر علاقات شخصية قوية مع الرئيس المكسيكي فيسنتي فوكس، وخليفته فيليبي كالديرون. ودعمت إدارة بوش «خطة كولومبيا» وعززتها، وأطلقت مبادرة ميريدا لمساعدة المكسيك في حربها على عصابات المخدرات. لكن نهج الإدارة الأوسع نطاقًا في السياسة الخارجية لم يحظَ بأصدقاء كثر في المنطقة، ولم تفعل كذلك نزعتها إلى النظر إلى نصف الكرة بمنظار «اليسار في مقابل اليمين» الأيديولوجي، الذي يُعدّ من مخلفات الحرب الباردة. وأشارت استطلاعات الرأي عام ٢٠٠٨ إلى أن ٢٤ في المئة من المكسيكيين، و٢٣ في المئة من البرازيليين

يؤيدون الولايات المتحدة، ولم يتجاوز المعدَّل في مختلف أنحاء المنطقة، وفق غالوب، ٣٥ في المئة. وحين وصلت إدارة أوباما إلى السلطة بداية العام ٢٠٠٩، أدركنا أن الوقت قد حان لبداية جديدة.

وقد أوضح الرئيس أوباما نهجنا، «الشركة المتساوية»، في خطاب في نيسان/أبريل ٢٠٠٩، في قمة الأميركيتين في ترينيداد وتوباغو. تعهد أن «علاقتنا لن تقوم بعد اليوم على شريك كبير وآخر صغير»؛ بدلًا من ذلك، يمكن شعب أميركا اللاتينية أن يَتَوَقع «شركةً مبنيةً على الاحترام المتبادل والمصالح العامة والقيم المشتركة». وشدَّد الرئيس، على ما فعل دومًا، على الحاجة إلى تخطي «النقاشات التي لا معنى لها والخيارات الخاطئة»، وفي هذه الحال، «بين الاقتصادات الجامدة التي تديرها الدولة والرأسمالية الجامحة وغير المنظمة، بين إلقاء اللوم على القوات اليمينية شبه العسكرية والمتمردين اليساريين، بين التمسك بسياسات غير مرنة في ما يتعلق بكوبا وإنكار حقوق الإنسان كاملةً التي يستحقها الشعب الكوبي». وفي شأن كوبا خصوصًا، وَعد ببدايةٍ جديدة. وفي خطوة أولى لتحديث السياسة التي «فشلت في تعزيز حرية الشعب الكوبي وفرصه»، ستبدأ الولايات المتحدة بالسماح للأميركيين الكوبيين بزيارة الجزيرة وإرسال كميات أكبر من المال إلى عائلاتهم هناك. وقال الرئيس أيضًا إنه مستعد للانخراط مباشرة مع الحكومة الكوبية في مجموعة واسعة من القضايا، بما يشمل تنفيذ الإصلاحات الديمقراطية والعمل معًا على تحدِّيَي تهريب المخدرات والهجرة، ولوقتٍ طويل ما دام سيؤدي إلى تحقيق تقدم ملموس. «لم آتِ إلى هنا من أجل مناقشة الماضي»، على ما قال، «أتيت لأتعامل مع المستقبل».

وستكون تلك مهمتي، بمساعدة مجموعة من أرفع الخبراء في شؤون أميركا اللاتينية في وزارة الخارجية، من أجل تحقيق وعد الرئيس بالممارسة العملية. وقررت أن أبدأ مع لفتة جريئة للإشارة إلى أننا جادّون في اللهجة الجديدة في نصف الكرة الغربي. والمكان الذي اخترته للقيام بذلك هو المكسيك، جارنا الجنوبي الأقرب، الذي يُمَثِّل كثيرًا الوعد والخطر، على السواء، في منطقةٍ على مفترق طرق.

تتشارك الولايات المتحدة والمكسيك حدودًا، تمتد حوالى ألفي ميلٍ، واقتصادانا وثقافتانا، خصوصًا في المناطق المحيطة بتلك الحدود، متكاملة جدًا. في النهاية، كانت مناطق كثيرة من جنوب غربي الولايات المتحدة جزءًا من المكسيك ذات يوم، ولم تؤدّ عقود من الهجرة إلّا إلى تعزيز الروابط الأسرية والثقافية بين بلدينا. بدأت تجربتي في هذا المجال عام ١٩٧٢، حين أرسلتني اللجنة الديمقراطية الوطنية لتسجيل الناخبين في ريو غراندي فالي في تكساس، دعمًا لحملة جورج ماكغفرن للرئاسة. شعر بعض الناس بالقلق، ولأسباب مفهومة، من فتاة شقراء من شيكاغو،

لا تتقن كلمة إسبانية واحدة، ولكن سرعان ما رحبوا بي واستقبلوني في منازلهم وجماعاتهم، حيث حرص المواطنون ذوو الأصل المكسيكي على المشاركة تمامًا في ديمقراطيتنا.

ولقد قمت كذلك ببعض الرحلات عبر الحدود مع أصدقائي الجدد لتناول العشاء والرقص. كان يسهل العبور ذهابًا وإيابًا في تلك الأيام. وانتهى بي الأمر، عاملة مع رجل من جامعة يال، بدأت بمواعدته، اسمه بيل كلينتون. بعد خسارة ماكغفرن الانتخابات بغالبية ساحقة، قررت وبيل طلبًا للراحة، أن نقصد منتجعًا صغيرًا على ساحل المحيط الهادئ، واكتشفنا أننا أحببنا المكسيك كثيرًا، لذا عدنا إليها غالبًا طوال أعوام؛ بما في ذلك رحلة شهر العسل إلى أكابولكو عام ١٩٧٥.

وبسبب الخطاب المحموم في نقاشنا المتعلق بالهجرة الداخلية، ما زال كثر من الأميركيين يعتقدون أن المكسيك بلد فقير وشعبها يشعر باليأس ولا يأمل منها شيئًا، ليتركها وراءه حين يتجه شمالًا. ولكن، في الحقيقة، ازدهر اقتصاد المكسيك في الأعوام الأخيرة، وتضخمت طبقتها المتوسطة، وحققت ديمقراطيتها خطوات كبيرة. وقد أعجبت جدًّا حين بنت المكسيك، في عهد الرئيس كالديرون، ١٤٠ جامعة لا تستوفي الرسوم الدراسية، من أجل تلبية احتياجات اقتصادها المتنامي، وهذا مجرد مثال واحد.

وشهدت المكسيك، تزامنًا مع بداية عهد الرئيس أوباما، انتشار وباء العنف المرتبط بالمخدرات، وعُدَّ من أكبر العقبات التي تعيق استمرارها في التنمية الديمقراطية والاقتصادية. اشتبكت العصابات المتنافسة بعضها مع بعض، ومع قوات الأمن في البلاد، وكثيرًا ما احتُجزت مجتمعات بأكملها وسط إطلاق النار. ونشر الرئيس كالديرون الجيش في هجوم كبير على العصابات، بعد توليه منصبه في كانون الأول/ديسمبر ٢٠٠٦. تصاعد العنف، وعلى الرغم من بعض نجاحات الحكومة، واصلت العصابات العمل. وإلى أن توليت منصب وزارة الخارجية، كانت عصابات المخدرات تحولت منظمات شبه عسكرية، فيما آلاف الناس يقتلون كل عام. وإذ انخفض معدل الجريمة في المناطق التي لم يطاولها تهريب المخدرات، أصبحت عمليات تفجير السيارات والخطف شائعة، حيث عملت العصابات. وباتت المدن الحدودية من مثل تيخوانا وسيوداد خواريث تشبه مناطق حرب. وهدد العنف بالامتداد إلى الباسو الأميركية والمجتمعات الأُخرى المجاورة.

وهاجم مسلحون عام ٢٠٠٨ القنصلية الأميركية في مونتيري، بالأسلحة الخفيفة والقنابل اليدوية. لم يُصَب أحد، لحسن الحظ. ولكن في آذار/مارس ٢٠١٠، اغتيل ثلاثة أشخاص ذوي صلة بقنصليتنا في سيوداد خواريث. فالموظفة الأميركية في القنصلية ليزلي إنريكي، قُتلت بعيارات نارية في سيارتها مع زوجها آرثر ردلفس. وفي الوقت نفسه تقريبًا، وفي الجهة المقابلة من المدينة، قُتل أيضًا خورخي ألبرتو سالسيدو سنيسروس، زوج موظفة محلية تعمل في القنصلية. ذكّرتنا عمليات القتل هذه بالمخاطر التي يتعرض لها ممثلو بلادنا، رجالًا ونساءً، في مختلف أنحاء العالم،

وليس في أماكن من مثل العراق أو أفغانستان أو ليبيا، فحسب. وأبرزت الحوادث أيضًا الحاجة إلى مساعدة المكسيك على إعادة فرض النظام والأمن.

والحقيقة الأساسية في حرب عصابات المخدرات، أنها كانت تتقاتل في ما بينها لتكسب حقها في تصدير المخدرات إلى الولايات المتحدة، وتُقدَّر نسبة ما يتدفق منها بحوالى ٩٠ في المئة، فضلًا عن أن ٩٠ في المئة تقريبًا من الأسلحة التي تستخدمها العصابات مصدره الولايات المتحدة. (الحظر على الأسلحة الهجومية الذي وقَّعه بيل عام ١٩٩٤، انتهى بعد عشرة أعوام ولم يُجدَّد، مما فتح الباب أمام زيادة تهريب الأسلحة عبر الحدود). يصعب ألّا ننظر إلى هذه الحقائق ونستنتج أن أميركا تشارك في المسؤولية، وعليها مساعدة المكسيك على وقف أعمال العنف. في آذار/مارس ٢٠٠٩، وفي إحدى أولى رحلاتي وزيرةً، سافرت إلى مكسيكو سيتي للتشاور في طريقة لتوسيع تعاوننا وسط العنف المتزايد.

التقيت كالديرون ووزيرة خارجيته باتريشيا إسبينوزا، الدبلوماسية المحترفة التي أصبحت إحدى أفضل زميلاتي وصديقاتي المقربات. بيّنا احتياجات المكسيك، بما في ذلك مزيد من طائرات الهليكوبتر من طراز بلاك هوك للرد على العصابات المسلحة في شكلٍ كبير. بدا كالديرون متحمسًا من أجل وقف العنف ضد شعبه، ويوحي بإرادة رجلٍ في مهمة خاصة. أساءت إليه جسارة عصابات المخدرات، وقوضت خططه المتعلقة بفرص العمل والتعليم. وأغضبته أيضًا الرسائل المختلطة الذي اعتقد أنها تصل إليه من الولايات المتحدة. كيف يُفترض بي أن أضع حدًّا لعصابات المخدرات المسلحة تسليحًا جيدًا، على ما سأل، فيما أنتم لا تعترضون الأسلحة التي تشتريها عبر الحدود، وبدأت بعض ولاياتكم كذلك تضفي الشرعية على استخدام الماريجوانا؟ لِمَ يتوجب على مواطِنِيَّ، أو رجال الشرطة الموكل إليهم تطبيق القانون، أو الجيش، وضع حياتهم على المحك في ظل هذه الظروف؟ كانت تلك أسئلة صعبة، وإنما محقة وعادلة.

وقلت لكالديرون وإسبينوزا إننا سنوسع مبادرة ميريدا التي وضعتها إدارة بوش للمساعدة على تطبيق القانون. طلبنا من الكونغرس تخصيص أكثر من ٨٠ مليون دولار لطائرات الهليكوبتر، ومناظير الرؤية الليلية، والدروع الواقية، وغيرها من المعدات. وطلبنا كذلك تمويلًا لنشر المئات من قوات حرس الحدود من جانبنا للقضاء على تهريب السلاح والمخدرات. قامت الإدارة كاملة بهذا الجهد، وشمل ذلك وزيرة الأمن الداخلي جانيت نابوليتانو، والمدَّعي العام إيريك هولدر، ومساعد الرئيس لشؤون الأمن الداخلي ومكافحة الإرهاب جون برينان.

عقدت وإسبينوزا مؤتمرًا صحافيًّا مشتركًا بعد اجتماعنا، وأوضحت أن إدارة أوباما تعدُّ المتاجرة بالمخدرات «مشكلة مشتركة»، وأقرَرْنا بالتحدي المتمثل في الحدِّ من الطلب على المخدرات في الولايات المتحدة ووقف تدفق البنادق غير الشرعية عبر الحدود إلى المكسيك.

سافرت في اليوم التالي شمالًا، إلى مونتيري، حيث كررت هذا الالتزام، في خطاب ألقيته في جامعة تكميلينيو. «تعترف الولايات المتحدة بأن تجارة المخدرات ليست مشكلة المكسيك وحدها»، على ما قلت للطلاب، «هي مشكلة أميركية أيضًا. ومن واجب الولايات المتحدة أن تساعدكم على القضاء عليها».

اعتقدت أنَّ من البديهي أن أقول ما أعلنتُه بهذا الوضوح. وهو صحيح بالبرهان، ويُعَدُّ أيضًا من الركائز الأساسية في نهج إدارة أوباما الجديد، الذي قصدت أن تعتمده في أميركا اللاتينية. لكنني عرفت كذلك أن نوع الصراحة هذه قد يكلف كثيرًا في الوطن. وربما كان يُتوقَّع من بعض وسائل الإعلام النافذة أن تتفاعل بطريقة هستيرية وتتحدث عن «الاعتذار إلى أميركا». فالاهتمامات السياسية ليست في غير موضعها الحق في السياسة الخارجية؛ تكون الولايات المتحدة أقوى حين نواجه العالم متحدين، لذلك من المهم جدًّا توفير الدعم الشعبي لسياساتنا في الوطن، وصونه. ولكن، في هذه الحال، استعددت لاستيعاب الانتقادات من أجل القيام بما هو صحيح ودفع أجندتنا. وبالتأكيد، صدرت صحيفة نيويورك بوست بعنوان رئيس صارخ: «صدمة مخدرات هيلاري». لقد تعوَّدت منذ زمن طويل تقبُّل الانتقادات وعدم عَدّها شخصية، وشعرت في قوةٍ، أن علينا، إذا أردنا تحسين مكانتنا في العالم وحل الأزمات فعلًا، أن نقول بعض الحقائق الصعبة، ونواجه العالم مثلما هو.

وسرعان ما بدأت تظهر نتائج تعاوننا الموسع. سلَّمت المكسيك أكثر من مئة فار إلى الولايات المتحدة عام ٢٠٠٩. وقُبِض على حوالى عشرين تاجر مخدرات من مستوى رفيع أو قتلوا، بفضل تحسين الاستخبارات والاستهداف. وضاعفت إدارة أوباما ثلاث مرات التمويل، للحد من الطلب على المخدرات غير المشروعة في الولايات المتحدة، ليصل المبلغ إلى عشرة مليارات دولار سنويًّا، وتوصل مكتب التحقيقات الفدرالي إلى اعتقال أعضاء من العصابات التي تعمل شمال الحدود. وساعدنا على تدريب آلاف الضباط من الشرطة والقضاة والمدعين العامين، وعقدنا شركات جديدة في مختلف أنحاء أميركا الوسطى ومنطقة البحر الكاريبي، من أجل جعل أمن المواطن من أولويات دبلوماسيتنا في أميركا اللاتينية.

وقد توترت علاقتنا نهاية العام ٢٠١٠، حين نُشرت تقارير سرية من سفيرنا في المكسيك كارلوس باسكوال، على أنها جزء من قضية ويكيليكس. وحين عدت في زيارةٍ أُخرى، إلى المكسيك في كانون الثاني/يناير ٢٠١١، كان كالديرون غاضبًا. وذكرت صحيفة نيويورك تايمز أنه استاء خصوصًا من تقرير مسرَّب، «نَقل عن السيد باسكوال سؤاله عن تردد قيادة الجيش المكسيكي في العمل على معلومات استخبارية أميركية في شأن أحد قادة عصابات المخدرات». وقال كالديرون للصحافة إن التسريبات سببت «ضررًا بالغًا» في علاقة المكسيك بالولايات المتحدة. وقد اشتكى إلى

واشنطن بوست: «من الصعب أن ترى فجأةً شجاعة الجيش (موضع شك). على سبيل المثال، فقد الجيش حوالى ٣٠٠ جندي... وفجأةً (يقول) أحدهم في السفارة الأميركية إن الجنود المكسيكيين ليسوا شجعانًا بما فيه الكفاية». ونصحت لي إسبينوزا بأن ألتقي الرئيس لتوضيح الأمر والاعتذار. وحين فعلت، قال لي كالديرون إنه لا يريد بعد اليوم التعامل مع كارلوس وأصرَّ على أن يُعيَّن مكانه سفير آخر. كان ذلك أحد أقسى الاجتماعات التي عرفتها. وقلت لاحقًا لكارلوس إن لا خيار لي إلّا إعادته إلى الديار، لكنني أكدت له أنني وجدت له مهمة جديدة للاستفادة من مهاراته وخبراته. استقال رسميًّا من منصبه في آذار/مارس، وبعد وقت قصير تولّى مسؤولية مكتبنا الجديد لقضايا الطاقة العالمية. عملت وإسبينوزا جاهدتين على إصلاح الضرر، واستمر تعاوننا.

كان هناك نموذج جيد يُظهر إمكان نجاح محاولة المكسيك الطموحة: كولومبيا. استولى هذا البلد على مخيلتي، مذ خدم أخي هيو هناك في فيلق السلام، بداية سبعينات القرن العشرين. وصف التجربة بأنها أفضل ما عاد عليه بالنفع في حياته، وتعوَّدَ بعدما عاد إلى الوطن أن يمتعنا بقصص عن مغامراته. اعتقد بيل أنها تشبه فصولًا من روايته المفضلة، «مئة عام من العزلة»، لغابرييل غارثيا ماركيز، لكن هيو أقسم أنها كلها حقيقية. فقد غدت كولومبيا، ويا للأسف، في تسعينات القرن العشرين إحدى أكثر الدول عنفًا على وجه الأرض، نشر الرعب فيها تجار المخدرات والعصابات المسلحة الذين سيطروا على مساحات شاسعة منها، وعاثوا فسادًا متى شاءوا في أي مدينة كبرى. وأشار خبراء السياسة في شكل روتيني إلى أنها دولة فاشلة.

عمل بيل مع الرئيس أندريس باسترانا، وتوافر أكثر من مليار دولار من أجل تمويل حملة كولومبيا على عصابات المخدرات وفصائل اليسار المتمردة المعروفة باسم «فارك»، أي القوات المسلحة الثورية الكولومبية. طوال العقد التالي، وسَّع خليفة باسترانا، الرئيس ألفارو أوريبي الذي قَتَلَ فراك والده في الثمانينات، خطة كولومبيا، تدعمه إدارة بوش في قوة. ولكن، على الرغم من التقدم الذي حققته الحكومة، بدأت مخاوف جديدة تبرز، تتعلق بانتهاكات في حقوق الإنسان، وعنف ضد منظمي نقابات العمال، واغتيالات مستهدفة، وفظائع مجموعات اليمين شبه العسكرية. وحين تولّت إدارة أوباما الحكم، اخترنا مواصلة الدعم الأميركي، من الحزبين، لخطة كولومبيا، لكننا وسعنا شركتنا مع الحكومة إلى ما أبعد من الأمن، لنعمل أكثر على الحكم الرشيد، والتعليم والتنمية.

وقد زرت بوغوتا في حزيران/يونيو ٢٠١٠، بعدما انحسرت حدّة العنف كثيرًا، عقب قمع التمرد، وتمتع المواطنون بقسط غير مسبوق من الأمن والرخاء. وعبر مصادفةٍ سعيدة في جداول أعمالنا المحمومة، سافر بيل إلى كولومبيا لأعمالٍ تتعلق بمؤسسة كلينتون، بينما كنتُ هناك. التقينا في

بوغوتا، وتناولنا العشاء مع الأصدقاء والموظفين في مطعم يقدم اللحم المشوي المحلي، وشربنا نخب تقدم كولومبيا. وحين تجولنا في الشوارع، ذهلنا لما بلغته البلاد. فأمسية هادئة مثل هذه كان يصعب تصورها قبل أعوام قليلة.

وحين اجتمعت مع الرئيس أوريبي، ناقشنا ما تبقى من تحديات أمنية يجب على كولومبيا مواجهتها، لكنها لم تشكّل إلّا جزءًا من الأجندة. أمضينا وقتًا في التحدث عن الطريقة التي تُمكّن كولومبيا والولايات المتحدة من العمل معًا في مجلس الأمن الدولي على القضايا العالمية، وسبل توسيع العلاقات التجارية، والتحضير لقمة الأميركيتين المقبلة. وكان أوريبي قائدًا لا ينثني عن مراده، أمسك بزمام السلطة جيدًا، لكن مدة ولايته شارفت نهايتها، فتذكر المسار العسير الذي قطعته بلاده. «أتعملين، حين توليت الرئاسة قبل أعوام ثمانية»، على ما قال لي، «لم نستطع حتى إقامة الاحتفال في الهواء الطلق بسبب الهجمات الكثيرة، وخوفًا من القناصة والقنابل. قطعنا طريقًا طويلة».

أما خليفة أوريبي، خوان مانويل سانتوس الذي نال منحة فولبرايت الدراسية وتعلّم في الولايات المتحدة في ثمانينات القرن العشرين، فقد سعى إلى ترسيخ هذا التقدم، وبدأ عام ٢٠١٢ مفاوضات مع ما تبقى من القوات المسلحة الثورية الكولومبية (فارك). بشرت هذه المحادثات بنجاح إحلال السلام الدائم في كولومبيا. تحدثت هاتفيًّا مع الرئيس سانتوس وهنأته. «هذا المسار مهم جدًّا وله رمزيته، وآمل في أن نبلغ به خواتيم جيدة».

ويعود الفضل في تقدم كولومبيا إلى شعبها الشجاع. لكنني فخورة بالدور الذي أدته أميركا، طوال عهود ثلاث إدارات، في المساعدة على منع تفكك البلاد، وتعزيز حقوق الإنسان وسيادة القانون، وتحسين التنمية الاقتصادية.

ساد شعورٌ بعد تعليقاتي في المكسيك عام ٢٠٠٩ على المسؤولية المشتركة، وخطاب الرئيس أوباما في نيسان/أبريل في ترينيداد وتوباغو عن الشركة المتساوية، أننا أرسينا فعلًا دعامةَ فصلٍ جديد من المشاركة المنشودة في نصف الكرة الغربي. ولم نكن نعلم أنَّ حزيران/يونيو، سيختبر جهودنا ونياتنا بطرائق غير متوقعة.

في ما يتعلق بي، بدأ حزيران/يونيو في أصغر دولة في أميركا اللاتينية، السلفادور، حيث حضرت احتفال تنصيب رئيس البلاد، ومؤتمرًا إقليميًّا تناول تعزيز النمو الاقتصادي على أمد طويل والحد من عدم المساواة الاقتصادية. وحاكى الحدثان الوعود والإمكانات التي أملنا في أن تحدد علاقتنا مع أميركا اللاتينية.

يُعدُّ اقتصاد أميركا اللاتينية مجتمعًا، أكبر بثلاثة أضعاف من حجم اقتصاد الهند أو روسيا، ولا يبعد كثيرًا عن الصين واليابان. وتهيَّأت المنطقة للخروج سريعًا من الركود العالمي مع نمو بلغت نسبته ٦ في المئة عام ٢٠١٠، وانخفاض في البطالة عام ٢٠١١ إلى أدنى مستوى لها في عقدين. ووفق البنك الدولي، نمت الطبقة المتوسطة بنسبة ٥٠ في المئة منذ العام ٢٠٠٠، بما في ذلك زيادة نسبتُها أكثر من ٤٠ في المئة في البرازيل و١٧ في المئة في المكسيك. ويُتَرجَمُ ذلك رخاءً زائدًا، وأكثر من ٥٠ مليون مستهلك جديد من الطبقة المتوسطة، سيحرصون على شراء البضائع والخدمات الأميركية.

لذا عملنا جاهدين من أجل تحسين الاتفاقات التجارية مع كولومبيا وبنما والموافقة عليها، وشجعنا كندا ومجموعة الدول التي أصبحت تُعرف باسم تحالف المحيط الهادئ - المكسيك وكولومبيا والبيرو والتشيلي - وكلها ديمقراطيات مفتوحة الأسواق وتَعِدُ بمستقبلٍ مزدهر، على الانضمام إلى المفاوضات مع الدول الآسيوية في شأن اتفاق التجارة عبر المحيط الهادئ. بدا التحالف متناقضًا في شكلٍ صارخ مع فنزويلا، التي أبقت سياساتها الاستبدادية والاقتصاد التي تسيطر عليه الدولة.

وظل عدم المساواة الاقتصادية في أميركا اللاتينية، مع كل هذا التقدم، من بين الأسوأ في العالم. فعلى الرغم من التطور السريع في مناطق كثيرة، بقيت أجزاء من أميركا اللاتينية تعاني فقرًا مدقعًا. وفي المؤتمر في السلفادور، الذي نُظّم تحت شعار مبادرةٍ إقليميةٍ بدأت بها إدارة بوش سمَّتها «مسارات إلى الازدهار»، حاججت أن التحدي الرئيس بالنسبة إلى أميركا اللاتينية في الأعوام المقبلة، يتمثل في التأكد من تقاسم منافع النمو الاقتصادي على نطاق واسع، لتسلّم الديمقراطيات في المنطقة مواطنيها نتائج ملموسة. «بدلًا من تحديد التقدم الاقتصادي، في بساطة، في هوامش الربح والناتج المحلي الإجمالي، يجب أن يكون مقياسنا نوعية معيشة البشر»، على ما اقترحت، ويجب أن يكون معيارنا «توافر الغذاء للعائلات بما يكفيها، والسماح للشباب بالتعلّم منذ أعوام دراستهم الأولى وصولًا إلى الجامعات، وتحسين ظروف العمل ليكسب العمال أجورًا لائقة ووظائف آمنة».

وقد نجح عدد من بلدان أميركا اللاتينية، خصوصًا البرازيل والمكسيك والتشيلي، في الحد من عدم المساواة وإخراج الناس من الفقر. وكانت أكثر الوسائل فاعلية، برامج «التقديمات النقدية المشروطة». بدأت البرازيل في تسعينات القرن العشرين في عهد الرئيس فرناندو كاردوسو، بتقديم دفعات صغيرة منتظمة إلى ملايين الأسر الفقيرة شرط أن تبقي أولادها في المدارس. ووسّع البرنامج لاحقًا الرئيس لويس إيناسو لولا دا سيلفا، ليشمل إجراء فحوص طبية منتظمة ودورات في التغذية والوقاية من الأمراض. فخوَّلت هذه الحوافز النساء سلطة، وزادت الالتحاق

بالمدارس، وحسَّنت صحة الأطفال، وعزَّزت النمو الاقتصادي. فمثلما توسَّع البرنامج، أتت النتائج. وانخفضت في البرازيل نسبة الناس الذين يعيشون تحت خط الفقر من ٢٢ في المئة عام ٢٠٠٣ إلى ٧ في المئة فقط عام ٢٠٠٩، وانتشرت برامج مشابهة في مختلف أنحاء نصف الكرة الغربي.

ورأيت أن أحد أهم مجالات التعاون الاقتصادي يبقى الطاقة. تعرف الولايات المتحدة أن مصدر ٥٠ في المئة من طاقتها المستوردة يأتي من نصف الكرة الغربي. وقد يساعد توسيع التعاون في مجال الطاقة وتغيّر المناخ على رأب الانقسامات بين الدول، وخلق الفرص الاقتصادية، وتحسين البيئة في الوقت نفسه. وساعد فريق موظفيَّ على وضع اقتراح من أجل «شركة الأميركيتين في الطاقة والمناخ»، لدعم الابتكار والبناء على نقاط القوة في المنطقة. وتوافرت أمثلة كثيرة لنتعلم منها. كانت البرازيل رائدة في إنتاج الوقود الحيوي. ولَّدت كوستاريكا كل احتياجاتها تقريبًا في الكهرباء من الطاقة المائية. طوَّرت كولومبيا والبيرو أنظمة الطاقة النظيفة في وسائل النقل الجماعي. أغلقت المكسيك مكبات النُّفَيات، واستحوذت على غاز الميثان لتوليد الطاقة، وحسنت نوعية الهواء في مكسيكو سيتي، وعشَّبت أسطح مبانيها وجدرانها، وزرعت عددًا ضخمًا من الأشجار الجديدة في المنطقة. وأطلقت بربادوس إمكانات سخانات المياه على الطاقة الشمسية. وطوَّرت الجزر، من مثل سانت كيتس ونيفيس ودومينيكا، مواردها من الطاقة الحرارية الأرضية.

وسنبني على هذه الدعائم خلال الأعوام المقبلة، ونركّز خصوصًا على ربط مختلف الشبكات الكهربائية الوطنية والإقليمية، من كندا شمالاً وصولاً إلى طرف التشيلي جنوبًا، لنشمل كذلك منطقة البحر الكاريبي التي تدفع بعض أعلى التكاليف لإنتاج الكهرباء في العالم. ولأنَّ التكاليف مرتفعة جدًّا، يمكن الكاريبيين تحقيق الوصول إلى إنتاج الكهرباء والاستقلال في هذه المجال من خلال الطاقة الشمسية، وطاقة الرياح، وإنتاج الوقود الحيوي من دون روافد مالية، في حال امتلكت الحكومات الإرادة لتحويل إنفاقها من واردات النفط، إنماءً للطاقة النظيفة المحلية. وينطبق الأمر نفسه على أميركا الوسطى. وبدا كلُّ ذلك مهمًّا لأنَّ ٣١ مليون شخص في نصف الكرة ما زالوا يفتقرون إلى الكهرباء التي يُعتمد عليها، وبأسعار معقولة (يصل العدد على مستوى العالم إلى ١،٣ مليار نسمة). وهذا يعيق التقدم في نواح كثيرة. كيف يمكن إدارة عملٍ تجاري ناجح أو مدرسة في القرن الحادي والعشرين من دون كهرباء؟ كلّما سَهُل وصول الناس إلى الطاقة، ازدادت فرصهم للخروج من الفقر، وتعليم أبنائهم، والبقاء في صحة جيدة. لذلك هدفنا إلى رؤية كل المجتمعات في المنطقة تنعم بالكهرباء، عام ٢٠٢٢.

وكان الحدث اللافت الآخر في زيارتي للسلفادور بداية حزيران/يونيو ٢٠٠٩، تنصيب الرئيس الجديد ماوريسيو فونيس. ودعت هذه المناسبة إلى التفكير في التحوُّل السياسي العميق الذي اجتاح أميركا اللاتينية منذ نهاية الحرب الباردة. فقد تجذرت الديمقراطيات حيث هيمنت على المشهد

يومًا الدكتاتوريات العسكرية اليمينية والديماغوجيون اليساريون. وصنفت منظمة فريدوم هاوس غير الحكومية عام ٢٠١٣ الأميركيتين، بما يشمل الولايات المتحدة وكندا، «في المرتبة الثانية فقط بعد أوروبا الغربية في مستويات الحرية واحترام حقوق الإنسان».

وقد حوَّل النجاح السياسي والاقتصادي المنطقة (على الرغم من بعض الشواذات) نموذجًا للديمقراطيات الناشئة في أماكن أُخرى، بما في ذلك منطقة الشرق الأوسط. وبرزت في أميركا اللاتينية أيضًا قوة النساء في القيادة، مما أثار ارتياحي. في هذا الجزء من العالم المعروف غالبًا بثقافة نخوة الرجولة، قادت نسوة قويات وتامَّات، الأرجنتين والبرازيل والتشيلي وكوستاريكا وغويانا وجامايكا ونيكارغوا وبنما وترينيداد وتوباغو، وتولين الحكم في مراحل انتقالية في الإكوادور وبوليفيا.

غادرتُ السلفادور وتوجهتُ إلى هندوراس من أجل المشاركة في الاجتماع السنوي لمنظمة الدول الأميركية. وهندوراس التي تعادل تقريبًا مساحة ولاية ميسيسيبي، تُعدُّ موطنًا لحوالى ثمانية ملايين نسمة من أفقر الناس في أميركا اللاتينية. وقد انطبع تاريخها على ما يبدو، بسلسلة لا تنتهي من الفتن والكوارث. وكان رئيسها مانويل زيلايا، صورة كاريكاتورية عن الرجل القوي في أميركا الوسطى، بقبعته «الكاوبوي» البيضاء، وشاربيه الأسودين العريضين، وولعه بهوغو تشافيز وفيدل كاسترو.

استيقظت باكرًا صباح ٢ حزيران/يونيو، واستعددت ليوم طويل من الدبلوماسية المتعددة الأطراف، التي كثيرًا ما تكون مملة في شكلٍ قاتل، بفضل الخطب المركبة وأسلوبها الذي يعج بكلمات طنانة لا يُفهم منها شيء. لكنَّ هذا النهار في منظمة الدول الأميركية، وعد بدراما. توقعنا من عدد من الدول أن تقدّم قرارًا يرفع تعليق عضوية كوبا في المنظمة، صدر عام ١٩٦٢. ووفق التقليد، تعمل منظمة الدول الأميركية، بحسب توافق الآراء، مما يعني أن اعتراض أي بلدٍ على إجراء ما، يؤدي إلى تعليقه. ولكن، من الناحية التقنية، يكفي أن يحظى القرار بغالبية الثلثين كي يعتمد، في حال وصل الأمر إلى ذلك. واعتقد كل صوت معارض أن غالبية من الدول ستؤيد رفع الحظر عن كوبا، إذ نُظِرَ إليها عمومًا على أنها قطعة أثرية قديمة من الحرب الباردة، وظُنَّ أن إشراك كوبا وإعادتها إلى الأسرة الدولية هما الطريقة الأسلم من أجل تشجيع الإصلاحات في الجزيرة. ووصفت، في قسوة، دول قليلة، بما فيها فنزويلا ونيكارغوا وبوليفيا والإكوادور، الحظر بأنه مثال على الترهيب الأميركي، ورأت في تحقيق عودة كوبا إلى منظمة الدول الأميركية وسيلة، لِلَيّ ذراع الولايات المتحدة وإضعاف الأسس الديمقراطية في المنطقة كافةً. أقلقني ذلك. فمنظمة الدول الأميركية اعتمدت ميثاقًا عام ٢٠٠١ جمع وصنَّف المبادئ الديمقراطية القوية، وصار معلمًا

فاصلًا في مسار المنطقة بعيدًا عن ماضيها الدكتاتوري. لا يمكننا السماح لتشافيز ورفاقه بأن يقوموا بعرضٍ يقوِّض ذلك الميثاق.

وشكَّل ذلك اختبارًا مبكرًا لإدارة أوباما الجديدة. يمكننا التمسك بسياستنا القديمة لنرفض مساندة رفع تعليق عضوية كوبا لأنَّ لا مكان للدكتاتورية في رابطة للديمقراطيات، ولكن سننفر بذلك كثرًا من جيراننا لتبدو الولايات المتحدة معزولة في ساحتها الخلفية. أو يمكننا أن نرضخ ونعترف بأن تعليق عضوية كوبا كان مفارقة زمنية من الحرب الباردة، ولكن قد يبدو ذلك كأننا نسخر من الأعراف الديمقراطية التي اكتسبتها المنطقة بشق النفس، ونخلق عاصفة في الوطن. لم يبدُ أي من الخيارين جذابًا على الإطلاق.

وبينما كنت أتحضر في غرفتي في الفندق، أدرت التلفزيون على محطة سي إن إن وشاهدت قصة عن والد كوبي يعيش ويعمل في الولايات المتحدة، لم يرَ طفله منذ عام ونصف العام بسبب القيود على السفر بين البلدين. وبفضل تخفيف إدارة أوباما تلك القيود، سيلتئم شمل الأب والابن أخيرًا. وتبعًا لتلك التغييرات، عرضنا على الحكومة الكوبية البدء بمحادثات في شأن استعادة خدمة البريد المباشر والتعاون على عمليات الهجرة. وفي المرحلة التي سبقت هذه القمة في هندوراس، وافق الكوبيون. في اختصار، كانت الولايات المتحدة ترتقي إلى وعد الرئيس ببدايةٍ جديدة. لكن الترحيب بكوبا في منظمة الدول الأميركية من دون إصلاحات ديمقراطية جذرية، لا يشكّل بداية.

لقد حكم فيدل كاسترو كوبا طوال خمسين عامًا، على أنها دكتاتورية شيوعية. حرم هو ونظامه الشعب، الحريات الأساسية وحقوق الإنسان، وقمعا المعارضة، وشددا قبضة الدولة وسيطرتها على الاقتصاد، وعملا على نشر «الثورة» في دول المنطقة الأُخرى وأبعد. وعلى الرغم من تقدم كاسترو في السن وتراجع صحته، ظل وشقيقه راوول يحكمان كوبا بسلطة مطلقة.

استمرت الولايات المتحدة منذ العام ١٩٦٠ تفرض حظرًا على الجزيرة، أملًا في الضغط على كاسترو وإخراجه من السلطة، لكن الحظر نجح فحسب في إعطائه حجةً، ليحمّله كاسترو مسؤولية مشكلات كوبا الاقتصادية. وعرضت إدارة كلينتون على كاسترو نهاية العام ١٩٩٥، إجراء محادثات هادئة لاستكشاف إمكانات تحسين العلاقات. وكانت المناقشات جارية حين قصفت طائرة كوبية تابعة لسلاح الجو في شباط/فبراير ١٩٩٦ طائرتين صغيرتين غير مسلحتين، مما أسفر عن مقتل أربعة من أفراد طواقمهما. امتلكت الطائرتين مجموعة من المنفيين الكوبيين تسمى «إخوة للإنقاذ»، طارتا في مهمات دورية لإسقاط منشورات مناهضة لكاسترو فوق كوبا. وصف زوجي الحادث بأنه «انتهاك صارخ للقانون الدولي». ودان مجلس الأمن الدولي تصرفات كوبا، وأقرَّ الكونغرس الأميركي تشريعًا، حاز غالبية كبيرة من الحزبين في المجلسين، يشدد

الحصار المفروض على كوبا ويتطلب موافقة الكونغرس لأي تغيير مستقبلًا. علّمتني التجربة أن أفتح عينيَّ جيدًا عند التعامل مع آل كاسترو.

وبما أن الأخوين كاسترو عارضا في شكل حازم ديمقراطية المبادئ المكرسة في ميثاق منظمة الدول الأميركية، ولم يخفيا احتقارهما للمؤسسة، بدت فكرة تقبلهما فيها صعبة، وقد تعود بالسوء على الديمقراطية والمنظمة. في الواقع، نظرًا إلى تقليد اتخاذ القرارات بتوافق الآراء، قد يعطي ذلك كوبا فيتو فاعلًا في المسائل الإقليمية المهمة.

ولم يحضر الأخوان كاسترو إلى هندوراس من أجل مناقشة قضيتهما. بل أعربا، في الواقع، عن عدم اهتمامهما للانضمام إلى منظمة الدول الأميركية. وتولت عملية الدفاع عنهما حكومة هوغو تشافيز في فنزويلا (على الرغم من أنها حصلت على تأييد واسع من آخرين). وتشافيز الدكتاتور المفاخر بنفسه أكثر مما يستحق، والذي يُعدُّ حالًا مستفحلة أكثر مما يشكل تهديدًا حقيقيًّا، إلّا في ما يتعلق بمواطنيه، صاح وخطط ضد الولايات المتحدة طوال أعوام، وعمل على تقويض الديمقراطية في بلاده والمنطقة، ومثّل التاريخ السلبي الذي حاولت المنطقة أن تتخطاه. خنق تشافيز المعارضة السياسية والصحافة في فنزويلا، وأمّم الشركات وصادر ممتلكاتها، وأهدر ثروة البلاد النفطية، وانشغل بتحويل بلاده دكتاتورية.

وقد التقى الرئيس أوباما عرضًا، في قمة الأميركيتين في نيسان/أبريل، تشافيز الذي بدا آنذاك مسرورًا وهو يصافحه، وقام باستعراض كبير وهو يقدِّم الرئيس مع هدية، إعرابًا عن حسن نيته. وتبيّن أنها كتاب عن الأمبريالية الأميركية والاستغلال في أميركا اللاتينية، ولا يُعدُّ ذلك هدية أبدًا.

لقد انتقدت تشافيز، في انتظام، ودافعت عن أولئك الشجعان في فنزويلا الذين يقفون في وجهه ويعارضونه. لكنني حاولت أيضًا ألّا أقول شيئًا قد يعطيه ذريعة ليفاخر بنفسه وينطلق جامحًا في المنطقة يشكو من الترهيب الأميركي. وظهر تشافيز، ذات مرة، على شاشة التلفزيون الفنزويلي يغني أمام حشد ضخم «هيلاري كلينتون لا تحبني... وأنا لا أحبها أيضًا»، على أنغام أغنية شعبية محلية. صعبت المجادلة في حال كهذه.

بدأ يومي في هندوراس باكرًا على وجبة إفطار مع وزراء الخارجية من مختلف أنحاء منطقة البحر الكاريبي. كان لدينا الكثير لنتحدث عنه، خصوصًا ما يتعلق بالخطط لمواجهة العنف المتزايد الناجم عن تجارة المخدرات، والتعاون المطلوب في مجال الطاقة. اشتدت حاجة معظم دول منطقة الكاريبي إلى الطاقة، وعانت في الوقت نفسه، تأثير تغيّر المناخ، من ارتفاع منسوب مياه البحر إلى أحوال الطقس القاسية، لذا حرصت على العمل معًا من أجل إيجاد الحلول.

وبالطبع، تناول الحديث كوبا. «نحن نتطلع إلى يوم تنضم كوبا إلى منظمة الدول الأميركية»، على ما أكدتُ للوزراء. «لكننا نعتقد أن العضوية في المنظمة يجب أن تترافق مع المسؤولية، ونحن مدينون بعضنا لبعض بها، لدعم معاييرنا في الديمقراطية والحكم الرشيد، مما جعل قارتنا تحقق الكثير من التقدم. الأمر لا يتعلق بالماضي بل بالمستقبل، وعلى الأعضاء أن يكونوا صادقين ومخلصين للمبادئ التأسيسية لهذه المنظمة».

وتوجهت بعد الفطور إلى الحدث الرئيس، الجمعية العمومية لمنظمة الدول الأميركية.

رحب بنا في القاعة الأمين العام خوسيه ميغيل إنسولزا، الدبلوماسي التشيلي، والرئيس زيلايا، ودَعَوَا جميع الوزراء إلى «صورة عائلية». كم قائدًا من هؤلاء سينضم إلينا في الدفاع عن مبادئ المنظمة الديمقراطية؟

كان دور البرازيل أساسيًّا. فقد برزت لاعبًا عالميًّا مهمًّا تحت قيادة الرئيس لويز إيناس لولا دا سيلفا. فَلُولا، على ما يُعرف، قائد نقابي سابق انتُخب عام ٢٠٠٢، وغدا النموذج الديناميكي للبرازيل الجديدة، التي تتباهى بأنها أحد أسرع الاقتصادات نموًّا في العالم وتوسعًا للطبقة المتوسطة. ولعل صعود البرازيل يرمز، أكثر من أي بلد آخر، إلى تحوُّل أميركا اللاتينية ووعودها للمستقبل.

لقد زرت البرازيل للمرة الأولى عام ١٩٩٥ سيدةً أولى، وكانت لا تزال دولة فقيرة نسبيًّا، ديمقراطيتها هشة، ويسودها عدم مساواة اقتصادية ضخمة. مهدت الطريق أعوام من الدكتاتوريات العسكرية والتمرد اليساري، لسلسلة من الحكومات المدنية الضعيفة، التي لم تعطِ الشعب نتائج كثيرة. بدأت البرازيل تدخل مرحلة التحديث مع انتخاب الرئيس فرناندو إنريكي كاردوسو، الذي نُصّب قبل بضعة أشهر من زيارتي. حرَّك الصحوة الاقتصادية في البلاد، وأطلقت زوجته روث، عالمة الاجتماع البارعة، وكالة الحد من الفقر والتحويلات النقدية المشروطة من أجل تحسين أوضاع النساء والأسر الفقيرة. وخلف كاردوسو، لولا ذو الشعبية الواسعة، فواصل سياسات سلفه الاقتصادية، ووسَّع شبكة الأمان الاجتماعي للحد من الفقر، وأبطأ التدمير السنوي في غابات الأمازون المطيرة بنسبة ٧٥ في المئة.

وعلى ما نما الاقتصاد في البرازيل، فعلت ثقة لولا بنفسه في السياسة الخارجية. تصوَّر أن تصبح البرازيل قوة عالمية كبرى، وقادت أفعاله على السواء إلى التعاون البنَّاء وبعض الإحباطات. على سبيل المثال، أرسل لولا عام ٢٠٠٤ قواتٍ لقيادة بعثة حفظ السلام التابعة للأمم المتحدة في هايتي، حيث قامت بعمل ممتاز بفرض النظام والأمن في ظل ظروف صعبة. من ناحية أخرى، أصر على العمل مع تركيا ليصل إلى عقد صفقة جانبية مع إيران في شأن برنامجها النووي الذي لم يستوفِ متطلبات المجتمع الدولي.

رحَّبتُ مع ذلك بتنامي نفوذ البرازيل وقدراتها الهائلة على المساعدة على حلِّ المشكلات. وسأستمتع لاحقًا بالعمل مع ديلما روسيف، ربيبة لولا، رئيسة فريق عمله، وخليفته في الرئاسة، لاحقًا. حضرت في ١ كانون الثاني/يناير ٢٠١١ احتفال تنصيبها، في نهار ممطرٍ وإنما احتفالي في برازيليا. اصطف عشرات آلاف المواطنين في الشوارع فيما عبرت أول امرأة رئيسة في البلاد، في سيارة رولز رويس من طراز عام ١٩٥٢. أقسمت اليمين الدستورية وقبلت الوشاح الرئاسي التقليدي الأخضر والذهبي مِن مرشدها، لولا، وتعهدت مواصلة عمله في القضاء على الفقر وعدم المساواة. وأقرت كذلك بالتاريخ الذي تصنعه: «اليوم، يجب على جميع النساء البرازيليات أن يشعرن بالفخر والسعادة». وديلما قائدة رائعة، أقدرها وأحبُّها. كانت في بداية سبعينات القرن العشرين فردًا في مجموعة محاربة يسارية، وقد سُجنت وعُذِّبت في عهد الدكتاتورية العسكرية. قد لا تملك تبجح لولا الشيِّق أو خبرة كاردوسو الفنية، على ما جادل بعض الخبراء، لكنها تتمتع بذكاء متقد ورباطة جأش حقيقية، وهما صفتان ضروريتان للقيادة في هذا الزمن العصيب. أظهرت همَّتها عام ٢٠١٣، حين خرج البرازيليون إلى الشوارع احتجاجًا على ما شعروا به من إحباط بسبب تباطؤ النمو، وارتفاع الأسعار، وتصورهم أن الحكومة تصب تركيزها أكثر على تحضير الفاعليات الرفيعة المستوى من مثل كأس العالم في كرة القدم للعام ٢٠١٤ أو أولمبياد العام ٢٠١٦، بدلًا من صرف اهتمامها على تحسين مستوى معيشة مواطنيها. وبدلًا من اعتراض المتظاهرين أو ضربهم أو سجنهم على ما فعلت دول أخرى كثيرة، بما فيها فنزويلا، التقتهم ديما، واستمعت إلى همومهم، وطلبت منهم العمل مع الحكومة من أجل التوصل إلى حل المشكلات.

وفي شأن كوبا، عرفت أن إقناع البرازيليين سيكون معركة شاقة. سيميل لولا إلى دعم رفع تعليق منظمة الدول الأميركية، لكنني تساءلت هل تخدم رغبته في أداء دور رجلِ دولةٍ إقليمي، مصلحتنا وتشجعه على مساعدتنا على الوصول إلى تسوية. وجب علي أن أتحسس الخبر في حذر من وزير خارجيته سيلسو أموريم وأرى ما يمكن القيام به.

وسيكون اللاعب المهم الآخر التشيلي التي تمثل، كما البرازيل، قصة نجاح أميركية لاتينية أُخرى، مع انتقالها إلى الديمقراطية في تسعينات القرن العشرين، بعد خضوعها لحكم الجنرال أوغوستو بينوتشيه ودكتاتوريته العسكرية الوحشية. فدور الولايات المتحدة في انقلاب العام ١٩٧٣ الذي أتى ببينوشيه إلى السلطة، ودعمها لنظامه اليميني، هو فصل مظلم من انخراطنا في المنطقة، لكن علاقاتنا الراهنة باتت قوية ومُنتجة. فقد تخصصت ميشيل باشليه التي انتُخِبت عام ٢٠٠٦ أوَّل امرأة رئيسةً للتشيلي، طبيبة أطفال، وواجهت، كما ديلما روسيف في البرازيل، الاضطهاد في عهد الدكتاتورية العسكرية ونُفيت سياسيًّا، نهاية المطاف. عادت إلى التشيلي بعد سقوط بينوشيه وبدأت ترتقي سلم السياسة. فعملت، رئيسةً، على توحيد البلاد وعالجت انتهاكات

حقوق الإنسان التي عانتها في الماضي، فافتتحت «متحف الذكرى» وأنشأت المعهد الوطني لحقوق الإنسان. وحازت جهود باشليه نيابةً عن النساء في بلدها استحساناً واسعًا، مما أدى إلى تعيينها، بعد انتهاء ولايتها الرئاسية عام ٢٠١٠، مديرة تنفيذية لما ابتُكر أخيرًا تحت مسمى «الأمم المتحدة للمساواة بين الجنسين وتمكين المرأة»، وهو يُعرف بـ «الأمم المتحدة للمرأة». وقد أصبحنا حليفتين وصديقتين في الصراع الدائر من أجل حقوق النسوة والفتيات. عادت إلى التشيلي وترشحت، في نجاح، إلى ولاية رئاسية ثانية نهاية العام ٢٠١٣.

وقد أيّدت التشيلي تخفيف عزلة كوبا وحثت الولايات المتحدة على رفع حظرها. وأصبحت باشليه بداية العام ٢٠٠٩، أول رئيس تشيلي طوال عقود، يزور هافانا ويلتقي الأخوين كاسترو. ونشر فيدل بعد ذلك عمودًا ليساند بوليفيا في نزاع على أراض مع تشيلي يعود إلى العام ١٨٧٠، وانتقد «الأوليغارشية التشيلية» لاستغلال البوليفيين. أتى ذلك تذكيرًا بطباعه المتقلبة والشنيعة. أملتُ في أن تقرر التشيلي من تلقاء نفسها التمسك بمبادئها الديمقراطية وتساعدنا على نزع فتيل هذه الأزمة.

وكان كبير مستشاريّ لشؤون أميركا اللاتينية، مساعد الوزيرة لشؤون نصف الكرة الغربي توم شانون، وهو ضابط كبير ومحترم في وزارة الخارجية، خدم في عهود خمس إدارات. وتولّى مهمة إدارة شؤون أميركا اللاتينية مع الوزيرة رايس، وطلبت منه البقاء في وظيفته إلى أن يتأكد تعيينه سفيرًا في البرازيل. مذ عرض لي توم إيجابيات انضمام كوبا إلى منظمة الدول الأميركية وسلبياته، وشرح صعوبة الموقف الدبلوماسي الذي نواجهه، رحنا نتبادل الآراء للتعاون على إيجاد سبل للخروج من هذه الأزمة. وتركزت أخيرًا الخطوط العريضة لخطتنا.

نظرًا إلى ما قاله الرئيس أوباما في شأن تخطي المناقشات التي لا جدوى منها عن الحرب الباردة، قد نبدو في موضع النفاق في حال واصلنا الإصرار على بقاء كوبا خارج منظمة الدول الأميركية، لأن الأسباب التي دفعت إلى تعليق عضويتها عام ١٩٦٢ تعود إلى تمسكها بـ «الماركسية اللينينية» واصطفافها مع «الكتلة الشيوعية». قد يكون موضع ثقة ودقة أكثر، التركيز على انتهاكات حقوق الإنسان الراهنة في كوبا التي تتعارض مع ميثاق منظمة الدول الأميركية. ماذا لو وافقنا على رفع تعليق عضوية كوبا، شرط أن تترافق إعادتها إلى المنظمة مع تطبيقها الإصلاحات الديمقراطية الكافية التي تتوافق ومبادئ الميثاق؟ ومن أجل فضح ازدراء الأخوين كاسترو لمنظمة الدول الأميركية، لِمَ لا ندعو كوبا إلى الطلب رسميًّا إعادة قبولها؟ لعل ذلك يشكل تسوية تُرضي البرازيل والتشيلي وغيرهما من الدول. لا نحتاج بالضرورة إلى استمالة المتشددين من مثل فنزويلا، لأن إبقاء الوضع على ما هو عليه يُعدُّ في حدِّ ذاته انتصارًا. ولكن، إذا رأوا أن المنطقة تتجه نحو حلٍّ وسط، قد يرغبون في السير في الركب.

وبعدما انتهت أبّهة الجلسة الافتتاحية وفاعلياتها، ذهبت إلى لقاء جانبي مع عدد من وزراء الخارجية وعرضت عليهم قرارنا التسوية، بديلًا من الفكرة التي طُرحت لرفع تعليق العضوية من دون شروط. فوجئ المجتمعون جدًّا بالاقتراح لأنه يختلف تمامًا عن المسار الذي اتبعته الولايات المتحدة سابقًا، على الرغم من أنَّه حقق الأهداف نفسها في رأيي. بدأت مع توم جولاتنا، نشرح قضيتنا لوزراء الخارجية وندافع عن خطتنا. وخطبت في الجمعية ظهرًا، وحاججت في شأن أهمية مبادئ المنظمة الديمقراطية والتقدم الديمقراطي في أميركا اللاتينية، وضرورة عدم التخلي عنها. وذكَّرت زملائي كذلك بأن إدارة أوباما اتخذت فعلًا خطوات لانخراط كوبا.

وطرح أنصار كوبا قضيتهم كذلك، ودافعوا عنها. ووصف زيلايا تصويت تعليق عضوية كوبا عام ١٩٦٢ بـ «ذلك اليوم الذي سيظل وصمة عار إلى الأبد»، وحث الجمعية على «تصحيح هذا الخطأ». وقال الرئيس النيكاراغوي دانييل أورتيغا أن تعليق العضوية «فرضه الطغاة»، وأعلن، مظهرًا ميوله الحقيقية، «أن منظمة الدول الأميركية لا تزال أداةً لهيمنة الولايات المتحدة». وهدد الفنزويليون والنيكاراغويون معًا: إما الدعوة فورًا إلى التصويت، مما يضع الجميع في مأزق، وإما الخروج وترك المنظمة.

استمر النهار على هذا المنوال من دون أن أدرك فعلًا تقدم الوقت. كان يُفترض بي أن أغادر هندوراس مساءً إلى القاهرة، حيث سأوافي الرئيس أوباما الذي يتوجه بكلمة رئيسة إلى العالم الإسلامي. وجب أن أتأكد قبل مغادرتي عدم استعداد غالبية الثلثين للاعتراف بعضوية كوبا من دون شروط. حاججنا كل مَن أصغى، أن ذلك ليس من مصلحة منظمة الدول الأميركية. وبلغ بنا الأمر حدَّ أن اتصل الرئيس أوباما بلولا مباشرةً وشجعه على مساعدتنا على تمرير تسويتنا. وقد انتحيت بزيلايا جانبًا، في غرفة صغيرة، وذكرته بدوره ومسؤولياته بصفة كونه مضيفًا للقمة. في حال دعم تسويتنا، سيساعد ليس على إنقاذ هذه القمة فحسب، وإنما منظمة الدول الأميركية أيضًا. وإذا لم يفعل، فسيُذكر أنَّه القائد الذي أشرف على انهيار المنظمة. بدأت هذه النداءات تصنع فارقًا. بعد الظهر، وعلى الرغم من تفاوت الآراء، شعرت واثقة أنَّ الأمور تسير في الاتجاه الصحيح. وإن لم تمر تسويتنا أو القرار الآخر، اعتقدت من غير المحتمل أن تتفكك منظمة الدول الأميركية بسبب هذه القضية. توجهت إلى المطار، وطلبت من توم أن يطلعني في دقة على تطور الأحداث. «نظّم الأمور ووافِني بالأخبار في الديار»، على ما قلت له وأنا أركب السيارة.

اتصل بي توم بعد ساعات قليلة وأعلمني أن الصفقة، على ما يبدو، قد تكون في متناول اليد. فاوض فريق عملنا على صياغة الشروط النهائية، وبدا أن تسويتنا تكسب دعمًا. ومساءً، بقيت فنزويلا ونيكاراغوا وهندوراس على موقفها، إلى جانب عدد قليل من حلفائها. وبدلًا من أن تظل الولايات المتحدة معزولة، وهو ما خشيناه بدايةً، صار تشافيز وطاقمه يواجهان منطقة موحدة.

ووفق بعض التقارير، دعا زيلايا تشافير واقترح عليه أن يرضخا لإرادة الغالبية ويقبلا التسوية. وأيًّا يكن السبب، انعكس الوضع صباح اليوم التالي، واستطعنا تحقيق توافق في الآراء في شأن قرارنا، وعلا تصفيق الوزراء حين تمَّ تبنّيه.

أتى رد فعل نظام كاسترو في هافانا غاضبًا، ورفض تقديم التماس لدخول منظمة الدول الأميركية، أو قبول أي شرط، أو إجراء إصلاحات ديمقراطية. وعليه، في الواقع، ظلّ تعليق العضوية على حاله. لكننا نجحنا في إحلال مسار حديث محل المنطق القديم، سيعزز التزام منظمة الدول الأميركية الديمقراطية.

وخلق آل كاسترو في كانون الأول/ديسمبر ٢٠٠٩ مشكلات جديدة، على جاري عادتهم، بالقبض على مقاول من وكالة التنمية الأميركية، اسمه آلان غروس، لأنه أحضر جهاز كمبيوتر إلى الجماعة اليهودية الصغيرة والقديمة في هافانا. أخضعته السلطات لمحاكمة ملفقة سريعة وحكمت عليه بالسجن خمسة عشر عامًا. وأكثر ما أسفتُ عليه فشلي وزيرةً، في استرداد آلان إلى الديار. بقيت وفريق عملي في الوزارة على اتصال وثيق بزوجته، جودي، وبناته. تحدثت علنًا عن آلان، وطلبت من دولٍ أُخرى وساطةً مع كوبا. ولكن على الرغم من انخراط جهات ثالثة مع الكوبيين وقيامهم بجهود حثيثة، رفض الكوبيون إطلاقه إلّا في حال أفرجت الولايات المتحدة عن خمسة جواسيس كوبيين محكوم عليهم بالسجن. قد يكون المتشددون في النظام استغلوا قضية غروس ليضعوا العصي في دواليب أي تقارب محتمل مع الولايات المتحدة وما تطلبه من إصلاحات داخلية. وإذا صح الأمر، فتلك مأساة مضاعفة، تودع الملايين من الكوبيين أيضًا سجنًا دائمًا من نوع آخر.

ولقد عزمت والرئيس أوباما، من أجل مواجهة نظام هافانا المتحجر، الانخراط مع الشعب الكوبي بدلًا من الحكومة. استنادًا إلى الدروس المستفادة من أنحاء العالم كافة، وجدنا أن أفضل وسيلة لحمل التغيير إلى كوبا، توعية شعبها بقيم العالم الخارجي الحقيقية، وأخباره، ووسائل الراحة المادية فيه. فقد عززت العزلة قبضة النظام على السلطة؛ وقد يؤتي إلهام الشعب الكوبي وتشجيعه تأثيرًا معاكسًا. وأعلنا بداية العام ٢٠١١، قواعد جديدة تسهّلُ على المجموعات الدينية والطلاب الأميركيين زيارة كوبا، وتسمح للمطارات الأميركية برحلات مباشرة إليها. رفعنا كذلك حجم التحويلات التي يرسلها الكوبيون الأميركيون إلى أفراد عائلتهم. ويزور الجزيرة راهنًا مئات آلاف الأميركيين سنويًا. فَهُم إعلانات حية للولايات المتحدة ولفوائد المجتمع المنفتح.

واجهنا معارضة قوية، عند كل خطوة، من بعض أعضاء الكونغرس الذين أرادوا إبقاء كوبا في نوم عميق. لكنني ظللت مقتنعة بأن هذا النوع من المشاركة بين الشعبين هو أفضل وسيلة لتشجيع الإصلاح في كوبا، ويعود بفوائد جمة على الولايات المتحدة والمنطقة. لذا سررت جدًّا حين بدأنا نلاحظ التغيير يدبُّ بطيئًا في البلاد، وقد حاول متشددو النظام صده، ولكن من دون جدوى.

وضمَّ المدونون والمضربون عن الطعام أصواتهم وتجاربهم إلى المطالبين بالحرية. وقد تأثرت خصوصًا بشجاعة نساء كوبيات عُرفن باسم «داماس دي بلانكو»، أي «سيدات الرداء الأبيض»، وعزيمتهن. فبدءًا من العام ٢٠٠٣، تظاهرن كل أحد، بعد الاحتفال بالقداس الكاثوليكي، للاحتجاج على استمرار اعتقال السجناء السياسيين. تحمَّلن المضايقات والضرب والاعتقالات، لكنهن ظللن يتظاهرن.

ولقد نصحت للرئيس أوباما، مع قرب انتهاء مدة ولايتي، بأن يعيد النظر في حظرنا. فهو لا يحقق أهدافه، ويعيق تطبيق أجندتنا الأوسع في أميركا اللاتينية ككل. بعد عشرين عامًا من مراقبة العلاقة بين الولايات المتحدة وكوبا، والتعامل معها، اعتقدت أن علينا تحويل العبء إلى الأخوين كاسترو لنشرح لماذا بقيا غير ديمقراطيَّين، ومؤذِيَين.

———

لم تكن نهاية القمة في سان بيدرو سولا نهاية الدراما في حزيران/يونيو ذاك. بعد بضعة أسابيع فقط، عادت لتظهر أشباح الاضطرابات الماضية لأميركا اللاتينية، في هندوراس. فيوم الأحد ٢٨ حزيران/يونيو ٢٠٠٩، أمرت محكمة هندوراس العليا باعتقال الرئيس زيلايا، وسط مزاعم عن الفساد ومخاوف من أنه يستعد للالتفاف على الدستور وتمديد ولايته. اعتُقل زيلايا ودُفع على عجل، وكان لا يزال في ثياب النوم، في طائرةٍ نقلته إلى كوستاريكا. وتسلمت السلطة حكومة موقتة برئاسة رئيس الكونغرس الوطني روبرتو ميتشيليتي.

كنت في منزلي في شاباكوا أستمتع بصباح أحدٍ هادئ، حين تلقيت نبأ الأزمة من توم شانون. وضعني في ما توافر له من معلومات، ولم تكن كثيرة، وناقشنا طريقة الرد. تعلقت المسألة الملحة الأولى بزوجة زيلايا وبناته اللواتي طلبن اللجوء إلى منزل سفيرنا في هندوراس. طلبت من توم أن يتأكد من توفير الحماية والرعاية لهن إلى أن يتم التوصل إلى حل المشكلة. تكلمت كذلك مع الجنرال جونز وتوم دونيلون في البيت الأبيض، واتصلت بوزير الخارجية الإسبانية لمشاورة سريعة.

وَضَعَ نفي زيلايا القسري الولايات المتحدة أمام معضلة جديدة. ادعى ميتشيليتي والمحكمة العليا حماية الديمقراطية في هندوراس ضد استيلاء زيلايا غير القانوني على السلطة، وحذرا من رغبته في أن يصبح تشافيز أو كاسترو آخر. لا تحتاج المنطقة إلى دكتاتور آخر، وكثرٌ يعرفون زيلايا حق المعرفة ليصدقوا التهم الموجهة إليه. لكنَّ الشعب الهندوراسي انتخب زيلايا، وقد أحدث نفيه تحت جناح الظلام، صقيعًا في أنحاء المنطقة. لا أحد يريد العودة إلى الأيام الغابرة السيئة لتسود الانقلابات المتكررة والحكومات غير المستقرة. لم أرَ خيارًا إلّا التنديد بإطاحة زيلايا. ودعوت، في بيان رسمي، جميع الجهات في هندوراس إلى احترام النظام الدستوري وسيادة القانون، والتزام

حلِّ الخلافات السياسية سلميًّا وبالحوار. وعلى ما تفرضه قوانيننا، بدأت إدارتنا تتحرك نحو تعليق المساعدات إلى هندوراس إلى أن تستعيد ديمقراطيتها. شاركتنا الرأي دول كثيرة في المنطقة، بما فيها البرازيل وكولومبيا وكوستاريكا. وسرعان ما تبنت منظمة الدول الأميركية هذا الموقف رسميًّا.

ولقد تحدثت في الأيام التالية مع نظرائي في نصف القارة الغربي، بمن فيهم الوزيرة إيسبينوزا في المكسيك، ووضعنا استراتيجيةَ خطةٍ من أجل إعادة النظام إلى هندوراس وضمان إجراء انتخابات حرَّة ونزيهة سريعًا وبطريقة شرعية، مما يسمح بإعادة النظر في قضية زيلايا ويعطي الشعب الهندوراسي فرصة لتقرير مستقبله.

وبدأت أبحث عن سياسي مخضرم يحظى بالاحترام ليؤدي دور الوسيط. ووقع خياري طبيعيًّا على أوسكار أرياس، رئيس كوستاريكا، التي تتمتع بأحد أعلى معدلات الدخل الفردي في العالم والاقتصادات البيئية في أميركا الوسطى. كان قائدًا محنكًا، اكتسب احترام العالم ككل، وحاز عام ١٩٨٧ جائزة نوبل للسلام لعمله على إنهاء الصراعات في مختلف أنحاء أميركا الوسطى. بعد ستة عشر عامًا على تركه منصبه، ترشح إلى الرئاسة مجددًا عام ٢٠٠٦ وفاز وأصبح صوتًا مهمًّا للحكم الرشيد والتنمية المستدامة. ناقشنا ضرورة إجراء الانتخابات في تشرين الثاني/نوفمبر على ما كان مقررًا. كان مستعدًّا للتوسط من أجل الوصول إلى اتفاق، لكنه خشي ألّا يقبله زيلايا وسيطًا، وطلب مني دفع الرئيس المخلوع إلى الاتكال على القدر.

استضفت بعد ظهر ذاك اليوم زيلايا في وزارة الخارجية. وصل في وضع أفضل مما كان عليه حين خاطب العالم أوّلًا من كوستاريكا؛ اختفت ثياب النوم وعادت قبعة رعاة البقر إلى الظهور، ومزح حتّى قليلًا في شأن رحلته القسرية. «ماذا تعلَّم رؤساء أميركا اللاتينية من هندوراس؟»، على ما سألني. ابتسمت وطأطأت رأسي. فأجاب «أن ننام مرتدين ثيابنا وحقائبنا محزومة».

وبعيدًا من النكات، بدا زيلايا محبطًا ومتململًا غيظًا. ومما زاد حدة التوتر، التقارير من هندوراس عن اشتباكات بين المحتجين والقوات الأمنية. قلت له إن علينا فعل كل ما في وسعنا حقنًا للدماء، وحثثته على المشاركة في عملية الوساطة التي سيقودها أرياس. وفي ختام المحادثة، كان زيلايا على السكة. عرفتُ أن ميتشيليتي سيرفض الوساطة إذا اعتقد أن لزيلايا الكلمة الفصل فيها، لذلك أردت إعلان الجهد الدبلوماسي وحدي، من دون زيلايا إلى جانبي. وما إن أنهينا حديثنا، حتى سألت توم اصطحاب زيلايا إلى مكتب خالٍ حيث سيوفر له مركز العمليات اتصالًا مع أرياس، ليتحدثا في هدوء. وهرعت في الوقت نفسه إلى غرفة المؤتمرات الصحافية في وزارة الخارجية لأدلي بتصريح رسمي.

لم تحمل الأيام الأولى أي انفراج. ذكر أرياس أن زيلايا يصر على استعادة منصبه الرئاسي، فيما ميتشيليتي يؤكد أن زيلايا انتهك الدستور ورفض التنحي جانبًا حتى موعد الانتخابات المقبلة المقررة. بعبارة أخرى، لم يبدِ الطرفان مَيلًا إلى تقديم التنازلات.

وقد أكدت لأرياس أن «قرارنا النهائي إجراء انتخابات ديمقراطية حرة ونزيهة مع انتقال سلمي للسلطة». ووافق على أن الحديث الحازم مطلوب، وأعرب عن إحباطه من التعنت الذي يواجهه. «يرفضان تقديم التنازلات»، على ما شرح، وعبّر من ثمَّ عن شعور لازمنا جميعًا، «أقوم بهذا وأنا مقتنع بضرورة إعادة زيلايا إلى منصبه حفاظًا على المبادئ، سيدة كلينتون، وليس لأنني أحبّ هؤلاء القوم... إذا سمحنا ببقاء حكومة الأمر الواقع، فستكّر أحجار الدومينو لتشمل أميركا اللاتينية كاملةً». كانت تلك إعادة صياغة مهمة لنظرية الدومينو، خشية الحرب الباردة الشهيرة، وهي أن اعتناق دولة صغيرة الشيوعية، سيؤدي حتمًا إلى أن يتبعها جيرانها.

زار زيلايا مجددًا وزارة الخارجية بداية أيلول/سبتبمر لإجراء مفاوضات إضافية. ومن ثمَّ، في ٢١ أيلول/سبتمبر، عاد سرًّا إلى هندوراس وظهر في السفارة البرازيلية، وبدا ذلك تطورًا يُحتمل أن يفجر الوضع.

استمرت المفاوضات وطالت، وبد جليًّا نهاية تشرين الأول/أكتوبر أن أرياس لم يحرز تقدمًا في إقناع الطرفين بالتوصل إلى اتفاق. قررت أن أرسل توم إلى هندوراس لأوضح أنَّ صبر الولايات المتحدة قد نفد. وفي ٢٣ تشرين الأول/أكتوبر، تلقيتُ، التاسعة مساءً، اتصالًا من ميشيليتي. «يسود واشنطن وأماكن أُخرى شعور متزايد بالخيبة»، على ما حذرتُه. وحاول ميشيليتي أن يعلّل منطقيًّا «إننا نبذل كل ما في وسعنا للتوصل إلى اتفاق مع السيد زيلايا».

اتصلت بعد ساعةٍ تقريبًا بزيلايا، الذي لا يزال متحصنًا في السفارة البرازيلية. أبلغته أن توم سيصل قريبًا للمساعدة على حلِّ هذه المسألة. ووعدته بأنني سأتابع الوضع عن كثب وسنحاول تسوية الأزمة في أقرب وقت ممكن. أدركنا أن علينا اتباع مسار يسمح للهندوراسيين أنفسهم بحلّ هذه المشكلة بطريقةٍ يقبلها الطرفان؛ كان مطلبًا عسيرًا، لكنّه ليس مستحيلًا، على ما اتضح. وأخيرًا، في ٢٩ تشرين الأول/أكتوبر، وقَّع زيلايا وميشيليتي اتفاقًا على تشكيل حكومة وحدة وطنية تدير هندوراس حتى الانتخابات المقبلة، وتأليف لجنة «الحقيقة والمصالحة» للتحقيق في الأحداث التي أدت إلى خلع زيلايا من منصبه. ووافقا على ترك قضية إعادة زيلايا إلى منصبه للكونغرس الهندوراسي بما أنه جزء من حكومة الوحدة الوطنية.

وانطلق سريعًا الجدل في شأن بنية حكومة الوحدة الوطنية والغرض منها، وهدد الطرفان بالانسحاب من الاتفاق. وصوَّت لاحقًا الكونغرس الهندوراسي بغالبية ساحقة ضد إعادة زيلايا إلى

منصب الرئاسة، مصيبًا إياه بنكسة مؤلمة وغير متوقعة. لقد بالغ في تقويم دعم بلاده لقضيته. بعد التصويت، سافر إلى جمهورية الدومينيكان، حيث أمضى عامًا في المنفى. وعلى الرغم من ذلك، أجريت الانتخابات على ما كان مقررًا، واختار الناخبون نهاية تشرين الثاني/نوفمبر، بورفيريو لوبو، منافس زيلايا عام ٢٠٠٥، رئيسًا جديدًا لهندوراس. لم توافق دول كثيرة في أميركا اللاتينية على هذه النتيجة، وتوالت الجهود الدبلوماسية طوال عام حتى أُعيد قبول هندوراس عضوًا في منظمة الدول الأميركية.

وكانت تلك المرة الأولى يشهد تاريخ أميركا الوسطى على دولة، عرفت انقلابًا وباتت على شفا الحرب الأهلية، تكون قادرة على إعادة تسيير مسارها الدستوري والديمقراطي، بالتفاوض، من دون إملاء خارجي.

وتبقى المنطقة الوحيدة في العالم التي تفرض علينا النظر إلى ما أبعد من العناوين العريضة للتصويب على الاتجاهات، أميركا اللاتينية. نعم، لا تزال هناك مشكلات كثيرة يتوجب حلُّها. لكنَّ الاتجاهات عمومًا هي إلى الديمقراطية والابتكار والمزيد من الفرص المشتركة، والشركات الإيجابية بين الدول نفسها، ومع الولايات المتحدة. هذا هو المستقبل الذي نريده.

الفصل الثالث عشر

أفريقيا: البنادق أو النمو؟

ما الذي سيحدد أكثر مستقبل أفريقيا، البنادق والمتاجرة بالنفوذ أم النمو والحكم الرشيد؟ تشهد هذه القارة ازدهارًا صاعدًا وفقرًا رهيبًا: حكومات مسؤولة واستباحة تامة للقانون، حقول وغابات خضر ودول منكوبة بالجفاف. حثتنا هذه المنطقة التي تشمل كل هذه التناقضات على السؤال الذي وجَّه عملنا في وزارة الخارجية: كيف يمكننا المساعدة على دعم التقدم الهائل الذي يحدث في أماكن كثيرة في أفريقيا، فيما نحن نساعد أيضًا على تحويل المسار في الأماكن التي تهيمن عليها الفوضى والحرمان؟

يتعلق هذا السؤال بالإرث التاريخي الثقيل. تنبع معظم صراعات القارة وتحدياتها من قرارات الحقبة الاستعمارية التي رسمت الحدود من دون أخذ الاختلافات العرقية أو القبلية أو الدينية في الحسبان. وأدام سوء الإدارة والنظريات الاقتصادية الخاطئة في عصر ما بعد الاستعمار الانقسامات، وعزز الفساد. أتقن القادة المتمردون، على ما هي الحال في كلِّ مكان، القتال، لا السياسة والحكم. ونمّت الحرب الباردة الأيديولوجيا في أفريقيا وجعلتها أحيانًا ساحة المعركة الحقيقية بين القوات المدعومة من الغرب وتلك التي يدعمها الاتحاد السوفياتي.

تبقى تحديات القارة صعبة بالتأكيد، لكنَّ هناك جانبًا آخر لأفريقيا الصاعدة في القرن الحادي والعشرين. تقع معظم الاقتصادات الأكثر نموًّا في العالم، جنوب الصحراء الأفريقية الكبرى. وزاد

ثلاثة أضعاف، التبادل التجاري بين أفريقيا وبقية العالم منذ العام ٢٠٠٠. وتجاوز الاستثمار الخاص الخارجي المساعدات الرسمية، ويُتوقع أن يستمر في الارتفاع. وتضاعفت أربع مرات بين عامي ٢٠٠٠ و٢٠١٠ الصادرات غير النفطية من مختلف أنحاء أفريقيا إلى الولايات المتحدة، لتشمل الملابس والمصنوعات الحرفية من تنزانيا، والزهور من كينيا، والبطاطا من غانا، والسلع الجلدية العالية الجودة من أثيوبيا. وخلال الأعوام نفسها، انخفض معدل وفيات الأطفال، في حين ارتفع معدل الالتحاق بالمدارس الابتدائية. واكتسب المزيد من الناس حق الحصول على المياه النظيفة، فيما قلَّ عدد قتلى الصراعات العنيفة. ويفوق عدد مستخدمي الهاتف الخلوي في أفريقيا، المعدل الموجود الولايات المتحدة أو أوروبا. ويتوقع الاقتصاديون أن ينمو إنفاق المستهلكين في جنوب الصحراء الكبرى الأفريقية من ٦٠٠ مليون دولار عام ٢٠١٠، إلى تريليون دولار عام ٢٠٢٠. ويعني كلّ ما تقدّم أنَّ مستقبلًا من نوع آخر ممكن. وقد حلَّ فعلًا هذا المستقبل في بلدان كثيرة.

أدرك الرئيس أوباما، على ما فعلتُ، أن مساعَدة أفريقيا على أن تميل نحو التقدم بدلًا من الصراع، لن تتصدر على الأرجح عناوين الصحف الكبيرة في الداخل، لكنَّها قد تحقق فوائد كبيرة للولايات المتحدة على الأجل الطويل. ولهذا الغرض، زار جنوب الصحراء الكبرى في أفريقيا، بداية ولايته، ما لم يقم به أي رئيس أميركي قبله، وقصد غانا في رحلة في تموز/يونيو ٢٠٠٩. وقال الرئيس في كلمة لا تُنسى في برلمان أكرا، واصفًا رؤية أميركا الجديدة إلى دعم الديمقراطية والتجارة الموسعة في أفريقيا: «لا تحتاج أفريقيا إلى رجالٍ أقوياء، بل إلى مؤسسات قوية». واعترف بأن القوى الغربية كثيرًا ما نظرت إلى أفريقيا بصفة كونها مصدرًا للموارد الطبيعية التي يجدر استغلالها، أو مؤسسة خيرية في حاجة إلى وصاية. ورفع تحديًا أمام الأفارقة والغربيين على السواء: تحتاج أفريقيا إلى الشركة، لا إلى الوصاية.

وعلى الرغم مما تحقق من تقدم، ظلَّ كبيرًا عددُ الدول الأفريقية حيث يُحصِّل العمال أقلَّ من دولارٍ في اليوم، ويموت الوالِدون من أمراضٍ يمكن الوقاية منها، ويتعلم الأطفال حمل البنادق بدلًا من الكتب، وتتعرض النسوة والفتيات للاغتصاب باعتباره تكتيك حرب، وحيث كان الجشع والكسب غير المشروع العملة السائدة.

وسيُبنى انخراط إدارة أوباما في أفريقيا على أربع ركائز: تحسين الفرص والتنمية؛ تحفيز النمو الاقتصادي، والتجارة والاستثمار؛ دفع السلام والأمن؛ تعزيز المؤسسات الديمقراطية.

وبدا نهجنا متناقضًا جدًّا مع الطريقة التي تنخرط فيها دول كثيرة في أفريقيا. كانت الشركات الصينية، وأكثرها مملوك من الدولة، واستجابةً للطلب المحلي الهائل على الموارد الطبيعية، تشتري امتيازات في المناجم والغابات الأفريقية. وبدءًا من العام ٢٠٠٥، زاد استثمارها المباشر في مختلف أنحاء القارة ثلاثين ضعفًا، وحلَّت الصين عام ٢٠٠٩ محل الولايات المتحدة بصفة

كونها أكبر شريك تجاري لأفريقيا. وبرز نمط جديد: تدخل الشركات الصينية سوقًا، وتوقِّع عقودًا مربحة لاستخراج الموارد، وتشحنها إلى آسيا. في المقابل، تبني مشاريع ذات بنية تحتية لافتة، من مثل ملاعب كرة القدم والطرق السريعة (التي تربط في كثير من الأحيان بين منجم ومنفذ تملكهما الصين). وتبني حتّى مقرًّا ضخمًا جديدًا للاتحاد الأفريقي في أديس أبابا، في أثيوبيا.

وقد رحَّب، من دون أدنى شك، كثرٌ من القادة الأفريقيين بهذه المشاريع التي ساعدت على تحديث بنية القارة التحتية، حيث لا تتجاوز نسبة الطرق المعبدة ٣٠ في المئة. لكنَّ الصينيين استقدموا عمالهم بدلًا من توظيف العمال المحليين الذين يحتاجون إلى فرص عمل ودخل دائم، وقلّما أولوا اهتمامًا للصحة والتنمية، وهما التحديان اللذان أقلقا الدول الغربية والمنظمات العالمية. وغضوا الطرف كذلك عن انتهاكات حقوق الإنسان والسلوك المعادي للديمقراطية. فالدعم الصيني القوي لنظام عمر البشير في السودان، على سبيل المثال، خفف إلى حد كبير فاعلية العقوبات والضغوط الدولية، مما دفع بعض النشطاء المعنيين بالإبادة الجماعية في دارفور إلى الدعوة إلى مقاطعة الألعاب الأولمبية في بكين عام ٢٠٠٨.

وقد تزايد قلقي في شأن الآثار السلبية للاستثمار الأجنبي في أفريقيا، وكثيرًا ما طرحت المسألة على القادة الصينيين والأفارقة. وفي زيارة لزامبيا عام ٢٠١١، سألني أحد الإعلاميين التلفزيونيين عن الآثار المترتبة على هذا النوع من الاستثمار. «تتخلص وجهة نظرنا بوجوب جعل الاستثمارات في أفريقيا دائمة، ولمصلحة الشعوب الأفريقية على الأجل الطويل»، على ما أجبت. كنا نجلس في مركز طبي تموله الولايات المتحدة من أجل رعاية الأطفال المصابين بفيروس نقص المناعة البشرية، الإيدز. وكنت التقيت والدةَ شابة مصابة بالفيروس، ولكن بفضل العلاج الذي تلقته في المركز، لم تنقله إلى ابنتها البالغة أحد عشر شهرًا. بالنسبة إلي، كان ذلك مثالًا رائعًا عن الاستثمار الذي توظفه أميركا في أفريقيا. هل نقوم بذلك لكسب المال؟ كلا، نفعل ذلك كي يتمتع الشعب الزامبي بالصحة والازدهار، مما يُعدُّ في النهاية من المصالح الأميركية. «نحن نستثمر في الشعب الزامبي، وليس في النخبة منه وحسب، ونستثمر على الأمد البعيد»، على ما قلت.

وتابع الصحافي بسؤال عن الصين تحديدًا. هل يمكن النظام الاقتصادي والسياسي الصيني أن يكون نموذجًا تحتذيه الدول الأفريقية، على ما سأل، «بدلًا من مفهوم الحكم الرشيد الذي يُنظَر إليه عمومًا في أفريقيا أنه مفروض من الغرب؟». قد أكون أوَّل من يشيد بإنجاز الصين في إخراج ملايين الناس من الفقر، أمّا الأمر، في ما يتعلق بالحكم الرشيد والديمقراطية، لا يدعو إلى التفاؤل. على سبيل المثال، تعني سياسة عدم التدخل في الشؤون الداخلية لدولةٍ ما بالنسبة إلى الصين، تجاهل ما يحدث، أو التحريض على الفساد الذي يكلّف الاقتصادات الأفريقية حوالى ١٥٠ مليار دولار سنويًّا، وإخافة المستثمرين وتهريبهم، وخنق الابتكار، وإبطاء التجارة. فالمساءلة،

والحكم الديمقراطي والفاعل، نموذج أفضل. ولإيفاء الصينيين حقهم، هم يملكون القدرة على إنجاز المشاريع الكبيرة، في الداخل والخارج. إذا أردنا القيام بعمل أفضل في خلق الفرص والحد من الفساد، علينا أن نزيد من إمكانات الدول وقدراتها كي نصل إلى نتائج.

وقد تحدثت عن بعض هذه التحديات في خطاب ألقيته في السنغال، صيف العام ٢٠١٢، إذ أكدت أن أميركا تسعى «إلى نموذج من الشركة الدائمة التي تُضيف قيمةً بدلًا من الاقتطاع منها». تمنيت أن يُصبح القادة الأفارقة متسوقين أذكياء، يعطون احتياجات شعوبهم على أجلٍ طويل أولويةً، بدلًا من المنافع القصيرة الأمد في صفقات آنية سريعة.

خضعت الديمقراطية للضغوط في مختلف أنحاء أفريقيا، وبين العامين ٢٠٠٥ و٢٠١٢، تراجع عدد الديمقراطيات الانتخابية، جنوب الصحراء الكبرى الأفريقية، من أربع وعشرين إلى تسع عشرة. ولا يزال ذلك أفضل من تسعينات القرن العشرين، إذ انعدم وجودها آنذاك، لكنَّ هذا الاتجاه ليس مشجِّعًا. شهدت خلال توليَّ الوزارة الانقلابات في غينيا - بيساو، حيث لم ينجح أي رئيس في إكمال ولايته ومدتها خمسة أعوام، وفي جمهورية أفريقيا الوسطى، وساحل العاج، ومالي ومدغشقر.

وقد كرست الولايات المتحدة جهدًا دبلوماسيًّا كبيرًا لحلِّ هذه الأزمات. زرت في حزيران/ يونيو ٢٠١١ مقر الاتحاد الأفريقي في أثيوبيا، ووجهت تحديًا مباشرًا إلى قادة القارة: «ولُّت الحال التي كانت تسير وفقها الأمور؛ ولم تعد الطرائق القديمة في الحكم مقبولة؛ آن الأوان للقادة أن يحكموا ويُساءَلوا، ويعاملوا شعوبهم في كرامة، ويحترموا حقوقها، ويقدموا فرصًا اقتصادية. وإذا لم يفعلوا، فيجب عليهم إذًا التخلي عن القيادة». استشهدت باضطرابات الربيع العربي، التي كانت تجرف الحكومات الراكدة في منطقة الشرق الأوسط وشمال أفريقيا، واقترحت تغييرًا ورؤية المستقبل إيجابًا، وإلّا ستجتاح هذه الموجة جنوب الصحراء الكبرى الأفريقية أيضًا.

كذلك زرت السنغال، وقد نجت أخيرًا من أزمة دستورية، هي التي عُدَّت طويلًا مثالًا للديمقراطية الأفريقية ولم تشهد قط انقلابًا عسكريًّا. حاول الرئيس عبدالله واد، زعيم البلاد الغريب الطباع والبالغ خمسة وثمانين عامًا، عام ٢٠١١، الالتفاف على القيود الدستورية والترشح إلى ولاية ثالثة، مما أثار احتجاجات واسعة النطاق. وهذه المشكلة مألوفة جدًّا في أفريقيا: فالقادة المسنون، خصوصًا أبطال حركات التحرر السابقين الذين يعدّون أنفسهم آباء دولهم، يرفضون التقاعد من مهامهم متى حان الوقت، أو السماح لبلدانهم بالمضي قدمًا نحو المستقبل من دونهم. والمثال الشهير على ذلك، روبرت موغابي، رئيس زيمبابوي، الذي تمسك بالسلطة فيما بلاده تعاني الأمرَّين.

أمّا في السنغال، وحين قرر واد البقاء في منصبه، استطاعت حفنة من الموسيقيين والناشطين الشباب تشكيل حركة جماهيرية رفعت شعارًا بسيطًا: «نحن سئمنا». وحاول جوني كارسون، مُساعِدي للشؤون الأفريقية، إقناع واد بالنظر في مصلحة البلد أولًا، لكنَّه رفض أن يصغي. وطالب المجتمع المدني السنغالي الرئيس باحترام الدستور والتنحي. وكان النشطاء توصلوا إلى تسجيل الناخبين وإكسابهم الخبرة والمعلومات. فتظاهر الطلاب في الشوارع يهتفون: «بطاقتي الانتخابية هي سلاحي». وبقي الجيش السنغالي وفيًّا لتقاليده، ولم يتدخل في السياسة.

وفي انتخابات شباط/فبراير ٢٠١٢، اصطف المواطنون في طوابير طويلة من أجل التصويت. وانتشر النشطاء لمراقبة أكثر من أحد عشر ألف مركز اقتراع، وفرز الأصوات، وإبلاغ مركز تبادل المعلومات المستقل، المخالفات، وقد سمَّته المرأة السنغالية التي تديره «غرفة العمليات». عمومًا، بدا ذلك أفضل برنامج لمراقبة الانتخابات تشهده أفريقيا. في نهاية ذلك اليوم هُزِم واد، فاستجاب إرادة الناخبين، وانتقلت السلطة سلميًّا. اتصلت بالرئيس المنتخب ماكي سال لتهنئته بالفوز، وقلت له: «تناقلُ السلطة السلمي يتخطى فوزك الخاص، ويُعدُّ انتصارًا تاريخيًّا للديمقراطية». وزار سال في اليوم الذي تلا التصويت «غرفة العمليات»، وشكر النشطاء الذين عملوا جاهدين، من أجل حماية الدستور السنغالي.

وقد هنأت شعب السنغال في خطابي ذاك في داكار في آب/أغسطس، وأكدت أن تعزيز التقدم الديمقراطي في أفريقيا هو في صلب نهج أميركا فيها:

> «أعرف الحجة التي تدعي أحيانًا أن الديمقراطية امتياز يخصّ الدول الغنية، ويجب على الاقتصادات النامية إعطاء الأولوية للنمو الاقتصادي والنظر في الديمقراطية لاحقًا. ولكن ليس هذا درسًا للتاريخ. لن يحقق التحرر الاقتصادي على الأمد الطويل نتيجةً من دون التحرر السياسي... ستناصر الولايات المتحدة الديمقراطية وحقوق الإنسان العالمية، حتى لو كان اتباع المسار الآخر أسهل وأكثر ربحًا، حفاظًا على تدفق الموارد. لن يقوم كل شريك بهذا الخيار، لكننا نفعل، وسنبقي عليه».

تجسّد ليبيريا، أكثر من أي مكان آخر، الصراع الدائر في معظم دول أفريقيا بين ماضٍ مؤلمٍ ومستقبل زاه بالأمل - بين البنادق أو النمو.

يقلق الأميركيون في كثير من الأحيان من الصراع الحزبي في واشنطن، ويتساءلون ما الذي يمنع قادتنا المنتخبين من الاتفاق معًا. لكنَّ خصوماتنا في الكونغرس لا تُعدُّ شيئًا مقارنةً بالمعارك

التي خاضها أعضاء المجلس التشريعي في ليبيريا. وحين زرتها في آب/أغسطس ٢٠٠٩، كان المجلس يعج بالمشرِّعين الذين حملوا السلاح فعلًا بعضهم في وجه بعض. حضرت السيناتورة جوهرة تايلور، الزوجة السابقة لدكتاتور ليبيريا السابق تشارلز تايلور، والتي كانت تخضع آنذاك للمحاكمة في لاهاي بتهمة ارتكاب جرائم حرب. وكان هناك أيضًا زعيم الحرب السابق أدولفوس دولو الذي أصبح سيناتورًا، وعُرف في ساحة المعركة باسم الجنرال «زبدة الفول السوداني» (حمل كثر من الجنرالات الليبيريين أسماء مستعارة غريبة)، ورفع عنوان حملته الانتخابية شعار «دعوه يدهن بزبدته خبزكم». وحقيقةُ أنهم يجلسون معًا ممثِّلين منتخَبين لدولةٍ أرسي فيها السلام أخيرًا، أمر صَعُبَ تصورّه خلال حرب ليبيريا الأهلية، الطويلة والدامية. إذ قُتِل بين العامين ١٩٨٩ و ٢٠٠٣ حوالى مئتين وخمسين ألف ليبيري، وشُرّد كثر من ديارهم. فقصة الليبيريين الذين تمكنوا من طيّ صفحة هذا الفصل المؤلم تحكي عن الأمل، وشهادة على الدور الذي يمكن أن تؤديه المرأة (ويجب أن تقوم به دومًا) في صنع السلام، ليعيدوا حبك نسيج المجتمع الممزق، ويعملوا معًا من أجل غد أفضل.

فقد بدأت النساء الليبيريات برفع أصواتهن عام ٢٠٠٣ ليقلن: «كفى. نلنا حصتنا من الحرب، بما يكفي». والناشطات، من مثل ليماه غبوي الحائزة جائزة نوبل للسلام لاحقًا، شكلن حركة للدعوة إلى السلام. ونزل إلى الشوارع ذاك الربيع آلاف النساء من جميع الطبقات والقطاعات، مسيحيات ومسلمات، ليتظاهرن، ويغنين ويصلين. ارتدين الأبيض جميعًا، وتجمعن وجلسن في سوق للسمك تحت الشمس الحارقة ولافتة كُتِبَ عليها: «نساء ليبيريا يُردن السلام اليوم». حاول أمراء الحرب تجاهلهن، ومن ثمّ تفريقهن، لكنّهن رفضن المغادرة. وافق زعماء الميليشيات أخيرًا على البدء بمفاوضات للسلام. وطالت المحادثات جدًّا، مما حدا بمجموعة من النساء إلى السفر إلى مؤتمر السلام المنعقد في غانا المجاورة، ونظمن اعتصامًا أمام مقره. تكاتفن وسددن الأبواب والنوافذ إلى أن توصَّل الرجال في الداخل إلى حلّ. هذه القصة صوِّرت في فيلم وثائقي رائع، عنوانه «صلّوا أن يعود الشيطان إلى الجحيم»، أنصح لكم بمشاهدته.

وُقِّع اتفاق سلام أخيرًا، وهرب الدكتاتور تشارلز تايلور من البلد. ومع ذلك، لم تهدأ نساء ليبيريا. حوَّلن طاقاتهن للتأكد من أن السلام سيصمد، وحصدنَ النتائج لعائلاتهن والمصالحة لأمتهن. وساعدن عام ٢٠٠٥ على انتخاب إحداهن الرئيسة الأولى في أفريقيا، إيلين جونسون سيرليف، التي حازت لاحقًا جائزة نوبل.

نشأت الرئيسة جونسون سيرليف، مثل نلسون مانديلا، حفيدةَ زعيم. درست، في صباها، الاقتصاد والسياسة العامة في الولايات المتحدة، وحازت شهادة ماجستير في الإدارة العامة من كلية كنيدي في هارفرد عام ١٩٧١. كانت مسيرتها في السياسة الليبرالية رفيعة المستوى. فشغلت

منصب مساعدة وزير المال، لكنَّها فرت من البلاد عام ١٩٨٠ حين أطاح انقلابٌ الحكومة. وبعد وظيفتين في البنك الدولي وسيتي بنك أكسبتاها خبرة، عادت عام ١٩٨٥ وترشحت إلى الرئاسة، لكنَّها سُجِنَت فورًا لانتقادها نظام الدكتاتور صاموئيل دو القمعي. نالت عفوًا وسط انتقادات دولية، وترشحت إلى الانتخابات وفازت بمقعد في مجلس الشيوخ، لكنها رفضته استنكارًا. بعد اعتقالها وسجنها مرة أخرى، التمست اللجوء إلى الولايات المتحدة عام ١٩٨٦. وعادت إلى ليبيريا عام ١٩٩٧ لتترشح إلى الرئاسة هذه المرة ضد تشارلز تايلور. وإذ حلت ثانية بفارق كبير في الأصوات، سلكت طريق المنفى مجددًا، مجبَرةً. بعد انتهاء الحرب الأهلية عام ٢٠٠٣ وتنحي تايلور، عادت جونسون سيرليف وفازت أخيرًا بالرئاسة عام ٢٠٠٥، ليعاد انتخابها لولاية ثانية عام ٢٠١١.

وقد بدأت البلاد تعيد بناء نفسها تحت قيادة جونسون سيرليف. فتبنت الحكومة سياسات مالية مسؤولة، وحاربت الفساد وعززت الشفافية. وحققت ليبيريا تقدمًا في مجال تخفيف الديون واستصلاح الأراضي، ونما اقتصادها على الرغم من الأزمة المالية العالمية. وسرعان ما غدا التعليم مجانيًّا وإلزاميًّا لتلامذة الصفوف الابتدائية، بما يشمل الفتيات. وعملت جونسون سيرليف جاهدة على إصلاح الأجهزة الأمنية وتعزيز سيادة القانون، مما أعطى المواطنين ثقة.

وتسنى لي، قبل أن أقف أمام الهيئة التشريعية، عام ٢٠٠٩، أن أهنئ الشعب الليبيري، فأكدت له أن بلاده ستحظى بفرصةٍ لتصبح «نموذجًا ليس لأفريقيا فحسب، بل للعالم أجمع أيضًا»، في حال استمر يحرز تقدمًا.

في شهر آب/أغسطس ذاك قمت بزيارة كينيا أيضاً. سافرت مع الممثل التجاري الأميركي رون كيرك، إلى مطار جومو كينياتا الدولي في نيروبي، وقد حمل اسم مؤسس كينيا الحديثة. يومَ استقلَّت بلاده في ١٢ كانون الأول/ديسمبر عام ١٩٦٣، ألقى خطابه الشهير مستخدمًا كلمة هارامبي التي تعني باللغة السواحلية «لنندفع معًا»، وطلب من مواطني بلاده المستقلة حديثًا أن يتَّحدوا. جالت الفكرة في ذهني ونحن نتجه من المطار إلى المدينة حيث لحظت مئات الشركات العائلية الصغيرة على جوانب الطرق، ومن ثمَّ أبراج المكاتب في وسط نيروبي.

وحضرت ورون هناك الاجتماع السنوي للتجارة والاستثمار الذي يُعقد بموجب قانون النمو والتقدم في أفريقيا، وهو تشريع وقَّعه زوجي عام ٢٠٠٠ من أجل زيادة الصادرات الأفريقية إلى الولايات المتحدة التي تستورد يوميًّا مئات الآلاف من براميل النفط من نيجيريا وأنغولا. وعملنا دائمًا على تعزيز الشفافية والمساءلة في موضوع عائدات النفط. لكننا أردنا أيضًا تشجيع الصادرات غير النفطية، خصوصًا من الشركات الصغيرة والمتوسطة الحجم.

عُدَّ الفساد عائقًا رئيسًا أمام النمو في معظم بلدان أفريقيا، لذا ابتسمتُ عندما دخلت حرم جامعة نيروبي ورأيت حشودًا كبيرة تلوّح بلافتات الترحيب، وقد كُتب على إحداها: «أنتِ تدخلين منطقة خالية من الفساد». وعقدت في الداخل مناقشة عامة مع الطلاب والنشطاء، أدارها الصحافي الأميركي فريد زكريا.

وحضرت بين المشاركين وانجاري مثاي، الكينية الفائزة بجائزة نوبل للسلام، التي قادت حركة شعبية من النساء الفقيرات هدفت إلى زراعة الأشجار في مختلف أنحاء أفريقيا وإعادة تشجيرها. كنتُ صديقةَ وانجاري ومن معجبيها، وسررت جدًّا برؤيتها، وقد آلمتني كثيرًا وفاتها عام ٢٠١١. وتوجه إليها زكريا أثناء النقاش ليسألها عن تنامي نفوذ الصين واستثمارها في أفريقيا، تعليقًا على قولها سابقًا للصحافة إن «الصين مستعدة للقيام بالأعمال التجارية من دون شروط، من مثل احترام حقوق الإنسان». وأوردت وانجاري عبارة، في ردها، لازمتني مذذاك. «نحن نحيا في قارة غنية جدًّا. فأفريقيا ليست فقيرة، وكل ما ترغب فيه متوافر على أرضنا، كأنَّ الآلهة وقفت إلى جانبنا لحظة خَلْق العالم»، على ما قالت، وسط تصفيق الحضور. «مع ذلك، نُعدُّ أفقر شعبٍ في العالم. تسير الأمور في المسار الخطأ الذي يبلغ حدّ الخطر». يحتاج الأفارقة، على ما حثَّت، إلى مطالبة قادتهم بالحكم الرشيد والمساءلة، وكذلك من المستثمرين والشركاء الأجانب الذين يسعون إلى القيام بأعمال تجارية هنا.

وقد وافقتُها الرأي تمامًا وقدَّمت بوتسوانا نموذجًا، إذ أدت الخيارات الجيدة إلى نتائج إيجابية. فمنتصفَ القرن العشرين، كانت هذه الدولة غير الساحلية التي تقع شمال أفريقيا الجنوبية تمامًا من أفقر المناطق في العالم. حين استقلت عن بريطانيا عام ١٩٦٦، كانت تملك ميلين فقط من الطرق المعبَّدة ومدرسة عامة ثانوية واحدة. في العام التالي، تغيّر مستقبل البلاد تمامًا حين اكتُشِف منجم ألماس ضخم. وواجهت حكومة بوتسوانا الجديدة التي قادها الرئيس سيرستي خاما، مع تدفق الثروة، أطرافًا خارجيين أقوياء، لكلّ أجندته الخاصة.

وقعت دول كثيرة، شهدت الوضع نفسه، ضحية «لعنة الموارد»، وبددت مكاسبها الكامنة، بسبب الفساد والحكم الضعيف. فملأ القادة جيوبهم أو غنموا الأرباح القصيرة الأجل على حساب الاستدامة الطويلة الأمد. واستغلت الحكومات والشركات الأجنبية ضعف المؤسسات، وخلَّفت وراءها معظم الشعوب فقيرة على ما كانت عليه. لكنَّ هذا لم يحدث في بوتسوانا. إذ أنشأ قادتها صندوق الائتمان الوطني الذي استثمر عائدات الألماس في الشعب والبنية التحتية، وأثمرت الحصيلة ازدهار بوتسوانا، فاستطاعت وكالة التنمية الأميركية وقوات فيلق السلام حزم أمتعتها والعودة إلى كل إلى دياره. وتجذرت الديمقراطية بإجراء انتخابات منتظمة وحرَّة ونزيهة وبسجلٍّ رفيع في احترام حقوق الإنسان. وتضم البلاد بعض أفضل الطرق السريعة في أفريقيا – شاهدتها

حين زرتها مع بيل عام ١٩٨٨ - وأفضل تعليم ابتدائي، والمياه النظيفة، وأطول متوسط عمر في القارة. وقد شدد قادتها على خمسة مبادئ: الديمقراطية، والتنمية، والكرامة، والانضباط، والتسليم بالدستور.

لو اتبعت المزيد من الدول الأفريقية مثال بوتسوانا، لتمكنت أفريقيا من تخطي الكثير من التحديات والعقبات. وعلى ما قلت للحضور في نيروبي: «ستعرف أفريقيا أفضل أيامها في المستقبل لو أدرك الجميع مسألة استخدام الموارد الطبيعية، ومَنْ يستفيد منها، وإلى أين تذهب عائداتها».

وبعد أسئلة كثيرة عن الخيارات التي تواجه شعوب أفريقيا، تناول زكريا موضوعًا خفيفًا. قبل خمسة أعوام، كتب عضو مجلس مدينة كيني رسالةً إلى بيل وقدّم إلينا أربعين رأس ماعِز وعشرين بقرة، طالبًا يد ابنتنا للزواج. وحين استعددت لزيارة نيروبي، أثار ضجة في الصحافة المحلية بإعلانه أن العرض لا يزال قائمًا. وكي يُسرَّ الحشد، أراد زكريا أن يعرف رأيي في العرض. صمتُّ قليلًا، أنا من واجهت مختلف أنواع الأسئلة في العالم كافة، لكنَّ هذا كان سابقة. «حسنًا، ابنتي مستقلة جدًّا، ولها حياتها الخاصة»، على ما قلت، «لذا سأنقل إليها هذا العرض اللطيف». فضحك الطلاب وصفقوا بحرارة.

وعلى الرغم من المشاعر الودية السائدة في القاعة، كان الجو في الخارج معقدًا وغير واضح. فحدَّة العنف التي تلت انتخابات كانون الأول/ديسمبر ٢٠٠٧ المثيرة للجدل، أدّت إلى تحالف هش بين الندَّيْن السابِقَيْن، الرئيس مواي كيباكي ورئيس الوزراء رايلا أمولو أودينغا (وهذا المنصب مُحدث). وضمت حكومتهما نائب رئيس الوزرا، أوهورو كينياتا، الذي سيُنتخب لاحقًا رئيسًا، على الرغم من التهم الموجهة إليه بالتحريض على العنف من المحكمة الجنائية الدولية.

استدعى الرئيس كيباكي ورئيس الوزراء أودينما الحكومة لعقد اجتماع معي، على أمل أن أقول لهم إن الرئيس أوباما سيزور كينيا قريبًا. شرحت بدلًا من ذلك أنني والرئيس أوباما قلقَين من الانتخابات المعيبة، والعنف السياسي، والفساد المتفشي، وأن الرئيس ينتظر منهم ما هو أفضل. أدت تصريحاتي إلى مناقشة مفعمة بالحيوية، وعرضت مساعدة الولايات المتحدة من أجل تحسين نظام الانتخابات في كينيا. وقدمت فعلًا الولايات المتحدة، إضافة إلى المملكة المتحدة، المساعدة على تسجيل الناخبين وفرز الأصوات إلكترونيًّا، وسارت العملية في نجاح، مرتين، حين صوتت البلاد على دستور جديد عام ٢٠١٠، وعندما فاز كينياتا بالانتخابات الرئاسية عام ٢٠١٣. وعزَّزت الولايات المتحدة أيضًا دعمها للجيش الكيني، وشاركته القتال في الصومال ضد حركة الشباب، المجموعة الإرهابية التي ترتبط بتنظيم القاعدة.

تُعدُّ كينيا نقطة الثقل الاقتصادية والاستراتيجية لشرق أفريقيا، وما يحدث هناك لا يطاول

الكينيين فحسب. فتحسين نظام حكمها ونموها هما مفتاح استقرار المنطقة وازدهارها، والدعامة الرئيسة لتحقيق ذلك ارتفاع الإنتاج الزراعي. لذا زرت معهد البحوث الزراعية الكيني مع وزير الزراعة الأميركية توم فيلساك. جلنا في المختبر وشاهدنا عروضًا عن التحسينات الزراعية التي تمت بفضل مساعدة الوكالة الأميركية للتنمية. لقد انخفضت الصادرات الزراعية طوال عقود ثلاثة، على الرغم من أن العمل الزراعي هو السائد على نطاق واسع في أفريقيا. فقوَّضَت عمل المزارعين الجاد وهدَّدت الإمدادات الغذائية، قلة الطرق، والري غير المتناسق، وسوء مرافق التخزين، والممارسات الزراعية غير الفاعلة، بما في ذلك عدم توافر البذور والمبيدات والأسمدة. وفي حال لم تُحلّ هذه المشكلة، لن تتحقق إمكانات كينيا أو أفريقيا الاقتصادية والاجتماعية كاملةً.

وقد أرسلت الولايات المتحدة، تاريخيًّا، كميات كبيرة من المساعدات الغذائية من أجل مكافحة الجوع في البلدان النامية، في أفريقيا والعالم ككل. وساعد تسليم الرّزّ والقمح وغيرهما من الضروريات مجانًا، على إطعام الأُسر الفقيرة، لكنه قوَّض أيضًا قابلية نجاح سوق الزراعة المحليَّة، وشجع على الاعتماد على الخارج، ولم يعزز الإنتاج المحلي والحلول الدائمة. قررنا اعتماد نهج جديد، يركز أكثر على بناء قدرة المزارعين المحليين والبنية التحتية الضرورية لتصل منتوجاتهم إلى المستهلكين. وكانت النتيجة برنامجًا سميناه «غذاء للمستقبل». زرت لاحقًا تنزانيا ووقفت على برامج ناجحة لقيت دعمًا قويًّا من الرئيس جاكايا كيكويتي، وفي مالاوي كذلك، حيث أكد الرئيس جويس باندا أهمية تحسين الإنتاج الزراعي في البلاد. ويطاول «غذاء للمستقبل» راهنًا، أكثر من تسعة ملايين أُسرة، وقد خدمت برامجه للتغذية أكثر من اثني عشر مليون طفل دون الخامسة. وآمل في أن أشهد على زمنٍ يتوصل فيه المزارعون الأفارقة (ومعظمهم من النساء) على إنتاج ما يكفي لإطعام القارة وتصدير الباقي.

لا تزال أفريقيا، على الرغم مما حققته من تقدم، تضم دولًا تميل إلى الصراع والفوضى. يُرجح ألّا يتوافر على الخارطة مكان أكثر ظلامية من شرق الكونغو.

رئست في أيّار/مايو ٢٠٠٩ السيناتورة باربرا بوكسر، المناصرة المعروفة لحقوق المرأة، جلسة استماع للجنة العلاقات الخارجية في مجلس الشيوخ، تناولت موضوع العنف ضد النساء في مناطق الحروب. فركَّزت على الحرب الأهلية الدائرة منذ زمن طويل في جمهورية الكونغو الديمقراطية (زائير سابقًا)، حيث يغتصب الجنود من الطرفين النساء، كوسيلة للهيمنة على المجتمعات وتحقيق مكاسب تكتيكية. وقد قتل أكثر من خمسة ملايين شخص، طوال خمسة عشر عامًا من القتال، وفرَّ ملايين اللاجئين من منازلهم، مما زعزع استقرار منطقة البحيرات الكبرى في أفريقيا الوسطى. وغدت مدينة غوما الشرقية مركزًا لتجمع النازحين، وصارت تُعرف باسم

عاصمة الاغتصاب في العالم. وقد بلَّغت ستٌّ وثلاثون امرأة يوميًّا، أي ١١٠٠ شهريًّا، عن تعرضهن للاغتصاب، من دون ذكر الحالات التي لم يُفَدْ عنها.

وأرسلت السيناتورة بوكسر وزميلتاها روس فينغولد وجين شاهين، إلي بعد الجلسة تقريرًا مرفقًا بسلسلة من التوصيات عن الطريقة التي تمكّن الولايات المتحدة من ممارسة حسن قيادتها في جمهورية الكونغو الديمقراطية. هالتني التقارير الواردة من غوما، وقلقت أكثر على الرهانات الاستراتيجية الأوسع، فسألت جوني كارسون هل يساعد سفري إلى الكونغو على تحقيق نتائج ملموسة للنساء في غوما. اعتَقَدَ أنني إذا استطعت إقناع الرئيس الكونغولي المحاصَر جوزيف كابيلا بقبول المساعدة للقضاء على العنف القائم على التمييز بين الجنسين، فستستحق الزيارة المحاولة. علاوةً على أنها أفضل طريقة للفت انتباه العالم وتحفيز ردّ قوي من المؤسسات الدولية ومنظمات الإغاثة. وعليه، قررنا الذهاب.

وصلت في آب/أغسطس ٢٠٠٩ إلى كينشاسا، عاصمة الكونغو المترامية الأطراف على طول نهر الكونغو، حيث قادني نجم الدوري الأميركي للمحترفين ديكمبي موتومبو الفارع الطول، في جولة على جناح الأطفال في مستشفى ميامبا ماري موتومبو، الذي بناه تكريمًا لوالدته الراحلة، وقد حمل اسمها.

وقد واجهت في اجتماع عام عُقد في مدرسة سانت جوزيف جوًّا من التجهم والتسليم بالأمر المقدَّر يسود بين شباب كينشاسا. كانت لديهم أسبابهم للشعور باليأس. فالحكومة عاجزة وفاسدة، والطرق غير متوافرة أو بالكاد مقبولة، والمستشفيات والمدارس غير كافية نهائيًّا. وقد نُهبَت موارد بلادهم الغنية منذ أجيال، أوَّلًا من البلجيكيين، ومن ثمَّ مِن الدكتاتور السيئ السمعة موبوتو (الذي استفاد في شكلٍ واسع من التلاعب والغش في المعونة الأميركية، وأَعتذِرُ عن قول ذلك)، وأخيرًا من الحكَّام الذين خلفوه.

كان الجو حارًّا وخانقًا في قاعة المحاضرات، إضافة إلى شعور المرارة السائد. وقف شاب وسأل عن قرض صيني للحكومة تختلف عليه الآراء. بدا عصبي المزاج، وتلعثم قليلًا في الكلام، ولكن تلقَّيت الترجمة على ما سمعت كالآتي: «كيف ينظر السيِّد كلينتون إلى الموضوع بلسان السيِّدة كلينتون؟». بدا أنَّه يريدني أن أعبِّر عن آراء زوجي بدلًا من آرائي الخاصة. أثار السؤال حنقي، في دولة يُساء فيها إلى النساء ويهمش دورهن، فأجبت في حدَّة: «مهلًا، تريدني أن أقول لك رأي زوجي في الموضوع؟ زوجي ليس وزير الخارجية، بل أنا. لذلك، اسألني عن رأيي، لأجيبك. لن أتولَّى مهمة التعبير عن وجهات نظر زوجي». وسريعًا، انتقل المشرف على اللقاء إلى سؤال آخر.

أتى الشاب واعتذر بعد الحدث، موضحًا أنه قصد السؤال عن الرئيس أوباما لا الرئيس

كلينتون، وأن الأمر اختلط على المترجم. أسفتُ لأنني صحت في وجهه، أقلّه لأنَّ الواقعة احتلت عناوين الصحف وطغت على الرسالة التي أردتُ إيصالها عن تحسين الحكم وحماية النساء في الكونغو.

غادرت في اليوم التالي كينشاسا بطائرة نقل تابعة للأمم المتحدة، واتجهنا طوال ثلاث ساعات شرقًا إلى غوما. كانت محطتي الأولى لقاء مع الرئيس كابيلا، في خيمة خلف منزل الحاكم، على شاطئ بحيرة كيفو.

بدا كابيلا مشتت التفكير وعاجزًا عن التركيز، كأنه ينوء بثقل التحديات الكثيرة التي تعانيها بلاده. كانت القضية الملحَّة تصور طريقة من أجل دفع مرتبات الجنود التابعين للحكومة. باتوا بسبب قلة انضباطهم وعدم تقاضيهم مرتباتهم تهديدًا على شعوب المنطقة، يفوق خطره الهجومات التي يشنها المتمردون من الغابة. لم يكفِ تخصيص الأموال في كينشاسا، إذ ما إن يرشح منها شيء، حتى يسرق معظمها كبار الضباط الفاسدين، من دون أن يبقى فلسٌ للمجندين. عرضت مساعدة حكومته على وضع نظام مصرفي ذي خدمات متنقلة، يُسهِّل تحويل الأموال مباشرة إلى حساب كل جندي. استغرب كابيلا إمكانات هذه التكنولوجيا، ووافق. واحتُفي بهذا النظام، عام ٢٠١٣، على أنه «أقرب إلى معجزة»، على الرغم من أن الفساد ظل مستشريًا.

وقد توجهتُ بعد الاجتماع مع كابيلا إلى مخيَّم موغونغا للنازحين داخليًّا، وهم اللاجئون في وطنهم. فقد دمَّر عقد من الحرب المدن والقرى، مما أجبر الأُسر على التخلي عن منازلها وممتلكاتها بحثًا عن أي ملاذٍ يوفِّر أمانًا نسبيًّا. ولكن على ما يحدث في أزمات اللاجئين أحيانًا كثيرة، عانى هذا المخيم وغيره مشكلات. إذ لم يتقاضَ موظفو الأجهزة الأمنية مرتباتهم منذ أشهر، واستشرت الأمراض وسوء التغذية.

وبدأتُ بلقاءٍ مع عمال الإغاثة لمعرفة المزيد عن تجاربهم في المخيم. ورافقني من ثمَّ رجل وامرأة كونغوليان، قُدّما إلي بصفة كونهما «مسؤولَي المخيم»، في جولة على الخيم، وسوقٍ صغيرة، وعيادةٍ صحية، مما ذكرني بسبب استيائي من قضايا مخيمات اللاجئين. أُدرك حاجة الناس إلى إيجاد مأوى موقت أثناء صراع أو بعد كارثة، ولكن كثيرًا ما تتحوَّل المخيمات مراكز احتجاز فعلية شبه دائمة، يتفشى فيها المرض والفقر واليأس.

وسألتُ المرأة التي تقود الجولة عن أكثر ما يحتاج إليه الناس هناك. «حسنًا، نرغب في أن يذهب أطفالنا إلى المدارس»، على ما قالت. سألتها «ماذا؟»، وقد تولاني الذعر. «ليس هناك مدرسة؟ منذ متى أنتم هنا؟». «منذ حوالى عام»، على ما أجابت. قادني الأمر إلى الجنون. وكلّما عرفتُ شيئًا، زادت أسئلتي: لِمَ تُغتصب النساء عندما يخرجن للحصول على الحطب والماء؟ لِمَ لا

ينظم رجال المخيم دوريات لحماية النساء أثناء ذهابهن وإيابهن؟ لِمَ يموت الأطفال من الإسهال فيما الإمدادات الطبية متاحة؟ لِمَ لا يمكننا، بصفة كوننا جهات مانحة القيام بعمل أفضل، فنتعلّم ونطبق دروس تجاربنا من أجل مساعدة اللاجئين والنازحين داخليًّا في أماكن أخرى؟

وأنّى تجولت في المخيم، تحلّق الناس حولي بملابسهم الزاهية الألوان وحماستهم التي لا تخبو، يلوِّحون ويبتسمون ويتبادلون التعليقات. شدَّدت عزمي، قوتُهم على الاحتمال أمام هذا القدر من الألم والدمار. وقد بذل العاملون في المنظمات غير الحكومية، والأطباء والمحامون المستشارون ومسؤولو الأمم المتحدة كل ما في وسعهم في ظروف قاسية جدًّا. عملوا يوميًّا على معالجة النساء المحطمات نفسيًّا وجسديًّا وقد تعرضن للاغتصاب، غالبًا من رجال العصابات، وبطريقة وحشية تمنعهن لاحقًا من الإنجاب، أو العمل، أو حتى المشي. وعلى الرغم من تعييبي أوضاع المخيم، أعجبت بما رأيت من مرونة لإصلاح الأمور.

وتوجهت من المخيم إلى مستشفى «هيل أفريكا» الذي بُني لمعالجة ضحايا الاغتصاب والاعتداءات الجنسية. وفي غرفة صغيرة هناك، سمعت ما تقشعر له الأبدان من امرأتين نجتا من اعتداءات جنسية وحشية، وتعانيان جراحًا جسدية ونفسية رهيبة.

وإذا كنت شهدت في هذه الزيارة على أسوأ ما تحمله نفسيات البشر، شاهدت أيضًا أفضل ما فيها، خصوصًا أولئك النساء اللواتي، بعد أن يتعافين من الاغتصاب والضرب، يعدن إلى الغابة لإنقاذ نساء أُخريات تُركن هناك عرضة للموت. سمعت خلال زيارتي لجمهورية الكونغو الديمقرطية هذا المثل القديم: «مهما طال الليل، لا بدَّ أن يحلَّ النهار». بذل هؤلاء القوم قصارى جهدهم ليحين ذاك النهار سريعًا، وأردت أن أقوم بكل ما استطعت لمساعدتهم.

وقد أعلنتُ أن الولايات المتحدة ستخصص ١٧ مليون دولار لمكافحة العنف الجنسي في جمهورية الكونغو الديمقراطية، ليتوافر المال في صناديق الرعاية الصحية، والمساعدة الاقتصادية، والاستشارة والدعم القانوني للناجين. وستُستخدم ثلاثة ملايين دولار لتجنيد ضباط الشرطة وتدريبهم على حماية النساء والفتيات، والتحقيق في أعمال العنف الجنسي، وإرسال خبراء في التكنولوجيا لمساعدة النساء والعاملين في الخطوط الأمامية على استخدام الهواتف المحمولة للإبلاغ عن الانتهاكات وتوثيقها.

وقد أيَّدنا في الولايات المتحدة تشريعات تهدف إلى استخراج «المعادن المتنازع عليها» وبيعها، هي التي تساعد على تمويل الميليشيات لتُبقي الصراع مستمرًّا. فوجد بعض هذه المعادن طريقه، في النهاية، إلى مستهلكي السلع التكنولوجية المتطورة، بما في ذلك الهواتف النقَّالة.

ورئست بعد شهر على رحلتي إلى غوما، أي نهاية أيلول/سبتمبر ٢٠٠٩، اجتماعًا لمجلس الأمن

التابع للأمم المتحدة، تَركّز على النساء والسلام والأمن، اقترحت فيه جعل حماية النساء والأطفال من أشكال العنف الجنسي المستشري الذي شاهدته في الكونغو، أولوية في بعثات الأمم المتحدة لحفظ السلام في مختلف أنحاء العالم، ووافق جميع أعضاء المجلس الخمسة عشر على القرار. لن يحلّ ذلك المشكلة بين ليلة وضحاها، لكنّه الخطوة الأولى أقلّه.

بدا جنوب السودان البلد الذي تتجسد فيه الآمال في المستقبل، وإنما يرهقه ماضيه المضطرب، وحاضره كذلك. هذه الدولة المولودة أخيرًا، استقلت عن السودان في تموز/يوليو ٢٠١١، بعد عقود من النضال والصراع. ولكن حين زرتها في آب/أغسطس ٢٠١٢، وجدتها غارقة مجددًا في نزاع مميت مع السودان.

لقد مزقت السودان الانقسامات الدينية والعرقية والسياسية منذ منتصف القرن العشرين. وحصدت الإبادة الجماعية، منذ العام ٢٠٠٠، في إقليم درافور والقتال العنيف على الأراضي والموارد بين عرب الشمال ومسيحيي الجنوب، أكثر من مليونين ونصف المليون قتيل، وتعرَّض المدنيون لفظائع لا توصف، وتوزَّع اللاجئون على الدول المجاورة. ووُقّع اتفاق سلام شامل أخيرًا، عام ٢٠٠٥، وشمل تعهدًا يمكّن الجنوب من إجراء استفتاء على الاستقلال. لكنَّ المحادثات تعطَّلت عام ٢٠١٠، وتعثرت إجراءات الاستفتاء، وبدا اتفاق السلام على وشك الانهيار واحتمال العودة إلى القتال واردًا في أي لحظة. وتراجع الطرفان قليلًا عن مواقفهما المتشنجة بتشجيع من الولايات المتحدة، والاتحاد الأفريقي، وغيرهما من أعضاء المجتمع الدولي، ليتحقق التصويت على الاستقلال في كانون الثاني/يناير ٢٠١١. وفي تموز/يوليو، أصبح جنوب السودان الدولة الرابعة والخمسين في أفريقيا.

وترك اتفاق سلام العام ٢٠٠٥ بعض القضايا المهمة عالقة، ويا للأسف. طالب الجانبان بمناطق حدودية معينة، واستعدّا لاحتلالها بالقوة. وكان أهم من ذلك كلِّه، موضوع النفط. شاءت غرائب الجغرافيا أن ينعم جنوب السودان باحتياطيات واسعة، فيما خلا منها السودان؛ مع ذلك، كان الجنوب غير ساحلي ويفتقر إلى مرافق التكرير والشحن، التي توافرت في السودان، مما يعني أن العدوين اللدودين يحتاج أحدهما إلى الآخر، وقد علقا في شركة إلزامية وإنما وظائفها مختلة.

وقد بدأت الحكومة السودانية في الخرطوم، المتألمة من خسارة سيادتها جنوبًا، تفرض أسعارًا باهظة على تكرير نفط الجنوب ونقله، وتصادر النفط الخام عندما يرفض الدفع. ورد جنوب السودان في كانون الثاني/يناير ٢٠١٢، بوقف الإنتاج نهائيًّا. تمسك الجانبان بمواقفهما، وبدأ اقتصادا البلدين، الهشّان أصلًا، بالانهيار، فارتفع التضخم، وواجهت ملايين العائلات نقصًا

في المواد الغذائية. أعدَّ الجنود العدَّة للقتال مجددًا، واندلعت الاشتباكات في المناطق الحدودية الغنية بالنفط، ليتكرر السيناريو المعهود، ويخسر الجميع.

وعليه، سافرتُ في آب/أغسطس إلى جوبا، عاصمة جنوب السودان الجديدة، محاوِلةً التوسط وصولًا إلى اتفاق. تطلَّب وضع حدٍّ للحرب الأهلية وقِبالة ولادة دولة جديدة أعوامًا من الدبلوماسية الدقيقة، ولن ندع هذا الإنجاز يذهب سدًى. وإلى أبعد من ذلك، لن يمكننا تحمُّل انسحاب النفط السوداني من الأسواق، فيما تُبذل جهود مكثفة في العالم لإقناع الدول المتعطشة إلى موارد الطاقة بالحد من استهلاك النفط الإيراني والتحوُّل إلى موردين جدد.

لكنَّ رئيس جنوب السودان الجديد، سالفا كير، ثبت على عناده. استمعت إلى شرحه الأسباب التي تمنع جنوب السودان من عقد صفقة النفط مع الشمال. وتبدَّت لي خلف كل تلك الحجج عن التسعير والتكرير حقيقة بشرية بسيطة: هؤلاء المقاتلون من أجل الحرية خائفون، وغير مستعدين لتجاوز أهوال الماضي، وإن عنى ذلك حرمان دولتهم الموارد التي تحتاج إليها لتزدهر. حين توقف الرئيس عن الكلام، قررت أن أجرِّب طريقة مختلفة. أخرجت نسخةً من افتتاحية صدرت في صحيفة نيويورك تايمز قبل بضعة أيام، ووضعتها على الطاولة. «قبل أن تتابع الحديث، أقدر لك لو تقرأ هذه المقالة»، على ما قلت. بدا الرئيس متعجبًا؛ فسلوكي هذا خارج عن المألوف في اجتماع دبلوماسي رفيع المستوى. وحين بدأ القراءة، جحظت عيناه. أشار إلى الاسم تحت السطر الأخير، وقال: «كان جنديًّا معي». «نعم»، على ما أجبت، «وهو اليوم رجل سلام، ويتذكَّر أنكما حاربتما معًا من أجل الحرية والكرامة، وليس من أجل النفط».

يُعَدُّ الأسقف الياس تعبان من أكثر الأشخاص المميزين الذين قابلتهم. ولد عام ١٩٥٥ في مدينة ياي، جنوب السودان، وكانت لا تزال تخضع للاستعمار البريطاني. في اليوم نفسه، أبادت قوات الشمال عشرات الأشخاص في البلدة، ففرت أم الياس مع وليدها الباكي إلى الغابة. كان حبله السري مقطوعًا حديثًا، واستخدمت والدته أوراق الشجر المسحوقة لوقف النزيف. اختبأ طوال ثلاثة أيام، قبل أن يعودا إلى الديار. وقد نشأ الياس في ظل الحرب الأهلية التي لا نهاية لها، وغدا طفلًا جنديًّا، إلى جانب والده، في الثانية عشرة من عمره. في النهاية، تمكَّن والده من بلوغ الحدود الأوغندية، حيث طلب من الياس أن يهرب. عثر عليه في الجانب الآخر عمال الإغاثة في الأمم المتحدة.

عاد الياس إلى جنوب السودان عام ١٩٧٨، وعاش في جوبا. التقى مجموعةً من المبشرين من كينيا، وشعر بالدعوة كي يصبح رجل دين. حاز شهادتين في الهندسة المدنية واللاهوت وأتقن اللغة الإنكليزية، واللينغالا، والعربية، والباري، والسواحلية. حين اندلعت الحرب مجددًا عام ١٩٨٠، انضم المطران تعبان، وزوجته آنغرايس، إلى حركة تحرير السودان الشعبية، وحاربا

من أجل استقلال السودان. بعد اتفاق السلام عام ٢٠٠٥، كرَّس نفسه لتعزيز المصالحة والتنمية المستدامة. وبنى مع أتباعه المدارس، ودور الأيتام، والمستشفيات، وآبار المياه النظيفة.

استاء الأسقف تعبان من استمرار الصراع بين الشمال والجنوب، فنشر في تموز/يوليو عام ٢٠١٢ نداءً من أجل السلام. وقد أثّرت افتتاحيته فيَّ جدًّا. «تحين دومًا لحظة»، على ما كتب، «تعود بنا إلى الماضي، لندرك حاجتنا إلى وقف القتال الذي سببته أخطاء قديمة، حتى نتمكن من بناء مستقبل جديد». وهذا من أصعب الدروس التي يتلقاها الناس، على المستويين الشخصي والسياسي على السواء، لكنَّها مهمة جدًّا في عالمٍ، تُعيق فيه العداوات والصراعات القديمة المجتمعات عن التقدم.

وقد راقبت الرئيس كير يقرأ كلمات رفيقه القديم، وبدأ تحدّيه يلين، فانصرفنا إلى العمل. وظللتُ أشدّد على أنَّ «النسبة من شيء، أفضل من النسبة من لا شيء». ووافق أخيرًا على استئناف المفاوضات مع الشمال، ومحاولة إيجاد تسوية على تسعير النفط. وفي الثالثة إلّا ربعًا من بعد ظهر اليوم التالي، ومفاوضات ماراثونية في أثيوبيا، توصل الجانبان إلى اتفاق ليعاد ضخ النفط مجددًا.

وأتى ذلك خطوة في الاتجاه الصحيح، لكنَّه لم يشكِّل نهاية القصة. إذ استمرت التوترات الخفيفة الحدة بين الجارين وداخل جنوب السودان نفسه، إلى أن اندلعت نهاية العام ٢٠١٣ الانقسامات القبلية والعداوات الشخصية القديمة، مما هدد بتمزيق البلاد. ولا يزال مستقبل أصغر دولة في أفريقيا غير واضح إلى اليوم.

طلبت أن أقابل الأسقف تعبان قبل أن أغادر جوبا في آب/أغسطس، كي يتسنى لي أن أشكر له شخصيًّا كلماته المؤثرة. حين أتى إلى السفارة الأميركية مع زوجته، أثبتا أنهما أكثر ديناميكية وإلهامًا مما توقعت، وذهلا حين سمعا أنني وزعت مقالته في القصر الرئاسي.

وكان لي شرف دعوة الأسقف تعبان في أيلول/سبتمبر عام ٢٠١٣، إلى اجتماع المبادرة العالمية لمؤسسة كلينتون في نيويورك، حيث قدمت إليه جائزة المواطن العالمية لجهده في صنع السلام. وقال للجمهور إن انخراط الولايات المتحدة في حلِّ النزاع على النفط كان «استجابة للصلوات»، والسلام الهش لا يزال صامدًا على الرغم من التحديات الكثيرة التي تواجه بلاده. وأشار من ثمّ إلى الطفل ذي الأشهر الثمانية في حضن زوجته. وُجِد الصبي في الغابة قرب مدينة ياي في شباط/ فبراير. اتصلت الشرطة بالأسقف تعبان وآنغرايس طلبًا للمساعدة. وبعد مراجعة ذاتية، قالت آنغرايس: «إذا كانت تلك دعوة من الرب، فلا خيار آخر أمامنا. فليحضروا إلينا الطفل». شعر رجال الشرطة بالارتياح، لكنهم قالوا من ثمَّ: «حضرة الأسقف، عليك أن تنتظر قليلًا، لنُقلَّ الطفل إلى المستشفى لقطع حبله السري الذي لم يُقطع بعد». رأى الأسقف وزوجته في التشابه بين قصة

ولادته وقصة الطفل إشارة، وأحضرا جون الصغير إلى البيت ليترعرع مع أولادهم الأربعة بالتبني، في بلد لا يزال يكافح لينمو إلى ما أبعد من ولادته الصعبة.

تُعَدُّ الصومال مِن أفقر الدول التي مزَّقتها الحروب طوال عقود في العالم، وقد غدت نموذجًا كلاسيكيًّا لفشل الحكم. ترك الصراع المستمر بين أمراء الحرب المتنافسين والمتطرفين، والجفاف الطويل الأمد، والجوع المنتشر، وتفشي الأمراض الدائم، حوالى ٤٠ في المئة من السكان في حاجة إلى مساعدات إنسانية طارئة. يستحضر اسم الصومال بالنسبة إلى الأميركيين ذكريات مؤلمة تتعلق ببعثة الأمم المتحدة التي أطلقها الرئيس جورج بوش الأب نهاية العام ١٩٩٢ لضمان وصول المساعدات الغذائية إلى الصوماليين المتضورين جوعًا من دون أن تمر بزعماء الحرب. تابع زوجي المهمة حين تولَّى الرئاسة. وأصبح حادث «بلاك هوك داون» المأسوي في مقديشو حيث قضى ثمانية عشر جنديًّا أميركيًّا، رمزًا دائمًا لمخاطر الانخراط الأميركي في النقاط العالمية الساخنة والمضطربة. سحب بيل قواتنا من الصومال، وأحجمت الولايات المتحدة طوال الأعوام الخمسة عشر التالية عن تخصيص أفريقيا بإعانات عسكرية، على الرغم من إبقاء جهدنا السياسي والإنساني نشطًا.

لكنَّ الأزمات تفاقمت في الصومال عام ٢٠٠٩ إلى حدٍّ كبير، مما أجبر الولايات المتحدة على عدم الاستمرار في تجاهلها. فمثّلت مجموعة حركة الشباب العنيفة التي تربطها صلات بتنظيم القاعدة، خطرًا متزايدًا على المنطقة بأسرها. وأوصلت هجمات ٩/١١ الإرهابية أمثولة إلى الديار عن الدول الفاشلة التي تصبح نقطة انطلاق لضربات تتخطى حدودها كثيرًا. وشكَّل القراصنة الذين استقروا في الصومال أيضًا، تهديدًا متصاعدًا للملاحة الدولية في خليج عدن والمحيط الهندي، وأَبرزه خصوصًا عام ٢٠٠٩ اختطاف ميرسك ألاباما، الذي وُضع في قالب تمثيلي في فيلم كابتن فيليبس عام ٢٠١٣. لذلك، كان من مصلحة الولايات المتحدة والمجتمع الدولي التوقف عن تغييب الصومال عن أجندتهم، والمساعدة على فرض بعض مظاهر النظام والاستقرار في منطقة القرن الأفريقي. والسؤال المطروح هنا عن البنادق أو النمو، يرتبط ضمنًا بأمننا القومي.

انتقلت حركة الشباب خلال الربيع والصيف من العام ٢٠٠٩ إلى الهجوم، وسحقت قوات حكومة الصومال الانتقالية الضعيفة في مقديشو، وقوات الاتحاد الأفريقي المنتشرة لحمايتها. صار المتطرفون على بعد بضعة مبانٍ من القصر الرئاسي. قلت لجوني كارسون: «لا يمكننا السماح بسقوط الحكومة الصومالية وانتصار حركة الشباب». قال لي جوني لاحقًا إنه لم يستطع النوم تلك الليلة، وظل يبحث عن طريقة تمكننا من التصرف في سرعة وفاعلية منعًا لانتصار الإرهاب. وجد أن الحاجة الملحة تكمن في توفير النقود للحكومة كي تدفع مرتبات قواتها وتشتري الذخائر

لمحاربة المتطرفين. شجعت جوني على ابتكار وسيلة توفّر للقوات الصومالية المحاصرة ما يلزمها. واستطاع، ذاك الصيف، تدبير الأموال اللازمة والتعاقد مع المحاسبين لتتبع المال. واتفقت وزارة الخارجية كذلك مع متعهد في أوغندا، نَقَلَ جوًّا في طائرات صغيرة الأسلحة الخفيفة والذخيرة إلى الصومال. لم نقدم الشيء الكثير، ولكن ما توافر مكّن القوات الصومالية المحاصرة من الصمود والبدء بدحر حركة الشباب.

ورتبت لقاءً في آب/أغسطس مع رئيس حكومة الصومال الانتقالية الشيخ شريف شيخ أحمد. سافر إلى نيروبي، حيث اجتمعنا في السفارة الأميركية. والشيخ شريف عالم دين إسلامي ديني متشدد، خاض حربًا خائبة لاستبدال الحكومة، مع نظام المحاكم الدينية (على الرغم من أنه حاز استحسانًا حين فاوض على إطلاق الأطفال المخطوفين). بعد خسارته في ساحة المعركة، فاز في صناديق الاقتراع، وركز على حماية الديمقراطية الصومالية الهشة، وتحسين أوضاع شعبه المعيشية الصعبة. لن تؤثر في الوضع كثيرًا خسارة حكومته أمام حركة الشباب.

وقد وجدت الشيخ شريف، الشاب ابن الخامسة والأربعين، ذكيًّا وصريحًا. ارتدى العمامة الإسلامية البيضاء وبزة زرقاء مع زر على ثنية السترة يحمل صورة العَلَمَيْن الصومالي والأميركي. فكَّرت في أن ذلك يجسِّد جيدًا، التوازن الدقيق الذي يحاول الوصول إليه. لم يوارِب في الحديث عن التحديات الهائلة التي تواجه بلاده وحكومته الهشة. قلت له إن الولايات المتحدة ستواصل إرسال مساعدات عسكرية بملايين الدولارات إلى قواته المحاصرة، واتخاذ ما يلزم من إجراءات لتكثيف التدريب، إضافةً إلى أشكال أُخرى من الدعم. ولكن في المقابل، يجب أن تلتزم حكومته تحقيق تقدم حقيقي في ترسيخ الديمقراطية الشاملة التي تجمع فصائل البلاد المنقسمة. ويتطلب القيام بذلك إرادة سياسية حقيقية، خصوصًا من الشيخ شريف نفسه.

وفيما نحن نتحدث، تساءلت: هل يصافحني؟ لم يتوجب علي طرح هذا السؤال كثيرًا بصفة كوني رئيسة الدبلوماسية في أقوى دولة على وجه الأرض، على الرغم من تفشي التمييز بين الجنسين في أجزاء كبيرة من العالم. لقد استُقبِلت، في احترام، حتى في أكثر البلدان المحافظة حيث لا تلتقي النساء إلّا رجالًا من العائلة. ولكن، هل يخاطر عالم الدين الإسلامي المحافظ هذا ويُنفّر أتباعه بمصافحته امرأةً علنًا، حتى لو كانت وزيرة الخارجية الأميركية؟

خرجنا بعد انتهاء الاجتماع، وعقدنا مؤتمرًا صحافيًّا مشتركًا، أعربت فيه عن اعتقادي أن حكومة الشيخ شريف تُمثِّل «أفضل ما أملنا فيه منذ وقت طويل» من أجل مستقبل السودان. (قُلتُ سرًّا لجوني إن علينا مضاعفة جهدنا من أجل مساعدة البلاد على العودة إلى المسار الصحيح). وفيما نحن نفترق، سرَّني أن الشيخ شريف أمسك بيدي وصافحني في حماسة. فصاح صحافي صومالي

في الحشد سائلًا: ألا يتعارض هذا السلوك مع الشريعة الإسلامية. تجاهله الشيخ شريف، محافظًا على ابتسامته.

وقد ضاعفت إدارة أوباما طوال العام ٢٠٠٩ دعمها الحكومة الانتقالية وقوات الاتحاد الأفريقي المتحالفة. وبدأت حوالى عشرة ملايين دولار من المساعدات المستهدفة بتحويل دفَّة الأمور ضد حركة الشباب. وتوصلت وزارة الخارجية بالتنسيق مع البنتاغون إلى تدريب آلافٍ في القوات الصومالية، لتعود إلى مقديشو مزودةً المؤن، والخيم والوقود وغيرها من الضروريات. وزدنا كذلك تدريباتنا ومساعداتنا لقوات حفظ السلام الأفريقية التي تقاتل إلى جانب القوات الصومالية. ونقلنا مباشرةً التعزيزات جوًّا من أوغندا وبوروندي وجيبوتي وكينيا وسييراليون.

وقد أنشأنا، لمكافحة القرصنة، قوة تدخُّل خاصة بالتنسيق مع وزارة الدفاع وغيرها من الوكالات، وعملنا مع الحلفاء والشركاء في مختلف أنحاء العالم على تشكيل قوة بحرية دولية سيَّرت دوريات في مناطق المياه الخطرة. حتى الصين التي كثيرًا ما تتردد في المشاركة في جهدٍ كهذا، انضمت إلينا. وانخفضت، عام ٢٠١١، هجمات القراصنة قبالة القرن الأفريقي بنسبة ٧٥ في المئة.

وللمساعدة على تعزيز الحكومة التي لا تزال ضعيفة نسبيًّا، أرسينا وثبَّتنا فريقًا من المستشارين الفنيين للإشراف على توزيع الإعانات الاقتصادية والإنمائية المتزايدة. عاد التيار الكهربائي إلى مقديشو أخيرًا، ونُظّفت الشوارع مجددًا. وأبقت مساعداتنا الإنسانية الطارئة الصوماليين الجوعى على قيد الحياة، وأعطت الشعب الأمل المرجو والقوة اللازمة لرفض التمرد المتطرف والبدء بإعادة بناء دولته.

وقد أطلقنا، مِن أجل توفير خطة للمستقبل، حملةً دبلوماسية هدفها جمع جيران الصومال في منطقة القرن الأفريقي والمجتمع الدولي خلف خارطة طريق واحدة، تحقق المصالحة السياسية وتؤسس حكومة ديمقراطية دائمة، تمثّل جميع العشائر والمناطق في الصومال. (قامت الحكومة «الانتقالية» منذ أعوام، ولم تظهر إلّا إشارات قليلة إلى حركة تقدم).

ونجت الصومال في الأعوام التالية من أزمات كثيرة، ولم تُحقق تقدمًا يُذكر في تعزيز المؤسسات الديمقراطية وتنفيذ خارطة الطريق الدولية. واستغلت حركة الشباب الوضع مرات، حين بدت عملية السلام متوقفة، لتنتعش وتحقق مكاسب تكتيكية في ميدان المعركة. واستمر المتطرفون في تنفيذ هجمات إرهابية، بما في ذلك تفجير انتحاري في تشرين الأول/أكتوبر ٢٠١١ في مقديشو، أسفر عن مقتل سبعين شخصًا، معظمهم من الطلاب الذين كانوا ينتظرون تلقي نتائج امتحاناتهم. ولكن في أيلول/سبتمبر ٢٠١١، تعهد القادة الكبار من مختلف الجهات السياسية المتناحرة في الصومال تنفيذ خارطة الطريق، ووضع اللمسات الأخيرة على الدستور الجديد،

واختيار حكومة جديدة منتصف العام ٢٠١٢. توجَّب القيام بأمور كثيرة في مدة زمنية قصيرة، ولكن توافرت على الأقل خطة والتزام.

وفي آب/أغسطس ٢٠١٢، قبل أسابيع من إجراء الصومال انتخابات وتسليم السلطة إلى قادة جدد، على ما يُفترض، التقيت مجددًا الشيخ شريف في نيروبي. وانضم إلينا كذلك قادة آخرون يمثلون مختلف العشائر والفصائل الصومالية. أثنيت على التقدم الذي حققوه، لكنني شددت على أهمية المضي في الانتخابات وانتقال السلطة سلميًا. سيبعث ذلك برسالة قوية عن مسار الصومال نحو السلام والديمقراطية.

انتخب الصوماليون في أيلول/سبتمبر الشيخ حسن محمود رئيسًا للحكومة الدائمة الجديدة. حلَّ الشيخ شريف ثانيًا بفارق كبير، وانسحب في هدوء في شكلٍ يستحق الإعجاب.

وحقق عملنا الدبلوماسي على دعم الصومال وتنسيق حملة عسكرية ضد حركة الشباب فوائد إضافية في المنطقة، ساعدتنا على تطوير علاقات أوثق مع شركائنا في شرق أفريقيا وتحسين قدرة الاتحاد الأفريقي على اتخاذ زمام المبادرة في توفير حلولٍ أفريقية للأزمات الأفريقية.

وزرت في آب/أغسطس ٢٠١٢ قاعدة كاسينيي العسكرية، القريبة من بحيرة فيكتوريا في أوغندا، وتحدثت إلى قوات العمليات الخاصة الأميركية التي تساعد على تدريب القوات الأفريقية ودعمها. عاينت معها طائرات «رايفن» من دون طيار الصغيرة التي تساعد قوات الاتحاد الأفريقي على مطاردة حركة الشباب. بدت مثل نماذج ألعاب للأطفال، ولاحظتُ عندما حملتها خفَّة وزنها، لكنها حُمِّلت بالكاميرات المتطورة، وسُرَّ الأوغنديون بامتلاكها.

وقد أسعدني أن الابتكار الأميركي يُحدث فارقًا في هذه المعركة المهمة، وقلت للجنود الأميركيين والأوغنديين إنني آمل أيضًا في أن نتمكن من استخدام هذه التكنولوجيا الجديدة للإسراع في القبض على أمير الحرب السيئ السمعة جوزيف كوني. فقد عاث «جيش الرَّبّ المقاوم» والقاتل الذي رئسه، فسادًا في وسط أفريقيا طوال أعوام. اختطف كوني الأطفال من بيوتهم، وأجبر الفتيات على الدعارة، والفتيان على الالتحاق بجيشه المتمرد. هجَّر هياجه الجامح عشرات آلاف الأفارقة من منازلهم، وألزم عددًا آخر لا يحصى على العيش في خوف دائم. سلَّط الضوء، عام ٢٠١٢، على الفظائع التي ارتكبها كوني، فيلم وثائقي انتشر على الإنترنت وأثار النفوس في مختلف أنحاء العالم. شعرت بالاشمئزاز والغضب، طويلًا، لما يقوم به هذا الوحش في حق الأطفال، وتقت إلى رؤيته يخضع للعدالة. وقد حثثتُ البيت الأبيض على المساعدة على تنسيق الجهود الدبلوماسية والعسكرية والاستخبارية اللازمة لتعقب كوني و«جيش الرب المقاوم».

وقرر الرئيس أوباما نشر المئات من قوات العمليات الخاصة الأميركية لدعم القوات الأفريقية

وتدريبها على مطاردة كوني. وأرسلت للعمل معهم خبراء من «مكتب عمليات توطيد الاستقرار في مناطق النزاع» التابع لوزارة الخارجية، والذي أسسته أخيرًا لزيادة قدرة الوزارة على العمل في المناطق الساخنة والحاسمة. وصل فريقنا المدني وانتشر على الأرض قبل أشهر من إرسال القوات، وبدأ ببناء علاقات مع المجتمعات المحلية. وبفضل تشجيعهم، باشر زعماء القرى وغيرهم من القادة الحض على الانشقاق من «جيش الرب المقاوم» بوسائل شتَّى، بما يشمل محطة إذاعية ساعدنا على إعدادها ووضعها في خدمتهم. كانت بعثة صغيرة، لكنني أعتقد أنَّها أظهرت إمكانات ما يمكننا تحقيقه عندما يعيش الجنود والدبلوماسيون في المعسكرات نفسها، يأكلون وجبات الطعام الجاهزة نفسها، ويركزون على الأهداف عينها. وإذا تمكنَّا من استخدام هذه الطائرات من دون طيّار التي أتفحصها لاستكشاف الغابة الكثيفة، قد نستطيع في النهاية، تحديد موقع كوني ووضع حدٍّ لفظائعه. وأعلن الرئيس أوباما في آذار/مارس ٢٠١٤، أن الولايات المتحدة سترسل قوات خاصة وطائرات إضافية للبحث عنه. يجب ألّا يهدأ المجتمع الدولي حتى يُعثر عليه ويُهزَم.

في تلك الأثناء، خسرت حركة الشباب في الصومال أراضي كثيرة كانت تسيطر عليها، لكنَّ المجموعة ظلت مع ذلك تهديدًا فتَّاكًا، في الصومال والمنطقة على السواء. ورأينا العواقب المأسوية لذلك في أيلول/سبتمبر، حين هاجم إرهابيو حركة الشباب مركزًا تجاريًّا في نيروبي وقتلوا سبعين شخصًا، بينهم أليف يافوز، وهي ممرضة هولندية تبلغ من العمر ثلاثة وثلاثين عامًا، وتعمل في المركز الطبي التابع لمؤسسة كلينتون، والمخصص لمكافحة فيروس الإيدز وغيره من الأمراض. كانت حاملًا في شهرها الثامن. وقُتِل في الحادث أيضًا شريك أليف الأسترالي روس لانغدون، وطفلهما الذي لم يولد بعد. وقد التقى زوجي، أليف، قبل ستة أسابيع في رحلة إلى تنزانيا وتذكّر كم يحبها زملاؤها. «حين دنت مني هذه المرأة الجميلة، كان حملها ظاهرًا جدًّا، مما حداني إلى أن أؤكد لها أنني والد «لاماز»، وأشعر أنني سأدعى إلى الخدمة في أيّ لحظة»، على ما ذكر لاحقًا[١]. حين اقترب بيل من والدة أليف المكلومة لتقديم التعازي، قلت له إن العائلة قررت تسمية جنينها الذي لم يولد، وهي تبحث في اللغة السواحلية عن مرادف لكلمتي الحياة والحب. كان ذلك حزنًا يفطر له القلب، بالنسبة إلينا جميعًا في المؤسسة، وتذكيرًا بأن الإرهاب لا يزال تحديًا ملحًّا لبلادنا والعالم.

لقد كرَّست أليف يافوز حياتها، مثلَ كثر من العاملين في مجال التنمية، للمساعدة على التغلب على آفة الإيدز وغيره من الأمراض، بما في ذلك الملاريا. بالنسبة إلى أفريقيا، هو تحدٍّ رئيس، مع ما

(١) في خمسينيات القرن العشرين، نصح الطبيب الأميركي لاماز للوالِدَين بِعَدّ فعل الولادة حدثًا يتشاركانه معًا. (المترجم)

يخلّفه من انعكاسات على التنمية والازدهار والسلام على أمد طويل. أطلق الرئيس جورج دبليو بوش، عام ٢٠٠٣، خطة الرئيس الطارئة للإغاثة من الإيدز. هناك أكثر من خمسة وثلاثين مليون شخص يعيشون مع فيروس نقص المناعة المكتسبة في العالم ككل، ٧٠ في المئة منهم في جنوب الصحراء الكبرى في أفريقيا.

وحين توليت منصبي الوزاري، عزمت دعمَ خطة الرئيس بوش وتوسيعها. بدأت بإقناع الدكتور إيريك غوسبي برئاسة البرنامج، بصفة كونه منسقًا عالميًا للإيدز. وقد بدأ، كطبيب معالج في سان فرانسيسكو في ثمانينيات القرن العشرين، بمعالجة مرضى مصابين بمرض غريب، سيُعرف يومًا بأنّه الإيدز. انضم لاحقًا إلى إدارة كلينتون ورئس برنامجًا اسمه «من أجل ريان وايت»، وهو شاب أميركي أُصيب بالمرض خلال عملية لنقل الدم.

سافرت مع إيريك في آب/أغسطس ٢٠٠٩ إلى عيادة تابعة لخطة الرئيس خارج جوهانسبورغ، جنوب أفريقيا. التقينا هناك وزير الصحة الجديد لجنوب أفريقيا الدكتور آرون موتسوالدي، وقد أعطى رئيس البلاد جاكوب زوما، بتعيينه في أيار/مايو، إشارة إلى التحول، بعيدًا عن سياسة سلفه في إنكار مشكلة الإيدز الهائلة في بلاده، وبذلِ جهد حثيث لمكافحة المرض ومعالجته. قال لي موتسوالدي في اجتماعنا الأوّل، إن جنوب أفريقيا لا تملك مالًا كافيًا لشراء الأدوية وتطبيب المرضى في مقاطعاتها التسع، وطلب مساعدتنا.

كانت تلك مشكلة تعودتُها. بدءًا من العام ٢٠٠٢، عمل بيل وفريقٌ من «مبادرة كلينتون للحفاظ على الصحة» رئسه إيرا ماغازينر مع صنّاع الأدوية لخفض تكاليف عقاقير فيروس الإيدز ومساعدة ملايين الناس على شراء الدواء الذين يحتاجون إليه. واستطاع حوالى ثمانية ملايين شخص في العالم، عام ٢٠١٤، تحمّل تكاليف الدواء، بفضل جهد مؤسسة كلينتون خصوصًا، وقد انخفضت بنسبة ٩٠ في المئة.

وعلى الرغم من أن أفريقيا الجنوبية كانت، عام ٢٠٠٩، مصنّعًا كبيرًا للأدوية المخصصة للأمراض الجنسية، بقيت الحكومة تشتري كميات كبيرة من العقاقير المضادة للفيروسات الرجعية من علامات تجارية مختلفة. وعمل معهم مسؤولون من برنامج الرئيس بوش، ومؤسستا كلينتون وغايتس لإكمال التحول إلى تصنيع كل الأدوية المخصصة للأمراض الجنسية التي تشكّل اليوم الجزء الأكبر من مشترياتهم. استثمرت إدارة أوباما ١٢٠ مليون دولار عامي ٢٠٠٩ و ٢٠١٠ لمساعدة أفريقيا الجنوبية على شراء أرخص دواء. نتيجة لذلك، تضاعف عدد الأشخاص المعالَجين. وقبل نهاية ولايتي، كان عدد كبير من الناس يحصلون على العقاقير المضادة للفيروسات، ووفّرت الحكومة في هذه العملية مئات ملايين الدولارات التي استُخدمت في تحسين الرعاية الصحية.

حين عدت إلى جنوب أفريقيا في آب/أغسطس ٢٠١٢، كانت الحكومة تستعد لتولي كل برامج الإيدز في البلاد والإشراف على توسيع نطاق تطبيق العلاج الذي يهدف إلى معالجة ٨٠ في المئة ممن يحتاجون إليه عام ٢٠١٦.

وعرفت أن علينا البناء على نجاح خطة الرئيس بأقل قدر من المال في عصر تقلُّص موازنات المساعدات. باستخدام كل العقاقير المضادة للفيروسات الرجعية، وتعزيز العيادات، وكفاية أكبر في الإدارة والتوزيع، استطاعت خطة الرئيس توفير مئات ملايين الدولارات، مما سمح لنا بتوسيع نطاق البرنامج من دون طلب تمويل إضافي من الكونغرس. وارتفع عدد المرضى المعالجين بالعقاقير المضادة للفيروسات التي دفع ثمنها برنامج الرئيس، إضافة إلى المال المستثمر في البلاد ودعم من الصندوق العالمي، من ١,٧ مليون عام ٢٠٠٨ إلى حوالى ٦,٧ مليون عام ٢٠١٣.

وقد فاقت النتائج ما أملت فيه. فوَفق الأمم المتحدة، انخفض منذ العام ٢٠٠٠ معدل الإصابات الجديدة بفيروس الإيدز إلى أكثر من النصف في أجزاء كثيرة من الصحراء الكبرى الجنوبية الأفريقية. وبات المصابون يعيشون أكثر ويتلقون علاجات أفضل. ولم يعد الإيدز الذي كان يقتل ١٠٠ في المئة من المصابين به، حكمًا بالإعدام.

وقد أعلنت هدفًا جديدًا وطموحًا في اليوم العالمي للإيدز عام ٢٠١١، بسبب هذه النجاحات والتقدم العلمي: جيل خال من الإيدز، مما يعني جيلًا لا يولد فيه أي طفل مصاب بالفيروس، وشبابًا غير معرض لخطر الإصابة به طوال الحياة، ومن يكتسبون فيروس نقص المناعة البشرية يخضعون للعلاج الذي يحميهم من تطوره إلى إيدز ونقله إلى الآخرين. قد يبقى فيروس نقص المناعة على قيد الحياة في المستقبل، ولكن يجب القضاء على الإيدز.

ويجب علينا، لتحقيق هذه الأهداف، أن نركِّز على توعية الفئات السكانية الرئيسة، وتحديد الأشخاص المعرضين للخطر، وحملهم على الوقاية وتوفير الرعاية التي يحتاجون إليها في أسرع ما يمكن. إذا واصلنا خفض عدد الإصابات الجديدة، ورفع عدد الخاضعين للعلاج، فسنتمكن في النهاية من معالجة أشخاص أكثر ممن يكتسبون العدوى سنويًّا. ستتحقق هنا نقطة التحوُّل، ليصير العلاج بمثابة وقاية.

وزرت في آب/أغسطس ٢٠١٢ المركز الصحي مبويا ريتش أَوَت في كمبالا، في أوغندا، حيث التقيت مريضًا اسمه جون روبرت إنغولي، أصيب بمرض الإيدز قبل ثمانية أعوام، وأوشك يموت، وقد فقد حوالى ٩٩ باوندًا من وزنه، وأصابه مرض السل. كان الشخص الأوَّل في العالم الذي تلقى العلاج المنقذ للحياة من خطة الرئيس. بأعجوبة، ظل على قيد الحياة وفي صحة جيدة، ليصبح

مثالًا حيًّا على الوعد الذي يحققه الدعم الأميركي لشعوب العالم. وقد عرَّفني، فخورًا، إلى اثنين من أولاده.

لا أحد يرمز إلى آلام ماضي أفريقيا والوعد بمستقبلها أكثر من نيلسون مانديلا. أُشيد بمانديلا، عن حق، بطلًا لا تتسع له حياة. لكنه كان في الواقع إنسانًا عميقًا جدًّا، وزاخرة حياته بالتناقضات: مجاهد في سبيل الحرية وبطل للسلام أيضًا؛ سجين ورئيس؛ رجل الغضب والمغفرة. وقد أمضى ماديبا، على ما تسميه عشيرته وعائلته وأصدقاؤه، كل هذه الأعوام في السجن، يتعلّم التوفيق بين هذه التناقضات، وأصبح القائد الذي يحتاج إليه بلده، على ما أدرك.

لقد ذهبت للمرة الأولى إلى أفريقيا الجنوبية عام ١٩٩٤ لتنصيب مانديلا رئيسًا. كانت لحظة لا تُنسى، بالنسبة إلى أولئك الذين شهدوا الاحتفال مثلي. فالرجل الذي أمضى سبعةً وعشرين عامًا سجينًا سياسيًّا، أقسم اليمين الدستورية رئيسًا. مثَّلت رحلته ما هو أهم: مسيرة طويلة وإنما ثابتة إلى الحرية لشعب جنوب أفريقيا كاملًا. ساعد مثاله الأخلاقي نظامًا وُلد من العنف والانقسام، على أن يدرك الحق والمصالحة. كان ذلك النهاية في قرار البنادق أو النمو.

تناولت صباح ذلك اليوم الإفطار مع الرئيس المنتهية ولايته دي كليرك في مقر إقامته الرسمي، لأتناول الغداء بعد ذلك مع الرئيس الجديد. في غضون ساعات، تغيَّر كل تاريخ هذه الدولة. وقف الرئيس مانديلا قبل الغداء ليحيي الوفود الرفيعة المستوى الكثيرة من مختلف أنحاء العالم. قال من ثمَّ، شيئًا لن أنساه ما حييت (أنا أقتبس هنا): «أهمّ ثلاثة أشخاص بالنسبة إلي في هذا التجمع الضخم، ثلاثة رجال كانوا سجانيَّ على جزيرة روبن. أطلب منهم الوقوف». دعاهم مانديلا بالاسم، ووقف ثلاثة رجال بيض في منتصف العمر. وأوضح أنَّ كل واحدٍ من هؤلاء الرجال، في خضم الظروف الرهيبة التي عرفها طوال أعوام احتجازه، نظر إليه بصفة كونه كائنًا بشريًّا. عاملوه في كرامة واحترام. تحدثوا إليه وأصغوا.

وعدت إلى أفريقيا الجنوبية عام ١٩٩٧، هذه المرة مع تشيلسي، وأخذَنا مانديلا إلى جزيرة رون. وفيما نحن نتعقب خطاه في حُجرات السجن الصغيرة، قال إنه حين أُطلِق أخيرًا، أدرك أن عليه القيام بخيار. كان يمكنه أن يحمل في قلبه المرارة والكراهية طوال عمره للطريقة التي عومِل بها، ليبقى في السجن. أو يمكنه التوفيق بين المشاعر التي تتنازعه. والحقيقة أنه اختار المصالحة، إرث نيلسون مانديلا العظيم.

قبل الزيارة، شُغِلَ تفكيري بكل المعارك السياسية والعداء في واشنطن، ولكن بعد الاستماع

إلى حديث ماديبا، شعرت أنني أنظر إلى تلك المتاعب بعين متجردة. وأحببت أيضًا رؤية وجه تشيلسي المشعّ وهي تدور حوله. نشأت بينهما علاقة خاصة استمرت حتى آخر يوم في حياته. وكلّما تحدث ماديبا مع بيل بالهاتف، طلب أن يكلم تشيلسي، وبقي على اتصال بها عندما التحقت بستانفورد وأوكسفورد، وانتقلت من ثمَّ إلى نيويورك.

في زيارتي الأولى لجنوب أفريقيا وزيرةً، في آب/أغسطس ٢٠٠٩، قصدت ماديبا في مكتبه في إحدى ضواحي جوهانسبرغ. كان في الحادية والتسعين، وبدا واهنًا أكثر مما أذكر، لكنَّ ابتسامته ظلَّت على ما كانت عليه، وقد أضاءت الغرفة. قرّبت كرسيّ منه، أمسكت بيده، وتحدثنا نصف ساعة. وسررت أيضًا برؤية زوجة ماديبا المميزة، صديقتي غراسا ماشيل. قبل زواجها من مانديلا، كانت ناشطة سياسية ووزيرة في حكومة موزامبيق، متزوجة من سامورا ماشيل، رئيس موزامبيق الذي ساعد على توجيه البلد الممزق بسبب الحرب نحو السلام. وقد قضى في حادث تحطّم طائرة مشبوه عام ١٩٨٦.

جلت مع غراسا في «مؤسسة نيلسون مانديلا مركز الذاكرة والحوار»، حيث دققت في بعض يوميات ماديبا ورسائله في السجن، وفي صور قديمة، وحتى في بطاقة عضويته في الكنيسة الميثودية منذ العام ١٩٢٩. وبما أنني من معتنقي الميثودية، أدهشني حرصه على إصلاح نفسه بنفسه، وهو موضوع أتى على ذكره كثيرًا، وانضباطه الراسخ.

وكافح خليفتا مانديلا، ثابو مبيكي وجاكوب زوما، لترجمة إرثه واقعًا ملموسًا في دولةٍ لا تزال عنيفة وفقيرة جدًّا. ارتاب الرجلان بالغرب، ومما خلَّفته عقود دعمت طوالها الولايات المتحدة حكومة التمييز العنصري، بصفة كونها حصنًا ضد الشيوعية في الحرب الباردة. أرادا أن تُحترم جنوب أفريقيا كأقوى دولة في المنطقة، وتؤخذ على مِحمل الجِدّ على الساحة العالمية. هذا ما أردناه أيضًا، وأملتُ في أن تكون أفريقيا الجنوبية الحصينة والمزدهرة قوةً للسلام والاستقرار. لكنَّ الاحترام يأتي من تحمُّل المسؤولية.

وبدت أفريقيا الجنوبية في بعض الحالات شريكًا محبطًا. كان إنكار مبيكي للعلوم المتعلقة بفيروس نقص المناعة المكتسبة/الإيدز خطًّا مأسويًا، وعارضت جنوب أفريقيا عادةً، التدخل الإنساني الدولي، حتى في الحالات الوخيمة، على ما حدث في ليبيا وساحل العاج، حين تعرض المدنيون لهجوم. وصَعُبَ أحيانًا تفسير الأسباب الكامنة وراء تصرفات الحكومة. قبل زيارتي الأخيرة للبلاد في آب/أغسطس ٢٠١٢، رفضت جنوب أفريقيا في اللحظة الأخيرة السماح لفريق الأمن الدبلوماسي الأميركي بإدخال المركبات والأسلحة التي تحتاج إليها إلى البلاد. جثمت طائرتي على مهبط مطار مالاوي، في انتظار أن نعرف ما ستسفر عنه المفاوضات. حُلَّت المسألة في النهاية، وتمكّنا أخيرًا من الإقلاع. كنت أرأس وفدًا من كبار رجال الأعمال الأميركيين من

فيديكس وشيفرون وبوينغ وجنرال إلكتريك، وغيرها من الشركات التي تطلعت إلى توسيع نطاق نشاطاتها واستثماراتها في جنوب أفريقيا.

وقد نظَّمنا الرحلة بالتنسيق مع غرفة التجارة الأميركية، لأن التبادل التجاري بين الولايات المتحدة وأفريقيا الجنوبية وعد بخلق الوظائف والفرص المتاحة في البلدين على السواء. فأكثر من ستمئة شركة أميركية أرست فعلًا قواعدها في جنوب أفريقيا. وعام ٢٠١١، على سبيل المثال، فتحت «أمازون» مركزًا جديدًا لخدمة العملاء في كايب تاون حيث استخدمت خمسمئة شخص، مع خطط لتوظيف حوالى ألف آخرين. ووقَّعت شركة في الطاقة المتجددة ومقرها في لويزفيل، في كنتاكي، واسمها «وان وورلد كلين إنرجي»، عقدًا قيمته ١٥٠ مليون دولار لبناء معامل تكرير إحيائية في جنوب أفريقيا تُنتِجُ، في آن، الكهرباء والغاز الطبيعي والإيثانول والديزل الحيوي من المواد العضوية. بُني المرفق في الولايات المتحدة وشُحن إلى جنوب أفريقيا عام ٢٠١٢، ووُظّف لهذه الغاية ٢٥٠ شخصًا في جنوب أفريقيا وحوالى مئة عامل تجاري محترف في كنتاكي. وحظي المديرون التنفيذيون الأميركيون الذين حضروا معي بفرصة للقاء مئتين من كبار رجال الأعمال، من جنوب أفريقيا، للحديث عن استثمارات مشابهة ذات منفعة متبادلة.

واستُقبلنا إلى مأدبة عشاء في بريتوريا، وقد تساقط الثلج، وهو أمر نادر الحدوث (آب/أغسطس هو فصل الشتاء في نصف الكرة الجنوبي)، وبدأ بعض مواطني البلد يسمونني «نيمكيتا»، أي «مَن تحمل معها الثلج». كان هناك الكثير لأبحث فيه مع نظيرتي في العلاقات الدبلوماسية والتعاون الدولي، الوزيرة مايتي نكوانا ماشاباني. وهي امرأة قوية، تتمتع بحس الفكاهة ولديها وجهات نظر ثاقبة عن حقوق بلادها وصلاحياتها الخاصة، وقد أصبحنا صديقتين. استضافتني مايتي إلى العشاء في زيارتَيّ، وطغى على الحضور في المناسبتين العنصر النسائي، قياديات في معظمهن، بمن فيهن نكوسازانا دلاميني زوما التي أصبحت أول سيدة تُنتخب رئيسةً للاتحاد الأفريقي. وفي زيارتي عام ٢٠١٢، دفعتنا مغنية جاز وبوب أفريقية جنوبية موهوبة إلى الرقص والغناء والضحك في تلك الليلة المثلجة.

وفي تلك الرحلة أيضًا، زرت للمرَّة الأخيرة صديقي القديم ماديبا الذي انتقل للعيش في قرية أجداده كونو، في محافظة كايب الشرقية في جنوب أفريقيا. هناك أمضى معظم طفولته، ووفق سيرته الذاتية، كانت مرتع أجمل أعوام حياته. وحين دخلت منزله المتواضع الواقع بين التلال، أدهشتني، على ما يحدث دومًا، ابتسامته التي تفوق حدّ التصديق ولطفه غير المألوف. حتى في وضعه الصحي الواهن، جسّد مانديلا الكرامة والنزاهة. ظلّ، حتى النهاية، قبطان «روحه التي لا تُقهر»، على ما وَصَفت قصيدته المفضلة «إنفكتوس» لوليام إرنست هانلي.

كنت لا أزال منشرحة الصدر من لقائنا حين وصلت إلى جامعة وسترن كايب في كايب تاون

لإلقاء خطابٍ عن مستقبل جنوب أفريقيا والقارة ككل. حاولت في ختام كلامي أن أشرح للشباب هناك ما أحرزنا جميعًا من تقدم، بفضل مانديلا. ذكرتهم بإنسانيته حيال سجَّانيه السابقين، وطلبت منهم مساعدتنا على خلق عالم يسوده التفاهم المتبادل والعدالة، حيث يحظى كل شاب وفتاة بفرصة النضال. ذكرتهم بأن عبئًا كبيرًا يقع على عاتق مَن ينتمي إلى دولة يكنُّ لها العالم أجمع الإعجاب، على ما هي حال الولايات المتحدة وجنوب أفريقيا، إذ يتطلّب منه التزام مجموعةٍ من المعايير العالية. وإرادته في تحمّل هذه الأعباء الثقيلة هي ما ميَّز نيلسون مانديلا دائمًا.

توفي نيلسون مانديلا في ٥ كانون الأول/ديسمبر ٢٠١٣، عن عمرٍ ناهز الخامسة والتسعين. وكما كثر في العالم، حزنتُ لخسارة أحد أعظم رجال الدولة في عصرنا، وفقدان صديق عزيز. عنى الكثير لعائلتنا طويلًا. طلب منا الرئيس أوباما مرافقته إلى الجنازة، مع ميشيل وجورج ولورا بوش. انضممت إليهم مع بيل وتشيلسي اللذين كانا في البرازيل ووافيانا إلى هناك.

في الطائرة الرئاسية التي يسهل سفر أي عائلة رئاسية فيها، إذ تضم سريرين وحمامًا ومكتبًا، شغل الرئيس والسيدة أوباما مقصورتهما في الجزء الأمامي منها. وخُصّصت لآل بوش الغرفة التي يشغلها عادةً الفريق الطبي، بينما كنت في غرفة كبار الموظفين. دعاني آل أوباما للانضمام إليهم مع آل بوش في قاعة المؤتمرات الكبرى. تحدثت مع جورج ولورا عن نمط «الحياة بعد مغادرة البيت الأبيض»، ووصف جورج شغفه بالرسم الذي اكتشفه أخيرًا. حين سألته هل في حوزته صور عن رسوماته، بحث في الآي باد ليرينا أحدث أعماله، وهي عبارة عن جماجم حيوانية بيضٍ عثر عليها في مزرعته. وأوضح أنه يتدرب على رسم أطياف لونية متدرجة من الأبيض. بداً جليًّا امتلاكه الموهبة وعمله الجدي لتعلم هذا الفن. كان الجو هادئًا ومريحًا. وبعيدًا عن السياسة، حظينا بتجربة فريدة، فإيجاد الوقت للِّقاء وتبادل القصص أمر مفيد دائمًا ومسلٍّ في كثير من الأحيان.

أقيمت الجنازة في ملعب في سويتو حيث هطلت الأمطار في شكل متواصل. انضم ملوك حاليون وسابقون، وملكات، ورؤساء، ورؤساء وزراء وشخصيات كبيرة من مختلف أنحاء العالم إلى آلاف الجنوب أفارقة لوداع الرجل الذي سمّاه الرئيس أوباما «أحد عمالقة التاريخ».

وعاودت بعد الاحتفال الرسمي، زيارة غراسا وأفراد العائلة الآخرين والموظفين المقربين على انفراد في بيتهم في جوهانسبرغ مع بيل وتشيلسي. ودونًا عبارات في سجل التذكارات على شرف مانديلا، واستعدنا حكايا عن مسيرته المميزة. وقد شارك في الاحتفال الرسمي أيضًا صديق آخر، هو نجم موسيقا الروك والناشط بونو، الذي أصبح داعيةً فاعلًا ومتفانيًا في مكافحة الفقر في العالم، وربطته بمانديلا شركة وصداقة قوية. وفي الفندق حيث أقمنا، جلس بونو إلى بيانو أبيض كبير وعزف وأدى أغنية أهداها إلى ذكرى مانديلا. لست عازفة بيانو ماهرة مثل كوندي رايس،

لكن بونو تكرَّم عليّ وسمح لي بأن أجلس إلى جواره لأؤدي بعض النوتات، مما سرَّ زوجي المحب للموسيقا.

وتذكرت احتفال تنصيب ماديبا عام ١٩٩٤، وتعجبت مما أنجزه ودولته. لكنني أملت أيضًا في أن تغتنم جنوب أفريقيا هذه اللحظة الحزينة لتلتزم مجددًا المسار الذي بدأ به مانديلا من أجل تحقيق ديمقراطية أقوى وأشمل، ومجتمع إنساني أكثر عدالة ومساواة. وتمنيت أن يسود الأمر نفسه، العالم أجمع. حين تسلَّم مانديلا جائزة نوبل للسلام، أخبر عن حلمه بـ «عالم من الديمقراطية واحترام حقوق الإنسان، عالم خالٍ من ويلات الفقر والجوع والحرمان والجهل». مع رؤية كهذه، كل شيءٍ ممكن، وأحد أحرّ آمالي أن تبرز في القرن الحادي والعشرين أفريقيا التي تخلق فرصًا لشبابها، وديمقراطيةً لمواطنيها، وسلامًا للجميع. ستكون تلك أفريقيا الجديدة بمسيرة نيلسون مانديلا الطويلة نحو الحرية.

الجزء الخامس

الاضطرابات

الفصل الرّابع عشر

الشّرق الأوسط:
مسار السّلام المتقلقل

يحمل العلم الفلسطيني ثلاثة ألوان: الأسود، والأبيض، والأخضر، مع مثلث أحمر يبرز فوق الرافعة. حظرت الحكومة الإسرائيلية رفعه في الأراضي الفلسطينية منذ حرب الأيام الستة عام ١٩٦٧ حتى اتفاقات أوسلو للسلام عام ١٩٩٣. نظر إليه البعض كشعار للإرهاب، والمقاومة، والانتفاضة العنيفة على الحكم الإسرائيلي التي هزت الأراضي الفلسطينية نهاية ثمانينات القرن العشرين. ولا يزال العلم، بعد سبعة عشر عامًا على اتفاقات أوسلو، رمزًا مثيرًا للنقاشات والجدل بين بعض المحافظين الإسرائيليين. لذا كان مفاجئًا أن أصل منتصف أيلول/سبتمبر ٢٠١٠ إلى المقر الرسمي في القدس لرئيس الوزراء بنيامين «بيبي» ناتنياهو، رئيس حزب الليكود اليميني، وأجد الألوان الفلسطينية الأسود والأخضر والأبيض إلى جانب علم إسرائيل الأبيض والأزرق المألوف.

وأتى رفع العلم الفلسطيني لفتة مصالحة من رئيس الوزراء تجاه ضيفه الآخر ذلك النهار، رئيس السلطة الفلسطينية محمود عباس، علمًا أن بيبي انتقد سلفه، إيهود أولمرت، عندما قام بالشيء نفسه قبل أعوام. «يسعدني أنك جئت إلى منزلي»، قال بيبي، وهو يستقبل عباس. توقف الرئيس الفلسطيني على المدخل، ليوقع على سجل الزوار الخاص برئيس الوزراء: «اليوم، عدت إلى

هذا المنزل بعد غياب طويل لاستئناف المحادثات والمفاوضات، على أمل التوصل إلى سلام دائم في المنطقة بأسرها، وخصوصًا بين الشعبين الإسرائيلي والفلسطيني».

لم يؤدّ تبادل هذه الكلمات اللطيفة إلى تخفيف حدّة التوتر التي شعرنا بها جميعًا. جلسنا في مكتب ناتنياهو الصغير وبدأنا بالحديث، وتناولنا فورًا موضوع النقاش الرئيس: بعد أقل من أسبوعين تنتهي مهلة الأشهر العشرة لوقف بناء المستوطنات الإسرائيلية الجديدة في الضفة الغربية. وإذا لم نتوصل إلى اتفاق لتمديد تجميدها، تعهَّد عباس الانسحاب من المفاوضات المباشرة التي بدأناها للتو، فيما ثبت ناتنياهو على موقفه أن الأشهر العشرة أكثر من كافية. تطلَّبت موافقة هذين الزعيمين على التفاوض وجهًا لوجه لحلٍّ نزاع ابتليت به منطقة الشرق الأوسط منذ عقود، حوالى عامين من الدبلوماسية الصعبة، وتتعلق بهما أخيرًا معالجة القضايا الجوهرية التي استعصت على كل الجهود السابقة لصنع السلام، بما يشمل حدود الدولة الفلسطينية مستقبلًا، وتدابير إسرائيل الأمنية، واللاجئين، ووضع القدس، المدينة التي يدعي كلا الطرفين أنَّها عاصمته. وبدا آنذاك أنهما سينسحبان من المفاوضات في لحظة حاسمة، ولم أكن واثقة بأننا سنجد وسيلة للخروج من المأزق.

لقد زرت إسرائيل للمرة الأولى في كانون الأول/ديسمبر عام ١٩٨١، في رحلة كنسية إلى الأراضي المقدسة، ورافقني بيل. وفيما تولى والداي رعاية تشيلسي في ليتل روك، أمضينا عشرة أيام في استكشاف الجليل، ومسعدة، وتل أبيب، وحيفا، وشوارع مدينة القدس القديمة. صلينا في كنيسة القيامة، حيث دُفِن المسيح وقام على ما يؤمن المسيحيون. وأدَّينا كذلك واجب الاحترام لبعض أقدس الأماكن بالنسبة إلى المسيحيين واليهود والمسلمين، بما فيها حائط المبكى، والمسجد الأقصى وقبة الصخرة. أحببت القدس. حتى وسط هذا التاريخ والتقاليد، كانت مدينة تنبض بالحياة والطاقة. وأعجبت جدًّا بمقدرة الشعب الإسرائيلي ومثابرته، إذ جعل الصحراء تزهر، وبنى ديمقراطية ناجحة في منطقة تعج بالخصوم والمستبدين.

وقصدنا بعد القدس أريحا، في الضفة الغربية، حيث شهدت للمرة الأولى معيشة الفلسطينيين تحت الاحتلال، وقد حرموا الكرامة وتقرير المصير اللذين يعدُّهما الأميركيون حقًّا مكتسبًا. عدت وبيل من تلك الرحلة وقد شعرنا بروابط متينة تشدُّنا إلى الأراضي المقدسة وشعبيها، وعقدنا الأمل طوال أعوام، على أن يتوصل الإسرائيليون والفلسطينيون يومًا إلى حلٍّ لصراعهما والعيش في سلام.

عدت إلى إسرائيل في الأعوام الثلاثين اللاحقة مرارًا وتكرارًا، فكونتُ صداقات، وتعرفت إلى

بعض أعظم قادة إسرائيل، وعملت معهم. فربطتني، كسيدة أولى، صداقة متينة برئيس الوزراء إسحق رابين وزوجته ليا، على الرغم من أنني أعتقد أن إسحق لم يسامحني قط على طرده إلى شرفة البيت الأبيض وتعريضه للهواء القارس كلّما أراد أن يُدخن. (بعدما اتهمني رابين بأنني أخاطر بمسار السلام بهذه السياسة، رضخت، وقلت له: «حسنًا، إذا كان التدخين يعزّز جهود السلام، فسأكسر القاعدة هذه المرة، لكنّ الأمر لا ينطبق إلّا عليك!»). جعل توقيع رابين وعرفات اتفاقات أوسلو، وقد ترافق مع مصافحتهما الشهيرة في الحديقة الجنوبية في البيت الأبيض، يوم ١٣ أيلول/سبتمبر ١٩٩٣، أحد أفضل أيام ولاية بيل الرئاسية. وكان أسوأها ٤ تشرين الثاني/نوفمبر ١٩٩٥، حين اغتيل رابين. لن أنسى جلوسي مع ليا في جنازته في إسرائيل ومرثاة حفيدتهما نواه التي تفطر القلب.

ولن أنسى أيضًا إسرائيليين سقطوا ضحية الإرهاب، وقد التقيتهم طوال الأعوام. عدتهم في غرف المستشفيات، واسيتهم، وسمعت الأطباء يتحدثون عما بقي من شظايا في ساقٍ، أو ذراعٍ، أو رأس. وقصدت مطعمًا للبيتزا في القدس فُجِّر بعملية انتحارية في شباط/فبراير ٢٠٠٥، خلال بعض أحلك أيام الانتفاضة الثانية التي حصدت آلاف القتلى الفلسطينيين وحوالى ألف إسرائيلي بين العامين ٢٠٠٠ و٢٠٠٥. وسرت على طول السياج الأمني قرب مستوطنة جيلو، وتحدثت إلى عائلات تعرف أن صاروخًا قد يطيح منزلها في أي لحظة. لن أنسى هذه التجارب ما حييت.

وهذه قصة عن إسرائيلي ترك أعمق أثر في حياتي. التقيت يوشاي بورات عام ٢٠٠٢. كان في السادسة والعشرين فقط لكنه كان طبيبًا بارزًا في «الخدمة الطبية الطارئة» في إسرائيل. أشرف على برنامج لتدريب المتطوعين الأجانب، وكانت تلك الدفعة الأولى من المستجيبين في إسرائيل. حضرتُ احتفالات التخريج، وأذكر الفخر الذي بدا على محيّاه وقد حضّر مجموعة الشباب هذه لإنقاذ الأرواح. وكان يوشاي أيضًا احتياطيًّا في جيش الدفاع الإسرائيلي. بعد أسبوع على لقائنا، قتله قنّاص قرب حاجزٍ، إضافةً إلى جنود ومدنيين آخرين. سمّت الخدمة الطبية الطارئة برنامج التطوع في الخارج باسمه، تخليدًا لذكراه. حين زرت إسرائيل مجددًا عام ٢٠٠٥، التقيت عائلة يوشاي التي تحدثت، في حماسة، عن أهمية مواصلة دعم الخدمة الطبية الطارئة ورسالتها. عدت إلى الولايات المتحدة وأطلقت حملة لإقناع الصليب الأحمر الدولي بالاعتراف بالخدمة الطبية الطارئة عضوًا يحق له التصويت، بعد نصف قرن من إقصائها، وقد وافق عام ٢٠٠٦.

ولست الوحيدة في إيلاء اهتمام خاص بأمن إسرائيل ونجاحها. يُعجب بها أميركيون كثر بصفة كونها موطن شعب ظُلِم طويلًا، وديمقراطية عليها أن تدافع عن نفسها عند كل منعطف. تعكس قصة إسرائيل ما عانيناه، وحكاية جميع الشعوب التي كافحت من أجل الحرية والحق في تقرير مصيرها. لذا انتظر الرئيس هاري ترومان إحدى عشرة دقيقة فقط للاعتراف بدولة إسرائيل

الجديدة عام ١٩٤٨. فإسرائيل أكثر من دولة، هي حلمٌ راوَدَ أجيالًا، وتحقق بفضل رجال ونساء رفضوا الرضوخ لأصعب المشقّات. وهي كذلك مثال الاقتصاد الناجح الذي أثبت أن الابتكار وريادة الأعمال والديمقراطية تُحقق الازدهار حتى في الظروف التي لا ترحم.

وكنت كذلك من الأصوات الأولى التي دعت علنًا إلى إقامة دولة فلسطينية. ففي التصريحات التي تلت «قمة بذور السلام للشباب في منطقة الشرق الأوسط» عام ١٩٩٨، قلت للإسرائيليين والفلسطينيين، من جيل الشباب، إن دولة فلسطينية «ستكون من مصلحة الشرق الأوسط على الأجل الطويل». حظيت تعليقاتي باهتمام إعلامي كبير، وقد سبقت بعامين الدولة المقترحة في خطة طرحها بيل قبل انتهاء ولايته الرئاسية، وقَبِلَها رئيس الوزراء الإسرائيلي إيهود باراك ورفضها عرفات، وقبل ثلاثة أعوام على تبني إدارة بوش كيان الدولة الفلسطينية سياسةً رسمية أميركية.

وصلت إدارة أوباما إلى الحكم في مرحلة محفوفة بالمخاطر في منطقة الشرق الأوسط. فطوال كانون الأول/ديسمبر ٢٠٠٨، أطلق مقاتلون من حركة حماس الفلسطينية المتطرفة صواريخ على إسرائيل من قطاع غزة الذي سيطرت عليه بعدما أجبرت حركة فتح المنافسة لها على الخروج منه عام ٢٠٠٧. اجتاح الجيش الإسرائيلي غزة مطلع كانون الثاني/يناير عام ٢٠٠٩، لوقف الهجمات الصاروخية. في الأسابيع الأخيرة من إدارة بوش، اشتبكت القوات الإسرائيلية مع مسلحي حماس في شوارع المناطق المكتظة بالسكان. وعُدَّت «عملية الرصاص المصبوب» نصرًا عسكريًّا لإسرائيل - تكبدت حماس خسائر فادحة في الأرواح وفقدت معظم مخزونها من الصواريخ والأسلحة - لكنها بدت كارثةً على علاقاتها العامة. فقد قُتِل أكثر من ألف فلسطيني، وواجهت إسرائيل إدانة دولية واسعة النطاق. وفي ١٧ كانون الثاني/يناير، قبل أيام من تنصيب الرئيس أوباما، أعلن رئيس الوزراء إيهود أولمرت وقفًا لإطلاق النار بدءًا من منتصف الليل، إذا توقفت حماس وجماعة متشددة أخرى في غزة، هي الجهاد الإسلامي الفلسطيني، عن إطلاق الصواريخ. وافق المحاربون في اليوم التالي، وتوقف القتال، لكنَّ إسرائيل أطبقت حصارها على غزة، مغلقةً الحدود أمام حركة المرور والتجارة. وبدأت حماس فورًا بإعادة بناء ترسانتها باستخدام أنفاق تهريب سرية تصل إلى ما بعد حدود مصر. بعد يومين، أقسم الرئيس أوباما اليمين الدستورية وتولى منصبه في واشنطن.

أجريت اتصالي الهاتفي الأول، وزيرةً للخارجية، بأولمرت، على وقع الأزمة في غزة التي جذبت اهتمام العالم. ناقشنا فورًا طريقة الحفاظ على وقف إطلاق النار الهش وحماية إسرائيل من هجمات صاروخية جديدة، فضلًا عن معالجة الاحتياجات الإنسانية الملحة في غزة. تحدثنا أيضًا عن استئناف مفاوضات السلام التي قد تؤدي إلى إنهاء الصراع مع الفلسطينيين وتحقيق

السلام الشامل لإسرائيل والمنطقة. قلت لرئيس الوزراء إنني والرئيس أوباما سنعيّن السيناتور السابق جورج ميتشل مبعوثًا خاصًّا جديدًا للسلام في الشرق الأوسط في وقت لاحق من ذلك النهار. وصف أولمرت ميتشل بـ «الرجل الطيّب»، وأعرب عن أمله في أن نتمكن من العمل معًا على كل المواضيع التي ناقشناها.

وانضممت، بداية آذار/مارس، إلى ممثلين من دول مانحة دولية أُخرى لمؤتمر عُقد في مصر من أجل زيادة المساعدات الإنسانية للأُسر الفلسطينية المحتاجة في غزة. كانت خطوةً لمساعدة الفلسطينيين والإسرائيليين المعذبين على تخطي أعمال العنف التي شهدوها أخيرًا. بغض النظر عن السياسة المتشابكة في الشرق الأوسط، كان من المستحيل تجاهل المعاناة الإنسانية، خصوصًا ما يتعلق بالأطفال. يحق للأولاد الفلسطينيين والإسرائيليين، كمثل أقرانهم في العالم كلِّه، أن يحظوا بطفولة آمنة مع تعليم جيد، ورعاية صحية، وفرصة لبناء مستقبل مشرق. ويتقاسم الآباء والأمهات في غزة والضفة الغربية الطموحات نفسها للآباء والأمهات في تل أبيب وحيفا للحصول على وظيفة جيدة، ومنزل آمن، وفرص أفضل لأطفالهم. فَهْمُ هذا هو نقطة الانطلاق الأساسية لردم الفجوات التي تقسم المنطقة، وتوفير الدعامة لسلام دائم. حين أبديت هذا الرأي في مؤتمر القاهرة، صفَّق، في حفاوة، ممثلو وسائل الإعلام العرب المُناهضون عادة لمواقفنا.

وفي القدس، كان من دواعي سروري رؤية صديقي القديم شمعون بيريز، أسد اليسار الإسرائيلي الذي ساعد على بناء دفاعات الدولة الجديدة، وفاوض في أوسلو، وتابع قضية السلام بعد اغتيال رابين. وإذ انتخب رئيسًا، بات دور بيريز شرفيًّا إلى حد كبير، لكنَّه عُدَّ بمثابة الوجدان الحي للشعب الإسرائيلي. ظلَّ يعتقد أن الحلّ يكمن في إقامة دولتين، مع اعترافه بصعوبة تحقيق ذلك. «لا نستخفّ بالحمل الذي يقع على كتفيكِ راهنًا»، على ما قال لي، «لكنني أظنهما قويتين بما فيه الكفاية، وستجديننا شريكًا حقيقيًّا وصادقًا من أجل هدف مزدوج: منع الإرهاب ووقفه وتحقيق السلام لجميع الناس في الشرق الأوسط».

وقد تشاورت أيضًا مع أولمرت ووزيرة خارجيته الذكية والحازمة تسيبي ليفني، عميلة الموساد السابقة، على نزع فتيل التوترات في غزة وتعزيز وقف إطلاق النار. بدا أن الصراع قد يندلع في أي لحظة مع استمرار الهجمات الصاروخية والقصف المتقطع. وأردت أيضًا طمأنة إسرائيل إلى التزام إدارة أوباما أمن إسرائيل ومستقبلها دولةً يهودية. «يجب ألّا يُتوقَع من أي دولة أن تقف موقف المتفرج فيما القذائف تنهمر على شعبها وأراضيها»، على ما قلت. طوال سنوات، وفي عهد الإدارات الديمقراطية والجمهورية على السواء، التزمت الولايات المتحدة مساعدة إسرائيل على الحفاظ على «التفوق العسكري النوعي» على كل منافس في المنطقة، وقد أردت والرئيس أوباما أن نعليه درجةً. لذلك سنعمد مباشرة إلى توسيع التعاون الأمني وتعزيز مشاريع الدفاع المشترك الرئيسة،

بما يشمل «القبة الحديدية»، وهي نظام دفاع صاروخي قصير المدى سيساعد على حماية المدن والمنازل الإسرائيلية من الصواريخ.

صمَّم أولمرت وليفني على التحرك نحو سلام شامل في المنطقة، والتوصل إلى إقامة دولتين لحلِّ الصراع مع الفلسطينيين، على الرغم من خيبات الأمل الكثيرة من وقف المفاوضات طوال عقود. لكنهما كانا في طريقهما إلى الخروج من السلطة. أعلن أولمرت استقالته بعدما حامت حوله الريبة من تهم الفساد، ومعظمها ناجم عن خدمته السابقة رئيسًا لبلدية القدس. وتولَّت ليفني قيادة حزب كاديما، وترشحت إلى الانتخابات الجديدة ضد نتنياهو والليكود. وقد فاز حزب كاديما في الواقع وتقدَّم بمقعد على حزب الليكود في البرلمان الإسرائيلي، الكنيست، (ثمانية وعشرون مقعدًا لكاديما، في مقابل سبعة وعشرين لليكود)، لكنَّ ليفني عجزت عن تشكيل ائتلاف أكثري قابلٍ للاستمرار بين الأحزاب الصغيرة المنقسمة التي تشكِّل ميزان القوى. وعليه، أُتيحت لنتنياهو فرصةٌ لتأليف الحكومة.

تناولتُ وليفني موضوع تشكيل حكومة ائتلافية بين كاديما وليكود قد تكون أكثر انفتاحًا على السعي إلى سلام مع الفلسطينيين، لكنها رفضت الفكرة في شكلٍ قاطع: «لا، لن أُشارك في حكومته»، على ما قالت لي. وعليه، شكَّل نتنياهو ائتلافًا أكثريًّا من الأحزاب الصغيرة، وعاد إلى منصب رئاسة الحكومة الذي كان شغله بين العامين ١٩٩٦ و١٩٩٩.

عرفتُ نتنياهو طوال أعوام. هو شخصية معقَّدة. أمضى مراحل نشأته في الولايات المتحدة، ودرس في جامعة هارفرد ومعهد ماساشوستس للتكنولوجيا، وعمل لوقت قصير في مجموعة بوسطن الاستشارية مع ميت رومني عام ١٩٧٦. شكك نتنياهو جدًّا في اتفاقات أوسلو وفكرة الأرض في مقابل السلام، وحلّ الدولتين الذي يعطي الفلسطينيين دولة خاصة بهم في الأراضي المحتلة من إسرائيل منذ العام ١٩٦٧. وركّز اهتمامه أيضًا، وهو أمر مفهوم، على التهديد الإيراني لإسرائيل، خصوصًا إمكان امتلاك طهران السلاح النووي. تشكَّلت وجهات نظر نتنياهو المتشددة من تجربته الخاصة في جيش الدفاع الإسرائيلي، خصوصًا خلال حرب يوم الغفران عام ١٩٧٣؛ وذكرى شقيقه يوناتان، الضابط في القوات الخاصة الذي حظي باحترام كبير وقُتِل أثناء قيادته عملية عنتيبي عام ١٩٧٦؛ وتأثير والده، بنزيون، المؤرخ المتطرف الذي حبّذ إقامة دولة يهودية تشمل الضفة الغربية وقطاع غزة كاملين منذ ما قبل ولادة دولة إسرائيل. وثبت نتنياهو الأب على موقفه هذا حتى وفاته عام ٢٠١٢ عن عمر يناهز مئة عام وعامين.

وأتى نتنياهو لرؤيتي في آب/أغسطس عام ٢٠٠٨ بعد انتهاء حملتي الرئاسية، في مكتبي في مجلس الشيوخ، على الجادة الثالثة في نيويورك. بعد عقدٍ خارج العمل السياسي، من جرّاء هزيمته

في انتخابات العام ١٩٩٩، عاد بيبي وتبوأ رئاسة حزب الليكود، واستعد لاسترجاع منصب رئاسة الوزراء. وفي قاعة المؤتمرات المطلة على حي مانهاتن حيث جلسنا، حلّل منطقيًّا تقلبات الأقدار. قال لي إن رئيسة الوزراء مارغريت ثاتشر، المرأة الحديد، نصحت له بعد إقصائه عن السلطة: «توقَّع دائمًا ما هو غير متوقع»، وأعطاني آنذاك النصيحة نفسها. وبعد أشهر، حين قال لي الرئيس أوباما للمرة الأولى «وزيرة الخارجية»، تذكرت ما توقعه بيبي.

ولقد عدَّ كلانا لاحقًا تلك المحادثة بداية جديدة في علاقتنا. على الرغم من اختلافاتنا السياسية، عملت ونتنياهو معًا شريكين وصديقين. تجادلنا كثيرًا في مكالمات هاتفية استمرت أحيانًا ساعةً أو ساعتين. ولكن، حتى عندما اختلفنا، حافظنا على التزام التحالف الذي لا يتزعزع بين بلدينا. تعلَّمت أن بيبي يقاتل متى شعر أنه حُشِر في زاوية، ولكن إذا تواصلت معه صديقًا، تحظى بفرصة لتحقيق شيء معًا.

ففي المنطقة التي لا تزال تعاني الصراع في غزة، ومع شعور الريبة حيال القيادة الجديدة في إسرائيل، بدت احتمالات التوصل إلى اتفاق لسلام شامل شاقة، أقلّه.

مضى عقد تقريبًا على سيادة العنف النابع من الانتفاضة الثانية التي بدأت في أيلول/سبتمبر عام ٢٠٠٠. قُتِل حوالى ألف إسرائيلي وجُرح ثمانية آلاف في الهجمات الإرهابية منذ أيلول/سبتمبر ٢٠٠٠ إلى شباط/فبراير ٢٠٠٥، في حين سقط للفلسطينيين ثلاثة أضعاف هذا العدد، قتلى، إضافةً إلى آلاف الجرحى في المرحلة نفسها. وبدأت إسرائيل ببناء سياج أمني طويل لفصل إسرائيل تمامًا عن الضفة الغربية. نتيجةً لهذه التدابير الوقائية، أعلنت الحكومة الإسرائيلية تراجعًا حادًّا في الهجمات الإرهابية، من أكثر من خمسين، عام ٢٠٠٢، إلى انتفائها نهائيًّا عام ٢٠٠٩. كان ذلك مصدر ارتياح كبير للإسرائيليين، لكنَّه خفَّف عنهم الضغط للسعي إلى أمان دائم يحققه اتفاق سلام شامل.

علاوةً على ذلك، استمر عدد المستوطنين الإسرائيليين في الضفة الغربية في النمو، ومعظمهم يعارض في شدة، التنازل عن الأرض أو إغلاق المستوطنات في ما سمّوه «اليهودية والسامرة»، وهو الاسم التوراتي للأرض على الضفة الغربية من نهر الأردن. حاول بعض المستوطنين الذين انتقلوا إلى مواقعَ تتجاوز «الخط الأخضر» للعام ١٩٦٧ تفادي أزمة السكن المكلفة في المدن الإسرائيلية، لكنَّ آخرين اندفعوا بغيرة دينية واعتقاد أن الضفة الغربية هي الأرض التي وعد بها اللّه اليهود. وكان المستوطنون قاعدة نتنياهو السياسية، وشريكه الرئيس في الائتلاف، حزب بيتنا الإسرائيلي الذي يتزعمه أفيغدور ليبرمان، وهو مهاجر روسي أصبح وزير الخارجية في الحكومة الجديدة. عدَّ ليبرمان التفاوض على تنازلات علامة ضعف، وكان له تاريخ طويل في معارضة مسار أوسلو للسلام. واعتقد بيبي وليبرمان أيضًا أنَّ برنامج إيران النووي خطر يهدد أمن إسرائيل على المدى

الطويل أكثر من الصراع الفلسطيني. فأسهم كل ذلك في عزوف قادة إسرائيل عن اتخاذ الخيارات الصعبة اللازمة لتحقيق سلام دائم.

بعدما التقيت في القدس القادة الإسرائيليين المنتهية ولايتهم، والجدد منهم، بداية آذار/مارس ٢٠٠٩، عبرت إلى الضفة الغربية، وتوجهت إلى رام اللّه، مقر السلطة الفلسطينية. وفقًا لاتفاقات سابقة، أدارت السلطة الفلسطينية أجزاء من الأراضي الفلسطينية، وحافظت على قوات أمنها الخاصة. زرت مدرسة حيث يتعلَّم الطلاب الفلسطينيون اللغة الإنكليزية برعاية برنامج أميركي. صودف أنهم كانوا يدرسون في أحد الصفوف تاريخ المرأة ذلك الشهر، ويطّلعون على سيرة حياة سالي رايد، رائدة الفضاء الأولى في أميركا. بدا الطلاب، خصوصًا الفتيات، مفتونين بالقصة. وحين طلبت منهم وصف سالي رايد وإنجازاتها بعبارة واحدة، ردّ أحدهم، «الأمل في النجاح». كان مشجعًا هذا الموقف الإيجابي بين شباب ينشأ في ظروف صعبة جدًّا، وشككت في أن يسمع أحد المشاعر نفسها في غزة. لخَّص لي ذلك تباين الحظوظ بين منطقتي النفوذ الفلسطينيتين.

تنافست حركتان فلسطينيتان، فتح وحماس، على بسط النفوذ على الشعب الفلسطيني منذ حوالى عشرين عامًا. حين كان عرفات على قيد الحياة، سيطرت حركة فتح التي يتزعمها على الوضع، وكَفَت مكانته الشخصية للحفاظ على السلام بين الحركتين. ولكن بعد وفاته عام ٢٠٠٤، تحوَّل الانقسام صراعًا مفتوحًا. روَّجت حركة حماس أملًا كاذبًا بين الخائبين من فشل عملية السلام في تحقيق تقدم ملموس، في أن الدولة الفلسطينية يمكن أن تتحقق بالعنف والمقاومة الشرسة. وعلى نقيض ذلك، حافظ خليفة عرفات محمود عباس (المعروف أيضًا بأبي مازن) رئيس حركة فتح ومنظمة التحرير على مبدأ اللاعنف، وحثَّ شعبه على الاستمرار في المطالبة بحلٍّ سلمي عبر التفاوض، وتعزيز الاقتصاد والمؤسسات لدولة فلسطينية مستقبلية.

وفازت حركة حماس عام ٢٠٠٦ في الانتخابات التشريعية في الأراضي الفلسطينية بدعم من إدارة بوش، على الرغم من اعتراضات بعض أعضاء حركة فتح والإسرائيليين. أدى الانتصار المقلق إلى أزمة جديدة مع إسرائيل وصراع عنيف على السلطة مع حركة فتح.

ولقد أصدرتُ بيانًا فور تلقيَّ نتائج الانتخابات في مكتبي في مجلس الشيوخ يدين حماس، وشددت: «ما لم تنبذ حركة حماس العنف والإرهاب وتتخلى عن موقفها الداعي إلى تدمير إسرائيل، لا أعتقد أن على الولايات المتحدة أن تعترف بها، ويجب على كل دولة في العالم أن تقوم بالمثل». ذكرتنا هذه النتيجة بأن الديمقراطية لا تقتصر على الفوز في الانتخابات، وإذا أرادت الولايات المتحدة دعم إجرائها، تقع علينا مسؤولية مساعدة الناس والأحزاب على فهم مسارها وقواعدها.

خسرت فتح مقاعد كثيرة لأنها تقدمت بمرشَّحَيْن إلى كل دائرة، فيما اكتفت حماس بواحد. كان خطأ مكلفًا. قادت حماس في العام التالي، انقلابًا على سلطة عباس الذي بقي رئيسًا، على الرغم من خسائر حزبه في الانتخابات التشريعية. ومع سيطرة حماس على الضفة الغربية، انقسم الشعب الفلسطيني بين مركزي نفوذ متنافسَيْن ورؤيتين للمستقبل مختلفتين جدًّا.

وجعل هذا الانقسام احتمالات استئناف مفاوضات السلام بعيدة المنال، وزاد من تردد الإسرائيليين. ولكن، نتيجةً لهذا التدبير غير العادي، استطاع الجانبان اختبار نهجهما في الحكم، وأمكن رؤية النتائج كل يوم في الشوارع والأحياء الفلسطينية. في غزة، تولَّت حماس الإشراف على قطاعٍ متداعٍ من الرعب واليأس. خزَّنت الصواريخ في حين غرق الناس في الفقر. وارتفعت نسبة البطالة إلى ٤٠ في المئة، وازدادت أكثر بين الشباب. وأعاقت حركة حماس المساعدات الدولية وعمل المنظمات غير الحكومية الإنساني، وقامت بالقليل لتعزيز النمو الاقتصادي المستدام. بدلًا من ذلك، سعت حماس إلى صرف الفلسطينيين عن فشلها في الحكم الفاعل، بإذكاء توترات جديدة مع إسرائيل والتحريض على الغضب الشعبي.

أما في الضفة الغربية، فقد قدّم عباس ورئيس الوزراء سلام فيَّاض، التكنوقراطي القادر، نتائج مختلفة جدًّا في وقت قصير نسبيًّا. توصلا إلى التصدي للفساد وبناء مؤسسات شفافة، خاضعة للمساءلة. وساعدت الولايات المتحدة وغيرها من الشركاء الدوليين، خصوصًا الأردن، على تعزيز فاعلية قوات أمن السلطة الفلسطينية وإمكان الاعتماد عليها، وكانت تلك أولوية إسرائيلية. وبدأت الإصلاحات تزيد ثقة العامة بالمحاكم، وارتفعت عام ٢٠٠٩ نسبة القضايا التي تولتها ٦٨ في المئة مقارنة بالعام ٢٠٠٨. وتمّت أخيرًا جباية الضرائب. وانطلقت السلطة الفلسطينية في بناء المدارس، والمستشفيات، وتدريب المعلمين والعاملين في القطاع الطبي. وعملت حتى على برنامج التأمين الصحي الوطني. كذلك أدت السياسات المالية المسؤولة، ودعم المجتمع الدولي - بما في ذلك مئات الملايين من الدولارات سنويًّا من الولايات المتحدة، التي تحتل رأس لائحة الدول المانحة بالنسبة إلى السلطة الفلسطينية - وتعزيز الأمن وسيادة القانون، إلى نمو اقتصادي مهم. وعلى الرغم من التحديات الاقتصادية المستمرة، عثر كثر من الفلسطنيين في الضفة الغربية على وظائف، وأسسوا شركات، وتجاوزوا الركود الاقتصادي الذي أعقب اندلاع الانتفاضة الثانية عام ٢٠٠٠. وارتفع عدد الرخص التجارية الجديدة الصادرة في الضفة الغربية في الأشهر الثلاثة الأخيرة من العام ٢٠٠٩ بنسبة ٥٠ في المئة عمّا كانت عليه في المرحلة نفسها عام ٢٠٠٨، إذ انصرف الفلسطينيون إلى كل أنواع الأعمال، من صناديق استثمار رؤوس الأموال، إلى المتاجر والفنادق الفاخرة. وانخفضت البطالة في الضفة الغربية إلى أقل من نصف المعدل السائد في قطاع غزة.

وبقي الكثير للقيام به، على الرغم من هذا التقدم. لا يزال الكثيرون محبطين وعاطلين من العمل. والتحريض على إسرائيل والعنف مشكلتان رئيستان، ونأمل في أن نرى المزيد من الإصلاحات للقضاء على الفساد، وغرس ثقافة السلام والتسامح بين الفلسطينيين، وتقليص الاعتماد على المساعدات الخارجية. ولكن أصبح من الممكن تصوُّر دولة فلسطينية مستقلة قادرة على حكم نفسها، وتحمُّلِ مسؤولياتها، وتوفير الأمن لمواطنيها وجيرانها. وأفاد البنك الدولي في أيلول/سبتمبر ٢٠١٠ أن السلطة الفلسطينية «ستكون في وضع جيد يؤهلها لإقامة دولة في المستقبل القريب»، إذا حافظت على زخمها في بناء المؤسسات وتقديم الخدمات العامة.

وقد عاينت التقدم مباشرة في زيارات للضفة الغربية عامي ٢٠٠٩ و٢٠١٠. اصطف ضباط الأمن الفلسطيني على الطرق، مجهزين بعتاد كامل، وقد تدربوا بمساعدةٍ من الولايات المتحدة والأردن. وفي الطريق إلى رام اللّه، لاحظتُ المباني السكنية وأبراج المكاتب تعلو على التلال. ولكن، حين حدقت في وجوه الرجال والنساء الذين خرجوا من محالهم ومنازلهم، بدا مستحيلاً نسيان تاريخ هذا الشعب المؤلم الذي لا يملك دولة. فالتقدم الاقتصادي والمؤسَّسي مهم وضروري، لكنّه لا يكفي. لن تتحقق تطلعات الشعب الفلسطيني المشروعة قبل أن يُعتمد حلّ الدولتين اللتين تضمنان الكرامة والعدالة والأمن للفلسطينيين والإسرائيليين على السواء.

وسأظل على اقتناعي بأن عرفات ارتكب خطأً فادحًا عامي ٢٠٠٠ و٢٠٠١ برفضه الانضمام إلى رئيس الوزراء باراك في قبوله «اقتراحات كلينتون»، مما كان سيمنح الفلسطينيين دولةً في الضفة الغربية وقطاع غزة، عاصمتها القدس الشرقية. وهذا ما نحاوله راهنًا مع الرئيس عباس الذي عمِلَ طويلاً، وفي جهد، لتحقيق أحلام شعبه. وأدرك أن تلك الأحلام لن تتحقق إلّا بالتفاوض ونبذ العنف. واعتَقَدَ أن فلسطين مستقلة تعيش مع إسرائيل في سلام وأمن، أمران ممكنان وضروريّان. أحيانًا أفكّر في أن الظروف المؤاتية توافرت لعرفات من دون أن يملك العزيمة لاستغلالها، فيما يبدو عباس عازمًا تحقيق السلام، لكن الظروف لا تؤاتيه، على الرغم من أنني في بعض اللحظات المحبطة، أتساءل عن عزمه أيضًا.

بدا أن إقناع الإسرائيليين والفلسطينيين بالعودة إلى طاولة المفاوضات لن يكون سهلاً. لم يخفَ على أحد ما يعني اتفاق سلام نهائي، والتنازلات التي يجب تقديمها؛ وكَمَنَ التحدي في حشد الإرادة السياسية لدى الجانبين لاتخاذ الخيارات وتقديم التضحيات اللازمة من أجل قبول هذه التسويات وصنع السلام. يجب أن تتركز جهودنا الدبلوماسية على بناء الثقة والأمانة في الجانبين، ومساعدة القادة على انتقاء حيّز سياسي للتفاوض بعضهم مع بعض، وإقناعهم بالحجة أن الوضع الراهن لا يُطاق، ولا يمكن المثابرة عليه.

وكنت مقتنعة بأنَّ ذلك صحيح. بالنسبة إلى الفلسطينيين، لم تُنتج عقود من المقاومة والإرهاب والانتفاضات دولة مستقلة، ولن يؤدي الاستمرار على هذا المنوال إلى تحقيق تطلعاتهم المشروعة. فالمفاوضات توفِّر المسار الوحيد الذي يمكن الوثوق به للوصول إلى هذا الهدف، والانتظار يعني فحسب، إطالة أمد الاحتلال والمعاناة في الجانبين على السواء.

ولكن ستكون عملية إقناع الإسرائيليين أصعب، لأن الستاتيكو لا يظهر جليًّا ويطرح إشكالية فورًا. كان الاقتصاد مزدهرًا، والإجراءات الأمنية المشددة خفَّضت خطر الإرهاب كثيرًا، وشعر كثر من الإسرائيليين أن بلادهم حاولت صنع السلام ولم تلقَ في المقابل إلّا الخيبة والعنف. في نظرهم، قدَّمت إسرائيل اتفاقات سخيّة إلى عرفات وعباس، فتنكَّر لها الفلسطينيون. وفي عهد رئيس الوزراء أرييل شارون، انسحبت إسرائيل من جانب واحد من غزة (من دون التفاوض على اتفاق سلام)، فتحولت جيبًا إرهابيًّا تُطلق منه الصواريخ على جنوب إسرائيل. وحين انسحبت إسرائيل من جنوب لبنان، استخدم حزب اللّه والجماعات المسلحة الأخرى، بدعم إيراني وسوري، المنطقة قاعدةً لمهاجمة شمال إسرائيل. ما هو السبب الذي سيُقنع الإسرائيليين بأن التخلي عن مزيدٍ من الأراضي سيؤدي إلى سلامٍ حقيقي؟

تعاطفتُ مع هذه المخاوف، وما تخلفُّه من تهديدات واحباطات. ولكن بما أنني شخص يهتم جدًّا بأمن إسرائيل ومستقبلها، اعتقدت أن هناك اتجاهات ملحة ديمغرافية وتكنولوجية وأيديولوجية تقدِّم حججًا للقيام بمحاولة جدية أُخرى تحقق السلام عبر التفاوض.

فبسبب ارتفاع معدلات الولادات بين الفلسطينيين وانخفاضها في الجانب الإسرائيلي، كنا نقترب من اليوم الذي سيشكّل الفلسطينيون غالبية مجموع السكان في إسرائيل والأراضي الفلسطينية، وسيتحول معظمهم مواطنين من الدرجة الثانية، غير قادرين على التصويت. وما دامت إسرائيل تصّر على التمسك بالأراضي، سيصعب عليها جدًّا، ويغدو مستحيلًا في النهاية، أن تُبقي على نظام حكمها، دولةً ديمقراطيةً ويهوديةً في آن. عاجلًا أم آجلًا، سيكون عليها الاختيار بينهما، أو السماح للفلسطينيين بإقامة دولتهم.

وفي الوقت نفسه، فالصواريخ التي تقع في أيدي حماس في غزة وحزب اللّه في لبنان متطورة جدًّا، وقادرة على الوصول إلى المجتمعات الإسرائيلية البعيدة عن الحدود. وقد أفادت تقارير في نيسان/أبريل ٢٠١٠ أن سوريا تنقل صواريخ سكود البعيدة المدى إلى حزب اللّه في لبنان، والتي يمكنها أن تطاول كل المدن الكبرى في إسرائيل. واعترضت إسرائيل، ربيع العام ٢٠١٤، سفينة تحمل صواريخ «إم - ٣٠٢ أرض - أرض» سورية الصنع، تتجه إلى المقاتلين الفلسطينيين في غزة، ويمكنها أن تطاول أراضي إسرائيل كاملة. لكننا سنواصل تعزيز الدفاعات الجوية الإسرائيلية،

علمًا أن أفضل نظام دفاعي صاروخي يكون بسلام عادل ودائم. وكلّما طال الصراع، ازدادت قوة المتطرفين وقلَّ المعتدلون في الشرق الأوسط.

لكل هذه الأسباب، اعتقدت أن من الضروري إعطاء الدبلوماسية فرصة أخرى لتعزيز أمن إسرائيل على الأمد الطويل. لم تراودني أوهام بأن التوصل إلى اتفاق سيكون أسهل ممّا واجهته الإدارات السابقة، لكنَّ الرئيس أوباما كان مستعدًّا لتوظيف رأس ماله السياسي الخاص، وهذا أمرٌ مُعتَبر. ويتمتع نتنياهو، خصوصًا بسبب موقفه المعروف الداعي إلى استعمال القوة ضد خصوم إسرائيل، بصدقية في نظر الشعب الإسرائيلي لعقد اتفاق سلام، على ما فعل نيكسون مع الصين، إذا اقتنع بأنه في مصلحة أمن إسرائيل. وكان عبّاس يتقدم في العمر ولا أحد يعرف إلى متى سيبقى في السلطة؛ لا يمكننا أن نُسَلّم بأن خلفه، كائنًا مَنْ كان، سيلتزم السلام. مع كلّ مؤهلاته السياسية ومواطن ضعفه، قد يكون عبّاس آخر الآمال وأفضلها في شريك فلسطيني ملتزم إيجاد حلّ دبلوماسي ولديه ما يكفي من العزم ليُقنع شعبه به. نعم، هناك دائمًا خطر في الغوص مجددًا في مستنقع مفاوضات السلام في الشرق الأوسط. فمحاولة استئنافها والفشل فيها قد يدفعان المعتدلين إلى الشك، ويشددان عزم المتطرفين، ويتركان الجانبين مرتابين ومتباعدين أكثر من قبل. ولكن يستحيل إدراك النجاح إذا لم نحاول، وعزمت القيام بذلك.

وقد أتت الخطوة الأولى للسير في عملية السلام تعيين جورج ميتشل مبعوثًا خاصًّا ليحاول تكرار النجاح الذي حققه في «اتفاق الجمعة العظيمة» في إيرلندا الشمالية. نبّه دائمًا سيناتور ماين السابق المعسول الكلام إلى الاختلافات بين الصراعين، لكنّه اطمأن من حقيقة أن قضية إيرلندا الشمالية عُدَّت يومًا مستعصية على ما هي حال صراع الشرق الأوسط، وأمكن حلها في مفاوضات مضنية. «عرفنا سبعمئة يوم من الفشل ويوم نجاح واحدًا»، على ما قال أحيانًا كثيرة. من جهة أُخرى، حين قال ميتشل لجمهورٍ في القدس إن الصراع في إيرلندا الشمالية طال ثمانمئة عام قبل التوصل إلى حلّ، تهكم أحد المسنين بالقول: «هذه حجة جديدة. لا عجب أنك سويت الصراع!».

وافقني الرئيس أوباما أن ميتشل يتمتع بسمعة دوليّة، ومهارات في التفاوض، وطبعٍ صبور، مما يؤهله لتسلم هذه المهمة الحساسة. وطلبت كذلك من دنيس روس، المبعوث الخاص إلى منطقة الشرق الأوسط في تسعينات القرن العِشرين، العودة إلى وزارة الخارجية للعمل على الموضوع الإيراني والقضايا الإقليمية الأخرى. أُعجِب الرئيس أوباما جدًّا بروس، وطلب منه الانتقال إلى البيت الأبيض، ليغدوَ أحد مستشاريه المقربين، خصوصًا في عملية السلام تلك. ساد التوتر أحيانًا العلاقة بين روس وميتشل، نظرًا إلى مسؤولياتهما المتداخلة ورهانات مهماتهما الصعبة، لكنني قدرت وجهات نظرهما ووجود هذه المفكرين الخبيرين في شؤون السياسة الخارجية في فريق عملنا.

وقد توجّه ميتشل إلى منطقة الشرق الأوسط في جولةٍ شملت دولًا كثيرة، بعد أيام فقط على تعيينه. كان الاسرائيليون مشغولين بفرز أصوات حكومتهم الجديدة، لذا جال ميتشل أوّلًا على العواصم العربية. وشملت مهمته العمل على سلام ليس بين إسرائيل والفلسطينيين فحسب، بل أيضًا بين إسرائيل وجميع جيرانها. وارتكز السلام الإقليمي الشامل على خطةٍ اقترحها عام ٢٠٠٠ عاهل المملكة العربية السعودية، الملك عبدالله. أيّد الخطة بالإجماع في آذار/مارس ٢٠٠٢، جميع أعضاء جامعة الدول العربية، بمن فيهم سوريا. وبموجب «مبادرة السلام العربية»، على ما سُميَّت، وافقت كل تلك الدول إضافةً إلى بعض الدول ذات الغالبية المسلمة من خارج المنطقة، على تطبيع علاقاتها مع إسرائيل، بما يشمل تعاونًا اقتصاديًّا وسياسيًّا وأمنيًّا، في مقابل اتفاق ناجح على سلام مع الفلسطينيين. إذا تحقق ذلك، فسيترك انعكاسات عميقة على الديناميات الاستراتيجية في الشرق الأوسط. بسبب ريبتها من إيران وشركتها مع الولايات المتحدة، وجب أن تكون إسرائيل ودول عربية كثيرة، خصوصًا دول الخليج، حليفة بحكم الطبيعة. حالت دون ذلك العداوة الناتجة عن النزاع الفلسطيني الإسرائيلي. قبل الحرب في غزة عامي ٢٠٠٨ و٢٠٠٩، حاولت تركيا التوسط في محادثات سلام بين إسرائيل وسوريا. وإذا استطاعت سوريا التخلي عن تحالفها المؤذي مع إيران، في مقابل التقدم في حلّ يتعلق بمرتفعات الجولان، الأراضي التي خسرتها أمام إسرائيل عام ١٩٦٧، فسيكون لذلك أيضًا عواقب استراتيجية مهمة.

وسمع ميتشل في كل عاصمة عربية الكلام نفسه تقريبًا: يجب أن تتوقف إسرائيل عن بناء المستوطنات في أرضٍ ستصبح يومًا ما جزءًا من الدولة الفلسطينية. كل مستوطنة جديدة تتجاوز خطوط العام ١٩٦٧ القديمة، ستُصعِّب التوصل إلى اتفاقٍ نهائي. عارضت الولايات المتحدة طوال عقود، توسع المستوطنات لأنَّها تنعكس سلبًا على جهود السلام. ونظر الرئيس جورج بوش الأب ووزير خارجيته جايمس بايكر في تعليق الضمانات على القروض بسبب هذه القضية. ودعا الرئيس جورج دبليو بوش إلى تجميد بنائها تمامًا في خطته «خارطة الطريق من أجل السلام». ولكن نظرًا إلى علاقات نتنياهو السياسية بالمستوطنين، يمكن أن يُتوقع رفضه لأي قيد.

واقترح ميتشل بعد مشاوراته الأولية، أن نطلب من الجهات الثلاث المعنية، أي إسرائيل والفلسطينيين والدول العربية، اتخاذ خطوات محدّدة بنّاءة، تُظهِر حسن النية وترسي الأسس للعودة إلى مفاوضات السلام المباشرة.

أردنا من السلطة الفلسطينية اتخاذ إجراءات صارمة للحد من الإرهاب والتحريض المعادي لإسرائيل. وشملت أمثلة التحريض إعادة تسمية ساحة عامة في الضفة الغربية على اسم إرهابي قَتَل مدنيين إسرائيليين، وتأجيج نظريات المؤامرة التي تدّعي أن إسرائيل تخطط لتدمير الأماكن الإسلامية المقدَّسة، والتدابير التي تعظّم من شأن العنف وتشجّع على المزيد منه. أمّا حماس

فسيستمر عزلها إلى أن تنبذ العنف، وتعترف بإسرائيل، وتتعهد التزام الاتفاقات الموقَّعة سابقًا. من دون هذه الخطوات الأساسية، لن تُدعى حماس إلى طاولة المفاوضات. وطالبنا كذلك بالإفراج الفوري عن جلعاد شاليط، الجندي الإسرائيلي المختطف والمحتجز في غزة.

وأمَلنا من الدول العربية اتخاذ خطوات نحو تطبيع العلاقات مع إسرائيل على ما توخَّت «مبادرة السلام العربية»، بما في ذلك السماح لحركة النقل الجوي التجاري الإسرائيلية بالتحليق في الأجواء العربية، وإعادة فتح المكاتب التجارية، وإنشاء الأنظمة البريدية. وشدد عليّ نتنياهو أن أسعى إلى ذلك في مأدبة عشاء في وزارة الخارجية في أيّار/مايو ٢٠٠٩. أراد خصوصًا أن تبادر بهذه الخطوة المملكة العربية السعودية، لأن دورها كـ «حاضنة للحرمين الشريفين» سيعطي إشارات لها أهميتها الضخمة في المنطقة. وفي حزيران/يونيو ٢٠٠٩، سافر الرئيس أوباما إلى الرياض وبحث في هذا الموضوع مع الملك عبداللّه.

وطلبنا من الأسرائيليين تجميد بناء كل المستوطنات في الأراضي الفلسطينية من دون استثناء. إذا أعدنا النظر إلى ما مضى، نجد أن تشددنا في شأن المستوطنات لم يؤتِ عملًا.

رفضت إسرائيل في البدء طلبنا، وظهر خلافنا إلى العلن، ليصبح مواجهة شخصية بين الرئيس أوباما ونتنياهو، واضعًا على المحك صدقية القائدين. وصعَّب عليهما ذلك تنازل إسرائيل عن موقفها أو التوصل إلى تسوية. سُرَّت الدول العربية بالبقاء على هامش هذا الصراع، واستخدمته عذرًا لتبرير تقاعسها عن العمل. وادَّعى عبَّاس الذي دعا طوال أعوام إلى وقف بناء المستوطنات، أننا أصحاب الفكرة وقال إنه لن يشارك في المفاوضات من دون تأجيل بناء المستوطنات.

ناقش الرئيس ومستشاروه صوابية تقديم طلب لتجميد الاستيطان. كان الصوت الأقوى المؤيد لذلك رام إيمانويل، كبير موظفي البيت الأبيض. وكان رام، المتطوع المدني السابق في قوات الدفاع الإسرائيلية، يولي التزامًا شخصيًّا عميقًا حيال أمن إسرائيل. واعتمادًا على تجاربه السابقة في إدارة كلينتون، اعتقد أن أفضل طريقة للتعامل مع حكومة نتنياهو الائتلافية الجديدة، اتخاذ موقف حازم منذ البدء؛ وإلّا أذلَّتنا دومًا. مال الرئيس إلى هذه الحجة، واعتقد أن الإصرار على تجميد الاستيطان سياسة جيدة واستراتيجية ذكية على السواء، ستساعد على إعادة أميركا وسيطًا نزيهًا في عملية السلام، وتخفف من المفهوم السائد أنها تناصر دائمًا الإسرائيليين. قلقت وميتشل من أن نُلزم أنفسنا مواجهةً نحن في غنى عنها، وسيشعر الإسرائيليون أننا نطلب منهم تنازلًا يفوق ما ستقدِّمه الجهات الأُخرى، وبمجرد طَرْحِنا ذلك علنًا، لن يستطيع عباس البدء بمفاوضات جادة من دونه. وأوضح لي يومًا مسؤول إسرائيلي رفيع، أن أسوأ شيء في العالم بالنسبة إلى الإسرائيليين أن يُعَدوا «فراير»، وهي المرادف العبري العامي لكلمة «مغفلين». يفضل السائقون الإسرائيليون أن ينتهي بهم الأمر في المستشفى على أن يحاول أحدٌ تجاوزهم على

الطريق السريعة وقطع رزقهم، على ما قال لي. ونقلت إحدى الصحف عن بيبي قوله: «لسنا «فراير». لا نُعطي من دون مقابل». خشيت في ضوء ذلك، ألّا يلقى مطلبُنا وقف الاستيطان استحسانًا. لكنني وافقت رام والرئيس على وجوب المخاطرة قليلًا، إذا أردنا إحياء عملية السلام المحتضرة. لذا نقلت، ذاك الربيع، رسالة الرئيس بكل ما استطعت من حزم، وحاولت من ثمَّ استيعاب العواقب حين ردّ الجانبان، بشكل سيئ.

لقد أعاد خطابان مهمان تشكيل المشهد الدبلوماسي في حزيران/يونيو ٢٠٠٩. أوّلًا، في القاهرة، عرض الرئيس أوباما إعادة تقويم طموحة وبليغة لعلاقة أميركا بالعالم الإسلامي. وفي الخطاب الذي شمل موضوعات شتى، أعاد تأكيد التزامه الشخصي متابعة حلّ إقامة الدولتين الذي سيلبي تطلعات الإسرائيليين والفلسطينيين. وقبل الخطاب، جلت والرئيس في المدينة ذات الكهوف حيث يقوم مسجد السلطان حسن، أحد أكبر المساجد في العالم. خلعنا أحذيتنا، وارتديت حجابًا، وتفحصنا مدهوشين الآثار الفنية الرائعة التي تعود إلى القرون الوسطى، ونحن نستمع إلى تفسيرات مؤرخ فني مصري أميركي. كانت لحظة جميلة وهادئة وسط كل جنون هذه الرحلة الرئاسية والتمهيد لسياسة رئيسة. وابتسمت لاحقًا ذلك اليوم حين قال الرئيس في خطابه: «قدمت إلينا الثقافة الإسلامية أقواسًا مهيبة وأبراجًا مرتفعة، شعرًا خالدًا وموسيقا جميلة؛ مخطوطات أنيقة وأماكن للتأمل هادئة».

وأمضيت وميتشل الصيف وبداية الخريف، نعمل مع الإسرائيليين والفلسطينيين على كسر الجمود في شأن المستوطنات. وللإنصاف، نتحمل مسؤوليةً في خلق هذا المأزق بسماحنا بأن تتحول القضية صراع إرادات. قرر الرئيس أوباما أن أفضل وسيلة للمضي في المسار، تكمن في الإصرار على أن يجتمع الزعيمان معه حين كانا في نيويورك لحضور الجمعية العمومية للأمم المتحدة في أيلول/سبتمبر. لن تُعَدّ تلك المفاوضات رسمية، لكنّها ستوفّر فرصةً أولى للقائدين للتحدّث أحدهما إلى الآخر، وتعطي بعض الزخم لعملية تثمر نتائج ملموسة. وكان اجتماع نيويورك محرجًا؛ ثبت الزعيمان على مواقفهما ولم يبديا استعدادًا لتقديم تنازلات، خصوصًا في مسألة المستوطنات. «يجب علينا جميعًا المجازفة من أجل السلام»، على ما قال لهما الرئيس أوباما. «من الصعب أن نفصل أنفسنا عن التاريخ، ولكن يجب علينا القيام بذلك».

لقد خرجنا من اجتماع نيويورك بنتيجة بسيطة مقارنةً بالجهد الذي بذلناه. لكنني وميتشل استمررنا في الضغط على نتنياهو، ووافق أخيرًا على إيقاف جزئي لتراخيص بناء مستوطنات الضفة الغربية مستقبلًا. بقي علينا أن نحدد مدة التجميد والمناطق التي سيشملها؛ على الرغم من ذلك، كانت تلك بداية جيدة، وتفوق ما قدمته أي حكومة إسرائيلية سابقة. ستكون نقطة الخلاف القدس. احتُلت القدس والضفة الغربية عام ١٩٦٧، وحلم الفلسطينيون بأن تكون يومًا عاصمة

دولتهم الموعودة. لذا سعى الفلسطينيون إلى وقف بناء المستوطنات هناك. كانت تلك فكرة لا أمل في نجاحها مع بيبي، الذي رفض تجميد البناء في أي جزء من القدس.

وتكلمت في تشرين الأول/أكتوبر مع إيهود باراك، شريك نتنياهو في الائتلاف، ووزير الدفاع، وأهم صوت داعٍ إلى السلام في الحكومة. كان باراك دائمًا متفائلًا، على الرغم من أنه يحيا في منطقة لا يبدو فيها شيءٌ يسير على ما يرام. وكان أيضًا أكثر بطل حرب قُلِّد أوسمة في دولة تحفل بأبطال الحرب. ومن مآثره، أنه تزيَّن بها خلال تنفيذه عملية كومندوس جريئة في بيروت في ثمانينات القرن العشرين. كنا على وفاق تام. كان يتصل بي بين حين وآخر، ويقول: «هيلاري، تعالي نضع الاستراتيجيات»، لينطلق في عاصفة من الأفكار والحجج السريعة. حرص على مساعدتي على التوصل إلى تسوية في شأن المستوطنات، مما يمكننا من دفع عملية السلام إلى الأمام. «سنكون مستعدين للإصغاء، ومتحسسين ومستجيبين»، على ما قال لي. ووافق الإسرائيليون على توقيف بناء المستوطنات الجديدة في الضفة الغربية عشرة أشهر، لكنهم رفضوا رفضًا قاطعًا أن يشمل ذلك القدس.

اتصلت بعباس لمناقشة العرض الإسرائيلي. وكان الرد الفلسطيني الأوَّلي رفضه جملة وتفصيلًا، لأنه لا يفي بالغرض المطلوب، و«أسوأ من عديم النفع»، لكنني رأيت أن هذه الصفقة أفضل ما سنحصل عليه، ويجب أن نغتنم الفرصة للتوصل إلى مفاوضات مباشرة. «أريد أن أؤكد مجددًا، السيد الرئيس، أن سياستنا المتعلقة بالنشاط الاستيطاني لن تتغير أبدًا»، على ما أوضحت له، «وعلى الرغم من أن تجميد الاستيطان الإسرائيلي على ما وصفه لك جورج ميتشل مهم وخطوة لم يسبق لها مثيل مع أي حكومة إسرائيلية، لن يكون بديلًا لإسرائيل من التزامات خارطة الطريق». لم يخالفني عباس الرأي لاستخدامي عبارة «لم يسبق لها مثيل»، لكنه لم يرضَ عن استبعاد القدس أو غيرها من المناطق، ورفض الدخول في المفاوضات.

وقدَّم عباس تنازلات على الرغم من ذلك، إظهارًا لحسن نيته. عرض أن يؤجل الفلسطينيون التصويت في الأمم المتحدة على «تقرير غولدستون» المثير للجدل، والذي يتهم إسرائيل بارتكاب جرائم حرب في غزة عام ٢٠٠٨. قوبل قرار عباس هذا بانتقادات حادة وسريعة من مختلف أنحاء العالم العربي، بما يشمل هجمات على شخصه لا هوادة فيها من قناة الجزيرة، الشبكة الإخبارية الفضائية التي تملكها قطر. فقد عباس السيطرة على نفسه، وأسرَّ لي أنه يخشى على سلامته وسلامة أحفاده الذين تعرضوا لمضايقات في المدرسة. شكرت له «قراره الشجاع والمهم»، لكنني شعرت أنه بدأ يتردد. وبعد أسبوع، بدَّل موقفه ودعا إلى التصويت في الأمم المتحدة على تقرير غولدستون. وعام ٢٠١١، تراجع ريتشارد غولدستون عن بعض أبرز التهم المثيرة في التقرير، بما فيها أن الجيش الإسرائيلي استهدف المدنيين عمدًا، لكن الضرر وقع.

وركّزت في نهاية تشرين الأول/أكتوبر، على وضع اقتراح تجميد بناء المستوطنات المطروح موضع التنفيذ، على أمل أن يفضي إلى مفاوضات مباشرة. التقيت عباس في أبو ظبي، ونتنياهو من ثمَّ في القدس. وفي مؤتمر صحافي عقدته وبيبي في وقت متقدم ليلًا، وصفت تجميد البناء بأمرٍ «لم يسبق له مثيل»، على ما قلت لعباس. لكنَّ استخدامي العبارة أثار الغضب في الدول العربية، حيث اعتقد الناس أنني متسامحة جدًّا تجاه عرضٍ مقيَّدٍ بشرطَي الأجل القصير واستبعاد القدس الشرقية. ولم تكن تلك المرَّة الأولى، ولا الأخيرة، يسبِّب لي متاعب، قول الحقيقة الصعبة.

ستتغيَّر لاحقًا نظرة كثرٍ في المنطقة إلى قرار تجميد البناء الذي تسبب بضرر كبير آنذاك ويرجون حصوله. ولكن، قضت الضرورة الفورية بتهدئة الوضع في المنطقة وإعادة تركيز الاهتمام على التوصل إلى مفاوضات مباشرة. وتمكنت في الأيام التالية من توضيح وجهة نظري في المغرب ومصر. شرحت على انفراد للرئيس حسني مبارك، وعلنًا من ثمَّ، أن سياستنا الرسمية في شأن المستوطنات لم تتغيَّر، ولا نزال نعارض بناءها ونتمنى تجميدها مدة أطول، وفي شكلٍ شامل. لكنني ثبتُّ على وصفي العرض القائم على «وَقْفِ أنشطة كل المستوطنات الجديدة ووضع حدٍّ لمصادرة الأراضي، ومنع إصدار أي ترخيص أو موافقة» بأنه «لم يسبق له مثيل». وكانت تلك الحقيقة.

دخل التجميد حيز التنفيذ نهاية تشرين الثاني/نوفمبر، وبدأت عقارب الساعة تدور. أمامنا عشرة أشهر فقط لدفع الطرفين إلى المفاوضات المباشرة واتفاق السلام الشامل.

وبدأت الأشهر تمر. أوقف الإسرائيليون، على ما وعدوا، بناء مستوطنات جديدة في الضفة الغربية، لكنَّ الفلسطينيين تمسكوا بشمول قرار التجميد القدس الشرقية، واستمروا في رفض الانضمام إلى مفاوضات مباشرة، على الرغم من موافقتهم على ما سُمي «مفاوضات تمهيدية»، فيما ميتشل يقوم برحلات مكوكية ذهابًا وإيابًا بين الجانبين لمناقشة تصورهما للمفاوضات.

وقد تمكّن الإسرائيليون في آذار/مارس ٢٠١٠ من تسعير الموقف الفلسطيني بعملٍ استفزازي لا داعيَ له. قام نائب الرئيس بايدن بزيارة ودية لإسرائيل، ليعيد تأكيد دعم الإدارة القوي لأمن البلاد، محاولًا تخطي خلافاتنا على قضية المستوطنات وما تبعها من أحداثٍ منفِّرة. كان بايدن لا يزال في إسرائيل حين أعلنت وزارة خارجيتها خططًا لبناء ١٦٠٠ وحدة سكنية في القدس الشرقية، وهذه خطوة ستثير بالتأكيد الحساسيات الفلسطينية. قال نتنياهو إنَّ لا علاقة له بتوقيت الإعلان السيئ، ولكن عدَّه كثرٌ ازدراء لنائب الرئيس وللولايات المتحدة.

والتزم بايدن، على عادته، جانب الهدوء، على الرغم من كل الجلبة حوله. لكنَّ الرئيس أوباما ورام ثارا غضبًا وطلبا مني أن أوضح ذلك لبيبي. وفي حديث هاتفي طويل وحاد، قلت لرئيس

الوزراء إن الرئيس أوباما يرى في خبر القدس الشرقية «إهانة شخصية له، ولنائب الرئيس، وللولايات المتحدة». كلمات قوية لمحادثة دبلوماسية. لم أُسرّ بأداء دور الشرطي السيئ، لكنّه جزء من مهامي. «اسمحي لي أن أؤكد لكِ وللرئيس أن التوقيت غير مقصود ومؤسف»، على ما أجاب، لكنَّه رفض نقض القرار.

ولقد وقع هذا الحادث مصادفةً قبل المؤتمر السنوي في واشنطن للجنة الشؤون العامة الأميركية الإسرائيلية، وهي منظمة بارزة مناصرة لإسرائيل. كان من المقرر أن يزور نتنياهو العاصمة ويلقي كلمةً في المؤتمر. وتُرِك لي أمر تمثيل الإدارة. تقدَّمت على نتنياهو في الكلام. بدا الحشد الكبير المجتمع في مركز المؤتمرات في واشنطن، حذرًا في البداية. أراد أن يسمع كيف سأعالج الجدل، وهل أواصل انتقاد نتنياهو. عرفتُ أن عليَّ تناول الموضوع، لكنني قررت أن أتراجع قليلًا عن موقفي وتناول القضية من منظار أوسع، ولماذا نَعُدُّ اتفاق السلام عبر التفاوض أمرًا حاسمًا لمستقبل إسرائيل.

وتحدَّثت عن ولائي الخاص لأمن إسرائيل وحلّ الدولتين، وعرضت مخاوفنا في شأن الاتجاهات الديمغرافية والتكنولوجية والأيديولوجية. كانت تلك حجتي الرسمية الشاملة آنذاك لشرح أسباب رفضنا للستاتيكو السائد وإصرارنا على التوصل إلى السلام. وتناولت من ثمَّ الخلاف على موضوع القدس الشرقية. لم يستند اعتراضنا على كرامتنا المهانة، على ما قلت، أو أي حكم على وضع القدس الشرقية الذي يجب أن يتقرَّر على طاولة المفاوضات. فبناء المستوطنات الجديدة في القدس الشرقية أو الضفة الغربية، سيُقوِّض الثقة المتبادلة التي نؤسس لها بين الطرفين، ويرفع الغطاء عن العلاقة بين إسرائيل والولايات المتحدة ليحاول آخرون في المنطقة استغلال ذلك، ويقلل قدرة أميركا الفريدة على أداء دور الوسيط النزيه. «صدقيتنا في هذه العملية تعتمد في جزءٍ منها، على استعدادنا للثناء على الجانبين متى قاما بخطوات جريئة، وإبداء رفضنا حين لا نوافقهما الرأي، وبطريقةٍ لا لبس فيها»، على ما قلت.

وبرّد خطابي الأجواء المتوترة، أقلّه في القاعة، لكنَّ العلاقة بين نتنياهو والرئيس أوباما استمرت في التدهور. اجتمعت مع بيبي بعد الظهر، ساعةً، في الفندق حيث يقيم. قال لي إنه يخطط ليعلن موقفًا بارزًا في خطابه ذلك المساء، وصدق قوله. «القدس ليست مستوطنة. إنَّها عاصمتنا»، قال متحديًا. (لم نُشِرْ يومًا إلى القدس على أنها مستوطنة؛ جادلنا في وضع القدس النهائي الذي يجب أن تحدده مفاوضات حسن النية، وبناء منازل جديدة للإسرائيليين في الأحياء الفلسطينية لا يساعد على تحقيق هذه الغاية). وفي اليوم التالي، كان نتنياهو على موعد مع الرئيس أوباما لاجتماع مشحون. وخلال المحادثة، تركه الرئيس، على ما ذُكِر، ينتظر في غرفة روزفلت حوالى ساعة، فيما انصرف إلى اهتمامات أُخرى. كانت خطوةً غير مألوفة، لكنَّها عبَّرت

عن استيائه الشديد. وكانت إحدى النتائج الإيجابية لهذه الأزمة الصغيرة أنَّ الإسرائيليين باتوا ينبهوننا مسبقًا قبل إعلان مشاريع إسكانية جديدة مثيرة للجدل، وتناولوا في دقة، أي موضوع يتعلق بالقدس الشرقية. وخلال مهلة الأشهر العشرة المتعلقة بإيقاف بناء المستوطنات، قلّما بُنيت وحدات سكانية جديدة فيها.

وسارت الأمور من سيئ إلى أسوأ في أيار/مايو، وكأن التوترات في شأن المستوطنات لا تكفي. إذ دهمت قوات الكوماندوس الإسرائيلية أسطول سفن صغيرة من تركيا، تُقل نشطاء مؤيدين للفلسطينيين في محاولة لكسر الحصار الإسرائيلي على غزة. قُتِل تسعة مواطنين أتراك، بمن فيهم أميركي يحمل جنسية مزدوجة. تلقيتُ اتصالًا طارئًا من إيهود باراك بينما كنت أسير في «موكب يوم الذكرى في شاباكوا»، أحد التقاليد السنوية المفضلة عندي في بلدتنا الصغيرة. وأوضح إيهود: «لسنا مسرورين بالنتائج، ولكن توجَّب علينا اتخاذ خيارات صعبة. لم نستطع تفادي ذلك». «ستكون العواقب غير متوقعة»، على ما حذرتُه.

كانت تركيا شريكة إسرائيل الوحيدة في المنطقة منذ زمن طويل، ولكن عقب هذه الكارثة، كان علي إقناع الأتراك الغاضبين بعدم اتخاذات إجراءات خطيرة ضد إسرائيل ردًّا على ذلك. أتى وزير الخارجية داود أوغلو لرؤيتي في اليوم التالي للغارة، وتحدثنا ساعتين. كان منفعلًا جدًّا وهدد بأن تركيا قد تعلن الحرب على إسرائيل. «يشبه هذا الهجوم من الناحية النفسية، هجمات ٩/١١ بالنسبة إلى تركيا»، على ما قال، مطالبًا باعتذار إسرائيلي وتعويض للضحايا. «كيف يمكنك ألّا تهتمي؟»، سألني، «أحدهم مواطن أميركي!». كنت معنية بالموضوع جدًّا، لكنني أعطيت الأولوية لتهدئته ووضع كل هذا الحديث عن الحرب وعواقبها جانبًا. ونصحت كذلك للرئيس أوباما بالاتصال برئيس الوزراء أردوغان، لأنقل من ثمَّ المخاوف والمطالب التركية إلى نتنياهو. قال إنه يرغب في إصلاح الأمور مع تركيا، لكنَّه رفض الاعتذار علنًا. (ظلت جهودي لإقناع بيبي بالاعتذار من تركيا تتأرجح بين القبول والرفض طوال المدة المتبقية من ولايتي. قال لي في مناسبات شتى إنه سيقوم بذلك، ليمنعه من ثمَّ، الأعضاء اليمينيون الآخرون في الائتلاف من ذلك. وقد جندت حتى هنري كيسنجر ليعرض عليه هذه القضية الاستراتيجية في آب/أغسطس ٢٠١١. وأخيرًا في آذار/مارس ٢٠١٣، وخلال زيارة الرئيس أوباما المعاد انتخابه للقدس، اتصل بيبي بأردوغان للاعتذار عن «الأخطاء في الإجراءات المتخذة أثناء العملية»، والتعبير عن أسفه للخسائر غير المقصودة في الأرواح التي نجمت عنها. ولا يزال الأتراك والإسرائيليون يعملون على بناء الثقة المفقودة من جرَّاء هذا الحادث).

وبالعودة إلى أحداث صيف العام ٢٠١٠، وبعد الحصول على تجميد الاستيطان عشرة أشهر، واجهنا ضرورة ملحة في عودة الطرفين إلى طاولة المفاوضات. حزت وميتشل، مساعدة الأردن

ومصر للضغط على الفلسطينيين لتليين موقفهم في شأن شروطهم المسبقة. والتقى الرئيس أوباما عباس في حزيران/يونيو، وأعلن حزمة مساعدات جديدة كبرى للضفة الغربية وقطاع غزة. وأخيرًا، وافق عباس في آب/أغسطس، على المشاركة في مفاوضات مباشرة تتناول كل قضايا الصراع الجوهرية، ما استمر تجميد الاستيطان قائمًا. إذا توقف العمل بموجبه على ما هو مقرر نهاية أيلول/سبتمبر، فسينسحب مجددًا من المفاوضات. وسأل جورج غاضبًا، عباس: «كيف أصبح هذا الأمر ضروريًّا، وقد وصفته قبل ثمانية أشهر بأسوأ مِن غير مُجدٍ؟». أدركنا جميعًا أن على عباس إدارة شؤونه السياسية الصعبة، مع شعبه والدول العربية على السواء، لكن الأمر يبقى مُحبِطًا على الرغم من ذلك.

بدا مستحيلًا حلّ كل القضايا الجوهرية في شهر واحد - اقترح ميتشل متفائلًا مهلة سنة للمفاوضات - لكننا أمَلنا في أن نجمع ما يكفي من الزخم إما لإقناع نتنياهو بتمديد تجميد بناء المستوطنات، وإما لإقناع عباس بالاستمرار في التفاوض من دون ذلك. إذا تمكّنا من إحراز تقدم في مسألة الحدود النهائية للدولتين، فسيسهّل ذلك مشكلة الاستيطان إذ ستتضح للطرفين المناطق التي ستبقى مع إسرائيل، وتلك التي سينالها الفلسطينيون. لا يمكن، في بساطة، العودة إلى خطوط العام ١٩٦٧. فنمو المستوطنات على طول الحدود جعل الفكرة مستحيلة. يُمكن مقايضة الأراضي التي بُنيت عليها المستوطنات بإعطاء الفلسطينيين أراضيَ بالحجم نفسه في مكانٍ آخر. ولكن، على ما هي الحال دائمًا، سيكمن الشيطان في التفاصيل.

رحّب الرئيس أوباما في أوّل أيلول/سبتمبر بنتنياهو وعباس في البيت الأبيض، علاوةً على ملك الأردن عبداللّه الثاني، ورئيس مصر حسني مبارك. استضافهم إلى عشاء عمل صغير في «غرفة الطعام العائلية القديمة». انضم إليهم طوني بلير، رئيس الوزراء البريطاني السابق، وكذلك فعلتُ. وحضر بلير بصفة كونه مبعوثًا خاصًّا للجنة الرباعية، التي أسستها عام ٢٠٠٢ الأمم المتحدة والولايات المتحدة والاتحاد الأوروبي وروسيا لتنسيق الجهود الدبلوماسية من أجل السلام في الشرق الأوسط. اجتمعنا، نحن السبعة، إلى طاولة غرفة الطعام تحت الثريا الكريستال الجميلة في الغرفة الصفراء المنيرة، التي لم يتغير فيها شيء مذ كنت سيدةً أولى أستضيف فيها مآدب خاصة. جلس بيبي وعباس أحدهما قرب الآخر، أحطت أنا وبلير بهما، وفي الجهة المقابلة الرئيس أوباما، ومبارك والملك.

حدّد الرئيس أوباما طابع الاجتماع في ملاحظات أبداها قبل العشاء، مذكرًا القادة: «أنتم ورثة صانعي سلام تجرّأوا على اتخاذ قرارات عظيمة، بيغن والسادات، رابين والملك حسين، رجال دولة رأوا العالم على ما هو، ولكن تصوّروه أيضًا على ما يجب أن يكون. نحن نقف على أكتاف أسلافنا،

وما قاموا به هو ما نمضي فيه. راهنًا، يجب أن نسأل، على ما فعلوا، هل نملك الحكمة والجرأة للسير في طريق السلام؟».

كان الجو هادئًا، على الرغم من الأشهر الصعبة التي أدت إلى هذه اللحظة، لكنَّ الحذر ظل سائدًا. أدرك الجميع وطأة الوقت الذي يدهمنا، ولم يشأ أحد أن يظهر فظًّا إلى مائدة عشاء الرئيس أوباما، مع أنَّ اختلافاتهم السياسية لم تَخفَ في سهولة.

وانتقلت الدراما في اليوم التالي إلى وزارة الخارجية. دعوت الزعيمين ووفديهما المفاوضين إلى قاعة بنيامين فرانكلين في الطبقة الثامنة. وقد حان الوقت لنشمر عن سواعدنا ونرى ما يمكننا تحقيقه. قلت لنتنياهو وعباس: «بحضوركما إلى هنا اليوم، اتخذتما خطوة مهمة من أجل تحرير شعبيكما من أغلال تاريخ لا يمكننا تغييره، والتحرك نحو مستقبلٍ من السلام والكرامة يمكنكما وحدكما خلقه. القضايا الأساسية في صلب هذه المفاوضات، الأراضي والأمن والقدس واللاجئون والمستوطنات وغيرها، لن تُحَلّ إذا انتظرنا، ولن تَحُلَّ نفسها كذلك... آن الأوان لقيادة جريئة، ورجال دولة يملكون الشجاعة لاتخاذ قرارات صعبة». شعرت أن نتنياهو وعباس، الجالسين بقربي، مستعدّان لقبول التحدي.

واستذكر بيبي من التوراة قصة إسحق (أبي اليهود) وإسماعيل (أبي العرب) ابني ابراهيم اللذين، على الرغم من خلافاتهما، اجتمعا معًا ليدفنا والدهما. «لا يمكنني إلّا أن أُصلِّي، وأعرف أن الملايين في العالم، ملايين الفلسطينيين والإسرائيليين وغيرهم كثر في العالم، يصلون أن تجمعنا الآلام التي مررنا بها، أنتم ونحن على السواء، في مئة عام من الصراع، ليس للحظة سلام إلى طاولة سلام هنا في واشنطن فحسب، بل تمكِّننا من الانطلاق من هنا لإقامة سلام آمن ودائم لأجيال».

وتذكَّر عباس المصافحة الشهيرة عام ١٩٩٣ بين رابين وعرفات، وتحدَّث عن التوصل إلى «سلام يُنهي الصراع، ويحقق كل المطالب، ويبدأ عهد جديد بين الشعبين الإسرائيلي والفلسطيني». كانت الفجوات التي علينا تخطيها جوهرية والوقت ينفد، لكنَّ الجميع يقول الأشياء الصحيحة أقلّه.

ودعوت الزعيمين إلى مكتبي في الطبقة السابعة بعد ساعات طويلة من المفاوضات الرسمية. تحدثت والسيناتور ميتشل معهما قليلًا، وتركناهما وحيدين من ثمَّ. استويا في كرسيين مريحين أمام الموقد، واتفقا على أن يجتمعا مجددًا وجهًا لوجه بعد أسبوعين. لم نحقق تقدمًا ملموسًا يُذكر، ولكن شجعتني كلماتهما ولغة جسديهما على السواء. لقد كانت لحظة من التفاؤل والطموح التي لم تقترن بالعمل، لسوء الحظ.

عدنا واجتمعنا بعد أسبوعين في شرم الشيخ، وهو منتجع مصري على البحر الأحمر، وسط

شمس ساطعة. (ومن التورية التهكمية في الدبلوماسية الدولية أننا نسافر كثيرًا إلى أماكن من مثل شرم الشيخ أو بالي أو هاواي، من دون أن يتسنى لنا الوقت لنستمتع بها، أو حتى الخروج من قاعات المؤتمرات الرسمية. شعرت أحيانًا أننا مثل «تانتالوس»، الشخصية الملعونة والجائعة في الأساطير اليونانية، وقد حكم عليه بالتحديق إلى الفواكه اللذيذة والمياه المنعشة إلى الأبد، من دون أن يتمكن من تذوقها). كان مضيفنا هذه المرة الرئيس مبارك، الذي ناصر، في شدة، حلّ الدولتين والسلام في الشرق الأوسط، على الرغم من أنه مستبدٌّ في بلاده. ولأن مصر تتشارك الحدود مع غزة وإسرائيل، وهي الدولة الأولى التي وقَّعت اتفاق سلام مع إسرائيل عام ١٩٧٩، كان دورها حاسمًا. فمبارك على علاقة وطيدة بعباس، وهو من ساعدنا على إقناع الفلسطينيين بالمشاركة في المفاوضات. أملت آنذاك في أن يتمكن من إقناعهم بالاستمرار فيها.

بدأت نهاري ومبارك بلقاء منفصل مع الإسرائيليين والفلسطينيين. جمعنا من ثمَّ نتنياهو وعباس معًا، وتحادثا ساعةً وأربعين دقيقة. أعاد الجانبان تأكيد نيتهما المشاركة بحسن نية وجدية للوصول إلى نتيجة. بدأنا من ثمَّ الغوص في بعض قضايا الصراع الجوهرية. بدا مسار المفاوضات بطيئًا - لكل منهما مواقفه، واعتباراته، ونظرته إلى رأي الآخر - لكنني شعرت بالارتياح أننا دخلنا في صلب الموضوع. وبعد حوالى عشرين دقيقة من البدايات المتعثرة، تناولنا المسائل الرئيسة التي تَعِدُ بإنهاء الصراع. بعد الغداء، قررنا الاجتماع مجددًا، وأجَّل نتنياهو رحلته لمواصلة المحادثات.

استمرت المفاوضات في اليوم التالي في منزل نتنياهو في القدس، حيث رفع العلم الفلسطيني احترامًا لعباس. بيت أجيون، المقر الرسمي لرئيس الوزراء، بناه تاجر ثري في ثلاثينات القرن العشرين، قبل أن يتحوَّل مستشفًى ميدانيًّا في الحرب العربية الإسرائيلية عام ١٩٤٨. وهو يقع في حي هادئ، شبه مغلق، في منطقة رحافيا، وواجهته ملبَّسة بحجر الجير المشهور في القدس، الذي بُني به الحائط الغربي ومعظم المدينة القديمة. ووجدت داخلَه مريحًا ودافئًا جدًا. جلسنا، نحن الأربعة، أنا ونتنياهو وعباس وميتشل، في مكتب رئيس الوزراء الخاص لإجراء محادثات حثيثة، يجول في ذهن كل منا اقتراب الموعد النهائي لتوقيف تجميد بناء المستوطنات. قد تنهار المفاوضات بعد أقل من أسبوعين إذا لم نتوصل إلى حلٍّ لهذه المعضلة. كانت دقات تلك الساعة تصمّ الآذان.

وتركَّزت مناقشاتنا على مسألة صعبة أُخرى، تتعلق بمدة بقاء الجيش الإسرائيلي في وادي الأردن الذي ستقام فيه الحدود بين الأردن والدولة الفلسطينية الموعودة. عرضت وميتشل اقتراحات لطريقة التنسيق بين الاحتياجات الأمنية الإسرائيلية المستمرة والسيادة الفلسطينية. أصر نتنياهو على بقاء القوات الإسرائيلية على الحدود عقودًا، من دون تحديد موعد لانسحابها، لترتكز القرارات مستقبلًا على الظروف الميدانية. أشار عباس إلى أنَّه يستطيع التعايش مع انتشار عسكري إسرائيلي في وادي الأردن بضعة أعوام بعد تأسيس الدولة الجديدة، ولكن ليس

أكثر، وتحديد وقت الانسحاب من دون إقامة دائمة للجيش الإسرائيلي. على الرغم من الاختلاف الواضح، وجدتها بداية تحتمل الكثير؛ بما أن الحديث أتى على ذكر أعوام، وليس عقودًا أو أشهرًا، ربما يمكن مزيجًا جيدًا من الدعم الأمني الدولي والتكنولوجيات والتكتيكات المتطورة في حماية الحدود، سدّ الفجوة؛ إذا تمكّنا من الاستمرار في المفاوضات.

ولقد بحثا في التفاصيل ساعات. تململ الجسم الصحافي الأميركي في الخارج، وقصد بعض الصحافيين مقهى في فندق قريب. وبدأتُ أُصاب بالإحباط لأننا لا نحرز التقدم المطلوب لاستمرار سير المفاوضات بعد انتهاء مدة تجميد الاستيطان. وأبدى ميتشل، بطل مفاوضات إيرلندا الشمالية الطويلة، وجهة نظر مفيدة، إذ لحظ الآتي: «استمرَّت المفاوضات هناك اثنين وعشرين شهرًا. ولم نصل إلى المناقشة الأولى الجدية والموضوعية في القضايا الرئيسة التي يختلف عليها الطرفان إلّا بعد أشهر على البدء بالعملية». ولكن هنا، غُصنا في عمق القضايا الصعبة والحساسة في النزاع.

انفض الاجتماع بعد ساعات ثلاث، فبقيت لأتحدث مع نتنياهو على انفراد. كنت على ثقة بأنه لا يريد أن يُعَدّ مسؤولًا عن وقف هذه المحادثات التي أخذت مجراها، وبدأت بالخوض في القضايا الجوهرية. هل يوافق على تمديد مهلة تجميد الاستيطان لنتابع المسار ونرى ما يمكن تحقيقه؟ هزَّ رئيس الوزراء رأسه. أمهل الفلسطينيين عشرة أشهر، أضاعوا تسعةً منها. هو مستعد للاستمرار في التفاوض، لكنَّ تجميد الاستيطان سينتهي في الموعد المحدد.

وكانت تلك المرَّة الأخيرة يلتقي نتنياهو وعباس وجهًا لوجه ويتحادثان. وحتى كتابة هذه السطور، وعلى الرغم من الجهود الحثيثة بين الطرفين عامي ٢٠١٣ و٢٠١٤، لم تُعقد جلسة مفاوضات جديدة بين الزعيمين.

ولقد أطلقنا في الأسابيع التالية حملةً صحافية منسقة لإقناع بيبي بإعادة النظر في تمديد التجميد. تمت معظم التحركات في واشنطن، حيث حضر الجميع مجددًا إلى الجمعية العمومية للأمم المتحدة. استضاف الرئيس أوباما، قبل عام، اللقاء المباشر الأوَّل بين نتنياهو وعباس. ونحن نجهد راهنًا لمنع انهيار المفاوضات التام. أمضينا ليالي طويلة في فندق والدورف أستوريا، نضع الاستراتيجيات مع الرئيس أوباما وفريق عملنا، ونجتمع من ثمَّ مع الإسرائيليين، والفلسطينيين والعرب لإيجاد حل. التقيت عباس مرتين، واجتمعت على انفراد مع إيهود باراك، وتناولت الفطور مع مجموعة من وزراء الخارجية العرب، وتحدثت هاتفيًّا مع بيبي، أعرض القضية نفسها كل مرة، فالإقلاع عن المفاوضات، مع تجميد الاستيطان أو من دونه، سيقضي على آمال الشعب الفلسطيني وتطلعاته.

ودعا الرئيس أوباما، في خطابه أمام الجمعية العمومية، إلى تمديد مهلة وقف الاستيطان، وحث الجانبين على الاستمرار في المفاوضات: «إنَّه الأوان المناسب ليساعد الطرفان أحدهما الآخر على تخطي هذه العقبة، وبناء الثقة المتبادلة، وتوفير الوقت ليتحقق تقدم ملموس. إنَّه الوقت المناسب للقبض على هذه الفرصة، ويجب عدم تفويتها».

وبدا بعد المماطلة الأوليَّة، أنَّ نتنياهو مستعد لمناقشة فكرة التمديد، إذا لبَّينا فحسب، توسيع قائمة المطالب التي تضمنت طائرات مقاتلة من أحدث الطرازات. أمّا عباس فأصرَّ على «أن تختار» إسرائيل «إما السلام وإما الاستمرار في بناء المستوطنات».

ولقد ذكَّرت إيهود باراك، قبل انتهاء مدة التأجيل بيوم، «بأن انهيار المحادثات سيكون كارثة على إسرائيل والولايات المتحدة». وعلى الفلسطينيين كذلك، على ما أجاب. فعل باراك كل ما في وسعه لمساعدتي على التوصل إلى تسوية، لكنه عجز عن إقناع نتنياهو أو بقية الوزراء الإسرائيليين بتمديد التأجيل.

قطعنا حدّ أمد تأجيل الاستيطان، وتوقفت المفاوضات، لكنَّ عملي لم ينتهِ آنذاك. توجب علينا ألّا نسمح بأن يؤدي تداعي المفاوضات إلى انهيار الثقة عمومًا - أو إلى العنف، على ما حدث سابقًا. وانصبت جهودي الحثيثة في الأشهر الأخيرة من العام ٢٠١٠ على الجانبين لمنعهما من القيام بأي عملٍ استفزازي، واستكشاف وسيلة لسد الثُّغر التي تكشَّفت في جلسات التفاوض عبر محادثات غير مباشرة أو اقتراحات دبلوماسية خلاقة. وقلت لنتنياهو في اتصال هاتفي في تشرين الأول/أكتوبر: «يزداد قلقي ممّا ينتظرنا. نحاول جاهدين إبقاء الأمور في المسار الصحيح وتجنب أي انهيار حادّ. تعرِفُ مقدار خيبتنا من عجزنا عن التوصل إلى تمديد أجَلِ وقف الاستيطان». حثثته على التحفظ وضبط النفس عند الموافقة على بناء مستوطنات جديدة أو إعلان خطط جديدة مستقبلًا. فالكلام المتهور لن يؤدي إلّا إلى تأجيج الوضع المتوتر. وعدني بيبي بأن يكون سديد الرأي والحكم. لكنَّه حذرني من السماح للفلسطينيين «بلعب سياسة شفير الهاوية».

أمّا عباس القلق دومًا من وضعه المتقلقل بين شعبه المنقسم وأولياء نعمته العرب، فقد بحث عن وسيلة لاستعادة صدقيته التي تلقت ضربة قاسية مع انتهاء تجميد الاستيطان. سيطرت عليه فكرة الذهاب إلى الأمم المتحدة وطلب إقامة دولة فلسطينية. سيتملَّص بذلك من العودة إلى المفاوضات، ويضع الولايات المتحدة في موقفٍ صعب. سنشعر أننا ملزمون استعمال حق النقض في مجلس الأمن، لكنَّ التصويت قد يكشف كم أصبحت إسرائيل معزولة. وقلت لعباس: «أعرف أنَّك سئمت، السيِّد الرئيس، وأنا متأكدة أنك تتساءل هل يؤدي ما نحاول القيام به إلى نتيجة. ولولا اعتقادي أن لما نفعله فرصةً للنجاح بصفة كوننا شركاء، لما اتصلت بك. نحن نعمل من دون كَلال،

وعلى ما قُلْتَ أنت سابقًا، لا مسار بديلًا من المفاوضات يؤدي إلى السلام». كان في زاويةٍ ولا يُدرك وسيلةً للخروج منها، لكنَّ هذا المأزق كان من صنعه وصنعنا.

وقد بحثت في مكالماتي واجتماعاتي مع الزعيمين هل يمكننا تضييق الثغر في شأن الأراضي والحدود بما يكفي لتجاوز قضية الاستيطان. قلت لنتنياهو، منتصف تشرين الأول/أكتوبر: «السؤال المطروح هو: لنفترض أن احتياجاتكم الأمنية قد تحققت، ما الذي يمكن أن تقدمه إلى أبي مازن في موضوع الحدود؟ أريد أن أعرف هذا مع بعض التحديد الواضح لأنَّ الفلسطينيين يعرفون الميدان». وردَّ نتنياهو: «ما يهمُّني ليس مطالب أبي مازن في الأراضي والحدود الإقليمية، وإنَّما فهمه احتياجاتنا الأمنية وقبوله إياها... أنا واقعي. وأعرف ما هو المطلوب لتحقيق اتفاق». واستمرت مكالمتنا على هذا المنوال ساعةً وعشرين دقيقة.

وأمضيت في تشرين الثاني/نوفمبر ثماني ساعات مع نتنياهو في فندق ريجنسي في مدينة نيويورك. كان أطول اجتماع ثنائي لي كوزيرة. تحدثنا عن كل شيء، مرارًا وتكرارًا، بما يشمل أفكارًا سابقة عن استئناف وقف الاستيطان في مقابل عتاد عسكري ومساعدات أمنية أُخرى. اتفقنا أخيرًا على اقتراح، ليطرحه على حكومته، يقضي بوقف بناء المستوطنات في الضفة الغربية (ولكن لا يشمل القدس الشرقية) تسعين يومًا. في المقابل تعهدنا تقديم حزمة مساعدات أمنية قيمتها ثلاثة مليارات من الدولارات، ووعدنا بنقض أي قرار في مجلس الأمن من شأنه أن يقوِّض المفاوضات المباشرة بين الطرفين.

وحين شاع خبر الصفقة الجديدة، ساد الذعر جميع الأطراف. غضب شركاء نتنياهو في الائتلاف اليميني، ولاسترضائهم شدّد على أن بناء المستوطنات سيستمر في القدس الشرقية. وهذا، بدوره، أثار الفلسطينيين. وطرح البعض في الولايات المتحدة تساؤلات محقة عن صوابية عقد صفقة مدتها تسعون يومًا لمفاوضات قد لا تؤدي إلى أي نتيجة. ولم أكُن مسرورة أيضًا، وقد أسررت لتوني بلير أنني وجدتها «عملًا شنيعًا»، لكنني شعرت أنَّها، كتضحية، تستحق قيمتها.

وتداعت الصفقة فورًا تحت كل هذا الضغط، وقضت نهائيًّا آخر تشرين الثاني/نوفمبر. وتحدَّثت في كانون الأول/ديسمبر ٢٠١٠ في منتدى سابان، وهو مؤتمر يجمع معًا القادة والخبراء من مختلف أنحاء منطقة الشرق الأوسط والولايات المتحدة. وتعهدت أن تبقى الولايات المتحدة منخرطة في مسار السلام، وتستمر في الضغط على الجانِبَين ليسعيا إلى حلِّ القضايا الجوهرية، حتّى لو قضى ذلك الرجوع إلى «محادثات تمهيدية». سندفع الإسرائيليين والفلسطينيين إلى طرح مواقفهما على أصعب المسائل في شكل محدد وواقعي، لنعمل من ثمَّ على تضييق الثغر، بما يشمل طرح أفكارنا وملاءمة الآراء المطروحة عند الاقتضاء. مذ وضع زوجي «اقتراحات كلينتون» قبل عشرة أعوام، أحجمت الولايات المتحدة عن تقديم أي خطة معينة أو حتى أي حدٍّ موضوعي

للمفاوضات. «لا يُفرَض السلام من الخارج»، مقولة تكررت، وهي صحيحة. لكنَّنا سنكون راهنًا أكثر جرأة في وضع شروط النقاش.

وقد حافظ الرئيس على هذا الالتزام، بإعلانه ربيع العام ٢٠١١ في خطاب في وزارة الخارجية: «نعتقد أن حدود إسرائيل وفلسطين يجب أن ترتكز على خطوط العام ١٩٦٧ مع تبادل في الأراضي متفق عليها، مما يؤسس لحدودٍ آمنة ومعترف بها للدولتين».

واختار نتنياهو تركيز اهتمامه، غير المساعِد، على عبارة «خطوط العام ١٩٦٧»، وتجاهل «تبادل الأراضي المتفق عليها»، مما أسفر عن مواجهات شخصية حادة بين الزعيمين. وصعَّد الفلسطينيون في الوقت نفسه خطتهم في تقديم التماس إلى الأمم المتحدة لإقامة الدولة. تنحَّى جورج ميتشل عن مهمته ذلك الصيف، وأمضيتُ ما تبقى من العام ٢٠١١، وأنا أحاول منع تدهور الوضع من حال الجمود إلى كارثة.

لم يكن الأمر سهلًا. فحسني مبارك، المناصر الأبرز لعملية السلام في الدول العربية، خسر السلطة آنذاك، وانتشرت الاضطرابات في أنحاء المنطقة. وواجهت إسرائيل مشهدًا استراتيجيًّا جديدًا وغير متوقع. وتساءل بعض الفلسطينيين هل ينبغي لهم الاحتجاج في الشوارع من مثل التونسيين والمصريين والليبيين. وانتفت احتمالات العودة إلى مفاوضات جادة. فنافذة الأمل التي فُتحت مع تنصيب الرئيس أوباما عام ٢٠٠٩ بدا أنَّها تُغلَق.

طوال تلك الأيام الصعبة، كثيرًا ما فكَّرتُ في مناقشاتنا الطويلة في واشنطن، وشرم الشيخ والقدس. أملت في أن تنمو مقومات السلام بين الشعبين، ويقوى صوتهما ويعلو، مما يجبر قادتهما على تقديم تنازلات. وفي ذهني، يتردد عميقًا صوت صديقي المغدور إسحق رابين: «مهما يكن السلام باردًا، يبقَ أفضل من حربٍ مستعرة».

الفصل الخامس عشر

الرَّبيع العربي: الثَّورة

«إنهم يجلسون على برميل بارود، وإذا لم يتغيروا، فسينفجر!». شعرت بالغضب في الأسبوع الأول من كانون الثاني/يناير ٢٠١١، ونحن نخطط لرحلة جديدة إلى منطقة الشرق الأوسط. أردتُ هذه المرَّة تجاوز الأجندة المعتادة من الاجتماعات الرسمية والتملُّق الخاص في شأن الإصلاحات السياسية والاقتصادية اللازمة في العالم العربي. وافقني الرأي جيف فيلتمان، مساعد وزيرة الخارجية لشؤون الشرق الأدنى، وكبير مستشاريَّ. تشبه محاولة تعبيد الطريق أمام التغيير في الشرق الأوسط، ضرب رأسك في جدار من الطوب، وهو ما قام به جيف طوال أعوام، في عهود أكثر من إدارة. ومن جملة مهامه خدمته كسفير في لبنان، خلال إحدى أهم الحقب المضطربة في تاريخه الحديث، بما يشمل اغتيال رئيس الوزراء رفيق الحريري عام ٢٠٠٥، الذي تسبب بثورة الأرز وانسحاب القوات السورية، وكذلك الحرب بين إسرائيل وحزب اللّه عام ٢٠٠٦. ستنفع هذه التجارب جيف جدًّا في الأسابيع التالية ونحن نحاول استباق موجة الاضطرابات التي قد تكتسح المنطقة. ستكون تلك المرحلة متقلبة ومربكة حتّى للدبلوماسيين ذوي الخبرة.

التفتُّ إلى كاتِبَي خطبي، ميغان روني ودان شفيرين، وقلت لهما: «سئمتُ تكرار العبارات المعتادة كلَّما ذهبت إلى هناك. أريد قول شيءٍ مدوٍّ فعلًا هذه المرة». سيوفِّر لي المؤتمر السنوي المقبل لـ «منتدى المستقبل» في الدوحة، عاصمة قطر الغنية بالطاقة، فرصةً لتوجيه رسالة إلى الكثيرين مِن ذوي النفوذ في منطقة الشرق الأوسط، بما يشمل الأسر المالكة، والقادة السياسيين،

وكبار رجال الأعمال، والأكاديميين، ونشطاء المجتمع المدني. سيجتمع كثرٌ منهم في قاعة واحدة، في الوقت نفسه. إذا أردت أن أطرح قضية الستاتيكو الراهن في المنطقة الذي لا يمكن تحمله، فهو المكان الأمثل للقيام بذلك. قلت لميغان ودان أن يباشرا العمل.

ولم أكن طبعًا المسؤولة الأميركية الأولى التي تضغط من أجل تحقيق الإصلاح. فوزيرة الخارجية كوندوليزا رايس زارت مصر عام ٢٠٠٥، وأدلت باعتراف لافت: طوال نصف قرن، اختارت الولايات المتحدة السعي إلى «الأمن على حساب الديمقراطية، ولم تحقق أيًّا منهما». سيختلف الأمر من الآن وصاعدًا، على ما وعدتُ. ودعا الرئيس أوباما أيضًا إلى إصلاحات ديمقرطية، بعد أربعة أعوامٍ، في خطاب مهم ألقاه في القاهرة.

وعلى الرغم من كل هذا الكلام المُلقى علنًا وآخر صريح أكثر قيل سرًّا، والجهود الحثيثة للشعوب بمختلف مكوناتها وطبقاتها لحمل بلدانها إلى الحرية والازدهار، بقيت منطقة الشرق الأوسط وشمال أفريقيا، في معظمها، حتى العام ٢٠١١ سجينة الركود السياسي والاقتصادي. خضعت دول كثيرة للأحكام العرفية طوال عقود. وتفشى الفساد في المنطقة على كل المستويات، خصوصًا أعلاها. كانت الأحزاب السياسية ومنظمات المجتمع المدني شبه مُعدمة، أو مقيدة في إحكام؛ والأنظمة القضائية غير حرّة أو غير مستقلة؛ والانتخابات، إذا أجريت، فمزورة غالبًا. هذا الوضع المؤسف في إدارة شؤون الدول بلغ حدًّا مأسويًّا في تشرين الثاني/نوفمبر ٢٠١٠، حين أجرت مصر انتخابات برلمانية معيبة قضت تقريبًا على الرموز السياسية المعارضة.

وكان مثيرًا للقلق ما كشفته دراسة مهمة نشرتها، عام ٢٠٠٢، نخبة من أبرز علماء الشرق الأوسط وبرنامج الأمم المتحدة الإنمائي. ورسم كذلك «تقرير التنمية البشرية العربية» صورة مدمِّرة عن منطقة تتداعى. فعلى الرغم من الثروة النفطية في المنطقة، وموقعها التجاري الاستراتيجي، بلغت نسبة البطالة فيها ضعفي المتوسط العالمي، وأعلى في ما يتعلق بالنساء والشباب. وازداد عدد العرب الذين يعيشون في الفقر، في أحياء مزدحمة من دون مرافق صحية، أو مياه صالحة للشرب، أو تيار كهربائي يُعتمد عليه، في حين تكتسب نخبة صغيرة مزيدًا من النفوذ على الأراضي والموارد. وليس غريبًا أيضًا أن تأتي مشاركة المرأة العربية السياسية والاقتصادية في أدنى المعدلات في العالم.

وبدا أن معظم زعماء السلطة وسماسرتها في المنطقة مستعدون لمواصلة إدارة الشؤون العامة فيها على ما كانت الحال دومًا، على الرغم من كل المشكلات. أمّا الإدارات الأميركية المتعاقبة، وعلى الرغم من نياتها الحسنة، فإن الواقع اليومي لسياستها الخارجية أعطى الأولوية للضرورات الاستراتيجية والأمنية الملحَّة، من مثل مكافحة الإرهاب، ودعم إسرائيل، والحد من طموحات إيران إلى امتلاك السلاح النووي، على حساب الهدف الطويل الأمد الذي يقضي بتشجيع

٣٥

في ١ كانون الأول/ديسمبر ٢٠٠٩، أجلس قبالة الرئيس أوباما ومستشار الأمن القومي جيم جونز، وإلى جانبي وزير الدفاع بوب غايتس ورئيس هيئة الأركان المشتركة مايك مولن في الهليكوبتر الرئاسية، مارين وان، في طريقنا إلى ويست بوينت، حيث أعلن الرئيس قراره إرسال قوات إضافية إلى أفغانستان.

٣٦

الجنرال ستانلي ماكريستال، قائد القوات المشتركة في أفغانستان؛ السفير ريتشارد هولبروك؛ السفير الأميركي في أفغانستان كارل أيكنبري ينظرون إليّ أصافح جنديًا من قوات الناتو عند وصولي إلى مطار كابول، أفغانستان، في ١٨ تشرين الثاني/نوفمبر، ٢٠٠٩.

٣٧

ريتشارد هولبروك يتحدث في مؤتمر في كابول في نيسان/أبريل ٢٠١٠، مع الرئيس الأفغاني حميد كرزاي والجنرال دافيد بيترايوس.

٣٨

أتناول الطعام مع الرئيس كرزاي في دمبارتون أوكس في واشنطن دي سي، في أيار/ مايو ٢٠١٠. قمت بمجهود كبير للتواصل مع كرزاي. مثل علاقتي بكثر من قادة العالم ساد الاحترام والمجاملة المتبادلة علاقتنا.

٣٩

ألتقي ناشطات أفغانيات في مؤتمر دولي في بون، ألمانيا، في كانون الأول/ديسمبر ٢٠١١. بعد سقوط نظام طالبان عام ٢٠٠١، بدأت أدعم النساء الأفغانيات في سعيهن إلى حقوقهن ومزيد من الفرص.

٤٠

بعد يوم على هجمات ٩/١١ الإرهابية، أجول في مانهاتن السفلى المدمرة مع حاكم نيويورك جورج باتاكي (إلى اليسار) ورئيس بلدية المدينة رودولف غولياني (في الوسط). شعرت والرئيس أوباما أن إلحاق الهزيمة بتنظيم القاعدة حاسم لأمننا الوطني، ويجب مضاعفة الجهود للقبض على بن لادن وإخضاعه للعدالة.

٤١

الطلاب يتظاهرون ضد زيارتي للاهور، باكستان، في تشرين الأول/أكتوبر ٢٠٠٩. حذرني فريق عملي من أنني سأكون بمثابة «كيس ملاكمة» في باكستان بسبب تصاعد الشعور المناهض للولايات المتحدة، لكنني أصررت على ضرورة الانخراط هناك، وقبلت التحدي.

٤٢

أضع اللمسات الأخيرة على خطاب ألقيته في باكستان في تشرين الأول/أكتوبر ٢٠١١. قلت للباكستانيين إن دعم متمردي طالبان سيجلب لهم المشكلات، كمّن يربي ثعابين في فنائه الخلفي ويتوقع منها أن تعض جيرانه فقط. معي في الصورة، من اليسار إلى اليمين، هوما عابدين، سفيرنا في باكستان كاميرون مونتر، كاتب خطبي دان شويرين، الممثل الخاص في أفغانستان وباكستان مارك غروسمان (جلوسًا)، والمتحدثة باسمي توريا نولاند، وفيليب راين.

٤٣

من أشهر الصور في العالم، وأشد اللحظات مأسويةً، في أعوام أربعة، نتابع الغارة على بن لادن في ١ أيَّار/مايو ٢٠١١. يجلس إلى الطاولة، من اليسار: نائب الرئيس بايدن، الرئيس أوباما، المارشال براد ويب، نائب مستشار الأمن القومي دينيس ماكدونو، أنا والوزير غايتس. وقوفًا (من اليسار): الأدميرال مايك مولن رئيس هيئة الأركان المشتركة؛ مستشار الأمن القومي توم دونيلون؛ كبير الموظفين بيل دالي؛ مستشار الأمن القومي لنائب الرئيس توني بلينكن؛ أودري توماسون رئيسة مكتب مكافحة الإرهاب؛ جون برينان مساعد الرئيس لشؤون الأمن الوطني؛ ومدير الاستخبارات الوطنية جيم كلابر.

٤٤

١ أيَّار/مايو ٢٠١١: نهاية يوم طويل. فريق الأمن القومي يستمع إلى الرئيس أوباما يعلن للأمة أن بن لادن أخضع للعدالة. معي في الصورة، جلوسًا من اليسار إلى اليمين: جايمس كلابر مدير الاستخبارات الوطنية؛ مستشار الأمن القومي توم دونيلون؛ مدير السي آي إيه ليون بانيتا؛ الأدميرال مايك مولن رئيس هيئة الأركان المشتركة؛ ونائب الرئيس جو بايدن.

٤٥

بعد إعلان الرئيس أوباما مقتل بن لادن، تجمعت الحشود أمام البيت الأبيض للاحتفال. سمعنا الهتافات: «يو إس إيه! يو إس إيه!».

٤٦

وزير الخارجية البريطاني دافيد ميليباند يزورني في وزارة الخارجية في تموز/يوليو ٢٠٠٩، وهو شريك وصديق لا يقدَّر بثمن. في أوَّل لقاء لنا، جاملني ووصفني بـ «هرقل المناسب لهذه المهمة».

٤٧

أتحدث مع خليفة ميليباند، وزير الخارجية البريطانية ويليام هيغ خلال اجتماع لمجلس الأمن في الأمم المتحدة، عن شؤون السلام والأمن في منطقة الشرق الأوسط في أيلول/سبتمبر ٢٠١٢. وأصبح هيغ اللائق زميلًا وصديقًا مقربًا.

٤٨

أتأمل، في إعجاب، لوحة خلال جولة في قصر باكنغهام في لندن، أيّار/ مايو ٢٠١١. حين أمضيت ليلة هناك، خيِّل إليَّ أنني في قصة خيالية.

٤٩

أصعد أدراج قصر الإيليزيه في باريس في كانون الثاني/يناير ٢٠١٠ لمصافحة الرئيس الفرنسي نيكولا ساركوزي، فإذا بحذائي يخرج من رجلي لأمشي حافية أمام المراسلين الصحافيين. أمسك بيدي، في لطف، وساعدني على انتعاله. أرسلت إليه لاحقًا الصورة مع هذا التعليق، «قد لا أكون سندريلا، لكنك ستظل دومًا أميري الساحر».

٥٠

تتمتع المستشارة الألمانية أنجيلا ميركل بحس دعابة مميز. خلال مأدبة غداء في وزارة الخارجية في حزيران/يونيو ٢٠١١، ضحكت ونائب الرئيس بايدن حين قدمت إلي صحيفة ألمانية وضعتها في إطار. حملت الصفحة الأولى صورة لكل منا نقف إحدانا قرب الأخرى ونبدو متشابهتين إلى حد كبير، وإنما اقتطعت الصورة رأسينا. وتحدّت الصحيفة قرّاءها معرفة من منا ميركل، ومن منا هيلاري.

٥١

استضفت نظرائي في مجموعة الثماني في بلير هاوس في واشنطن، في نيسان/أبريل ٢٠١٢. ويبدو من اليسار إلى اليمين: كوا شيرو جيمبا الياباني؛ غيدو فسترفيله الألماني؛ سيرغي لافروف الروسي؛ ويليام هيغ البريطاني؛ ألان جوبيه الفرنسي؛ جون بيرد الكندي؛ غيليو ترزي دي سانت أغاتا الإيطالي؛ وكاترين آشتون من الاتحاد الأوروبي.

٥٢

في اجتماع مع رئيس الوزراء التركي رجب طيب أردوغان في قصر دولماباهس في اسطنبول، تركيا، في نيسان/أبريل ٢٠١٢. كانت تركيا قوة ناشئة في المنطقة، وتحدثت ساعات مع أردوغان عن كل شيء، من إيران إلى ليبيا فسوريا.

٥٣

أقف بين الرئيس التركي عبدالله غول (إلى اليسار) ووزير الخارجية التركية أحمد داود أوغلو (إلى اليمين) في اسطنبول. جمعتني بداود أوغلو علاقة عمل مثمرة وودية، وعلى الرغم من التوتر المتكرر، لم تنقطع قط.

٥٤

مع رئيس الوزراء الروسي فلاديمير بوتين في منزله الريفي خارج موسكو في آذار/مارس ٢٠١٠. يرى بوتين الجغرافيا السياسية لعبة نتيجتها صفر، إذا ربح فيها أحدهم، فالآخر خاسر لا محالة. بحثت والرئيس أوباما في التهديدات التي يشكِّلها بوتين وسبل مواجهتها.

٥٥

في حزيران/يونيو ٢٠١٢، في لقاء مع وزير الخارجية الروسية سيرغي لافروف في سانت بطرسبرغ. بدأنا بالعمل على إعادة ضبط علاقتنا التي توقفت بسبب الأزمة السورية. أثمرت إعادة الضبط سلسلة نجاحات، بما يشمل فرض عقوبات قاسية على إيران وكوريا الشمالية، قبل أن تبرد العلاقات مع عودة بوتين إلى السلطة.

٥٦

أنتظر في سيارتي أمام فندق في زوريخ، سويسرا، في تشرين الأول/أكتوبر ٢٠٠٩، أجري اتصالات هاتفية مع مساعدي للشؤون الأوروبية والأوراسية فيل غوردون لإقناع وزير الخارجية الأرمنية بالخروج من غرفته وتوقيع اتفاق مع تركيا. وصفت مجلة نيويورك تايمز جهودي بـ «دبلوماسية الاتصالات الهاتفية في سيارة الليموزين».

٥٧

ألوِّح للحشود في بريستينا، كوسوفو، أمام تمثال ضخم تكريمًا لبيل، الذي أدى دورًا حاسمًا في وضع حد للحرب هناك في تسعينيات القرن العشرين. وفي الساحة محل ثياب فاخرة يحمل اسم: هيلاري، أوضح لي مالكه أنه سمّاه تيمنًا بي «كي لا يشعر بيل بالوحدة في الساحة».

٥٨

أحتفل مع الرئيسة البرازيلية المنصّبة حديثًا ديلما روسيف في ١ كانون الثاني/يناير ٢٠١١. تتمتع بذكاء وصلابة حقيقية، وهما ميزتان ضروريتان للقيادة في هذا الزمن العصيب.

٥٩

أرتدي سترة خضراء، وقد ارتعبت وفوجئت حين دنا حوت من مركبنا الصغير على شاطئ مكسيكو في شباط/فبراير ٢٠١٢، مع وزراء خارجية آخرين من مجموعة العشرين. وتبدو إلى جانبي مضيفتنا، وزيرة الخارجية المكسيكية باتريسيا إسبينوسا.

٦٠

لم تقتصر سنوات ولايتي على العمل فقط. بينما كنت في كَرتَخينا، كولومبيا، لقمّة الأميركتين في نيسان/أبريل ٢٠١٢، انضممت إلى فريق عملي للاحتفال بعيد ميلاد مساعدتي لشؤون نصف الكرة الغربي، روبرتا جاكوبسون. وحين سألت وسائل الإعلام الناطق باسم وزارة الخارجية لاحقًا كم تمتعتُ تحديدًا في الاحتفال، أجاب رسميًا: «كثيرًا».

٦١

أهنئ الرئيسة التشيلية ميشيل باشليه بالسلامة في مطار سانتياغو بعد هزة أرضية عنيفة عام ٢٠١٠.

٦٢

في مونروفيا، ليبيريا، أتشاور مع الرئيسة إيلين جونسون سيرليف خلال زيارة في آب/أغسطس ٢٠٠٩. المرأة الأولى التي تعتلي سدة الرئاسة في بلد أفريقي، جونسون سيرليف قائدة لافتة، وأُعجب بشغفها ومثابرتها.

٦٣

إحدى أكثر الجولات التي فطرت قلبي حين كنت وزيرةً تلك التي قمت بها على مخيمات اللاجئين في غوما في جمهورية الكونغو الديمقراطية في آب/أغسطس ٢٠٠٩. أبدو هنا أجول في المخيم وأتحدث مع الناس الذين واجهوا ظروفًا قاسية وتفشي العنف الجنسي.

٦٤

رئيس الصومال الانتقالي الشيخ شريف شيخ أحمد فاجأ كثرًا في مجتمعه الديني المحافظ بمصافحتي بعد لقائنا في آب/أغسطس ٢٠٠٩ في نيروبي، كينيا. مساعدة حكومته في القضاء على إرهابيي حركة الشباب كانت أولوية أمنية وطنية في أفريقيا.

٦٥

كان لي شرف لقاء الأسقف الياس تعبان في جوبا، جنوب السودان، في آب/أغسطس ٢٠١٢. قصة الأسقف تعبان الملهمة أثرت فيّ جدًا، وأخذت نسخة من مقالته الافتتاحية القوية إلى اجتماعي مع رئيس جنوب السودان سالفا كير في وقت سابق من ذلك النهار.

٦٦

٦٧

أعلى الصفحة: أزرع ورئيس الوزراء التنزاني ميزانكو بيندا بعض الشتل في تعاونية نسائية في ملانديزي، تنزانيا، في حزيران/يونيو ٢٠١١، كجزء من مبادرتنا «غذاء للمستقبل». **أسفل الصفحة:** أغني وأصفق مع نساء مالاويات في مجموعة لومبادزي ميلك بولكينغ في ليلونغوي، مالاوي، في آب/أغسطس ٢٠١٢. محاربة الجوع والفقر المدقع أصح الأعمال التي نقوم بها وأذكاها.

٦٨

ابتسمت حين رأيت محلًا يحمل اسم هيلاري كلينتون في كاراتو، تنزانيا.

٦٩

أعود مرضى مصابين بفيروس نقص المناعة/الإيدز في عيادة صحية في كمبالا، أوغندا، في آب/أغسطس ٢٠١٢. وضعت هدفًا طموحًا أن يكون «الجيل المقبل متحررًا من الإيدز». قد يرافقنا فيروس نقص المناعة في المستقبل، لكننا سنتخلص من الإيدز.

بعد جنازة نيلسون مانديلا في كانون الأول/ديسمبر ٢٠١٣ في جنوب أفريقيا، اجتمعنا نقصُّ أخباره ونحتفي بحياته وإرثه، وقد انضم إلينا صديقنا بونو. أجلس هنا قرب بونو إلى البيانو. فرح بيل، وأنا أحاول عزف بعض النوتات.

الإصلاحات الداخلية في دول شركائنا العرب. ومما لا شك فيه أننا ضغطنا على الزعماء في شأن الإصلاح لأنّه يعزّز الاستقرار والازدهار الشامل على الأجل الطويل، لكنّنا انخرطنا معهم أيضًا في مجموعة واسعة من المخاوف الأمنية ولم نأخذ جديًّا في الحسبان قطع علاقاتنا العسكرية معهم.

وكانت تلك معضلة واجهت أجيالًا من صناع القرار الأميركيين. يسهل إلقاء الخطب وتأليف الكتب التي تدعو إلى مناصرة القيم الديمقراطية، حتى عندما تتعارض مع مصالحنا الأمنية، ولكن عند مواجهة الواقع، أي أمام مقايضات العالم الحقيقي، تصبح الخيارات أصعب. تقوم صناعة السياسة على التوازن، فحققنا نجاحًا أكثر مما فشلنا. ولكن هناك دائمًا خيارات نندم عليها، وعواقب لم نتوقعها، ومسارات بديلة نتمنى لو سلكناها.

ولقد تحدثت مع ما يكفي من الزعماء العرب، طوال أعوام، لأدرك أن معظمهم غير راضٍ عن بقاء الأمور على ما هي عليه؛ يريدون التغيير شرط أن يتم في بطء. بحثت عن سبلٍ لبناء علاقات شخصية معهم وثقة متبادلة، وفهم وجهات نظرهم الثقافية والاجتماعية التي تؤثر في تصرفاتهم، والدفع إلى التغيير متى رأيت ذلك ممكنًا.

جال كل ذلك في ذهني مع بداية العام ٢٠١١، بينما كنت أتحضر لزيارة الشرق الأوسط مجددًا. تعاملت كثيرًا عامي ٢٠٠٩ و٢٠١٠ مع الرئيس المصري حسني مبارك، وملك الأردن عبدالله الثاني، لجمع الزعيمين الإسرائيلي والفلسطيني وإجراء محادثات سلام مباشرة، لنشهد انهيارها بعد ثلاث جولات من المفاوضات المهمة. أبلغت الجانبين مرارًا وتكرارًا أن الستاتيكو غير مقبول وعليهما اتخاذ الخيارات اللازمة التي تؤدي إلى السلام والتقدم. وكنت راهنًا أفكر في الأمر نفسه في ما يتعلق بالمنطقة ككل. إذا فشل الزعماء العرب، ومعظمهم شركاء أميركا، في استيعاب الحاجة إلى التغيير، فإنهم يخاطرون بفقدان السيطرة على مواطنيهم الشباب والمهمشين ويشرعون الأبواب أمام الاضطرابات والصراعات والإرهابيين. هذا هو الرأي الذي سأعلنه، من دون المجاملات الدبلوماسية المعتادة التي تميّع الرسالة.

وخططنا لأن يتركز موضوع الجولة على الاستدامة السياسية والاقتصادية والبيئية، لكن الأحداث التي تكشفت على الأرض رفعت الرهانات إلى أعلى من ذلك.

لقد ترنحت الحكومة الموالية للغرب في لبنان وأوشكت الإنهيار تحت ضغط شديد من حزب الله، وهو عبارة عن ميليشيا شيعية مسلحة وذات نفوذ كبير على الساحة السياسية اللبنانية. سافرت إلى نيويورك في ٧ كانون الثاني/يناير، لأناقش الأزمة مع رئيس الوزراء اللبناني سعد الحريري، نجل الزعيم السابق المغدور رفيق الحريري؛ وكذلك مع الملك عبدالله، عاهل المملكة العربية السعودية، وكلاهما يزور الولايات المتحدة.

ووردت في ذلك الوقت تقارير تتحدث عن احتجاجات في شوارع تونس، وهي مستعمرة فرنسية سابقة على ساحل البحر الأبيض المتوسط في شمال أفريقيا، بين ليبيا والجزائر، حكمها منذ عقود الدكتاتور زين العابدين بن علي. سهُل على السياح الأوروبيين الذين توافدوا إلى شواطئها وفنادقها العالمية تجاهُل الجانب المظلم من تونس بن علي، إذ تمتعت النساء هناك بحقوقهن أكثر من دول شرق أوسطية كثيرة، وكان الاقتصاد أكثر تنوعًا، والمتطرفون غير مرحب بهم. لكنَّ النظام كان قاسيًا وقمعيًّا وفاسدًا، وبعيدًا من الوجهات السياحية الجذابة، عاش كثر من المواطنين في الفقر واليأس.

وقد بدأت الاضطرابات مع حادث مفجع في ١٧ كانون الأول/ديسمبر ٢٠١٠. كان رجل تونسي، يبلغ من العمر ستة وعشرين عامًا، واسمه محمد البوعزيزي، يبيع الفاكهة على عربة صغيرة في سيدي بوزيد، المدينة الريفية الفقيرة التي تقع جنوب العاصمة تونس. ومن مثل كثر في تونس، عمِل في الخفاء وكافح لجني ما يكفي من المال لإعالة أسرته. لم يملك البوعزيزي تصريحًا رسميًّا لبيع منتوجه، ووقعت ذلك النهار مشادة بينه وبين ضابطة شرطة أشعرته بالمهانة واليأس، فأضرم النار في نفسه لاحقًا أمام مقر الحكومة المحلية. أثار فعله هذا الاحتجاجات في أنحاء تونس. نزل الناس إلى الشوارع، يحتجون على الفساد، والمهانة وانعدام الفرص. وتناقلت وسائل التواصل الاجتماعية حكايات عن فساد بن علي الرهيب، وبعضها مستمد من تقارير دبلوماسيين أميركيين عن تجاوزات ارتكبها النظام طوال أعوام، فضحتها ويكيليكس قبل مدة وجيزة من بدء الاحتجاجات.

ردَّ النظام على الاحتجاجات بقوة مفرطة، مما أجج الغضب الشعبي. وعاد بن علي، البوعزيزي في المستشفى، لكنَّ هذه اللفتة لم تفعل شيئًا يُذكر لتهدئة الاضطرابات المتزايدة، وتوفي الشاب بعد أيَّام.

وفي ٩ كانون الثاني/يناير، وبينما كنت مسافرة من واشنطن إلى أبو ظبي للبدء برحلتي التي ستأخذني من الإمارات العربية المتحدة، إلى اليمن وقطر، شدَّدت قوات الأمن في تونس حملتها على المحتجين، فقُتِل أشخاص كثر. ورأى معظم المراقبين في ذلك مثالًا آخر لدورة القمع المألوفة في منطقةٍ أصبحت مخدَّرة على مثل هذه التشنجات.

الإمارات العربية المتحدة دولةٌ خليجية صغيرة وإنما ذات نفوذ كبير، نمت ثروتها سريعًا بفضل احتياطياتها الهائلة من النفط والغاز الطبيعي. وعمدت حكومتها، بقيادة ولي العهد الأمير زايد بن سلطان آل نهيان، إلى الاستثمار في مشاريع الطاقة الشمسية وسيلةً لتنويع اقتصادها وتحوطًا للتقلبات المستقبلية في سوق النفط العالمية، مما يُعدُّ حالًا نادرة من التبصر والتخطيط الذكي في دولة نفطية. وفي «معهد مصدر» التكنولوجي العالي الذي يقع في الصحراء على بعد عشرين ميلًا خارج أبو ظبي، تحدثتُ مع مجموعة من طلبة الدراسات العليا عن تقلص إمدادات

النفط وانخفاض منسوب المياه في المنطقة. قلت لهم: «لن تنفع بعد اليوم الاستراتيجيات القديمة للنمو والازدهار. بالنسبة إلى كثرٍ من الناس في أماكن كثيرة، صار الستاتيكو اليوم لا يحتمل».

ولعلَّ أفضل مثال في المنطقة تنطبق عليه تحذيراتي، هو اليمن، الدولة التي تقع أسفل شبه الجزيرة العربية. لا يخفى التناقض المطبق بين عاصمتها صنعاء المغبرة التي تعود إلى القرون الوسطى، وأبو ظبي ودبي المدينتين الأنيقتين والحديثتين في الإمارات العربية المتحدة. واليمن، المجتمع القبلي الذي يحكمه منذ العام ١٩٩٠ رجل قوي اسمه علي عبد اللّه صالح، عانى تحركات التمرد الانفصالية العنيفة، وتدفق الإرهابيين المرتبطين بتنظيم القاعدة، وانتشار البطالة، وتضاؤل إمدادات المياه، وإحصاءات وفيات الولادة المروِّعة، وارتفاع عدد السكان، في شكلٍ منافٍ للمنطق، والذي يُتوقع أن يتضاعف في السنوات العشرين المقبلة. ويُعدُّ سكان اليمن من أكثر الشعوب تسلحًا وأقلّهم تعلُّمًا على وجه الأرض.

وكانت علاقة أميركا بالرئيس صالح رمزًا للخيار المحيِّر الذي تعانيه سياستنا في منطقة الشرق الأوسط. كان فاسدًا ومستبدًّا، لكنَّه التزم أيضًا محاربة تنظيم القاعدة والمحافظة على وحدة بلاده المنقسمة. قررت إدارة أوباما أن نتغاضى عما يزعجنا في سياسة صالح، لنزيد المساعدات العسكرية والتنموية لليمن، ونوسع تعاوننا في مكافحة الإرهاب. وخلال مأدبة غداء طويلة في قصره، بحثت وصالح في الطريقة التي تمكّننا من العمل في شكل وثيق على الشؤون الأمنية، لكنني ألححت عليه أيضًا في موضوع حقوق الإنسان والإصلاحات الاقتصادية. لم يهتم أو يصغِ كثيرًا إلى ذلك، إذ انشغل بعرض البندقية الأثرية التي قدمها إليه الجنرال نورمان شوارزكوف. وأبى كذلك أن أغادر قبل زيارة «المدينة القديمة» في صنعاء، واصطحبني في جولة.

وتبدو «المدينة القديمة» كأنها خارجة من «ألف ليلة وليلة»، وهي عبارة عن عمارات مبنية بخليط من القرميد والطين، غطت واجهتها زخارف من المرمر، وتشبه إلى حدٍّ كبير «منازل الزنجبيل». راقبتنا ونحن نمرّ، حشود من المتفرجين الفضوليين يجلسون في محالّ التوابل والمقاهي. وكانت النساء، في معظمهن، محجبات، يرتدين إما حجاب الرأس، وإما النقاب الذي يغطي الوجه بكامله. حمل الرجال على وسطهم الخناجر الكبيرة المعقوفة، وعددًا لا يُستهان به من بنادق الكلاشنيكوف، ومضغوا أوراق القات، المخدر اليمني المشهور. جلت في سيارة دفع رباعية مدرعة، لا تكاد تتسع لها الطرق الضيقة، ومررت في محاذاة جدران المحال التجارية والمنازل حتى خيِّل إلي أنني يمكنني الدخول إليها لو كانت نوافذها مفتوحة.

وقد توجهت إلى فندق موفنبيك الذي يقع على مرتفع يطل على المدينة، حيث التقيت مجموعة كبيرة من الناشطين والطلاب، هم جزء من المجتمع النابض بالحياة في اليمن. افتتحت اجتماعنا بكلمة قصدت توجيهها ليس إلى اليمنيين فحسب، بل وإلى جميع الشعوب في منطقة الشرق

الأوسط: «سيتوق الجيل المقبل من اليمنيين إلى فرص العمل، والرعاية الصحية، ومحو الأمية، والتعليم والتدريب اللذين يربطانهم بالاقتصاد العالمي، وسيسعون إلى الحكم الديمقراطي الذي يستجيب شعبه ويخدم مجتمعاته». يجب على المنطقة ككل تصوُّر وسيلة تجعل الشباب ينظرون إلى المستقبل في أمل، ترتكز على أسس الأمن والاستقرار. أثارت ملاحظاتي تبادلًا حماسيًّا للأفكار بين الحضور، فنفَّس عن غضبه. وتحدَّث الطلاب الذين درسوا في الخارج في انفعال، عن إصرارهم على العودة إلى بلادهم للمساعدة على بنائها. وعلى الرغم مما يسببه لهم القمع والفساد مِن إحباط، ظلوا يأملون في أنَّ التقدم ممكن.

وجَلَسَت بين الحضور شابة اسمها نجود علي، كافحت للحصول على الطلاق في سن العاشرة، ونجحت. أُجبِرت على الزواج من رجلٍ يكبرها بالسن ثلاث مرات، منعها عن متابعة دراستها. لم يكن الأمر خارجًا عن المألوف في اليمن، ولكن بالنسبة إلى نجود، كان أشبه بعقوبة سجن. وفي محاولة يائسة للفرار مما أصبح زواجًا مسيئًا واستعادة حلمها بالتعلم والحياة المستقلة، ركبت حافلةً وقصدت المحكمة المحلية. لم يُعِرْها أحد اهتمامًا إلى أن سألها أحد القضاة عن سبب وجودها في المكان. وأجابت نجود أنها تريد الطلاق. تطوعت لنجدتها والدفاع عنها محامية اسمها شذى ناصر. صدمتا اليمن والعالم بكفاحهما أمام القضاء، ونجحتا. لحظت أن قصة نجود يجب أن تلهم اليمن لوضع حدٍّ نهائي لزواج الأطفال.

وأتيح لي في اليوم التالي ملاحظة المزيد من التناقضات حين ذهبت إلى عُمان التي قام حاكمها، السلطان قابوس بن سعيد آل سعيد، بخيارات حكيمة طوال أعوام ساعدت بلاده على بناء مجتمع حديث، فيما بقيت وفية لثقافتها وتقاليدها. «يجب أن ننشر العلم، حتى لو درس طلابنا تحت ظلال الأشجار»، على ما أعلن. لم تتوافر في البلاد ككل في سبعينات القرن العشرين إلّا ثلاث مدارس ابتدائية، قصدها أقل من ألف فتى، من دون فتيات. لكن التعليم الابتدائي، عام ٢٠١٤، بات يشمل عُمان، وعدد النساء الخريجات في جامعات البلاد يفوق عدد الرجال. عُمان ملكِية، وليست ديمقراطية، لكنها أظهرت ما يمكن تحقيقه عندما يصوِّب قائدها على التعليم، وتمكين قدرات النساء والفتيات، ويضع الشعب في صلب استراتيجيته الإنمائية. وقد صنَّف برنامج الأمم المتحدة الإنمائي عام ٢٠١٠ عُمان الدولة الأولى في العالم في تحسين التنمية البشرية منذ العام ١٩٧٠.

ذاك اليوم، ١٢ كانون الثاني/يناير، وبينما استعد رئيس الوزراء اللبناني سعد الحريري، في واشنطن للقاء الرئيس أوباما، انهارت حكومته وسط الاقتتال الداخلي، كأنَّ لعنة تطارد كل حكومة لبنانية تحاول تحقيق التوازن بين مصالح شعبها، الذي يتألف من مزيج من السنة والشيعة والمسيحيين والدروز، وأجنداته. وتصاعد العنف في تلك الأثناء في شوارع تونس. لم أشعر آنذاك بانفجار الأزمة كاملًا، وإنما ساد انطباع عام بأنَّ هزة تضرب المنطقة.

وكانت محطتي الأخيرة الدوحة، في قطر، لألقي الخطاب الذي حضرته في عناية أمام المؤتمر الإقليمي. وصباح ١٣ كانون الثاني/يناير، دخلت إلى القاعة التي تعج بالقادة العرب، وأوجزت التحديات التي تواجه المنطقة بما أوتيت من صراحة: البطالة، والفساد، والنظام السياسي المتصلب الذي ينكر على المواطن كرامته وحقوق الإنسان العالمية. «في أماكن كثيرة، وبطرائق مختلفة، تغرق دعائم المنطقة في الرمال»، على ما قلت، مرددةً المواضيع التي سلطت عليها الضوء في جولتي. وفي تحدٍ مباشر للقادة المجتمعين، أضفت: «يمكنكم المساعدة على بناء المستقبل الذي تؤمن به شعوبكم الفتية، وتناصره، وتدافع عنه». وإن لم يحدث ذلك، «فالستاتيكو الراهن الذي يتمسك به البعض، قد يكون قادرًا على لجم التأثير الكامل لمشكلات بلدانهم لبعض الوقت، ولكن ليس إلى الأبد».

تعوَّد قلة من الزعماء العرب سماع الانتقادات تُقال علنًا ومباشرةً. وعلى الرغم من تفهمي مشاعرهم وعاداتهم، قضت الضرورة بأن يأخذوا على محمل الجد السرعة التي يتغيَّر بها العالم من حولهم. وجب علي أن أعبِّر عن ذلك بطريقةٍ غير دبلوماسية، ففعلت، إذ قلت ختامًا: «دعونا نواجه هذا المستقبل صراحةً، ونناقش علنًا ما يجب القيام به. دعونا لمرَّةٍ، نتجاوز الخطب الرنانة، ونتخلى عن الخطط الخجولة والتدريجية، ونلتزم المحافظة على تحرك هذه المنطقة في الاتجاه الصحيح». حين انتهيت، علَّق الصحافيون الأميركيون الذين يرافقونني في جولتي على كلامي القاسي، في رأيهم. تساءلت هل يلي ذلك أي إجراء.

في اليوم التالي، ومع تفاقم حدَّة التظاهرات في تونس، فرَّ زين العابدين بن علي وسعى إلى اللجوء إلى المملكة العربية السعودية. فالاحتجاجات التي بدأت بسبب خلافٍ على عربة فاكهة، تحوَّلت ثورة كاملة. لم أتوقَّع أن تؤكّد الأحداث تحذيري من «دعائم تغرق في الرمال» بهذه السرعة، وبهذا الشكل المأسوي، ولكن بات يستحيل إنكار الرسالة. وعلى الرغم من أهمية هذه الأحداث، لم يتوقع أحد منا ما سيحدث لاحقًا.

لقد أثبتت الاحتجاجات في تونس أنها مُعدية. فبفضل القنوات التلفزيونية الفضائية ووسائل التواصل الاجتماعي، حلَّ الشباب في منطقة الشرق الأوسط وشمال أفريقيا في مقدم من شهد على الانتفاضة الشعبية التي أطاحت بن علي. شجعهم ذلك، وبدأوا يحوّلون انتقاداتهم السرية لحكوماتهم دعوات عامة من أجل التغيير. والواقع أن الظروف التي قادت إلى الغضب في تونس تسود أنحاء المنطقة كافة، خصوصًا في ما يتعلَّق بالفساد والقمع.

ففي ٢٥ كانون الثاني/يناير، تفاقمت الاحتجاجات في القاهرة ضد إجراءات الشرطة

الوحشية، وتحوَّلت تظاهرات ضخمة ضد نظام حسني مبارك الاستبدادي. احتل عشرات آلاف المصريين ميدان التحرير في وسط العاصمة، وقاوموا جهود الشرطة لإجبارهم على التفرق. يومًا بعد يوم، تضاعفت الحشود في الساحة، وصوَّبت على هدفٍ واحد: خلع حسني مبارك عن رأس السلطة.

وقد عرفتُ حسني مبارك وزوجته سوزان منذ حوالى عشرين عامًا. كان ضابطًا في سلاح الجو، وترقّى في الصفوف تدريجًا ليصبح نائب الرئيس أنور السادات، الحاكم المصري الذي قاتل إسرائيل في حرب يوم الغفران عام ١٩٧٣، ووقَّع من ثمَّ اتفاقات كامب دافيد. أُصيب مبارك في الهجوم المتطرف الذي اغتال السادات عام ١٩٨١، لكنَّه نجا، وغدا رئيسًا، وقمع، في صرامة، الإسلاميين والمعارضين الآخرين. حكم مصر مثل فرعون، بسلطة شبه مطلقة طوال ثلاثة عقود.

والتقيت مبارك تكرارًا خلال الأعوام. قدرت دعمه الثابت لاتفاقات كامب دافيد والتوصل إلى حلِّ الدولتين للإسرائيليين والفلسطينيين. حاول كثيرًا، أكثر من أي زعيم عربي، إقناع عرفات بقبول اتفاق السلام الذي فاوض عليه زوجي عام ٢٠٠٠. ولكن، على الرغم من شركته مع الولايات المتحدة على أمور استراتيجية رئيسة، خيَّب الآمال بعدما أمضى في السلطة أعوامًا طويلة وظلّ نظامه يحرم الشعب المصري معظم حرياته الأساسية وحقوق الإنسان، ويسيء إدارة الاقتصاد. تحت حكم مبارك، كافح البلد الذي عرَّفه المؤرخون باسم «سلة الخبز في العصور القديمة» لإطعام شعبه، وأصبح أكبر مستوردٍ للقمح في العالم.

وتوفي فجأة في أيَّار/مايو ٢٠٠٩ حفيد مبارك البالغ اثني عشر عامًا بسبب مشكلة صحية لم تُكشف تفاصيلها. بدت الخسارة كأنَّها حطَّمت الزعيم المسنّ. حين اتصلت بسوزان مبارك لتقديم تعازيَّ، قالت لي إنَّ الفتى كان «أفضل صديق للرئيس».

وقد وضعت احتجاجات مصر إدارة أوباما أمام وضعٍ دقيق. عُدَّ مبارك حليفًا استراتيجيًّا رئيسًا طوال عقود، على الرغم من أنَّ مُثُل أميركا العليا تنسجم أكثر مع الشباب الداعي إلى «الخبز والحريَّة والكرامة». حين سألني صحافي عن الاحتجاجات في يومها الأوَّل، سعيت إلى إجابةٍ مدروسة تعكس مصالحنا وقيمنا، فضلًا عن عدم اليقين المحيط بالوضع، تجنبًا لصب مزيد من الزيت على النار، فقلت: «نحن ندعم الحق الأساسي في حرية التعبير والتجمع لجميع الناس، ونحث جميع الأطراف على ضبط النفس ونبذ العنف. لكن الحكومة المصرية مستقرة، وفقَ تقويمنا، وتبحث عن سبلٍ لاستجابة احتياجات الشعب المصري ومطالبه المشروعة». وتبيَّن أن النظام «غير مستقر»، لكنَّ قلة من المراقبين أمكنها توقُّع حدَّ هشاشته.

وقد انضم الرئيس أوباما في ٢٨ كانون الثاني/يناير إلى اجتماع لفريق الأمن القومي في

غرفة العمليات في البيت الأبيض، وطلب منّا توصيات تتعلق بطريقة التعامل مع أحداث مصر. دار النقاش حول الطاولة، وغصنا مجددًا في الأسئلة التي أربكت صنّاع السياسة الأميركية أجيالًا: كيف يمكننا تحقيق التوازن بين المصالح الاستراتيجية والقيم الأساسية؟ هل نستطيع التأثير، في نجاح، في شؤون الدول الأُخرى الداخلية وتغذية الديمقراطية حيث لم تنشأ يومًا، من دون تكبد عواقب سلبية غير مقصودة؟ ماذا يعني أن تتخذ الجانب الصحيح من التاريخ؟ وستحمل هذه المناقشات التي خضناها طويلًا اسم الربيع العربي.

وانجرف بعض مساعدي الرئيس أوباما في البيت الأبيض، من مثل كثر غيرهم من الشباب في العالم، في درامية تلك اللحظة ومثاليتها، وهم يشاهدون الصور من ميدان التحرير على التلفزيون. اندمجوا مع التطلعات الديمقراطية للمتظاهرين المصريين الشباب ومعرفتهم العلمية والتكنولوجية. في الواقع، تأثر الأميركيون من كل الأعمار والاتجاهات السياسية برؤيتهم هذا الشعب الذي قُمِع طويلًا يُطالب أخيرًا بحقوق الإنسان العالمية، ونفروا من القوة المفرطة التي استخدمتها السلطات ردًّا عليهم. شاطرتُهم هذا الشعور. فاللحظة كان مثيرة. لكنني قلقت، على ما فعل نائب الرئيس بايدن، ووزير الدفاع بوب غايتس، ومستشار الأمن القومي توم دونيلون، ألّا نُعَدّ كأننا نتخلى عن شريك قديم، لنُسلِّم مصر وإسرائيل والأردن والمنطقة ككل إلى مصير مجهولٍ وخطر.

أمّا الحجج التي تشير إلى وقوف أميركا وراء المتظاهرين، فتتجاوز النظرة إلينا كمثاليين. كانت مناصرة الديمقراطية وحقوق الإنسان في صلب قيادتنا للعالم أكثر من نصف قرن. نعم، تهاودنا من حين إلى آخر بهذه القيم خدمةً لمصالحنا الاستراتيجية والأمنية، بما يشمل الدعم البغيض للطغاة المناهضين للشيوعية خلال الحرب الباردة، مع نتائج مختلفة. ولكن صعُب علينا اللجوء إلى هذه التسويات أمام الشعب المصري المطالِب بحقوقه المشروعة والفرص التي قلنا دائمًا إنه، وجميع الشعوب، يستحقونها. وفيما بدا ممكنًا في السابق التركيز على مبارك الذي دعم السلام والتعاون مع إسرائيل ومطاردة الإرهابيين، بات من المستحيل راهنًا إنكار الحقيقة، وهو أنه مستبد ذو قبضة حديدية، رئس نظامًا فاسدًا ومتحجرًا.

وعلى الرغم من ذلك، تبقى من الأولويات الملحة، المصالح الأمنية الوطنية التي دفعت الإدارات السابقة إلى المحافظة على علاقات وطيدة مع مبارك: ما زالت إيران تحاول بناء ترسانتها النووية. وتنظيم القاعدة يخطط لهجمات جديدة. أما قناة السويس فطريق حيوية للتجارة. وأمن إسرائيل ضروريٌّ، على ما كان دائمًا. كان مبارك شريكًا في كل هذه المجالات، على الرغم من مشاعر شعبه المناهض لأميركا والمعادي لإسرائيل. خدمت بلاده بصفة كونها محورًا للسلام في منطقة مضطربة. هل نحن مستعدون التخلي فعلًا عن هذه العلاقة بعد ثلاثين عامًا من التعاون؟

وإذا قررنا أنَّه الخيار الصحيح، كان يستحيل تبيان مقدار التأثير الذي يمكن أن نتركه على الأحداث الميدانية. فخلافًا للاعتقاد السائد منطقةَ الشرق الأوسط، لم تكن الولايات المتحدة يومًا محرك دمًى قويًا، قادرًا على تحقيق النتائج التي يريدها. ماذا لو طلبنا من مبارك التنحي، ورفض، وتمكّن من البقاء في السلطة؟ ماذا لو تنحى وتلت ذلك مرحلة طويلة من الفوضى الخطرة، أو حكومة غير ديمقراطية تخلفه، تعارضُ في شدة مصالحنا واهتماماتنا الأمنية؟ في الحالين، ستختلف علاقتنا عمّا كانت عليه، ويُقوَّض نفوذنا في المنطقة. وسيرى الشركاء الآخرون طريقة تعاملنا مع مبارك، فيفقدون الثقة بعلاقتهم معنا.

وثبت تاريخيًّا أنَّ الانتقال من الدكتاتورية إلى الديمقراطية محفوف بالمخاطر، وتنجم عنه، في سهولة، أخطاء فادحة. في إيران عام ١٩٧٩، على سبيل المثال، قبض المتطرفون على الثورة الشعبية الواسعة ضد الشاه، وأنشأوا ثيوقراطية وحشية. إذا حدث أمر مشابه في مصر، فستحل كارثة على شعبها، والمصالح الإسرائيلية والأميركية كذلك.

وعلى الرغم من حجم الاحتجاجات في ميدان التحرير، افتقدت إلى القيادة، ودفعتها وسائل التواصل الاجتماعي وتواتر الأخبار، بدلًا من حركة معارضة متماسكة. بعد أعوام على حكم الحزب الواحد، لم يحسن المتظاهرون في مصر الاستعداد لخوض انتخابات حرَّة أو بناء مؤسسات ديمقراطية ذات صدقية. على نقيض ذلك، كانت جماعة الإخوان المسلمين، المنظمة الإسلامية التي تأسست قبل ثمانين عامًا، في موقع جيد يمكّنها من ملء الفراغ إذا سقط النظام. أجبر مبارك الإخوان المسلمين على العمل سرًّا، وانتشر أتباعهم في أرجاء البلاد، وكانوا ذوي نفوذ محكمي التنظيم. نبذت المجموعة العنف، وتخلت عن السلاح، وبذلت جهودًا لتظهر معتدلةً. ولكن كان من المستحيل أن نعرف كيف ستتصرف وما الذي سيحدث إذا تمكنت من القبض على الحكم.

وقد دفعتني كل هذه الآراء إلى التمهل، ونُصح لي بوجوب التزام الحذر، ووافقني في ذلك نائب الرئيس، وغايتس، ودونيلون. إذا سقط مبارك، على ما قلت للرئيس، «قد تصطلح الأمور بعد خمسة وعشرين عامًا، ولكن حتى ذلك الوقت ستكون المرحلة قاسية على الشعب المصري، والمنطقة، وعلينا». لكنّني عرفت أنَّ الرئيس لن يستريح فيما المتظاهرون يتعرضون للضرب والقتل في الشوارع. احتاج إلى مسارٍ يحثُّ مصر على الاتجاه نحو الديمقراطية، وإنمّا يجنِّبها الوقوع في الفوضى إذا انهار النظام فجأة.

وحاولت في البرنامج التلفزيوني «ميت ذي بريس» (لقاء مع الصحافة)، الأحد ٣٠ كانون الثاني/يناير، إرساء دعائم نهج دائم. «يعتمد الاستقرار الطويل الأمد على استجابة احتياجات الشعب المصري المشروعة، وهو ما نريد أن يحدث»، وعليه، على ما قلت، نأمل في أن نشهد «انتقالًا سلميًّا ومنظمًا إلى النظام الديمقراطي». وقد استعملت كلمة «منظم» بدلًا من «فوري» عمدًا، على

الرغم من أنَّه لا يحظى بتأييد بعض الأوساط في البيت الأبيض. أراد البعض في فريق عمل الرئيس أن أُلمّح إلى تنحي مبارك، أو أن أُطالب به. لكنني التزمت رأيي؛ من الضروري أن يساعد خطابي مصر على تحقيق معظم الإصلاحات التي يسعى إليها المحتجون بطريقة سليمة وهادئة بدلًا من التسرع الذي قد تنجم عنه صدمة قاسية على الجميع؛ وهو ما يجب أن يعتمده في تصريحاتهم أيضًا، أعضاء الإدارة الآخرون.

وحين تحدثت ذلك الأسبوع مع وزير الخارجية المصرية أحمد أبو الغيط، حثثت الحكومة على التحلي بضبط النفس وإبداء الاستعداد لاستجابة مطالب الشعب. «سيكون صعبًا على الرئيس مبارك أن يطرح هذه القضية ويسمعه الشعب بعد ثلاثين عامًا، إلّا إذا أجرى انتخابات حرَّة ونزيهة، من دون أن يحاول تدبير خلفٍ له يُفرَض فرضًا»، على ما قلت لأبي الغيط. «هذا العمل لا يمكن إتمامه غدًا»، على ما أجاب، «تقتضي الأحداث الآنية تهدئة الشعب، وإعادة الاستقرار إلى البلاد».

لكنَّ مبارك لم يكن يُصغي. حتى عندما تصاعدت حدَّة الاضطرابات، وبدت سيطرة النظام على البلاد تضعُف، ألقى خطابًا مملوءًا بالتحديات في وقتٍ متقدم من ليل ٢٩ كانون الثاني/يناير، أقال فيه كثرًا من وزراء حكومته، لكنَّه رَفَضَ الاستقالة أو الحدّ من ولايته الرئاسية.

وقد أوصيت الرئيس أوباما بأن يوفد مبعوثًا خاصًا من قِبَلِه ليتحدَّث مع مبارك وجهًا لوجه، ويقنعه بإعلان حزمة قوية من الإصلاحات، بما يشمل وضع حدّ لقانون حال الطوارئ القمعي الذي يسري في البلاد منذ العام ١٩٨١، وتعهُّد عدم الترشح إلى الانتخابات المقررة في أيلول/سبتمبر، والاتفاق على عدم تعيين ابنه جمال خلفًا لهَ. قد لا تُرضي هذه الخطوات الجميع، لكنَّها ستُعَدّ تنازلات مهمة وتتيح الفرصة أمام المحتجين لينتظموا قبل الانتخابات.

واقترحتُ لهذه المهمة الدقيقة فرانك ويزنر، أحد كبار الدبلوماسيين المتقاعدين، والذي عُيِّن سفيرًا في مصر بين العامين ١٩٨٦ و١٩٩١، وجمعته بمبارك علاقة صداقة قوية، وأمضيا ساعات يتناقشان في شؤون المنطقة والعالم. ومن مثل صديقه ريتشارد هولبروك، تدرَّب ويزنر على الدبلوماسية شابًّا في فيتنام، قبل أن يُمثّل بلادنا في كل النقاط الساخنة في العالم. علاوةً على مصر، خدم سفيرًا في زامبيا، والفيليبين والهند قبل أن يتقاعد عام ١٩٧٧. أدركت أن ما من أميركي يمكنه الوصول إلى مبارك وإقناعه مثل ويزنر. لكنَّ البعض في البيت الأبيض شكّك في ويزنر ومهمته. أصدروا حكمًا قاطعًا بخسارة مبارك. وبدأ الرئيس أوباما يفقد صبره، لكنَّه وافقني أخيرًا على إعطاء الدبلوماسية فرصة أُخرى.

التقى ويزنر مبارك في ٣١ كانون الثاني/يناير ونقل إليه رسالتنا. استمع مبارك، لكنَّه لم يتزحزح عن موقفه قيد أنملة. بدا منهكًا، وربما حتى مشوشًا مما يدور حوله من أحداث، لكنَّه لم

يرضَ، في أي حالٍ من الأحوال، أن يتخلّى عن نفوذه. مِن مثلِ كثُرٍ من الطغاة قبله، بات يتخيَّل نفسه جزءًا لا يتجزأ من السلطة. وتحلّى مبارك ببعض الواقعية، وأدرك أن ليس في استطاعته الجلوس في قصره وتجاهل الاحتجاجات كاملةً. لذا أرسل نائب الرئيس المُعيَّن أخيرًا، رئيس الاستخبارات منذ زمن طويل، عمر سليمان، ليقترح إقامة حوار وطني يتناول ما يمكن تحقيقه من إصلاحات. وقد اختار مبارك قبل يومين فقط سليمان لملء منصب نائب الرئيس الشاغر منذ أعوام، في محاولة منه لتهدئة المحتجين. ولكن لا الوعد بحوار وطني، ولا تعيين نائب الرئيس هدّآ أحدًا.

وقد أصدر الجيش كذلك، تلك الليلة، بيانًا لافتًا، معلنًا أنه لن يستخدم القوة ضد الشعب المصري، وأنه يعترف بشرعية حقوق المحتجين ومطالبهم. كانت تلك إشارة إلى مبارك لا تُحمد عقباها. إذا تخلّى عنه الجيش، فما من وسيلة تبقيه في السلطة.

وشهِد اليوم الأوَّل من شباط/فبراير أضخم الاحتجاجات. اجتمع مجلس الأمن القومي مجددًا بعد ظهر ذلك النهار في غرفة عمليات البيت الأبيض، لمناقشة ما يجب القيام به. وخلال اجتماعنا، تلقينا خبرًا مفاده أن مبارك سيظهر على شاشة التلفزيون لمخاطبة الأمة. استدرنا نحو شاشات الفيديو الكبيرة وانتظرنا ما سيقوله الزعيم المحاصر. بدا مبارك عجوزًا ومتعبًا، لكنَّه لم يتخلَّ عن نبرته المتمردة. وعد بألّا يترشح إلى الانتخابات في أيلول/سبتمبر، وبأنه سيسعى إلى تحقيق إصلاحات في الدستور، وسيضمن «انتقالًا سلميًّا للسلطة» قبل نهاية ولايته. لكنَّه لم يرفع قانون الطوارئ أو يقُل إنَّ ابنه لن يترشَّح مكانه، ولم يعرض كذلك البدء بتسليم أي من سلطاته المطلقة. أتى مبارك على ذكر كل ما طلبه منه ويزنر تقريبًا، لكن ما طرحه عُدَّ قليلًا، وأتى متأخرًا جدًّا، سواء للحشود في شوارع مصر، أو لفريق الأمن القومي في غرفة العمليات.

«لن يكفي هذا لوقف الاحتجاج»، قال الرئيس أوباما في غضبٍ واضح، واتصل بمبارك من ثمَّ ليعبِّر عن الأمر نفسه. وناقشنا هل يتوجَّب على الرئيس إصدار بيان رسمي يعلن فيه أنَّه تعب من انتظار مبارك القيام بها هو صواب. مرةً أُخرى، نصح كبار وزراء للإدارة، بما يشملني، بضرورة توخي الحذر. إذا بدا كلام الرئيس ثقيل الوطأة، فقد يأتي بنتائج عكسية. لكنَّ أعضاء آخرين في الفريق، التمسوا من الرئيس الاحتكام إلى القيم الأميركية، وجادلوا أن الأحداث الميدانية تتطور في سرعة بالنسبة إلينا، ولا يمكننا الانتظار أكثر. بدا الرئيس حائرًا، لكنَّه أدلى بكلمةٍ تلك الليلة أمام الكاميرات في البهو الكبير في البيت الأبيض، فقال: «ليس من واجب أي دولة اختيار قادة مصر، وحده الشعب المصري يمكنه القيام بذلك. (ولكن)، ما هو واضح في اعتقادي - وهذا ما أبلغته إلى الرئيس مبارك هذا المساء - أنَّ انتقالًا منظَّمًا للسلطة يجب أن يكون ذا دلالة، ويجب أن يتم بطريقة سلميَّة، وأن يبدأ الآن». وحين سُئل وزير الإعلام روبرت جيبس، في مؤتمر صحافي عقده في اليوم التالي عن تحديد معنى «الآن»، لم يترك جوابه مجالًا للشك، إذ قال: «الآن، يعني أمس».

وقد ساءت الأوضاع أكثر في القاهرة. تدخل أنصار النظام بالقوة في التظاهرات، واشتبكوا مع المحتجين، واجتاح رجال يحملون الهراوات وأسلحة أُخرى ميدان التحرير على ظهور الجمال والخيول، وانهالوا على الناس بالضرب، وشجوا رؤوس البعض. اتصلت بنائب الرئيس سليمان لأوضح له أن هذا القمع العنيف غير مقبول إطلاقًا، فلم تكرر القيادة المصرية هذا التكتيك في الأيَّام التالية. وتحدثت مرةً أُخرى مع وزير الخارجية أبي الغيط في ٤ شباط/فبراير. بدا في المحادثات السابقة واثقًا ومتفائلًا، لكنه لم يستطع آنذاك إخفاء خيبة أمله، وحتى يأسه. وشكا من دفع الولايات المتحدة مبارك خارج الحكم في شكل غير رسمي، ومن دون أخذ العواقب في الحسبان. اسمعي ما يقوله الإيرانيون، على ما أوعز إليّ، فهم حرصاء على الاستفادة من انهيار مصر المحتمل. تملَّكه الخوف من سيطرة الإسلاميين، وقال لي: «لي حفيدتان، إحداهما في السادسة، والأُخرى في الثامنة. أُريدهما أن تترعرعا لتكونا مثل جدتهما ومثلكِ، وليس لترتديا النقاب على ما يحدث في المملكة العربية السعودية. هذا كفاح حياتي».

وتردد صدى كلماته في رأسي، وأنا أتوجه إلى ألمانيا للمشاركة في «مؤتمر ميونيخ للأمن»، وهو تجمع بارز للقادة والمفكرين من مختلف أنحاء المجتمع الدولي. ماذا يعني حقيقةً كل حديثنا عن دعم الديمقراطية؟ بالتأكيد، أكثر من مجرد انتخاب واحد، ولمرة واحدة. إذا حرمت حكومة مُنتخبة جديدة المرأة المصرية حقوقها وفرصها في النجاح، فهل تُعدُّ تلك ديمقراطية؟ وماذا عن الأقليات، من مثل المسيحيين الأقباط في مصر، إذا اضطهدوا وهُمشوا؟ إذا تخلى مبارك عن الرئاسة وبدأت مصر مرحلة انتقالية، يجدر طرح هذه الأسئلة عمّا سيحدث لاحقًا لأنَّها ستصبح ملحة وذات صلة بالموضوع.

وطرحت في ميونيخ، على ما فعلت في الدوحة قبل شهر، قضية الإصلاحات السياسية والاقتصادية في منطقة الشرق الأوسط، فقلت: «ليست المسألة مجرد مثاليات وقيم، بل إنها ضرورة استراتيجية. من دون تقدُّم حقيقي نحو أنظمة سياسية حرَّة وخاضعة للمساءلة، ستزداد الفجوة بين الشعوب وحكوماتها، ويترسخ عدم الاستقرار». ستختلف هذه التحولات بأنماطها والسرعة التي تتم فيها من بلد إلى آخر، وتتوقف على الظروف الخاصة المحيطة بها. ولكن لا يمكن أي دولة أن تتجاهل تطلعات شعبها إلى الأبد.

وقد أشرت في الوقت نفسه إلى ضرورة بقائنا متيقظين للمخاطر المتأصلة في أي مرحلة انتقالية. فالانتخابات الحرة والنزيهة لا غنى عنها، لكنَّها ليست كافية. يفرض الأداء الديمقراطي سيادة القانون، والقضاء المستقل، والصحافة الحرة والمجتمع المدني، واحترام حقوق الإنسان، وحقوق الأقليات، والحكم الخاضع للمساءلة. ففي بلد من مثل مصر التي خضعت طويلًا لحكم استبدادي، سيتطلب وضعُ هذه اللَّبِنات الديمقراطية في مكانها، قيادةً قوية وشاملة وجهدًا متواصلًا

من مختلف شرائح المجتمع، فضلًا عن الدعم الدولي، ولا يتوقعنَّ أحدٌ أن تظهر بين ليلةٍ وضحاها. لعل كلماتي ذلك اليوم بدت خارجة عن السرب، مع كل الأمل والتفاؤل اللذين شعر بهما كثر وهم يتابعون الاحتجاجات في القاهرة، لكنها عكست التحديات التي توقعتها.

وشارك ويزنر في المؤتمر نفسه عبر الأقمار الصناعية، ليُبدي رأيه في الموضوع مواطنًا عاديًّا، إذ لم يعد يمثِّل الإدارة في أي مهمة. استاء البيت الأبيض من مناقشته مهمته علنًا، على الرغم من أنه تعهَّد ألّا يفعل. وأثار ويزنر موجات من ردود الفعل بقوله إن مبارك يجب ألّا يتنحى فورًا، وعليه أن يشرف على المرحلة الانتقالية. بدت تصريحاته كأنها تتعارض مع كلام الرئيس، وانزعج البيت الأبيض لأنَّ ويزنر لم يلتزم مضمون البيان الرسمي الصادر عنه. اتصل بي الرئيس ليعبِّر عن عدم رضاه عن «الرسائل المتناقضة» التي نبثها. وكانت تلك طريقة دبلوماسية ليقول لي إنه سيستغني عن خدماتي. أدرك الرئيس أن أميركا لا تسيطر على أحداث مصر، لكنَّه أراد إحقاق الحق بما يتماشى على السواء مع مصالحنا وقيمنا. وهذا ما أردته أيضًا. عرفت أنَّ مبارك بقي طويلًا في السلطة ولم يحقق إلّا القليل. لكنني تطلعت إلى ما أبعد من التخلص منه، والناس في ميدان التحرير لا يملكون خطة. فالذين فضلوا من بيننا المسار البطيء لـ «الانتقال المنظَّم»، قلقوا لأنَّ القوّتين الوحيدتَيْن المنظمتَيْن بعد مبارك، هما جماعة الإخوان المسلمين والجيش.

وقُتِل حتّى ١٠ شباط/فبراير مئات المصريين في اشتباكات مع القوات الأمنية. وغذّى العنف غضب المحتجين ومطالبتهم باستقالة مبارك. وسرت إشاعات أنه سيرضخ أخيرًا للضغوط، وازدادت التوقعات مع خطاب جديد وجهه إلى الأمة. أعلن هذه المرة نقل بعض صلاحياته إلى نائب الرئيس سليمان، لكنَّه ظل يرفض التنحي أو تقبّل فكرة الانتقال التي ستُفقِدُه نفوذه. وثارت الحشود في ميدان التحرير.

وتقبّل مبارك أخيرًا الهزيمة، في اليوم التالي، ١١ شباط/فبراير. فأطلّ نائب الرئيس سليمان على شاشات التلفزيون، وقد بدا منهوك القوى، يعلو الاصفرار وجهه، وأعلن أن الرئيس قد تنحى وتخلّى عن كل صلاحياته للقيادة العسكرية. وقرأ متحدِّث باسم الجيش بيانًا، يتعهد «إجراء انتخابات رئاسية حرَّة ونزيهة»، واستجابة «مطالب الشعب المشروعة». أما مبارك فلم يقل شيئًا. بدلًا من ذلك، غادر القاهرة في هدوء، إلى مقر إقامته على البحر الأحمر. على عكس زين العابدين بن علي، لم يفرّ من البلاد، وبقي وفيًّا لوعده «سأموت في مصر». وتركه فعل عناده الأخير هذا يتعرض للمحاكمة والعقاب، وأمضى الأعوام التالية في الإقامة الجبرية، أو في المحكمة، أو في المستشفى وقد تدهورت حالته الصحية.

زرت القاهرة بعد حوالى شهر، ومشيت في ميدان التحرير، على الرغم من قلق فريقي الأمني الذي لم يعرف ما الذي يمكن أن يحدث، إذ كانت الأوضاع مبهمة. وحين احتشد المصريون حولي،

تلقينا رسالة كرم وحسن ضيافة. «نشكر لكم حضوركم»، قال البعض، فيما صاح آخرون: «أهلًا بكم في مصر الجديدة!»، وقد شعروا بالفخر لنجاح ثورتهم.

التقيت من ثمَّ عددًا من الطلاب والناشطين الذين أدّوا دورًا قياديًّا في التظاهرات. دفعني فضولي إلى سؤالهم عن خططهم للانتقال من الاحتجاج إلى العمل السياسي، واقتراحاتهم لوضع الدستور الجديد وخوض الانتخابات المقبلة. فوجدتهم مجموعة غير منظَّمة، وغير مستعدة لخوض أي شيء أو التأثير في شيء. لم يملكوا الخبرة السياسية، ولم يفقهوا طريقة تنظيم الأحزاب، والترشح إلى الانتخابات وإدارة حملاتها. لم يؤسسوا قواعدَ حزبية وانتخابية ولم يبدوا اهتمامًا بإرسائها. بدلًا من ذلك، تجادلوا في ما بينهم، وألقوا اللوم على الولايات المتحدة لارتكابها أخطاء كثيرة، ورفضوا جدًّا السياسة الانتخابية. «هل فكرتم في تشكيل ائتلاف سياسي للعمل معًا على برامج انتخابية معينة وترشيح أشخاص من قبلكم؟»، على ما سألتهم. حدقوا إليّ ولم يستطيعوا الجواب. خرجت وقد ساورني القلق من تسليمهم البلاد للإخوان المسلمين أو الجيش نتيجة تقصيرهم، وهو بالضبط ما حدث.

تولّى منصب الرئاسة آنذاك وزير الدفاع في عهد مبارك، المشير محمد طنطاوي الذي وعد بالإشراف على انتقال سلمي إلى حكومة مدنية منتخبة ديمقراطيًّا. حين التقيته في القاهرة، كان متعبًا جدًّا، حتى استطاع بالكاد رفع رأسه، ووصلت الظلال تحت عينيه إلى حدود فمه تقريبًا. كان جنديًّا متمرسًا، تدرج في مناصب كثيرة، وذكرتني قامته ومظهره بالجنرال أشفق برويز كياني في باكستان. التزم الرجلان قوميتيهما، وتكرسا للمدرستين العسكريتين اللتين انتجتهما، وتوجسا على السواء من اعتمادهما على المساعدات من الولايات المتحدة، والمخاطر السياسية والاقتصادية التي أدركا أنها تهدد قوة جيشيهما الهائلة. وحين تحدثت مع طنطاوي عن خططه لانتقال السلطة، شعرت كيف اختار كلماته في عناية. كان في موقف صعب، محاولًا إنقاذ جيشه العزيز من حطام نظام مبارك، وحماية شعبه على ما وعد الجيش بأن يفعل، والقيام بما هو محق مع الزعيم السابق الذي رعى مسيرته العسكرية. ووفى طنطاوي بوعده بإجراء الانتخابات. وحين خسر مرشحه المفضل رئيس الوزاء السابق أحمد شفيق، بفارقٍ ضئيل أمام محمد مرسي من جماعة الإخوان المسلمين، سلَّم بالنتيجة.

لقد حاولَت الولايات المتحدة، طوال العملية الانتقالية الحساسة، السير على حبل مشدود، معززةً قيمنا الديمقراطية ومصالحنا الاستراتيجية من دون الانحياز إلى مرشحين أو فصائل معينة، أو دعمهم. وعلى الرغم من جهدنا لأداء دورٍ محايد وبنَّاء، نظر كثر من المصريين إلى أميركا مرتابين. اتهمنا أنصار جماعة الإخوان المسلمين بأننا دعمنا نظام مبارك، واشتبهوا في أننا

سنتواطأ مع الجيش لمنعهم من تسلُّم السلطة. خشي معارضوهم احتمال حكم الإسلاميين وزعموا أن الولايات المتحدة تآمرت مع الإخوان المسلمين لطرد مبارك. لم أفهم كيف نُتهم بمساعدة الإخوان المسلمين وإفشالهم في آن، لكنَّ المنطق يعجز عن اعتراض نظرية المؤامرة الجيدة.

وحين عدت إلى مصر في تموز/يوليو ٢٠١٢، وجدت شوارع القاهرة تغلي مجددًا بالاحتجاجات، لكنّها هذه المرة لم تكن موجهة ضد الحكومة، بل ضدي. تجمعت الحشود أمام الفندق الذي أقيم فيه، وعندما سلك موكبي مدخلًا جانبيًّا للوصول إلى المرأب، طرق الناس على سياراتنا. لم تفعل الشرطة المصرية شيئًا لردعهم، فاضطر رجال الأمن الدبلوماسي المولجين حمايتي إلى دفع الناس إلى الوراء بأنفسهم، وهو أمر لم يتعودوا القيام به. وفي غرفتي في الطبقات العليا، سمعت الضجيج والهتافات الغاضبة، المناهضة لأميركا. وأمضى فريق عملي وموظفو الأمن ليلة مضطربة، مستعدين لإجلاء من في الفندق إذا لزم الأمر. وعلى الرغم من التحذيرات من مزيد من الاحتجاجات في الاسكندرية، أصررت على التمسك بجدول مواعيدنا، وسافرت إلى هناك في اليوم التالي لأفتتح رسميًّا القنصلية الأميركية التي أعيد ترميمها. بعد الحدث، وفيما غادرنا للوصول إلى سياراتنا، اضطررنا إلى السير في محاذاة الحشد الغاضب. أُصيبت توريا نولاند، المتحدثة باسمي الشجاعة، بالبندورة المنهالة علينا (تلقَّت الضربة في ظرافة)، ورمى رجل حذاءه على نافذة سيارتي ونحن ننسحب للتوجه إلى المطار.

والتقيت في القاهرة، إضافة إلى اجتماعات منفصلة مع مرسي والجنرالات، مجموعةً من الأقباط المسيحيين القلقين، في السفارة الأميركية. خشوا ما يخبئه المستقبل لهم ولبلادهم، وهزَّني حديثهم جدًّا.

كانت إحدى اللحظات المؤثرة جدًّا من الثورة في ميدان التحرير، حين شكّل المتظاهرون المسيحيون حلقةً حول رفاقهم المسلمين لحمايتهم وهم يؤدون واجب الصلاة، وفعل المسلمون الأمر نفسه حين احتفل المسيحيون بالقداس. ولكن، يا للأسف، لم تدُم روح الوحدة هذه. بعد شهر على سقوط مبارك، أفادت تقارير واردة من مدينة قنا، أن مجموعة من السلفيين قطعت أذن مدرِّس مسيحي، وأحرقت منزله وسيارته. وتلت ذلك هجمات واعتداءات أُخرى. وضاعف انتخاب مرسي من مخاوف المسيحيين.

وفي اجتماعنا في السفارة، تناول أحد أكثر المشاركين اضطرابًا إشاعةً بغيضة. اتهم مساعدتي المقربة هوما عابدين، وهي مسلمة، بأنَّها عميلة سرية للإخوان المسلمين. وقد عمَّمت هذا الادعاء في الولايات المتحدة شخصيات سياسية وإعلامية يمينية غوغائية وغير مسؤولة، من ضمنها أعضاء في الكونغرس، وبات راهنًا يُتناقل في القاهرة. لم أدعِ التعليق يمر مرور الكرام،

وأوضحت له بعبارات صريحة لا لبس فيها، فداحة خطئه. بعد دقائق على النقاش، اعتذر محرجًا، وسأل عن السبب الذي يدفع عضوًا في الكونغرس إلى تأكيد ذلك، فيما هو غير صحيح. ضحكت وقلت له إن أكاذيب كثيرة، ويا الأسف، يتناقلها الكونغرس. بعد الاجتماع، توجهت هوما نحو الرجل وعرَّفت عن نفسها بكل تهذيب، وعرضت عليه الرد على كل أسئلته. كانت تلك خطوة كريمة ومميزة من قِبَلِها.

وحنقت في مجالسي الخاصة على الهجمات على هوما من بعض أعضاء مجلس النواب الجهلة. لذلك، كنت شاكرة للسيناتور جون ماكين، الذي عرفها جيدًا طوال أعوام، حين وقف في قاعة مجلس الشيوخ، وعبَّر عن ازدرائه صراحةً: «حين يُطلق أي شخص، عضو في الكونغرس على الأقل، هجمات شرسة ومهينة على زملائه الأميركيين، بناءً على خوفه من حقيقتهم أو لجهله ما يمثِّلون، فذلك يشهِّر بكرامة أمتنا، ويدفعنا جميعًا إلى الخسارة. فسمعتنا وصفاتنا هي كل ما يبقى منا بعد رحيلنا. والأقوال الشائنة التي تطاول سمعة شخص لائق ومشرف، ليست باطلة فحسب، بل ومنافية لكل ما نعتز به».

وبعد أسابيع، جلست هوما إلى جانب الرئيس أوباما لمناسبة عشاء الإفطار السنوي الذي يقيمه البيت الأبيض خلال شهر رمضان، فدافع عنها قائلًا: «يدين الشعب الأميركي لهوما بعرفان الجميل. فعلاوةً على أنها قومية أميركية، ومثال لما نحتاج إليه في هذا البلد، هي موظفة حكومية تتمتع باللياقة والسماحة وكرم الأخلاق. لذا، نيابةً عن جميع الأميركيين، نشكرك جدًّا». فرئيس الولايات المتحدة وأحد أشهر أبطال حرب دولتنا أصاب عصفورين بحجر واحد. كانت تلك شهادة تليق بشخص هوما.

وقد قلت للزعماء الأقباط في اجتماعنا في القاهرة، إن الولايات المتحدة ستناصر في حزم، الحرية الدينية. يجب أن يتمتع المواطنون بحق العيش والعمل والعبادة كما يشاءون، أمسلمين كانوا أم مسيحيين أم من أي خلفية دينية. يجب ألّا تفرض أي جماعة أو فئة سلطتها، أو أيديولوجيتها، أو ديانتها على الآخرين. كانت أميركا مستعدة للتعامل مع القادة الذين يختارهم الشعب المصري. ولكن ستستند مشاركتنا مع هؤلاء القادة إلى التزامهم حقوق الإنسان والمبادئ الديمقراطية.

وأثبتت الأشهر والأعوام التي تلت، لسوء الحظ، أنَّ لمخاوفي من الصعوبات التي تواجه التحولات الديمقراطية، أسسها. وطدت جماعة الإخوان المسلمين سلطتها، لكنَّها فشلت في الحكم بطريقة شفافة أو شاملة. تصادم الرئيس مرسي كثيرًا مع القضاء، وسعى إلى تهميش خصومه السياسيين بدلًا من بناء توافق وطني واسع، ولم يقم بما هو فاعل لتحسين الاقتصاد،

وسمح باضطهاد الأقليات، بما يشمل المسيحيين الأقباط، ولا يزال ذلك مستمرًّا. لكنَّه فاجأ بعض المشككين بالإبقاء على معاهدة السلام مع إسرائيل، ومساعدتي على التفاوض على وقف لإطلاق النار في غزة في تشرين الثاني/نوفمبر ٢٠١٢. وواجهت الولايات المتحدة مرةً أُخرى المعضلة الكلاسيكية: هل نتعامل مع زعيم نختلف معه على أمور كثيرة في سبيل تقدُّم مصالحنا الأمنية الأساسية؟ عدنا نسير على السلك العالي، محاولين تحقيق التوازن من دون أسئلة سهلة وخيارات جيدة.

وفي تموز/يوليو ٢٠١٣، عاد ملايين المصريين إلى الاحتجاج في الشوارع ضدّ تجاوزات حكومة مرسي، فتدخل الجيش للمرّة الثانية بقيادة الجنرال عبد الفتاح السيسي، خليفة طنطاوي. خلع مرسي عن الحكم وبدأ حملةً عنيفة ضد الإخوان المسلمين.

ولم تبدُ آفاق الديمقراطية المصرية مشرقة عام ٢٠١٤. ترشح السيسي إلى الرئاسة، وكانت المعارضة له رمزية، وبدا أنه يتبع النمط الكلاسيكي للقادة الأقوياء الشرق الأوسطيين. تعب المصريون من الفوضى، وتمنوا العودة إلى الاستقرار. ولكن، ليس هناك سبب وجيه للاعتقاد أن إعادة الحكم العسكري ستدوم طويلًا على ما حدث في عهد مبارك. كي يحدث ذلك، يجب أن يشمل مختلف الأطراف السياسيين، ويستجيب متطلبات الشعب، ويكون ديمقراطيًّا أكثر. في النهاية، يكمن الاختبار لمصر وغيرها من الدول في الشرق الأوسط، في قدرتها على بناء مؤسسات ديمقراطية ذات صدقية، تحترم حقوق كل إنسان، وتوفِّر الأمن والاستقرار في مواجهة العداوات القديمة التي تقوم على العقيدة والعرق والاقتصاد والانقسامات الجغرافية. ليس ذلك سهلًا، على ما أظهر التاريخ الحديث، لكن البديل من ذلك، مراقبة المنطقة وهي تغرق أكثر في الرمال.

نجح ملك الأردن عبد اللّه الثاني، في استباق موجة الاضطرابات التي جرفت حكومات أخرى في المنطقة خلال الربيع العربي. أجرى الأردن انتخابات تشريعية ذات صدقية، وضيَّق الخناق على الفساد، لكنَّ الاقتصاد ظل راكدًا، والسبب إلى حدّ كبير، أن الأردن إحدى أكثر الدول احتياجًا إلى الطاقة في العالم. فحوالى ٨٠ في المئة من احتياجاته من الطاقة تأتي من الغاز الطبيعي المصدَّر في خطوط الأنابيب من مصر. ولكن بعد سقوط مبارك وتصاعد عدم الاستقرار في سيناء، أصبحت تلك الأنابيب التي تنقل الغاز أيضًا إلى إسرائيل، هدفًا للهجمات والتخريب في شكل متكرر، مما أوقف تدفق الطاقة إلى الأردن.

وقد حافظت الإعانات الحكومية المكلفة على سعر الكهرباء ومنعته من الخروج عن السيطرة، ولكن نتيجةً لذلك تضخَّم الدين العام في البلاد. وواجه الملك معضلة صعبة: خفض الإعانات،

والسماح بارتفاع أسعار الطاقة، ومواجهة غضب الشعب، أو المحافظة على الدعم ومواجهة خطر الانهيار المالي.

كمنت إحدى الإجابات الواضحة شرقًا، في العراق، حيث كانت الولايات المتحدة تساعد حكومة رئيس الوزراء نوري المالكي، على إعادة بناء قطاع صناعة النفط والغاز المدمر. وكمن مصدر آخر للطاقة، أقل وضوحًا وأكثر إثارة للجدل، غربًا، في إسرائيل التي اكتشفت للتو احتياطيات واسعة من الغاز الطبيعي في شرق البحر المتوسط. عاشت الدولتان في سلام منذ توقيع معاهدة تاريخية عام ١٩٩٤، ولكن لم تحظَ إسرائيل يومًا بشعبية بين المواطنين الأردنيين، وغالبيتهم من أصل فلسطيني. ونظرًا إلى كل مشكلاته الأخرى، هل يخاطر الملك بمزيد من الاحتجاجات ويسعى إلى اتفاق تجاري رئيس جديد مع إسرائيل؟ وهل يتحمل ألّا يفعل ذلك؟ إلى الغداء مع الملك في وزارة الخارجية في كانون الثاني/يناير ٢٠١٢، وفي مناقشات لاحقة مع وزير خارجيته ناصر جودة، حثثتهما على البدء بمحادثات مع الإسرائيليين، سرًّا إذا لزم الأمر.

وبدأ الأردن، بدعم من الولايات المتحدة، التفاوض مع العراق وإسرائيل. وُقّع اتفاق مع العراق عام ٢٠١٣، سيوفر للأردن مليون برميل من النفط الخام يوميًّا وأكثر من ٢٥٠ مليون قدم مكعب من الغاز الطبيعي، بعد بناء خط أنابيب من جنوب العراق إلى العقبة على البحر الأحمر. وبعد محادثات سرية، طوال عام، مع الإسرائيليين، أُعلن اتفاق، بداية العام ٢٠١٤، لاستخدام الغاز الطبيعي الإسرائيلي من شرق البحر المتوسط لتغذية محطة كهرباء في الجانب الأردني من البحر الميت. ولم يخطئ الملك في اعتماده الحذر؛ انتقد ممثلو الإخوان المسلمين في الأردن الاتفاق مع «الكيان الصهيوني» على أساس أنه «هجوم على القضية الفلسطينية». لكنه وعد بمستقبل آمن للأردن في ما يتعلق بمصادر الطاقة، وبات مصدرًا جديدًا للتعاون بين الجارين في منطقة تزخر بالتحديات الهائلة.

لعل أدق مهمة لنا لتحقيق التوازن بين قيمنا ومصالحنا في منطقة الشرق الأوسط كانت مع شركائنا في الخليج الفارسي: البحرين والكويت وقطر والمملكة العربية السعودية والإمارات العربية المتحدة. ربطت الولايات المتحدة علاقات اقتصادية واستراتيجية راسخة بهذه الملكيات المحافظة الغنية، على الرغم من أننا لم نخفِ مخاوفنا من انتهاكات حقوق الإنسان، خصوصًا معاملة النساء والأقليات، وتصدير الفكر المتطرف.

وقد تصارعت كل إدارة أميركية مع التناقضات التي تحملها سياستنا تجاه منطقة الخليج. وكانت أصعب الخيارات بعد تاريخ١١/٩. صُدِم الأميركيون أن خمسة عشر من الخاطفين التسعة

عشر، علاوةً على أسامة بن لادن، أصلهم من المملكة العربية السعودية، الدولة التي دافعنا عنها في حرب الخليج عام ١٩٩١. وكان مروعًا أن المال الخليجي ظل يموّل المدارس الدينية والبروباغندا المتطرفة في كل أنحاء العالم.

وتقاسمت هذه الحكومات، في الوقت نفسه، الكثير من مخاوفنا الأمنية. طردت السعودية بن لادن، وأصبحت القوات الأمنية في المملكة شريكًا مهمًّا في الحرب على تنظيم القاعدة. وشاركتنا معظم دول الخليج همومنا من توجه إيران نحو السلاح النووي، إضافةً إلى دعمها القوي للإرهاب. تجذرت هذه التوترات الصعبة في الانقسام القديم للإسلام: يغلب الشيعة في إيران، فيما دول الخليج ذات غالبية سنية. والبحرين استثناء، إذ تَحكُم نخبة من قلة سنية، كثرة شيعية، على ما كانت الحال في العراق في عهد صدام. فيما ينعكس هذا الوضع في سوريا.

ولدعم مصالحنا الأمنية المشتركة طوال أعوام والمساعدة على ردع العدوان الإيراني، باعت الولايات المتحدة كميات كبيرة من المعدات العسكرية من دول الخليج، وأرست الأسطول الخامس للبحرية الأميركية في البحرين، والقوات الجوية المشتركة ومركز العمليات الفضائية في قطر، وحافظت على قوات في الكويت والعربية السعودية والإمارات العربية المتحدة، إضافةً إلى قواعد عسكرية رئيسة في بلدان أُخرى.

وحين توليت منصب وزيرة الخارجية كونت علاقات شخصية مع قادة الخليج، سواء إفراديًّا أو جماعيًّا عبر مجلس التعاون الخليجي، وهو مؤسسة سياسية واقتصادية من دول الخليج. أسسنا الحوار الأمني بين الولايات المتحدة ومجلس التعاون الخليجي لتعزيز تعاوننا. ودار معظم مناقشاتنا على إيران ومكافحة الإرهاب، لكنني حثثت القادة على تحرير مجتمعاتهم، واحترام حقوق الإنسان، ومنح الشباب والنساء مزيدًا من الفرص.

وقد استطعت إحراز بعض التقدم أحيانًا، من مثل حال فظيعة لزواج طفلة في المملكة العربية السعودية. سمعت عن فتاة تبلغ ثمانية أعوام، أجبرها والدها على الزواج من رجل خمسيني في مقابل حوالى ١٣ ألف دولار. رفضت المحاكم السعودية مناشدات والدتها لإبطال الزواج، وبدا أن الحكومة لن تتدخل. عرفت أن إحراج الحكومات بإدانة علنية يمكن أن يأتي بنتائج عكسية، مما يجعلها تتمسك بموقفها أكثر. بدلًا من الدعوة إلى مؤتمر صحافي لإدانة هذه الفعل وإصلاح الوضع، بحثت عن وسيلة لإقناع السعوديين بالقيام بالصواب مع حفاظهم على ماء الوجه. عبر القنوات الدبلوماسية، بعثت في هدوء، برسالة بسيطة وإنما حازمة: «أصلحوا الأمر بأنفسكم ولن أتفوه بكلمة». عيَّن السعوديون قاضيًا أصدر فورًا حكمًا بالطلاق. وهذا درس تعلمته مما خبرته في مختلف أنحاء العالم: بعض الأمور تُقال على المنابر، وقد لجأت إلى هذه الوسيلة مرات قليلة، ولكن

أحيانًا تبقى أفضل وسيلة لتحقيق التغيير الحقيقي، في الدبلوماسية والحياة، بناء العلاقات ومعرفة استعمالها في المكان والزمان المناسبين.

ووردت في شكل مختلف على منع المرأة من قيادة السيارة في المملكة العربية السعودية. في أيار/مايو ٢٠١١، نشرت ناشطة سعودية شريط فيديو على الإنترنت تظهر فيه وهي تقود سيارة، فقبض عليها واحتُجزت تسعة أيام. وفي حزيران/يونيو، خرجت عشرات النساء في السيارات في العربية السعودية تعبيرًا عن احتجاجهن. تحدثت هاتفيًّا مع وزير الخارجية السعودية الأمير سعود الفيصل، وأثرت القضية واهتمامي الخاص بها. لكنني تحدثت علنًا أيضًا، ووصفت النساء بـ «الشجاعات»، مبديةً مدى تأثري بما أقدمن عليه. وحين تظاهرت مجموعة أُخرى من النساء في ٢٦ تشرين الأول/أكتوبر ٢٠١٣، أشار بعض المعارضين رياءً إلى التاريخ - يوم عيد ميلادي - باعتباره دليلًا إلى أن الاحتجاجات تُنظم خارج السعودية. ولسوء حظ المملكة ونسائها، استمر الحظر.

عندما سافرت إلى المملكة العربية السعودية في شباط/فبراير ٢٠١٠، وازنت مسير رحلتي بين محادثاتي الأمنية مع الملك وزيارة لجامعة للنساء في جدَّة. وكانتا لا تنسيان، كل منها على طريقتها. استقبلني في المطار في العاصمة الرياض الأمير سعود الفيصل، سليل العائلة المالكة السبعيني وخريج برينستون، والذي شغل منصب وزير الخارجية منذ العام ١٩٧٥. ومن مثل معظم السعوديين الذين التقيهم، بدَّل بين ارتداء البزات المصممة على الطلب والعباءات الطويلة مع غطاء الرأس، الكوفية. قدرت الوقت الذي أُمضيه مع الأمير، وقد تفهم القوتين اللتين تمثّلان التقاليد والحداثة، وتتنافسان على الهيمنة على المنطقة.

وقد دعاني الملك عبداللّه، الذي بات في العقد الثامن من عمره، إلى زيارته في مخيمه الصحرواي الواقع على مسافة ساعة خارج المدينة، وأرسل إلي، وتلك سابقة، سيارته السياحية الفاخرة لتقلّني. كانت تجهيزها باذخًا، وقد استويت والأمير في مقعدين جلديين وثيرين، سالكَين طريق الريف. لاحظت وجود عدد من المخيمات المملوءة بالإبل، وانطلقت والأمير في محادثة مضحكة عن شعبية الجِمال في المملكة التي تنبع من أسباب عملية وعاطفية على السواء. ناقش طويلًا تاريخ البدو وجمالهم، لكنَّه قال لي إنَّه لا يحبُّها. فوجئت - تخيَّل أستراليًّا يكره دببة الكوالا أو صينيًّا يشمئز من الباندا - ولكن لم يتسنَّ لي يومًا رؤية الجمال عن قرب، وسمعت أنَّها مشاكسة أحيانًا.

وسرعان ما وصلنا إلى ما وُصف لنا بـ «مخيَّم» صحراوي، ليتبيَّن أنَّه خيمة ضخمة ومكيَّفة نُصبت حول قصر، أرضيَّتُه من الرخام وحمَّاماته مذهبة، تحيط به المقطورات وطائرات الهليكوبتر. استقبلنا العاهل الكريم بعباءته السوداء الطويلة. وخلافًا لبعض زملائي الأميركيين

الذين يفضلون الخوض في العمل مباشرةً، عادةً ما أبدأ محادثاتي الرسمية بدردشة صغيرة إشارةً إلى احترامي وصداقتي. لذا تابعت في موضوع الإبل. «أريدك أن تعرف، يا صاحب الجلالة، أن سموه يعتقد أنَّ الجمال قبيحة»، مشيرةً إلى الأمير سعود. ابتسم الملك. «أعتقد أن سموه ليس عادلًا مع الجِمال»، على ما ردَّ. مازحت الملك والأمير بعض الوقت، ودعا من ثمَّ الفريق المشارك في الرحلة، والمكوَّن من حوالى أربعين شخصًا، بمن فيهم الصحافيون، إلى الانضمام إليه لتناول غداء باهظ الثمن. سرت معه أمام ما بدا طاولة بوفيه لا تنتهي، ووراءنا نادلان يحملان طبقينا. توافرت عشرات الأطباق، بدءًا من المأكولات المحلية من مثل الضأن والرز وصولًا إلى الكركند والبايلا. بدا الصحافيون والموظفون الذين يتناولون عادةً وجبات سريعة كأنهم ماتوا ووصلوا إلى سماء عشّاق الطعام. حام النُّدل حولنا لإعادة ملء أطباقنا. جلست قرب الملك على رأس طاولة طويلة، وقد عُلقت شاشة تلفزيون مسطحة عملاقة وسط القاعة بطريقة تسمح للملك بمشاهدة مباريات كرة القدم وسباقات الطرق الوعرة، وهو يأكل. رفع الصوت عاليًا كي لا يسمع أحد في الغرفة المزدحمة ما نناقشه، فملت نحوه وبدأنا المحادثة.

أمضينا أربع ساعات بعد ظهر ذلك اليوم، نخوض في التحديات التي تواجه المنطقة، من إيران إلى العراق فالإسرائيليين والفلسطينيين. تحدث الملك، في قوة، عن ضرورة منع إيران من امتلاك السلاح النووي، وحثَّنا على اتخاذ موقف متشدد من طهران. وأعرب عن أمله في أن يُسمح أكثر للطلاب بالدراسة في الولايات المتحدة، وهو أمر بات أصعب بعد هجمات ٩/١١. كان لقاءً مثمرًا، أثبت أن شركتنا قائمة على أسس راسخة. فالاختلافات بين ثقافتينا وقيمنا ونظامينا السياسيين شاسعة، لكن العمل معًا حيث أمكن يساعد على تقدُّم مصالح أميركا.

وقد أدركت مباشرةً في اليوم التالي حدّ تعقد هذه الأمور. فوالدة هوما، الدكتورة صالحة عابدين، نائبة عميد في «دار الحكمة»، وهي جامعة مخصصة للنساء في جدة، حيث رتبت مناقشة مفتوحة مع الطالبات. حين دخلت القاعدة، وجدت حشدًا من الشابات، جميعهن يرتدين الحجاب الذي يغطي رؤوسهن، وقلة غطين وجوههن أيضًا.

وتحدثت إلى الطلاب، انطلاقًا من اسم الجامعة «دار الحكمة»، عن الحكمة في التأكد من أن تُحَصِّل الفتيات، علاوةً على الشبان، العِلْم. واستشهدت بقول الشاعر المصري حافظ ابراهيم: «الأمُّ مدرسةٌ، إذا أعددتَها/ أعددتَ شعبًا طيّبَ الأعراقِ»، وتحدثت عن واقع تجربتي في ويلسلي، المدرسة المخصصة للفتيات. وانهالت الطالبات عليَّ بأسئلة شاملة، من طموحات إيران النووية، إلى محنة الفلسطينيين، وآفاق إصلاح نظام الرعاية الصحية في أميركا. وسألتني إحداهن عن رأيي في سارة بالين، وهل أفكر في الانتقال إلى كندا إذا أصبحتُ رئيسة للولايات المتحدة. (لا، على

ما قلت، لن أهرب). قد لا تتوافر الفرص لهؤلاء النساء للمشاركة علنًا في مناقشات في مجتمعاتهن المحافظة جدًّا، ولكن بدا لي أنّ لا حدود لذكائهن، وطاقتهن وفضولهن.

وراقَبَتْ إحدى ضابطات الأمن طوال هذا اللقاء، الأميركيين الذين رافقوني، وقد ارتدت نقابًا غطاها من رأسها حتى أخمص قدميها. لم تدع أيًّا منهم، بمن فيهم الصحافيون، يقتربون من الطالبات. وبينما اعتليت خشبة المسرح، اقتربَت من هوما وهمست لها باللغة العربية: «أحبّ أن أتصوّر معها». حين أنهيتُ الكلام، انتحت بي هوما جانبًا، وأشارت إلى المرأة المحجبة ناقلةً طلبها. «هل نذهب إلى غرفة خاصة؟»، سألتها احترامًا لحشمتها. أومأت برأسها، ودخلنا مكتبًا صغيرًا. هناك، وبينما كنا على وشك التقاط الصورة، رفعت المرأة حجابها، وكشفت عن ابتسامة عريضة. قرقعت الكاميرا، وعاد الحجاب إلى مكانه. أهلًا بكم في المملكة العربية السعودية.

وتهدد التوازن الدقيق في علاقاتنا مع الخليج بعد حوالى عام. فموجة الاحتجاجات الشعبية التي بدأت في تونس وحطّت في مصر، لم تتوقف عند هذا الحد. انتشرت دعوة إلى الإصلاح السياسي والتحسين الاقتصادي في الشرق الأوسط كاملًا، ولم يبقَ بلد في منأى عنها. تمزَّق اليمن، وأُجبر الرئيس صالح على التخلي عن منصبه. غرقت ليبيا في حرب أهلية. قامت حكومتا الأردن والمغرب بإصلاحات حذرة وإنما حقيقية. فتحت العائلة المالكة السعودية خزناتها، محاولةً استرضاء مواطنيها ببرامج رعاية اجتماعية سخية.

وكانت البحرين حالًا معقدة بالنسبة إلينا، بصفة كونها القاعدة الرئيسة للبحرية الأميركية في الخليج الفارسي. ففي هذه الملكية الأقل ثراء من جاراتها، ارتدت التظاهرات طابعًا طائفيًّا، مع كثرة شيعية تحتج على قادتها السنة. وفي منتصف شباط/فبراير ٢٠١١، تجمعت الحشود المطالبة بالإصلاحات الديمقراطية والمساواة لجميع البحرينيين، بغض النظر عن طائفتهم، عند تقاطع طرق رئيس في المنامة يسمى «دوّار اللؤلؤة». تركت الأحداث في تونس ومصر، القوات الأمنية في مختلف أنحاء المنطقة في وضع حرج، وبعض الأحداث التي استعملت فيها القوة في المنامة استقدمت مزيدًا من المواطنين الغاضبين إلى الشوارع.

وحوالى الثالثة فجرًا من الخميس ١٧ شباط/فبراير، قُتلت مجموعة من المتظاهرين الذين اعتصموا عند دوّار الخليج في هجوم شنته الشرطة، مما أثار الغضب العارم. لكنَّ الزعماء السنة في البحرين ودول الخليج المجاورة الأُخرى لم يروا في هذه الاحتجاجات الشيعية، في معظمها، دعوةً إلى الديمقراطية، بل رأوا يد إيران الخفية. قلقوا من أن يكون خصمهم الكبير، على الجهة المقابلة من الخليج، يحرك الوضع لإضعاف حكوماتهم وتعزيز وضعه الاستراتيجي. ونظرًا إلى سجل إيران، فهذا الخوف المبرر. لكنه أغشى بصائرهم عن مطالب شعبهم المشروعة، وسارعوا إلى استعمال القوة.

اتصلت هاتفيًّا بوزير الخارجية البحرينية الشيخ خالد بن أحمد آل خليفة، وأعربت عن قلقي من استخدام العنف، وإمكان تصاعد الأحداث وخروجها عن السيطرة. وقد كان اليوم التالي حاسمًا، فأملت في أن تتخذ حكومته الخطوات اللازمة لتجنب مزيد من العنف أثناء الجنازات وصلاة الجمعة، وقد أصبحت هذه الأخيرة موعدًا لتعبئة المصلين في مختلف أنحاء المنطقة. ويشكّل الرد على الاحتجاجات السلمية بالقوة وصفةً لمزيد من الاضطراب. فقلت له: «تلك قراءة خاطئة للعالم الذي نعيش فيه، وقد أصبح بيئة معقدة جدًّا. اسمعني جيدًا. لا نريد عنفًا يسمحُ بتدخل خارجي في شؤونكم الداخلية. لتجنب ذلك، عليكم القيام بجهود للتوصل إلى مشاورات حقيقية». وعرف كلانا أن «التدخل الخارجي» معناه إيران. وكانت وجهة نظري أن القوة المفرطة يمكن أن تؤدي إلى عدم استقرار ستستغله إيران، وهو الأمر الذي تحاول حكومته تجنبه.

بدا وزير الخارجية قلقًا، وقد عززت إجاباته مخاوفي. قال إن رد فعل الشرطة لم يُخَطّط له، وأنحى باللائمة على المحتجين لبدئهم بأعمال العنف، ووعد بأن تلتزم حكومته الحوار والإصلاح. قال لي: «هذه الوفيات كارثة، ونحن على شفير نزاع طائفي». كانت جملة تقشعر لها الأبدان. قلت له إنني سأرسل جيف فيلتمان إلى البحرين فورًا، وأضفت: «سنوفّر الاقتراحات، ونحاول المساعدة وأداء دور فاعل في هذا الوقت العصيب. لست أقول إن الحلّ سهل. فوضعكم صعب بسبب المشكلة الطائفية التي تواجهونها. وليس لدي أدنى شك في أن جاركم الكبير يهتم لهذه المسألة بطريقة مختلفة عن بقية الدول».

وحاول ولي عهد البحرين وقد حفزته المخاوف من تزايد العنف، وبتشجيع من جيف الذي أمضى أسابيع في المنامة، تنظيم حوار وطني لمعالجة بعض مخاوف المحتجين وتخفيف التوترات التي تجتاح البلاد. وكان ولي العهد معتدلًا، تفهَّم الحاجة إلى الإصلاح، وهو الخيار الأفضل للعائلة المالكة للتوفيق بين الفصائل المتنافسة في البلاد. وعمل جيف خلف الكواليس وسيطًا لتفاهم بين العائلة المالكة وقادة المعارضة الشيعية. لكنَّ الاحتجاجات لم تهدأ، وفي آذار/مارس، دعا المحتجون إلى إنهاء النظام الملكي. وازدادت وتيرة الاشتباكات مع رجال الشرطة، وصارت أعنف. بدا أنَّ الحكومة تفقد السيطرة، وضغط أعضاء الأسرة المالكة المحافظون على ولي العهد للتخلي عن جهود الوساطة.

وأفادنا ملحقنا العسكري في السفارة في الرياض، الأحد ١٣ آذار/مارس، عن تحرك غير عادي للقوات في العربية السعودية، قد تكون متجهة إلى البحرين. اتصل جيف بوزير خارجية الإمارات الشيخ عبدالله بن زايد آل نهيان، أو على ما يسمى «آي. بي. زي.»، ليؤكد أن التدخل العسكري يوشك أن يبدأ. وستدعو حكومة البحرين جيرانها إلى مساعدتها على ضبط الأمن وتعزيزه. لم يروا ضرورة لإبلاغ الولايات المتحدة، ولم ينووا كذلك سؤالنا أو سماع أي توسل لوقف

هذه العملية. وفي اليوم التالي، عبرت آلاف القوات السعودية حدود البحرين، مجهزة بمئة وخمسين عربة مدرعة. تبعها حوالى خمسمئة شرطي من الإمارات العربية المتحدة.

لقد أقلقني هذا التصعيد وتخوفت من حمام دم متى بدأت المدرعات السعودية تلج شوارع المنامة التي تمترس فيها المحتجون. وأتى التوقيت على أسوأ ما يكون، إذ خضنا في تلك الأثناء مفاوضات دبلوماسية حثيثة لإنشاء تحالف دولي من أجل حماية المدنيين الليبيين من مجزرة وشيكة قد يرتكبها العقيد معمر القذافي، وكنَّا نعوِّل على الإمارات العربية المتحدة ودول خليجية أُخرى لأداء أدوار رئيسة. وقد صوتت الجامعة العربية في ١٢ آذار/مارس على طلب الأمم المتحدة فرض منطقة حظر جوي في ليبيا، ومشاركتهم في أي عملية عسكرية قد توفِّر الشرعية في المنطقة، ولن يكون المجتمع الدولي قادرًا على التحرك. بعد العراق وأفغانستان، لن نخاطر ونبدو كأننا نطلق تدخلًا غربيًا آخر في بلدٍ مسلم.

كنت في باريس لعقد اجتماعات في شأن ليبيا، وآي. بي. زي، كذلك. لذا اتفقنا على أن نلتقي في الفندق حيث نزلت. وحين دخل، سأله أحد الصحافيين عن الوضع في البحرين، فأجاب: «طلبت منا الحكومة البحرينية أمس إيجاد سبل لمساعدتها على تخفيف حدة التوتر». قلقت لأن العكس تمامًا على وشك الحدوث. وأعلن ملك البحرين في اليوم التالي حال الطوارئ. تكلمت مع وزير الخارجية السعودية وحثثته على الامتناع عن استخدام العنف لتفريق المحتجين. أمهِل جيف قليلًا كي تنجح المفاوضات، على ما قلت. أربعٌ وعشرون ساعة كافية لإحداث الفارق. أوشكنا التوصل إلى اتفاق مع الحزب السياسي الشيعي الرئيس لينسحب من مناطق العاصمة المهمة، على أن تؤكد الحكومة حق الاحتجاج السلمي، والبدء بحوار بحسن نية. ثبت سعود الفيصل على موقفه. يجب على المحتجين أن يعودوا إلى منازلهم لتعود الحياة الطبيعية إلى مجراها، على ما ردّ. عندذاك، فحسب، يمكننا التحدث عن اتفاق. وأنحى باللائمة على إيران في إثارة المتاعب ودعم المتطرفين. آن الأوان لإنهاء الأزمة وإعادة الاستقرار إلى الخليج، على ما أضاف.

واقتحمت قوات الأمن دوَّار اللؤلؤة في ١٦ آذار/مارس، واشتبكت شرطة مكافحة الشغب تدعمها الدبابات والمروحيات مع المتظاهرين، وألقت قنابل الغاز المسيلة للدموع لإجبارهم على إخلاء مخيَّمهم الموقت، فقتلت خمسة أشخاص. وأثار وصول القوات السعودية وهذه الحملة الجديدة، الرأي العام الشيعي في مختلف أنحاء البلاد. وبضغط من المتشددين من كلا الطرفين، انهارت المفاوضات بين المعارضة وولي العهد.

كنت في اجتماع في القاهرة مع المسؤولين الانتقاليين المصريين حين تلقيت تقارير عن الوضع في البحرين، فاستأت جدًا. وفي مقابلة مع هيئة الإذاعة البريطانية (بي بي سي)، أعربت

صراحةً عن مخاوفي، وقلت: «الوضع في البحرين مقلق. دعونا أصدقاءنا في الخليج، وأربعة منهم يدعمون جهود البحرين الأمنية، إلى التدخل من أجل حلٍّ سياسي، وليس لمواجهة أمنيَّة».

«أي نفوذٍ تملكون بعد على دولٍ من مثل البحرين والعربية السعودية؟»، على ما سألتني كيم غطاس، مراسلة بي بي سي، لتتابع: «إنهما حليفاكما. تدربون جيشهيما، وتزودونهما الأسلحة. وعلى الرغم من ذلك، عندما قرر السعوديون إرسال قوات إلى البحرين- وأعتقد أن واشنطن أوضحت أنها غير راضية عن ذلك- قالوا: «لا تتدخلوا، إنها مسألة داخلية، تخص مجلس التعاون الخليجي»». وكان هذا صحيحًا، ومحبطًا.

وقد أجبت: «حسنًا، أشعرناهما بما نعتقد، وننوي أن نوضح ذلك سرًّا وعلنًا، وسنقوم بكل ما في وسعنا لاعتراض هذا المسلك الخاطئ الذي سيقوّض التقدم على الأجل الطويل في البحرين، ونصوب الأمور نحو المسار الصحيح، وهو المسار السياسي والاقتصادي».

قد تبدو تلك الكلمات معقولة - وكانت كذلك - لكنَّها كانت صريحة ومباشرة جدًّا بالنسبة إلى الطريقة التي نتحدث فيها علنًا عن دول الخليج. سمعت رسالتي بصوت عالٍ وواضح في الخليج. في الرياض وأبو ظبي، غضب شركاؤنا وشعروا بالمهانة.

وعدت إلى باريس في ١٩ آذار/مارس لوضع اللمسات الأخيرة على التحالف من أجل ليبيا. مع اقتراب قوات القذافي من تضييق الخناق على معقل المتمردين في بنغازي، باتت العمليات الجوية المدعومة من الأمم المتحدة وشيكة. تحدثت مجددًا مع آي. بي. زي. وأكدت أن أميركا ما زالت ملتزمة شركتنا، على ما فعلت شخصيًّا. ساد صمت، وانقطع الاتصال الهاتفي. هل ساءت الأمور إلى هذا الحد؟ تساءلت. وعاد الاتصال من ثمّ. «هل تسمعني؟» على ما سألت. «كنت أسمع!»، على ما أجاب. «جيّد، كنت أتكلم، وأتكلم، ومن ثمَّ ساد الصمت، ففكرت، ماذا فعلت الآن؟»، فضحك، لكنَّه سرعان ما استعاد جديته، وسدَّد إلي ضربة قوية، فقال: «صراحةً، مع تدخُّلِ قواتنا المسلحة في البحرين لتسوية الوضع، يصعب علينا المشاركة في عملية أُخرى، إذا خضع التزام قواتنا المسلحة في البحرين لمساءلة حليفنا الرئيس». بعبارة أخرى، عليَّ أن أنسى المشاركة العربية في مهمة ليبيا.

ويُعدُّ ما يحدث كارثة. وجب عليَّ إصلاح الأمور، وسريعًا، ولكن كيف؟ لم تتوافر هنا الخيارات الجيدة. إذ تفرض قيمنا وضميرنا أن تدين الولايات المتحدة العنف اللاحق بالمدنيين على ما نرى في البحرين، ونقطة على أول السطر. فالمبدأ نفسه ينطبق على الوضع في ليبيا. ولكن إذا ثبتنا على موقفنا، فسينهار التحالف الدولي الذي تألف، في عناية، لردع القذافي، سينهار الساعة الحادية عشرة، وسنفشل في ضبط الوضع لتقع مجزرة في ليبيا.

وقد قلت لآي. بي. زي. إنني أريد التوصُّل إلى تفاهم بنَّاء، وطلبت هل يمكننا الاجتماع وجهًا لوجه. «إنني أسمعكِ الآن، ونريد مخرجًا. وأنت تعلمين أننا حرصاء على المشاركة في المهمة في ليبيا»، على ما قال. وبعد ساعات، تحديدًا السادسة مساءً بتوقيت باريس، اجتمعنا وأوضحت له أن في استطاعتي صياغة بيان يبقى وفيًّا لقيمنا ولا يحمل إهانة لهم. أملت في أن يكفي ذلك لإقناع الإمارات بالانضمام إلى المهمة في ليبيا، وإلّا علينا أن نباشر العملية من دونها.

وعقدت ذلك المساء مؤتمرًا صحافيًّا في بيت السفير الأميركي الفخم في باريس. تحدثت عن ليبيا وشددت على أن القيادة العربية في الحملة الجوية، ضرورية وحاسمة. انتقلت من ثمَّ إلى موضوع البحرين: «هدفنا عمليةٌ سياسية ذات صدقية تتماشى والتطلعات المشروعة لكل الشعب البحريني، انطلاقًا من الحوار الذي بدأ به ولي العهد، ويجب أن ينضم إليه جميع الأطراف». يحق للبحرين استدعاء قوات من الدول المجاورة، على ما أضفت، ورحبنا بتعهد دول الخليج تقديم حزمة إعانات من أجل التنمية الاقتصادية والاجتماعية. «لقد أوضحنا أن الأمن وحده لن يحلّ التحديات التي تواجه البحرين»، على ما تابعت، «ولا يمكن العنف أن يكون الجواب عنها، بل العملية السياسية. لقد أثرنا مخاوفنا من التدابير الراهنة في شكل مباشر مع المسؤولين البحرينيين، وسنواصل القيام بذلك».

كانت الاختلافات في النبرة والمضمون عمَّا قلته في القاهرة صغيرة نسبيًّا، وشعرت بالراحة لأننا لم نضحِّ بقيمنا أو صدقيتنا. ولم يلاحظ المراقبون أي تغيير إطلاقًا. وسرعان ما بدأت الطائرات العربية تحلّق فوق ليبيا.

وقد تمنيت لو توافرت لنا خيارات أفضل في البحرين ومزيد من النفوذ لنحقق نتائج إيجابية. واصلنا المناقشات في الأشهر التالية، مؤكدين أن الاعتقالات الجماعية والقوة الغاشمة تتعارض والحقوق العالمية للمواطنين البحرينيين ولن تبطل الدعوات المشروعة إلى الإصلاح. واستمررنا كذلك في الانخراط في شكل وثيق مع حكومة البحرين وجيرانها الخليجيين في مجموعة من القضايا.

وأجبت عن بعض الأسئلة التي أثيرت عن أميركا والربيع العربي في تشرين الثاني/نوفمبر ٢٠١١، في خطاب ألقيته في المعهد الوطني الديمقراطي، في واشنطن. وأكثر سؤال طُرح: لم تعزز أميركا الديمقراطية بطريقة معينة في بعض الدول، لتختلف في أُخرى؟ في اختصار، لمَ ندع مبارك إلى التخلي عن السلطة في مصر، ونحشد تحالفًا عسكريًّا دوليًّا لقمع القذافي في ليبيا، فيما نحافظ على علاقاتنا مع البحرين ودول الخليج الأُخرى؟

يبدأ الجواب، على ما قلت، من نقطة عمليَّة جدًّا. فالظروف تختلف كثيرًا بين بلد وآخر، «ومن

الحماقة اعتماد نهج واحد ذي مقاسات محددة من دون الأخذ في الحسبان الظروف الميدانية». ما يُعدُّ ممكنًا ومقبولًا في مكان، قد يكون مستحيلًا أو غير صائب في مكان آخر. وصحيح أيضًا، أن لأميركا الكثير من المصالح الوطنية المهمة في المنطقة، تخرج عن الاستقامة أحيانًا، على الرغم من كل جهودنا. «يتوجب علينا دائمًا أن نمشي ونمضغ العلكة في الوقت نفسه»، على ما قلت. وينطبق ذلك على البحرين. سيكون لأميركا دومًا شركاء قاصرون عن الكمال، ينظرون إلينا بالطريقة نفسها، وسنواجه دائمًا ضرورة تدفعنا إلى تقديم تنازلات معيبة.

وقد رأيت في شباط/فبراير عام ٢٠١٢، عندما عدت إلى تونس، حيث بدأت تشنجات الربيع العربي، أن شرطة مكافحة الشغب اختفت من الشوارع، وأن لا أثر في الأجواء لذرور الفلفل الذي رشَّ على المتظاهرين لتفريقهم. فقد هدأ الاحتجاج. فاز حزب إسلامي معتدل بكثرة الأصوات في انتخابات حرة، ذات صدقية وسادتها المنافسة. ووعد قادته بإتاحة الحرية الدينية ومنح المرأة حقوقها الكاملة. وتعهدت الولايات المتحدة تقديم دعم مالي كبير، وبدأنا بالعمل على تعزيز التجارة والاستثمار، مما يسهم في تقدم الاقتصاد. واجهت الحكومة الجديدة تحديات كثيرة، وستكون السنوات المقبلة قاسية، لكن هناك سببًا يدعو إلى الأمل في أن وعد الربيع العربي في تونس، أقلّه قد يتحقق.

ورغبت في أن أتحدث إلى الشباب الذين شكلوا باندفاعهم جوهر الثورة، وسيكسبون الكثير إذا ترسخت الديمقراطية في تونس. التقيت حوالى مئتين منهم في قصر البارون دي إيرلانغر، وهو مركز للموسيقا العربية والشرق الأوسطية، مبني على جرف فوق البحر. تكلمت على العمل الشاق المطلوب للانتقال إلى الديمقراطية، والدور الذي يمكن أن يؤديه جيلهم. وفتحت المجال من ثمَّ لطرح الأسئلة. طلب محام شاب الميكروفون، وقال: «يسود، على ما اعتقد، بين الشباب في تونس والمنطقة ككل، شعور بعدم الثقة تجاه الغرب عمومًا والولايات المتحدة خصوصًا. وهو ما يعلل جزئيًّا، في نظر الكثيرين من المراقبين، تصاعد التطرف في المنطقة وفي تونس. وحتّى بين التيار الرئيس من الشباب المعتدل والموالي للغرب، هناك شعور من اليأس والقدرية عندما يتعلق الأمر بإمكان بناء شركة حقيقية ودائمة تقوم على المصالح المشتركة. فهل تعي الولايات المتحدة هذه المسألة؟ وكيف يمكننا معالجة ذلك في رأيك؟».

لقد وضع إصبعه على أحد أصعب تحدياتنا، وفهمت أن انعدام الثقة التي يشعر بها وأمثاله ترتبط بالتنازلات التي نقوم بها في الشرق الأوسط. «نحن ندرك ذلك، ونأسف له. نشعر أنه لا يعكس قيم الولايات المتحدة أو سياستها»، على ما أجبت. وحاولت أن أشرح لمَاذا تعاملت أميركا مع الحكام المستبدين في المنطقة طويلًا، من زين العابدين في تونس، مرورًا بمبارك في مصر،

وصولًا إلى شركائنا في الخليج. «يُفترض التعامل مع الحكومات القائمة. نعم، فعلنا ذلك، تعاملنا مع حكومات هذه الدول على ما نقوم به في أي مكانٍ آخر. راهنًا، نحن على خلاف كبير مع روسيا والصين لأنهما لا توافقان على قرار مجلس الأمن من أجل مساعدة المساكين في سوريا. لكننا لم نتوقف عن التعامل مع روسيا والصين على مجموعة من القضايا لأننا على خلاف كبير معهم. لذا أعتقد أن المسألة في جزء منها تقتضي أن تدرك الواقع الذي على الحكومات التعامل معه، وتصوُّر المشهد في شكلٍ عام».

عرفت أن هذا التوضيح غير كافٍ، لكنَّها الحقيقة. ستقوم أميركا دائمًا بما في وسعها للمحافظة على سلامة شعبنا وتعزيز مصالحنا الأساسية. وهذا يعني أحيانًا العمل مع شركاء تشوب علاقتنا بهم خلافات عميقة.

لكن هناك جزءًا من المشهد العامِ ضائع غالبًا، هو حقيقةٌ عن أميركا يسهل تغييبها وسط العناوين العريضة اليومية عن أزمةٍ أو أُخرى. ضحت الولايات المتحدة بالدماء والثروات لمساعدة الشعوب في العالم على نيل حريتها. وفيما نظرت إلى الشباب التونسيين المنفتحين والملتزمين، عددت لهم عشرات الأمثلة، بما يشمل مساعدة الولايات المتحدة شعب أوروبا الشرقية على الخروج من وراء الستار الحديدي، ورعايتها الديمقراطيات في مختلف أنحاء آسيا. «سأكون أوَّل من يقول إننا ارتكبنا الأخطاء من مثل أي دولة في العالم. سأعترف بذلك، وقد قمنا بأخطاء كثيرة. ولكن إذا راجعتَ التاريخ، فسيُظهر سِجلُّنا أننا ناصرنا دائمًا الحرية وحقوق الإنسان، والأسواق الحرة وتعزيز الاقتصاد». أومأ المحامي وجلس.

الفصل السّادس عشر

ليبيا: كل التّدابير اللازمة

تأخَّر محمود جبريل.

كنّا في ١٤ آذار/مارس ٢٠١١، وقد انقضى أكثر من شهر على سقوط حسني مبارك في مصر، وتحوَّل الاهتمام إلى الأزمة التالية في المنطقة، إلى ليبيا هذه المرَّة، البلد الذي يضم حوالى ستة ملايين نسمة، ويقع بين مصر وتونس على طول ساحل البحر الأبيض المتوسط، شمال أفريقيا. تحوَّلت الاحتجاجات على نظام الدكتاتور الاستبدادي العقيد معمر القذافي، والقائم منذ زمن طويل، تمردًا شاملًا بعدما استخدم القوة المفرطة ضد المتظاهرين. وكنت أنتظر جبريل، العالم السياسي الليبي الحائز شهادة دكتوراه من جامعة بيتسبرغ، ليوافيني إلى اجتماع، نيابةً عن المتمردين الذين يقاتلون قوات القذافي.

لقد سافرت ليلًا ووصلت باكرًا إلى باريس للقاء وزراء خارجية مجموعة البلدان الثمانية الصناعية الكبرى - فرنسا، ألمانيا، إيطاليا، اليابان، المملكة المتحدة، كندا، روسيا، الولايات المتحدة - لمناقشة سبل منع القذافي من ارتكاب مجزرة في حق شعبه. (طُردت روسيا من المجموعة عام ٢٠١٤، بعد غزو شبه جزيرة القرم، وعادت مجموعة الدول السبع، على ما كانت عليه قبل العام ١٩٩٨). وسينضم إلينا وزراء من دول عربية، دعوا إلى تحرك دولي واسع من أجل حماية المدنيين الليبيين، خصوصًا من غارات قوات القذافي الجوية. حين وصلت، أمضيت معظم

النهار في مناقشات مكثفة مع القادة الأوروبيين والعرب الذين ساورهم القلق لأنَّ قوات القذافي المتفوقة استعدت لسحق المتمردين. عندما اجتمعت مع الرئيس الفرنسي نيكولا ساركوزي، حثَّ الولايات المتحدة على دعم التدخل العسكري الدولي لوقف زحف القذافي نحو معقل المتمردين في بنغازي، شرق ليبيا. تعاطفتُ مع الثوار، لكنني لم أقتنع بفكرة التدخل. أمضت الولايات المتحدة العقد السابق تتخبط في وحول حربَي العراق وأفغانستان، وقبل أن ننخرط في صراع آخر، أردت التأكد أننا درسنا كل عواقبه المحتملة. هل يدعم المجتمع الدولي موحدًا، بما يشمل جيران ليبيا، هذه المهمة؟ ومن هم هؤلاء المتمردون الذين سنساعدهم، وهل هم مؤهلون كفايةً لقيادة ليبيا إذا سقط القذافي؟ وكيف ستنتهي اللعبة هنا؟ أردت أن ألتقي محمود جبريل وجهًا لوجه لمناقشة هذه الأسئلة.

يطل الجناح الذي أقيم فيه في فندق ويستن - فاندوم القديم في شارع دو ريفولي على حديقة التويلري، وأمكنني من النافذة رؤية برج إيفل يضيء سماء باريس. فجمال باريس وألوانها بعيد كل البعد عن الرعب الذي ينتاب في ليبيا.

بدأ الصراع بطريقة باتت مألوفة راهنًا. أثار القبض على ناشط بارز في مجال حقوق الإنسان في بنغازي منتصف شباط/فبراير ٢٠١١ موجة احتجاجات، سرعان ما عمَّت كل أنحاء البلاد. وبدأ الليبيون، بوحي مما شاهدوه في تونس ومصر، يسائلون حكومتهم. وخلافًا لما حدث في مصر حيث رفض الجيش إطلاق النار على المدنيين، شنَّت قوات الأمن الليبية حملةً بالأسلحة الثقيلة على الحشود. واستعان القذافي بأعداد من المرتزقة الأجانب والمجرمين العنيفين لمهاجمة المتظاهرين. وتحدثت التقارير عن عمليات قتل عشوائية، واعتقالات تعسفية، وتعذيب. وأُعدِم الجنود الذين رفضوا إطلاق النار على مواطنيهم. وردًّا على هذه الحملة العنيفة، تحوَّلت الاحتجاجات تمردًا مسلَّحًا، خصوصًا في أجزاء البلاد التي غضبت طويلًا من حكم القذافي المتهوِّر.

ودعا مجلس الأمن الدولي الذي صدمه رد القذافي الوحشي، آخر شباط/فبراير، إلى وضع حد فوري للعنف، ووافق بالإجماع على قرار لفرض حظر على الأسلحة إلى ليبيا، وتجميد أصول المخالفين الأساسيين لحقوق الإنسان وأفراد من عائلته، وإحالة القضية الليبية على المحكمة الجنائية الدولية. واتهمت المحكمة، في الختام، القذافي وابنه سيف الإسلام القذافي، ورئيس الاستخبارات العسكرية عبدالله السنوسي، بارتكاب جرائم ضد الإنسانية. وفرضت الولايات المتحدة عقوبات، من جانبها، وتحركت لتوفير المساعدات اللازمة لليبيين المحتاجين. وقد سافرت نهاية شباط/فبراير إلى مجلس حقوق الإنسان التابع للأمم المتحدة في جينيف، لأذكِّر المجتمع الدولي بأنَّه يتحمَّل مسؤولية حماية الحقوق العالمية وإخضاع مخالفيها للمساءلة. قلتُ إن

القذافي «فَقَدَ شرعيته في الحكم، والشعب الليبي عبَّر عن نفسه في وضوح: آن الآوان للقذافي أن يرحل، الآن، من دون تأخير أو مزيد من العنف». قبل أيَّام، وفي القاعة نفسها في قصر الأمم، تخلّى الوفد الليبي عن ولائه للقذافي وأعلن دعمه للمتمردين الليبيين. وقال أحد الدبلوماسيين: «يخطُّ شباب بلادي بدمه اليوم فصلًا جديدًا في تاريخ النضال والمقاومة».

وشكَّل المتمردون في بنغازي بعد أسبوع مجلسًا انتقاليًّا للحكم. وحققت الميليشيات المسلحة في مختلف أنحاء البلاد انتصارات ضد النظام، بما في ذلك الجبال الغربية. لكنَّ القذافي أطلق عندذاك، هجومًا تخطى ما يدركه العقل. سحقت دباباته البلدات، واحدةً تلوَ أُخرى، وبدأت المقاومة تنهار، فيما تعهد القذافي ملاحقة جميع الذين عارضوه وإبادتهم. أصبح الوضع ميؤوسًا منه، لذا أتى جبريل ليعرض قضيته.

وفيما انتظرتُ وصوله، رحتُ أفكر في معمر القذافي، أحد أكثر الحكام المستبدين في العالم غرابةَ أطوار، وقسوةً، وتبدلًا في الآراء. ظهر على الساحة العالمية بشخصية شاذة عن الجميع، ومخيفة أحيانًا، مع ملابسه الملونة، وحراسه الأمازونيين، والأهم قمة بلاغته وفصاحته. قال يومًا: «أولئك الذين لا يحبونني، لا يستحقون العيش!». استولى القذافي على السلطة بانقلاب قاده عام ١٩٦٩ وحكم ليبيا، المستعمرة الإيطالية السابقة، بمزيج من الاشتراكية الحديثة، والفاشية، وعبادة الشخصية. وعلى الرغم من أن ثروة البلاد النفطية أبقت النظام واقفًا على قدميه، أضعف حكمه المتقلب الاقتصاد والمؤسسات في ليبيا.

وقد أصبح القذافي من أكبر أعداء الولايات المتحدة في ثمانينات القرن العشرين، بصفة كون دولته راعية للإرهاب، وعميلةً للاتحاد السوفياتي، وناشرة لأسلحة الدمار الشامل. وعام ١٩٨١، تصدرت صورة القذافي غلاف مجلة نيوزويك تحت عنوان: «الرجل الأخطر في العالم؟». وسماه الرئيس ريغان «الكلب المسعور في منطقة الشرق الأوسط»، وقد قصف ليبيا عام ١٩٨٦ ردًّا على هجوم إرهابي في برلين قَتل مواطنين أميركيين، وخطط له القذافي. وادعى الأخير أن إحدى بناته قُتلت في الغارات الجوية، مما زاد من توتر العلاقات.

وعمد عملاء ليبيون إلى تفخيخ طائرة بان آم - الرحلة ١٠٣، التي انفجرت فوق لوكربي في اسكتلندا، مما أسفر عن مقتل ٢٧٠ شخصًا. خمسة وثلاثون من الركاب الذين قتلوا في تلك الرحلة كانوا طلابًا من جامعة سيراكيوز، شمال ولاية نيويورك، وتعرفت إلى عائلاتهم حين مثلتهم في مجلس الشيوخ الأميركي. في نظري، كان القذافي مجرمًا وإرهابيًّا لا يمكن إيلاؤه ثقة أبدًا. ووافقني في ذلك جيرانه العرب، ومعظمهم على عداء معه. وقد تآمر حتى يومًا، لاغتيال ملك العربية السعودية.

وحين التقت كوندوليزا رايس القذافي في طرابلس عام ٢٠٠٨، وَجَدَتْه «غير مستقر، ويميل إليها» قليلًا. وأثار ضجة في نيويورك عام ٢٠٠٩ عندما تحدث في الجمعية العمومية للأمم المتحدة للمرَّة الأولى منذ حكمه ليبيا قبل أربعين عامًا. أحضر معه خيمة بدوية كبيرة، لكنَّه أُبلغ أنه لا يمكنه نصبها في حديقة سنترال بارك. سُمِح له بأن يتكلم في الأمم المتحدة خمس عشرة دقيقة فقط، لكنَّه أرغى وأزبد طوال ساعة ونصف الساعة. تضمنت خطبته الغريبة واللاذعة نظريات مدوية عن اغتيال كنيدي، واحتمال أن تكون انفلونزا الخنازير في الحقيقة سلاحًا بيولوجيًّا صُمِّم في المختبر. واقترح أن يعيش الإسرائيليون والفلسطينيون في دولةٍ واحدة تُسمَّى «إسراطين»، وأن تنقل الأمم المتحدة مقرها إلى ليبيا للحد من تأخر مواعيد الطائرات وتجنب خطر الهجمات الإرهابية. في اختصار، كان أداء غريبًا، وإنما نموذجي نسبةً إلى القذافي.

وحاول القذافي مع ذلك في الأعوام الأخيرة أن يُظهر للعالم وجهًا جديدًا، فتخلى عن برنامجه النووي، وأصلح ذات البين مع المجتمع الدولي، وأسهم في القتال حتى ضد تنظيم القاعدة. لكن أيَّ أملٍ في أن يلين ليصبح ما يشبه رجل دولةٍ في شيخوخته تبخرَّ بمجرد البدء بالاحتجاجات، ويا للأسف. فعاد القذافي القاتل القديم.

لقد جعلتني كل هذه الأمور - الدكتاتور العصي، الهجمات على المدنيين، وضع المتمردين المحفوف بالمخاطر - أعيد النظر في ما يناقشه نظرائي الأجانب: هل حان الوقت ليتخطى المجتمع الدولي المساعدات الإنسانية وفرض العقوبات ويتخذ إجراءً حاسمًا من أجل وقف العنف في ليبيا؟ وإذا كان الجواب إيجابًا، فما الدور الذي يجب أن تؤديه الولايات المتحدة لتعزيز مصالحنا وحمايتها؟

كنت انضممت قبل أيام فقط، في ٩ آذار/مارس، إلى بقية أعضاء فريق الأمن القومي التابع لإدارة أوباما في غرفة عمليات البيت الأبيض لمناقشة الأزمة الليبية. لم يبدِ المشاركون رغبةً كبيرة في تدخلٍ أميركي مباشر. اعتقد وزير الدفاع روبرت غايتس أن ليس للولايات المتحدة مصالح قومية أساسية على المحك في ليبيا. وقال لنا البنتاغون إن الخيار العسكري الأكثر احتمالًا، فرض منطقة حظر جوي على غرار ما حدث في العراق في تسعينيات القرن العشرين، ولكن يحتمل ألّا يكفي لترجيح كفة الميزان في اتجاه المتمردين، لأنَّ قوات القذافي البريَّة قوية جدًّا.

وشهدت في اليوم التالي أمام الكونغرس وحاججت أن الوقت غير مناسب كي تتسرع أميركا وتتدخل من جانب واحد في الوضع المتفجر: «أنا من أولئك الذين يعتقدون أن غياب تفويض دولي، وانخراط الولايات المتحدة وحدها سيكون تدخلًا في وضعٍ لا يمكن التنبؤ بعواقبه. وأعرف أن هذا ما تشعر به قياداتنا العسكرية». في أحيان كثيرة، طالبت دول أُخرى بالتدخل سريعًا، ليبدو لاحقًا أن أميركا تتحمَّل كل الأعباء وتتخذ كل المخاطر. وذكَّرت الكونغرس: «كانت لدينا

منطقة حظر جوي فوق العراق. وهي لم تمنع صدام من ذبح الناس على الأرض، ولم تخرجه كذلك من السلطة».

ولخَّص الحجة ضد التدخل، الجنرال المتقاعد ويسلي كلارك، وهو صديق قديم قاد حرب الناتو الجوية في كوسوفو في تسعينات القرن العشرين، في مقالة افتتاحية في صحيفة واشنطن بوست، في ١١ آذار/مارس: «مهما بلغ حجم الجهود والموارد التي سنكرسها لفرض منطقة حظر جوي، ستكون قليلةً ومتأخرة جدًّا. سنُلزم جيشنا مرة أخرى فرضَ تغيير النظام في أرضٍ مسلمة، على الرغم من أننا نتحاشى قول ذلك صراحةً. لذلك، دعونا نعترف بأن المتطلبات الأساسية لتدخلٍ ناجح غير متوافرة في بساطة، أقلّه حتى الآن: ليس لدينا هدف واضح، أو سلطة قانونية، أو دعم دولي ملتزم، أو قدرات عسكرية مناسبة لما يحدث ميدانيًّا، إضافة إلى أن الوضع السياسي في ليبيا لا ينذر بنتائج جليَّة».

ودفع تطورٌ في اليوم التالي في القاهرة إلى تغيير الحسابات. فبعد خمس ساعات من المناقشات، صوتت جامعة الدول العربية التي تمثّل إحدى وعشرين دولة شرق أوسطية، على طلب من مجلس الأمن الدولي بفرض منطقة حظر جوي في ليبيا. وكانت الجامعة العربية علَّقت سابقًا عضوية حكومة القذافي، وأقرَّت الاعتراف بمجلس المتمردين ممثلًا شرعيًّا للشعب الليبي. عُدَّت تلك خطوات كبيرة لمنظمة عُرِفت سابقًا بأنها نادٍ للمستبدين وبارونات النفط. وكان أحد المحركين الأساسيين لها الدبلوماسي المصري عمرو موسى، الذي شغل منصب الأمين العام لجامعة الدول العربية، لكنّه منَّى نفسه آنذاك بالترشح إلى الانتخابات الرئاسية المقبلة في مصر. وسعى عبر قرار منطقة الحظر الجوي ذاك، إلى الحصول على دعم المجموعات الثائرة التي أخرجت مبارك من الحكم. وسار ملوك الخليج في الركب ليظهروا لمواطنيهم المحتجين أنهم يدعمون التغيير. وبطبيعة الحال، فهم يكرهون القذافي جميعًا.

وإذا كان العرب مستعدين لأخذ زمام المبادرة، فلأن التدخل الدولي لم يكن مستحيلًا، حكمًا. والأكيد أنه سيحمّل روسيا والصين ضغوطًا، إذ كان يُتوقع أن تعارضا في مجلس الأمن الدولي أي تدخل يدعمه الغرب. لكنَّ بيان الجامعة العربية استخدم عبارة العمل الإنساني، ولم يأتِ على ذكر القوة العسكرية صراحةً. تساءلتُ هل عمرو موسى والآخرون مستعدون فعلًا لدعم ما يستلزمه إيقاف القذافي عن ذبح شعبه.

كان في باريس حين وصل آي. بي. زي.، وزير خارجية دولة الإمارات العربية المتحدة، اللاعب القوي خلف الكواليس في جامعة الدول العربية. اجتمعنا في الفندق قبل عشاء مجموعة دول الثماني، وأصررت عليه لمعرفة حجم الالتزام العربي. هل هم مستعدون لرؤية طائرات أجنبية تقصف ليبيا؟ والأهم، هل هم مستعدون للمشاركة بطائراتهم في هذه الغارات؟ في ما يتعلق بالإمارات، أقلّه، كان الجواب عن السؤالين إيجابًا، الأمر الذي عددته مفاجئًا.

بدا الأوروبيون أكثر تهافتًا حتى. سمعت مطولات عن التدخل العسكري مِن ساركوزي الشخصية الديناميكية الزاخرة دائمًا بطاقة كاملةً، والذي يعشق أن يكون محور الحدث. وكانت فرنسا، القوة الاستعمارية السابقة في شمال أفريقيا، قريبة من بن علي في تونس، وقد قطعت الثورة هناك الطريق على ساركوزي. ولم يكن الفرنسيون من الجهات اللاعبة في مصر. لذلك كانت تلك فرصتهم للقفز في المعركة الداعمة للربيع العربي، ليُظهروا أنهم يدعمون التغيير أيضًا. وقد تأثر ساركوزي بالمثقف الفرنسي المشهور برنارد - هنري ليفي الذي قام برحلة في شاحنة خُضَرٍ من الحدود المصرية إلى ليبيا ليعاين ما كان يحدث، وهزتهما فعلًا محنة الشعب الليبي الذي يعاني الأمرَّين على يد دكتاتور قاسٍ، وقدما حجة مقنعة بوجوب القيام بشيء ما.

ودعم وزير الخارجية البريطانية وليم هيغ التدخل حين تقابلنا في العشاء وتحادثنا. وإذ رأى هيغ أن عملًا عسكريًّا في ليبيا أمر ضروري، يجب أن يُحسب لذلك حساب. وعرفت أنه مثلي، حذر في اتخاذ قرارات من هذا النوع من دون اللجوء إلى المنطق، والاستراتيجية، وإدراك نهاية المجهود.

قابلت حين عدت إلى الفندق سفيرنا في ليبيا جين كريتز، وممثلنا الخاص لدى المتمردين الليبيين والمُعيَّن أخيرًا كريس ستيفنز، الذي شغل سابقًا منصب نائب رئيس البعثة الدبلوماسية والقائم بالأعمال في طرابلس. وكان كريتز شخصية مبهجة، صاخبة، ودبلوماسي ظريف من شمال ولاية نيويورك. حين سرَّبت ويكيليكس برقيات كريتز السرِّية إلى واشنطن واصفًا فيها تجاوزات القذافي، واجه التهديدات والترهيب في طرابلس، وفي كانون الأول/ديسمبر ٢٠١٠، اتخذتُ قرارًا بإعادته إلى واشنطن حرصًا على سلامته. وأجلينا ما تبقى من موظفينا الدبلوماسيين في شباط/فبراير ٢٠١١، مع تصاعد حدة الثورة. غادروا على متن عبَّارة إلى مالطا، وواجهوا عواصف وأمواجًا عاتية، وقد وصلوا جميعًا سالمين، لحسن الحظ.

كان ستيفنز دبلوماسيًّا موهوبًا آخر، باعه طويل في شؤون المنطقة. وهو كاليفورني، أشقر الشعر، تحدَّث بطلاقة الفرنسية والعربية، وتنقل في مهامه بين سوريا ومصر والعربية السعودية والقدس. التهم كريس القصص والمذكرات التاريخية الليبية القديمة وتمتع بإخبار النوادر التاريخية والنكات باللهجة المحلية. طلبتُ منه العودة إلى ليبيا وإجراء اتصالات مع مجلس المتمردين في معقلهم في بنغازي. كانت مهمة صعبة وخطرة، لكن أميركا في حاجة إلى أن تُمثَّل هناك. وافق كريس وقبِل التكليف. وقد تعوَّدت والدته القول إن أحذيته مملوءة بالرمل، وهو دائم الحركة والركض والعمل، باحثًا عن تحديات ومغامرات جديدة في الشرق الأوسط. بعد أعوام من الخبرة في المنطقة، أدرك أن الأماكن الصعبة والخطرة هي حيث تترك المصالح الأميركية رهن التقادير، وتقتضي الضرورة أن نتمثَّل بدبلوماسية ماهرة ودقيقة. وقد انتقل إلى بنغازي في الربيع،

مع فريق عمل صغير على متن سفينة شحن يونانية، كمبعوثٍ من القرن التاسع عشر، وانخرط في العمل مباشرة وبنى علاقات مع قادة التمرد المدنيين والعسكريين. أدّى مهمته على أفضل وجه، مما دفعني إلى أن أطلب من الرئيس لاحقًا تعيينه خلفًا لكريتز سفيرًا للولايات المتحدة في ليبيا.

ووصل جبريل أخيرًا، العاشرة مساءً، إلى ويستن في باريس، يرافقه برنارد - هنري ليفي الذي ساعد على ترتيب الاجتماع. كانا ثنائيًّا لافتًا، المتمرد والفيلسوف، ويصعب التفريق بينهما. بدا جبريل أقرب إلى تكنوقراطي منه إلى زعيم تمرد، وكان قصير القامة، يرتدي نظارتين طبيتين، شعره خفيف، وسلوكه متحفظ. أما ليفي، فعلى نقيض ذلك، شخصية جذابة وأنيقة، شعره مجعد طويل، وقميصه مفتوح عمليًّا حتى سرَّته. وقد نُقِل عنه قوله: «أللّه مات، لكنَّ شَعري لا نقص فيه ولا عيب». (وعلى ذلك أرُدّ، أعتقد أن اللّه حيّ، ولكن أحبّ أن يكون شَعري متقن التصفيف!).

وترك فيَّ جبريل انطباعًا قويًّا، ووجدته مسؤولًا وذا رباطة جأش، وخصوصًا ممثلًا لمجلس متمردين على وشك الفناء. تسلَّم رئاسة مجلس التنمية الاقتصادية الوطنية قبل أن ينقض ولاءه للقذافي لينضم إلى صفوف الثورة، وبدا أنه يدرك حجم الجهد المطلوب لإعادة بناء دولة دمرتها عقود من القسوة وسوء الإدارة. قال لنا إن مئات آلاف المدنيين في بنغازي مهددون بالخطر لأنَّ قوات النظام تتجه نحو المدينة، ورفع شبح الإبادة الجماعية في رواندا والتطهير العرقي في البلقان، وناشدنا تدخلًا دوليًّا.

وبينما كان جبريل يتحدَّث، حاولت أن أتبعه في دقة. تعلَّمنا درسًا قاسيًا من العراق وأمكنة أخرى، وهو أن إطاحة الدكتاتور شيء، والمساعدة على تثبيت حكومة فاعلة وذات صدقية مكانه، أمر آخر. إذا وافقت الولايات المتحدة على التدخل في ليبيا، فسيكون علينا أن نراهن، في قوة، على هذا السياسي ورفاقه. أزال القذافي طوال أربعة عقود وفي شكل منهجي كل من شكّل تهديدًا لحكمه، وقوَّض المؤسسات والثقافة السياسية. لذلك لا يحتمل أن نجد شخصية من مثل جورج واشنطن في انتظارنا. بعد أخذ كل الأمور في الحسبان، سيكون جبريل وأولئك الذين يمثلهم، أفضل ما يمكننا أن نأمل.

وقد قدمتُ تقريرًا بعد ذلك إلى البيت الأبيض عمّا سمعتُ في باريس وعن تقدمنا مع شركائنا الدوليين. استعد حلفاؤنا في الناتو لتسلُّم القيادة في أي عمل عسكري، على أن تدعمه جامعة الدول العربية، ويشارك بعض أعضائها في العمليات القتالية ضد جارهم العربي، وفي ذلك إشارة ذات دلالة إلى سخطهم من تجاوزات القذافي. اعتقدت أن في إمكاننا انتزاع الأصوات في مجلس الأمن لتأييد قرار قوي. تمكنا من دفع الروس والصينيين إلى الموافقة على فرض عقوبات صارمة على كوريا الشمالية وإيران عامي ٢٠٠٩ و٢٠١٠، ويمكننا القيام بالشيء نفسه راهنًا. واستنادًا إلى لقائي وجبريل، رأيت أن هناك فرصة معقولة لأن يغدو المتمردون شركاء يتمتعون بثقتنا.

وظل مجلس الأمن القومي منقسمًا على صوابية التدخل في ليبيا. جادل البعض، بمن فيهم سفيرتنا في الأمم المتحدة سوزان رايس ومساعدة مجلس الأمن القومي سامنثا باور، أننا نتحمل مسؤولية حماية المدنيين ومنع وقوع مجزرة إذا استطعنا. عارض الفكرة، في حزم، وزير الدفاع غايتس. وبصفة كونه متمرسًا في صراعي العراق وأفغانستان، وواقعيًّا في شأن حدود القوة الأميركية، لم يرَ أن مصالحنا في ليبيا تستحق هذه التضحية. أدركنا كلنا أن عواقب التدخل يستحيل توقعها. لكن قوات القذافي باتت على بعد مئات الأميال من بنغازي، وستُطبق عليها. ونحن نشهد على كارثة إنسانية، مع آلاف لا يُحصون، معرضين للخطر والقتل. إذا أردنا وقف ذلك، فعلينا التحرك الآن.

وقد قرر الرئيس السير في عملية التدخل ووضع خطط عسكرية وتوفير صدور قرار من مجلس الأمن الدولي، ولكن بشرطين أساسيين. أولًا، بما أنَّ البنتاغون أكَّد لنا أن منطقة الحظر الجوي في حد ذاتها ليست أكثر من خطوة رمزية، يجب توفير دعم الأمم المتحدة لعمل عسكري أكثر قوة إذا لزم الأمر: سلطة استخدام «كلّ الإجراءات الضرورية» من أجل حماية المدنيين. ثانيًا، أراد الرئيس إبقاء انخراط الولايات المتحدة محدودًا، لذلك سيضطر حلفاؤنا إلى تحمل أكثر الأعباء وشن معظم الغارات. سيتطلب هذان الشرطان عملًا دبلوماسيًّا إضافيًّا، لكنني وسوزان اعتقدنا أن الأمر ممكن، وبدأنا باتصالاتنا الهاتفية.

قدَّم الروس في اليوم التالي في مجلس الأمن في نيويورك قرارًا ضعيفًا يدعو إلى وقف إطلاق النار، رأيت فيه حيلةً لتعكير الأجواء وتخفيف زخم فكرة منطقة الحظر الجوي. إذا لم نستطع إقناعهم بعدم نقض قرارنا الأقوى، فسيكون ميتًا قبل أن يرى النور. وبعد روسيا، قلقنا من الصين التي تملك حق الفيتو أيضًا، والكثيرين من الأعضاء غير الدائمين.

سافرت صباح ١٥ آذار/مارس من باريس إلى القاهرة لمقابلة عمرو موسى والتشديد على أهمية دور الجامعة العربية في دعم التدخل العسكري والموافقة على المشاركة فيه بفاعلية. لا بدَّ من الإقرار بأن هذه السياسة يدفعها جيران ليبيا، لا الغرب، وإلّا لن تؤتي ثمارًا. أكَّد موسى أن قطر والإمارات العربية المتحدة مستعدتان للإسهام في هذا الجهد بالطائرات والطيارين، وتلك خطوة كبيرة إلى الأمام. وسيشدد الأردن لاحقًا من عزمنا. أدركت أن هذا الدعم سيُسهِّل إقناع أعضاء مجلس الأمن المترددين في نيويورك.

لقد سهَّل القذافي عملنا حين ظهر على شاشات التلفزيون في ١٧ آذار/مارس وحذَّر مواطني بنغازي: «نحن آتون الليلة، ولن تكون هناك رحمة». وتعهد الذهاب من منزل إلى آخر بحثًا عن «الخونة»، ودعا الليبيين إلى «القبض على الجرذان». كنتُ آنذاك في تونس، فاتصلت بوزير الخارجية الروسية سيرغي لافروف، وقد أعلمني سابقًا أن روسيا تعارض، في حزم، منطقة الحظر

الجوي، ولكن مذذاك وافق كثر من أعضاء مجلس الأمن غير الدائمين على السير في قرارنا. وبات من المهم راهنًا طمأنة الروس إلى أننا لسنا في صدد تكرار تجربتي العراق وأفغانستان، وتوضيح نياتنا. قلت للافروف: «لا نريد حربًا أخرى، ولن تشارك قواتنا ميدانيًّا، ولكن، على ما أوضحت، هدفنا حماية المدنيين من هجمات وحشية وعشوائية. منطقة الحظر الجوي ضرورية، وإنَّما غير كافية. نحتاج إلى تدابير إضافية. والوقت أمر شديد الأهمية».

وأجاب لافروف: «أقدر وجهة نظركم في عدم سعيكم إلى حرب، لكن ذلك لا يعني أنكم لن تحصلوا عليها». على الرغم من ذلك، على ما أضاف، لا مصلحة لروسيا في حماية القذافي أو رؤيته يذبح شعبه. وأوضحتُ أن قرارنا سيشمل قرار روسيا وقف إطلاق النار، ولكن يجب أن يأذن بردٍّ أقوى إذا رفض القذافي وقف تقدمه. فقال لافروف: «لا يمكننا التصويت على ذلك، لكننا سنمتنع، وسيمرُّ القرار». كان هذا كل ما نحتاج إليه. في هذا السياق، يوازي الامتناع عن التصويت تصويتًا إيجابيًّا. وفي مناقشات لاحقة، خصوصًا في الشأن السوري، ادعى لافروف أن نياتنا تضلله. ولفتتني تلك الخدعة، لأن لافروف يعرف أكثر من أي أحد آخر، بحكم كونه سفيرًا سابقًا في الأمم المتحدة، ما تعني عبارة «كل التدابير اللازمة».

اتصلت من ثمَّ بلويس أمادو، وزير خارجية البرتغال، وهي عضو غير دائم في مجلس الأمن. حتّى وإن كنا نتجنب الفيتو، ما زلنا في حاجة إلى التأكد أن الغالبية تؤيدنا، وكلمّا ازداد عدد الأصوات، وصلت الرسالة قوية إلى القذافي. وقلتُ لأمادو: «أريد أن أؤكد مجددًا أن لا مصلحة للولايات المتحدة، أو نية، أو تخطيطَ لاستخدام قوات برية أو المشاركة في عمليات ميدانية. أعتقد أن تمرير هذا القرار سيعيد القذافي ومَن حوله إلى رشدهم، وسيؤثر في وضوح، في الإجراءات التي سيتخذها في الأيَّام المقبلة». استمع إلى حججي، ووافق من ثمَّ على التصويت بنعم. «لا تقلقي، سنكون هناك»، على ما قال.

واتصل الرئيس أوباما برئيس جنوب أفريقيا جاكوب زوما، وشرح له القضية نفسها. ضغطت سوزان على نظرائها في نيويورك. عمل الفرنسيون والبريطانيون جاهدين أيضًا. وأخيرًا أتى التصويت على القرار بنتيجة عشرة أصوات في مقابل صفر، وامتناع خمسة: البرازيل والهند والصين، وألمانيا التي انضمت إلى روسيا بعدم التصويت. بات لدينا تفويض آنذاك من أجل حماية المدنيين الليبيين باتخاذ «كل التدابير اللازمة».

وبرزت فورًا الصعوبات والدراما.

كان الرئيس أوباما واضحًا جدًّا مع فريق عملنا وحلفائنا أن الولايات المتحدة ستشارك في عملية عسكرية لفرض قرار الأمم المتحدة، ولكن في شكل محدود فقط. والخطوة الأساسية الأولى

لتعزيز منطقة الحظر الجوي، هي شلّ نظام دفاع القذافي الجوي، وكانت الولايات المتحدة مجهزة للقيام بذلك في شكل أفضل من جميع شركائنا. لكنَّ الرئيس أوباما أراد أن تتسلم القوات الجوية المتحالفة، القيادة في أسرع وقت ممكن، وأصرَّ على منع نشر قوات أميركية برية. وأصبحت عبارة «لا لجزمات في الميدان»، تعويذة. عنى كل ذلك أننا في حاجة إلى تحالف دولي واسع وجيد التنسيق، يمكنه التدخل وتولّي القيادة بعد أن تمهد الطريقَ صواريخ الكروز والقاذفات الأميركية. وسرعان ما تبيَّن لي أن جمع حلفائنا للعمل على ذلك كفريق موحد سيكون أصعب مما توقع أحد منا.

وحرص ساركوزي على تسلُّم القيادة. في المرحلة التي سبقت التصويت في الأمم المتحدة، كان المدافع الأكثر صخبًا عن تدخلٍ عسكري دولي، ورآه فرصته آنذاك لتأكيد دور فرنسا قوةً كبرى في العالم. دعا مجموعةً واسعة من الدول الأوروبية والعربية إلى قمة طارئة في باريس في ١٩ آذار/ مارس، لمناقشة تنفيذ قرار الأمم المتحدة. ولفتت عدم دعوة تركيا، حليفة الناتو. سادت التوترات بين ساركوزي ورئيس الوزراء التركي أردوغان بسبب اعتراضات فرنسا على انضمام تركيا إلى الاتحاد الأوروبي. وبرز أردوغان من ثمَّ صوتًا حذرًا من التدخل في ليبيا، وعمل ساركوزي على استبعاده من الائتلاف. أغضب هذا الازدراء أردوغان وجعله أكثر تصميمًا على معارضة التدخل.

وقد تحدثت مع وزير الخارجية التركية داود أوغلو وحاولت وضع حد للضرر. «أوَّلًا أريد أن أُعلمك أنني ضغطت، في قوة، لتُدعى»، على ما قلت. وعلى ما خشيت، كان داود أوغلو مستاء جدًّا. «نتوقع إجراءات للناتو، فيُعقد فجأةً في باريس اجتماع ولا نُدعى إليه»، على ما شكا، ولسبب وجيه. هل هذه حرب صليبية فرنسية أم تحالف دولي؟ وأوضحت له أن الفرنسيين نظموا القمة، لكننا نضغط، في شدة، ليقود حلف شمال الأطلسي العملية العسكرية.

ونقلت في باريس رسالة الرئيس أوباما عن توقعاتنا مشاركة الجميع في العملية العسكرية. وفور هبوطي، راجعت في اتصال هاتفي موقف الإمارات مع آي. بي. زي. وعلى ما أوضحت سابقًا، أتت المحادثة عسيرة، إذ هدد بانسحاب دولة الإمارات العربية المتحدة من التدخل في ليبيا، بسبب الانتقادات الأميركية لإجراءاتها في البحرين.

من ثمَّ، وقبل أن يبدأ اجتماع القمة الرسمي، انتحى ساركوزي بي ورئيس الوزراء البريطاني ديفيد كاميرون، جانبًا، وأسرّ لنا أن الطائرات الحربية الفرنسية توجَّهت إلى ليبيا. حين عرفت المجموعة الأكبر أن فرنسا تسرعت، قامت القيامة. فرئيس الوزراء الإيطالي سيلفيو برلسكوني الذي عزم بإرادة قوية وتاق إلى جذب الأضواء على ما فعل ساركوزي، كان الأكثر سخطًا. ساد مفهوم رسمي أن القوى الاستعمارية القديمة يجب أن تتولى القيادة في التصدي للأزمات في مستعمراتها السابقة. لذا كانت فرنسا أوَّل من أرسل لاحقًا قوات إلى مالي وجمهورية أفريقيا الوسطى. في قضية ليبيا، المستعمرة الإيطالية السابقة، شعر برلسكوني أن على إيطاليا أن تسير

في المقدمة، لا فرنسا. علاوةً على ذلك، شكّلت إيطاليا بسبب موقعها الاستراتيجي البارز في البحر الأبيض المتوسط، نقطة انطلاق طبيعية لمعظم الطلعات الجوية إلى ليبيا، وقد بدأت بفتح عدد من قواعد قواتها الجوية أمام طائرات التحالف. وأحس برلسكوني في تلك اللحظة أنَّ ساركوزي يتعاظم ويحاول استقطاب الاهتمام، فهدد بالانسحاب من الائتلاف ومنع قواته من استخدام قواعد إيطاليا الجوية.

وبغض النظر عن الغرور والمشاعر الشخصية، يحق لبرلسكوني وغيره أن يقلقا. وقد تعلمنا في البلقان وأفغانستان أن تنسيق عملية عسكرية متعددة الجنسيات أمر معقد. فإذا انتفت الخطوط الواضحة في قيادتها وضبطها، فيما يتآزر الجميع لتنفيذ الاستراتيجية نفسها، قد يسودها ارتباك خطير. تخيَّلوا عشرات الدول ترسل طائرات إلى ليبيا من دون تنسيق إحداها مع الأخرى على خطط الطيران والأهداف وقواعد الانخراط. ستعم الفوضى الأجواء، مع احتمال حقيقي لوقوع حوادث تسفر عن خسائر في الأرواح.

وقد بدأت الولايات المتحدة بقيادة التنسيق، لأنها تملك أهم القدرات. وقضت الخطوة المنطقية التالية بأن يتسلم حلف شمال الأطلسي تنظيم التدخل. فالحلف يملك قيادة عسكرية متكاملة وخَبِر التنسيق في النزاعات السابقة. لم تُعجب الفكرة ساركوزي. بدايةً، هذا يعني مجدًا أقلّ لفرنسا. لكنَّه اعتقد أيضًا أن تسليم مهمة ليبيا إلى الناتو سيُنفِّر العالم العربي، الذي ساعد دوره القيادي على التأثير في رأيه العام قبل التصويت في الأمم المتحدة. وتعهدت قطر والإمارات إرسال طائرات للمساعدة على فرض منطقة الحظر، ولكن هل تقومان بذلك تحت راية حلف الناتو؟ وأهم من ذلك، يعمل حلف الأطلسي وفق توافق الآراء، مما يعني أن أي عضو، حتى تركيا، يمكنه منع التدخل. لقد سعينا جاهدين في الأمم المتحدة إلى استخدام عبارة «كل التدابير اللازمة» في التفويض من أجل حماية المدنيين، لنقوم بأكثر من حماية مناطق المتمردين من غارات طائرات القذافي؛ قضت الضرورة بأن نكون قادرين على وقف دباباته وقواته ميدانيًّا، قبل أن تصل إلى بنغازي. سمَّى البعض ذلك «منطقة حظر التحرُّك». لكنَّ أردوغان وآخرين حددوا خطًّا لمنطقة حظر جوي من دون ضربات أرضية - جوية. خشي ساركوزي إذا تسلَّم الناتو قيادة المهمة أن ينتهي بنا الأمر، ونحن نشاهد بنغازي تحترق.

وانتهى اجتماع باريس من دون التوصل إلى اتفاق على ما يجب أن يحدث بعد المرحلة الأولى من التدخل التي ستقودها الولايات المتحدة. ولكن مع تحرك قوات القذافي على الأرض والطائرات الفرنسية في الأجواء، لم يُفسح لنا في المجال للتردد. عقدت مؤتمرًا صحافيًّا وأعلنت أمام الكاميرات: «لأميركا قدرات فريدة وسنستخدمها لمساعدة حلفائنا الأوروبيين والكنديين وشركائنا العرب من أجل وقف العنف ضد المدنيين، بما يشمل تطبيقًا فاعلًا لمنطقة الحظر الجوي». بعد

بضع ساعات أطلقت السفن الحربية التابعة للبحرية الأميركية في البحر الأبيض المتوسط أكثر من مئة صاروخ كروز، مستهدفةً أنظمة الدفاع الجوي في ليبيا وجحفلاً من المركبات المدرعة المتجهة إلى بنغازي. وقال الرئيس أوباما في طريق سفره إلى البرازيل: «أودُّ أن يعلم الشعب الأميركي أن استخدام القوة ليس خيارنا الأوَّل، وليس قرارًا ألجأ إليه في استخفاف. لكنَّ للإجراءات عواقب، ويجب فرض قرار المجتمع الدولي. هذا هو سبب هذا التحالف».

ولقد دُمرت، في نجاح، في الساعات الاثنتين والسبعين التالية دفاعات ليبيا الجوية، ونجا سكان بنغازي من إبادةٍ وشيكة. وانتُقِد الرئيس أوباما ظلمًا في وقت لاحق بأنه «تسلَّم قيادة متأخرة»، وكانت تلك عبارة سخيفة. تطلَّبت قيادة هذه المهمة جهدًا عظيمًا على مختلف الصعد والجهات، بدءًا من التفويض بها، وصولاً إلى إنجازها والحؤول دون وقوع مجزرة كانت ستسفر عن آلاف القتلى. لم يكن أحد قادرًا على أداء الدور الذي قمنا به، سواء من حيث القدرة العسكرية على تسديد الضربة الأولى القاضية إلى قوات القذافي البرية، أو القدرة الدبلوماسية على إنشاء تحالف واسع والتنسيق بين أعضائه.

وساءت الأحوال لسوء الحظ في الائتلاف في الأيام التالية. فقد اجتمع الممثلون، الاثنين، أي بعد يومين على قمة باريس، في مقر الناتو في بروكسل، محاولين حلّ الخلافات. سرعان ما ارتفعت حدَّة الكلام وانسحب السفير الفرنسي من القاعة. ثبت الجانبان على مواقفهما. ودفعت الخشية الأتراك إلى الإصرار على تضييق مهمة الناتو، فيما رفض الفرنسيون التخلي عن قيادة التدخل. اتصل الرئيس أوباما مساءً بأردوغان ليشرح له مجددًا أهميَّة «كل التدابير اللازمة»، ويؤكد أن ذلك لا يتضمن إرسال قوات برية لغزو ليبيا. تحدَّث لاحقًا مع ساركوزي الذي كان على استعداد للسماح للناتو بتولي القيادة في شأن منطقة الحظر الجوي إذا تمكَّن الفرنسيون والبريطانيون وغيرهم من الاستمرار في قيادة العمليات في منطقة حظر التحرك. من وجهة نظرنا، كان تنفيذ مهمتين متوازيتين محفوفًا بالمصاعب. لكنَّنا توافقنا مع ساركوزي على أننا لا يمكننا التخلي عن قدرتنا على استهداف قوات القذافي البرية، وهي تهدِّد بإبادة الجماعات المتمردة.

ووقع حادث مرعب ليل الاثنين، زاد من مخاوفنا جميعًا من المخاطر المحدقة بنا. تعرضت مقاتلة إف ١٥ سترايك إيغل يقودها طياران من سلاح الجو الأميركي، الميجور كينيث هارني والكابتن تايلر ستارك، لعطل ميكانيكي فوق شرق ليبيا منتصف الليل. فبعد قصف الطائرة صاروخًا وزنه خمسمئة رطل على الهدف، عمَّتها الفوضى. قُذف الطياران خارجها، لكنَّ إطلاق النار على مظلة ستارك أخرجها عن مسارها. أنقذ فريق البحث والإنقاذ الأميركي هارني، لكنَّ ستارك فُقِد. قلقت حتّى الإعياء على ابن السادسة والعشرين من ليتلتون، في كولورادو، الضائع في الصحراء الليبية.

لحسن الحظ، عثر ثوار ليبيون من بنغازي على ستارك، واستدعوا مدرس لغة إنكليزية محليًّا

ليتحدث معه. تبيَّن أن المعلِّم بوبكر حبيب، على صلة وثيقة بموظفي السفارة الأميركية. وعلى الرغم من مغادرتهم ليبيا، حافظ بوبكر على أرقام هواتفهم، واستطاع الاتصال بمركز عمليات وزارة الخارجية الذي نقل المعلومات إلى البنتاغون، فأتمَّ ترتيب عملية إنقاذ ستارك. في هذه الأثناء اقتاده بوبكر إلى فندق في بنغازي، حيث عالجه الأطباء من تمزق في أوتار ركبته وكاحله. وقال بوبكر لاحقًا لمجلة فانيتي فير إنه أوعز إلى المتمردين: «لدينا طيار أميركي هنا. إذا قُبِض عليه أو قُتل، فهذا يعني نهاية التدخل. تأكدوا من بقائه آمنًا وسالمًا». شكر الليبيون ستارك في حفاوة، معربين عن عرفانهم لتدخل الولايات المتحدة الذي يحميهم من قوات القذافي.

وتنفسنا الصعداء جميعًا في واشنطن. وبدأت، في الوقت نفسه، أرى ملامح تسوية محتملة قد تكسر الجمود بين حلفائنا. إذا وافقت تركيا على عدم نقض قرار منطقة حظر التحرك - ليس عليها المشاركة، بل الامتناع فقط عن اعتراض ذلك - فيمكننا بالتالي إقناع فرنسا بمنح الناتو القيادة والسيطرة كاملتين.

وقد أفادني الأمين العام لحلف الناتو أندرس فوغ راسموسن، أنه تحدَّث مع الأتراك وتناهى إلى مسمعه عدم اعتراض العرب على المشاركة في مهمة يقودها الناتو، وهذا أحد مخاوف ساركوزي الكبرى. وعلى ما اتضح، صودف وجود آي. بي. زي. في مكتب داود أوغلو في أنقرة حين اتصل راسموسن. مرر داود أوغلو إلى الإماراتي سماعة الهاتف ليعبِّر عن موافقته مباشرةً. وكان جواب قطر والجامعة العربية إيجابًا أيضًا. «هل أطلعت فرنسا على ذلك؟»، على ما سألت راسموسن. وأجاب: «كان ردهم أن ما يقوله العرب سرًّا، يختلف تمامًا عمَّا يقومون به علنًا». قلت له إنني سأتصل بداود أوغلو لأرى هل يمكننا دفع العرب إلى إعلان دعمهم صراحةً.

وأكدت لداود أوغلو حين اتصلت به، أن الولايات المتحدة توافق على وجوب تولي الناتو القيادة والسيطرة. «نريد أن تُسلَّم المسؤولية بأكبر قدر ممكن من السلاسة. نحتاج إلى قيادة موحدة في ميدان واحد للعمليات. نريد أن تتكامل كل جوانب المهمة بما يشمل حماية المدنيين». وعنى ذلك فرض منطقة الحظر الجوي، إضافة إلى توافر منطقة حظر التحرك. ووافق داود أوغلو، وقال: «يجب أن تكون القيادة والتحكم في يدٍ واحدة، ويجب أن يتولاها الناتو. ذلك مهم لشعب ليبيا. إذا تمت العملية تحت مظلة الأمم المتحدة وقادها الناتو، فلن يرى أحد أنها حملة صليبية أو صراع بين الشرق والغرب».

وتحدثت هاتفيًّا أيضًا مع وزير الخارجية الفرنسية آلان جوبيه، الذي قال: «أعتقد أننا مستعدون لقبول التسوية بشروطٍ معينة». إذا قاد الناتو العملية العسكرية، ففرنسا تريد تشكيل لجنة دبلوماسية منفصلة تتمثَّل فيها كل الدول المساهمة بقواتها، بما يشمل العرب، لتوفير التوجيه السياسي. كان طلبًا قنوعًا، على ما فكرت، ويجب أن نتوصل إلى استيعابه.

وأجريت محادثة جماعية مع الفرنسيين والأتراك والبريطانيين من أجل إبرام اتفاق، وقلت لهم «أعتقد أننا متفاهمون، لكنني أريد أن أتأكد فقط. كلنا متفقون على مسؤولية الناتو الحاسمة عن فرض منطقة حظر جوي وحماية المدنيين». وتابعت من ثمَّ، في دقة، عرض التسوية. وقبل اختتام المكالمة، كنا توصلنا إلى اتفاق. «برافو»، هتف جوبيه ونحن نقفل الهاتف.

وتولّى الناتو رسميًّا قيادة ما صار يُعرف باسم «عملية الحامي الموحد»، وضبطها. وواصلت الولايات المتحدة توفير المعلومات الاستخبارية الضرورية ومعلومات المراقبة التي ساعدت على توجيه الغارات الجوية، فضلًا عن تزويد الوقود في الجو مما سمح للطائرات الحليفة بالتحليق في الأجواء الليبية وقتًا طويلًا، لكن معظم الطلعات الجوية تولاها الآخرون.

لقد دامت الحملة العسكرية في ليبيا أطول مما أمل جميعنا أو توقع، على الرغم من أننا لم ننزلق وننشر قوات برية، على ما خشي البعض. وتوترت أحيانًا العلاقات بين أعضاء الائتلاف، مما أجبرنا على الإمساك بأيدي البعض ولَيّ أذرع آخرين ليبقى التحالف قائمًا. وصيف العام ٢٠١١، صدَّ الثوار قوات النظام، واستولوا على طرابلس في آب/أغسطس، وفرَّ القذافي وعائلته إلى الصحراء. نجحت الثورة، وأصبح في الإمكان البدء بالعمل الشاق لبناء بلد جديد.

تحررت طرابلس وظل القذافي طليقًا. على الرغم من ذلك، قررت في تشرين الأول/أكتوبر زيارة ليبيا لأؤكد دعم أميركا للحكومة الانتقالية الجديدة. مع البلد الغارق في صواريخ أرض- جو التي تُطلق عن الكتف، كان خطِرًا التحليقُ بطائرتنا البيضاء والزرقاء، وهي تحمل شعار «الولايات المتحدة الأميركية» الذي يغطيها من الطرف إلى الذيل، لذا قدمت إلينا القوات الجوية طائرة نقل عسكرية سي-١٧ مجهزة بدفاعات مضادة، لنقوم بالرحلة صباحًا من مالطا إلى طرابلس.

قبل إقلاع الطائرة بلحظات، رأتني ديانا ووكر مصورة مجلة تايم، أتفحص هاتفي البلاك بيري، فالتقطت لي صورةً مفاجئة أصبحت شهيرة بعد أشهر على الإنترنت، وهي أساسًا لموقع «ميم» فكاهي، معروف باسم «نصوص من هيلاري». كانت الفكرة بسيطة: يقرن مستخدم الإنترنت صورتي هذه التي أحمل فيها هاتفي بصورة شخصية أُخرى معروفة تحمل هاتفًا ويضيف تعليقات مضحكة، يُفترض أنها النصوص التي نتبادلها. واللقطة الأولى أظهرت الرئيس أوباما متسكعًا على أريكة، يسأل: «هاي هيلاري، ماذا تفعلين؟»، وأجيبه، على ما تصوَّر كاتب التعليق: «أجوب العالم». وقررت في النهاية أن أشارك وأمرح أيضًا، فأرسلت جملةً بلغة الإنترنت العامية يمكن ترجمتها على النحو الآتي: «أحب موقعكم على شبكة الإنترنت». وقد دعوت مبتكرَي «نصوص من هيلاري»، وهما

شابان متخصصان في العلاقات العامة اسمهما آدام سميث وستايسي لامبي، إلى زيارتي في وزارة الخارجية. وتصورنا، نحن الثلاثة، نتفحص هواتفنا في الوقت نفسه.

ولكن حين التقطت ووكر الصورة، كانت الفكاهة آخر ما يمكن أن يخطر في ذهني. كنت أستعد لما وُعدنا بأن يكون يومًا قاسيًا في عاصمة مزقتها الحرب، مع حكمة جديدة لم تصمد في السلطة طويلًا، ولا خبرة لها في إدارة شؤون البلاد.

وبعد الهبوط في سلام، فُتح باب الطائرة ونظرت من أعلى سلم الطائرة، فرأيت حشدًا من القوات المسلحة ومقاتلي الميليشيا الملتحين ينتظرون في الأسفل. كانوا من الزنتان، البلدة الجبلية شمال غربي ليبيا التي شهدت معارك ضارية وكانت إحدى كبرى نقاط انطلاق الثورة. وبموجب ترتيب تقاسم السلطة غير المستقر بين مختلف الميليشيات التي تسيطر على طرابلس راهنًا، كان لواء الزنتان مسؤولًا عن المطار. بدا فريق الأمن المولج حمايتي قلقًا إلى حد لم أشهده يومًا. أخذت نفسًا عميقًا ونزلت السلم. ولفرط دهشتي، بدأ مقاتلو الميليشيا يهتفون: «اللّهُ أكبر!» و«يو إس إيه!». لوحوا بأيديهم وهللوا ورفعوا «علامة النصر». وسرعان ما بدأ هؤلاء الجبليون يتدافعون ويتزاحمون ويسلّم أحدهم بندقيته إلى آخر ليتصور معي؛ فيما آخرون ربتوا على كتفي أو صافحوني. بقي كورت أولسون، رئيس جهازي الأمني، منضبط الأعصاب، ولكن أظن أن بعض شعره أبيضّ بسبب هذه الزيارة.

حمل الرجال بنادقهم وتكدسوا في شاحنات صغيرة وسيارات دفع رباعية مجهزة بالأسلحة الثقيلة، ورافقوا موكبي في المدينة لتسهيل حركة مرورنا بالقوة، ومتى دنوا من سيارتي، لوَّحوا لي. وغطت شوارع طرابلس الشعارات الثورية، بعضها يسيء إلى القذافي وأُخرى تحتفي بالمتمردين والانتصارات. ووصلنا سريعًا إلى مؤسسة خيرية إسلامية كبيرة تستخدمها الحكومة الجديدة مقرًا موقتًا لها.

بعد لقائي رئيس المجلس الوطني الانتقالي لليبيا مصطفى عبد الجليل، توجهت إلى مكتب جبريل، زعيم المتمردين الذي قابلته في باريس والذي يشغل راهنًا منصب رئيس الوزراء الموقت. استقبلني بابتسامة عريضة، فقلت: «أنا فخورة بأن أقف هنا على أرض ليبيا الحرَّة».

وقد ناقشت في لقائي جليل وجبريل التحديات الكثيرة التي تواجه الحكومة الجديدة. وأتى في طليعتها خطر القذافي والموالين له المستمر. أكدت لهما أن الناتو سيتابع مهمته لحماية المدنيين الليبيين إلى أن يُعثر على الدكتاتور السابق ويهزم نهائيًا. وأثرت من ثمَّ قلقًا آخر.

المسؤولية الأولى التي تقع على عاتق أي حكومة، توفير الأمن وضمان القانون والنظام. وسيكون ذلك تحديًا كبيرًا في ليبيا. خلافًا لمصر، حيث ظلت القوات الأمنية والعسكرية على حالها

بعد سقوط مبارك، تعاني ليبيا فراغًا كبيرًا. ومهما بلغ اندفاع مقاتلي ميليشيا الزنتان وحماستهم، فوجود هذا العدد الكبير من الجماعات المسلحة المستقلة في طرابلس وكل أنحاء البلاد غير مقبول، ومن الضروري ضم جميع الميليشيات في جيش واحد تحت قيادة السلطات المدنية، وفرض سيادة القانون، ومنع تصفية الحسابات والعدالة الأهلية، ومصادرة الأسلحة المنتشرة في البلاد. فالولايات المتحدة مستعدة لمساعدة الحكومة الجديدة في كل هذه المجالات، ولكن عليهم أن يمسكوا بزمام القيادة لينجح الأمر. ووافق جبريل والآخرون بإيماءة في الرأس وتعهدوا جعل ذلك أولوية.

وانطلقت بعد اجتماعاتنا إلى مناقشة عامة مع الطلاب وناشطي المجتمع المدني في جامعة طرابلس. عمل القذافي كل ما في وسعه للحد من نشوء مجموعات المتطوعين، والمنظمات غير الحكومية، ووسائل الإعلام المستقلة، وأجهزة الرقابة الحكومية التي تشكِّل المجتمع المدني. أملت في أن يكونوا مستعدين وقادرين على أداء دور إيجابي في المرحلة المقبلة لليبيا. أظهر التاريخ أن إزالة الطاغية شيء، وبناء حكومة جديدة تخدم شعبها، شيء آخر تمامًا. ستواجه الديمقراطية تحديات خطرة في ليبيا. هل يتشكَّل مستقبل البلاد بأسلحة ميليشياتها أو تطلعات شعبها؟

واحدًا تلو الآخر، وقف الطلاب والناشطون وطرحوا أسئلة مدروسة وعملية عن طريقة بناء ديمقراطية جديدة. «ليس لدينا أحزاب سياسية»، على ما لحظت شابة تدرس الهندسة. وسألت عن الوسيلة التي يجب أن يعتمدها الليبيون «لتشجيع شعبنا على الانخراط أكثر في الحياة السياسية، على اعتبار أن الانتخابات ستُجرى بعد سنتين أو أقلّ وعلينا انتخاب نوابنا ورئيسنا». ووقفت شابة أخرى، تدرس الطب، وقالت: «هذه الديمقراطية جديدة علينا. ما هي الخطوات التي يجب أن نتخذها لتترسخ حرية التعبير في الهوية الليبية؟». أراد هؤلاء الشباب، في شدة، العيش في «دولة طبيعية»، والوصول إلى الاقتصاد العالمي وكل الحقوق التي عرفوا أن الناس في أميركا وجميع أنحاء العالم تمتعوا بها منذ زمن طويل. وعلى عكس بعض الشباب الذي التقيتهم في الدولة المجاورة مصر، بدوا حرصاء على وضع خلافاتهم جانبًا، وتعلم الدروس من الخارج، والانخراط في العملية السياسية. أمام ليبيا الحرة طريق طويلة لتقطعها، وهي تنطلق أساسًا من الصفر، لكنَّ أولئك الشباب أثَّروا فيَّ بتفكيرهم الصائب وإرادتهم على بنائها.

وقبل أن أغادر طرابلس، عرَّجت على مستشفى محلي لعيادة الجرحى من المدنيين والمقاتلين الذين أصيبوا في الثورة على القذافي. تحدثت مع شبان فقدوا أطرافهم، وأطباء وممرضات انهمكوا بمعالجة مصابين كثر، وهالهم ما شاهدوه. فوعدتُ بأن توفر الولايات المتحدة الدعم الطبي وتنقل بعض الحالات المستعصية إلى مستشفيات أميركية.

وكانت زيارتي الأخيرة لمجمَّع سفيرنا في ليبيا، جين كريتز، الذي تحوَّل سفارة موقتة. خلال

الثورة، نهب غوغائيو النظام سفارتنا وأحرقوها (وكان جميع موظفي السفارة أجلوا عنها)، وخيَّم موظفونا الدبلوماسيون في غرفة جلوس جين. تعجبت من صلابة الدبلوماسيين الأميركيين الشجعان هؤلاء وتصميمهم. سمعت طلقات نارية بعيدة، وتساءلت: أقتال هو أم احتفال؟ بدا موظفو السفارة متعودين عليها. صافحتهم وشكرت لهم كل التضحيات والجهود التي بذلوها.

أقلعت طائرة السي ١٧ في شكل حاد وسريع، وغادرنا طرابلس. حدث الكثير خلال تسعة أشهر، مذ ذهبت إلى الدوحة لتحذير قادة الشرق الأوسط من وجوبهم تبني الإصلاح وإلّا ستغرق منطقتهم في الرمال.

لقد أجرت ليبيا انتخاباتها الأولى، صيف العام ٢٠١٢. ووفق كل ما قيل، وعلى الرغم من الظروف الأمنية، شهد التصويت إقبالًا ولم تسجَّل مخالفات تذكر. بعد أكثر من أربعين عامًا على حكم القذافي، لم ينخرط خلالها الليبيون في العمل السياسي، قصد حوالى ٦٠ في المئة منهم، ومن مختلف شرائح المجتمع، صناديق الاقتراع لانتخاب ممثليهم وخرجوا من ثمَّ إلى الشوارع احتفالًا.

قلقت من أن تُثبت التحديات المقبلة أنها قادرة على قهر إرادة القادة الانتقاليين مهما بلغ عزمهم. إذا استطاعت الحكومة الجديدة تعزيز سلطتها، وتوفير الأمن، واستخدام عائدات النفط لإعادة بناء البلاد، ونزع سلاح الميلشيات، وإبقاء المتطرفين خارجًا، فسيكون لليبيا فرصة لبناء ديمقراطية مستقرة. وإذا لم يحدث ذلك، فستواجه البلاد تحديات صعبة جدًّا كي تُترجَم آمال الثورة مستقبلًا حرًّا وآمنًا ومزدهرًا. وسندرك سريعًا أن فشلهم لن يعانيه الليبيون وحدهم.

الفصل السّابع عشر

بنغازي: تحت الهجوم

قُتل في ١١ أيلول/سبتمبر ٢٠١٢، كلٌّ من السفير كريس ستيفنز والمسؤول عن إدارة المعلومات شون سميث، في اعتداءٍ إرهابي طاول مجمّعنا الدبلوماسي في بنغازي، في ليبيا. وبعد ساعاتٍ، أدّى هجوم على مجمّع قريبٍ من وكالة الاستخبارات الأميركية إلى مقتل مسؤولين من الوكالة، هما غلين دوهيرتي وتايرون وودز.

انضمّ شون سميث إلى وزارة الخارجية الأميركية، بعدما أمضى ستة أعوام في القوات الجوية، وعمل عشر سنواتٍ في سفاراتنا وقنصلياتنا في بريتوريا وبغداد ومونتريال ولاهاي.

أما تايرون وودز الذي اشتُهر بـ «رون» بين أصدقائه في القوات البحرية الخاصة العاملة بحرًا وجوًّا وبرًّا، ولاحقًا في وكالة الاستخبارات الأميركية، فخدم كثيرًا في العراق وأفغانستان. وفضلًا عن كونه مقاتلًا متمرّسًا، هو حائزٌ امتيازًا كممرّض قانوني ومسعف معتمد. وكان لديه مع زوجته دوروسي ثلاثة أبناء، وُلد أحدهم قبل أشهر قليلة من وفاته.

أما غلين دوهيرتي الذي عُرف بـ «بوب»، فكان أيضًا يعمل سابقًا في القوات البحرية الخاصة، وهو مسعف ذو خبرة. أُرسل إلى أخطر الأماكن في العالم، بينها العراق وأفغانستان، واضعًا دائمًا حياته على المحك، لحماية الأميركيين. وظّف كلٌّ من تايرون وغلين مهاراتهما وخبرتهما من أجل توفير سلامة طاقم وكالة الاستخبارات الأميركية في ليبيا.

أما السفير، كريس ستيفنز، الذي كان لي شرف لقائه، فكان دبلوماسيًّا موهوبًا ورجلًا شيقًا وحارًّا في شكلٍ لافت. عندما طلبتُ منه، ربيع العام ٢٠١١، تولّي مهمّة خطرة، بإقامة قناة اتصال مع قيادة الثورة الليبية في بنغازي خلال الثورة، ليعود لاحقًا إلى ليبيا كسفير عقب سقوط القذافي، وافق على الفور. فَهِمَ كريس المخاطر وأدرك حجم التحدي المتمثّل بتقديم العون إلى بلدٍ محطّم، لكنّه علم أن لدى أميركا مصالح قومية أمنية وحيوية تحت مجهر الخطر. وجعلته خبرته الطويلة في المنطقة وموهبته في الدبلوماسية الحساسة خيارًا طبيعيًّا.

كانت خسارة هؤلاء الشجعان من موظفي القطاع العام، أثناء أداء واجبهم، ضربةً ساحقة. وبصفة كوني وزيرةً، كنتُ مسؤولة رئيسة عن أمن شعبي، ولم أشعر يومًا بحجم هذه المسؤولية بمقدار ما فعلتُ ذلك اليوم.

كان تعريض الأفراد الذين يخدمون دولتنا للخطر من أصعب القرارات التي اضطرّ بلدنا وقادتنا إلى اتخاذها. أكثر ما جعلني آسف، في مراحل كثيرة، أنهم لم يعودوا جميعهم إلى ديارهم سالمين، وكثيرًا ما أفكر في العائلات التي خسرت أفرادًا أثناء خدمة البلاد. وقد تكون أهمّية المهمّة التي اضطلعوا بها، والعرفان الذي أظهرته أمّتنا، قد شكّلا بعض العزاء. إنما في النهاية، لا يمكن أي كلام أو فعلٍ أن يسدّ الثغر التي خلّفها غيابهم.

وأصدق السبل لتكريمهم تكون عبر تحسين قدرتنا على حماية الذين يتبعون خطاهم، ومنع وقوع الخسائر مستقبلًا.

كنتُ واعيةً، منذ اليوم الأول لتوليَّ المنصب القيادي في وزارة الخارجية، أن في استطاعة الإرهابيين ضربَ أيٍّ من مواقعنا الدبلوماسية التي يفوق عددها الـ ٢٧٠ في العالم. حدث الأمر، مرّات في السابق، ولن يتوانى أبدًا المصممون على الاعتداء على أميركا عن تكرار محاولاتهم. فعام ١٩٧٩، احتُجز اثنان وخمسون دبلوماسيًّا أميركيًّا رهائن في إيران، ٤٤٤ يومًا، وعام ١٩٨٣، أدّت اعتداءات حزب اللّه على سفارتنا وثكنتنا البحرية في بيروت إلى مقتل ٢٥٨ أميركيًّا وأكثر من مئةٍ آخرين، بينما قصفت القاعدة، عام ١٩٩٨، سفارتينا في كينيا وتنزانيا، حاصدةً أكثر من مئتي شخص، بينهم اثنا عشر أميركيًّا. وما زلتُ أذكر جيدًا وقوفي إلى جانب بيل في قاعدة أندروز للقوات الجوية، لاستقبال نعوش الذين سقطوا.

وفي الحصيلة، قتل الإرهابيون ستة وستين موظفًا دبلوماسيًّا أميركيًّا منذ السبعينات، وأكثر من مئة متعاقد وموظف محلي. كذلك، قُتل أربعة سفراء أميركيين في هجمات إرهابية بين العامين ١٩٧٣ و١٩٧٩. وشُنّ منذ العام ٢٠٠١، أكثر من مئة اعتداء على المنشآت الدبلوماسية التابعة

للولايات المتحدة، في العالم، وقرابة عشرين هجومًا مباشرًا على طاقمنا الدبلوماسي. وعام ٢٠٠٤، قتل مسلحون تسعة أشخاص، بينهم خمسة موظفين محليين، في اعتداءٍ على قنصليتنا في جدّة، في السعودية. وفي أيار/مايو ٢٠٠٩، أودت قنبلة مزروعة إلى جانب الطريق في العراق بحياة نائب مدير الفريق المساعد في المرحلة الانتقالية، تيري بارنيش[1]. وأدت النيران إلى مقتل موظفة في القنصلية في خواريز، في المكسيك، وكذلك زوجها، وهي حامل في الخامسة والعشرين من عمرها. وقُتل، في آب/أغسطس ٢٠١٢، المسؤول في الوكالة الأميركية للتنمية الدولية رجائي سعيد عبد الفتاح، في هجوم انتحاري، في أفغانستان. وبحلول العام ٢٠١٤، سُجِّل سقوط ٢٤٤ دبلوماسيًّا أميركيًّا في تاريخ دولتنا خلال تأديتهم الخدمة خارج البلاد.

تفرض طبيعة الدبلوماسية ممارستها في الأماكن الخطرة التي تتهدد الأمن القومي الأميركي. علينا إيجاد التوازن بين ضرورات أمننا القومي والتضحيات اللازمة للحفاظ عليه. وبصفة كوني وزيرة الخارجية، كانت ملقاةً على عاتقي المسؤولية عن حوالى سبعين ألف موظف، وكنتُ معجبةً جدًّا بالذين قبلوا طوعًا تحمّل المخاطر المتأتية من حمل الراية الأميركية حيث تكون الحاجة ملحّة. يمرّ موظفو وزارة الخارجية وموظفاتها يوميًّا، في ذهابهم إلى العمل وإيابهم منه، أمام الأسماء المنقوشة على لوحة رخام، في ردهة مبنى هاري س. ترومان، العائدة إلى الدبلوماسيين الـ ٢٤٤ الذي سقطوا، وهي بمثابة تذكير دائم بالمخاطر التي ترافق تمثيل الولايات المتحدة عالميًّا. اشتدّت عزيمتي - لكنني لم أُفاجأ - عندما أطلعوني في الوزارة على زيادة تقديم طلبات العمل في الخدمة الخارجية، عقب الهجمات الكُبرى التي طاولت الولايات المتحدة. يريد الناس خدمة بلادنا، حتى إذا كان عملهم محفوفًا بالمخاطر، وما من أمرٍ يمكنه التعبير أكثر عن طباع ممثّلينا في الخارج وتفانيهم.

وقد أوضحت لنا أحداث أيلول/سبتمبر ٢٠١٢، والخيارات التي اتُّخذت في الأيام والأسابيع السابقة واللاحقة، عددًا من أصعب المعضلات الكامنة في السياسة الأميركية الخارجية - والمخاطر البشرية المفجعة التي ترافق كل قرارٍ اتخذناه. ومن واجبنا العمل أكثر، كأُمّة، على حماية هؤلاء الأشخاص، من دون منعهم من القيام بوظائفهم المهمة، وعلينا كذلك أن نبقي انفتاحنا على العالم، في وقتٍ يمكن أن يشعل أي استفزازٍ أعمالَ الشغب المناهضة لأميركا في العالم أجمع، وتستمرّ فيه الجماعات الإرهابية المنتشرة في التآمر لشنّ هجماتٍ جديدة. في النهاية، تتلخص التحديات بالتالي: هل نحن مستعدّون لتحمّل الأعباء التي تفرضها القيادة الأميركية في زمنٍ محفوفٍ بالمخاطر؟

(١) مسؤول عن تدريب الجيش والشرطة العراقيين. (المترجم)

أتى جزءٌ من الجواب في التحقيق المستقل في اعتداءات بنغازي، الذي ذكر أن «لا معنى للقضاء التام على المخاطر المحدقة بالدبلوماسية الأميركية، نظرًا إلى حاجة الحكومة الأميركية إلى الحضور في الأماكن الأكثر افتقارًا إلى الاستقرار والأمن، ودعم الحكومة المضيفة يكون أحيانًا أقل من صفر».

في وقتٍ يمكننا القيام بما يتوجب علينا لتقليص المخاطر، تكون الطريقة الوحيدة لتلافيها كليًا، الانسحاب تمامًا وقبول عواقب الفراغ الذي نخلّفه. عندما تكون أميركا غائبةً، يتأصّل التطرف، وتعاني مصالحنا، ويُهدّد أمننا الداخلي. ثمة أشخاص يؤمنون بأنه الخيار الأصوَب، وأنا لا أشكّل جزءًا منهم. الانسحاب ليس جوابًا، ولن يجعل من الأرض مكانًا أفضل، ولا وجود له في حمض بلدنا النووي. فمواجهة النكسات والمآسي، تدفع الأميركيين إلى العمل في جدية وذكاء أكبر، وسط نضالنا من أجل التعلم من أخطائنا وتجنب تكرارها، وعدم التهرب من التحديات التي تنتظرنا، وعلينا الاستمرار على هذا النحو.

طرأت أحداث أيلول/سبتمبر ذاك، في خضمّ ما يُسمّى عادةً بـ «الحرب الضبابية»، مع صعوبة الحصول على المعلومات، وتوافر التقارير المتضاربة أو الناقصة، فتعذّرت علينا معرفة ما كان يدور تحديدًا في الميدان، خصوصًا على بعد آلاف الأميال من واشنطن. طالت جدًّا تلك الضبابية إلى حدٍّ محبط، ويُعزى سببها الجزئي إلى استمرار الاضطرابات في ليبيا. وعلى الرغم من الجهود الحثيثة التي قام بها الدبلوماسيون من كل المستويات الحكومية – بينها البيت الأبيض، ووزارة الخارجية، والجيش، وأجهزة الاستخبارات، ومكتب التحقيق الفدرالي، والهيئة المستقلة للمراجعة والمحاسبة، وثماني هيئات منبثقة من الكونغرس – لم تبدُ كل تفاصيل الأحداث واضحة. ومن المستبعد التأكد مئة في المئة من مجريات أحداث تلك الليلة، وكيف وقعت، ولماذا وقعت. وإنما، يجب ألا نخلط الأمور، لتبدو كأنها تقصير في الجهود لكشف الحقيقة أو لإطلاع الشعب الأميركي عليها. وأنا مدينة للقدرات الفائقة التي اتسمت بها أعداد المتخصصين المكرَّسين الذين عملوا من دون كلال، للرد على ما أمكنهم من الأسئلة.

يرتكز ما يلي على خبرتي الشخصية وعلى المعلومات التي وردت عليّ خلال الأيام والأسابيع والأشهر اللاحقة، ويعود الفضل بذلك إلى التحريات الشاملة، خصوصًا عمل هيئة المراجعة المستقلة التي تولّت تحديد الحقائق من دون التستر عليها. وبينما كنا نملك، ويا للأسف، عددًا كبيرًا من المعلومات المغلوطة والمتضاربة، فضلًا عن الخداع الفظ الذي لجأ إليه بعض السياسيين ووسائل الإعلام، وسعت التقارير العميقة دائرة فهمنا للأحداث، على أثر صدورها عن عدد من المصادر المحترمة، بعد أكثر من عام.

―――――

وبينما انطلق صباح الحادي عشر من أيلول/سبتمبر ٢٠١٢ كغيره من الأيام، إلا أن هذا التاريخ يحمل قدرًا كبيرًا من الأهمية في بلادنا، شأنه شأن بعض التواريخ الأخرى القليلة. منذ العام ٢٠٠١، تعود بي الذاكرة سنويًّا في تاريخ الحادي عشر من أيلول/سبتمبر إلى ذلك اليوم الفظيع. لم تمضِ سنة على تمثيلي نيويورك في مجلس الشيوخ، حتى دمّرتها الاعتداءات التي طاولت مبنيي مركز التجارة العالمي. ذاك اليوم الذي انطلق وسط توافد المئات نزولًا عبر السلالم من مبنى كابيتول، لينتهي بوقوف مئات آخرين مكانهم، وهم ينشدون «فليحفظ اللّه أميركا» في تعبير مؤثر عن وحدتهم، مما جعلني أصبّ كل اهتمامي على مساعدة نيويورك لتنفض عنها الغبار، ومن أجل حمايتها من الاعتداءات المستقبلية. غادرتُ منزلي يومذاك، متوجهةً إلى وزارة الخارجية، وفي ذهني كل تلك الذكريات.

بعدما اجتزتُ المسافة القصيرة التي تفصلني عن مكتبي، جاء أول أمر لي، كالعادة، بالحصول على الملخص اليومي عن أخبار الاستخبارات والأمن القومي، الذي يتضمن آخر التقارير عن التهديدات الإرهابية العالمية. يُسلم هذا الملخص يوميًّا إلى كبار المسؤولين في حكومتنا، ويحضّره فريق متفانٍ من محللي الاستخبارات المهنية العاملين خلال ساعات الليل، ليعودوا وينتشروا في واشنطن قبل بزوغ الشمس كل صباح، بغية تسليم تقاريرهم باليد أو عرضها شفهيًّا.

كانت الأشهر القليلة الماضية عنيفة في منطقة الشرق الأوسط وأفريقيا الشمالية. أدت الحرب الأهلية المتفاقمة في سوريا إلى تدفق النازحين نحو الأردن وتركيا، بينما طرح ارتقاء الإخوان المسلمين في مصر، والتجاذبات مع الجيش، تساؤلات كثيرة عن مستقبل الربيع العربي، واستمرّ المنتمون إلى القاعدة في شمال أفريقيا والعراق وشبه الجزيرة العربية في تهديد أمن المنطقة.

في ٨ أيلول/سبتمبر، عُرض على الشبكة الفضائية لقناة تلفزيونية مصرية تبثُّ في كل أنحاء الشرق الأوسط، مقطعُ فيديو تحريضي من أربع عشرة دقيقة، زُعم أنه يتضمن مشاهد من فيلم طويل عنوانه براءة المسلمين. وبحسب الكثير من التقارير الصحافية، يعكس الفيلم «صورة كاريكاتورية مضحكة عن النبي محمد»، وتتخلله «افتراءاتٌ عنه، يرددها دائمًا الذين يشعرون بالرهاب الإسلامي»، حتى إنه أتى على مقارنته بالحمار. ويدعي أحد التقارير الصحافية أن النبي «متهم بالمثلية الجنسية والتحرش جنسيًّا بالأطفال»، في الفيلم. استشاط عدد كبير من المشاهدين المصريين غضبًا، وتفاعل هذا الغضب عبر الإنترنت، وما لبث أن انتشر في الشرق الأوسط وشمال أفريقيا. وفي حين لم يكن لأميركا لا ناقة ولا جمل في هذه المسألة، أنحى كثر باللائمة عليها.

أضافت ذكرى ١١ أيلول/سبتمبر عاملًا آخر قد يشعل الأوضاع، وكما كل عام، كان على استخباراتنا ومسؤولي أمننا توخي الحذر الشديد. وعلى الرغم من ذلك، لم تنقل أجهزة

الاستخبارات أي معلومة استخبارية عن تهديدات معينة لأي موقع دبلوماسي أميركي في الشرق الأوسط وشمال أفريقيا، كما أدلت بشهادتها لاحقًا.

في وقتٍ متقدم من ذاك الصباح، نزلتُ من مكتبي إلى قاعة المعاهدة (تريتي روم)، لأنصّب جين كريتز، سفيرًا جديدًا لنا في غانا، وأحلّفه اليمين، بعد عودته من خدمته في ليبيا. تزامنًا، وعلى بعد مسافات طويلة، بدأ شبان بالتجمهر في الشارع أمام السفارة الأمركية في مصر، كجزءٍ من تظاهرةٍ نظمها القادة الإسلاميون المتشددون استنكارًا للفيديو المهين. توسعت رقعة المتظاهرين لتضم أكثر من ألفي شخص هتفوا بشعارات مناهضة لأميركا، ملوّحين بالرايات الجهادية السود، حتى إن بعضهم تسلق الجدران ومزق علمًا أميركيًّا كبيرًا، مستبدلًا العلم الأسود به. وصلت شرطة مكافحة الشغب المصرية، في نهاية المطاف، لكن الشغب لم يتوقف. ولم يصَب أي من أفراد الطاقم الأميركي بأذًى في هذا الشجار، والحمد للّه. ومن جهةٍ أخرى، استخدم الصحافيون وأشخاص آخرون في قلب الحدث، مواقع التواصل الاجتماعي لتسجيل التعليقات الغاضبة على الفيديو، وقال أحد الشبان «رد الفعل هذا أمر بسيط جدًّا بعد تطاولهم على نبيّنا»، بينما شدد آخر على أن «من الواجب حظر هذا الفيلم فورًا، وهم يدينون لنا باعتذار».

لم تكن هذه المرة الأولى يلجأ المحرضون إلى وسائل مسيئة لإثارة الغضب الشعبي في العالم الإسلامي، وكثيرًا ما تأتي نتائجها مميتة. فقد أعلن، عام ٢٠١٠، قسٌّ في فلوريدا اسمه تيري جونز أنه يخطط لحرق القرآن، وهو كتاب الإسلام المقدس، في الذكرى التاسعة لأحداث ١١ أيلول/سبتمبر. ارتكز متطرفون على تهديداته وضخموها، مفجّرين تظاهرات واسعة النطاق، ففوجئت، وقتذاك، بأن يقود متشدد واحد في غينزفيل في فلوريدا، من كنيسة صغيرة، إلى كل هذه المشكلات. لكن نتائج هذا التهديد كانت كلها حقيقية. اتصل وزير الدفاع بوب غايتس شخصيًّا بجونز ليبلغه أن تصرفاته تضع حياة الأميركيين وجنود قوات التحالف والمدنيين في العراق وأفغانستان، تحت مجهر الخطر. وافق جونز على الإحجام عن فعلته، وانقضت الذكرى في هدوء. لكنه عاد عن كلامه، وأحرق القرآن، في آذار/مارس ٢٠١١. كانت تحذيرات بوب المأسوية، استباقيةً، إذ أقدم أحد الرعاع الغاضبين في أفغانستان على إطلاق النار على مكتب تابع للأمم المتحدة موقعًا سبعة قتلى. وانطلقت مجددًا التظاهرات المميتة، في شباط/فبراير ٢٠١٢، بعدما عمدت القوات الأميركية، وعن غير قصد، إلى إحراق نصوص دينية في قاعدة بغرام العسكرية الأميركية، في أفغانستان، ومات على أثرها أربعة أميركيين... بينما كان جونز يسهم في الترويج لهذا الفيديو الجديد الذي يحقّر النبي محمد وكان ثمة خطر محدق من تكرار التاريخ نفسه.

ذهبتُ إلى البيت الأبيض للقاء وزير الدفاع ليون بانيتا، ومستشار الأمن القومي طوم دونيلون، فيما نظري موجه نحو الوضع المتفاقم في القاهرة. ولدى عودتي إلى مكتبي، اجتمعتُ بعد الظهر

مع كبار القادة في وزارة الخارجية لمراجعة التقارير الواردة من سفارتنا. صودف وجود سفيرتنا في القاهرة آن باترسون، في واشنطن لإجراء مشاورات، فبقيت على اتصال دائم بنائب رئيس بعثتها، وبالسلطات المصرية، لتضغط من أجل السيطرة على الوضع. وارتحنا جميعًا إلى عدم تحمُّل نتائج المزيد من العنف.

علمنا لاحقًا، أن سفيرنا في ليبيا، جارة مصر، كريس ستيفنز، كان يزور ثانية كبرى مدن البلاد، بنغازي، تزامنًا مع الأحداث التي انطلقت في القاهرة.

تفاعلت الأحداث في ليبيا منذ زيارتي لطرابلس، في تشرين الأول/أكتوبر ٢٠١١، وقُبض على العقيد القذافي، بعد تركي الأراضي الليبية بيومين. أجريت الانتخابات النيابية، مطلع تموز/يونيو ٢٠١٢، وسلّمت بموجبها الحكومة الانتقالية السلطة إلى المؤتمر الوطني العام الجديد، في آب/ أغسطس، في مراسم وصفها كريس بأنها أبرز ما حدث في ليبيا خلال ولايته. عمل كريس وفريقه في شكل حثيث مع القادة الجدد في ليبيا وتصدوا للتحديات البارزة بإنشاء حكومة ديمقراطية، وإرساء الأمن وتوفير الخدمات في بلد خرج، بعد عقود، من تحت الطغيان. وسيكون على المقاتلين الميليشيويين، كأولئك الذين رحبوا بي في المطار وحرسوا موكبي قبل عام، أن يعودوا إلى كنف الحكومة المركزية، وكان من الضروري جمع الأسلحة غير الشرعية، وإجراء الانتخابات، وإنشاء مؤسسات واتخاذ إجراءات بطابع ديمقراطي.

في شباط/فبراير ٢٠١٢، أوفدتُ نائب وزير الخارجية طوم نايدز، إلى طرابلس، واستقبلتُ بعدئذٍ في واشنطن، رئيس الوزراء الموقت، عبد الرحيم الكيب، في آذار/مارس. عرضنا مساعدة الحكومة لحماية حدودها، وسحب سلاح الميليشيات وتسريحها، وإعادة دمج مقاتلين سابقين في الخدمات الأمنية أو الحياة المدنية. وفي تموز/يوليو، تابع نائب وزير الخارجية بيل بيرنز، المسألة خلال زيارة أخرى قام بها. وتزامنًا، أبقيتُ اتصالاتي مفتوحة مع قادةٍ في الحكومة الليبية، بينها مكالمة أجريتُها في آب/أغسطس، مع رئيس المؤتمر الوطني العام الليبي محمد المقريف، وكانت تَرِدُ عليّ، في انتظام، أخبار محدَّثة من مجموعاتنا في واشنطن وطرابلس، عن الجهود المبذولة من جانب الحكومة الأميركية لمساعدة الحكومة الليبية الجديدة.

كان ثمة تطور تمهيدي على صعد تسريح القوات ونزع السلاح وإعادة الاندماج، إضافةً إلى الجهود الرامية إلى فرض الأمن وتعطيل مفاعيل الأسلحة السائبة المنتشرة في ليبيا، ومع ذلك، بقيت أمور كثيرة عالقة. آزر اختصاصيون من خبراء أمن الحدود في وزارتي الدفاع والخارجية في أميركا، نظراءهم الليبيين في عملهم، وصنّفنا ليبيا، في ٤ أيلول/سبتمبر ٢٠١٢، مؤهلةً للإفادة من الصندوق العالمي للطوارئ الأمنية، وهو كناية عن مبادرة مشتركة بين وزارتي الدفاع والخارجية الأميركيتين لتجميع الموارد والخبرات بغية معالجة التحديات المتنوعة التي واجهتها الحكومة الليبية.

كان كريس في قلب هذا الحراك، وأدرك أكثر من أي شخص آخر حجم التحديات المتبقية في ليبيا. غادر الإثنين ١٠ أيلول/سبتمبر، السفارة الأميركية في طرابلس إلى بنغازي، حيث حطّت طائرته بعد اجتياز مسافة ٤٠٠ ميل شرقًا، بينما كان يحتفظ هناك بموقع دبلوماسي موقت، يعمل فيه طاقم بالمداورة. بنغازي مدينة تضم ميناء، وتنفذ إلى البحر الأبيض المتوسط، ويزيد عدد سكانها عن مليون نسمة، غالبيتهم من المسلمين السنة، وتضمّ شريحة كبيرة من أقليات الأفارقة والمصريين. هندستها المتنوعة، مزيج من المباني القديمة الصامدة ومشاريع الإعمار التي لم تُنجز بالكامل، وتعكس تاريخًا مملوءًا بالغزو والمعارك بين الحكام العرب والعثمانيين والإيطاليين المتنافسين، وبالطموحات الوهمية وبتراجع نظام القذافي على نحوٍ طويل وبطيء. شكلت بنغازي مرتعًا للمنشقين، ومهدًا لثورة العام ١٩٦٩ التي أوصلت القذافي إلى الحكم، وثورة العام ٢٠١١ التي خلعته. عرف كريس بنغازي جيدًا من خلال تمثيله الولايات المتحدة في مواكبة المجلس الانتقالي الوطني المعارض، الذي اختارها مقرًّا له خلال انتفاضة العام ٢٠١١، ونال إعجاب الجميع ومودّتهم.

ليس واجبًا على السفراء استشارة واشنطن أو أخذ موافقتها للسفر داخل أراضي البلدان التي يقيمون فيها، وقليلًا ما يفعلون. وقد اتخذ كريس، حاله حال جميع رؤساء البعثات، قرارات متعلقة بتحركاته، مبنية على التقويم الأمني الذي يجريه فريقه ميدانيًا، وإلى حكمه على الأوضاع من وجهة نظره الشخصية. ففي النهاية، ما من أحد يملك المعرفة والخبرة في الشؤون الليبية، مثله، هو الذي كان واعيًا الجموح السائد في بنغازي، والقائم على سلسلة أحداث سابقة وقعت خلال العام، ضد المصالح الغربية. فهم كريس أيضًا أهمية بنغازي الاستراتيجية في ليبيا، وقرّر أن أهمية الزيارة تفوق كل المخاطر. اصطحب مسؤولين أمنيين، مما أفضى إلى وجود خمسة وكلاء من الأمن الدبلوماسي في المجمع في بنغازي، لحظة الاعتداء. ومع المسؤول في وزارة الخارجية، شون سميث، ارتفع مجموع الأميركيين الموجودين في الموقع إلى سبعة.

علمنا، لاحقًا، أن كريس تلقّى، لدى وصوله إلى بنغازي، موجزًا من عنصرٍ محلي تابع لوكالة الاستخبارات الأميركية، المتمركزة في مجمع ثانٍ أكبر، يبعد أقل من ميلٍ عن مركزنا الأول. كان وجوده ومهمته سريين جدًّا، ولكن كان ثمة تفاهم بين المسؤولين الأمنيين في الوكالتين، يقضي بانتشار فريق الاستجابة السريعة التابع لوكالة الاستخبارات الأميركية، في مجمع وزارة الخارجية، لتوفير المزيد من الحماية، خلال حالات الطوارئ. اختتم كريس يومه الأول بعشاء مع أعضاء مجلس المدينة في فندق في البلدة.

عقد السفير اجتماعاته كلها داخل المجمع الوزاري، الثلاثاء الذي تزامن والذكرى الحادية عشرة لأحداث ١١ أيلول/سبتمبر، والتقى عصرًا، بعد تجمهر الرعاع حول سفارتنا في القاهرة،

دبلوماسيًّا تركيًّا. وعند مرافقته إلى الخارج، مودّعًا، لم يكن هناك ما يدلّ إلى خلل في الوضع. وبحلول التاسعة مساءً، أخلد كل من كريس وشون إلى الراحة.

وبعد حوالى أربعين دقيقة، ومن دون إنذار مسبق، ظهر عشرات المسلحين أمام مداخل المجمّع، فطغوا على الحرس المحلي الليبي، واقتحموا المكان، وأضرموا النيران فيه قبل رحيلهم.

رصد الرعاعَ وكيلُ الأمن الدبلوماسي الذي يدير مركز العمليات التكتيكية في المجمع، أليك، عبر تلفاز بدائرة مغلقة، وسمع الطلقات النارية، وصوت انفجار، فتحرّك على الفور. أشعل جهاز الإنذار في المجمع، وتواصل مع المسؤولين الأمنيين الأميركيين في السفارة في طرابلس، كما دُرِّب، وأبلغ الحادث إلى فريق وكالة الاستخبارات الأميركية، المدجج بالسلاح في مركز قريب، لطلب تدخله السريع.

أما وكلاء الأمن الدبلوماسي الأربعة الآخرون، فتصرفوا تبعًا لتدريباتهم. الوكيل المسؤول سكوت خاطر بحياته في سبيل حماية كريس وشون في تلك الليلة، ونقلهما إلى ملجأ آمن ومحصّن، داخل المنزل الرئيس في المجمع. وتدافع الوكلاء الثلاثة الآخرون لحمل أسلحتهم الثقيلة، وعتادهم التكتيكي، لكنهم سرعان ما وجدوا أنفسهم محاصرين في مبنيين مختلفين كائنين في موقع آخر من المجمع.

استمر سكوت في المراقبة من داخل الملاذ الآمن، مجهزًا بندقية م ٤، في وقت استعار كريس هاتفه لإجراء سلسلة اتصالات بشخصيات محلية، وبنائبه في السفارة في طرابلس، غريغ هيكس. سمعوا ضجيج رجال هائجين يتجولون في المنزل، ويقرعون باب الملجأ الفولاذي الآمن، ثم ما لبث هؤلاء المهاجمون أن انسحبوا، وصبوا وقود الديزل في المبنى، قبل إضرام النار فيه. تسبب الديزل سريعًا بانبثاق دخان سميك وأسود ولاذع في الجو، وبات كريس وشون وسكوت يجاهدون ليتمكنوا من الرؤية والتنفس.

كان أملهم الوحيد يقضي بإيجاد منفذ إلى السطح، وكان ثمة مخرج طوارئ يتيح لهم الهرب. فتقدمهم سكوت زحفًا في طريقهم إلى المنفذ. ومع الشعور بلهيبٍ في عينيه وحنجرته، تمكن من بلوغ طاقة الخروج وفتحها. لكنه حين استدار، بعد عبوره، لم يجد كريس وشون خلفه، كما كانا منذ لحظات، إذ ضلّا طريقهما من جراء الدخان الحاجب للرؤية. ولا تزال حتى اليوم، تطاردني الأفكار عما شعرا به خلال تلك الدقائق الموجعة، وسط احتراق المبنى.

يئس سكوت من البحث عنهما، معاودًا دخول المبنى مرات، ومناديًا إياهما، ولكن من دون نتيجة. أخيرًا، وبعدما شارف الانهيار، تسلق سلمًا في اتجاه السطح، وما لبث أن قال بصوتٍ مبحوح لوكلاء الأمن الدبلوماسي الآخرين، عبر اللاسلكي، كلامًا تقشعر لها الأبدان: السفير وشون مفقودان.

بعدما بدأت مجموعة المسلّحين بالتراجع بعد نهب معظم محتويات المجمّع، تمكّن الوكلاء الثلاثة المحاصرون، من بلوغ المبنى الرئيس. قدموا الإسعافات الأولية إلى سكوت الذي استنشق كمية من الدخان، وأصيب ببعض الجروح، ثم تبعوا السبيل الذي سلكه من النافذة وصولًا إلى الملجأ الآمن. تعذّرت الرؤية في الداخل نظرًا إلى كثافة الدخان، لكنهم رفضوا إيقاف أعمال البحث، محاولين مرارًا وتكرارًا إيجاد كريس وشون، زاحفين على الأرض يتحسسون الطريق إليهما. وانهار جزءٌ من السقف، لدى محاولة أحدهما فتح الباب الأمامي للمبنى.

ولحظةَ علم مركز وكالة الاستخبارات الأميركية أن الأميركيين يتعرضون للاعتداء، استعدّ فريق الاستجابة السريعة للانطلاق في عملية الإنقاذ. وصلت إلى مسامعهم أصوات انفجارات بعيدة، فسارعوا إلى جمع أسلحتهم وتحضروا للانتشار. غادرت مركبتان تقلان المسؤولين المسلحين من مركز وكالة الاستخبارات الأميركية في اتجاه المجمع الدبلوماسي، بعد حوالى ٢٠ دقيقة من تنفيذ الاعتداء. كان موقع وكالة الاستخبارات لا يزال سريًّا هناك، إلى حين اعتراف الوكالة علنًا بوجودها في بنغازي، نهاية تشرين الأول/أكتوبر، مما حرم هؤلاء المسؤولين الحصول على تقدير عام، عقب الاعتداءات تلك. لكننا كنا جميعًا في وزارة الخارجية شاكرين جدًّا الطريقة التي ردّ بها زملاؤنا من الوكالة، تلك الليلة.

وعندما وصل فريق وكالة الاستخبارات، انتشر أفراده لتوفير الحماية للمجمّع، وانضموا إلى وكلاء الأمن الديبلوماسي في رحلة بحثهم في المبنى المحترق، وما لبثوا أن اكتشفوا أمرًا مروعًا. توفى شون، من جراء استنشاق الدخان على ما يبدو، فحُمل جثمانه في عناية، إلى خارج المبنى المدمّر، بينما لم يجدوا أي دليل إلى مكان وجود كريس.

أدليتُ بأول كلمةٍ لي عن الاعتداء، بعيد نزول ستيف مول مسرعًا من مركز العمليات في وزارة الخارجية، إلى مكتبي. كان ستيف يملك حنكةَ ثلاثين عامًا أمضاها في الخدمة الخارجية، ويحظى بالاحترام على خلفية مهاراته الدبلوماسية واللوجستية، وهو يمضي أسابيعه الأخيرة كسكرتير تنفيذي في الوزارة، ليتسنى له الاستعداد لتسلم منصبه الجديد سفيرًا في بولندا. وبين المسؤوليات الأخرى الملقاة على عاتقه، يجب على السكرتير التنفيذي إدارة تدفق المعلومات بين واشنطن ومئات المراكز التابعة للوزارة في العالم. عجَّ ذاك النهار بالتقارير المقلقة الواردة من الشرق الأوسط، لكنني رأيتُ هذه المرة نظرةً مغايرةً لدى ستيف، فعلمتُ بحدوث أمر فظيع. لم تكن متوافرةً لديه أي معلومة، سوى تلك التي تفيد بتعرض مجمّعنا في بنغازي للهجوم.

فكرتُ مباشرةً في كريس الذي طلبتُ منه شخصيًّا قبول منصب السفير في ليبيا، وارتعشتُ لمجرد التفكير في أنه وسائر عناصرنا هناك واقعون في دائرة الخطر الشديد.

حملتُ الهاتف الآمن الموجود على مكتبي، وضغطت على الزر الذي يصلني مباشرةً بالبيت الأبيض، وتحديدًا بمستشار الأمن القومي، طوم دونيلون. علم الرئيس أوباما بالاعتداء خلال اجتماعه في المكتب البيضاوي مع وزير الدفاع ليون بانيتا، ورئيس هيئة الأركان المشتركة مارتن دمبسي، المستقيم والصريح. وبعد سماعه هذه الأخبار، أصدر الرئيس أمرًا لفعل ما يلزم لدعم عناصرنا في ليبيا، وكان من الضروري أن تستنفر كل إمكاناتنا المحتملة على الفور. سبق أن استجابت القاعدة الأمامية لوكالة الاستخبارات الأميركية، لكنه أراد تدخل كل العناصر المحتملين في الخدمة. لا حاجة إلى تكرار القائد الأعلى أمره، عندما يكون الأميركيون عرضة للنيران، فجيشنا يقوم بكل أمر ممكن، ضمن طاقاته البشرية، لحماية أرواح الأميركيين – ويفعلون المزيد إذا استطاعوا. ولن أتفهم المسألة، إذا ما اقترح أحدهم أمرًا مخالفًا.

شكل خبر الاعتداء ضربةً موجعة، ولكن لم يُتح لي الوقت لأستفيض في مشاعري، وسط الأزمة المستمرة - إذ كان أمامي عمل كثير. أعطيتُ التوجيهات لفريق العمليات في وزارة الخارجية، بقيادة مساعد وزير الخارجية بات كنيدي، للعمل مع السفارة في طرابلس، من أجل تأمين الحماية لعناصرنا وتحطيم أبواب الحكومة الليبية إذا لزم الأمر لطلب المزيد من الدعم. اتصلتُ كذلك بمدير وكالة الاستخبارات الأميركية دافيد بيترايوس، من منطلق وجود الوكالة في مركز قريب، وتمتعها بقوة أمنية كبيرة. علينا أن نستعدّ أيضًا لإمكان شن هجمات أخرى في أماكن أخرى. استُهدفت، إلى الآن، سفارتنا في القاهرة، فيما بنغازي تتعرض راهنًا للهجوم، فأي المواقع هو التالي؟ كان لدى بات خبرة أربعين سنة في الخدمة الخارجية، وتمرّس في العمل مع ثمانية رؤساء من الحزبين. أخطأ البعض في ظنهم أن أسلوبه المعتدل وميله إلى ارتداء سترات الصوف المفتوحة والصدريات، دليلٌ إلى رقته، لأن بات كان قاسيًا. هو بقي هادئًا خلال تلك المحنة، وأكد لي أننا نقوم بكل ما يمكننا فعله. لم تكن الأحداث المتقلبة غريبةً بالنسبة إليه، بعدما أدى مهامه في ظلّ أشنع الهجمات على كوادر وزارة الخارجية وممتلكاتها، وأدى دورًا صغيرًا عندما كان مسؤولًا شابًّا في الخدمة الخارجية، في مساندة أفراد عائلات الدبلوماسيين الأميركيين الستة الذين انتهى بهم الأمر بالفرار من إيران عقب اجتياح سفارتنا، عام ١٩٧٩، (اقتُبس فيلم آرغو عن تلك الواقعة).

استؤجِرَت سريعًا طائرة في طرابلس، وبدأت مجموعة مؤلفة من سبعة عسكريين ورجال من الاستخبارات بالاستعداد للانتشار على وجه السرعة في بنغازي، فيما الخيارات الإضافية محدودة. كانت لدى البنتاغون قوات عمليات خاصة متأهبة في قاعدة فورت براغ، شمال كاليفورنيا، لكنها تحتاج إلى ساعات كثيرة للتجمع، نظرًا إلى ابتعادها أكثر من خمسة آلاف ميل عن بنغازي. شهد تكرارًا، وتحت القَسَم، قادتنا المدنيون والعسكريون، إن في الجلسات العلنية، وإن في جلسات الاستماع المغلقة، وبينهم رئيس هيئة الأركان المشتركة وآخرون ضمن فريقه، كيف تمّ فورًا حشد

العناصر، ولكن لم يتمكن أي منهم من الوصول سريعًا إلى ليبيا. وتساءل المنتقدون كيف يتعذّر على أعظم قوة عسكرية في العالم الوصول إلى بنغازي في الوقت اللازم للدفاع عن مواطنينا. يرتكز جزء من الجواب على أن الجيش الأميركي، وعلى الرغم من تأسيس القيادة الأميركية - الأفريقية، عام ٢٠٠٨، لم يتوافر له الكثير من البنى الرئيسة في أفريقيا. وعلى عكس الوضع في أوروبا وآسيا، كانت بصمتنا العسكرية شبه غائبة في أفريقيا. إلى ذلك، لا ينتشر جيشنا في كل أصقاع الأرض، موكلةً إليه مهمة البقاء على أهبة الاستعداد للدفاع عن مواقعنا الدبلوماسية، وشهد قادتنا العسكريون أن البنتاغون ليس مجهزًا، في بساطة، لربط قواتنا بأكثر من ٢٧٠ سفارة وقنصلية أميركية في العالم. هذه هي الحقائق التي لا يمكن الجميع تقبّلها، بينما يصرّ البعض على مساءلة جيشنا على أفعال، في شكلٍ متكرر. فعلى سبيل المثال، رُفع تقرير حساس بعد أسابيع من الاعتداء، يفيد بإرسال مقاتلة إيه سي-١٣٠ الأميركية إلى بنغازي ولكن لم يُسمح لها بالهبوط مباشرةً. ألقى البنتاغون نظرة شاملة على التهمة. ففضلًا عن عدم وجود مقاتلات في الجوار، خلت أيضًا القارة الأفريقية برمتها والمناطق المجاورة لها من أي مقاتلة، بينما كانت الطائرة الحربية الأقرب، في أفغانستان، على بعد أكثر من ألف ميل. ولم تكن هذه التهمة المخادعة سوى حلقة في سلسلة افتراءات فبركها الراغبون في التضليل.

أحد العوامل الفاعلة التي أكد بعض النقاد أنها كانت لتحدث فرقًا، يطلق عليه اسم فيست. وبعد التفجيرات التي طاولت سفارتنا شرق أفريقيا، عام ١٩٩٨، انتشر فريق الدعم الخارجي في حالات الطوارئ المشترك بين الوكالات (فيست) وتمّ تدريبه وتجهيزه ليساعد على استعادة الاتصالات الآمنة، والرد على المخاطر الصحية، وتوفير الدعم للمنشآت الدبلوماسية العاجزة. ولكن لم يكن هذا الفريق قوّة ردّ مسلحة، قادرة على التدخل في القتال مباشرةً، فضلًا عن استقرارها في واشنطن، على بعد آلاف الأميال من بنغازي.

فوجئ عدد من الأميركيين ومن أعضاء الكونغرس حتى، لدى علمهم بعدم فرز مشاة من البحرية الأميركية إلى مجمع بنغازي. في الحقيقة، يفرز مشاة البحرية في أكثر بقليل من نصف مواقعنا الدبلوماسية في العالم حيث تقوم مهمتهم الرئيسة على توفير الحماية وإتلاف المواد والأجهزة السرية، إذا استوجب الأمر. وفي وقتٍ كان لدينا مركز لمشاة البحرية في سفارتنا في طرابلس، أي في مقر عمل جميع دبلوماسيينا في ليبيا تقريبًا، إلا أنهم كانوا منكبين على معالجة المواد السرية، وإذ لم تكن هناك معالجات سرية في مجمعنا الدبلوماسي في بنغازي، لم ينتشر بالتالي مشاة بحرية هناك.

لم يكن أيضًا ثمة كاميرات تصوير تمكّننا من مراقبة ما يحدث في مجمع بنغازي، مباشرةً من واشنطن. وفيما هذه التقنية متاحة في بعض سفاراتنا الكبرى في العالم، تبقى بنغازي منشأة

موقتة لا تتضمن تقنيات كافية للتواصل معها. فهي تحوي كاميرات بدائرة مغلقة، ونظام فيديو تسجيليًّا في الموقع، لا يختلف عن مسجل الفيديو الرقمي الموجود في المنازل، ولكن لم يتمكن مسؤولو الأمن الأميركيون من الحصول على اللقطات قبل أسابيع، إذ كان من المفترض أن تتولى السلطات الليبية تصليح الجهاز قبل إعادته إلى المسؤولين الأميركيين. فما كان على المسؤولين في مركز قيادة الأمن الدبلوماسي، في فيرجينيا، المحاولين مراقبة تسارع الأحداث مباشرةً، سوى الاعتماد على خط هاتفي مفتوح واحد، للاستماع إلى زملائهم في طرابلس وبنغازي. وتمكنوا من سماع بعض ما كان يحدث. ولكن، آلمنا عدم اكتمال الصورة.

وللإسهام في ملء هذه الثغرة، تمكنّا من القيام بأمر سريع وفاعل، بإرسال طائرة للمراقبة من دون طيار، وغير مسلحة ولا تحمل اسمًا، كانت تطير في مهمة أخرى في أجواء إحدى مدن ليبيا. أعيد توجيه الطائرة نحو بنغازي، ووصلت إلى المركز بعد حوالى تسعين دقيقة من بدء الاعتداء، موفرةً لمسؤولي الأمن والاستخبارات الأميركية سبيلًا آخر لمراقبة الأحداث ميدانيًّا.

وتزامنًا، أفاد مركز العمليات أن وتيرة إطلاق النار تراجعت في المجمع، وأن قواتنا الأمنية تحاول تحديد مكان الموظفين المفقودين، في عبارةٍ تقشعر لها الأبدان. انسحب معظم الرعاع، ولكن إلى متى؟ وكان المقاتلون واللصوص لا يزالون يتجولون في مكان قريب. قرر الفريق أن إطالة مدة البقاء أكثر من ذلك تعرض حياة عدد أكبر من الأميركيين للخطر. على الرغم من الجهود المستمرة لإيجاد كريس الذي كان لا يزال مفقودًا في المبنى الرئيس المحترق، لم يكن أمامهم سوى خيار الإخلاء، للتوجه إلى منشأة وكالة الاستخبارات الأميركية الخاضعة للحراسة المشددة، والواقعة على بعد أقل من ميل.

عجّت المركبة المصفحة بوكلاء الأمن الدبلوماسي الخمسة الذاهبين على مضض، وكانت الرحلة قصيرة – بضع دقائق فقط – إنما مروّعة. ما لبثوا أن أحيطوا بإطلاق نار كثيف ومتواصل في الشارع، فضاعفوا السرعة في القيادة ليجتازوا مجموعة من المقاتلين واقفة على الحاجز. انفجر إطاران، وتحطم الزجاج المصفح، لكنهم أكملوا طريقهم. وحين ظنوا أن ثمة مركبتين مجهولتي الهوية تطاردانهم، عبروا إلى خط الوسط ومن ثم علقوا في الزحام. وما هي إلا دقائق حتى وصلوا إلى مركز وكالة الاستخبارات، فأسعف الجرحى بينهم، بينما اتخذ الآخرون مواقع دفاعية. ولحق بهم بعد قليل فريق الاستجابة في الوكالة، حاملًا جثة شون سميث، فيما كريس لا يزال مفقودًا.

في الطبقة السابعة من وزارة الخارجية، كان كلٌّ منا يقوم بأي شيء يخطر له. كان المسؤولون في الوزارة، على كل المستويات، يتكلمون مع نظرائهم في الحكومة، فيما المسؤولون الأميركيون في واشنطن وليبيا يعملون مع الليبيين على فرض الأمن، والتعاون في عملية البحث عن سفيرنا. دعوتُ

كبار المسؤولين في الوزارة إلى اجتماع للوقوف على الأوضاع ومناقشة الخطوات التالية، واتصلتُ مجددًا بالبيت الأبيض. كان مركز وكالة الاستخبارات الأميركية يتعرض لإطلاق نار من أسلحة خفيفة وأسلحة الآر بي جي، وتحصّن الجميع هناك استعدادًا لهجوم جديد قد تقوم به مجموعة أخرى من المقاتلين، لكن الأمر لم يتحقق، واستمرّ إطلاق النار في شكلٍ متقطّع، إلى أن توقف نهائيًّا.

أفاد مركز العمليات بتبني ميليشيا إسلامية متشددة، تُسمى أنصار الشريعة، الهجوم، إلا أنها نفت الموضوع لاحقًا. كان علينا النظر في المسألة في جدية. خلال الأيام التالية، أنعم محللو الاستخبارات الأميركية النظر في الأحداث، في محاولة منهم ليحددوا كيف انطلقت، ومَن شارك فيها. ولكن حتى ذلك الحين، علينا افتراض الأسوأ والتخطيط على أساسه – إمكان شنّ اعتداءات أخرى على المصالح الأميركية في المنطقة.

كانت سفارتنا في طرابلس تضغط في كل الاتجاهات الممكنة، لكنني لم أكن راضيةً عمّا يقدّمه إلينا الليبيون. أجريتُ اتصالًا بالرئيس الليبي المقريف، وكما كنتُ أتعامل مع المسألة خلال محادثاتي الأخرى في ذلك الأسبوع، تطرّقتُ بأشدّ العبارات إلى إمكان وقوع هجمات أخرى. أردتُ التأكد من أنه والآخرين فهموا دقة الظروف، ولم يظنوا أن التهديد توقف. قدّم المقريف اعتذارًا، وشكرتُ له بدوري اهتمامه، موضحةً أننا في حاجة إلى أكثر من مجرّد أسف: نحن في حاجة إلى التحرك سريعًا لحماية عناصرنا في كلٍّ من بنغازي وطرابلس.

تزامنًا، هبطت في بنغازي الطائرة التي تنقل التعزيزات الأمنية الأميركية، آتيةً من طرابلس. وكان هدفها تحديد موقع المركبات والوصول إلى مركز وكالة الاستخبارات الأميركية في أسرع وقتٍ ممكن. لكن المطار كان يشهد في ذلك الوقت انتشارًا للمسؤولين الأمنيين الليبيين وقادة الميليشيات الذين أصروا على توفير موكب كبير، من المركبات المصفحة، لمرافقة الأميركيين. أُجبر فريقنا المحبط والمتلهف إلى مساعدة زملائه، على ملازمة المطار ساعاتٍ ريثما تتأكد القوات الليبية من إمكان مغادرة المكان والتوجه إلى مركز وكالة الاستخبارات.

وفي واشنطن، أجريتُ مكالمةً جماعية ضمّت ثمانية من كبار المسؤولين في الوزارة، ونائب رئيس البعثة غريغ هيكس، في طرابلس. كان غريغ من آخر الأشخاص الذين تكلموا إلى كريس قبل اختفائه، وهو يتولى الآن رسميًّا مسؤولية أمن الأميركيين جميعًا في البلاد، في ظل غياب السفير. بدت الليلة طويلةً، وكنتُ قلقةً من الطريقة التي يتمكن فيها فريقنا من الصمود في طرابلس، وأردتُ لغريغ أن يكون على بينة من الأمور التي يقوم بها الجيش ووكالة الاستخبارات وجهات حكومية أخرى، في واشنطن. قال لي إنه يفكر في إخلاء السفارة في طرابلس والانتقال إلى مجمع آخر، من باب الحيطة، فوافقته الرأي. تكلمنا على البحث عن كريس الذي كنا نهتمّ لأمره جدًّا. لم تكن الأمور

على ما يرام، ولمستُ الألم في صوت غريغ، فطلبتُ منه أن يبلغ الجميع أني ألازمهم بصلواتي، مشددةً على بقائنا على اتصال حثيث.

توجّهتُ إلى مركز العمليات لعقد لقاء جماعي آمن، من خلال الفيديو، بين الوكالات الحكومية على تنوعها، وقاعة متابعة الأوضاع في البيت الأبيض، ومسؤولين رسميين من مجلس الأمن القومي، ووكالة الاستخبارات، ووزارة الدفاع، ورؤساء الأركان المشتركة، ووكالات أخرى. كان هذا اجتماعًا للنواب لم يتضمن المديرين، لكن البروتوكول كان آخر ما خطر على بالي. أطلعتُ الجماعة على محادثاتي مع غريغ والرئيس المقريف، وشددتُ على حساسية الأوضاع التي تتطلب إخراج عناصرنا من بنغازي في شكلٍ سريع وآمن، قدر المستطاع.

لدى عودتي إلى مكتبي، أخبرتُ فريقي أن الوقت حان لإصدار بيان عام. إلى هذا الحدّ، كان اهتمامي منصبًّا على التنسيق على المستوى الحكومي، وعلى حشد الموارد من أجل عناصرنا في الميدان. لكن التقارير عن أحداث بنغازي كانت تُتناقل عبر وسائل الإعلام، فيما من حق الشعب الأميركي أن يسمع مني مباشرةً ما كان يحدث، حتى وإن لم نملك سوى بعض المعلومات. ليس من واجب وزارة الخارجية عمومًا إصدار أي بيان، ما دامت غير قادرة على تأكيد مصير جميع عناصرها – لكننا لم نتمكن من رصد كريس. قررتُ أن من المهم أن نكون صرحاء قدر المستطاع، ونعلن الحقائق في أسرع وقت ممكن، فأصدرتُ بيانًا يؤكد خسارة أحد موظفينا، ويدين الاعتداء، ويتعهّد العمل مع شركائنا في العالم لحماية الدبلوماسيين الأميركيين ومراكزهم ومواطنينا.

بعد قليل على حديثه معي، تلقى غريغ وفريقه في السفارة اتصالًا مروعًا، من الهاتف الخلوي الذي استخدمه كريس في اللحظات الأخيرة قبل اختفائه في المخبأ الآمن الذي عمّه الدخان. لكن المتصل لم يكن كريس. قال رجل بالعربية إن ثمة أميركيًّا يلفظ أنفاسه، يقبع الآن في مستشفى محلي، ومواصفاته مطابقة لمواصفات كريس، من دون أن يوفر معلومات أو ضمانات أخرى. هل يمكن أن يكون فعلًا كريس؟ أم أن البلاغ شركٌ لاستدراج عناصرنا من مجمع وكالة الاستخبارات الأميركية إلى الخارج؟ كان علينا التحقق من الأمر، فطلب غريغ من أحد معارفه المحليين الذهاب إلى المستشفى والاستقصاء. وكان لافتًا أن الشخص هذا هو نفسه الليبي الذي ساعد على إغاثة الطيار الأميركي الذي كان في طائرة القوات الجوية لحظة سقوطها، قبل عام.

برز بعد أيام شريط فيديو صوّره أحد الهواة ويظهر حشدًا من اللصوص والمارّة يطوفون في المجمع الذي يتصاعد منه الدخان، بعدما أخلاه فريقنا. ووجدت مجموعة من الليبيين، لم نتمكن قط من تحديد هوياتهم، جثة كريس وسط انتشار الدخان، ونقلوه إلى مستشفى محلي، مع أنهم لم يتعرّفوا إليه. وصلوا، بحسب التقرير، إلى قسم الطوارئ، بعد الأولى ليلًا بقليل، وحاول الأطباء إنعاشه طوال خمس وأربعين دقيقة، لكنهم أعلنوا قرابة الثانية ليلًا، موت كريس اختناقًا. ولاحقًا،

اتصل رئيس الوزراء الليبي بغريغ، في طرابلس، لإعلامه. قال إن هذا الاتصال كان الأتعس في حياته. وتمّ التأكد من هوية صاحب الجثة، عندما تسلمها العناصر الأميركيون في مطار بنغازي، صباح اليوم التالي. كنتُ أعلم أن من المرجح أن يكون كريس في عداد الأموات، ولكن، وإلى حين التأكد من الأمر، كان هناك بصيص أمل بإمكان نجاته. أما الآن فقد فُقد الأمل.

بوجود وكلاء الأمن الدبلوماسي في مركز وكالة الاستخبارات المحصّنة، وتعزيزاتنا الموفدة من طرابلس إلى أرض المطار، قررتُ أن أنتقل من المكتب إلى منزلي، شمال غربي واشنطن، الذي يبعد بضع دقائق فقط عن فوغي بوتوم. علمتُ أن الأيام المقبلة ستلقي بثقلها علينا جميعًا، خصوصًا باعتماد موظفي الوزارة جميعًا عليّ، لقيادتهم خلال هذه المأساة المروعة، وبضرورة توجيه تركيز كل فردٍ منهم على ما ينتظره من عمل. عندما توليتُ هذا المنصب، زودَت وزارة الخارجية منزلي كل وسائل الاتصال الآمنة والتجهيزات الأخرى الضرورية لأتمكن من مزاولة عملي من هناك، كما لو كنتُ في المكتب.

تواصلتُ هاتفيًّا مع الرئيس أوباما وأفدتُه بآخر التطورات. سألني كيف يصمد عناصرنا، وشدد على أنه يريد منا اتخاذ كل الخطوات الضرورية لحماية دبلوماسيينا ومواطنينا في ليبيا والمنطقة. وافقتُه الرأي وقدّمتُ إليه تقويمي عما وصلنا إليه. لم أكن أؤمن بأن الأزمة انتهت، بل يمكننا توقع المزيد من الاضطرابات، إن لم يكن في ليبيا، ففي مكان آخر.

أخيرًا، غادر فريق الدعم الآتي من طرابلس، المطار إلى مركز وكالة الاستخبارات، خالقين لدى زملائهم المنهكين شعورًا كبيرًا بالارتياح. لكن الأمر لم يدم طويلًا.

فبعد وصول الفريق بدقائق، سمع أفراده أصوات قذائف الهاون. لم تصب القذائف الأولى أهدافها، على عكس الأخرى التي قتلت بقوّتها المدمّرة موظفَي الأمن في وكالة الاستخبارات الأميركية، غلين دوهيرتي وتايرون وودز، وأدت إلى إصابة آخرين بجروح خطرة، منهم أحد وكلاء الأمن الدبلوماسي، دافيد.

بدأت الآن مأساة بنغازي تتفاعل بلا هوادة. كنا في حاجةٍ إلى سحب سائر عناصرنا – حوالى ثلاثين، بين وكلاء الأمن الدبلوماسي الخمسة، وموظفي وكالة الاستخبارات الأميركية – إلى خارج المدينة، قبل خسارة أحد آخر.

وبعد ساعةٍ تقريبًا، عادت قوات الأمن الحكومية في ليبيا لمواكبة العناصر إلى المطار، بعدما تفرّقت خلال تعرّض مركز الاستخبارات للهجوم بقذائف الهاون.

انطلقت أول رحلةٍ، وتحمل عددًا من الأميركيين، السابعة والنصف صباحًا، بينما أقلّت طائرة

أخرى الباقين، ومعهم جثث شون سميث وغلين دوهيرتي وتايرون وودز وكريس ستفينز، التي وصلت من المستشفى. أخيرًا، وبحلول الظهيرة، كان جميع العناصر الأميركيين انتقلوا من بنغازي إلى طرابلس.

بدأتُ أفكر في واشنطن في هول الأحداث. هي المرة الأولى منذ العام ١٩٧٩، يُقتل سفير أميركي أثناء تأديته واجبه. توفّي أربعة أميركيين، ودمّر الحريق مجمعنا في بنغازي، وبات مركز وكالات الاستخبارات مهجورًا، ولم يكن ثمة ما يشير إلى ماهية الأحداث التالية ومكانها.

استعددتُ لليوم التالي. كنتُ أدرك كم من الضروري أن أكون قويةً في قيادة الوزارة المترنحة، وأن أركز على التهديدات المستمرة. ولكن، عليّ أن أتصل أولًا بعائلات الذين خسرناهم، إذ من الضروري إعلامهم بمدى تشرّف الوزارة والوطن بالخدمة التي أداها أحباؤهم، وبانكسار قلوبنا لفقدانهم. ليس من السهل إجراء تلك المكالمات، لكنها مسؤولية جليلة.

بعد الاستعلام من الجنرال دمبسي عن وقوع أي تطور، جلستُ إلى مكتبي في وزارة الخارجية واتصلتُ بشقيقة كريس، آن ستيفنز، وهي طبيبة في مستشفى سياتل للأطفال. بقيَتْ مستيقظةً كل الليل تقريبًا، تتواصل مع زملاء كريس في وزارة الخارجية وتنقل الأخبار إلى سائر أفراد عائلة ستيفنز. وعلى الرغم من الإرهاق وهول الصدمة، كانت لا تزال قادرةً على التركيز على ما كان أخوها ليطلبه، وقالت لي «أرجو منك ألا ينهانا هذا الأمر عن الاستمرار في دعم الشعب الليبي وعن المضي قدمًا». كانت آن تعلم مدى التزام أخيها الإسهام في بناء ليبيا الجديدة على أنقاض نظام القذافي، وكم كان الأمر مهمًّا بالنسبة إلى المصالح الأميركية. هو عشق الشرق الأوسط مذ كان شابًّا متطوعًا في فيلق السلام، يعلّم اللغة الإنكليزية في المغرب، قبل أن يمثل الولايات المتحدة في المنطقة كلها كموظف في السلك الخارجي. أكسب أميركا أصدقاء أينما حلّ، ونظر إلى آمال الناس كأنها آماله الخاصة، وقلتُ لآن إن دولًا كثيرة ستستذكره بطلًا.

في الأسابيع التالية، شعرتُ بالرهبة أمام الرحمة والوقار اللذين تحلّت بهما عائلة ستيفنز في تعاملها مع الحزن ومع الأضواء التي سلطتها تلك القصة الصعبة. بقينا على اتصال بعد انتهاء مهمتي في وزارة الخارجية، وكنتُ فخورةً بدعم جهودهم لإطلاق مبادرة ج. كريستوفر ستيفنز للتبادل الافتراضي، وتقوم على استخدام التكنولوجيا لربط الشباب بالتربويين، في الشرق الأوسط والولايات المتحدة. هذه الطريقة مناسبة لتكريم ذكرى كريس ولمتابعة العمل الذي عنى له الكثير.

ومن ثمّ اتصلتُ بزوجة شون سميث، هيذر، المقيمة في هولندا مع طفليهما، وقدّمتُ إليها تعازيّ بفقدان زوجها. كان وقع الصدمة كبيرًا عليها، وكانت تخطط وشون للذهاب في رحلة بعد

انتهاء مهمته. كان شون سميث، كما كريس ستيفنز، ملتزمًا المشاركة الأميركية في العالم، وفخورًا بأدائه الخدمة. وعقب الاعتداء الذي طاول بنغازي، عبّرت هيذر أيضًا عن إيمانها بأن زوجها لم يكن ليريد لأميركا الانسحاب من العالم، أو العيش في الخوف.

كانت هذه المشاعر المهمة جديرة بأن نستذكرها في ١٢ أيلول/سبتمبر. استمرت الاحتجاجات على شريط الفيديو المسيء الذي انتشر عبر الإنترنت في التوسع من مصر إلى بلدان الشرق الأوسط، فتجمّع نحو مئتي مغربي غاضب أمام قنصليتنا في الدار البيضاء، بينما اضطرت الشرطة في تونس إلى استخدام الغاز المسيل للدموع لتفريق حشود تجمهرت أمام السفارة الأميركية. بينما شهد السودان وموريتانيا ومصر تظاهرات شبيهة، أمام المواقع الأميركية. كنا جميعًا شديدي الانفعال بعد انقضاء يوم على اعتداءات بنغازي، وتعاملنا مع كل الأحداث كأنها على وشك الخروج خلال دقائق، عن سيطرتنا.

قمتُ باتصال جَماعي آخر، عبر الفيديو، مع فريقنا الذي لا يزال في طرابلس منهكًا وحازمًا، في آن. هو قام بعمل استثنائي خلال الساعات الأربع والعشرين الماضية، وأردتُ أن أشكر أفراده شخصيًّا، وأعلمهم أنهم ليسوا وحدهم، وإن كانوا بعيدين آلاف الأميال عنا.

أردتُ بعد ذلك أن أتوجه مباشرةً إلى الشعب الأميركي والعالم. شعرتُ بعبء شرحِ ما هو غير قابل للتفسير لشعب استيقظ على أخبار دموية شبيهة بأحداث ١١ أيلول/سبتمبر. كانت العواطف متأججة جدًّا، وبدأ عدد من مساعديّ الذين عرفوا كريس وأحبوه، بذرف الدموع. اختليتُ وحدي في مكتبي، بعض الوقت، لأتماسك، وأفكر في ما عليّ قوله. ثم نزلتُ إلى تريتي روم حيث اجتمع الصحافيون.

عندما بدأت الكاميرات بالتصوير، عرضتُ للحقائق كما وردت علينا – اعتدى «متشددون مدججون بالسلاح» على مجمّعنا وقتلوا عناصرنا – مؤكدةً للأميركيين أننا نفعل كل ما أمكن لحماية أفرادنا ومواطنينا في العالم. ورفعتُ أيضًا الصلوات لعائلات الضحايا وأثنيتُ على خدمة الدبلوماسيين لبلادنا وقيمنا في العالم. خاطر كريس ستيفنز بحياته لإيقاف طاغية، ومن ثم خسر حياته وهو يحاول الإسهام في بناء ليبيا لتصبح بلدًا أفضل، وقلتُ «العالم في حاجة إلى مزيدٍ من أمثال كريس ستيفنز».

لا أزال أذكر طلب آن ستيفنز المضي قدمًا في التزام كريس مستقبل ليبيا، فشرحتُ للشعب الأميركي أن «الحادث كان اعتداءً قامت به مجموعة صغيرة وهمجية، لا شعب ليبيا ولا حكومتها»، وأننا لن ندير ظهرنا لبلدٍ ساعدناه ليتحرر، مؤكدةً لهم أننا نتابع العمل لتحديد الدوافع والأساليب الحقيقية لقيامهم بهذا الاعتداء، ولن نستريح قبل أن نقبض على المعتدين ونسوقهم إلى العدالة.

بعد تلك الملاحظات، توجهتُ إلى البيت الأبيض حيث كان الرئيس أوباما يتحضّر ليوجّه كلمة إلى الشعب. وبينما كنا واقفين أمام المكتب البيضاوي، ناقشنا هل في إمكانه المجيء إلى فوغي بوتوم بعد إدلائه بالتصريح، ليعزّي زملاء كريس وشون الحزانى، فتكون الزيارة لفتة رائعة بالنسبة إلى وزارة لا تزال رازحةً تحت هول الصدمة. توجهنا إلى الخارج، إلى حديقة الورد، حيث قال الرئيس للعالم «ما من عملية إرهابية تستطيع يومًا، أن تزعزع عزيمة هذه الأمة العظيمة، أو تغير طابعها، أو تحجب القيم النيرة التي ندافع عنها».

وبعد انتهاء الرئيس من تصريحه، عدتُ مسرعةً إلى الوزارة، مع أنه اقترح أن نترافق إلى هناك. إلا أنني أردتُ التأكد من أن كل شيء جاهز لهذه الزيارة المفاجئة، إذ يستغرق عادةً التنسيق لزيارة الرئيس أسابيع، ولكن هذه أتت على وجه السرعة.

مشينا معًا في الردهة، لدى وصوله، وأريتُه الجدار الرخامي حيث حُفرت أسماء الدبلوماسيين الذين سقطوا أثناء أدائهم الواجب، ثم وقّع كتاب العزاء للذين فقدناهم للتو.

ومن دون إشعار، تجمّع المئات من موظفي وزارة الخارجية في الباحة الداخلية من المبنى، بينهم كثُرٌ من مكتب شؤون الشرق الأدنى، حيث أمضى كريس ستيفنز حياته المهنية، ومن مكتب إدارة مصادر المعلومات، حيث عمل شون سميث. لم يعمل النظام الصوتي الذي رُكِّب على الفور، فوضعتُ الميكروفون على الأرض وقدّمتُ الرئيس الذي جاء كلامه مؤثرًا طوال عشرين دقيقة، عبّر خلاله عمّا يعنيه عمل سلكنا الدبلوماسي بالنسبة إلى أمننا القومي وقيمنا. وحثّ الرجال والنساء في وزارة الخارجية على تكريم ذكرى الذين فقدناهم، بمضاعفة جهودنا لاستعراض أفضل تقاليد أمتنا العظيمة. استطعتُ أن أقرأ على وجوههم أن كلام الرئيس عنى كل شيء بالنسبة إليهم وإلى كثيرين يتابعون من نوافذهم المطلة على الباحة. ولدى انتهاء كلمته، اصطحبتُه ليلتقي بعض زملاء كريس في مكتب شؤون الشرق الأدنى، كانوا يعملون من دون توقف منذ اندلاع الأزمة. وفي وقتٍ لاحق من بعد الظهر، زرت مصالحهم والمكتب حيث يعمل زملاء شون لأعبر لهم عن حزني وعرفاني. شعرتُ بفخرٍ كبير بخدمتي هذا الرئيس، وقيادتي هذا الفريق، وبصفة كوني جزءًا من عائلة وزارة الخارجية.

بقيت الفوضى عارمةً في المنطقة، وواجهنا خلال الأيام والأسابيع التالية موجات اضطراب متلاحقة، شكلت تهديدًا لعناصرنا ومراكزنا في حوالى عشر دول، ونتج عنها مقتل عشرات المحتجين، والحمد للّه أننا لم نفقد أي أميركي آخر.

الخميس، ١٣ أيلول/سبتمبر، خرق متظاهرون أبواب السفارة الأميركية في اليمن، تزامنًا مع

استمرار الاشتباكات العنيفة في القاهرة. أما في الهند، فأوقف حوالى ١٥٠ شخصًا أثناء وجودهم أمام قنصليتنا في تشيناي. زاد التوتر الجمعة، وبلغ حدًّا سيئًا جدًّا. حاصر آلاف التونسيين مبنى سفارتنا في تونس، مدمرين المركبات ومشوهين المباني، فيما بقي طاقمنا محتجزًا في الداخل. كذلك أُحرقت مدرسة من الجانب الآخر من الطريق ونُهبت مقتنياتها. اتصلتُ بالرئيس التونسي منصف مرزوقي، ووعد بإيفاد حرسه الشخصي لتفريق المتظاهرين وحماية الطاقمين الأميركي والتونسي. وفي الخرطوم، تسلق آلاف السودانيين جدران سفارتنا محاولين رفع العلم الأسود، فيما نزل المتظاهرون الباكستانيون إلى الشارع في إسلام أباد وكراتشي وبيشاور، وعمّت التظاهرات أيضًا بلدانًا بعيدة كأندونيسيا والفيليبين. حتى في الكويت، البلد الثري الذي ساعدته الولايات المتحدة على التحرر في حرب الخليج الأولى، أوقف أشخاص يحاولون تسلق جدران سفارتنا. والشرارة التي اندلعت في القاهرة، في ٨ أيلول/سبتمبر، تحولت اليوم نيرانًا شاملة، مستمرة في التوسع وفي تهديد المراكز والأفراد الأميركيين.

خلال هذه الأيام العصيبة، بقيتُ وفريقي على تواصل دائم مع حكومات البلدان التي تعمّها التظاهرات. أجريت محادثات متوترة مع قادة المناطق الذين من واجبهم أن يسمعوا بمدى خطورة الأمور. وعملتُ كذلك مع البنتاغون للتأكد من إرسال عديد إضافي من مشاة البحرية إلى تونس والسودان واليمن.

أعلم أن البعض لم يردِ السماع أن للفيديو الذي نشر عبر الإنترنت دورًا في هذه الاضطرابات. حتى إن المحتجين الباكستانيين أقدموا على ضرب دمية تمثل قس فلوريدا المقترن بالفيلم، تيري جونز. كذلك شعر الدبلوماسيون الأميركيون البعيدون من واشنطن، أن للفيديو تأثيرًا في الأحداث.

ماذا عن الاعتداء في بنغازي؟ كان يستحيل علينا، وسط اشتداد الأزمة، معرفة مجموعة العوامل التي أدت إلى الاعتداء، وهل تم التخطيط له، ومنذ متى. كنتُ واضحةً في هذا الشأن في تعليقاتي صباح اليوم التالي، وقد تابع في الأيام اللاحقة المسؤولون الإداريون القول للشعب الأميركي إن معلوماتنا غير مكتملة وإننا ما زلنا نبحث عن الأجوبة. كانت هناك نظريات كثيرة – لكن الأدلة ضئيلة حتى الآن. صلتُ وجلتُ شخصيًّا في مراجعة حقائق الأحداث المرجحة، ومَن وراءها، وأي مجموعة من العوامل – مثل الفيديو – أدّت دورًا في الاضطرابات. ولكن، كانت هذه المسألة تحرض المنطقة من دون شك، وتثير الاحتجاجات في كل أنحائها، فكان من الغريب ألّا نأخذ في الحسبان، مع توالي الأيام التي تشهد التظاهرات، أن من الممكن أن يكون لها التأثير عينه في بنغازي أيضًا. كان هذا المنطق سليمًا. وأثبت لاحقًا الاستقصاء والتقارير أن الفيديو هو عامل فعلي. كل ما عرفناه في ذلك الوقت، وكنا على يقين تام منه، مقتل أميركيين فيما الآخرون ما زالوا في دائرة الخطر. لمَ نتعرض للهجوم أو في ما يفكر المهاجمون، وما الذي فعلوه مسبقًا ذاك اليوم؟

لم تكن هذه الأسئلة في طليعة اهتماماتنا، بل جل ما يعنينا كان إنقاذ الأرواح، وما من شيء آخر يحدث فارقًا.

ومع ذلك، كان ثمة صحافيون ميدانيون في بنغازي يطرحون الأسئلة. وقد أفادت صحيفة نيويورك تايمز في مقابلةٍ أُجريت من قلب الحدث، ليل الثلاثاء، أن «مهاجمين كثرًا وأولئك الذين يساندونهم عبروا عن عزمهم الدفاع عن إيمانهم في وجه الإهانات التي تضمنها الفيديو». كذلك كتب صحافي من رويترز كان موجودًا في الميدان تلك الليلة: «كان المهاجمون من أولئك الذين ينحون باللائمة على أميركا على فيلم يقولون إنه تحقير للنبي محمد». وأيضًا، أجرت صحيفة واشنطن تايمز مقابلات مع سكان بنغازي وقالت «إن متشددين مدججين بالسلاح خطفوا ما كان في الأساس تظاهرةً سلمية خارج مركز الدبلوماسية الأميركية. كان المتظاهرون يحتجون على فيلم يهين نبي الإسلام، محمد. وما لبث أن انضمّت إليهم مجموعة منفصلة تضمّ رجالًا مسلّحين بالآر بي جي».

وبعد أكثر من عام، في كانون الأول/ديسمبر ٢٠١٣، نشرت صحيفة نيويورك تايمز تقريرًا يعدّ الأشمل، حتى تاريخه، عمّا حدث في بنغازي، بناءً على «أشهر من الاستقصاء» و«مقابلات مكثّفة مع الليبيين في بنغازي الذين كانوا على اطلاع مباشر على الاعتداء وسياقه». وخلص التحقيق إلى أن «وخلافًا لمزاعم بعض أعضاء الكونغرس، كان الغضب من جراء فيلم أميركي الصنع، ومسيء إلى الإسلام، هو الدافع الأكبر إلى القيام بهذا العمل». واكتشفت التايمز أن «الغضب من جراء الفيلم هو الذي حفّز الهجوم الأولي» و«لا شك في أن الغضب الناتج عن الفيلم حرّك معتدين كثرًا».

هجم عشرات المسلحين، تلك الليلة، وقد كانت لديهم دوافع مختلفة، بكل تأكيد. من الخطأ أن نَعُدَّ أن كل واحد منهم كان متأثرًا بالفيديو البغيض. ومن الخطأ أيضًا أن نعلن أن ما من فرد بينهم كان متأثرًا به. وكلا التأكيدين يتحدى لا الأدلة فحسب بل والمنطق. وكما كشف تحقيق نيويورك تايمز، كانت الحقيقة «مغايرة وأكثر ضبابية، من كل ما ذُكر مسبقًا».

بغض النظر عما سبق، لم يكن لدينا أدنى شك في أن الاضطرابات التي تهدد سفاراتنا وقنصلياتنا الأخرى في العالم تأتي على خلفية الفيديو. فعلى مرّ تلك الأيام العصيبة، فعلتُ ما في وسعي للتصدي علنًا للغضب المنتشر في العالم الإسلامي. وبصفة كوني مؤمنة، فهمتُ كم هو مؤلم احتقار معتقداتك. ولكن أيًا يكن الظلم الذي نشعر به، لا يمكن أبدًا تبرير اللجوء إلى العنف. فديانات العالم الكبرى قوية بما فيه الكفاية، للصمود في وجه الشتائم التافهة، وكذلك يجب أن يكون إيماننا كأفراد.

مساء الثالث عشر من أيلول/سبتمبر، أقمتُ احتفال الاستقبال السنوي الذي تنظمه وزارة

الخارجية لمناسبة عيد الفطر، نهاية شهر الصيام الفضيل لدى المسلمين، شهر رمضان. شددتُ، أمام حشد حميم ومتنوع، على أننا نعلم أن المجرمين في بنغازي لا يمثلون المسلمين في العالم، الذين يفوق عددهم المليار. ثم أدلى السفير الليبي في الولايات المتحدة بكلمة مقتضبة، وتحركت مشاعره لدى ذكره صديقه كريس ستيفنز، الذي عرفه سنوات، ولعبا كرة المضرب معًا وتناولا الأطباق الليبية وأمضيا ساعات في الحديث عن المستقبل. وقال إن كريس هو بطل ما انفكّ يومًا عن إيمانه بقدرة الشعب الليبي على الخروج من ظل الدكتاتورية.

لم يكن هذا شعوره وحده، بل نزل عشرات آلاف الليبيين إلى شوارع بنغازي حدادًا على كريس الذي عُرف في أوساطهم ببطل ثورتهم الصامد. كانت صورهم مدهشة. حملت محجَّبةٌ، وعيناها يملأهما الحزن، لافتةً مكتوبة بخط اليد «البلطجية والقتلة لا يمثلون لا بنغازي ولا الليبيين»، بينما أشارت لافتة أخرى إلى أن «كريس ستيفنز كان صديق الليبيين جميعًا»، و«نطالب بالعدالة من أجل كريس».

وفي طرابلس، استنكر قادة البلاد في تصريحاتٍ علنية الاعتداء، ونظموا احتفال تأبين لكريس. وقال الرئيس الليبي المقريف، عنه للمفجوعين إنه «اكتسب ثقة الشعب الليبي»، في حين طردت الحكومة كبار المسؤولين الأمنيين في بنغازي، ووجهت إنذارًا، في ٢٢ أيلول/سبتمبر، إلى أنصار الشريعة والميليشيات الأخرى في البلاد ورد فيه: إما نزع السلاح وحل الميليشيات خلال أربع وعشرين ساعة، وإما مواجهة العواقب. فامتثلت حوالى عشر جماعات مسلّحة بارزة. وأخذ سكان بنغازي الأمور على عاتقهم، فاجتاحوا مقرّ أنصار الشريعة مما أدى إلى فرار عدد من أفراد الميليشيا من البلدة، فيما السكان يهتفون «أيها الإرهابيون، أيها الجبناء، عودوا إلى أفغانستان».

خلال تلك المرحلة الكئيبة، كنتُ أفكر دومًا في عائلات زملائنا الذين سقطوا، وأردتُ التأكد من أننا فعلنا كل ما في وسعنا لإراحتهم واحتوائهم. فطلبتُ من مسؤولة التشريفات، كابريسيا مارشال، أن تقوم بمهمتها. وكانت الأمور معقدة لجهة تايرون وودز وغلين دوهيرتي، إذ كانت لا تزال حقيقة عملهما لمصلحة وكالة الاستخبارات الأميركية سريةً، وستبقى كذلك طوال الأسابيع الستة المقبلة، ولم يكن من حق أحد التطرق إلى المسألة أمام عائلتيهما، غير المدركتين ربما طبيعة عمل تايرون وغلين في تلك المرحلة.

طلبتُ من أعلى مسؤول أميركي في الخدمة الخارجية، نائب وزير الخارجية بيل بيرنز، الذي كان متوجهًا إلى الخارج، أن يلاقي الطائرة التي تحمل أشلاء الضحايا، ويرافقها من ألمانيا إلى

واشنطن. كان بيل متوازنًا وصبورًا لدى عودته، وعلى الرغم من ذلك، على الجميع تحاشي القيام بمسيرة كهذه.

يمرّ عادةً رُفاتُ الأميركيين الذين يقتلون أثناء خدمة البلاد بقاعدة دوفر للقوات الجوية، في ديلاوير، إلى حيث يعود ضحايانا من العراق وأفغانستان. لكنني أردتُ التأكد من حضور عائلات موظفينا وزملائهم من وزارة الخارجية لاستقبالهم، إذا أرادوا. فبمساعدة ليون بانيتا وفريق البنتاغون التابع له، وجّهنا الطائرة من ألمانيا إلى قاعدة أندروز للقوات الجوية، في ماريلاند، قبل متابعة طريقها نحو دوفر، تمامًا كما فعلنا عام ١٩٩٨ عقب التفجيرات التي طاولت سفارتنا في أفريقيا الشرقية.

بعد ظهر الجمعة، أي بعد ثلاثة أيام على الاعتداء، التقيتُ والرئيس أوباما، ونائبه بايدن، ووزير الدفاع ليون بانيتا العائلات في أندروز. كان لدى كل من شون سميث وتايرون وودز أولاد صغار، ولم أستطع تحمل مجرد رؤيتهم هناك وعلمي أنهم سيكبرون من دون والديهم. كان للرجال الأربعة محبّون دمّرتهم الفاجعة. لا يمكن الشعور بالارتياح أو التفهم وسط أوضاع كهذه، وكل ما يمكنك فعله هو لمسة إنسانية، وكلمة طيبة، وعناق لطيف. احتشد في القاعة أكثر من ٦٠ شخصًا من أفراد عائلاتهم وزملائهم المقرّبين، وحمل كل واحد حزنه في قلبه. جمعتهم بطولة أحبائهم والخدمات التي قدموها، والحزن الذي شعروا به لخسارتهم زوجًا أو ابنًا أو والدًا أو أخًا.

مشينا إلى حظيرة الطائرات المفتوحة والواسعة خارجًا، قبالة المدرج، حيث اجتمع آلاف الأصدقاء والزملاء تحت علم أميركي ضخم، في تعبير استثنائي عن دعمهم واحترامهم. وقف الجميع في صمتٍ مهيب، في حين حمل مشاة البحرية الأميركية، بزيهم الأزرق والأبيض، النعوش الأربعة الملفوفة بالأعلام، من طائرة النقل إلى سيارات دفن الموتى، ثم أدوا التحية للذين سقطوا. ورفع قسيس عسكري صلاةً عن أرواحهم.

عندما حان دوري في الكلام، أشدتُ بخدمة محبي الوطن الأربعة الذين فقدناهم، وبتضحياتهم، محاولةً أن أعبّر عن اعتزازي واعتزاز زملائي بهم، وعن الحزن الذي يملأ قلوبنا. وأردتُ أن أكرّم أيضًا العمل الدبلوماسي الذي تجلّى لدى كريس ستيفنز وتكلّمتُ على مشاهد التعاطف والوحدة اللافتة التي رأيناها في ليبيا منذ وفاته، والتي تشهد على الأثر الذي تركه كريس فيهم. قرأتُ كذلك رسالة على الملأ من رئيس السلطة الفلسطينية محمود عباس، الذي ربطته علاقة عمل وثيقة بكريس عندما خدم في القدس، مستذكرًا حيويته ونزاهته. وندد عباس بمقتل كريس واصفًا إياه بـ «العمل الإرهابي البشع». أخيرًا، وبينما تواصلت الاحتجاجات في المنطقة، تصدّيتُ مرةً جديدة للاضطراب القائم ولمعاداة الولايات المتحدة التي تعصف بالشرق الأوسط، بعدما اندلعت شرارتها بفيلم فيديو، قبل أن تأخذ مسارًا خاصًّا، وسألت: «لمَ تقايض شعوب مصر وليبيا واليمن

وتونس طغيانَ دكتاتورٍ باستبدادِ رعاع». على العنف أن يتوقف، وقد تمر علينا أيام أكثر صعوبة، لكن الولايات المتحدة لن تنسحب من العالم أو من مسؤولياتها القيادية في العالم. «سنمسح دموعنا، ونقوي عزيمتنا، ونواجه المستقبل في بسالة».

وبعدما انتهى الرئيس أوباما من إلقاء كلمته التأبينية التي اتسمت بالوقار، ضغطتُ على يده، فطوقني بذراعه، في وقتٍ كانت فرقة مشاة البحرية تعزف لحن «أميركا الجميلة». لم أشعر يومًا بعبء المسؤولية التي يمليها عليَّ منصبي، كذاك اليوم.

بصفة كوني وزيرة الخارجية الأميركية، كنتُ مسؤولة عن سلامة قرابة سبعين ألف شخص، تابعين للوزارة وللوكالة الأميركية للتنمية الدولية، وعن أكثر من ٢٧٠ مركزًا لنا في العالم، وكنتُ المسؤولة بالتالي لدى وقوع أحداث شائكة، كما حدث في بنغازي، ويترتّب عليَّ التأكد من تحديدنا مكامن الضعف في نظام الوزارة وإجراءاتها الأمنية، ومن أننا فعلنا كل ما أمكن لخفض خطر وقوع مأساة أخرى في المستقبل. أخذنا العبر من بيروت عام ١٩٨٣، ومن كينيا وتنزانيا عام ١٩٩٨، ومن أحداث ١١ أيلول/سبتمبر ٢٠٠١، وحان الوقت الآن لنتعلم من مأساة بنغازي. كان يفترض أن تبدأ عملية استخلاص العبر بتحديد الأمور الخاطئة التي وقعت.

كلما خسرنا أحد أفراد سلك الوزارة الذين يؤدون واجبهم خارج البلاد، يفرض القانون على هيئة المراجعة والمحاسبة التي يبلغ عدد أعضائها تسعة عشر، منذ العام ١٩٨٨، التحقيق. واختير توماس بيكرينغ رئيسًا لهيئة المراجعة الخاصة ببنغازي. وبيكرينغ هو مسؤول سابق متقاعد من الخدمة الخارجية، يحمل سجلًا نظيفًا بالكامل، ومثّل الولايات المتحدة عالميًّا، في مناطق صعبة مثل السلفادور، خلال حربها الأهلية، وإسرائيل، خلال انطلاق الانتفاضة الأولى، وروسيا في السنوات الأولى التي تلت انهيار النظام السوفياتي. يتحلى توم بالصرامة والذكاء والصراحة الزائدة، ولن يوفر انتقاداته حيث يجد خطأ، إجلالًا للوزارة التي أحبّها، وحفاظًا عليها. إذا كان مقدرًا لأحدهم أن يقود تحقيق ثقة، ويجد أجوبةً عن أسئلتنا الكثيرة، فمن الطبيعي أن يكون السفير بيكرينغ.

شارك بيكرينغ في التحقيق، رئيس هيئة الأركان المشتركة السابق، أحد أفراد القوات البحرية، وصاحب الكلام المستقيم الأميرال المتقاعد مايك مولن. وانضمّ إليهما فريق متميز من موظفي الخدمة العامة، ذوي الخبرة الطويلة على الصعد الدبلوماسي والإداري والاستخباري. وارتكزت مهمة المجلس المؤلف من خمسة أعضاء على الغوص في الأحداث ومعرفة ما حدث.

أعلنتُ التحقيق في ٢٠ أيلول/سبتمبر، بعد أسابيع قليلة على الاعتداء، ولم يطل الوقت للشروع

فيه كما كانت حال التحقيقات السابقة، بل كان من المهم أن نتحرك في أسرع وقت ممكن. أمرتُ جميع العاملين في وزارة الخارجية بالتعاون الكامل وحثثتُ المجلس على التدقيق في كل شاردة وواردة من دون قيود، لتقصي أي أمر، والتحقيق مع أيٍّ كان، إن كان يصبّ في مصلحة التحقيق، ومعي أنا ضمنًا إذا ارتأوا ذلك.

ومع أن معظم تقارير لجان المراجعة السابقة كانت تُحجب عن الرأي العام، أردتُ هنا أن أنشر كل ما أمكن، من دون المساومة على الحساسيات الأمنية.

وعندما وُضع التحقيق على سكّته، اتخذتُ خطوات لمعالجة بعض نقاط الضعف الملحة التي لا يمكنها الانتظار إلى حين إصدار التقرير الرسمي. فأمرتُ بإجراء مراجعة شاملة وفورية لوضع أمننا الدبلوماسي في العالم، وطلبتُ من وزارة الدفاع أن تنضم إلينا في تشكيل فرق تقويم الأمن المشتركة للتدقيق المتمعّن في وضع سفاراتنا وقنصلياتنا الواقعة في مناطق خطرة، ولإرسال فرق مؤلفة من خبراء في القوات الخاصة والأمن الدبلوماسي إلى أكثر من عشرة بلدان حيث المخاطر مرتفعة. عملتُ مع الجنرال دمبسي، والوزير بانيتا على نشر عدد أكبر من حرس الأمن البحري، كدعم أمني للمراكز الواقعة في دائرة الخطر، وطلبتُ من الكونغرس أن يخصّ مشاة البحرية بتمويلٍ أكبر، وتوظيف وكلاء جدد في مجال الأمن الدبلوماسي، ومعالجة نقاط الضعف الحسيّة، في منشآتنا في الخارج. وسميتُ، في مكتب الأمن الدبلوماسي، أول نائب مساعد لوزير الخارجية لشؤون المواقع الشديدة المخاطر.

عندما أنهت هيئة المراجعة والمحاسبة تقريرها، قدّم إلي السفير بيكرينغ والأميرال مولن موجزًا عن النتائج التي توصلا إليها. لم يخفيا أي أمر، وأتى التحقيق شديد اللهجة، مكتشفًا مشكلات بنيوية وخللًا إداريًّا في مصلحتي الأمن الدبلوماسي وشؤون الشرق الأدنى. ووجدا تنسيقًا ضئيلًا بين المكاتب التي تتولى الأمن الدبلوماسي من جهة، وتلك التي تقود السياسة والعلاقات مع الحكومة المُضيفة، من جهة أخرى. لم يُنظر إلى الأمن على أنه «مسؤولية مشتركة»، وكان ثمة التباس في شأن من يملك صلاحيات ميدانية لاتخاذ قراراتٍ، بعيدًا من السفير نفسه. مع أكثر من ٢٧٠ مركزًا في العالم، ولكل منها تحدياته التقنية ومتطلباته، لم تكن الأسئلة المتعلقة بالأمن تُرفع يوميًّا إلى المستويات العليا في الوزارة، ونتيجةً لذلك، لم تكن القيادة ملائمة في المسائل الأمنية.

وعلى الرغم من التحديثات الأمنية التي نُفذت في مجمّع بنغازي – بينها زيادة ارتفاع الحائط الخارجي بالإسمنت، والأسلاك الشائكة؛ وتركيب إنارة خارجية، وحواجز إسمنتية للمركبات، ومراكز حراسة، وسواتر ترابية؛ وتدعيم الأبواب الخشبية بالفولاذ وتعزيز الأقفال؛ وزيادة أجهزة كشف المتفجرات – قرّرت الهيئة أن هذه التدابير الوقائية غير ملائمة، بما يكفي، في مدينة هي عرضة للأخطار المتفاقمة. ركّز التحقيق وتساؤلات الكونغرس على طرح مفاده: هل

رفض المسؤولون الأمنيون في واشنطن طلبات موظفي الأمن في ليبيا؟ وجدت هيئة المراجعة أن العناصر في بنغازي لم يشعروا أن متطلباتهم الأمنية هي «أولوية قصوى بالنسبة إلى واشنطن» وأن «السفارة في طرابلس لم تلح على واشنطن كي تعزز الأمن». كان في السفارة، وفي المصالح والمكاتب المنوطة بها، والمكلّفة اتخاذ قرارات في الشأن الأمني، «التباس في شأن من هو المسؤول والمخوّل اتخاذ قرارات، في النهاية»؟ كان التواصل بين واشنطن وطرابلس يتمّ بالهاتف والرسائل الإلكترونية والبرقيات. ويُرسل الملايين من تلك الوثائق سنويًّا من أحد مراكزنا إلى المقرّ الرئيس، ومن المقر الرئيس إلى المراكز، وبين المراكز، وهكذا دواليك. وهي تُستخدم في كل الأحوال، لتلخيص ما يحدث في بلد معيَّن، إلى إعلان تغييرات على مستوى الطاقم. كل برقية مرسلةٍ إلى المقر الرئيس، تُوجه باسم السفير إلى وزير الخارجية، وكل برقية مدوّنة في المقر الرئيس توجَّه باسم وزير الخارجية إلى السفير. قد لا يكون لكل ذلك معنى فعلي، لكن وزارة الخارجية تتبع هذا الأسلوب منذ القدم. وبطبيعة الحال، يستحيل على أي وزير أن يكتب أو يقرأ البرقيات التي يفوق عددها المليونين سنويًّا، ولا يقوم السفير بنفسه بكتابة كل برقية ترد على سفارته أو تخرج منها – أو يكون على علم بها. يُحال جزءٌ منها فحسب إلى الوزير، بينما يكون العدد الأكبر منها من اختصاص أقسام أخرى، وتحصى أحيانًا بالمئات.

أفاد بعض النقاد من هذه المراوغة في الإجراءات، للقول إن الطلبات الأمنية وصلت إلى مكتبي. لكن الأمور لا تتمّ بهذه الطريقة. من غير الممكن أن تجرى الأمور على هذا النحو، ولم تُجرَ، لأن القضايا الأمنية هي من اختصاص المسؤولين عن الأمن. وقليلًا ما ترد برقيات كهذه على مكتب وزير الخارجية. أولًا، لم يرد المرسِل أن تصل إلي، فلا يراسلني وكيل في إسلام أباد طالبًا مني ذخيرة إضافية. ثانيًا، لا معنى لذلك، فالمتخصصون الذين أوكلت إليهم الشؤون الأمنية، هم المخوّلون اتخاذ القرارات الأمنية. ثالثًا، يستحيل على أي وزير في الحكومة أن يتولى تلك الأمور، لا بسبب حجمها وحسب، بل لأنها ليست من اختصاصه، ولا هي من اختصاصي. كنتُ أؤمن بالأمن الدبلوماسي، لأنه يحمي مراكزنا في المناطق الخطرة في العالم، بينها البلدان الأكثر عرضة للتقلبات، مثل أفغانستان واليمن.

توصلت هيئة المراجعة إلى اكتشاف آخر، يفيد أن الوزارة تعتمد كثيرًا على الأمن الليبي المحلي. وفقًا لاتفاق فيينا للعلاقات الدبلوماسية، للعام ١٩٦١، تتولى الحكومات المضيفة المسؤولية الأساسية عن توفير الأمن للمنشآت الدبلوماسية في بلادها. ولكن، في المرحلة المتصدعة، ما بعد الثورة الليبية، تقلّصت قدرات الحكومة، مع قيام الميليشيا بعدد من مهماتها. فتعاقدت الوزارة مع أعضاء من الميليشيا المحلية، ودققت في أوضاعهم وكالة الاستخبارات المركزية، ليكونوا موجودين في المجمع في كل الأوقات، وتعاقدت كذلك مع حراس أمن محليين عزّل، لحفظ النقاط الرئيسة.

وكما أصبح جليًّا خلال الاعتداءات، كانت ثمة نقاط ضعف كارثية في قدراتهم واستعدادهم لتأدية واجبهم الأمني ضد أبناء بلدهم الليبيين، عندما كانت الحاجة ماسة إليهم.

ولاحظت هيئة المراجعة أيضًا أن وزارة الخارجية «كافحت لتجد الإمكانات الضرورية للاستمرار في عملها»، وهذا ما واجهناه وسط تقلص موازنة الحكومة كلها. أمضيتُ أربعة أعوام أعرض خلالها لوجهة نظري أمام الكونغرس، وهي أن تمويل الدبلوماسيين وخبراء التطور، بما يكفي، هو أولوية أمنية لوطننا، وأن لدينا شركاء كثرًا عظماء وأبطالًا في كابيتول هيل. لكن الأمر يشكل تحديًا متواصلًا. ودعت هيئة المراجعة إلى «إبداء الكونغرس التزامًا أكثر جدية واستمرارًا في دعم متطلبات وزارة الخارجية التي تشكل في مجموعها، نسبةً ضئيلة من موازنة الدولة ككلّ، ومن مصاريف الأمن القومي».

وفي تحليلها النهائي، وجدت هيئة المراجعة أن «موظفي الولايات المتحدة على أرض بنغازي قاموا بعمل شجاع باستعدادهم للمخاطرة بحيواتهم لحماية زملائهم، في ظروف شبه مستحيلة». وعلى الرغم من العيوب التي شابت أنظمتنا الأمنية، خلص التحقيق إلى أن «كل الجهود الممكنة بُذلت لإنقاذ السفير ستيفنز وشون سميث وإعادتهما» و«بكل بساطة، لم يكن هناك متسعٌ من الوقت للجنود الأميركيين المسلحين لإحداث الفارق». وأشاد التقرير بتنسيق الإدارة «الاستثنائي» الذي أتى «في الوقت المناسب» خلال الأزمة، ولم يجد أي تأخير في اتخاذ القرارات، وأي رفض لتقديم الدعم، إن من واشنطن، وإن من الجيش، مشيرًا إلى أن استجابتنا أنقذت حياة الأميركيين، وهذا ما حدث فعلًا.

ورفعت الهيئة ٢٩ توصية محددة (٢٤ غير مصنفة) لمعالجة العجز الذي اكتشفته على بعض المستويات، كالتدريب والوقاية من الحرائق والتوظيف وتحليل التهديدات. فوافقتُ الهيئة على البنود التسعة والعشرين كلها، وقبلتُها على الفور. وطلبتُ من نائب الوزير طوم نايدز، ترؤس فريق عمل للتأكد من تطبيق كل التوصيات في شكل سريع وتام، ولاتخاذ عدد من الخطوات الإضافية فضلًا عن تلك المذكورة في التوصيات. وسنلقي نظرة شاملة على طريقة اتخاذ وزارة الخارجية قراراتها في شأن أفرادنا، هل يعملون في مناطق شديدة المخاطر، وأين، ومتى، وكيف نرد نحن على تلك التهديدات والأزمات.

انكبّ طوم وفريقه فورًا على العمل، مترجمين كلًّا من التوصيات إلى أربعة وستين تحركًا محدّدًا، أوكلت إلى المصالح والمكاتب مع وقت محدد لإنهائها. بل وأكثر، انطلقنا في مراجعة سنوية للمراكز الأكثر عرضة للخطر، تكون برئاسة وزير الخارجية، وفي مراجعات تتم في شكل متواصل، يرأسها نواب الوزير، للتأكد من وصول الأسئلة الأمنية المحورية إلى أعلى مستوياتها. بدأنا أيضًا

بتنظيم البروتوكول لنشارك الكونغرس في معلوماتنا، فيأخذ مجلس الشيوخ في الحسبان حاجاتنا الأمنية الميدانية لدى اتخاذه قرارات تتعلق بالموارد.

تعهدتُ أنني لن أترك منصبي قبل وضع كل التوصيات على سكتها الصحيحة، وكنا حققنا هدفنا حتى ذلك اليوم. عملت وزارة الخارجية مع الكونغرس ووزارة الدفاع على زيادة عدد مفارز أمن البحرية في المنشآت الدبلوماسية الأميركية، وبدأت، بعد المراجعة، بتحديث الأجهزة الضرورية للوقاية من الحرائق وسلامة الأرواح في الخارج، وباشرت تجهيز المنشآت الخارجية كافةً بكاميرات مراقبة حديثة، وأوجدت ١٥١ وظيفة جديدة في نطاق الأمن الدبلوماسي بدعمٍ من الكونغرس، وعززت التدريبات الأمنية في الوزارة.

بصفة كوني سيناتورة سابقة، أتفهم الدور الرقابي الواجب على الكونغرس تأديته، وأحترمه جدًّا. فخلال الأعوام الثمانية التي أمضيتها في الخدمة في كابيتول هيل، مارستُ هذا العمل المسؤول مرات، عندما كنتُ أؤمن بأن ثمة أسئلة حازمة تتطلب أجوبة. فالتجاوب والشفافية مع النواب يشكلان أولوية مباشرةً بعد الاعتداءات. قررتُ أن أذهب إلى كابيتول هيل خلال الأسبوع الذي أعقب الهجمات، لأقدم موجزًا إلى مجلسي النواب والشيوخ عما توصلنا إليه، في حضور مدير الاستخبارات الوطنية جايمس كلابر، ونائب وزير الدفاع آشتون كارتر، ونائب رئيس هيئة الأركان المشتركة الأميرال جايمس «ساندي» وينفيلد جونيور، وكبار المسؤولين الآخرين من منظمتي الاستخبارات وتنفيذ القانون. كان عدد من أعضاء الكونغرس غير راضين عن الأجوبة التي سمعوها ذلك اليوم؛ في حين ثار غضب بعضهم. أما نحن فكنا محبطين، لا نملك كل الأجوبة، لكن ذلك لم يمنعنا من إطلاعهم على ما نعرفه. ومع أن الاجتماع كان مقررًا لساعة واحدة، أمضيتُ، في قاعة مجلس الشيوخ، أكثر من ساعتين ونصف الساعة، حتى يتمكّن الشيوخ الذين لديهم أسئلة، من طرحها.

خلال الأشهر التالية، مثُل كبار المسؤولين من وزارتي الخارجية والدفاع ووكالة الاستخبارات الأميركية، ومكتب التحقيق الفدرالي، ووكالات استخبارية أخرى، ومعظمهم مهنيون غير حزبيين، في أكثر من ثلاثين مناسبة، أمام ثماني لجان مختلفة منبثقة من مجلس الشيوخ، وقدموا وثائق من آلاف الصفحات، وردوا على الأسئلة في سرعة وشمولية، قدر المستطاع.

وأمضيتُ، في كانون الثاني/يناير، أكثر من خمس ساعات أدلي بشهادتي أمام مجلسي الشيوخ والنواب، وأجيب بأفضل طريقة ممكنة عمّا فاق مئة سؤال طرحها عشرات الأعضاء، بناءً على ما توافر لدينا من معلومات حتى ذلك الوقت. ومع أن ولايتي شارفت النهاية، أكدتُ لأعضاء المجلسين أنني عازمة ترك وزارة الخارجية والبلاد أكثر أمنًا وقوة. وفي إطار حديثي عن اعتداءات بنغازي،

لفتُّ إلى أنني «كما قلتُ مرات كثيرة، أتحمل المسؤولية، وما من أحد ملتزم إحقاق الحق أكثر مني». ذكّرتُ النواب بأن للولايات المتحدة دورًا حيويًّا كقائد عالمي، وتترتب النتائج من جراء غياب أميركا، خصوصًا في البيئات غير المستقرة. لهذا السبب أوفدتُ كريس ستيفنز إلى ليبيا في الدرجة الأولى؛ ولهذا السبب أيضًا أراد هو أن يكون موجودًا هناك. وقلتُ إننا مسؤولون عن التأكد من حصول الرجال والنساء الذين يحتلون الصفوف الأمامية على الإمكانات التي تلزمهم، ومن فعل كل ما أمكننا لخفض المخاطر التي يواجهونها. لا تستطيع أميركا أن تنسحب، ولن تنسحب.

طرح بعض أعضاء الكونغرس أسئلة رصينة تهدف إلى تطبيق الدروس القاسية التي تعلمناها وتحسين العمليات المقبلة، بينما استمر آخرون في تركيزهم على مطاردة نظريات المؤامرة التي لا تمتّ بصلة إلى الطريقة التي تمكّننا من تفادي المآسي المستقبلية. أما البعض الآخر فحضر من أجل أن تلتقط له الكاميرات صورًا، مفوتًا جلسات الاستماع المغلقة لأنها لا تتيح له فرصة الظهور على التلفزيون.

تركز الانتباه على ما قالته سفيرتنا في الأمم المتحدة سوزان رايس، في البرامج الحوارية صباح الأحد ١٦ أيلول/سبتمبر، أي بعد خمسة أيام على اعتداءات بنغازي. ففي إطار الرد على الأسئلة، نبهت إلى أن حقائق الأحداث التي دارت في بنغازي ما زالت غير واضحة وأننا ننتظر نتائج التحقيق. لكنها قالت إن الاعتداءات، بناءً على المعطيات المتوافرة راهنًا، كانت «في الأساس رد فعل عفوياً على ما حدث قبل ساعات في القاهرة، ونسخة تقريبية عنه، وعن التظاهرات ضد منشآتنا في القاهرة، التي حرّكها الفيديو من دون شك. وحدث ما نفترضه في بنغازي لاحقًا، فجاء عناصر متشددون وانتهازيون إلى القنصلية وسط تفاقم الأوضاع».

اتهمها النقاد بأنها تلفق الروايات عن احتجاجات لم تحدث قط، لتغطي على حقيقة أن ما حدث كان اعتداء إرهابيًّا ناجحًا على مرأى من الرئيس أوباما، وباتوا مهووسين بمعرفة مَن حضّر من الحكومة «نقاط حديث» سوزان ذاك الصباح، آملين في إيجاد دليل إلى مخالفات سياسية من العيار الثقيل في البيت الأبيض. وقد جاءت تصريحات سوزان نقلًا عما ظنته الاستخبارات، صوابًا كان في ذلك الوقت أم خطأً. كان هذا أفضل ما يمكنها أو يمكن لأحد فعله. كنا نسرع في إطلاع الكونغرس والشعب الأميركي على كل خطوة نقوم بها، وعلى أي معلومة جديدة. ثمة فارق بين فهم الأمور في شكل خاطئ وارتكاب الخطأ. الفارق كبير والبعض لا يرى، إلى حد وضع الذين أخطأوا في خانة المخادعين عمدًا.

ركز كثر أيضًا على السؤال عن سبب غيابي عن شاشات التلفزة ذاك الصباح، كأن الظهور في برنامج حواري يوازي عمل هيئة المحلفين، حيث يكون للمرء سبب يفرض عليه الهرب. لا أرى في الظهور في برنامج الأحد الصباحي مسؤولية أكبر من الظهور على الشاشة في وقت متقدم

من الليل. وفي واشنطن وحدها، يحدَّد موعد التكلم إلى الأميركيين أيام الآحاد، التاسعة صباحًا. فالأيام والساعات التي تفصل بين المواعيد لا يحسبونها. لا آخذ الأمر على محمل الجد.

يحتاج الشعب الأميركي إلى أن نبقيه مطلعًا على الأحداث. هذه مسؤوليتنا، وأردتُ أن يسمع الشعب ذلك مني، مباشرةً. ولهذا السبب تكلمتُ أمام الملأ صباح اليوم الذي أعقب الاعتداء، وبعد يومين في قاعدة أندروز للقوات الجوية، ومرات كثيرة خلال الأسابيع والأشهر التي تلت، من خلال البيانات والمقابلات والمؤتمرات الصحافية.

أوضح السجل العام الواسع النطاق الآن أن سوزان كانت ترتكز على معلومات مصدرها وكالة الاستخبارات الأميركية التي أقرّت بها. فالمسودات السابقة التي تضمنت نقاط الحديث التي تولت الوكالة كتابتها وتوزيعها، أشارت إلى أننا «نؤمن بناءً على المعطيات المتوافرة راهنًا، بأن الاعتداءات في بنغازي استُلهمت في شكلٍ عفوي من التظاهرات التي نُظِّمت أمام السفارة الأميركية في القاهرة». لم يكن الوكلاء السياسيون في البيت الأبيض من قدروا هذا الأمر، بل اختصاصيون في أجهزة الاستخبارات، وكتبه مسؤولوها ليستخدمها الأعضاء الديمقراطيون والجمهوريون، على السواء، في لجنة المجلس النيابي الرئيسة الموكلة الإشراف على أجهزة الاستخبارات الأميركية، والتي سألت دافيد بيترايوس في النهاية أن يقدم إليها موجزًا عن بنغازي، الجمعة ١٤، ليتمكن الأعضاء من التصريح ببعض ما سمعوه في الجلسة المغلقة على شاشات التلفزة. لم توضع النقاط لتشكل محاسبة استنزافية لكل فرد في الاستخبارات؛ بل هدفها الأساس مساعدة أعضاء الكونغرس الذين اطلعوا على المعلومات مسبقًا، على الإدلاء بتصريحات علنية مع إبقائهم المواد الحساسة أو السرية قيد الكتمان. لم يعلم أي من مسؤولي الاستخبارات أن سوزان ستستخدم النقاط الواردة بعد يومين. هذه نظرية مؤامرة أخرى تنافي الحقائق والمنطق.

سئلتُ عن الموضوع تكرارًا خلال شهادتي أمام الكونغرس، فأجبتُ أنني «لم أكن مركزةً شخصيًّا على نقاط الحديث، بل صببتُ اهتمامي على الحفاظ على سلامة عناصرنا». في مرحلةٍ ما، وخلال بعض المساءلات المغرضة على وجه التحديد، ارتفعت حرارة الأجواء، وبعدئذٍ، أخرجوا كلماتي عن نطاقها، من أجل أهداف سياسية، فمن المهم أن أعيد جوابي الكامل في ذاك اليوم:

> مع كل الاحترام الواجب، الحقيقة هي أن أربعة أميركيين قُتلوا. هل توفوا بسبب تظاهرة؟ أم لأن عددًا من الشبان كان يسيرون خارجًا ذات ليلة وقرروا أن يقتلوا بضعة أميركيين؟ ما الفارق الذي تحدثه هذه النقطة؟ من واجبنا معرفة ما حدث، والقيام بكل ما أمكننا لتفادي تكرار الأمر، أيها السيناتور. وفي صراحةٍ، سأفعل الآن ما في وسعي للإجابة عن أسئلتكم عن هذه المسألة، لكن الحقيقة أن الناس حاولوا الحصول على المعلومات

الشافية مباشرةً. أتفهم أن لدى أجهزة الاستخبارات إجراء يقوم على جلوسها مع لجان أخرى لتشرح كيف توصلت إلى نقاط الحديث هذه. ولكن، ولنكن واضحين، لا أهتم اليوم، ومن وجهة نظري الخاصة، بالتطلع إلى الوراء لأفهم لمَ قرر هؤلاء المقاتلون القيام بالاعتداء، بقدر ما يهمني أن أجدهم وأسوقهم إلى العدالة، وقد نعرف بعدئذٍ ما الذي حدث.

وفي مثال آخر على تسييس المأساة الفظيع، اختار كثر في بساطة، أن يحرّفوا جملة «ما الفارق الذي تحدثه هذه النقطة»؟ ويعنون بذلك أنني كنتُ أقلل شأن مأساة بنغازي. بالطبع لم أقل ذلك، وما من شيء أهم من الحقيقة. وكثيرون من الذين حاولوا تحريف الكلام، كانوا يعرفون مقصدي، لكنهم لا يكترثون. كانت إشارتي بسيطة: إذا اقتحم أحدهم منزلك وأخذ عائلتك رهينة، كم من الوقت ستمضي في التفكير في تفاصيل يوم هذا الدخيل، بدلًا من التركيز على أفضل طريقة تنقذ فيها أحباءك، ومن ثم تفادي تكرار الحادث؟ يردد عدد من هؤلاء الأشخاص أنفسهم الأسئلة التي بقيت من دون جواب. لكن ثمة فارقًا بين الأسئلة التي لم يُجَبْ عنها، والأجوبة التي لم يُصغَ إليها.

فوسط الإقبال على حملة رئاسية محكمة، قبل موعد الانتخاب بأقل من شهرين، ربما من السذاجة أن أفكر في عدم استغلال البعض مقتل الأميركيين الأربعة لأهداف سياسية. فالسياسة لم تفعل سوى تعكير سياق الكلام، والتعتيم على عدد من الحقائق. وتكمن إحدى الإيجابيات الفضلى لأن تكون وزيرًا للخارجية، أن تختبر الأمور خلال أربعة أعوام في مكان تغيب السياسيات الحزبية عن نطاق العمل.

أولئك الذين يستغلون المأساة مرارًا وتكرارًا كأداة سياسية، يقللون تضحيات الذين خدموا بلادنا. لن أكون جزءًا من صراع سياسي على حساب القتلى الأميركيين. فهذا خطأ عارم، لا يستحقه بلدنا العظيم. وعلى المصرّين على تسييس المأساة، عدم عَدّي معنية.

بصفة كوني وزيرة، تعرّفتُ إلى عدد من مسؤولي الأمن الدبلوماسيين الموزعين في العالم، وكنتُ شاكرة جدًّا خدمتهم ومهنيتهم، بينما كان الوكيلان المسؤولان عن أمني، أولًا فريد كيتشيم، ومن ثم كيرت أولسون، هادئين ولا يتعبان، وأمنتُهما على حياتي.

ومع أن عدد الوكلاء الخمسة الموجودين في بنغازي، في ١١ أيلول/سبتمبر، كان فائقًا إلى حد كبير، إلا أن عملهم كان بطوليًّا، واضعين حيواتهم على المحك، لحماية زملائهم. أمضى الوكيل دافيد أشهرًا للتماثل إلى الشفاء في مركز والتر ريد الاستشفائي على أثر إصابته الحرجة في الاعتداء بقذائف الهاون على مركز وكالة الاستخبارات. فاتصلتُ به وقتذاك وأبلغتُه أنني سأقيم له

ولزملائه استقبالًا، عندما تتحسن حاله، لتكريمهم في شكل لائق من أجل خدمتهم.

صباح الحادي والثلاثين من كانون الثاني/يناير ٢٠١٣، قبل يوم من انتهاء مهمتي وزيرةً للخارجية، امتلأت تريتي روم بعائلات الوكلاء الخمسة وأصدقائهم. كان دافيد لا يزال على الكرسي المتحرك، لكنه تمكن من المجيء. كذلك حضر أفراد من عائلة ستيفنز، للإعراب عن تقديرهم لما فعله هؤلاء الرجال في سبيل حماية كريس. وكان شرفًا لي أن أكرّمهم لشجاعتهم ومهنيتهم، هم الذين مثلوا القوة وروح الدولة العظيمة، مانحةً كلَّ واحد منهم قلادة البطولة. فدمعت أعين الموجودين في تلك الأثناء. كان تذكيرًا بأننا رأينا، تلك الليلة العصيبة، ما هو أفضل وما هو أسوأ في الطبيعة البشرية، كما حدث معنا قبل أحد عشر عامًا.

ذكريات بنغازي لن تفارقني أبدًا، وسترسم الطريقة التي يقوم فيها الدبلوماسيون الأميركيون بعملهم مستقبلًا. لكن من واجبنا استذكار كريس ستيفنز وشون سميث وغلين دوهيرتي وتايرون وودز، للطريقة التي عاشوا فيها وللطريقة التي ماتوا فيها. هم تطوعوا لخدمة بلادهم في الأماكن غير الآمنة على الإطلاق، لأنها تلك هي المناطق التي تهدد مصالح أميركا وقيمها وكنا في حاجة كبيرة إليهم هناك.

الفصل الثامن عشر

إيران: العقوبات والأسرار

يميل سلطان عُمان إلى الإثارة.

كنا جالسين إلى مائدة غداءٍ فخمة، في قصرٍ من تصميم السلطان نفسه، في العاصمة العُمانية، مسقط، في أقصى شبه الجزيرة العربية، عندما صدح اللحنُ العسكري المألوف «جرس الحرية» لجون فيليب سوسا. ابتسم السلطان قابوس، وهو يرتدي ثوبًا طويلًا وفضفاضًا، معلّقًا في حزامه الخنجر الخاص بالاحتفالات، وعلى رأسه عمامةٌ ملوّنة، ونظر إلى أعلى، حيث ظهر قسمٌ من الأوركسترا السمفونية السلطانية في عُمان على شرفةٍ فوقنا، مغطاة جزئيًّا بشاشة. كانت لفتةً تقليدية من قائد محنّك ولبق، يثمّن علاقته بالولايات المتحدة الأميركية، ويهوى الموسيقا، هو من استخدم نفوذه المطلق لتطوير بلاده، طوال سنوات حكمه الممتدة أربعة عقود.

ما رغب السلطان في قوله كان، بعدُ، أكثر إثارةً، في ١٢ كانون الثاني/يناير ٢٠١١، أي قبل أيام قليلة من بداية الربيع العربي الذي قلب لعبة الشطرنج الجيوسياسية في الشرق الأوسط. كنت وصلت لتوّي من اليمن، الجار الجنوبي المضطرب لعُمان، عازمةً التوجه إلى مؤتمرٍ إقليمي في قطر، لتحذير القادة من أن «نظامهم سيغرق تحت الرمال» في غياب أيّ إصلاحٍ سياسي واقتصادي. لكنَّ تركيز السلطان اليوم منصبٌّ على إيران.

كانت المواجهة في شأن البرنامج النووي الإيراني المحظور الذي يشكل تهديدًا ملحًّا للأمن

ببعديه الإقليمي والعالمي، تتفاقم. منذ العام ٢٠٠٩، اتّبعَت إدارة أوباما خطةً «مزدوجة المسار» لممارسة الضغط والمشاركة، إلّا أن المفاوضات كانت متجهة إلى العدم بين إيران والدول الخمس الدائمة العضوية في مجلس الأمن الدولي (الولايات المتحدة وروسيا والصين وبريطانيا وفرنسا)، إضافةً إلى ألمانيا – أي ما يسمّى بمجموعة الخمسة زائدًا واحدًا – بينما تزايدت فرضية المواجهة المسلّحة التي قد تشمل هجومًا إسرائيليًّا للقضاء على منشآت إيران النووية، مثل ذلك الذي نُفّذ على العراق عام ١٩٨١، وعلى سوريا عام ٢٠٠٧.

«أستطيع المساعدة» قال السلطان. كان جميع الأطراف يعدّونه أحد القادة النزهاء، لتمتّعه بعلاقات وثيقة مع كلّ من واشنطن ودول الخليج وطهران. فاقترح استضافة محادثات مباشرة وسرية بين الولايات المتحدة وإيران لحلّ المسألة النووية، بعدما فشلت كل المحاولات السابقة لإشراك النظام الديني الإيراني. لكن السلطان أعرب عن اعتقاده أن ثمة فرصةً لديه لتسهيل الحلحلة، فيما السرية ضرورية لمنع المتشددين من كل الجهات من عرقلة المحادثات، حتى قبل انطلاقها. فهل أنا مستعدّة للبحث في الطرح؟

من جهة، ليس هناك سبب يدفعنا إلى الوثوق بالإيرانيين، بل ولدينا كل ما يدعو إلى الاعتقاد أنهم سيستغلّون أي فرصة للتأجيل والتشتيت. قد تتحوّل مطلق مفاوضات جديدة فخًّا يمنح الإيرانيين مزيدًا من الوقت لخوض سباق أقرب إلى مبتغاهم في امتلاك سلاح نووي، يهدد إسرائيل وجيرانهم والعالم أجمع. يمكن أيًّا من التنازلات التي قدمناها كجزءٍ من المحادثات هذه، إبطالُ سنوات من العمل الدقيق لتوفير إجماع دولي، وبالتالي فرض عقوبات قاسية وزيادة الضغوط على النظام في طهران. من جهةٍ أخرى، يمكن عرض السلطان أن يشكل الفرصة الفضلى لنا، لتجنّب الصراع أو أي احتمال مرفوض، يتيح لإيران التسلح نوويًّا. أما فشلنا في المضي قدمًا بالطرائق الدبلوماسية فقد ينتهي به الأمر إلى شجار بين أوساط التحالف الواسع النطاق الذي بنيناه لفرض العقوبات وتطبيقها على إيران.

يصعب التصديق، بعد كل ما حدث مذذاك، أن إيران كانت حليفة الولايات المتحدة خلال الحرب الباردة. عاهل البلاد، الشاه، يدين بعرشه للانقلاب الذي وقع عام ١٩٥٣، بدعم من إدارة أيزنهاور، على حكومة منتخبةٍ ديمقراطيًّا، ظُنّ أنها متعاطفة مع الشيوعية. كانت نقلةً كلاسيكية للحرب الباردة ومن جرائها، امتنع عددٌ من الإيرانيين عن مسامحة أميركا. تمتّعت حكوماتنا بعلاقات وثيقة استمرّت أكثر من خمسٍ وعشرين سنة – إلى أن أطيح الشاه المستبدّ، عام ١٩٧٩، على خلفية ثورة شعبية. وما لبث أن استولى الأصوليون الشيعة، بقيادة آية اللّه روح اللّه الخميني، على السلطة وفرضوا صيغتهم الدينية الثيوقراطية على الشعب الإيراني وأقاموا الجمهورية الإسلامية. كان

حكام إيران الجدد من أشدّ المعارضين لأميركا، «الشيطان الأكبر»، بحسب تعبيرهم. في تشرين الثاني/نوفمبر ١٩٧٩، اقتحم إيرانيون متطرفون مبنى السفارة الأميركية في طهران واحتجزوا اثنين وخمسين أميركيًّا رهائن، طوال ٤٤٤ يومًا. كان اختراقًا مروّعًا للقانون الدولي، وتجربة مؤلمة لبلادنا. أتذكر أني كنت أشاهد، ليلًا، في «ليتل روك»، التقارير الإخبارية وهي تعدّ الأيام التي مضت على احتجاز الرهائن، فيما الأزمة لا تزال مستمرة وما من فرج يلوح في الأفق. زادت الأمور مأسويةً، حين انتهت مهمةُ إنقاذ عسكرية نفذها الجيش الأميركي، بتحطم هليكوبتر وطائرة نقل في الصحراء، مخلِّفةً ثمانية قتلى من عناصر الخدمة.

خلّفت الثورة الإيرانية إرهابًا، استمرّ عقودًا، برعاية الدولة. نفّذ حرس الثورة الإسلامية الإيرانية وحزب اللّه، بصفة كونه وكيلًا إيرانيًا، هجماتٍ في أنحاء الشرق الأوسط والعالم، وشملت جرائمهما عمليات التفجير في بيروت، لبنان، مستهدفة السفارة الأميركية في نيسان/أبريل ١٩٨٣، وتسبّبت بمقتل ثلاثةٍ وستين شخصًا، بينهم سبعة عشر أميركيًّا؛ والاعتداء على ثكنة للبحرية الأميركية، في تشرين الأول/أكتوبر ذاك، وقد حصد ٢٤١ قتيلًا أميركيًّا؛ إضافةً إلى تفجير أبراج الخبر في السعودية عام ١٩٩٦ وقد أودى بحياة تسعة عشر فردًا من طاقم القوات الجوية الأميركية وخلّف مئات الجرحى. كذلك، استهدفت إيران يهودًا وإسرائيليين، ومن عملياتها تفجيرُ مركز ثقافي إسرائيلي في بوينس أيريس، الأرجنتين، عام ١٩٩٤، مما أدى إلى مقتل خمسة وثمانين شخصًا وجرح المئات. هكذا، لم تنفكّ وزارة الخارجية الأميركية تصنِّف إيران «الراعي الأول للإرهاب في العالم»، موثّقةً ارتباطها بالتفجيرات وعمليات الخطف، وأفعال إرهابية أخرى، واستخدامها صواريخ وأسلحة آلية وقذائف هاون إيرانية لقتل قوات أميركية فضلًا عن توجيهها نحو شركائنا في العراق وأفغانستان والمدنيين هناك.

ونظرًا إلى هذا السجل، شكّل احتمال تسلّح إيران النووي تهديدًا أمنيًّا خطرًا لإسرائيل والدول الخليجية المجاورة لإيران، وبالتالي للعالم أجمع، مما دفع بمجلس الأمن الدولي إلى إصدار ستة قرارات منذ العام ٢٠٠٦، يدعو من خلالها إيران إلى وقف برنامج السلاح والتقيد بمعاهدة الحدّ من انتشار الأسلحة النووية. فإيران، شأنها شأن أكثر من ١٨٠ دولة أخرى، من موقّعي المعاهدة التي تنصّ على حقّ الدول في امتلاك الطاقة النووية لأغراض سلميّة، وتطالب الدول التي تملك أسلحة نووية بالمضي قدمًا في عملية نزع السلاح، وأما تلك التي ليس لديها أسلحة نووية فبالامتناع عن حيازتها. في حين يُعدّ السماح لإيران بامتلاك سلاح من هذا النوع، انتهاكًا للمعاهدة، مما قد يفتح الباب على مصراعيه أمام انتشار السلاح النووي أولًا في الشرق الأوسط، بين خصوم إيران من قادة الدول السنّية، ومن ثمّ على الصعيد العالمي.

علمنا أن إيران عملت، سنوات، بغية تحقيق التطور التكنولوجي والمعدات الضرورية لإنتاج

قنبلة، على الرغم من الإدانة والضغط اللذين مارسهما المجتمع الدولي، إلى أن امتلكت، مطلع العام ٢٠٠٣، المئات من أجهزة الطرد المركزي لتخصيب اليورانيوم، وهي إحدى طريقتي تشغيل السلاح النووي، فيما الأخرى هي البلوتونيوم.

تدور أجهزة الطرد المركزي في سرعة فائقة، مخصّبةً اليورانيوم بدرجة عالية وكافية لإنتاج قنبلة، في عملية صعبة ودقيقة، تتطلّب الآلاف من هذه الأجهزة. وطوال السنوات الست اللاحقة، ووسط انقسام المجتمع الدولي، تمكّنت إيران من التوسع في برنامجها، في ثبات، معيقةً وصول الوكالة الدولية للطاقة الذرية إلى المعلومات، وأحصيت موجوداتها بحدود خمسة آلاف جهاز طرد مركزي، تزامنًا مع تسلّم الرئيس أوباما مهامه. وفي وقت كان القادة الإيرانيون يدّعون أن برنامجهم النووي يهدف إلى غايات علميّة وطبيّة وتجارية سلميّة، كان علماؤهم في المقابل يعملون سرًّا في ملاجئ محصَّنة، بُنِيت في أعماق الجبال، ويخصّبون اليورانيوم بدرجات وكميّات، أثارت شكوك العقلاء في نيّاتهم.

نهاية التسعينات، لاح أمل وجيز في اتّباع إيران مسارًا مختلفًا، على أثر انتخاب الإيرانيين، عام ١٩٩٧، محمد خاتمي، رئيسًا معتدلًا نسبيًّا، وقد كشف خلال مقابلة مع محطة تلفزة أميركية أنه يريد هدم «حائط انعدام الثقة» القائم بين إيران والولايات المتحدة. لم تخلُ إدارة كلينتون من المخاوف المبرَّرة، عقب الهجوم الموجّه على أبراج الخبر، لكنّ بيل استجاب وقابله بخطواتٍ حذرة، منها ذكر إيران في رسالة مصوّرة بحلول عيد الفطر، وهو العيد الذي يختتم شهر رمضان الفضيل لدى المسلمين، قائلًا: «أتمنى أن يأتي قريبًا ذلك اليوم الذي سنتمتع فيه مرّةً جديدة بعلاقات طيبة مع إيران». كذلك، أرسلت الإدارة دبلوماسيين كثيرين لجسّ النبض في محاولة لإطلاق الحوار، ومن ضمنها رسالةٌ سُلّمت إليهم عبر صديقنا المشترك، سلطان عُمان. وعام ٢٠٠٠، أظهرت وزيرة الخارجية الأميركية مادلين أولبرايت، بادرة حسن نيّة، باعتذارها رسميًّا عن الدور الذي أدته أميركا في الانقلاب الإيراني عام ١٩٥٣ من جهة، وإعلانها تخفيف بعض العقوبات الاقتصادية من جهةٍ أخرى. لكن إيران لم تلتقط الإشارتين قطّ، وهذا مردّه جزئيًّا إلى تكبيل المتشددين قدرة خاتمي على التحرك.

قد تكون هذه الأرضية شجّعت خاتمي، بعد هجوم ١١ أيلول/سبتمبر، على إبداء رغبة في التعاون مع الولايات المتحدة في أفغانستان، التي تحدّها إيران من إحدى الجهات. بيد أنّ خطاب الرئيس بوش، عام ٢٠٠٢، الذي سمّى خلاله إيران والعراق وكوريا الشمالية «محورَ الشر»، أنهى أي فرصة للحوار بين بلدَينا، وقتذاك. وقد تسلمت أوروبا، حينذاك، زمام المبادرة للتفاوض مع إيران في شأن برنامجها النووي، ولكن ما لبثت المحادثات أن انهارت، بعدما حلَّ محل خاتمي، منكر

الهولوكوست (المجازر النازية في حق اليهود) الاستفزازي محمود أحمدي نجاد، الذي هدّد بمحو إسرائيل عن الخارطة واستفاض في شتم الغرب في كل المناسبات.

بصفة كوني سيناتورًا عن نيويورك خلال عهد بوش، أيّدتُ زيادة الضغوط على النظام في طهران وعلى مفوّضيه، مصوِّتةً على فرض عقوبات على إيران وتصنيف حرس الثورة منظمةً إرهابية. ثم إنني صرّحت مرارًا وتكرارًا أنّ «الفسح في المجال أمام إيران لإنتاج أسلحة نووية أو امتلاكها، أمر غير وارد ومرفوض كليًّا». إلا أن العقوبات الأميركية لم تؤثر كثيرًا في الحد من السلوك الإيراني، بما أنها أتت أحادية الجانب، وغير مدعومة بإجماع دولي واسع.

أكدتُ، في مقال نُشر في فصليَّة «فورن أفيرز» أن «إدارة بوش ترفض التكلم مع إيران في شأن برنامجها النووي، مفضلةً تجاهل السلوك السيئ عوضًا عن رفع التحدي في وجهها». وأضفت «من الضروري إبقاء كل الخيارات مطروحة، في حال عدم التزام إيران تعهداتها وعدم امتثالها إلى إرادة المجتمع الدولي». فمن دون تحديد، يمكن فهم «الخيارات» كعمل عسكري محتمل، مع تشديدي على أن الخيار الأول يبقى للدبلوماسية. في النهاية، إذا كانت الولايات المتحدة تمكنت من التفاوض مع الاتحاد السوفياتي، في ذروة الحرب الباردة، أثناء تصويب صواريخه بالآلاف نحو مدننا، فيجب ألّا نخشى الحوار في ظل ظروف مناسبة، مع خصوم آخرين مثل إيران. كان هذا عمل توازنٍ دقيقًا – الكلام على احتمال شنّ عمل عسكري من جهة، والدفع نحو الحلول الدبلوماسية وضبط النفس من جهة أخرى – لكن الموضوع لم يكن مبتكرًا، إذ تقوم السياسة الخارجية الفاعلة دومًا، على مبدأ استخدام العصي والجزر على حدٍّ سواء، وإيجاد توازن صحيح بين الاثنين يميل إلى الفنّ أكثر منه إلى العلم.

في خضمّ الانتخابات الرئاسية التمهيدية، عام ٢٠٠٨، انقضضتُ في أحد النقاشات على تصريح السيناتور أوباما الذي يشير إلى اجتماع مقبل له مع قادة إيران وسوريا وفنزويلا وكوبا وكوريا الشمالية «من دون شروط مسبقة» خلال السنة الأولى لتسلم الإدارة الجديدة مهامها. دعوتُه إلى العودة إلى الدبلوماسية وإلى التواصل مع هذه الدول، من دون وعودٍ بمكافأتها عبر تخصيص اجتماع رئاسي رفيع المستوى، ما لم نحصل على شيء في المقابل. ردّت حملته على هذا الكلام، متهمةً إياي باتباع خط بوش وبرفض إجراء المحادثات مع خصومنا. لم يكن أي شيء من هذا القبيل واضحًا، في شكل خاص، بالنسبة إلى الناخبين، ولكن هذه هي الحال في الحملات الانتخابية. كذلك، أثرتُ بعض الضجة في نيسان/أبريل ٢٠٠٨، عندما حذّرت القادة الإيرانيين من اللجوء إلى هجوم ذريّ على إسرائيل خلال وجودي في موقع مسؤول، لأن الرد سيأتي من الولايات المتحدة «وسنكون قادرين على محوِهم». هذا الكلام استرعى انتباه طهران، فتقدّمَت، في ضوئه، بشكوى رسمية إلى الأمم المتحدة.

بعدما طلب مني أوباما تسلم مهام وزيرة الخارجية، بدأنا بالكلام على صياغة مقاربةٍ أكثر فاعلية تجاه إيران. ربما كان هدفنا واضحًا - منع إيران من تطوير أسلحة نووية - لكن السبيل إلى تحقيقه لم يكن واضحًا البتة.

مطلع العام ٢٠٠٩، بدت إيران في الذروة في الشرق الأوسط. فالغزو الذي قادته الولايات المتحدة على العراق أدّى إلى خلع عدوّ إيران، صدام حسين، وإرساء حكومة شيعية أكثر اتفاقًا مع رغباتها؛ في وقتٍ كان نفوذ الولايات المتحدة وهيبتها في المنطقة في مستوى متدنٍّ. حارب حزبُ اللّه إسرائيل وأدخل لبنان في مأزق دموي عام ٢٠٠٦، بينما كانت حماس لا تزال مسيطرة في قوّة، على قطاع غزّة، بعد الغزو الإسرائيلي الذي استمرّ أسبوعين في كانون الثاني/يناير ٢٠٠٩. وكان الملوك والأمراء السُّنة في الخليج يتفرّجون متخوفين، فيما إيران تقوّي جيشها، وتمدّد نفوذها، وتهدد بالسيطرة على مضيق هرمز الحيوي على الصعيد الاستراتيجي. أما في الداخل الإيراني، فكانت القبضة الحديدية في يد النظام من دون منازع، وقد كان يتمتّع بازدهار صادرات النفط. وفي حين كان الرئيس أحمدي نجاد طاووسًا متبخترًا على المسرح العالمي، ومولعًا بالقتال، كان المتحكّم بالسلطة الفعلية، خلف الخُميني منذ العام ١٩٨٩، آية اللّه علي خامنئي الذي لم يُخفِ يومًا حقده على أميركا. كان حرس الثورة المتشددون يحشدون لسلطة كبيرة كتلك، داخل إيران، ومن ضمنها حيازات اقتصادية ضخمة، إلى حدّ أن البلد ظهر كأنه يتجه نحو دكتاتورية عسكرية تحت غطاء ديني في موقع القيادة. وطرحتُ بعض التساؤلات عندما لاحظت هذه النزعة، خلال إحدى رحلاتي إلى الخليج.

وأمام هذا المشهد الصعب، كنت والرئيس أوباما مصمّمَين على اللجوء إلى محاولة إشراك الإيرانيين والضغط عليهم بغية وضع قادتهم أمام أحد الخيارين: إما التقيّد بالتزامات المعاهدة وتبديد مخاوف المجتمع الدولي من برنامجهم النووي وبالتالي الإفادة من علاقات أفضل، وإما الرفض والرزوح تحت عزلة أكبر وتكبّد عواقب وخيمة.

وقضت إحدى أولى مبادرات الرئيس أوباما بإرسال كتابين خاصّين إلى آية اللّه خامنئي عارضًا عليه فتح كوّةٍ عن طريق الدبلوماسية. ولجأ أيضًا إلى تسجيل رسائل مصورة موجّهة مباشرةً إلى الشعب الإيراني. وتمامًا كما الجهود التي بذلها زوجي منذ عقدٍ من الزمن، ضربت طهران عمليات جس النبض هذه بعرض الحائط. لم يكن أحد منّا يتوهّم أن إيران ستبدّل سلوكها بمجرّد إبداء رئيس أميركي جديد استعداده للحوار. ولكن كنا نؤمن بأن الجهود الرامية إلى الانخراط، ستطلق لنا العنان في فرض عقوبات أكبر، في حال رفضت إيران اقتراحاتنا. وسيبدو جليًّا للعالم أجمع أن الإيرانيين، لا الأميركيين، هم من يتعنّتون، مما سيدفعهم، على الأرجح، إلى دعم زيادة الضغوط على إيران.

ثمة وسيلة اكتشفناها أولًا، قائمة على التعاون المحتمل في أفغانستان. فبالعودة إلى بداية الحرب، عام ٢٠٠١، كانت هناك محادثات تمهيدية للعمل معًا لوقف تجارة المخدِّرات ولاستقرار البلاد. ومذذاك، لم ترتقِ إيران إلى دورٍ فاعلٍ جدًّا. في المرحلة التي سبقت مؤتمرًا عالميًّا رئيسًا عنوانه أفغانستان، من تنظيم الأمم المتحدة ولاهاي، نهاية آذار/مارس ٢٠٠٩، كان عليّ أن أتخذ قرارًا بدعمي إرسال الأمم المتحدة دعوةً إلى إيران، أو عدمه. وبعد التشاور مع الحلفاء في الناتو، وصفت المؤتمر المقبل بـ «اجتماع متشعّب لجميع الأفرقاء من ذوي المصالح والاهتمامات في أفغانستان». هذا الأمر أبقى الباب مفتوحًا لتلقّف إيران الدعوة؛ إذا حضرت، فسيُعقد لقاؤنا الأول.

انتهى المطاف بإرسال إيران نائب وزير خارجيتها إلى لاهاي، وتضمّن خطابه بعض الأفكار الإيجابية للتعاون. لم ألتقِ، من جهتي، الدبلوماسي الإيراني، بيد أنني أرسلت جايك سوليفان للتحدث إليه عن المشاركة المباشرة المحتملة في أفغانستان.

سلّمه أيضًا جايك رسالةً باليد، نطلب بواسطتها تحرير ثلاثة أميركيين معتقلين في إيران: وكيلٌ متقاعد لدى مكتب التحقيقات الفدرالي روبرت ليفنسون، وطالبة متخرِّجة عشا مومني، وصحافية أميركية من أصل إيراني ياباني روكسانا صابري، وقد أوقفت الأخيرة في طهران بتهمة التجسس، قبل أيام قليلة من بداية ولايتي في وزارة الخارجية، في كانون الثاني/يناير ٢٠٠٩. وعقب إضرابها عن الطعام، وبناءً على الضغوط الملحّة التي مارسها الأميركيون وغيرهم، أُطلقت روكسانا في أيار/مايو، وأتت لزيارتي في وزارة الخارجية، وأطلعتني على المحنة المروّعة التي مرّت بها. روبرت ليفنسون لا يزال محتجزًا، بينما خرجت عشا مومني بكفالة، لكنها منعت من ترك البلاد، إلى أن سُمح لها بالعودة إلى الولايات المتحدة في آب/أغسطس ٢٠٠٩.

كان لريتشارد هولبروك حديثٌ مقتضب مع الدبلوماسي الإيراني خلال غداء رسمي، في مؤتمر لاهاي عينه، إلا أن الإيرانيين نفوا لاحقًا حدوث اللقاء.

شهد النصف الثاني من العام ٢٠٠٩ سلسلة تطورات غير متوقّعة، شكلت نقطة تحول كبيرة في النقاش العالمي في شأن طهران.

حلّت الانتخابات الإيرانية في حزيران/يونيو، في مرتبة أولى، وأعلن فوز أحمدي نجاد بعد فرز الأصوات، ما عُدَّ، تبعًا لكل المقاييس، أمرًا معيبًا جدًّا، إن لم يكن مزوّرًا بالكامل.

عمّت التظاهرات الحاشدة شوارع طهران وأنحاء البلاد كافةً، احتجاجًا على النتائج. وأتت مفاجِئةً حقًّا مطالبة الطبقة الوسطى في إيران بالديمقراطية التي وُعدت بها خلال ثورة ١٩٧٩، ولم تُمنح لها يومًا. ارتفعت حدّة الاحتجاجات التي عُرفت بـ «التحرك الأخضر»، ونزل على أثرها ملايين الإيرانيين إلى الشارع، في معارضةٍ غير مسبوقة، في حين وصل الأمر بالكثيرين إلى المطالبة

بوضع حدٍّ للنظام. ردّت القوى الأمنية بعنفٍ وحشي، إذ انهالت على المواطنين السائرين في سلام على الطرق، بالضرب بالعصي ولجأت إلى عمليات توقيف جماعيّ، وطوّقت المعارضين عامدةً إلى الإساءة إليهم، ما أدى إلى مقتل كثيرين. ودبّ الذعر في نفوس كثر في العالم، بسبب مقطع فيديو يُصوّر مقتل امرأة شابة على الطريق، رميًا بالرصاص. كان العنفُ مروّعًا واستمرّ القمع في إطالة سجلّ إيران السيئ في مجال حقوق الإنسان.

ناقشت إدارة أوباما سبل الرد، ووسط تأجج التظاهرات، وقبيل أسوأ عملية قمع على الإطلاق، قلتُ «إننا نراقب الوضع المتفشي في إيران، لكننا كسائر العالم، ننتظر ما سيقرره الشعب الإيراني. نأمل بالتأكيد في أن تعكس النتيجة إرادة الشعب الإيراني وتطلعاته الحقيقية».

أوعزت إلينا جهات اتصال في إيران بالتزام الصمت قدر المستطاع، معربة عن قلقها من أن تؤدي مناصرة الولايات المتحدة للمتظاهرين أو محاولة زج نفسها في الأحداث، إلى دفع النظام نحو صرف المحتجين، بتهمة التآمر مع الخارج. اقتنع عدد من المحللين الاستخباراتيين والخبراء الإيرانيين بهذه الحجة، إلا أننا امتلكنا رغبةً شديدة في المواجهة، وفي إعلان دعمنا للشعب الإيراني، وإبداء اشمئزازنا من تكتيكات النظام ووطأتها الثقيلة. في النهاية، تختصر هذه الأمور ما يتوجب على أميركا فعله تماشيًا مع قيمها الديمقراطية.

قرّر الرئيس، على مضض، بعد الاستماع إلى كل التبريرات، أن نمتنع عن زجّ الولايات المتحدة في صلب الأزمة، خدمةً لتطلعات الشعب الإيراني. كانت تلك مناشدة تكتيكية واضحة وصعبة، على عكس ما تكهّن به بعض المراقبين وقتذاك، أن الرئيس مهتم بالمشاركة مع النظام أكثر من الوقوف في وجهه. ولم يأتِ الأمر إلا من منطلق إيماننا بأنه الأنسب بالنسبة إلى المتظاهرين وإرساء الديمقراطية، فحسب. من هنا، أبقى فريقي في وزارة الخارجية اتصاله الدائم، من خلف الكواليس، بالنشطاء في إيران، وتدخل في شكل طارئ، تجنبًا لإغلاق «تويتر»، بحجة أعمال صيانة، مما كان من شأنه حرمان المحتجين أداة تواصل رئيسة.

بدأتُ، مع مرور الوقت، أشكك في أن الصمت هو الحل الأنسب. فلم نتوصل من خلاله إلى منع النظام من سحق «التحرك الأخضر» من دون رحمة، في مشهد فاق قدرتنا على التحمل. ربما لم يكن مقدَّرًا للرسائل الأميركية الحادة إيقاف ما توصلت إليه الأمور، أو أنها كانت لتسرّعها حتى، في حال وجّهناها، ولكن ليس في استطاعتنا أن ندرك الآن هل كانت لتحدث فارقًا. ساورني شعور بالندم لعدم إقدامنا على التكلم جهارًا وحثّ الآخرين على القيام بالمثل. فقررتُ، عقب الحملة القائمة لفرض النظام في إيران، تكثيف الجهود وتزويد النشطاء المؤيدين للديمقراطية، معدات ووسائل تكنولوجية لمواجهة عمليات النظام القمعية والرقابية.

وأنفقنا، طوال السنوات اللاحقة، عشرات ملايين الدولارات لتدريب أكثر من خمسة آلاف ناشط في العالم.

ومع عودة خامنئي وأحمدي نجاد، في أيلول/سبتمبر، إلى إحكام السيطرة على طهران، طرأ تحول جديد. كانت الاستخبارات الغربية تراقب، طوال أكثر من عام، ما كان يفترض به أن يكون سرًّا، وهو مرفق تخصيب قيد الإنشاء في أسفل الجبال قرب مدينة قُمْ، جنوب غربي طهران. بعد الكارثة التي وقعت استنادًا إلى معلومات استخبارية خاطئة بوجود أسلحة دمار شامل في العراق، كان هناك حذر مبرّر لاستخلاص النتائج والتعاطي بموجبها مع إيران، لكن الأمور تطورت سريعًا في شكلٍ مقلق جدًّا. لم تكن إلّا أشهر قليلة تفصلهم عن إنجاز المرفق الذي سيعزّز قدرة إيران على إنتاج قنبلة نووية، نظرًا إلى أن المكان محميّ. وعندما أدرك الإيرانيون أننا على علم بالتضليل القائم من جهتهم، سارعوا إلى إخفاء الأمر، وبعثوا في ٢١ أيلول/سبتمبر ٢٠٠٩، برسالةٍ على مستوًى متدنٍّ، معترفين فيها أمام الوكالة الدولية للطاقة الذرية بوجود مشروع تجريبي مصغّر قرب قُمْ، لم يأتوا على ذكره من قبل.

إلا أننا قررنا أن نفضح الحقيقة على طريقتنا. كان قادة العالم مجتمعين ذاك الأسبوع، في الدورة السنوية للجمعية العمومية للأمم المتحدة، في نيويورك، وكنا نعلم أن الكشف عن مرفق التخصيب الإيراني السري قرب قُمْ سيحدث ضجّةً – أملنا في أن تأتي لمصلحتنا. وإذ كان من المقرر أن يرأس الرئيس أوباما اجتماعًا لمجلس الأمن عن الأمن النووي، كان المفاوضون ضمن مجموعة الخمسة زائدًا واحدًا على وشك أن يباشروا جولة جديدة من المحادثات مع الإيرانيين. فما كان علينا سوى الإمعان في سبل الكشف عن الحقيقة مع حليفَينا الفرنسي والبريطاني لتقوية نفوذنا في وجه الإيرانيين من جهة، ومع تلك الدول المائلة إلى تصديقهم من جهة أخرى، خصوصًا روسيا والصين. إذا تمّ التعامل مع الموضوع في براعة، فسترجّح هذه الفضيحة المدوّية الكفّة الدبلوماسية ضدّ الإيرانيين، وتساعدنا على المضي قدمًا في اتجاه عقوبات دوليةٍ أكثر صرامةً.

اجتمعنا في جناح الرئيس أوباما، في فندق والدورف أستوريا، لرسم استراتيجيتنا. قضى أحد الخيارات بقيام الرئيس بعرضٍ دراماتيكي استخباراتي عن مرفق قُمْ في مجلس الأمن، مما كان من شأنه أن يعيد إلى الذاكرة الصدامَ الشهير بين سفير الولايات المتحدة لدى مجلس الأمن أدلاي ستيفنسون، ونظيره الروسي، خلال أزمة صواريخ كوبا، وكذلك عرض وزير الخارجية كولن باول المخزي عن وجود سلاح دمار شامل في العراق. لم نكن في وارد تكرار أي من هاتين السابقتين، بل أردنا التأكد تمامًا من تنسيقنا الكامل مع حلفائنا، فأطلعنا الوكالة الدولية للطاقة الذرية والروس والصينيين على استراتيجيتنا مسبقًا، مقرّرين المضي عكس مسار مجلس الأمن الدولي.

بعد ظهر الثالث والعشرين من أيلول/سبتمبر، اجتمعتُ والرئيس أوباما ومستشار الأمن

القومي، في والدورف، مع الرئيس الروسي ديمتري مدفيديف ووزير خارجيته سيرغي لافروف ومستشاره للأمن القومي سيرغي بريخودكو، ساعةً من الوقت، وقدمنا البراهين في شأن قُمّ. كان مدفيديف اعترف، في الربيع، خلال اللقاء الأول الذي عقده في لندن مع الرئيس أوباما، بأن روسيا استخفَّت ببرنامج إيران النووي، لكنَّ هذه المعلومة الجديدة عن الخداع الإيراني شكلت صدمةً للروس. كانت المرة الوحيدة التي أذكرُ فيها، خلال تولّيَّ منصب وزيرة الخارجية طوال أربع سنوات، أنني رأيت لافروف الفولاذي مرتبكًا بعدما خانته الكلمات. وما لبث مدفيديف أن فاجأ الإعلاميين بكلام أكثر حدّة على إيران، لم يتعوده الصحافيون من قبل: «نادرًا ما تأتي العقوبات بنتائج مثمرة – ولكن لا مفرّ منها في بعض الأحيان». قابل الصحافيون طاقم البيت الأبيض بوابلٍ من الأسئلة عن الأسباب التي أدت إلى هذا التغير الملحوظ في الخطاب الروسي، لكننا لم نكن على استعدادٍ بعد للكشف عن جديدِ قُمّ.

رُسم المخطط لعرض الموضوع على الملأ في غضون يومين، أي خلال قمة مجموعة العشرين في سانت بطرسبرغ، حيث سيتوجه عددٌ من القادة الموجودين في نيويورك. وعندما حانت الساعة الصفر، اعتلى الرئيس أوباما المنصّة إلى جانب رئيس الوزراء البريطاني غوردن براون والرئيس الفرنسي نيكولا ساركوزي وقال: «حجم هذا المرفق ومواصفاته تتعارض مع برنامج سلميّ»، مضيفًا أن «إيران تكسر القواعد التي من واجب كلّ الدول اتباعها».

بدأت الأحداث تتسارع، الآن. في اليوم الأول من تشرين الأول/أكتوبر، التقى ممثّلو دول مجموعة الخمسة زائدًا واحدًا وفدًا إيرانيًّا في جينيف، بينما أوفدتُ نائب وزير الخارجية الأميركية بيل بيرنز، ليمثّل الولايات المتحدة ويلتقي سرًّا المفاوض الإيراني. ووافقت إيران، تحت الضغط الدولي المتنامي، على السماح لمفتّشي الوكالة الدولية للطاقة الذرية بزيارة الموقع السري قرب قُم، فأدوا المهمة في وقتٍ لاحق من الشهر عينه.

تركّزت النقطة الثانية على جدول الأعمال في جينيف على مُفاعل طهران للأبحاث، الذي أعطته الولايات المتحدة لإيران في الستينيات من القرن العشرين، لإنتاج مناظير طبية تُستخدم لتشخيص الأمراض ومعالجتها.

أعلنت إيران خلال صيف العام ٢٠٠٩، أنها تعاني نقصًا في قضبان الوقود النووي اللازم لتشغيل المُفاعل وإنتاج المناظير.

ومع أن إيران كانت تملك إمدادات اليورانيوم المخصب بدرجةٍ متدنية، إلّا أنها افتقرت إلى اليورانيوم المخصب بدرجة عالية، والضروري لقضبان الوقود. فسألت الوكالة الدولية للطاقة الذرية مساعدتها في توفير حاجتها من الوقود من السوق الحرة. لفت هذا الطلب انتباه خبراء

الذرّة الأميركيين، وبينهم مستشار وزارة الخارجية بوب إينهورن الذي بدأ بالعمل على خطة خلّاقة، لحلّ مشكلات كثيرة، في آن. ماذا إذا بعثت إيران بمخزون اليورانيوم كله، أو على الأقل بنسبة كبيرة منه إلى الخارج، وحصلت في المقابل على قضبان الوقود التي من شأنها تشغيل مُفاعل الأبحاث، من دون إمكان صناعة قنبلة؟ هذا ما سيلبّي حاجاتها الشرعية ويؤخر برنامجها النووي أشهرًا، قد تصل إلى سنة. إذا وافقت إيران على هذا الاقتراح، فسيُتاح لنا المجال لوضع اتفاق شامل يبدّد مخاوفنا من البرنامج النووي. أما إذا رفضت إيران، فستُفتَضح مساعيها الحقيقية. في هذا الإطار، أجريتُ محادثةً مع سيرغي لافروف، في آب/أغسطس، مبلغة إياه أن تحويل اليورانيوم المخصّب بدرجةٍ متدنية إلى خارج إيران قد يخفف الضغوط في المنطقة، ومعربةً عن أملي في أن يصبح مشهد الوحدة، الناجم عن تعاون أميركي - روسي محتملٍ، كفيلًا بإجبار الإيرانيين على الاستجابة. فوافق، من جهته، قائلًا «علينا أخذ هذا الطلب على محمل الجد. نحن جاهزون مبدئيًّا للمشاركة معكم».

حان الوقت الآن، في محادثات جنيف، لوضع الاقتراح على الطاولة، ومراقبة ردّ فعل الإيرانيين. خلال استراحة الغداء، اقترح بيرنز على كبير المفاوضين الإيرانيين، سعيد جليلي، إجراء حوار مباشر، بعيدًا من الحاضرين. ولدى موافقة جليلي، أطلعه بيرنز على البنود التي وضعناها، فأدرك عندئذٍ أنه في مواجهة مجتمع دولي موحَّد وأمام عرض منطقي وعادل من دون أدنى شك. فلم يكن أمامه سوى الموافقة، بينما عمد إينهورن ونائب المفاوض الإيراني على مراجعة كل البنود، واحدًا تلو الآخر. قبلها الإيرانيون كلّها، بشرط واحد يكمن في عدم البوح بأي أمر علنًا، إلى حين عودتهم إلى طهران، وعرضهم الاتفاق على رؤسائهم.

عندما اجتمع المفاوضون من جديد، في وقتٍ لاحق من الشهر عينه، في مقر الوكالة الدولية للطاقة الذرية في فيينا، تغيّرت اللهجة الإيرانية. لم تَدُرْ محادثات جليلي في طهران على نحوٍ جيّد. أبدى المتشددون في الحكومة تصلبًا حيال الاتفاق، وبات الإيرانيون يعبّرون عن استعدادهم للتخلي عن جزءٍ أصغر من اليورانيوم المخصّب بدرجةٍ متدنية، مطالبين بتخزينه في منطقة نائية في إيران بدلًا من إرساله إلى الخارج. لم يكن أي من الأمرين مقبولًا، لما يشكلانه من إحباط للهدف الرئيس، القائم على حرمانهم القدر الكافي من اليورانيوم لصناعة قنبلة. حضتهم الوكالة الدولية للطاقة الذرية على العودة إلى شروط الاتفاق الأصلي، لكنها لم تفلح في إقناعهم. هكذا، باءت الاجتماعات في فيينا بالفشل، ومات معها الاتفاق.

إلى هنا، كنا نحاول إشراك إيران، تبعًا لما تعهّده الرئيس أوباما خلال حملته الإنتخابية، لكنه قرّر الآن أن الوقت قد حان لتكثيف الضغوط وزيادة حدّة الخيار في مواجهة القادة الإيرانيين. كنا، في كل الأحوال، ولفرض عواقب حقيقية، في حاجةٍ إلى انضمام بقية دول العالم إلينا.

أبلغَت إلينا سفيرتنا في الأمم المتحدة سوزان رايس، أن إيجاد الأصوات المؤيدة لإصدار قرار نافذ في مجلس الأمن، أمر صعب. كنتُ أسمع الأصداء نفسها من نظرائي الأجانب، وقال لي وزير الخارجية الصينية يانغ، في كانون الثاني/يناير ٢٠١٠ «لا نظن أن الوقت مناسب الآن لمناقشة فرض عقوبات على إيران»، وأضاف «عندما تصبح العقوبات أمرَ اليوم، قد يكون من الصعب استئناف المحادثات قبل وقت طويل». أجل، وافقت الصين وروسيا من حيث المبدأ على أن إيران غير مخوّلة تطوير الأسلحة النووية وامتلاكها؛ كانتا غير مستعدّتين، وحسب، لفعل الكثير من أجل إيقافها.

ولكن، وبما أن الأمور لا تعاكسنا، اعترتني الثقة بأن الموضوع يستأهل اللجوء إلى محاولة التغلب على هذه المعارضة، وفرض سلسلة جديدة من العقوبات الصارمة عبر مجلس الأمن. جَهَدنا لجمع الأصوات طوال ربيع العام ٢٠١٠، وانكببتُ شخصيًّا على العمل، مرفقةً بجهود دبلوماسية واسعة النطاق، أعادت إلى ذاكرتي المفاوضات التي تمّت في كواليس مجلس الشيوخ، وسط كل المساومات، ولَيّ الأذرع، واحتساب الأصوات، والاحتكام تارةً إلى المبدأ وطورًا إلى المصلحة الذاتية، فضلًا عن اتباع سياسة شرسة، عند إقرار أي تشريع مهمّ.

عادةً ما يتركّز الانتباه على الأعضاء الخمسة الدائمين في مجلس الأمن، لامتلاكهم حقّ النقض في أي قرار، لكن ثمة عشرة مقاعد أخرى في المجلس، تتناوب عليها دول أخرى تباعًا، في ولاية تستمرّ سنتين، وفقًا لتعيينات الجمعية العمومية. ولتبنّي أي قرار في مجلس الأمن يجب أولًا ألا يتعرض للنقض، وثانيًا أن يحصد تسعة أصوات من أصل خمسة عشر. هذا ما جعل بلدانًا صغيرة متناوبة على المقاعد، ذات أهمية جمّة، مثل أوغندا ولبنان. ولهذا السبب، أمضيت وقتًا خلال أعوامي الأربعة في استمالة دول، مثل توغو، لا تؤدّي عادةً دورًا كبيرًا في القضايا الدولية، إنما كنت واثقة بأن لا غنى لنا عنها، عند تصويتها في اللحظات المصيرية.

أصبح جليًّا أن جمع تسعة أصوات في مجلس الأمن من أصل خمسة عشر من الأعضاء غير المستقرين، أمر شائك. في إحدى الجلسات الاستراتيجية الكثيرة في تلك الحقبة، مع وزير الخارجية البريطانية دافيد ميليباند، أشار الأخير إلى أن ليس كافيًا إقناع الصين بتأجيل استعمال حق النقض للقرار، وإلى أننا في حاجةٍ إلى دعم إيجابي لجلب أصوات مترددة إلى صفّنا، قائلًا «مع احتسابنا الأصوات، بدت الأمور مشبوهة»، مضيفًا «في حال امتنعوا، ثمة خطر من خسارة نيجيريا وأوغندا والبرازيل وتركيا». أما أنا، فكنتُ أجري حساباتي على حدة، ولم أعتقد أننا قد نخسر أوغندا أو نيجيريا، إنما البرازيل وتركيا، فهما قضية أخرى. وتابع دافيد «لا يزال السؤال مطروحًا، هل يصوّت الروس لمصلحة القرار إذا امتنع الصينيون». «نعتقد أنهم سيصوتون»، على ما أجبت، «لكن القرار من شأنه أن يكون أضعف».

منتصف نيسان/أبريل، أدليت بما لدي أمام الرئيس الأوغندي يوري موسيفيني. وكان من المقرر أن يصل أحمدي نجاد في اليوم التالي إلى أوغندا، كمحطة من محطات الهجوم الدبلوماسي الإيراني المضاد، الهادف إلى تجميد العقوبات الجديدة، وكان من المهم أن أتواصل مع موسيفيني أولًا لضمان موافقته. ساعدتني معرفتي السابقة به، العائدة إلى العام ١٩٩٧، عندما زرت بلاده للمرة الأولى، وبقيتُ وزوجي على اتصالٍ به، مذذاك. ذكّرتُه بأن إدارة أوباما حاولت التعامل مع إيران، وبأن المجتمع الدولي قدم عروضًا أظهرت حسن نية، بينما صدّت إيران كل المناشدات، وتحدّت المجتمع الدولي، ماضيةً في تخصيب اليورانيوم على مستوى عالٍ. كذلك، حذّرت من أن الفشل على الصعيد الدبلوماسي قد يؤدي إلى عمل عسكري، ما من أحد يرغب فيه. بدت هذه حجة مقنعة لعدد من الدول المترددة. وشددت على أننا «نودّ العمل معكم على توجيه رسالة قوية جدًّا إلى إيران، فنبرهن لها أن الوقت لم يفت بالنسبة إليها، لتغيير سلوكها». كان موسيفيني يقظًا، فقال «سأبلغ أمرين (لأحمدي نجاد). أولًا، نؤيد حق كل الدول في الحصول على طاقة ذرية للكهرباء واستعمالات أخرى، وثانيًا، نحن نعارض، في شكلٍ قاطع، انتشار الأسلحة النووية. هذه هي الرسالة التي سأوجهها في خطابي خلال المأدبة. سأحثّه على فتح أبواب بلاده أمام المفتشين، إذا لم يكن لديه ما يخفيه». أما أنا فركزت على نقطة: «إن أطلعت خبراءك على تقرير الوكالة الدولية للطاقة الذرية الذي يعدد المعضلات، فمن الصعب ألّا تساوركم الشكوك». فردّ بالقول «أوافقك الرأي. أن تمتلك إيران الأسلحة النووية، يعني أن على السعودية ومصر القيام بالمثل، ما سيؤثر فينا مباشرةً، ولن نتحمّل الأمر. سأجري حوارًا صريحًا مع الرئيس». في النهاية، صوّتت أوغندا لمصلحة فرض العقوبات.

تمتلك الصين الصوت الأبرز، تبعًا لوجهة نظر ميليباند الصائبة. إذا تمكنّا من إقناع بكين بالوقوف في صفنا، فستترتب الأوضاع على الأرجح في صفوف باقي أعضاء مجلس الأمن. في نيويورك، كانت سوزان رايس وفريقها يصوغون مع وفود أخرى قرار العقوبات. استمرّ الصينيون والروس في إضعاف البنود، وقمنا ببعض التنازلات، لكننا لم نرَ الغاية من إصدار قرار آخر غير فاعل. في نيسان/أبريل، دعا الرئيس أوباما قادة من العالم إلى واشنطن لحضور قمة عن الأمن النووي، منتهزًا الفرصة للتحدث مع الرئيس الصيني، هو جينتاو، عن إيران. استمعتُ إلى الرئيسين بينما كانا يجولان ذهابًا وإيابًا في غرفة جانبية، بعيدًا من الطبقة الرئيسة لمركز المؤتمرات. كانت للصين علاقات تجارية واسعة مع طهران وتعتمد على النفط الإيراني، تلبيةً لنموّها السريع في الصناعة. وافق الرئيس هو، على أن ليس في إمكان إيران امتلاك الأسلحة النووية، لكنه خشي اتخاذ خطواتٍ من شأنها أن تبدو عدوانية. في نهاية المطاف، اتفق الرئيسان على دعم تدابير «جوهرية»، من دون توضيح ما قد تعني تمامًا.

بعد مدة وجيزة، تابعتُ الملف مع عضو مجلس الدولة الصيني، داي بينغ قوه. كانت الصين لا تزال تعترض على بنود رئيسة في مسودة قرار العقوبات، ولاسيما منها اتخاذ تدابير مجدية على صعيد الحراك المالي والمصرفي المتعلق مباشرةً بنشاطات إيران النووية غير المشروعة. قلت لداي «عليَّ أن أقرّ بأن جواب الصين الذي تطور إيجابًا، لا يزال يفتقر إلى جهدكم المتبادل الذي توقعناه من كلام الرئيس هو مع الرئيس أوباما، وأكدتُ أننا في حاجة إلى التحرك سريعًا، وفي شكلٍ موحَّد، من خلال قرار هادف، إذا ما أردنا التخفيف من خطر الصراع المتنامي في المنطقة والفسح في المجال أمام الحل السياسي». كذلك عددتُ أن انعدام كلا الوحدة الدولية والتصميم، سيقوّض الاهتمامات التي كانت الصين تسعى إلى صونها، ومنها الحفاظ على الاستقرار في الشرق الأوسط، وإبقاء أسعار النفط ثابتة، وحماية انتعاش الاقتصاد العالمي، «نريد تجنّب الأحداث التي قد تخرج عن سيطرتنا».

اعترف داي بأنه كان هو أيضًا مستاءً، لكنه بقي على تفاؤله، وحتى تلك الساعة، كان ذاك شعوري أنا أيضًا. تابعنا حوارنا مع الصينيين والروس وكانت الفجوات تضيق، فبدا الأمر كأننا نقترب من اتفاق من شأنه فرض العقوبات الأكثر صرامةً في التاريخ.

إنما لاحقًا، مع اقترابنا من تحقيق الهدف، اتخذت الأحداث منحى غير متوقّع. ففي ١٧ أيار/ مايو ٢٠١٠، وفي مؤتمر صحافي رفيع المستوى في طهران، أعلن رؤساء البرازيل وتركيا وإيران أنهم توصلوا إلى اتفاق يقضي بمقايضة إيران اليورانيوم المخصّب بدرجة متدنية، بقضبان الوقود لمفاعلها. ظاهريًّا، أتى الاتفاق على شاكلة العرض الذي رفضته إيران في تشرين الأول/أكتوبر، لكنه، فعليًّا، كان منتقصًا. لم تأخذ الصفقة في الحسبان مضي إيران في تخصيب اليورانيوم، أشهرًا، منذ الاقتراح السابق، ولن يحرمها تحويلُ المقدار نفسه من اليورانيوم، الاحتفاظ بمخزون مهم. وعلى عكس اتفاق تشرين الأول/أكتوبر، سيحتفظ الإيرانيون بملكية اليورانيوم الذي أرسلوه إلى الخارج وبحق استرجاعه في أي وقت. مع ذلك، تبقى أكثر الأمور المقلقة متمثلةً باستمرار إعلان إيران حقها في تخصيب اليورانيوم بدرجات أعلى، ولم يتضمن هذا الاتفاق أي بند لإيقافها، أو مجرّد إشارة إلى استكمال مناقشة الموضوع مع الوكالة الدولية للطاقة الذرية أو مجموعة الخمسة زائدًا واحدًا.

في اختصار، من شأن هذا الاتفاق تلبية احتياجات إيران في إيجاد قضبان الوقود لمُفاعل الأبحاث، لكنه يفعل القليل للإجابة عن مخاوف العالم من برنامج الأسلحة غير الشرعي. ونظرًا إلى التوقيت، كنتُ متأكدة أنها محاولة إيرانية لعرقلة دفعنا في اتجاه العقوبات لدى مجلس الأمن - وكانت فرصة النجاح كبيرة.

منذ انهيار اتفاق تشرين الأول/أكتوبر ٢٠٠٩، علت صرخة تركيا والبرازيل لإعادة النظر فيه.

شغل البلدان مقعدين بالتناوب في مجلس الأمن الدولي، وكانا مستعدين لممارسة نفوذ أكبر على الساحة العالمية، بصفة كونهما المثال الأبرز لـ «القوى الناشئة» التي تشهد نموًّا اقتصاديًّا سريعًا، ولديهما طموحات كبيرة للتمتع بنفوذ في المنطقة والعالم. حظيا بقائدين واثقين هما لويس إيناسيو لولا دا سيلفا في البرازيل ورجب طيب أردوغان في تركيا، وكلاهما عدَّ نفسه رجل فعل، قادرًا على إخضاع التاريخ لإرادته. واتضحت النتائج، ما إن ركزا على تحديد معالم الوساطة لحلٍّ في شأن إيران، وكان من الصعب ثنيهما عن المحاولة الخجولة – أو ذات النتيجة العكسية.

أتى رد فعل الولايات المتحدة وسائر الأعضاء الدائمين في مجلس الأمن، حذرًا، لجهة الجهود البرازيلية والتركية المبكرة. بعد كل هذه الازدواجية، خشينا توجّه إيران إلى استغلال النيات الحسنة لدى البرازيل وتركيا من أجل حماية برنامجها النووي وإطاحة الإجماع الدولي المتنامي ضده. زادت مخاوفنا، إذ بات واضحًا انعدام النية لدى الإيرانيين لوقف عمليات التخصيب، مع اقتراحهم التخلي عن اليورانيوم بدفعاتٍ صغيرة بدلًا من تسليمه مرةً واحدة، كما قضى التصور الأساسي. وهذا يعني أنهم لن يفتقروا أبدًا، مع مرور الوقت، إلى المواد النووية اللازمة لإنتاج قنبلة.

مطلع آذار/مارس ٢٠١٠، زرت لولا في البرازيل، وشرحتُ له لماذا ستكون نتائج الاتفاق سلبية، محاولةً ثنيه عن المضي فيه قدمًا. لكن لولا لم يرتدع. رفض وجهة نظري التي تلفت إلى أن إيران تحاول كسب الوقت. فخلال زيارتي أعلنت أن «الباب مفتوح للتفاوض، ولم نقفله قط. لكننا لا نرى أحدًا، ولو في الأفق، سائرًا نحوه». وتابعت «رأينا إيران راكضةً صوب البرازيل، وإيران راكضةً في اتجاه تركيا، وإيران راكضةً نحو الصين، مؤكدةً أشياء مختلفة لأشخاص مختلفين، لتجنب العقوبات الدولية». تابع الرئيس أوباما الموضوع في رسالة وجهها إلى لولا في نيسان/أبريل، وشدّد فيها على مخاوفنا: «يبدو أن إيران تتّبع استراتيجية توحي بالمرونة، من دون موافقتها على القيام بالأفعال التي من شأنها بناء الثقة المتبادلة»، كذلك، بعث بالرسالة نفسها إلى أردوغان في تركيا. تزامنًا، وعدت إيران بالمضي في تخصيب اليورانيوم، معزّزةً بذلك وجهة نظرنا، وظهر أن هدفها الوحيد عرقلة السير في العقوبات في الأمم المتحدة.

أجريت اتصالًا بوزير الخارجية البرازيلية سيلسو أموريم، قبيل زيارة لولا لطهران، وحثثته على رؤية الجهود الإيرانية على ما هي عليه، «رقصة متقنة»، لكنّه كان واثقًا جدًّا بما يمكن إنجازه. هنا، زاد استيائي وأعلنت بصوتٍ عالٍ «على هذا الإجراء أن ينتهي. وقت الحساب آتٍ، لا محالة»، فجادلني أموريم قائلًا إنّ من الأسهل للإيرانيين، ربما، إبرامَ اتفاق مع البرازيل وتركيا، عوضًا عن اتفاقهم مع الولايات المتحدة. شككت في صدور أي إيجابية عن الاجتماع، وساورتني المخاوف، نظرًا إلى توقيت الموضوع، مع اقترابنا من الاتفاق مع الصينيين والروس على نص قرار العقوبات

الجديدة في الأمم المتحدة. لم تكن أي من موسكو أو بكين متحمسةً خصوصًا للعملية، ولمست أنهما ستنتهزان أي فرصة للانسحاب ومنح إيران مزيدًا من الوقت.

اعتراني القلق، لحظة تلقيت خبر توصل لولا وأردوغان وأحمدي نجاد إلى اتفاق. وفي حال كانت ثمة شكوك في الموضوع، أتى المؤتمر الصحافي لأموريم ليؤكدها بقوله «هذه الخطة هي سبيل إلى الحوار وتبعد أسباب العقوبات».

حاول وزيرا خارجية البرازيل وتركيا إقناعي بمزايا الاتفاق، في محادثات لاحقة، وأطلعاني على المفاوضات الصعبة التي استمرت ثماني عشرة ساعة محاولَين إيهامي بنجاحهما. أعتقد أنهما فوجئا عندما قابلتُ انتصارهما بالشكوك. أردت لمس الأفعال الإيرانية عوضًا عن المزيد من التصريحات، وقلت لأموريم «لدينا مقولة إن برهان نجاح الحلوى يأتي من داخلها»، فأجابني «أوافق على أن تذوق الحلوى هو الأساس، ولكن يجب أن تأتي مرحلةٌ، نأخذ فيها الملعقة ونجد وقتًا لتناول الحلوى». فجاء ردّي كالتالي «لقد مضى أكثر من عام على وجود هذه الحلوى»!

السؤال الملحّ الآن يدور على تمكننا من إبرام قرار العقوبات معًا، في مقابل هذه المناورة. مبدئيًا، لدينا اتفاق مع الصين وروسيا، فسارعتُ إلى إعلانه في أقرب وقت ممكن، عقب المؤتمر الصحافي في طهران. ولكن، ما من شيء كان ثابتًا، في انتظار عملية التصويت الفعلية في نيويورك. بدأتُ أشعر أن الأرضية بدأت تتحول، لدى إطلاق بكين تصريحًا حذرًا، رحّبت بموجبه باتفاق البرازيل - تركيا. ولحسن الحظ، كان من المقرر أن أتوجه إلى الصين بعد بضعة أيام، لإجراء محادثات رفيعة المستوى مع القيادة الصينية، على أن تحتلّ إيران البند الأول على جدول الأعمال، إضافةً إلى كوريا الشمالية وبحر الصين الجنوبية.

تطرّقتُ إلى القضية، خلال عشاءٍ مطوّل مع داي بينغ قوه، في قصر ضيافة دياو يوي تاي، وأطلعته على مجموعة اعتراضاتنا على اتفاق البرازيل - تركيا، مذكّرةً داي بالسجل الإيراني الطويل في التعامل المزدوج، وعملية الغش في مدينة قمّ. حان الوقت لحلّ القضايا المتبقية ضمن نص قرار العقوبات، بحسب تعبيري، وكما العادة، كان داي يفكر في الموضوع، لكنه حازمٌ ويتطلعُ إلى دخول التاريخ وإلى خلاصة الأقاويل. لم يكن الصينيون مرتاحين إلى فرض المجتمع الدولي عقوبات على الدول، إلّا في الحالات الفاضحة، ولم يودّوا بالتأكيد أن تهدّد العقوباتُ مصالحَهم التجارية. اختبرنا تفاقم إحجامهم هذا، منذ عام في ممارسة شبيهة، مع سعينا إلى فرض عقوبات أكثر قساوةً على كوريا الشمالية. فكنا نطلب منهم الآن، وللمرة الثانية خلال أعوام، تجاهلَ الأمر والمضي قدمًا.

ذكّرت داي بأن مصلحة الصين العليا تكمن في استقرار الشرق الأوسط، الذي يوفر استمرار

تدفق النفط. وإذا فشلت ضغوطنا في الأمم المتحدة لفرض العقوبات، فسيبقى احتمال المواجهة العسكرية قائمًا، مما يرفع أسعار النفط ويخرب الاقتصاد العالمي. في المقابل، إذا اختارت الصين تقليص علاقاتها التجارية بإيران، فسنساعدها على إيجاد مصادر أخرى للطاقة. في الختام، ازددتُ حدّةً، وقلت لداي إن الأمر مهم بالنسبة إلينا. فإذا كنا سائرين في اتجاه بناء علاقة قائمة على التعاون، كما تعهّد الرئيسان أوباما وهو، فنحن في حاجةٍ إلى أن تكون الصين إلى جانبنا في مجلس الأمن.

انتهى ذاك المساء، بشعوري أنني أعدتُ الأمور إلى نصابها، وعزيتُ ترسّخ هذا الانطباع لديّ مع الوقت، إلى المحادثات التي أجريتها خلال الأيام القليلة اللاحقة مع الرئيس هو ورئيس الوزراء وِن. يمكننا الآن الاستمرار في مبدأ فرض عقوبات جديدة، وأعلنت بعد لقاءاتي في بكين «نحن سعداء بالتعاون الذي وجدناه، ولدينا الآن إجماع مجموعة الخمسة زائدًا واحدًا». جلّ ما كان ينقص، هو العمل على التفاصيل الدقيقة، «ثمّة اعتراف من جانب المجتمع الدولي بأن الاتفاق الذي توصّلت إليه إيران والبرازيل وتركيا في طهران، تمّ وحسب، لأن مجلس الأمن كان على وشك نشر نصّ القرار الذي ناقشناه طوال أسابيع. كان خدعةً شفافة لتلافي تحرّك مجلس الأمن».

كان جلسة التصويت مقرَّرةً في نيويورك، في ٩ حزيران/يونيو، وكانت سوزان وفريقها لا يزالان مستمرّين في الصولات والجولات مع الصينيين لمراجعة القائمة النهائية للشركات والمصارف الإيرانية التي ستخضع للعقوبات، وكنا نصعّد لإلحاق أعضاء مجلس الأمن غير الدائمين بنا، أو على الأقل، لدفعهم إلى الامتناع عن التصويت عوضًا عن الإدلاء بأصوات معارضة.

تزامنًا، كان عليَّ أن أحضر اجتماعًا لمنظمة الدول الأميركية في ليما في البيرو، وانتهى الأمر بانعطافٍ غير متوقع. فسفير الصين لدى الولايات المتحدة، زهانغ يسوي، كان أيضًا هناك لحضور الاجتماع، فدعوته إلى الفندق حيث أنزل، لاحتساء كأس، وكلي أمل في التوصل إلى تسوية قائمة العقوبات، في شكل حاسم. يطلّ فندق الـ «جي. و. ماريوت»، في ليما، على منحدرات كوستا فيردي، وعلى منظرٍ خلّاب من جهة المحيط الهادئ. لدى وصول السفير زهانغ، توجّهت معه إلى طاولة هادئة في البار، حيث يمكننا التحدث. كان يرافقني أعضاء من السلك الصحافي في وزارة الخارجية الأميركية، وكانوا يتلذذون بمشروب بيسكو ساورز، الذي تشتهر به البيرو، وهو مزيج من الكحول المحلي وعصير الحامض، وزلال البيض، وبعضٍ من المشروب المر، فلازم عدد منهم البار لدى دخولنا. هم لم يكونوا على علم بالمفاوضات الدائرة قربهم، وإذا بصحافي متحمس، هو مارك لاندلر من نيويورك تايمز، يقتربُ منّا، حاملًا كأسَي بيسكو ساورز. من قال إن من غير الممكن أن تكون الدبلوماسية فاعلةً ومسلية في آن؟ ابتسمت له وأخذت الكأس، ثم حذا

زهانغ حذوي بكل تهذيب. وهناك، مع كوكتيل من البيرو، توصلنا إلى تفاهمٍ نهائي على تحديد العقوبات.

مرّر مجلس الأمن لدى الأمم المتحدة القرار الرقم ١٩٢٩، باثني عشر صوتًا في مقابل اثنين، فُرضت بموجبه العقوبات الأكثر صرامةً في التاريخ على إيران، فطاولت حرس الثورة والاتجار بالأسلحة والصفقات المالية. وحدهما البرازيل وتركيا، اللتان كانتا غير مسرورتين من مناورتهما الدبلوماسية الفاشلة، صوتتا ضد القرار. أما لبنان فامتنع عن التصويت بعدما تواصلتُ معه في اللحظات الأخيرة، وإلى جانبي نائب الرئيس الأميركي بايدن، ووزير النقل الشخصية اللبنانية - الأميركية البارزة، راي لحود. كنت أجريت، قبل ساعاتٍ، اتصالًا بالرئيس اللبناني ميشال سليمان من كولومبيا، وحثثته على عدم التصويت ضدّ القرار، بينما كان ميالًا إلى هذا الخيار، طبقًا للضرورات السياسية في بلاده. كنت أعلم أنه مقبل على اتخاذ بعض القرارات الصعبة، وسررتُ بامتناعه عن التصويت.

كان القرار بعيدًا كل البعد عن الكمال – تطلّب توفير الإجماع مع روسيا والصين تنازلات – لكنني كنت فخورةً بما حققناه. فخلال عهد بوش، تمكّنت إيران من تأدية دور القوة العظمى في وجهنا، وتجنّبت عقوباتٍ دولية جادّة على جرائمها؛ إلّا أن الوضع تغيّر مع إدارة أوباما.

على الرغم من نجاحنا، أدركتُ أن الأمر ليس سوى البداية. فبموجب القرار، أبقت الأممُ المتحدة البابَ مفتوحًا على مزيدٍ من العقوبات الأحادية، الأكثر صرامة، من جانب الولايات المتحدة ودول أخرى. نسقنا، خلال هذه العملية، مع قادة في الكونغرس الذي ما لبث أن أقرَّ قانونًا لتوجيه ضربة أقوى إلى الاقتصاد الإيراني. كنت أجري أيضًا محادثات مع شركائنا الأوروبيين في شأن خطواتٍ جديدة كانوا عازمين اتخاذها.

حتى مع زيادة الضغوط، أبقينا عرض إشراك إيران، مطروحًا. وفي كانون الأول/ديسمبر ٢٠١٠، توجهت إلى البحرين لحضور مؤتمر عن الأمن في الخليج الفارسي، وعلمنا بتوقع حضور وفد دبلوماسي إيراني. بصرف النظر عن الاتصالات الوجيزة التي أجراها ريتشارد هولبروك وجايك سوليفان في قِمم سابقة، ما التقيتُ قط بعد، وجهًا لوجه، أي نظيرٍ إيراني. فقررتُ أن أنتهز الفرصة لتوجيه رسالة؛ وخلال خطابي في مأدبة عشاء أقيمت في إحدى قاعات ريتز كارلتون توقفت قليلًا ثم قلت «في هذا الوقت، أودّ مخاطبةَ وفد الجمهورية الإسلامية الإيرانية الحاضر في المؤتمر، في شكلٍ مباشر». ساد الصمت الحضور، وكان وزير الخارجية الإيرانية منوشهر متقي، جالسًا على بعد بضعة مقاعد، فتابعت «منذ حوالى السنتين، قدّم الرئيس أوباما إلى حكومتكم عرضًا صادقًا للحوار، وما زلنا ملتزمين هذا العرض. يحق لكم امتلاك برنامج نووي سلمي، إنما في المقابل تقع على عاتقكم مسؤولية منطقية، تتمثل بالتزامكم المعاهدة التي وقعتموها وتبديد

المخاوف العالمية من نشاطاتكم النووية في شكل تام. نحثّكم على اتخاذ هذا الخيار – من أجل شعبكم، ومصالحكم، وأمننا المشترك».

لاحقًا، عندما شارف العشاء نهايته، ووسط المصافحات بين الحاضرين، ناديتُ متقي «مرحبًا، أيها الوزير»! تمتم كلامًا بالفارسية ثم التفت بعيدًا. ما هي إلّا دقائق معدودة، حتى عُدنا فالتقينا في الممرّ خارجًا، وقابلته مجددًا بسلامٍ وديّ، غير أنه رفض مرةً أخرى الإجابة، فابتسمتُ في سرّي.

قال الرئيس أوباما لإيران ولدول منبوذةٍ أخرى، خلال أول خطاب لمناسبة تنصيبه، «إننا سنمدّ يد العون إذا كنتم أنتم مستعدّين لمدّ يدكم». وأثبت متقي الآن كم الأمر صعب. ولكن، وللإنصاف، كنا قدنا للتو حملة عالمية ناجحة لفرض عقوبات صارمة على بلاده. المشاركة والضغوط، الجزر والعصيّ، هذه هي طبيعة الدبلوماسية، ونحن لاعبون في مباراة طويلة.

على عكس هذه الخلفية، عرض عليّ سلطان عُمان في كانون الأول/يناير ٢٠١١، إجراء محادثات مباشرة وسرية مع إيران. كانت المشاركة عبر مجموعة الخمسة زائدًا واحدًا، توقفت، كذلك فشلت وساطة طرف ثالث من ذوي النيات الحسنة، وأثبتت إيران، مرارًا وتكرارًا، أنها متعنتة وغير أهلٍ للثقة. إنما، على الرغم من كل شيء، كان هناك سبب للاعتقاد أن السلطان قد يكون فعلًا قادرًا على تحقيق ذلك. أولًا وأخيرًا، هو تمكن من التحرك لحل قضية سياح أميركيين محتجزين.

بالعودة إلى تموز/يوليو ٢٠٠٩، أوقفت القوى الأمنية الإيرانية ثلاثة شبان أميركيين كانوا يتجوّلون في منطقة الحدود الجبلية بين شمال العراق وإيران، متهمةً إياهم بالتجسس، هم جوشوا فتال وشاين بوير وساره شورد وكانوا يعملون بين الأكراد شمال العراق، ولم يكن ثمة داعٍ للاشتباه في أنهم عملاء.

كان من المستحيل الاطلاع مباشرةً من واشنطن، على ما حدث بالضبط أو حتى معرفة هل ضلّ الثلاثة طريقهم على الحدود. لكن الحادث الذي أعاد إلى الذاكرة خطف صحافيَّين أميركيَّين قرب الحدود بين الصين وكوريا الشمالية، قبل أشهر قليلة، شكل لنا مشكلة عاجلة. كنا نفتقر، في كوريا الشمالية، وكذلك في إيران، إلى العلاقات الدبلوماسية، ولا نملك سفارة في طهران للمساعدة، وكان علينا الاتكال على السويسريين بصفة كونهم «القوة الحامية» الرسمية بالنسبة إلينا، لتمثيلنا. لكن الإيرانيين رفضوا، بدايةً، السماح للدبلوماسيين السويسريين بدخول القنصلية، كما هو مطلوب بحسب اتفاق فيينا الذي ينظّم العلاقات الدبلوماسية بين الدول، مما يعني أن ما من أحدٍ كان مخوّلًا زيارة الأميركيين المعتقلين. أطلقت نداءً علنيًّا من أجل إطلاق

الشبان، مكررةً المناشدة خلال الأشهر اللاحقة، فضلًا عن تجنيدي السويسريين للبعث برسائل خاصة إليهم.

بقينا على اتصال وثيق بعائلات المحتجزين المرتبكة، ودعوت أفرادها، في تشرين الثاني/ نوفمبر، إلى مكتبي في وزارة الخارجية للقائهم شخصيًّا. استغرقت عملية دخول السفير السويسري في طهران سجن إيفين السيئ السمعة، أشهرًا، لمقابلة الأميركيين الثلاثة، بعدما مضت أشهر على احتجازهم، من دون تهم رسمية أو التمتع حتى بأي حق قانوني. إنما، وبمساعدة سويسرية، حصلت أمّهات السياح المحتجزين على تأشيرات دخول للسفر إلى إيران فورًا بعد عيد الأم. فالتقيتهنّ مجددًا قبيل سفرهنّ ورافقتهنّ صلواتي إلى طهران. أُتيح لهنّ لقاء أولادهنّ بالدموع، من دون السماح لهنّ باسترجاعهم، في حين وظّفت إيران المشهد كَحيلة دعائية.

حاولتُ، وسط هذه المحنة، عبر كل القنوات الخلفية التي سلكناها، أن أقنع الإيرانيين بإطلاق السياح. طلبتُ من جايك سوليفان أن يأخذ الموضوع على عاتقه، وخلال مؤتمر في كابول في أفغانستان، خلال صيف العام ٢٠١٠، أرسلتُ جايك لتسليم وزير الخارجية الإيرانية رسالة تتعلق بالسياح، كما فعلنا قبل عام في لاهاي، من أجل الأميركيين المحتجزين الآخرين. لكن جهة الاتصال الرئيسة كانت في عُمان، إذ، خطا أحد كبار مستشاري السلطان نحو كبير مستشاري الرئيس أوباما للشؤون الإيرانية، دنيس روس، عارضًا القيام بدور الوساطة.

كان العُمانيون على قدر كلامهم. ففي أيلول/سبتمبر ٢٠١٠، أُطلقت ساره شورد بكفالة، وفور خروجها من إيران، اتصلتُ بالسلطان لأشكره ولأرى ما يمكنه فعله في شأن المعتقلَين الآخرَين (قد تستغرق عملية إطلاقهما أيضًا سنةً إضافية). أجابني السلطان «نحن دومًا مستعدّون لفعل الأمور المناسبة للمساعدة». كانت كلماته لا تزال تتردد في ذهني عندما جلسنا معًا وتكلمنا في كانون الثاني/يناير ٢٠١١.

كان الإفراج عن سائح معتقل بعيدًا كل البعد عن تسهيل محادثاتٍ حساسة عن مستقبل برنامج إيران النووي، لكن السلطان برهن أن في استطاعته تحقيق النتائج. فأصغيتُ في دقّة، إلى اقتراحه القاضي باللجوء إلى قناة خلفية موضوعية، وسألته هل يمكننا التأكد من أن الجانب الإيراني سيكون مخولًا حقًّا التفاوض بنيّةٍ حسنة. ففي النهاية، استثمرنا وقتًا طويلًا في تسيير عمل مجموعة الخمسة زائدًا واحدًا، لنرى في الختام أن الاتفاق الذي أبرم في القاعة، يُنقض وحسب، مرة أخرى في طهران. لم يستطع السلطان إطلاق الوعود، لكنه أراد المحاولة، ووافقته، أننا في حال باشرنا المهمة، يجب أن تتمّ في سرّية تامّة، من منطلق أننا لم نردها على شاكلة سيركٍ تكثر فيه المواقف الصحافية والضغوط السياسية. حتى في أفضل الحالات، سيطول الأمر، إلّا أنه جدير بالمحاولة.

أبلغت السلطان أنني سأتحدث مع الرئيس أوباما وزملائي في واشنطن، بيد أن علينا البدء بالتفكير في طريقةٍ لوضع خطته موضع التنفيذ.

استكملنا الإجراءات خلال الأشهر اللاحقة، في حذر شديد، إذ كان يساورنا قلقٌ حقيقي من الذين سنتحدث معهم، وما حقيقة دوافعهم. كان الرئيس أوباما متحفظًا ومهتمًّا للأمر في آن، وأجرى اتصالًا، في مرحلةٍ ما، بالسلطان للبحث في جدوى القناة الدبلوماسية. أبقينا الحلقة مصغّرة؛ عملتُ وبيل بيرنز وجايك مع فريق ضيق في البيت الأبيض ضمّ مستشار الأمن القومي في تلك الحقبة، طوم دونيلون، ونائبه دنيس مكدونو، ودنيس روس، إلى حين انتهاء مهمته في تشرين الثاني (نوفمبر) ٢٠١١، والمدير الأعلى لموظفي الأمن القومي لشؤون إيران والعراق وبلدان الخليج بونيت تلوار. تبادل العُمانيون الرسائل معنا، مرارًا وتكرارًا، عن فرضيات تبلور المحادثات وعن طبيعة الوفد الذي سيمثلنا، بينما لم يفاجَأ أحد بصعوبة الحصول على أجوبة مباشرة من الإيرانيين، حتى عن أبسط الأسئلة.

تلقينا، في الخريف، ضربةً هزّت ثقتنا بمتابعة الإجراء، عندما قامت وكالات تنفيذ القانون والاستخبارات الأميركية بالكشف عن مؤامرة إيرانية لاغتيال السفير السعودي في واشنطن، بعد توقيف أحد الأشخاص، وهو إيراني الجنسية، في المطار في نيويورك. فقد اعترف بوضع خطة مُحكمة، أشبه بوقائع المسلسلات التلفزيونية مثل ٢٤ وHomeland، قامت على محاولة تجنيد عصابة مخدِّرات مكسيكية لتفجير مطعم يزوره السفير دائمًا. واتضح، لحسن الحظ، أن القاتل المأجور مخبرٌ لدى إدارة مكافحة المخدِّرات الأميركية. وكانت الأدلة لدينا تشير إلى تورط مسؤولين إيرانيين كبار في وضع تصوّر المؤامرة وفي رعايتها وإدارتها. لم يمضِ وقتٌ طويل حتى عمد قائد البحرية الإيرانية إلى توتير الأسواق العالمية، مهددًا بإقفال مضيق هرمز، في أي وقت، مما سيضيّق الخناق على عدد كبير من مورّدي النفط في العالم.

في هذا الإطار، قررتُ في تشرين الأول/أكتوبر ٢٠١١، أن أعود إلى مسقط لزيارة السلطان، ثانيةً. كان لا يزال حريصًا على سير المحادثات، واقترح أن نرسل فريقًا متقدمًا إلى عُمان لمناقشة القضايا اللوجستية شخصيًّا، بما أن تمرير الرسائل لم يكن يسير على ما يرام. وافقتُ، من جهتي، ما دام الإيرانيون جديين، وتمكن السلطان من إعطائنا الضمانات أنهم سيتكلمون مع المرشد الأعلى. فحثثته على نقل إنذار صارم إلى الإيرانيين في شأن مضيق هرمز. وعلى الأثر، بدأنا باتخاذ ترتيبات سرية لإيفاد جايك وبونيت وفريق مصغّر للشروع في المحادثات، فيما تكلم السيناتور جون كيري مع عُماني مقرَّب من السلطان، وأبقانا على اطلاع على ما تناهى إلى مسامعه.

لم يكن جايك الدبلوماسي الأكثر خبرةً في وزارة الخارجية لانتقائه، لإجراء اللقاء الأول الدقيق مع الإيرانيين، إنما كان كتومًا، وأُوليه ثقةً تامة، ويشكل وجوده رسالةً قوية تفيد بتدخلي

شخصيًّا في هذه العملية. مطلع تموز/يوليو ٢٠١٢، انفصل عن إحدى رحلاتي في باريس، متوجهًا إلى مسقط بطريقة سرية جدًّا، حتى إن سائر أعضاء الفريق المسافر معي، من زملائه العاملين معه على مدار الساعة، إن في المنزل وإن في الطريق، ظنوا أنه يواجه مشكلة عائلية طارئة، مما أثار قلقهم عليه. وكان لافتًا عدم معرفتهم بحقيقة مهمته إلى حين قرأوا عنها في الصحف، بعد أكثر من سنة.

نام جايك وبونيت على أريكة في منزل فارغ تابع للسفارة، لدى وصولهما إلى عُمان. وإذا بأفراد الفريق الإيراني يتقدمون بمجموعة مطالب وشروط مسبقة، غير مقبولة بالكامل، إلا أن حضورهم هو جوهري في حد ذاته. هم دلّوا على عدم استقرار، عاكسين ربما حال قيادة متقلبة ومنقسمة في طهران. أخبرنا جايك بانطباعه أن الإيرانيين ليسوا جاهزين بعد للمشاركة الجدّية، ووافقنا على ترك القناة مفتوحة والانتظار لنرى هل تتحسن الأوضاع.

خلال هذه المرحلة، وعلى الرغم من اتباعنا طريق المشاركة السرية، عملنا في ثبات، لزيادة الضغوط الدولية على النظام الإيراني ومكافحة طموحاته العدوانية. انقضت أولوياتنا بتوسيعنا الشركة العسكرية في الخليج، ونشر تعزيزات عسكرية جديدة في أنحاء المنطقة، لطمأنة شركائنا، رادعين العدوان الإيراني. حافظنا على التنسيق الحثيث والمستمر مع إسرائيل، واتخذنا خطوات غير مسبوقة لحماية تفوقها العسكري ضد أيٍّ من الخصوم المحتملين. وطلبتُ من مساعدي في مجلس الشيوخ منذ زمن، الذي يحتل الآن منصب مساعد وزير الخارجية للشؤون السياسية والعسكرية، أن يساعدنا على التأكد من أن اسرائيل مزوّدة أسلحة متطورة جدًّا مثل مقاتلات أف ٣٥ للغارات المشتركة. من جهةٍ أخرى، عمِلنا مع الإسرائيليين، على تطوير شبكة دفاع جوية متعددة الطبقات وبنائها، وهي تشمل نسخًا محدثة من صواريخ باتريوت التي نُشرت أصلًا عام ١٩٩١ خلال حرب الخليج، ورادارًا متطورًا للإنذار المبكر، وبطاريات مضادة للصواريخ تسمى «القبة الحديدية» وأنظمة حماية أخرى ضد الصواريخ البالستية المعروفة بـ «مقلاع داود» و«مضاد الصواريخ حيتس ٣». وخلال الصراع مع حماس في غزة، نهاية العام ٢٠١٢، أثبتت «القبة الحديدية» فاعليتها في حماية المنازل والجماعات الإسرائيلية.

إلى ذلك، أمضيتُ ساعاتٍ مع رئيس الوزراء الإسرائيلي بنيامين نتنياهو في مناقشة استراتيجيتنا ذات المسار المزدوج، محاولةً إقناعه بأن العقوبات قد تجدي نفعًا. واتفقنا على أهمية وجود تهديد عسكري حقيقي – لذا، كنت أكرر والرئيس أوباما أن «كل الخيارات مطروحة» – لكن وجهات نظرنا اختلفت بالنسبة إلى أي مدى علينا توجيه هذه الرسائل علنًا. وأخبرته عن جدية الرئيس أوباما، في قوله إننا لن نسمح لإيران بامتلاك قنبلة ذرية وإن سياستنا غير قابلة لـ «الاحتواء» الذي كان يمكن تطبيقه مع الاتحاد السوفياتي. إنما، نظرًا إلى ارتباط إيران بالإرهاب

والتقلبات في المنطقة، ارتأينا أكثر من الإسرائيليين، أن تسلح إيران النووي لم يعد مقبولًا – أو قابلًا للاحتواء. إذًا، كانت فعلًا كل الخيارات مطروحة، بما فيها اللجوء إلى القوة العسكرية.

فضلًا عن عملنا مع الإسرائيليين، كثّفت إدارة أوباما الوجود الأميركي بحرًا وجوًا في الخليج الفارسي، موثقةً علاقاتنا بالأنظمة الملكية في الخليج، التي كانت تتطلع إلى إيران، بجزءٍ كبير. عملتُ مع مجلس التعاون الخليجي لتكريس حوار أمني مستمر، وقدنا تدريبات عسكرية مشتركة مع أعضاء المجلس. وأسهم في ذلك، إقناعُ تركيا بتركيب رادار ضخم في بناء منظومة جديدة للصواريخ الدفاعية، لحماية حلفائنا في أوروبا من هجوم إيراني محتمل.

وعمدنا، بتعزيز دفاعاتنا هذه، إلى زيادة الضغوط على إيران، أملًا منا في تغيير حسابات قادتها. وتشاركت إدارة أوباما والكونغرس، من خلال التشريعات والإجراءات التنفيذية، في إطالة لائحة العقوبات، التي أتت أقسى بكثير من سابقاتها، مبنية كلها على التدابير التي أرساها أساسًا مجلس الأمن، صيف العام ٢٠١٠. وتركز هدفنا على فرض ضغوط مالية شديدة على القادة الإيرانيين، وضمنًا على المشاريع التجارية العسكرية المتزايدة، بحيث لن يمتلكوا إلا خيار العودة إلى طاولة الحوار، مع عرضٍ جديّ. وددنا أن نتوجه نحو مطاردة قطاع النفط في إيران والمصارف وبرامجها النووية، إضافةً إلى تجنيد شركات التأمين وخطوط الملاحة وتجار الطاقة والمؤسسات المالية وجهاتٍ فاعلة أخرى، لفصلها عن الاقتصاد العالمي. وأكثر من ذلك، أردتُ أن آخذ على عاتقي إقناعَ كبار مستهلكي النفط الإيراني بتنويع مواردهم، وتقليص حجم الصفقات مع طهران. وأصبحت خزينة إيران تتلقّى ضرباتٍ موجعة، تتوالى مع كل موافقةٍ كنا نحصل عليها، إذ، يشكل النفط شريان الحياة بالنسبة إلى إيران، بصفة كونها الثالثة عالميًّا في تصدير النفط الخام، مورد العملة الصعبة، وهي في أمس الحاجة إليها. إذًا، عملنا ما في وسعنا لعرقلة الأعمال التجارية الإيرانية، ولاسيما النفطية منها.

كان الأوروبيون شركاء أساسيين في هذه الجهود، وعندما قبل الأعضاء السبعة والعشرون في الاتحاد الأوروبي مقاطعة النفط الإيراني في شكلٍ تامّ، وُجّهت الضربة القاسية. وقد عمل بوب إينهورن، الخبير الذي أسهم في وضع خطة المقايضة الأساسية، في شأن مُفاعل الأبحاث في طهران، في تشرين الأول/أكتوبر ٢٠٠٩، إلى جانب وكيل وزارة الخزانة، دافيد كوهين، على إيجاد الطرائق الأكثر ابتكارًا وفاعلية لتطبيق العقوبات التي وضعناها حديثًا.

ومع تجميد أرصدة المصارف الإيرانية، أصبح من المستحيل لناقلات البترول الإيرانية شراء التأمين في السوق العالمية، وسُدت المنافذ إلى الشبكات المالية العالمية. فكان جهدًا قويًّا ومتنوعًا.

كان على دول أخرى أن تبيِّن، كل ستة أشهر، أنها معنية كليًّا بتقليصها استهلاك النفط الإيراني، وإلا فستخضع لعقوبات، بموجب قرار جديد موقع من الرئيس أوباما في كانون الثاني/ ديسمبر ٢٠١١.

ولوضع الأمر موضع التنفيذ، اتجهت إلى مكتب موارد الطاقة الذي أوجدناه حديثًا، ويرأسه كارلوس باسكوال. ركزنا وجودنا أينما حاولت إيران بيع نفطها، عارضين موارد أخرى وشارحين المخاطر المالية المتأتية من إبرام الصفقات مع دولةٍ منبوذة عالميًّا. واجه أهم زبائن إيران خياراتٍ صعبة وعواقب اقتصادية بارزة. ولحسن الحظ، أظهر عدد منهم قيادةً تتّسم ببعد نظر، مع تبنيهم خيار التنويع في مصادر الطاقة.

كنا فاعلين، وحسب، في أماكن مثل أنغولا ونيجيريا وجنوب السودان والخليج الفارسي، حيث شجّعنا منافسي إيران على رفع نسبة ضخ النفط لديهم وبيعه، بغية الإبقاء على توازن السوق والحؤول دون الارتفاع المضرّ في الأسعار. أثبت قطاع النفط العراقي، الذي شكّل أولويةً لدى الولايات المتحدة، وعاد واسترجع نشاطه، أنه لا يقدَّر بثمن، لكنّ أهم الموارد الجديدة أتت من فنائنا الخلفي. انخفضت واردات الطاقة لدينا، مع التنامي الأميركي المتزايد في إنتاج النفط والغاز محليًّا، والفضل في ذلك لتقنيات التنقيب الحديثة وأعماله، وخفّ بالتالي الضغط على السوق العالمية، مما سهّل استثناء إيران، في وقتٍ عمدت الدول الأخرى إلى الاتكال على الموارد التي لم تعد أميركا في حاجة إليها.

كانت هناك دول آسيوية تشكل أهمَّ مستهلكي النفط الإيراني، وأصعب من يمكن إقناعه بإغلاق هذا الدفق. فالصين والهند، خصوصًا، اتّكلتا على النفط الإيراني لتلبية حاجاتهما المتفاقمة جدًّا إلى الطاقة؛ كذلك، كان الاقتصاد المتقدم في كوريا الجنوبية واليابان يرتكز على الواردات النفطية. واجهت اليابان عبئًا إضافيًا سببته أزمة محطة فوكوشيما النووية ووقف نشاط الطاقة النووية الناتج عنها، إلا أنها أبدت التزامًا جريئًا في ظل هذه الظروف، متعهدةً تقليص نسبة استهلاك النفط الإيراني في شكلٍ ملحوظ.

في المقابل، رفضت الهند علنًا، في البداية، الإصغاء إلى المناشدات الغربية للتخفيف من اعتمادها على النفط الإيراني. وافق قادة الهند، خلال محادثاتنا الجانبية معهم، على أهمية السلام في الشرق الأوسط وكانوا واعين تمامًا أن ستة ملايين هندي يعيشون ويعملون في الخليج، وقد يكونون عرضةً لعدم الاستقرار السياسي والاقتصادي. إلا أن الاقتصاد الهندي المتنامي في سرعة فائقة، كان يعتمد، في الوقت نفسه، على مدّه المنتظم بالطاقة، فأثير قلق الهنود من تعذّر تلبية كل هذه الاحتياجات الضخمة من دون النفط الإيراني. وكانت ثمة حجة أخرى لإحجامهم هذا، لم يأتوا على ذكرها: الهند، التي أيّدت «حركة عدم الانحياز» خلال الحرب الباردة، وكسبت

«الحكم الذاتي الاستراتيجي»، كانت تكره في بساطة، أن يُملى عليها ما يجب فعله. فكلما رفعنا الصوت، طالبين منها تغيير مسارها، تشبّثت هي بموقفها.

في أيار/مايو ٢٠١٢، قمتُ بزيارة لنيو دلهي لمعالجة القضية شخصيًّا، مصرّحةً أن الاستمرار في توحيد صفوف الجبهة العالمية هو السبيل الأفضل لإقناع إيران بالعودة إلى طاولة الحوار، والتوصل إلى حلٍّ للمأزق، وتجنّب تصادم عسكري يزعزع الاستقرار. شددتُ على الإيجابيات المتأتية من التنويع في مصادر الطاقة، مع الإشارة إلى خيارات أخرى مطروحة في السوق، غير النفط الإيراني، وطمأنتُ الهنود إلى أننا، في حال اتخاذهم خطواتٍ إيجابية، سنوضح أنهم هم أصحاب القرار، كيفما اختاروا تصنيف الأمر. فلم يكن يهمّنا التفاخر، بل النتيجة النهائية، وبدا أن الأمر أحدث تغييرًا. عندما خرجتُ مع وزير الخارجية س.م. كريشنا للدردشة مع الصحافيين، سئلنا بالتأكيد عن القضية الإيرانية، وفسحت في المجال أمامه للتكلم أولًا، فقال: «نظرًا إلى حاجتنا المتزايدة، من الطبيعي بالنسبة إلينا أن نحاول التنويع في مصادر واردات النفط والغاز لتحقيق هدفنا وتوفير الطاقة». وأضاف «بما أنكم طرحتم سؤالًا محددًا عن إيران، هي تبقى مصدرًا نفطيًّا مهمًّا لنا، على الرغم من تراجع حصتها في وارداتنا، كما هو معروف. في نهاية المطاف، يعكس هذا القرار متطلبات مصافي النفط المبنية على اعتبارات تجارية ومالية وتقنية». كان هذا كافيًا بالنسبة إلي، ووعدت كريشنا بإرسال كارلوس وفريق خبرائه إلى دلهي للإسهام في التعجيل في هذه القرارات «غير المتعلقة البتة بإيران».

أخيرًا، قادتنا جهودنا إلى جميع الزبائن المهمين لدى إيران، حتى الأكثر ترددًا بينهم، مبدين موافقتهم على تقليص مشتريات النفط الإيراني. وأتت النتائج مأسوية على إيران مع ارتفاع حجم التضخم لديها إلى أكثر من ٤٠ في المئة، وهبوط قيمة عملتها في شكلٍ دراماتيكي، في حين شهدت انحدارًا في صادراتها النفطية من ٢,٥ مليون برميل من النفط الخام يوميًّا، مطلع العام ٢٠١٢، إلى قرابة المليون، مما كبّدها خسائر في الإيرادات وصلت إلى أكثر من ٨٠ مليار دولار.

أصبحت ناقلات البترول الإيرانية في حال ركود، مع غياب الأسواق والمستثمرين الأجانب وشركات التأمين المستعدة لدعمهم، بينما صدئت الطائرات في حظائرها، وقطع غيارها غير متوافرة. وباشرت الشركات المتعددة الجنسيات مثل شل، وتويوتا، والبنك الألماني، الانسحاب من إيران. حتى أحمدي نجاد الذي طالما حاول نفي أن يكون للعقوبات أي تأثير، بدأ يشكو «الاعتداء الاقتصادي».

مضت سنوات، وأنا أتكلم على «عقوبات خانقة»، وتحول الأمر حقيقةً. عبّر لي بيبي نتنياهو عن مدى إعجابه بهذه الجملة إلى حدّ أنه تبناها. شعرتُ بالاعتزاز من جراء الإجماع الذي حصدناه ومن فاعلية جهودنا، بعيدًا من الشعور بالمتعة، بسبب المشقة التي عاناها الشعب الإيراني، بعدما اختار

قادته تحدي المجتمع الدولي. فبذلنا كل الجهود للتأكد من أن العقوبات لن تحرم الإيرانيين الطعام والأدوية والسلع الإنسانية الأخرى، وبحثت عن فرص للتشديد على أن صراعنا قائم مع حكومة إيران، لا مع شعبها، وعبرت عن ذلك أيضًا في مقابلة بُثَّت بالفارسية، ضمن برنامج «بارازيت» عبر «صوت أميركا»، المعادل لبرنامج «العرض اليومي» الإيراني. كان شعب إيران يستحق مستقبلًا أفضل، إلا أن الأمر كان مستحيلًا ما لم يعمد قادته إلى تغيير نهجهم.

من خلال كل ذلك، حافظت إيران على جرأتها، واستمرت في تورطها في مؤامرات إرهابية جديدة في العالم، كما حدث في بلغاريا وجورجيا وتايلندا. عملت طهران على تقويض حكومات الدول المحاذية لها، محرضةً على نشر الاضطرابات من البحرين إلى اليمن وما بعدهما. أغدقت الأموال والأسلحة على سوريا لمساندة حليفها بشار الأسد ودعم قمعه الوحشي للشعب السوري، وأخيرًا، أرسلت مدرّبين تابعين لحرس الثورة ومقاتلي حزب اللّه لتقوية الأسد. وبطبيعة الحال، استكملت تطوير برنامجها النووي في اختراقٍ لقرارات مجلس الأمن، رافضةً المشاركة بنية حسنة مع مجموعة الخمسة زائدًا واحدًا. فشددتُ والرئيس أوباما، علنًا، على أن نافذة الدبلوماسية لا تزال مفتوحةً، لكنها لن تبقى على حالها إلى الأبد، أمّا في سرِّنا، فتمسّكنا ببصيص أمل في أن تتمكن القناة العُمانية، أخيرًا، من إحراز التقدم. فكلما زادت الضغوط وتفاقمت درجات الانهيار في الاقتصاد الإيراني، أصبح دافع طهران أقوى لإعادة النظر في موقفها.

هذا تحديدًا ما بدأ يحدث نهاية العام ٢٠١٢، تزامنًا مع مشارفة ولايتي في وزارة الخارجية، نهايتها. كان اقتصاد إيران ومكانتها في المنطقة وصيتها العالمي في حالٍ من الفوضى. كذلك، كان عهد أحمدي نجاد الثاني كارثيًا، وضعُفَ موقعه السياسي في الداخل، تمامًا كما تلاشت علاقته القوية بالمرشد الأعلى وبمحافظين أقوياء آخرين وبرجال دين، أي بالذين كانوا يمسكون بمقاليد السلطة في إيران. في هذا الوقت، أشار العُمانيون إلى استعداد الإيرانيين أخيرًا للمضي قدمًا في المحادثات السرية التي طال انتظارها. وأرادوا إيفاد نائب وزير الخارجية للقاء نائبي، بيل بيرنز، في مسقط، فأبدينا الموافقة.

في آذار/مارس ٢٠١٣، وبعد مرور أسابيع قليلة على انتهاء مهمتي كوزيرةٍ للخارجية، عاد بيل وجايك إلى عُمان ليعاينا ما يمكن أن ينتج عن هذه المبادرة. كان جواب الإيرانيين لا يزال مخيّبًا، وبدوا في حال صراع مع ما عليهم القيام به؛ فبعض أفراد الحكومة أبدوا رغبةً صريحة في المشاركة الجدية بينما شكلت قوى أخرى عائقًا في وجه المفاوضين. هكذا، عاد فريقنا مرةً أخرى أدراجه، مع انطباعه بأن الوقت لم ينضج بعد لحدوث انفراج.

عادت الأحداث لتتداخلَ مجددًا. كانت إيران تستعدّ لإجراء انتخابات، في الربيع، يُستبدل فيها الرئيس أحمدي نجاد، وكان من الصعب التصديق أن أربعة أعوام مرّت على التظاهرات الساحقة التي ملأت شوارع طهران، على أثر الانتخابات السابقة، ومذذاك، والنظام الإيراني لا يرحم المعارضين السياسيين ويعمد إلى القضاء على المنشقّين.

تماشيًا مع هذا السجل، دققت السلطات جيدًا في انتقاء المرشحين إلى انتخابات العام ٢٠١٣، وأقصت كل من لم تعدُّه محافظًا أو مواليًا بما فيه الكفاية، حتى إنها استبعدت الرئيس السابق علي أكبر هاشمي رفسنجاني، وهو رجل دين نافذ، وأحد قادة ثورة العام ١٩٧٩، لأنه يشكل تحديًا للنظام، في حين كان المرشحون النهائيون الثمانية يتمتعون بعلاقات وطيدة مع المرشد الأعلى، ويوليهم النظام الثقة القوية والائتمان. في اختصار، تعاطت السلطات القائمة في إيران مع الأمر بطريقةٍ آمنة، قدر المستطاع.

بدا أن المفاوض الإيراني العقائدي في الملف النووي، سعيد جليلي، يمثل الخيار الأفضل بالنسبة إلى آية اللّه وبالتالي الأوفر حظًّا. قاد حملته بشعارات فارغة عن «التطور الإسلامي»، متجنبًا الاستفاضة في الكلام على الخلل القائم على المستوى الاقتصادي، والأسئلة المتعلقة بسياسة إيران الخارجية الرديئة. أما في صفوف الشعب، فظهرت قلة الاكتراث والحماسة إلى الانتخابات، مما أتى على قدر تطلُّعات النظام. لكن الإحباط عاد إلى الواجهة عندما نقل الإعلام الغربي عن أحدهم، وهو في الأربعين من عمره، وصاحب مرأب خارج مدينة قُمْ حيث تمّ الكشف عن المنشأة النووية السرية عام ٢٠٠٩، متذمّرًا من الوضع الاقتصادي: «أحب الإسلام، ولكن كيف سنعالج نسبة التضخم التي بلغت المئة؟ سأصوّت لمن يمتلك خطة جيدة، ولكن حتى الآن، لم أرَ أي مرشح يحمل أفكارًا واضحة للمستقبل».

ثمّ، وخلال الأيام القليلة التي سبقت انتخابات حزيران/يونيو، طرأ حدث استثنائي. ففي خضمّ الانتخابات التي فصّلها النظام في شكلٍ مُحكَم، برز هذا الكلام المحبط للرأي العام، وسرعان ما بدأت المساءلة على الملأ في شأن التناقضات اللاحقة بسياسات النظام وإخفاقاتها. انفجر الوضع خلال مناظرة متلفزة بُثَّت في كل أنحاء البلاد، فتوجه معارضو جليلي إليه في شكلٍ عنيف، متهمين إياه بسوء إدارته السياسة النووية للبلاد وبالخسائر الاقتصادية الفادحة التي نتجت عنه. وقال وزير الخارجية السابق، المعروف بتشدده، علي أكبر ولايتي: «أن نكون محافظين، لا يعني أن نكون متصلّبين ومتعنتين». بينما انهالت أسئلة أحد كبار القادة السابقين لحرس الثورة الإيرانية محسن رزاعي، عن شعار المقاومة في مواجهة العالم، فقال «لا يمكننا أن نتوقع الحصول على كل الأشياء، من دون أن نعطي شيئًا في المقابل»، مضيفًا «هل تعني أن علينا المقاومة وترك شعبنا يعاني الجوع؟» حاول جليلي الدفاع عن مماطلته في المحادثات الأخيرة مع مجموعة الخمسة

زائدًا واحدًا، محتجًّا على أنهم «أرادوا مبادلتنا الجوهرة بالسكاكر» - ومتذرعًا بالمرشد الأعلى في دفاعه عن نفسه. لم يكن الأمر ليوقف الهجوم عليه.

أما حسن روحاني، وهو مفاوض سابق في الملف النووي، والشخص الأقرب إلى الاعتدال بين المرشحين إلى الرئاسة، نظرًا إلى اقتناعه بـ «التواصل البناء مع العالم»، فانتقد جليلي لتعريضه إيران للعقوبات في مجلس الأمن الدولي، وقال «من هنا، تتفرّع كل مشكلاتنا»، متابعًا «من الجيد أن نشغِّل أجهزة الطرد المركزي التي توفر الحياة والقوت للناس». في اختصار، لا شك في أن المشاهدين الإيرانيين أصيبوا بالصدمة، لعدم تعوّدهم الدائم متابعة مناظرة كهذه.

تقاطر الإيرانيون، بأعداد كبيرة مفاجئة، يوم الانتخابات في حزيران/يونيو ٢٠١٣، للاقتراع لروحاني، بغالبية ساحقة. لم يكن ثمة مسعًى، هذه المرة، إلى قلب النتائج أو سرقة الانتخابات، فتجمهر الناس في الطرق مردّدين «العمر الطويل للنظام». تسلّم روحاني منصبه في آب/أغسطس، وبدأ فورًا بإطلاق تصريحات مصالحة تجاه المجتمع الدولي، حتى إنه غرّد على تويتر بأطيب التمنيات، لمناسبة حلول عيد رأس السنة اليهودية.

كنت أصبحت مواطنةً عادية، لكنني شاهدت ذلك باهتمام كبير، وإن ساورتني شكوك. كان المرشد الأعلى لا يزال متمتعًا بنفوذ مطلق، خصوصًا في ما يتعلق بالبرنامج النووي والسياسة الخارجية. هو فسح في المجال أمام انتخاب روحاني، وكان يتحمّل إلى الآن كل هذا الكلام على مسار جديد، مدافعًا حتى، في رويّة، عن الرئيس الجديد في وجه تهجمات المتشددين المضطربين، مما يعني أنه فهم ربما أن سياسات النظام غير قابلة للاستمرار. ولم يكن هناك أي سبب، في المقابل، يجعلنا نثق بأنه اتخذ قرارًا جوهريًّا بتغيير المسار في ما يتعلق بأيٍّ من القضايا الرئيسة، مع كل العداء الذي تكنُّه إيران للمنطقة ولجزء كبير من العالم.

ولكن خلف الكواليس، وعقب انتخاب روحاني، نمّت القناة العُمانية عن حماسة، وكان السلطان أول قائد أجنبي يزور روحاني في طهران، بينما بعث الرئيس أوباما برسالة أخرى، وتلقى جوابًا إيجابيًّا، هذه المرّة. وفي مسقط، عمد بيل وجايك، وكان الأخير في هذه المرحلة مستشار نائب الرئيس بايدن لشؤون الأمن القومي، إلى استئناف اللقاءات مع المسؤولين الإيرانيين المتمتعين أخيرًا بالسلطة للتفاوض على أعلى المستويات. كان من الضروري أن تتّسم هذه اللقاءات بالسريّة، أكثر من أي وقت مضى، للحفاظ على صدقية روحاني الهشّة، في إيران. فبدأت تتّضح الخطوط العريضة لاتفاق أولي، في سرعةٍ نسبية، ومن الممكن أن تلجأ إيران إلى وقف التقدم في برنامجها النووي وتتيح المجال لانطلاق عمليات التفتيش لمدة ستة أشهر، في مقابل إلحاقها بتخفيفٍ بسيط للعقوبات. وهذا ما قد يفتح نافذة المفاوضات المكثّفة ويبدّد بالتالي مخاوف المجتمع الدولي ويحلّ كل القضايا العالقة. انضمّت إلى المحادثات في عُمان مساعدة وزير الخارجية للشؤون السياسية،

المفاوضة المتمرّسة، والمرأة الأولى التي تحتلّ هذا المنصب، ويندي شيرمان، وأسهمت في بلورة التفاصيل.

بحث الفريقان في عقد اجتماع محتمل، وجهًا لوجه، بين الرئيسين أوباما وروحاني في الجمعية العمومية للأمم المتحدة في نيويورك، نهاية أيلول/سبتمبر. إلا أن الإيرانيين، وفي اللحظة الأخيرة، عجزوا عن عقد الاجتماع، كدليل إلى استمرار الانقسامات والهواجس في داخل النظام. لكنّ القائدَين تكلّما بالهاتف – عندما كان روحاني يركب الليموزين متوجهًا إلى المطار ليعود إلى بلاده - وكانت هذه المحادثة الأولى من نوعها، منذ العام ١٩٧٩. التقى خلفي وزير الخارجية كيري، نظيرَه الإيراني جواد ظريف، وبدأت الإدارة الأميركية تطلع حلفاءها الأساسيين على التطور القائم في المحادثات السرية. في حين حذّر رئيس الوزراء الاسرائيلي نتنياهو، في خطاب موجّهٍ إلى الأمم المتحدة، من أن روحاني «ذئبٌ في ثياب حمل».

في تشرين الأول/أكتوبر، بدأت القناة العُمانية السريّة بالاندماج في الإجراءات الرسمية لمجموعة الخمسة زائدًا واحدًا في جينيف، التي كانت ويندي شيرمان تقودها بالنيابة عن الولايات المتحدة. وشارك فيها بيل وجايك، متّخذَين التدابير القصوى للبقاء بعيدَين عن أنظار الصحافيين، ومنها، النزول في فندق آخر، والتنقل ذهابًا وإيابًا عبر مداخل خلفيّة.

في تشرين الثاني/نوفمبر، توجّه وزير الخارجية كيري إلى جينيف مرّتين، آملًا في دفع المفاوضات إلى خواتيمها. كانت ثمة مخاوف عالقة: هل تعلّق إيران تخصيب اليورانيوم، أم يُسمح لها بمتابعة عملية التخصيب إلى حدٍّ أبعد بكثير ممّا تحتاج إليه، وصولًا إلى صناعة قنبلة؟ فالاستمرار في التخصيب، وإن بدرجاتٍ قليلة، يوفر لروحاني، غطاءً سياسيًّا مهمًّا. ولكن، ظنّ الإسرائيليون وآخرون معهم أنّ تنازلًا من هذا النوع يشكّل سابقةً خطرة. ثمّ، طُرح السؤال عن مدى تخفيف العقوبات، ومجدّدًا، رفض البعض المبادرة بأي تقدمة قبل أن تتّخذ إيران خطواتٍ مُبرمة وملموسة بوقف برنامجها النووي. سخر بيبي من إقبال مجموعة الخمسة زائدًا واحدًا على تقديم «اتفاق القرن» على طبقٍ من فِضَّة إلى إيران.

مضى كيري وويندي قدمًا في دعم الرئيس أوباما، وتوصّلا مع شركائنا إلى صياغة تسوية، توافق إيران، بموجبها، على التخلص من مخزون اليورانيوم المخصّب بدرجة عالية والاستمرار في تخصيب ٥ في المئة فقط (وهي نسبة أدنى بكثير ممّا تحتاج إليه لصناعة الأسلحة)، وتوقف الأعمال في آلاف أجهزة الطرد المركزي، من ضمنها كل أجهزة الجيل المقبل، وتسمح بعمليات التفتيش المفاجئة، وتوقف إنشاء مرافق جديدة، بينها مُفاعل البلوتونيوم. في المقابل، يقدم المجتمع الدولي على تخفيف العقوبات، عبر تزويد طهران ملياراتٍ كثيرة، تكون في معظمها من الأموال الإيرانية المُجمّدة. استأهلت التسوية إشادةً من الرئيس أوباما، في البيت الأبيض، على

أنها «خطوة أولى مهمّة نحو حلّ توافقي»، ناسبًا إياها إلى سنواتٍ من الصبر الدبلوماسي والضغوط.

وبالعودة إلى العام ٢٠٠٩، عند مباشرتنا المهمّة، كان المجتمع الدولي مصابًا بالانقسام، والدبلوماسية معلّقة، والإيرانيون سائرين في ثبات نحو السلاح النووي. قلبت استراتيجية المسار المزدوج الهادفة إلى المشاركة وممارسة الضغط تلك التوجهات ووحّدت العالم، مجبرةً إيران أخيرًا على العودة إلى طاولة الحوار. بقي الشك يساورني حيال موافقة إيران على تعهد توافقي ونهائي، إذ خابت ظنوني مرارًا في السنوات الماضية، ولم أعد قادرة على التفاؤل كثيرًا في الوقت الراهن. إنما، في ظلّ هذه الظروف، كنّا أمام تطوّر واعد، لم نشهد له مثيلًا منذ أعوام، ويستحق الاختبار، في انتظار ما قد ينتج عنه.

على الرغم من أن التوصل إلى هذا الاتفاق الأولي استغرق خمس سنوات، إلا أن العمل الشاق لم يبدأ بعد. بقيت كل القضايا الشائكة التي شوّهت علاقة إيران بالمجتمع الدولي قائمةً؛ وحتى مع التسوية المُرضية للقضية النووية، أخيرًا، من خلال وضع اتفاق قابل للتنفيذ، تبقى إيران مصدر تهديد بالنسبة إلى المجتمع الدولي والولايات المتحدة وحلفائنا، انطلاقًا من دعمها الإرهاب وسلوكها العدواني في المنطقة.

ومع عملية التقدم، كان القادة الإيرانيون – المرشد الأعلى تحديدًا – أمام خياراتٍ حقيقية في شأن مستقبلهم. ففي مرحلة الثورة الإيرانية عام ١٩٧٩، كان اقتصادهم يتفوق على اقتصاد تركيا بأربعين في المئة تقريبًا، إلا أن الأمور انعكست، عام ٢٠١٤. فهل يستأهل البرنامج النووي إفقار حضارة لامعةٍ وشعبٍ أبيّ؟ هل يوفّر امتلاك إيران قنبلةً نووية فرصة عمل واحدة على الأقل، في بلدٍ شبابه بالملايين عاطلون من العمل؟ هل يُرسَل إيراني آخر إلى الجامعة أو يعاد بناء الطرق والمرافئ التي انهارت خلال الحرب مع العراق قبل جيل؟ عندما يوجّه الإيرانيون أنظارهم نحو الخارج، سيسألون هل ينتهي بهم الأمر إلى حال كوريا الشمالية أو حال كوريا الجنوبية؟

الفصل التاسع عشر

سوريا: المعضلة الشّريرة

«التاريخ قاضٍ ماكر – وسيحاكمنا جميعًا، في قسوة، إذا ثبت أننا عاجزون اليوم عن السير على الدرب الصحيح»، قال كوفي أنان، وهو ينظر إلى الوزراء الجالسين إلى الطاولة، بعدما لبّوا دعوته إلى قصر الأمم، في جنيف، نهاية حزيران/يونيو ٢٠١٢، أملًا في إيجاد حلٍّ للحرب الأهلية الدامية المستعرة في سوريا.

كان كوفي استوفى نصيبه من المفاوضات الدبلوماسية المعقّدة، وبصفة كونه الأمين العام السابع للأمم المتحدة، بين العامين ١٩٩٧ و٢٠٠٦، نال هذا الغانيّ، صاحب الكلام المعسول، جائزةَ نوبل للسلام. توجّه إلينا، قائلًا: «جماعيًّا، أنتم تملكون القدرة على ممارسة ضغط هائل وعلى تغيير مسار الأزمة. ووجودكم هنا اليوم يشير إلى نيّتكم إظهار هذه القدرة». لكن الآراء في القاعة، وكما كان كوفي يعلم، منقسمة في حدّة، على نوعية القيادة التي عليهم اتّباعها.

بدأت الأزمة مطلع العام ٢٠١١، بعدما تأثر المواطنون السوريون، إلى حدٍّ ما، بالتظاهرات السلميّة التي عمَّت، في نجاح، كلّا من تونس ومصر، فنزلوا إلى الشارع للتظاهر ضدّ نظام بشار الأسد الاستبدادي. وعلى ما حدث في ليبيا، واجهتهم القوى الأمنية بقوّة مفرطة، ولجأت إلى الاعتقالات الجماعية، مما دفع ببعض السوريين إلى حمل السلاح دفاعًا عن النفس، محاولين، في نهاية الأمر،

إسقاط الأسد. كانت معركةً غير متكافئة، ومع ذلك، تسببت جرائم النظام بمقتل حوالى ١،٣٠٠ شخص، بينهم أطفال، بحلول حزيران/يونيو ٢٠١١. (تشير التقديرات منذ بداية العام ٢٠١٤، إلى أن مجموع القتلى فاق الـ ١٥٠،٠٠٠، ومن المرجح أن تكون الأرقام الفعلية أكثر بكثير من هذا العدد).

مع انطلاق العام ٢٠١٠، أي قبل نحو سنة على دخول سوريا هذه الدوامة، أوصيتُ بأن يسمّي الرئيس، الدبلوماسيَ المتمرّس الذي شغل مناصب في أنحاء الشرق الأوسط، وآخرها في العراق، روبرت فورد، أوّلَ سفير للولايات المتحدة في سوريا، بعد قطيعة دامت خمس سنوات. لم يكن القرار سهلًا، بعدما سحبت الولايات المتحدة سفيرها في ذلك الوقت، في إشارةٍ منها إلى استيائها من النظام السوري، وقد يرى البعض في هذه الخطوة، تأييدًا للأسد. لكنّني فكّرتُ حينذاك، وما زلتُ أؤمن بذلك اليوم، في أنّ عملنا سيكون أسهل عمومًا، بوجود سفير على الأرض، حتى لدى الأنظمة التي نعارضها في شدّة، فنتمكن بواسطتهم من إيصال الرسائل المنشودة، ويكونون بمثابة عيوننا وآذاننا هناك.

وافق الرئيس أوباما على هذه التوصية، وسمّى روبرت فورد، في شباط/فبراير ٢٠١٠. لكن مجلس الشيوخ عمد إلى تأخير توليه مهمّته، بسبب معارضته غير الموجّهة ضدّه (كانت أوراق اعتماده ممتازة)، بل الرافضة لمجرّد فكرة تعيين سفير في سوريا.

استخدم الرئيس سلطته الدستورية، فورًا بعد عيد الميلاد، وأجرى التعيينات خلال عطلة الكونغرس، فعيّن روبرت في منصبه. وصل الأخير إلى دمشق في كانون الثاني/يناير ٢٠١١، ليستقرّ في الوقت المناسب، قبل قيام التظاهرات. تصاعدت الاحتجاجات في آذار/مارس، وفتحت القوى الأمنية النار على المحتجّين في درعا، حاصدةً بينهم قتلى، وأمر الأسد بانتشار الجيش، وفرضت القوات الحكومية الحصار على درعا، في آخر نيسان/أبريل، ناشرةً الدبابات ومنفّذةً أعمال دهمٍ للمنازل.

دانت الولايات المتحدة، في شدّة، العنف المُمارَس على المدنيين، ونتيجةً لذلك، تعرّض السفير فورد وطاقم السفارة لمضايقات وتهديدات، بينها حادث خطر وقع في تموز/يوليو ٢٠١١، أقدم خلاله محتجّون موالون للحكومة على اقتحام مجمّع السفارة، وتحطيم النوافذ، والكتابة على الجدران، والهجوم على مقرّ إقامة روبرت.

على الرغم من الظروف الخطرة، توجّه السفير الأميركي إلى حماه، حيث وقعت المجزرة المخزية عام ١٩٨٢، والتقى المتظاهرين، مؤكدًا لهم تضامن بلاده وتعاطفها مع المنادين بالإصلاح الديمقراطي. مع دخول روبرت المدينة، نثر السكان الورود على سيارته، فعاد الجرحى المصابين

من جراء أفعال قوى الأمن السورية في أحد المستشفيات، وحاول أن يستعلم أكثر عن المتظاهرين وأهدافهم وعن طريقة التواصل المستمر معهم. عزّزت هذه الزيارة مكانة روبرت ودورَنا الرئيس في العمل مع المعارِضة، حتى إنّ عددًا من أعضاء مجلس الشيوخ، من الذين أحجموا عن الإدلاء بموافقتهم سابقًا، أُعجبوا بشجاعته وذكائه، إلى حدّ أنهم صوتوا لتثبيته، مطلع تشرين الأول/ أكتوبر. كان ذلك مثالًا آخر لدبلوماسي محنَّك جازف بالتوجه خارج جدران السفارة لينفّذ مهمّته، على أكمل وجه.

وسط الاحتجاج العالمي على العنف في سوريا، استعملت روسيا والصين حق النقض لدى التصويت على قرار متواضع في مجلس الأمن الدولي، في تشرين الأول/أكتوبر ٢٠١١، يدين انتهاكات حقوق الإنسان التي يمارسها الأسد، ويطالب بالسماح للمحتجين المسالمين بالمضي قدمًا. فروسيا تربطها بسوريا علاقة سياسية طويلة ترقى إلى زمن الحرب الباردة، وتشمل قاعدة بحرية مهمّة على الساحل السوري للبحر الأبيض المتوسط، إضافةً إلى علاقات دينية بين المسيحيين الأرثوذكس في سوريا والكنيسة الأرثوذكسية في روسيا، مما جعلها عازمة الاحتفاظ بنفوذها، وداعمةً نظام الأسد، في ثبات.

بشار الأسد هو نجل حافظ الأسد، الذي بسط سيطرته على سوريا عام ١٩٧٠ وبقي رئيسًا طوال ٣٠ عامًا، حتى وفاته في حزيران/يونيو ٢٠٠٠. بشار، طبيب العيون المتدرّب، تدرّج ليخلف أباه، بعدما قُتل شقيقه الأكبر في حادث سير عام ١٩٩٤، فتسلّم الرئاسة عقب رحيل والده. زوجة بشار، أسماء، كانت تعمل في الاستثمارات المصرفية قبل أن تصبح سيدة أولى، وقيل في أحد المقالات التي كُتبت عن الثنائي عام ٢٠٠٥: «بَدَوَا كأنهما جوهر الانصهار العلماني الغربي - العربي». لكن هذه الصورة، على ما ذكر المقال، وهميّة، من منطلق أن الآمال الكبيرة المعلّقة على الحاكم السوري الجديد تحوّلت «نموذجًا للوعود الفارغة والخطابات البغيضة والتكتيكات الدموية». ومع انتشار الاضطرابات في الشرق الأوسط، أتت هذه «الوعود الفارغة» والآمال التي لم تُحقَّق، لتحرّك عددًا من المحتجّين في صفوف الشعب السوري.

ينتمي الأسد وزمرته الحاكمة إلى الطائفة العلويّة، وهي مذهب متفرّعٌ من الطائفة الشيعية، وشديد الانحياز إلى إيران، وقد حَكم أهلَ السنّة الذين يشكّلون الغالبية في سوريا، عقودًا، منذ الانتداب الفرنسي بعد الحرب العالمية الأولى. شكّل العلويّون نسبةً تقارب الـ ١٢ في المئة من سكان البلاد، فيما غالبية الثُّوار هم من أهل السنّة الذين يشكّلون أكثر من ٧٠ في المئة من الشعب السوري، بينما تصل نسبة الأكراد إلى ٩ في المئة. كان ١٠ في المئة من السوريين، مسيحيّين، وحوالى ٣ في المئة منهم دروزًا، وهم أتباع مذهب متفرّع من الإسلام الشيعي، ويحمل مبادئ من المسيحية واليهودية ومن معتقداتٍ أخرى. مع انتشار الأزمة، واجهتنا

تحدّيات كبيرة، أهمّها مساعدة أطراف المعارضة في البلاد على الالتئام، على تنوّعهم الديني والجغرافي والعقائدي.

دعت جامعة الدول العربية، في تشرين الأول/أكتوبر ٢٠١١، إلى وقف إطلاق النار في سوريا وطالبت نظام الأسد بسحب قواته من المدن الرئيسة، وإطلاق السجناء السياسيين، وتوفير الحماية لتحرك الصحافيين والعاملين في المجال الإنساني، والبدء بحوارٍ مع المتظاهرين.

دعمت الدول العربية، السنية في معظمها، خصوصًا السعودية وسائر دول الخليج، الثوار، سعيًا إلى رحيل الأسد. فوافق الأخير شكليًّا على خطة جامعة الدول العربية، تحت ضغوط الدول المجاورة له، لكنه سرعان ما تجاهلها، واستمرّت قوات النظام في قتل المتظاهرين في الأيام التي تلت، إلى أن علّقت الجامعة، في المقابل، عضويةَ سوريا.

عادت الجامعة، وحاولَت معها مجددًا، في كانون الأول/ديسمبر، مرتكزةً على موافقة الأسد السابقة على خطتها. لكنها أرسلت، هذه المرّة، مراقبين دوليين إلى المدن التي شوّهتها المعارك في سوريا. ولكن، ويا للأسف، لم يكن لوجودهم تأثيرٌ بالغ في تهدئة العنف، فاتّضحت، مجددًا، عدم نيّة الأسد الوفاء بوعوده. سحبت جامعة الدول العربية، مُحبَطةً، مراقبيها، نهاية كانون الثاني/ يناير ٢٠١٢، وطلبت من مجلس الأمن الدولي تأييد دعوتها إلى مرحلة سياسية انتقاليّة في سوريا، تفرض تسليمَ الأسد الحكمَ إلى نائبِ رئيس، وتشكيل حكومة وحدة وطنية.

كان جيش النظام، في هذه المرحلة، يستخدم الدبابات لقصف ضواحي دمشق، فيما عزمُ الثوار يتصلّبُ على المقاومة، مهما كلّف الأمر؛ بعضهم كان يتحوّل إلى الراديكالية، فيما المتطرفون ينضمّون إلى المعركة، وبدأت المجموعات الجهادية، منها المنتمية إلى القاعدة، بمحاولة استغلال الصراع لتنفيذ أجنداتها الخاصة. بينما سجّل النازحون أرقامًا هائلة من جراء هربهم عبر الحدود السورية نحو الأردن وتركيا ولبنان. (منذ بداية العام ٢٠١٤، أُحصيَ عددهم بأكثر من ٢,٥ مليون لاجئ، بسبب النزاع في بلادهم).

حضرتُ جلسةً خاصة لمجلس الأمن في نيويورك، نهاية كانون الثاني/يناير ٢٠١٢، لأستمع إلى تقرير جامعة الدول العربية وأناقش مسألة الرَّد. فتوجهتُ إلى المجلس بالقول «لدينا جميعًا خياراتنا. فإما أن تقِفوا في صفّ الشعب السوري والمنطقة، وإما أن تتحوّلوا متواطئين مع العنف هناك».

اصطدم قرارٌ جديد، داعم لخطة السلام التي وضعتها جامعة الدول العربية، بالمشكلات عينها، كما حدث في المحاولات السابقة. عبّر الروس عن رفضهم القاطع لأيِّ أمرٍ يمكن أن يشكّل عامل ضغط على الأسد. وكانوا امتنعوا، العام السابق، عن التصويت للسماح بإقامة منطقة حظرٍ

جوي فوق ليبيا ولاتخاذ «كل التدابير اللازمة» لحماية المدنيين هناك، ثمّ استشاطوا غضبًا من المهمة التي قادها حلف الناتو لحماية المدنيين، والتي سرّعت في إسقاط القذافي. فكانوا مصمّمين الآن، وفيما تعمّ الفوضى في سوريا، على تجنّب تدخّل غربي آخَر، إذ كانت لنظام الأسد أهمية استراتيجية كبيرة بالنسبة إليهم. أكّدتُ في نيويورك، من جهتي، أن ليبيا كانت «مثالًا خاطئًا»، ولم يفرض القرار هنا عقوبات ولم يدعم استخدام القوّة العسكرية، بل شدّد في المقابل على الحاجة إلى مرحلةٍ سياسية انتقالية سلميّة. ومع ذلك، استمرّ الروس في رفضهم.

تكلّمتُ مع وزير الخارجية الروسية سيرغي لافروف، وأنا متوجّهة بالطائرة إلى مؤتمر ميونيخ للأمن، ومن ثمّ التقيته شخصيًّا هناك. عبّرتُ له عن حاجتنا إلى رسالة موحّدة من المجتمع الدولي، بينما كانت موسكو تريد أن يكون القرار أقسى على الثوار منه على النظام. وأكمل لافروف تحيّزه سائلًا ما يمكن أن يحدث إذا رفض الأسد الاستجابة، فهل تتمثّل الخطوة التالية بتدخّل على شاكلة ما حدث في ليبيا؟ فأجبتُه بالنفي. كانت الخطة تقضي باستخدام هذا القرار للضغط على الأسد من أجل التفاوض، «لن يفهم الرسالة إلا عندما يتكلّم مجلس الأمن بصوتٍ واحد. استفضنا في التوضيح أنه لا يشبه السيناريو الليبي. لا يوجد أي تفويض لاستخدام القوة أو التدخل أو اللجوء إلى عمل عسكري».

بدا الخطاب الروسي عن التمسك بالسيادة ومعارضة التدخل الأجنبي، مخادعًا، نظرًا إلى سجلّ روسيا في أماكن أخرى. فخلال العامين ٢٠٠٨ و٢٠١٤، لم يتوانَ بوتين عن إرسال قواتٍ إلى جورجيا وأوكرانيا، مغتصبًا سيادة هاتين الدولتين، لأن الأمر يخدم مصالحه، وحسب.

وبينما كنتُ ولافروف نجري محادثات في ميونيخ، كان العنف يتصاعد في سوريا. إذ استهدفت قوات النظام ثالثَة كبرى المدن السورية، مهد التمرّد، حمص، بوابلٍ من الرصاص أدى إلى قتل المئات. فكان هذا اليوم الأشدَّ دمويّةً في هذه المعارك حتى ذلك الوقت.

أخبرت لافروف عن مناقشتنا الدقيقة لكل كلمة وردت في قرار نيويورك، وعن تقديمنا التنازلات، توازيًا مع محافظتنا على الحدّ الأدنى ممّا كنّا نطمح إليه، بغية وقف العنف والشروع في المرحلة الانتقالية. حان الآن موعد التصويت. سيُعتمد القرار هذا النهار.

سأل لافروف «ولكن، ما هي نهاية اللعبة؟» لم أستطع، وأنا جالسة في ميونيخ، التكهّن بالخطوات التالية، وكنتُ أعلم أن من الخطأ تقليل شأن التحديات التي سيواجهها السوريون بعد حكم الأسد. لكنني كنت واثقة من أمر واحد: إن لم نطلق عملية السلام، فستكون نهاية اللعبة سوداوية بالتأكيد. سيزيد سفك الدماء، ويعلو تحدّي أولئك الذين عوملت عائلاتهم في وحشيّة، وقُصفت منازلهم، ويكبر احتمال أن يؤدي نشوب حرب أهلية شاملة إلى جذب المتطرفين، كنتيجةٍ

مفترضة في دولة فاشلة، تسيطر فصائلُ متحاربة على مناطق مختلفة فيها، بينها جماعاتٌ إرهابية. مع كل يوم إضافي مرّ بالقمع والعنف، كانت تتزايد صعوبة المصالحة وإعادة تصحيح الأمور بين السوريين، ويرتفع خطر امتداد حال عدم الاستقرار والصراع الطائفي من الداخل السوري إلى المنطقة.

اجتمع مجلس الأمن، بعد ساعاتٍ قليلة من لقائي لافروف، ودعا إلى التصويت. توجّهت إلى الصحافيين الموجودين في ميونيخ قائلةً «هل نحن مع مستقبل يحمل السلام والأمن والديمقراطية، أم نتواطأ مع العنف وإهدار الدماء المستمرَّين؟ أنا أعرف في أي جهةٍ تقف الولايات المتحدة، وسنكتشف بعد قليل أين يقف كلٌّ من الأعضاء الآخرين في مجلس الأمن». حتى بعد مرور اليوم الأكثر دمويّةً في سوريا، استعملت روسيا والصين حقّ النقض، ومنعتا بذلك العالم من إدانة العنف، فيما هما تتحمّلان مسؤوليةَ الفظاعات المرتكبة عبر نقضهما هذا القرار، الأمر الذي وصفتُه لاحقًا بالأمر الحقير.

كما كان متوقَّعًا، بقيت الأوضاع تتفاقم نحو الأسوأ. سمّت الأمم المتحدة وجامعة الدول العربية، كوفي أنان، موفدًا خاصًّا مشترَكًا إلى سوريا، نهاية شباط/فبراير، وتركزت مهمّته على إقناع النظام والثوار، وداعمِي الطرفَين الخارجِيين، بالموافقة على حلٍّ سياسي للصراع.

أسهمتُ في تحديد اجتماعٍ للدول المتفقة في الرأي، دعمًا للمسار الدبلوماسي الجديد هذا، لننظر معًا في وسائل أخرى، تؤدي إلى زيادة الضغوط على النظام وتوفير المساعدات الإنسانية للمدنيين المعذَّبين، بعدما وصل الخيار الأول إلى طريق مسدودة في الأمم المتحدة. دعَمنا السبل الديمقراطية، لكننا لم نكن في وارد البقاء مكتوفين في انتظار نتائجها. طالت لائحة الذين شعروا بواجب التحرّك، واجتمعت أخيرًا أكثر من ستين دولة في تونس، نهاية شباط/فبراير، وشكّلت ما عُرف بأصدقاء الشعب السوري. ألّفنا مجموعة عملٍ لوضع عقوبات تقطع التمويل عن الأسد (مع أن الروس والإيرانيين كانوا يعمدون دومًا إلى تمويل خزينته)، وتعهّدنا إرسال إمدادات طارئة إلى النازحين الفارّين من العنف، وعمدنا إلى زيادة تدريبات قياديي المعارضة المدنية السورية.

كثر الكلام خلف الكواليس، في تونس، على مدّ الثوار بالأسلحة، تحقيقًا لتوازن القوى بينهم وبين جيش النظام وداعميه الإيرانيين والروس. كان شركاؤنا في الخليج يشاهدون جرائم ذبح الثوار السُّنة والمدنيين، مباشرةً عبر قناة الجزيرة، وبدأ صبرهم ينفد. فرأى وزير الخارجية السعودية الأمير سعود الفيصل أن تزويد الثوار الأسلحة «فكرةٌ ممتازة». تفهّمتُ خيبة أمله مما يحدث، ورغبتَه في قلب الموازين العسكرية في الميدان، ولكن، كانت أيضًا ثمّة أسباب توجب التنبّه من المبالغة في عسكرة الأوضاع، ومن تسريع عجلة الدوامة في اتجاه حربٍ واسعةِ النطاق. فمع

إدخال السلاح إلى البلاد، سيكون من الصعب السيطرة عليه، وقد يتحوّل في سهولة إلى أيدي المتطرّفين.

لم يكن داعمو الأسد قلقين في هذا الشأن. فالقوات الإيرانية من حرس الثورة وقوات القدس، وحدة النخبة شبه العسكرية لديها، أصبحت في سوريا، دعمًا للأسد وللجيش السوري، في حين كان الإيرانيون يؤدون دورًا استشاريًّا رئيسًا، ويرافقون القوات السورية إلى الميدان، ويساعدون النظام على ترتيب صفوف قواته الخاصة شبه العسكرية. أما مقاتلو حزب اللّه، حليف إيران في لبنان، فانضمّوا من جهتهم إلى المعركة، لمصلحة النظام السوري. وبذلك، كان لوجود إيران وحزب اللّه المشترك، دورٌ فاعل في استمرار تمسّك النظام بالسلطة.

سألتُ الأمير سعود هل يتعاون الأسد، في اعتقاده، في خطةٍ تفضي إلى إنهاء العنف والبدء بمرحلة سياسية انتقالية، في حال تمكّنا من إقناع الروس بالموافقة على أحد الأمرين؟ نفى هذه الفرضية، من منطلق أن عائلة الأسد لن تسمح له أبدًا بالقيام بأمرٍ مماثل، بحسب تعبيره، بما أن والدته تمارس نفوذها عليه، ولا تنفكّ تضغط في اتجاه الحفاظ على مركز العائلة، فارضةً عليه التمثّل بالنهج الصارم الذي اتّبعه والده في قمع الثورات. كانت هذه إشارة إلى فعلة حافظ الأسد الشائنة، حين دمّر مدينة حماه عام ١٩٨٢، في نطاق ردّه على ثورةٍ أخرى.

نهاية آذار/مارس، التقيتُ الأمير سعود والملك عبداللّه، في الرياض، وشاركتُ في أول اجتماع لإطلاق شركة استراتيجية جديدة بين الولايات المتحدة ودول الخليج الست، مجتمعةً. تركز الحديث على الخطر الذي تشكله إيران، وتطرقنا في الوقت عينه إلى الحاجة إلى القيام بالمزيد لدعم الثوار في سوريا. توجهتُ، في وقت متقدم من ذاك اليوم، إلى اسطنبول، حيث التقيت ممثلين عن تركيا والسعودية والإمارات العربية وقطر، وسمعتُ الرسائل نفسها عن ضرورة تسليح الثوار.

وجدتُ نفسي في موقفٍ صعب. من جهة، لم تكن الولايات المتحدة جاهزة للمشاركة في الجهود الرامية إلى تسليح الثوار، ولكن، من جهة أخرى، لم نكن في وارد الانشقاق عن الائتلاف ضد الأسد أو خسارة نفوذنا لدى الدول العربية.

وقلتُ، في إمعانٍ، في الرياض، إن «البعض سيتمكن من القيام بأمور معينة، فيما الباقون سيقومون بأخرى. فعندما نأتي على ذكر العون، نعني به مجموعة واسعة من الإسهامات، وليس على كل الدول أن تقدم المساعدة نفسها». كان تصريحي هذا الأقرب إلى الأمر الواقع الذي وددت الاعتراف به علنًا: ثمة دول ستكثّف جهدها لتمرير الأسلحة، بينما تلجأ دول أخرى إلى تلبية الحاجات الإنسانية. (منذ نيسان/أبريل ٢٠١٤، خصصت الولايات المتحدة أكثر من ١,٧ مليار دولار للمساعدات الإنسانية، وهي المانح الأكبر للهبات المخصصة للنازحين السوريين).

حلّت الذكرى السنوية الأولى لاندلاع الثورة في سوريا، في آذار/مارس ٢٠١٢، وكان عدد القتلى تعدّى الآلاف الثمانية، بحسب تقدير الأمم المتحدة. فعمد كوفي أنان، منهجيًّا، إلى مقابلة الأطراف جميعًا، بمن فيهم الأسد نفسه، في محاولة منه لوقف النزاع، بالطرائق الدبلوماسية، قبل أن ترتفع الخسائر البشرية أكثر. وقد كشف، منتصفَ الشهر، عن خطة من ستة بنود، شبيهة بالتي حاولت جامعة الدول العربية إطلاقها في وقتٍ سابق من ذلك العام. فدعا كوفي نظام الأسد إلى سحب قواته العسكرية والكفّ عن استخدام الأسلحة الثقيلة، وإلى السماح بالتظاهرات السلمية وبإيصال المساعدات الإنسانية إلى سوريا، ودخول الصحافيين، فضلًا عن الشروع في مرحلة سياسية انتقالية، تحاكي التطلعات المشروعة وتبدّد مخاوف الشعب السوري. وفي سبيل الحصول على الموافقة الروسية، اقترح أن يوافق مجلس الأمن الدولي على خطته بـ «بيان»، يكون أخف وطأة من قرار مكتمل. هذا ما أسهم في طمأنة موسكو إلى أن الخطة لن تُستخدم كأساسٍ شرعي للتدخل العسكري لاحقًا. وواكبت القوى الغربية الاقتراح الذي عنى أخيرًا تسجيلَ موقفٍ صادر عن مجلس الأمن. فدعا المجلس في البيان، إلى وقف إطلاق النار، موجّها كوفي إلى «التمهيد لمرحلة سياسية انتقالية، بقيادةٍ سورية، نحو نظام ديمقراطي، يتمتّع بالتعددية السياسية... وتشمل المرحلة البدء بحوار سياسي شامل بين الحكومة السورية وأطراف المعارضة السورية كافة».

أما وقد انضمّت روسيا إلى البيان، فاعتمدت بدورها على الأسد لقبول شروط كوفي، فأعرب الأخير عن موافقته، نهاية آذار/مارس. وإذ خَبِرنا كم يحترم كلمته لم يتّكل أحد على تحقيق وقف لإطلاق النار. تأجج العنف، مع اقتراب المهلة الأخيرة في ١٠ نيسان/أبريل، حتى إن القوات العسكرية السورية قصفت مناطق داخل تركيا ولبنان، فلاح شبح توسّع الصراع في المنطقة. ثم ما لبث أن استتبّ هدوء نسبي، لم يتضمن الوقف التام والشامل لإطلاق النار، لكنه هدأ من روع المعارك. ووزّعت الأمم المتحدة فرقًا من المراقبين لمتابعة الأوضاع على الأرض، مثلما فعلت جامعة الدول العربية سابقًا.

مجدّدًا، لم يتّخذ الأسد أي خطوة صادقة لتطبيق ما تبقى من خطة كوفي، على الرغم من وعوده. وسرعان ما أطيح وقف إطلاق النار الهش أساسًا. فأشار كوفي، بعد حوالى الشهر، إلى «انتهاكات خطيرة»، تبعتها، نهاية أيار/مايو، مجزرةٌ طاولت أكثر من مئة قرويّ، في حَولا، نصفهم من الأطفال. الآن، ومع استمرار روسيا والصين في منع مجلس الأمن من فرض التزام خطة البنود الستة أو إرفاقها بعواقب بسبب الانتهاكات، بدا كأن موافقتهما السابقة كانت أكثر قليلًا من التموضع لتسهيل الإدانة الدولية.

بدأتُ أشجع كوفي على تغيير سياسته. ربما عليه أن ينظّم مؤتمرًا عالميًّا يركّز على التخطيط للمرحلة الانتقالية. فقد ينهار وقف إطلاق النار المتعثّر، ويعيدنا إلى المربّع الأول، في حال غياب

أي تطور على الصعيد الدبلوماسي. في الأسابيع الأولى من حزيران/يونيو، زارني كوفي في واشنطن، وبقينا على اتصال هاتفي دائم، خلال جولاته المكوكيّة بين موسكو وطهران ودمشق وعواصم أخرى في المنطقة، موافقًا على أن الوقت قد حان لاستكمال الخطوات الدبلوماسية، وإذا به يباشر التخطيط لعقد قمَّة نهاية حزيران/يونيو.

اضطُرَّ العنفُ المتنامي الأممَ المتحدة إلى تعليق عمل المراقبين، منتصف حزيران/يونيو. فتوجّهتُ برفقة الرئيس أوباما إلى قمة مجموعة العشرين، في لوس كابوس في المكسيك، حيث التقينا الرئيس الروسي بوتين، نحو ساعتين، واستحوذت سوريا على مجمل محادثاتنا.

بيّن الرئيس أوباما موقفنا: إما أن ينأى المجتمع الدولي بنفسه ويتفرّج على تقطّع أوصال سوريا من جراء الحرب الأهلية وانعكاساتها السلبية على الاستقرار في المنطقة، وإما أن تستعمل روسيا قوّة تأثيرها في الدفع نحو حل سياسي قابل للتطبيق. ادّعى بوتين أنه لا يحب الأسد شخصيًّا، لأنه كان يسبب الصداع لموسكو، زاعمًا أنه لا يملك نفوذًا حقيقيًّا عليه. أعتقد أنه استطاع أن يحدّد شخصيًّا التحديات المنبثقة من المعارضة الداخلية التي يواجهها الأسد، محذّرًا من المخاطر المتأتية من المتطرفين المنتمين إلى المعارضة، ومشيرًا إلى الفوضى التي اعترت المراحل الانتقالية في ليبيا ومصر وطبعًا في العراق. كان كل ذلك يصبّ في التسويغ المناسب لصدّ التحرك، في حين لم ينفكّ عن دعم الأسد بالمال والسلاح. وعلى الرغم من عدم ثقتي بكلام الروس وأفعالهم، أدركتُ أن ليس أمامنا سوى استنفاد كل الطرائق الدبلوماسية، فنصحتُ لكوفي بعد الاجتماع مع بوتين بأن «اذهب إلى الروس وأعلمهم أن فريقك سيرسي مرحلةً انتقالية، ويمكن روسيا أن تكون جزءًا من هذه المحادثات، وإلا نُحِّيت جانبًا».

مع اقتراب موعد قمة جينيف التي اقترحها كوفي، عملتُ معه، في شكلٍ حثيث، على إعداد لهجةٍ معيّنة، يحدونا أمل في أن تلاقي الإجماع. كشف كوفي عن توقعّاته، في مقالٍ نشرته «واشنطن بوست»، موضحًا، في أولّ إعلان عن رأيه، أنه يريد من جيران سوريا والقوى الدولية العظمى أن «تعمل في صفٍّ واحد في سبيل إنهاء حمام الدم وتطبيق خطة البنود الستة وتجنب زيادة عسكرة الصراع»، وأضاف «أتوقع من جميع الذين سيحضرون اجتماع السبت أن يوافقوا على إرساء مرحلة انتقالية، بقيادةٍ سورية، وإتمامها وفقًا لمبادئ وتوجيهاتٍ واضحة».

ألححتُ على كوفي، قبل انطلاق القمة بيوم واحد، بعدم التنازل عن المبادئ التي اقترحها: «أتفهّم أن يطرأ بعض التعديل هنا وبعض التوضيح هناك، وأستطيع تقبّل ذلك. ولكن ينبغي للفكرة الأساس، المفترض صدورها عن الاجتماع، أن تدور على تكاتف المجتمع الدولي، ومن ضمنه روسيا والصين، للدفع في اتجاه مرحلة سياسية انتقالية، تؤسس لمستقبلٍ ديمقراطي. هذا أمرٌ مقدّس، إذ يمكن إضفاء بعض التعديل على التفاصيل إنما من دون المسّ بالجوهر». ظنّ كوفي أن الروس

سينضمّون إلينا في نهاية المطاف، وأبلغني: «قالوا إن التغيير قد يطرأ، ولكن يجب أن يكون منظّمًا». لم أكن متفائلةً، لكنني وافقت على الاختبار.

وصلتُ إلى جنيف، في ٣٠ حزيران/يونيو، بُعيدَ الأولى ليلًا، آتيةً من روسيا، حيث كنت أحضر مؤتمرًا اقتصاديًّا لدول آسيا والمحيط الهادئ. فشددتُ أمام لافروف، خلال عشاءٍ مطوّل في سانت بطرسبرغ، على ضرورة دعم جهود كوفي وإنهاء الصراع. كنتُ على علم أن الروس لن يكونوا مرتاحين إلى دعوتهم الأسد صراحةً إلى التنحي عن منصبه، إنما توصّل كوفي، وبمساعدةٍ منّا، إلى صياغة حلٍ راقٍ. كان يقترح إنشاء حكومة وحدة تتولى المرحلة الانتقالية، وتمارس سلطة تنفيذية مطلقة، يتمثّل فيها جميع الأطراف، ما خلا «أولئك الذين يقوّضون، بوجودهم ومشاركتهم، صدقيةَ المرحلة الانتقالية، ويشكلون خطرًا على الاستقرار والمصالحة». كان المراد من هذا المصطلح استبعاد الأسد، بينما أراد الروس كلامًا يغطّي الفارق بيننا (على الأسد الرحيل) وبينهم (لن نجبره على الرحيل) وترك الأمور للسوريين للتسوية.

بدا لافروف متشدّدًا. زعم أن روسيا تريد حلًّا سياسيًّا، ولا يرضى في المقابل أي شيء من شأنه تحقيق ذلك. أكدتُ، في حال فشلنا، في اليوم التالي، في جنيف، في التوصل إلى اتفاق يكون مبنيًّا على اقتراح كوفي لمرحلة انتقالية منظّمة، أن الجهود الدبلوماسية التي بذلتها الأمم المتحدة ستسير إلى الانهيار، وسيفوز المتطرّفون، ويتفاقم الصراع، ويعمد العرب والإيرانيون إلى تمرير المزيد من الأسلحة إلى سوريا، وتتسبّب التوترات الطائفية وتزايد أعداد النازحين بزعزعة استقرار جيران سوريا، خصوصًا لبنان والأردن. كنت لا أزال أعتقد أنّ نظام الأسد سينهار، أخيرًا، وستتأثر الدولة السورية والمنطقة من جرائه.

لن يخدم سيناريو من هذا النوع مصالح روسيا أو يضمن بقاء نفوذها، لكنّ لافروف لن يتزحزح. وأدركتُ، خلال توجّهي بالطائرة إلى سويسرا، أن علينا الاستمرار في الضغط على الروس والعمل ليكون الجميع في صفّنا.

في جنيف، التقيتُ وزيرَي خارجية بريطانيا وليام هيغ، وفرنسا لوران فابيوس، لتقويم الأمور التي نودّ إنجازها في المؤتمر، ثم انتقلتُ مع هيغ لإجراء محادثاتٍ مع حمد بن جاسم من قطر، ووزير الخارجية التركية داود أوغلو، اللذين دفعانا إلى التفكير في تقديم مساعدات عسكرية إلى الثوار بغضّ النظر عن نتائج مؤتمر جنيف. كانا على دراية أن الولايات المتحدة وبريطانيا غير جاهزتين لذلك، ومع ذلك أرادا أن نستمع إليهما.

رئس الأمين العام للأمم المتحدة بان كي مون، الجلسة الافتتاحية لاجتماع من سمّاهم

(متفائلًا) فريق العمل من أجل سوريا، الذي يضم وزراء خارجية الدول الأعضاء الخمس الدائمة العضوية في مجلس الأمن، فضلًا عن تركيا والعراق والكويت وقطر والاتحاد الأوروبي، في حين لم تُدعَ لا إيران ولا السعودية.

حدّد كوفي أهدافه، في بداية الاجتماع: «نحن هنا للموافقة على المبادئ والإرشادات المتعلقة بالمرحلة السياسية الانتقالية، بقيادةٍ سورية، وهي من شأنها أن تحقق تطلّعات الشعب السوري الشرعية. ثم إننا هنا لإقرار العمل الذي سيقوم به كلٌّ منّا لتحقيق هذه الأهداف ميدانيًّا، مع ما تحمله من عواقب، في حال عدم الامتثال». وقدّم وثيقة تُكرِّس المرحلة الانتقالية التي اقترحها.

رحّبتُ بخطة كوفي لتعبيد الطريق في اتجاه مرحلةٍ انتقالية ديمقراطية ونحو «المستقبل الذي سيلي عهد الأسد». شاركته الولايات المتحدة في غايته الهادفة إلى الديمقراطية والتعددية في سوريا، دعمًا لسيادة القانون واحترام الحقوق العالمية لشعبها وأفرقائها جميعًا، بغض النظر عن العرق والمذهب والجنس. وافقنا أيضًا على أهمية الحفاظ على سلامة الدولة السورية ومؤسساتها، ولاسيما منها ركائز البنى الأمنية، لتجنيبها حال الفوضى التي شهدناها في العراق، على أثر سقوط صدام حسين وتشتّت الجيش والحكومة العراقيّين. فإدخال أي اتفاق حيز التنفيذ، بحسب قولي، يتطلّب قرارًا من مجلس الأمن «يفرض عواقب فعليّة وفورية في حال عدم الامتثال». علاوةً على ذلك، من واجب الدول المؤثرة في الأطراف المتنازعين أن تمارس ضغوطًا عليهم لقبول المرحلة الانتقالية ودعمها. كان هذا يعني أن على روسيا استخدام نفوذها مع النظام، وعلى العرب والغرب حذو حذوها مع الثوار، لانضمام الجميع إلى الاتفاق.

اقترحنا استعمال لهجةٍ أقوى من تلك التي اقترحها كوفي في ما يتعلّق ببعض البنود (على سبيل المثال، كنا نرغب في إشارة مباشرة أكثر إلى رحيل الأسد)، ولكن، بعيدًا عن التعقيد، ومن أجل الحصول على الإجماع، وافقنا على قبول الوثيقة كما هو منصوص عليها، ودعونا كل الدول الأخرى إلى القيام بالمثل.

يتمّ عادةً تدوين الجزء العام من الاجتماعات العالمية كهذه. كل دولة ومنظّمة تدلي بموقفها، ويمكن أن يكون التصريح مملًّا، نوعًا ما. ولا تبدأ الأحداث، عمومًا، إلا بعد إطفاء الكاميرات، وهذا ما حدث هنا.

غادرنا القاعة الاحتفالية متوجّهين إلى صالة مستطيلة، تصدرها كوفي وبان كي مون، فيما جلس الوزراء، كلٌّ مع مساعد خاص، إلى جانبي طاولتين مواجهتين إحداهما الأخرى. هناك، احتدمت المشاعر؛ في مرحلة ما، علت أصوات الوزراء، صارخين الواحد في وجه الآخر، وطارقين

على الطاولة. وأخيرًا، توسّطتُ ولافروف لإعادة الأمور إلى نصابها. فهذا ما تؤول إليه جلساتٌ كتلك، عادةً.

في النهاية، بدا محتملًا قبول الروس هيئة الحكم الانتقالي، إذا استعملنا لهجةً صحيحة. توقف لافروف فجأة عند جملة كوفي التي لا تشمل أولئك الذين «سيقوّضون صدقية المرحلة الانتقالية ويشكلون خطرًا على الاستقرار والمصالحة». قدّمتُ صيغةً جديدة لكسر الجمود، تقضي بأن تضمّ هيئة الحكم الانتقالي أعضاء من الحكومة والمعارضة على السواء، يُختارون «على أساس التفاهم المتبادل». وأخيرًا، وافق الروس.

يسهل الانزلاق في الدلالات، لكنّ الكلمات تشكل جزءًا رئيسًا من العمل الدبلوماسي، وكنتُ أعلم أنها ستحدّد طريقة قراءة العالم لهذا الاتفاق وسبل فهمه ميدانيًّا في سوريا. فضضتُ الإشكال بـ «التفاهم المتبادل»، إذ لم يكن هناك، عمليًّا، من مجال لاجتياز الأسد امتحانًا كهذا، بما أن المعارضة لن ترضى به. أبقينا عبارة «صلاحيات تنفيذية كاملة» دلالةً إلى هيئة الحكم الانتقالي المقترحة؛ مما يعني تجريد الأسد والمقربين منه سلطتهم. ولتعزيز قضيتنا، تأكدتُ من إخضاع الاتفاق جهازي الأمن والاستخبارات ومعهما «المؤسسات الحكومية كافةً»، لسيطرة هيئة الحكم الانتقالي، مطالبةً بـ «قيادة عليا توحي بالثقة العامة» (وهو معيارٌ آخر غير متوافر لدى الأسد). ألححتُ على توجهنا إلى مجلس الأمن وتمرير ما يسمّى القرار تحت الفصل السابع، على أن تصدر عنه عقوبات صارمة، في حال التعذّر عن الامتثال.

آثر لافروف عدم التزام الأمر، إلا أنه أبدى موافقته على استخدام تأثير روسيا، دعمًا لكوفي وخطته، وانضمّ إلينا في توقيع الورقة التي ناقشناها. من ثمّ، خرجنا لشرحها على الملأ.

وسرعان ما بدأت المشكلة. فالصحافيون فاتهم المعنى الواضح والمقصود بعبارة «التفاهم المتبادل»، وقرأوها على أنها قبولٌ ببقاء الأسد على رأس السلطة. ونشرت صحيفة «نيويورك تايمز» تقريرًا متشائمًا تحت عنوان «توصّلت المحادثات إلى وضع خطة من أجل سوريا، لا من أجل خروج الأسد». عمل لافروف ما في وسعه لشرح هذا التأويل للصحافيين «ليس هناك من محاولة لفرض أي عملية انتقالية»، وقال «لا شروط مسبقة لعملية انتقال الحكم ولا محاولة لاستبعاد أي مجموعة عنها». كان كلامه صحيحًا من الجهة التقنية، لكنه مضلِّل على نحوٍ سافر.

رفض كوفي تقلّب لافروف، وقال «أشكّ في أن ينتخب السوريون – الذين ناضلوا إلى هذا الحد من أجل استقلالهم، ليتمكنوا من اختيار طريقة الحُكم والحكّام – على رأس السلطة، أشخاصًا أيديهم ملطّخة بالدماء». وأثنيتُ بدوري على كلامه، مشيرة إلى أن «ما قمنا به هنا، يهدف إلى إسقاط فكرة بقاء الأسد وجميع من تلطّخت أيديهم بالدماء، في السلطة. تقوم الخطة على مطالبة

الأسد بالفسح في المجال أمام هيئة حكم انتقالي جديدة، تتسلّم زمام السلطة بأكملها». مع مرور الوقت، بدأ استيعاب المعارضة والمدنيين في سوريا أن بيانَ جينيف هو مخططٌ لرحيل الأسد.

حلّ فصل الصيف رديئًا على السوريين. بعد توقيع ورقة الاتفاق في جينيف، رفض الروس تأييد قرار الأمم المتحدة تحت الفصل السابع أو ممارسة أي ضغط حقيقي على الأسد. لم يكن السلوك الروسي هذا مستغرَبًا، وإن أتى مخيبًا للآمال.

قدّم كوفي استقالته، في اشمئزاز تامّ، في آب/أغسطس، وقال لي «فعلتُ ما في وسعي، وفي بعض الأحيان، لا يأتي الأفضل على المستوى المطلوب»، فأجبته «لا أعلم ماذا كنت لتفعل أكثر، وسط عناد الروس في مجلس الأمن. لا أستطيع تصوّر عملٍ يفوق ما قمنا به. أقلُّه، عملنا في جينيف على هيكلية، لكنهم كانوا ثابتين في آرائهم». وتزامنًا، ارتفعت حصيلة الخسائر البشرية في سوريا إلى عشرات الآلاف، وخرجت الأزمة أكثر فأكثر عن السيطرة.

كان إحباطي يزداد في صميمي، لكنني لم أفصح عنه. وعندما اصطدمنا بالجدار الروسي في الأمم المتحدة، تابعتُ الضغط في اتجاه مساراتٍ من خارج الأمم المتحدة، عاقدةً عددًا أكبر من الاجتماعات تحت راية أصدقاء الشعب السوري، وقد شملت حتى الآن قرابة مئة دولة. كان التحدي قائمًا على إقناع جميع الأطراف – الأسد وداعميه الروس والإيرانيين من جهة، والثوار والدول العربية من جهةٍ أخرى – بأن النصر العسكري الحاسم والنهائي غير وارد، وبأن من الضروري التركيز على التوصل إلى حلٍّ دبلوماسي. كان ذلك يتطلّب قدرًا هائلًا من الضغوط الدقيقة والمستمرة، فمضت الولايات المتحدة وشركاؤها في تكثيف العقوبات على نظام الأسد. جمّدنا أرصدتهم، وفرضنا عليهم حظر السفر، وحاصرناهم تجاريًا، حتى بدأ الاقتصاد السوري يشهد مرحلة هبوط استثنائية، لكن المعارك استمرّت بلا هوادة، بفضل تمويل روسيا وإيران حربَ الأسد وجهوده.

استمرّ الأسد في مضاعفة الطلعات الجوية، وباشر إطلاق الصواريخ من نوع سكود لسحق الثوار، مما أدى إلى قتل عددٍ أكبر من المدنيين. أما المعارضة فبقيت، من جهتها، وعلى الرغم من جهود الأوروبيين والعرب والولايات المتحدة، في حال من الفوضى. زوّدنا الثوار، بدءًا من آذار/مارس ٢٠١٢، مساعداتٍ «غير قاتلة» شملت معدّات اتصال ومؤنًا، رافضين مدّها بالأسلحة والتدريبات، بينما علت أصوات كثيرة، ضمن المعارضة السورية خصوصًا، تناشدنا تقديم الدعم، كما فعلنا في ليبيا. لكنّ سوريا ليست ليبيا.

كان الأسد، بنظامه، محصنًا أكثر من القذافي، ومدعومًا من شرائح أساسية واسعة من

السكان، ومتمتّعًا بعددٍ أكبر من الحلفاء في المنطقة، فضلًا عن جيشٍ فعليّ، ودفاعاتٍ جوية قوية إلى حدٍّ بعيد. لم تكن حاله مشابهة للوضع في ليبيا، حيث سيطر المجلس الوطني الانتقالي المتمرّد على مساحات شاسعة من الأراضي، شرق البلاد، بما فيها بنغازي، ثانية كبرى المدن الليبية. بينما كانت المعارضة السورية غير منظَّمة ومتشرذمة، تتخبّط من أجل الحفاظ على الأراضي والتكتل حول هيكل قيادي واحد. وبالطبع، كان هناك فارق رئيس: كانت روسيا تقف في وجه أي حراك متعلّق بسوريا في مجلس الأمن، لتجنّب تكرار ما حدث في ليبيا، خصوصًا.

ظنّ كثرٌ، في أيام المعارك الأولى، أن سقوط الأسد مُحتّم. ففي النهاية، أطيح جميع القادة السابقين في تونس ومصر وليبيا واليمن. كان يصعبُ التصوّر أن الشعب السوري، وبعد سفك دمائه وتذوّقه طعم الحرية، سيقبع ويسلّم مجددًا بحكم دكتاتوري. إنما الآن، وخلال السنة الثانية للحرب الأهلية، ارتفع احتمال بقاء الأسد، وإن دلّ ذلك إلى تمزّق البلد وإثارة النعرات الطائفية، الأمر الذي يمكن أن يودي بمصير سوريا إلى مأزقٍ طويل ودام، أو أن يحوّلها دولةً فاشلة بحكومة منهارة، تليها حال من الفوضى. وبقدر ما يطول النزاع، يزيدُ الخطر الدالّ على عدم استقرار سوريا، ليطاول جيرانها غير المحصّنين، مثل الأردن ولبنان، ويتيح للمتطرفين بناء دعمٍ لهم في الداخل السوري.

بدأتُ أطلق على سوريا صفة «المعضلة الشريرة»، وهي عبارة يلجأ إليها خبراء التخطيط، لوصف التحديات المستعصية والمربكة على صعيد الحلول والمقاربات النموذجية، فنادرًا ما نجد الجواب المناسب للمعضلات الشريرة؛ إذ ينتج جزء من تعقيداتها، في الحقيقة، عن أن كل خيار في شأنها، يكون أسوأ من غيره. هذا ما بدت عليه سوريا، في شكلٍ تصاعدي. إذا لم نحرّك ساكنًا، فستقع كارثة إنسانية وتنتشر في المنطقة، وإذا تدخّلنا عسكريًا، فسنجازف بفتح «صندوق باندورا»، ونقع في مستنقعٍ آخر، على شاكلة ما حدث العراق. وإذا أمددنا الثوار بالمساعدات، فستؤول إلى أيدي المتطرفين، وإذا تابعنا دبلوماسيًّا، فسنصطدم بالنقض الروسي. لم توحِ أيٌّ من هذه المقاربات بأملٍ في النجاح، لكنها تبقى مطروحة.

عندما اتّضح شلل الجهود التي بُذلت في جينيف، باشرتُ وأفرادًا آخرين من فريق أوباما للأمن القومي، القيام بدراسة أولية عمّا يلزم، للنهوض بقوّة معتدلة، منبثقة من الثوار السوريين، ننتقي عناصرها في عناية، لندرّبهم ونأتمنهم على السلاح الأميركي. مقاربة كهذه، لا تخلو من المجازفة الخطيرة. في الثمانينات، أقدمت الولايات المتحدة والسعودية وباكستان على تسليح الثوار الأفغان، المعروفين باسم المجاهدين، فأسهموا في إنهاء الاحتلال السوفياتي لبلادهم، بينما توجّه بعضٌ من هؤلاء المقاتلين، ومنهم أسامة بن لادن، نحو تأسيس تنظيم القاعدة وتحديد أهدافهم غربًا. ولم يودّ أحد أن يتكرّر السيناريو عينه.

ولكن، إذا استطعنا انتقاء الثوار في دقّة، وإخضاعهم للتدريب الفعلي، فستبرز الفوائد على صعدٍ كثيرة، أوّلها إمكان قيام مجموعة، مهما صغر حجمها نسبيًّا، بإعطاء زخم معنوي للمعارضة وإقناع داعمي الأسد بالنظر في الحل السياسي. وكان حزب اللّه أثبت فاعلية هذه النظرية، عندما أسهم في تحويل الحرب لمصلحة الأسد، بنشره بضعة آلاف فقط من المقاتلين المتشددين.

ثانيًا، ستكون لتحرّكنا – أو عدمه – تبعاتٌ في علاقاتنا مع شركائنا في المنطقة. لم يخفَ على أحدٍ إقدامُ دول عربية كثيرة على إرسال سلاح إلى سوريا، مع افتقار التنسيق في مجال تدفّق الأسلحة هذا، مما يجعل من تلك الدول، على اختلافها، رعاةً لمجموعاتٍ مسلّحة متنوّعة، ومتنافسة في بعض الأحيان، مع العلم أن أعدادًا مقلقة من المعدّات تجد طريقها إلى المتطرّفين. وكانت للولايات المتحدة قدرة ضئيلة على تطويق عملية الاتجار بالأسلحة وتنسيقها، بما أنها لم تكن مشاركةً أساسًا في هذه الجهود. سمعتُ ذلك مباشرةً خلال محادثاتي العسيرة في كل أنحاء الخليج، وفي كل الأحوال، لو كانت أميركا على استعداد، أخيرًا، للدخول في اللعبة، لكانت أثبتت فاعلية أكبر في عزل المتطرّفين وتقوية المعتدلين في الداخل السوري. أحد أبرز المخاوف التي تنتابنا في شأن سوريا – وأحد الأسباب التي تجعل منها معضلة شريرة – هو الافتقار إلى أي خيار قابل للاستمرار، يحلّ محلّ الأسد، وقد يتوصل وحلفاؤه إلى ترداد ما قاله ملك فرنسا، لويس الخامس عشر: «من بعدي الطوفان» (بعد الأسد، الفوضى). إذ سبق لنا أن اتّعظنا من العراق على أثر الفراغ في السلطة، نتيجة سقوط صدام حسين، وتشتت الجيش. وإنما، إذا تمكّنت الولايات المتحدة من تدريب قوة فاعلة ومعتدلة وموضع ثقة، وتجهيزِها، قد تسهم في تماسك البلاد خلال المرحلة الانتقالية، وتحفظ مخزون الأسلحة الكيميائية، وتجنِّبها التطهير العرقي وتصفية الحسابات.

ولكن، هل هذا ممكن؟ يقوم الأمر أساسًا على تدقيق شامل يطاول المقاتلين الثوار للتأكد، في الدرجة الاولى، من استبعاد المتطرفين، والحفاظ على تبادل وثيق للمعلومات الاستخباراتية، والتنسيق العملي مع جميع شركائنا.

ففي العراق وأفغانستان، بذلت الولايات المتحدة جهدًا كبيرًا لتدريب العسكريين المحلّيّين، في محاولة منها لإنشاء جيش وطني متماسك وقادر على توفير الأمن ودحر التمرّد. فقد أدرك قائد العمليات العسكرية في هذين البلدين الجنرال دافيد بيترايوس، الذي أصبح مدير وكالة الاستخبارات الأميركية عام ٢٠١١، مباشرةً، صعوبة الأمر، إذ كانت القوات الأمنية العراقية والأفغانية، على الرغم من بعض الإنجازات، تكافح من أجل تثبيت نفسها. ولكن، ومن خلال الخبرة التي اكتسبها بيترايوس في هاتين الدولتين، أصبح يميّز جيدًا هل الأمور مقدّر لها النجاح أم الفشل.

دعوتُ بيترايوس إلى الغداء في منزلي في واشنطن، ذات سبتٍ في تموز/يوليو، لمناقشة إمكان

إجراء عملية تدقيق في صفوف مقاتلي المعارضة المعتدلين، وتدريبهم وتجهيزهم. وفي حال عَدِّه أنّ في استطاعتنا إنجاز أمر كهذا في سوريا، فسيكسب الموضوع حيّزًا كبيرًا من الأهمية، بما أنه سبق أن فكّر في القضية مليًّا، حتى إنه باشر رسمَ تفاصيلها، متحضِّرًا لطرح خطة.

أطلق كبار الضباط في جيشنا، من الرافضين التدخل في سوريا، توقعاتٍ فائقة عن القوات التي تلزم للتغلّب على الدفاعات الجوية المتطورة التي يملكها الأسد، والسير نحو فرض منطقة حظر جوي، على مثال ما حدث في ليبيا. لكن انزعاج وزير الدفاع بانيتا، كان على قدر انزعاجي من ارتطام الخيارات في سوريا بالحائط؛ فهو كان على معرفةٍ بقدرة عملائنا، بحكم رئاسته وكالة الاستخبارات المركزية.

توجّهتُ، منتصف آب/أغسطس إلى اسطنبول، لعقد استشاراتٍ مع الرئيس عبداللّه غول ورئيس الوزراء أردوغان ووزير الخارجية داود أوغلو. وتزامنًا، كانت تركيا تشهد اضطرابًا كبيرًا من جراء ما يحدث على حدودها، محاولةً التعامل مع الأعداد الهائلة من النازحين السوريين الذين التقيت بعضهم خلال زيارتي، فضلًا عن الأحداث العنيفة المتكرّرة عبر الحدود، ومنها إسقاط سوريا مقاتِلةً تركيّة في المتوسّط. أعادت مأساة هذه الطائرة إلى الأذهان إمكان تفجّر الأزمة السورية في أي لحظة، وتوسّعها في المنطقة. فأكدتُ، في اجتماعاتي، أن الولايات المتحدة وسائر حلفائها في الناتو ملتزمون أمن تركيا، ضدّ العدوان السوري.

على الرغم من الاستشارات المتواصلة بيننا وبين الأتراك منذ اندلاع الأزمة، أصررتُ على واجبنا تكثيف التخطيط العملي بين جيشَينا، تحضيرًا لخطط طوارئ. ما الذي يلزمنا لفرض منطقة حظرٍ جوي؟ كيف يأتي ردّنا على استخدام الأسلحة الكيميائية أو فقدانها؟ كيف نحسّن تنسيق الدعم المقدَّم إلى المعارضة المسلَّحة؟ فحظينا بالموافقة التركية، وأجريتُ وداود أوغلو، بعد يومين، اتصالاتٍ هاتفية، ناقشنا خلالها أفكارنا مع وزراء خارجية بريطانيا وفرنسا وألمانيا.

عدتُ إلى واشنطن وكلي ثقة بأننا سنتوصّل إلى تنسيق فاعل مع شركائنا في المنطقة، في حال قرّرنا الشروع في تسليح الثوار السوريين المعتدلين وتدريبهم. بات التنسيق المشترك بين الوكالات في أوجه، الآن، وقدّم بيترايوس الخطة إلى الرئيس الذي أصغى في إمعان إلى الاقتراحات، وطرح الكثير من الأسئلة الناتجة عن قلقه من أن مجرّد تسليح الثوار غير كافٍ لانتزاع سلطة الأسد، وسط كمّ الأسلحة المتدفقّ من الدول العربية إلى سوريا، مما يقلّل قدرة هباتنا على حسم الأمور. كذلك، كان من واجبنا دومًا أخذ العواقب غير المقصودة في الحسبان. فقصة المجاهدين في أفغانستان، بقيت رسالةً تحذيرية قوية عالقةً في أذهان الجميع. وطلب الرئيس إطلاعه على حالاتٍ دعمت خلالها الولايات المتحدة التمرّد، وتكلّلت بالنجاح.

كانت هذه المخاوف منطقيّة، لكنني اتفقت وبيترايوس على أن ثمة فارقًا كبيرًا بين إغراق سوريا بالأسلحة من الجانبين السعودي والقطري، والتسليح والتدريب اللذين تقدمهما الولايات المتحدة، بمسؤولية، إلى الثوار غير المتطرّفين، فشكّل موضوع السيطرة على تلك الفوضى جزءًا مهمًّا من منطق خطتنا. بل وأكثر، لم يكن الهدف إنشاء قوّة مُحكَمة لدحر النظام، إنما قضت الفكرة بالحصول على شريك على الأرض، يمكننا العمل معه، ويفعل كل ما في استطاعته لإقناع الأسد وداعميه بأن الانتصار العسكري مستحيل. لم يكن المخطط مثاليًّا على الإطلاق؛ وفي الحقيقة، أفضل ما يمكنني القول فيه إنه الخيار الأقل سوءًا بين مجموعة الخيارات المتاحة.

ساورت الشكوك عددًا من موظفي البيت الأبيض، على الرغم من المساندة الرفيعة المستوى التي حظينا بها من مجلس الأمن القومي. فالرئيس استحوذ، في نهاية المطاف، على أصوات شريحة كبيرة من الشعب، بسبب معارضته الحرب في العراق ووعده بإعادة قوّاته إلى البلاد. لم يكن واردًا لديه، لدى تسلّمه الحكم، التورطُ، في أي شكلٍ، في حربٍ أهلية طائفية أخرى في الشرق الأوسط، وظنّ الرئيس أننا في حاجة إلى مزيدٍ من الوقت، لتقويم المعارضة السورية، قبل رفع درجة التزامنا.

مخاطر التحرّك أو عدمه مرتفعة على السواء، وللخيارين عواقب غير مقصودة. فمال الرئيس إلى المحافظة على المسار الراهن، من دون اتخاذ أي خطوة مهمّة لتسليح الثوار.

لا أهوى الفشل في النقاشات، كما حال الجميع، إنما كان هذا طلب الرئيس، واحترمتُ مشاوراته وقراره. هو وعدني، منذ بدء شركتنا، بالإصغاء إليّ في إنصاف، وهذا ما كان يحدث على الدوام، إلا أن موقفي لم يَسُدْ هذه المرة.

انكببتُ مجدّدًا على الدفع في اتجاه الدبلوماسية، في ظلّ القضاء على خطة تسليح الثوار، محاولةً زيادة الضغوط على النظام وعزله، تزامنًا مع معالجة الكارثة الإنسانية. عيّن الأمين العام للأمم المتحدة، بان كي مون، دبلوماسيًّا متمرّسًا من الجزائر، هو الأخضر الإبراهيمي، خلفًا لكوفي أنان، في آب/أغسطس ٢٠١٢، فالتقيتُه مرارًا، وأبقينا على سير المحادثات، إلى حين انتهاء ولايتي. ثمّ أعلنت، خلال اجتماعٍ لأصدقاء الشعب السوري، في أيلول/سبتمبر، تقديم المزيد من الهبات لتوفير الطعام والماء والبطانيات والخدمات الطبية الضرورية إلى من يعانون في سوريا، متعهدةً رفع الدعم للمجموعات المعارضة المدنية، على أن تشمل المساعدات ربط أجهزة الكمبيوتر بالأقمار الصناعية، وتوفير الهواتف والكاميرات، والتدريبات لأكثر من ألف شخص، بينهم ناشطون وطلّاب وصحافيون مستقلّون. ومع تحرّر أجزاء من البلاد من سلطة النظام، كان علينا أيضًا مساعدة المجموعات المعارضة المحلّية على توفير الخدمات الأساسية، مثل إعادة فتح

المدارس وبناء المنازل. لكنّ هذه الخطوات كافةً أتت في نطاق الإسعافات الأولية، فيما الصراع محتدم في سوريا.

مع انتهاء مهامي في وزارة الخارجية، مطلع العام ٢٠١٣، كان سُجِّل مقتل عشرات الآلاف في سوريا، ونزوح الملايين، بينما وصلت الدبلوماسية الدولية إلى طريق مسدودة. وتجسّدت مخاوفنا بتفوّق المتطرّفين على قادة الجيش السوري الحرّ المعتدلين.

بدأت ترد علينا تقارير مقلقة من جوار حلب، في آذار/مارس ٢٠١٣، أي بعد مضيٍّ شهرٍ ونيّف على انتهاء ولايتي، تفيد بسابقة استعمال نظام الأسد الأسلحة الكيميائية. كان هذا أكثر ما أثار ريبتنا، طوال عامين، مع اقتناعنا بامتلاك سوريا مخزونًا من غاز الخردل والسارين وأسلحة كيميائية أخرى، يعدّ من الأضخم عالميًّا. وكنا تلقينا تقارير متفرّقة، خلال العام ٢٠١٢، عن نقل قوات النظام موادّ كيميائية أو خلطها. وأطلقتُ حينذاك، والرئيس أوباما، تحذيراتٍ صارمة في هذا الشأن، وصرّح الأخير، في آب/أغسطس ٢٠١٢، أن نقل الأسلحة الكيميائية أو استخدامها، خطٌّ أحمر بالنسبة إلى الولايات المتحدة، في إشارة واضحة إلى أن إجراءات ستُتّخذ في حق النظام في حال تخطّيه هذا الخط، منها احتمال اللجوء إلى عملية عسكرية. أثبتت التحذيرات فاعليتها بردعها الأسد، عام ٢٠١٢، وعدوله عن هذه الأفعال. فإذا صحّت التقارير الجديدة عن الأسلحة الكيميائية، يكون الصراع السوري اتخذ منحى شديد الخطورة.

أعلن الرئيس، ثانيةً، تغيّر قواعد اللعبة في حال استخدام الأسلحة الكيميائية، لكن وكالات الاستخبارات الأميركية لم تكن جاهزةً بعد للجزم بحدوث الهجوم فعلًا، واحتجنا إلى مزيدٍ من عمليات البحث والتحرّي. وفي حزيران/يونيو ٢٠١٣، تأكد للبيت الأبيض، في بيان غير رسمي، أخيرًا استعمال الأسلحة الكيميائية، بنسب ضئيلة، وفي ظروف كثيرة، مما أدى إلى مقتل ١٥٠ شخصًا. قرّر الرئيس زيادة المساعدات للجيش السوري الحر، وتحدث مسؤولو الإدارة أمام الصحافيين، على خلفية هذا القرار، عن عزمهم، للمرة الأولى، توفير الأسلحة والذخائر، على عكس القرار الذي اتخذه أوباما، الصيف المنصرم.

صُعق العالم لاحقًا، في آب/أغسطس ٢٠١٣، بصور لغارةٍ كيميائية جديدة، واسعة النطاق، على ضواحي دمشق المعارضة، موقعةً، بحسب التقارير، أكثر من ١٬٤٠٠ قتيل بينهم رجال ونساء وأطفال. شكلت هذه المجزرة تصعيدًا كبيرًا وانتهاكًا صارخًا للخط الأحمر الذي وضعه الرئيس، وللقواعد العالمية المفروضة منذ زمن، وبدأت الضغوط ترتفع، على الفور، من أجل ردٍّ أميركي حازم. تصدّر وزير الخارجية كيري لائحة الذين دانوا المجزرة، مسميًا إياها «الفحش الأخلاقي»،

وقال الرئيس أوباما «لا يمكننا قبول عالم، تُحتضر فيه النساء والأطفال والمدنيون الأبرياء بالغاز السام، بهذا الشكل الفظيع». وتساءل الأميركيون هل العملية العسكرية وشيكة؟

سأل بعض المعلّقين، وعدد من أعضاء الكونغرس، لماذا يولي الرئيس اهتمامًا كبيرًا للأسلحة الكيميائية، فيما الأسد يقتل أعدادًا غفيرة بالأسلحة التقليدية. إلا أن قلقه ناتج عن أن الأسلحة الكيميائية تُصنَّف في خانةٍ خاصةٍ بها، وهي محظورة من المجتمع الدولي، تبعًا لاتفاق جينيف عام ١٩٢٥، ولمعاهدة حظر الأسلحة الكيميائية عام ١٩٩٣، بصفة كونها مروِّعة وعشوائيةً ومنافية للإنسانية. وكما شرح الرئيس أوباما الموضوع «إذا فشلنا في التحرّك، لن يجد نظام الأسد سببًا لوقف استخدام الأسلحة الكيميائية. ومع خرق حظر الأسلحة هذه، لن يفكّر طغاةٌ آخرون مرّتين قبل امتلاك الغاز السام واستخدامه، ومع الوقت، ستتعرّض قواتنا مجددًا لاحتمال نشوء حرب كيميائية على ساحة المعركة، وسيسهُل على المنظمات الإرهابية الحصول على تلك الأسلحة، واستعمالُها في مهاجمة المدنيين».

بينما كان البيت الأبيض يتأهّب للتحرك، خسر رئيس الوزراء البريطاني دافيد كاميرون التصويت الهادف إلى تشريع اللجوء إلى القوة في سوريا. وبعد يومين، أعلن الرئيس أوباما نيّته شن غاراتٍ جويّة، من أجل ردع نظام الأسد وتراجعه عن استخدام الأسلحة الكيميائية مستقبلًا. ولكن، وفي خطوةٍ فاجأت كثرًا في واشنطن، كشف الرئيس أوباما أنه، وقبل التحرّك، سيستأذن مجلس الشيوخ الذي كان في إجازة. وإذا بأعضاء الكونغرس يدخلون في نقاش حادّ وعنيف في ما يقتضي فعله، فظهرت أوجه الشبه مع مرحلة استعدادنا للحرب في العراق. وهنا، تداخلت السيناريوهات التي قد تُتّبع في أسوأ الحالات، وفرضيات الانزلاق، فبدا كأن خطة الرئيس تبدّدت، بعدما ارتكزت على توجيه عددٍ محدود من الغارات حفاظًا على القواعد العالمية. ومع مرور الأيام، بدأت موجة الرأي العام تتحوّل ضدّ البيت الأبيض، وبدأت الماكينات الانتخابية تُنذر بخسارة الرئيس، مما يوجه ضربة إلى الولايات المتحدة في صميم هيبتها وصدقيّتها. راقبتُ الصولات والجولات في ذعر، بينما كانت سوريا تتحول أكثر من «معضلة شريرة». فدعمتُ جهود الرئيس مع الكونغرس ودعوتُ المُشرِّعين إلى التصرّف.

أجريتُ، في ذلك الوقت، محادثاتٍ مع الوزير كيري وكبير موظفي البيت الأبيض دنيس ماكدونو، تتعلق بسبل إطلاق يد الرئيس في الخارج، خصوصًا قبيل توجّهه إلى قمّة مجموعة العشرين في سانت بطرسبرغ، في وقتٍ لاحق من الأسبوع، ليلتقي فلاديمير بوتين. ومن منطلق رفضي إمكان تخطي بوتين الرئيس، وفرضه نقاشًا حادًّا في الجلسة، اقترحتُ أمام دنيس أن يجد البيت الأبيض سبيلًا لإظهار دعم الحزبَين للرئيس، قبل التصويت، ناصحةً له بشَمول الزعيم الجمهوري في لجنة العلاقات الخارجية في مجلس الشيوخ السيناتور بوب كوركر، لإيصال

الرسالة، خصوصًا أنه ليس من محبّي بوتين، بحسب علمي. وقضت الفكرة باستغلال جلسة استماع روتينية للجنة، خلال الأسبوع، للتصويت على إقرار اللجوء إلى عمل عسكري، لمصلحة الرئيس. وافق دنيس، المنفتح دائمًا على الآراء، والمتآلف مع طرائق التعاطي مع الكونغرس، من خلال عمله في الكابيتول هول. أتى تعاملُ البيت الأبيض مع كوركر بالنتيجة المنشودة في التصويت، وعلى الرغم من أن البيان الصادر لم يكن من أهم البيانات في العالم، إلا أنه كان كافيًا لنبرق إلى بوتين أننا غير منقسمين على قدر ما يأمل. وتلقيت اتصالًا من دنيس، بعد أيام قليلة، يسأل هل أملك أفكارًا أخرى، وأطلعني على أن الرئيس سيتصل بي في اليوم التالي. ومع علمي بكمّ الانشغالات الملقاة على كاهل الرئيس، أبلغتُ دنيس أن يغضّ الرئيس النظر عن مكالمتي، إلا أنه شدّد في المقابل على أن الاتصال سيتمّ. وبالفعل، تحدّثنا في اليوم التالي عن الجهود التي بذلها في الكونغرس، وعن التطورات التي تشهدها الساحة العالمية. من محاسن المصادفات أن جدول أعمالي تضمن زيارةً للبيت الأبيض، في ٩ أيلول/سبتمبر، إذ سيقام حدثٌ عن الاتجار غير المشروع بالحيوانات البريّة. كنتُ علمتُ، خلال وجودي في وزارة الخارجية، أن فيلة الغابات الأفريقية على وشك الانقراض، ولفت انتباهي أحد الأسباب المؤدية إلى هذا الأمر المؤسف: تورّط الإرهابيين والمجموعات المسلّحة، من مثل حركة الشباب المجاهد وجيش الربّ الأوغندي، في تجارة العاج غير المشروعة، لتمويل أنشطتهم المحظورة والمزعزعة للاستقرار في أنحاء أفريقيا الوسطى. وعندما انتهت مهامي في الحكومة وانضممتُ إلى بيل وتشيلسي في مؤسسة كلينتون، بدأتُ وتشيلسي بالعمل مع الجماعات الرائدة في الحفاظ على البيئة، على التوصل إلى استجابةٍ عالمية لـ «وقف القتل، ووقف الاتجار، ووقف الطلب». يعود الفضل جزئيًّا في دعمنا إلى الضغوط التي مارسها البيت الأبيض، في إطار تثمينه القضية، وإقدام الرئيس أوباما على توقيع أمرٍ تنفيذي، صيف العام ٢٠١٣، بتصعيد الجهود ضدّ الاتجار غير المشروع. أما الآن، فينظّم البيت الأبيض مؤتمرًا للتخطيط للخطوات المقبلة، وقد طلب أن أكون وتشيلسي حاضرتين. وكانت، بالطبع، سوريا الشغل الشاغل الوحيد بالنسبة إلى سائر العالم.

في ذلك الصباح، وخلال مؤتمر صحافي في لندن، سُئل كيري هل من أمرٍ يستطيع الأسد فعله لتجنب التدخل العسكري؟ أجاب كيري «بكل تأكيد. يمكنه تسليم كل الأسلحة الكيميائية إلى المجتمع الدولي الأسبوع المقبل - تسليمها غير منتقصة ومن دون أي تأجيل - والسماح برفع البيانات في هذا الشأن. لكنه ليس على وشك الإقدام على عمل كهذا وبالتالي، فالأمر خارج الحسبان». مع أن جواب كيري أتى ربّما ليعكس محادثاته مع الحلفاء والروس، إلا أنه بدا للعالم تصريحًا متهوّرًا، في حين قلّل متحدثٌ باسم وزارة الخارجية شأنَه، واضعًا إياه في خانة «الحجة الخطابية». لكن الروس تمسكوا بتعليق كيري، وعوّلوا عليه على أنه عرض دبلوماسي جدي.

بوصولي إلى البيت الأبيض، الأولى بعد الظهر، كان كبار الموظفين الإداريين يخوضون نقاشًا عن سبل الردّ. فتسلّمت بيانًا موجزًا، ودخلت على أثره المكتب البيضوي، لأتحدّث إلى الرئيس. كانت غريبةً عودتي للمرة الأولى إلى هذه الغرفة المألوفة، بعد مرور سبعة أشهر على تنحّي، للبحث مجددًا في أزمةٍ دوليّة ملحّة. قلتُ للرئيس إن عليه، في حال عدم تصويت الكونغرس لمصلحة التحرّك ضدّ سوريا، أن يتجاوز الأمر ويرحّب بانفتاح موسكو غير المتوقّع.

كانت ثمة أسباب تدعو إلى الحذر. يمكن أن تكون الحيلة الدبلوماسية الأخيرة التي صدرت عن الروس مجرّد تأجيل تكتيكي آخر، تستفيد منه لإبقاء الأسد على رأس السلطة، مهما كلّف الأمر. لم يكن مخزون الأسلحة الكيميائية الهائل جيدًا بالنسبة إليهم أيضًا، مع وجود السكان المسلمين المتململين لديهم، لكنّ إمكان القضاء على مخزون الأسلحة الكيميائية التي يملكها الأسد، يستحقّ المجازفة، خصوصًا أن الرئيس كان يواجه أزمة قد تكون ضارّة مع الكونغرس. لم يكن الأمر لينهي الحرب الأهلية أو يفعل الكثير لمساعدة المدنيين المحاصرين بتبادل إطلاق النار، لكن من شأنه إبطال التهديدات الجادة التي يواجهها هؤلاء المدنيون السوريون، وجيرانهم، وبينهم إسرائيل، والأمم المتحدة في حدّ ذاتها. مع تأزّم المعارك وتفاقم حال عدم الاستقرار، ازداد احتمال تحويل هذه الأسلحة الكيميائية مجددًا ضدّ المدنيين السوريين أو نقلها إلى يد حزب اللّه أو استيلاء الإرهابيين عليها بالسرقة.

أعربتُ للرئيس عن اعتقادي بأهمية السعي إلى حل دبلوماسي لإنهاء الأزمة، في وقتٍ كنتُ متأكدةً تمامًا من صعوبة الموضوع، بما أن محاولاتي لم تتوقف منذ آذار/مارس ٢٠١١. لكنّ خارطة الطريق التي وقعناها العام المنصرم، في جينيف، لا تزال قائمة، ويمكن المضي قدمًا من خلالها، فيما التعاون على مستوى الأسلحة الكيميائية قد يعطي زخمًا لإحراز تقدّم أوسع. لم يكن الأمر مرجحًا، إلا أنه كان جديرًا بالمحاولة.

وافق الرئيس، وطلب مني الإدلاء بتصريح. خارج المكتب البيضوي، عمد مستشار الرئيس للأمن القومي، كبير كتبة الخطابات في السياسة الخارجية، بن رودز، إلى تنقيح ملاحظاتي عن الاتجار بالعاج. كان رودز أحدَ مساعدي الرئيس الذين أوليتهم ثقتي وتقديري مع مرور الوقت، على مثال دنيس ماكدونو، وأصبح مقرّبًا من أعضاء فريقي، يستذكرون معًا ما توصّلنا إليه، منذ الأيام الأليمة في حملة الانتخابات التمهيدية، عام ٢٠٠٨، وكم يفتقدون إلى العمل معًا. وكنت في تلك اللحظة مسرورةً بلتقي نصحيته، بغية إيصال الرسالة الصحيحة إلى العالم. لدى دخولي قاعة البيت الأبيض، حيث يقام الحدث الذي يسلّط الضوء على الحياة البرية، رأيتُ إقبال الصحافيين والكاميرات بأعدادٍ لم يُشهد لها على الأرجح مثيل، في تغطية صيد الفيلة غير المشروع. استهللتُ كلامي بالقضية السورية «من شأن تسليم النظام مخزونَه على الفور، عملًا باقتراح الوزير كيري

والروس، أن يكون خطوة مهمة. ولكن لا يمكن أن يكون ذلك عذرًا آخر للتلكؤ والتعطيل، وعلى روسيا دعم جهود المجتمع الدولي في صدق، وإلا فستُحاسَب». كذلك، شدّدتُ على أن تهديد الرئيس باللجوء إلى القوة هو الذي حفّز الروس على البحث عن مخرج.

قرّر البيت الأبيض إرجاء التصويت في الكونغرس، فسحًا في المجال أمام الطرائق الدبلوماسية. توجّه الوزير كيري إلى جنيف وبحث مع لافروف في تفاصيل إزالة الأسلحة الكيميائية. وبعد شهرٍ فقط، مُنحت جائزة نوبل للسلام لمنظمة حظر الأسلحة الكيميائية، وهي وكالة تابعة للأمم المتحدة، مسؤولة عن تنفيذ الاتفاق. كان التصويت لنيل الثقة، وإلى حين كتابة هذه السطور، كان الاتفاق أُبرم، بينما تسجل الأمم المتحدة تطورًا بطيئًا، لكنه منتظم، في تفكيك ترسانة الأسلحة الكيميائية التابعة للأسد، على الرغم من الظروف الصعبة والشائكة. ووسط التأجيلات التي حدثت، تمّ التوصل إلى إزالة أكثر من ٩٠ في المئة من أسلحة سوريا الكيميائية، بحلول نهاية نيسان/أبريل ٢٠١٤.

في كانون الثاني/يناير ٢٠١٤، عقد الممثل الخاص الإبراهيمي، في جينيف، مؤتمرًا ثانيًا للأمم المتحدة عن سوريا، بهدف تطبيق الميثاق الذي سبق أن ناقشتُه، في حزيران/يونيو ٢٠١٢. جلس ممثلون عن نظام الأسد، للمرة الأولى، وجهًا لوجه، مع أفراد من المعارضة، لكنّ المحادثات لم تسفر عن أي تقدم. رفض النظام الانخراط جديًّا في مسألة هيئة الحكم الانتقالي، على ما نصَّ الاتفاق الأساسي، ودعم حلفاؤه الروس الأوفياء هذا الرفض. وتزامنًا، كانت المعارك في سوريا مستمرّةً، من دون هوادة.

تنفطر القلوب للمأساة الإنسانية السورية. وكالعادة، تتحمّل النساء والأطفال العبء الأكبر من هذه المعاناة. ويواصل المتطرّفون الاستيلاء على الأراضي، ومسؤولو الاستخبارات في الولايات المتحدّة وأوروبا يحذّرون من تشكيل هؤلاء تهديدًا يمتدّ إلى خارج سوريا. وفي شباط/فبراير ٢٠١٤، أعلن مدير وكالة الاستخبارات المركزية جون برينان: «نحن قلقون من استخدام تنظيم القاعدة الأراضي السورية لتوظيف أفراد، وتطوير إمكاناته، للتوصل إلى أبعد من قيادة هجمات في الداخل السوري، بل واستعمال سوريا نقطةَ انطلاق لعملياته». وأضاف مدير الاستخبارات الوطنية جايمس كلابر كلامًا أدق في هذا الشأن، مشيرًا إلى أن هناك مجموعة متطرّفة واحدة على الأقل في سوريا «تطمح إلى الاعتداء على الولايات المتحدة». ليس في استطاعة الولايات المتحدة وحلفائها تجاهل هذا الخطر المتفاقم، وسط الجمود القائم في سوريا واستمرار إراقة الدماء. أدرك أيضًا أعضاء معتدلون آخرون من المعارضة السورية الخطرَ الداهم الذي يمثله المتطرفون محاولين اختطاف ثورتهم، وأطلق بعضهم جهودًا لإخراجهم من المناطق التي يسيطر عليها الثوار، ولكن ستكون المعركة شاقةً وتتطلّب أسلحة متنوعة ورجالًا، بعيدًا من المعركة المُخاضة ضدّ الأسد. وفي نيسان/

أبريل ٢٠١٤، صدرت تقارير تفيد بتوجّه الولايات المتحدة إلى زيادة التدريبات وإمدادات الأسلحة إلى بعض مجموعات الثوار.

كما قال كوفي أنان، في القمة الأولى التي عُقدت في جينيف، «التاريخ قاضٍ ماكر»، يستحيل اكتفاء المرء بالتفرج على المعاناة في سوريا، وإن كان مواطنًا عاديًّا، من دون أن يسأل ما كان يمكن القيام به أكثر. هذا جزءٌ من الأمور التي تجعل من سوريا، ومن التحدي الأوسع المتمثل بالاستقرار المتزعزع في الشرق الأوسط، معضلة شريرة. ولكن لا يمكن للمعضلات الشريرة عرقلتنا، ومن واجبنا الاستمرار عاجلًا في البحث عن حلول، مهما تعقّدت الأمور.

الفصل العشرون

غزة: خطة لوقف إطلاق النار

توقف الموكب إلى جانب الطريق السريعة، المغبرة، التي تربط رام اللّه بالقدس. سارع رجال الأمن إلى الترجل من سياراتهم المصفّحة، وأنعم بعضهم النظر إلى أسفل الطريق، وفي اتجاه قلب الضفة الغربية، في حين توجّهت أنظار آخرين نحو السماء. فالاستخبارات الإسرائيلية أعلنت للتو، احتمال إطلاق الفلسطينيين المتطرفين صاروخًا من قطاع غزة، ولا مجال للتأكد من وجهته. هرع المسؤولون الأميركيون، وركبوا في إحدى السيارات الكثيرة المصفّحة، ليضمنوا سلامتهم من أي إنفجار، بعدما كانوا يركبون سيارة عادية، ضمن الموكب. وعندما دخل الجميع، انطلقنا مجددًا في اتجاه القدس.

كادت الأراضي المقدسة تتحوّل ساحةَ حرب، مرةً جديدة، قبيل عيد الشكر عام ٢٠١٢، فغادرتُ، على الأثر، قمّةً رفيعة المستوى في آسيا وتوجّهتُ إلى الشرق الأوسط في مهمة دبلوماسية طارئة، في محاولةٍ لوضع حدّ للحرب الجويّة المشتعلة في غزة، بين إسرائيل وحماس، منعًا لتحولها حربًا برية قاتلة. كان علي أن أدخل على خطّ الوساطة لوقف إطلاق النار بين خصمين عنيدين لا يتبادلان الثقة، على خلفية الاضطرابات الواقعة في المنطقة. وتأتي هذه الوساطة بمنزلة امتحان مهمّ للقيادة الأميركية، بعد أربعة أعوام من الدبلوماسية المخيّبة في الشرق الأوسط.

كانت إدارة أوباما تسلمت مهامها منذ حوالى أربع سنوات، بعد أيام قليلة على انتهاء نزاع متفجر

في غزة، وقتذاك، على خلفية إطلاق صواريخ على إسرائيل. وقد اجتاح الجيش الاسرائيلي، مطلع كانون الثاني/يناير ٢٠٠٩، قطاع غزة لإيقاف إطلاق المسلّحين الصواريخ على طول الحدود، وبعد قرابة الأسبوعين من القتال الوحشي في المناطق الآهلة الذي خلّف ١،٤٠٠ قتيل في غزة، انسحبت إسرائيل وفرضت، بحكم الأمر الواقع، حصارًا على القطاع الفلسطيني. استمرّت الاشتباكات على مستوًى متدنٍّ وبوتيرة مستمرّة، في الأعوام القليلة اللاحقة، إذ أُطلق أكثر من مئة صاروخ في اتجاه جنوب إسرائيل، خلال العامين ٢٠٠٩ و٢٠١٠، فضلًا عن هجماتٍ متقطّعة بقذائف الهاون، في حين عمد الطيران الإسرائيلي، في بعض الأحيان، إلى شنّ غاراتٍ جوية. لم يكن الوضع مقبولًا في أي شكلٍ من الأشكال، إنما قياسًا إلى معايير المنطقة، عُدَّت المرحلة هادئةً نسبيًّا. لكنّ العنف تزايد بدءًا من العام ٢٠١١، مع إعادة تسلّح المتطرفين واندلاع الثورات في الشرق الأوسط، فسقطت الصواريخ بالمئات على إسرائيل، ذاك العام. تسارعت الوتيرة عام ٢٠١٢، وحذّر وزير الدفاع الإسرائيلي إيهود باراك، في ١١ تشرين الثاني/نوفمبر، من عملية إسرائيلية محتملة ضدّ الفصائل الإرهابية في غزة، على أثر سقوط أكثر من مئة صاروخ جنوب إسرائيل خلال أربع وعشرين ساعة، مما أدى إلى جرح ثلاثة إسرائيليين.

تحكُم حركة حماس قطاعَ غزة، منذ العام ٢٠٠٧، وهي مجموعة من الفلسطينيين المتطرفين. تأسست خلال الانتفاضة الأولى، نهاية الثمانينات من القرن العشرين، وصنّفتها الولايات المتحدة، عام ١٩٩٧، منظّمةً إرهابية أجنبية. لم يكن هدفها المعلن قيام دولة مستقلة ضمن الأراضي الفلسطينية، بل تدمير إسرائيل برمّتها وإنشاء إمارة إسلامية على الأرض الممتدة بين نهر الأردن والبحر الأبيض المتوسّط. ارتكزت منذ سنوات على دعمٍ مالي وعسكري من الجانبين الإيراني والسوري، وبعد وفاة ياسر عرفات عام ٢٠٠٤، تنافست علًى قيادة القضية الفلسطينية مع حركة فتح، الأكثر اعتدالًا، والتي يتزعّمها محمود عباس. عقب الفوز في الانتخابات التشريعية عام ٢٠٠٦، استولت حماس على الحكم في قطاع غزة، خلفًا لعبّاس وللسلطة الفلسطينية، عام ٢٠٠٧، وبقيت متمسّكة بالحكم على الرغم من حرب العام ٢٠٠٩. أنفقت حماس وداعموها الأجانب أموالهم على تهريب الأسلحة لإعادة تكوين مخازنها، بينما استمرّ اقتصاد غزة في التدهور، وبقي شعبها يعاني الأمرّين.

قلبت ثورات الربيع العربي موازين اللعبة في الشرق الأوسط، ووجدت حماس نفسها في قلبِ مشهد مغاير. مارس راعيها التقليدي الدكتاتور العلَويّ بشار الأسد، قمعًا وحشيًّا على الغالبية السُّنية في سوريا، فتخلّت المنظمة السُّنية حماس، عن مقرّها الرئيس في دمشق. وتزامنًا، تبوأ السلطة أحد الأحزاب الإسلامية السُّنية من ذوي العلاقات الوثيقة مع حماس، الإخوان المسلمون، في مرحلة ما بعد الثورة في مصر، الواقعة على حدود غزة. كان الأمر بالنسبة إلى حماس، بمنزلة

بابٍ يُفتح في مقابل آخر يوصَد. ومع تزايد التعقيدات، وجدت نفسها في منافسة متنامية في الداخل الفلسطيني، مع مجموعات أخرى متطرِّفة، ولاسيما منها حركة الجهاد الإسلامي في فلسطين، التي تسعى إلى محاربة إسرائيل من دون أن تتحمّل مسؤولية فرض سيطرتها على غزة أو تحقيق نتائج للشعب.

مع فرض إسرائيل حصارًا بحريًّا على غزة وسيطرةً مُحكمة على حدودها الشمالية والشرقية، لم تجد حماس منفذًا لإمداداتها إلا عبر الحدود الجنوبية الضيقة مع شبه جزيرة سيناء، في مصر، حيث كانت عمليات التهريب مرفوضةً، على وجه حق، خلال عهد مبارك الذي بنى علاقات جيدة مع إسرائيل. لكن حماس نجحت في حفر الأنفاق تحت الحدود، وصولًا إلى الأراضي المصرية. وبعد سقوط مبارك ووصول الإخوان المسلمين إلى الحكم في مصر، أصبح اجتياز حدود غزة أسهل من ذي قبل.

في الوقت عينه، بدأت السلطات المصرية تفقد السيطرة على شبه جزيرة سيناء. المنطقة الصحراوية التي تبلغ مساحتها ٢٣،٠٠٠ ميل مربّع، يحدّها البحر الأحمر جنوبًا، وقناة السويس غربًا، وقد اشتهرت بدورها من خلال ذكرها في الكتاب المقدس وعُرفت بمركزها الاستراتيجي كجسر بَرّي يربط أفريقيا بآسيا. أقدمت إسرائيل على اجتياحها مرّتين، الأولى عام ١٩٥٦، أثناء أزمة السويس، والثانية عام ١٩٦٧، خلال حرب الأيام الستة. وعملًا ببنود معاهدة كامب دافيد، عام ١٩٧٩، أعادت إسرائيل سيناءَ إلى مصر، وانتشرت قوة حفظ سلام دولية، ومعها قواتٌ أميركية، لمراقبة الهدنة. وتشكّل سيناء أيضًا مقرَّ قبائل البدو الرحّل الثائرين والمهمّشين من القاهرة، الذين استغلّوا حال فوضى بثّتها الثورة المصرية، ليؤكدوا استقلالهم، ويطالبوا الحكومة بدعم اقتصادي أوسع، وبإيلائهم احترامًا أكبر من قوات الأمن الحكومية. وهكذا، أصبح جموح سيناءً يشكل ملاذًا آمنًا للمتطرفين المرتبطين بالقاعدة.

سألتُ الرئيس المصري الجديد محمّد مرسي، خلال أحد اجتماعاتنا الأولى «ماذا الذي ستقومون به لمنع القاعدة ومتطرفين آخرين من زعزعة استقرار مصر، خصوصًا سيناء؟» فأجاب «لمَ قد يقدمون على أمرٍ كهذا؟ لدينا حكومة إسلامية الآن». أتت مسألة توقعه تضامنًا مع الإرهابيين، إما من باب السذاجة وإما من باب الشر الصادم، وعزوت السبب إلى «أنكم لن تتطهّروا كفايةً. ايًّا تكن مواقفكم، فسيستهدفونكم. ومن واجبكم حماية بلادكم وحكومتكم». أما هو، فلم يعر الأمر أي أهمية.

بحلول آب/أغسطس ٢٠١٢، فرضت الأوضاع في سيناء تهديدًا لا يمكن التغاضي عنه. شنّت مجموعة مؤلفة من قرابة خمسة وثلاثين مسلحًا ملثمًا، مساء ذات أحد، هجومًا على ثكنة للجيش المصري في موقع متقدم، قرب الحدود مع إسرائيل، متسببةً بمقتل ستة عشر عسكريًّا، كانوا

جالسين إلى مائدة العشاء. ثم أقدم المتطرفون على سرقة مركبة مدرّعة، وشاحنة دجّجوها بالمتفجرات، وتوجّهوا بها إلى إسرائيل. انفجرت الشاحنة لدى عبورهم السياج الحدودي عند معبر كيرم شالوم، بينما تولى الطيران الإسرائيلي تدمير المركبة المدرّعة. لم تدم المواجهة أكثر من خمس عشرة دقيقة، إلا أنها كانت كافية لإحداث حال من الصدمة لدى مصر وإسرائيل، على السواء. بعد المأساة، وبمؤازرة الولايات المتحدة، كثّفت مصر جهودها لمحاربة المسلّحين في سيناء، لاجئةً أيضًا إلى القوة الجوية. لكنّ المنطقة بقيت تعاني حالًا من عدم الاستقرار الشديد.

لاحقًا، ونهاية تشرين الأول/أكتوبر، توالى حادثان، بفارقٍ زمني قصير، برهنا الحد الأقصى الذي وصلت إليه تعقيدات الأمور وتقلباتها.

ففي ٢٣ تشرين الأول/أكتوبر، زار غزّةَ، أميرُ قطر الشيخ حمد بن خليفة آل ثاني، تلبيةً لدعوةِ حماس. وشكّلت هذه الزيارة سابقةً يقوم بها رئيس دولة للمنطقة المعزولة، منذ تسلّم حماس الحكم، عام ٢٠٠٧، بينما أظهر الطرفان رمزية هذه الخطوة. أتى الأمير على رأس موكبٍ فخم، مؤلفٍ من حوالى خمسين سيارة سوداء من نوعي مرسيدس - بنز وتويوتا مصفّحة، ولاقى ترحيبًا من حماس في مراسم أبّهة حاشدة. وقال رئيس وزراء السلطة الفلسطينية إسماعيل هنيّة، إن الزيارة القطرية وضعت حدًّا لـ«الحصار السياسي والاقتصادي المفروض على غزة»، مظهرًا عقيلته للمرّة الأولى على العامّة.

أما الأمير فتعهّد، من جهته، تقديم ٤٠٠ مليون دولار أميركي للمساعدة الإنمائية، وهو رقم يفوق مجموع المبالغ التي حصلت عليها غزة من المانحين الدوليين، مجتمعين. كانت ترافقه عقيلته، الشيخة موزة، وابن عمّه رئيس الوزراء وزير خارجية قطر حمد بن جاسم آل ثاني، أو «آيتش بي دجي» كما كنّا نناديه.

شكّلت الزيارة فرصةً لهنيّة وحماس، للخروج من ظل رئيس السلطة الفلسطينية محمود عباس، المعترف به من المجتمع الدولي، بصفة كونه قائدًا شرعيًّا للشعب الفلسطيني، وهيأت لهما المناسبة ليُظهرا على الملأ أن مستقبلهما لامع، على الرغم من القطيعة القائمة مع كلا الجانبين السوري والإيراني. وبالنسبة إلى قطر، كانت فرصةً للاستمتاع بنفوذٍ إقليمي جديد، والمطالبة بالأحقيّة، بصفة كونها الداعم الأبرز للقضية الفلسطينية في العالم العربي. أما بالنسبة إلى إسرائيل، فأتت الزيارة لتثير قلقًا متزايدًا لديها، بينما رأت الولايات المتحدة، وسط استمرارها في النظر إلى حماس كمنظمةٍ إرهابية خطرة، أن قطر لغزٌ يبرهن التعقيدات التي تحول دون إمكان التعامل مع الشرق الأوسط خلال هذه المرحلة المفعمة بالاضطرابات.

جغرافيًّا، تبدو قطر كإصبعٍ صغير، وتمتدّ من السعودية إلى الخليج الفارسي على مساحة تزيد

قليلًا على ٤،٤٠٠ ميل مربّع، ولا توازي حتى نصف مساحة فيرمونت، إلا أنها تنعم بمخزون ضخم من النفط والغاز الطبيعي، وقياسًا إلى عدد سكانها، تظهر بين الدول الأكثر ثراءً في العالم. لا يتعدّى عدد مواطنيها الربع مليون قطري، لكنها تستقطب أضعاف هذا العدد من العاملين الأجانب، لتسيير أمور البلاد. خلع الشيخ حمد والدَه عن العرش ليصبح أميرًا، عام ١٩٩٥، وما لبث أن شرع في الارتقاء بقطر. ازدهرت العاصمة، الدوحة، في عهده إلى حد منافسة دبي وأبو ظبي بصفة كونهما محوري التجارة والثقافة في المنطقة، وأصبحت شبكة قناتها الفضائية، الجزيرة، مصدر الأخبار الأكثر نفوذًا في الشرق الأوسط، ومساحةً إعلامية تؤثر من خلالها قطر في المنطقة كلها.

وكمثل جيرانها الخليجيين، لم تولِ قطر أهمية كبيرة للديمقراطية واحترام حقوق الإنسان العالمية، إلا أنها حافظت على علاقات استراتيجية وأمنية وثيقة مع الولايات المتحدة، فضلًا عن استضافتها قاعدةً ضخمة لسلاح الجو الأميركي على أراضيها. وخضع هذا التوازن للاختبار في أنحاء الخليج، خلال الربيع العربي.

ناور الأمير و«آيتش بي دجي»، للإفادة من الاضطرابات الواقعة في المنطقة، وتصوير قطر كنصيرة للثورات. كان هدفهما من هذا الإجراء، تحويل دولتهما الصغيرة قوّةً عظمى في الشرق الأوسط، من خلال دعمهما الإخوان المسلمين وإسلاميين آخرين في المنطقة. قلقت الأنظمة الملكية الأخرى من أن يؤدي هذا السلوك إلى زعزعة الاستقرار في دولها، إلا أن القطريين رأوا فيه فرصةً لبناء نفوذ مع اللاعبين الجدد البارزين على الساحة، والدفاع عن رؤاهم الثقافية المحافظة، فضلًا عن تشتيتهم الانتباه عن النقص القائم على مستوى الإصلاحات في بلادهم.

كذلك، عمد الأمير و«آيتش بي دجي»، من جراء استخدامهما القوة الناعمة لقناة الجزيرة، ودفاتر شيكاتهم التي لا تُعدّ، إلى تمويل مُرسي في مصر، ومدّ الثوار الإسلاميين في سوريا وليبيا بالأسلحة، وبناء علاقات جديدة مع حماس في غزة. كذلك، أسهم الطيران الحربي القطري في فرض منطقة الحظر الجوي فوق ليبيا. إذًا، أينما حللتَ وقتذاك، كنت لتلاحظ امتداد اليد القطرية إلى كل أنحاء الشرق الأوسط، في إنجازٍ دبلوماسي مشهودٍ له. غير أن جهود قطر كانت تتقاطع، في بعض الأحيان، مع جهودنا، فيما دول عربية أخرى، إضافةً إلى إسرائيل، رأت في دعم قطر للقوات الإسلامية والعناصر المتطرفين، تهديدًا متناميًا، وأدّت زيارة الأمير لغزة، إلى تفاقم المشكلة. (تخلى الأمير عن عرشه لمصلحة ابنه، عام ٢٠١٣، وسط تراجع الإسلاميين في مصر وأماكن أخرى، وحل محل «آيتش بي دجي» نائب وزير الداخلية السابق الذي كان أدنى مستوًى. ووصلت العلاقات بين دول الخليج إلى الحضيض، في آذار/مارس ٢٠١٤، مع سحب السعودية والبحرين والإمارات العربية المتحدة سفراءها من قطر).

ولم تمضِ ساعاتٌ على زيارة الأمير لغزّة، حتى هزت تفجيرات مصنع أسلحة في الخرطوم، في

السودان. وأعلن المسؤولون السودانيون إقدام أربع طائراتٍ حربية، آتية من الجهة الشرقية، على قصف المصنع، مما أدى إلى مقتل شخصين، غامزين بتصريحاتهم من قناة إسرائيل. لم يكن الاتهام سابقةً، إذ إن السودانيين يتهمون إسرائيل، منذ أربعة أعوام، بشن غارات جوية على أهداف معينة في بلادهم. وكان وقع اعتداءٌ على جنوب الخرطوم، في أيلول/سبتمبر، مستهدفًا شحنةً من الصواريخ والذخائر كانت متجهةً إلى غزة. رفض الإسرائيليون التعليق على تفجير المصنع، لكن مسؤولًا رفيعًا في وزارة الدفاع ألمح إلى أن السودان «مدعومة من إيران، وهي ممرّ لنقل الأسلحة الإيرانية المُرسلة إلى حماس وإرهابيي الجهاد الإسلامي، عبر الأراضي المصرية».

كان للسودان تاريخ متقلّب مع الإرهاب، من دون شك، خصوصًا مع إيوائه أسامة بن لادن، مطلع التسعينات، وقد صنفته وزارة الخارجية الأميركية، عام ١٩٩٣، بلدًا راعيًا للإرهاب. كذلك، حافظ السودان على علاقات وثيقة بإيران وحماس، وبعد التفجير الذي طاول مصنع الأسلحة بمدّة وجيزة، زارت سفينتان حربيتان إيرانيتان، بورتسودان، كذلك زار قائد حماس خالد مشعل الخرطوم، بعد بضعة أسابيع.

هيأت كل هذه العوامل مجتمعةً في المنطقة – أي إطلاق الصواريخ من غزة، وعدم الاستقرار في سيناء، والنفوذ القطري، والتطفل الإيراني، وعمليات التهريب عبر السودان – لسخونة الأوضاع في شكلٍ لافت، خريف العام ٢٠١٢، وبقيت تتأزم إلى أن انفجرت في تشرين الثاني/نوفمبر.

كنتُ موجودةً، في ١٤ تشرين الثاني/نوفمبر، مع وزير الدفاع ليون بانيتا، ورئيس هيئة الأركان المشتركة مارتن دمبسي، في بيرث، في أستراليا، من أجل المشاورات السنوية التي نجريها مع حلفائنا الأستراليين، في أحد مراكز المؤتمرات، في كينغز بارك، المطلّ على المدينة وعلى نهر سوان. علم بانيتا، مع اقتراب انتهاء جلسة بعد الظهر، أن وزير الدفاع الإسرائيلي باراك يحاول الاتصال به، لأمر طارئ، فأسرع نحو جهة المطبخ للرد في شكلٍ آمن على الاتصال الوارد من القدس. وبعد الغداء، انضمّ إليّ وإلى الجنرال دمبساي في الفناء، ليطلعنا على تقرير باراك. قرأتُ في تعابير وجهه أن الأمور سائرة إلى التأزم. فكان الجيش الإسرائيلي يتحضّر لشنّ حملة جوية كبيرة على المقاتلين في غزة، على أن يبدأ القصف قريبًا.

من خلال وجودنا في وسط بيرث المسالمة، يبدو أن احتمال نشوب حرب أخرى في الشرق الأوسط، بعيدٌ ملايين الأميال (وهي فعلًا سبعة آلاف ميل)، لكن الأمر كان شديد الخطورة. قلتُ لبانيتا ودمبساي إنني أتفهم الرد الإسرائيلي، فصواريخ حماس تزداد تطورًا ودقةً، إلى حد أنها ترهب تل أبيب، البعيدة أربعين ميلًا عن الحدود، ولم يتعرض قاطنوها لتحذيرات الغارات الجوية

منذ حرب الخليج الأولى، عام ١٩٩١، عندما أطلق صدام حسين صواريخ سكود على إسرائيل. فمن حق كل دولة أن تدافع عن نفسها، ولن نتوقع تقبّل أي حكومة استفزازاتٍ من هذا النوع. ومن شأن أي تصعيد عنفي أن يزيد الأوضاع سوءًا في شكل لا يمكن احتواؤه، وما من أحد يودّ تكرار مشهد الحرب الشاملة التي اندلعت قبل أربعة أعوام.

أودت الجولة الأولى من الضربات الجوية الكثيفة بحياة أحمد جباري، المتَّهم بالتخطيط لاعتداءات على الإسرائيليين على مرّ السنين، وأدّت إلى مقتل أشخاص من الجانبين، في غضون يومين، فاحتلت الصفحةَ الأولى من «نيويورك تايمز»، في ١٦ تشرين الثاني/نوفمبر، صورتان مأساويتان، نُشرتا جنبًا إلى جنب، تظهران مراسم جنازة في كلٍّ من غزة والقدس.

أُطلق، بحسب إسرائيل، أكثر من ١،٥٠٠ صاروخ من غزة خلال الأسبوع، مما أدى إلى مقتل ستة إسرائيليين، بينهم أربعة مدنيين وعسكريان، وإلى جرح ما يفوق مئتي شخص، فاضطُرَّت عائلات إسرائيلية إلى ترك منازلها في المناطق الجنوبية القريبة من غزة، فيما الصواريخ تنهال من السماء. وفي المقابل، أفيد عن مقتل مئات الفلسطينيين في الحملة الجوية التي أطلق عليها الجيش الإسرائيلي اسم «عمود السحاب».

كانت ترد عليَّ التقارير عن آخر التطورات، من سفيرنا في تل أبيب دان شابيرو، وفريقه، ومن خبرائنا في واشنطن حيث كان يجمع المعلومات لمصلحتي، نائبُ الوزير الذي احتلّ منصبَ كبير المسؤولين في وزارة الخارجية لشؤون الشرق الأوسط في عهد كولن باول، بيل بيرنز، واتفقتُ وإياه على أن المجال متاح، ولو ضئيلًا، لتجنب تطور المعارك، عبر القنوات الدبلوماسية.

اتصلتُ بوزير الخارجية المصرية محمد عمرو، لأرى هل من أمر تستطيع مصر فعله لتخفيف حدة التوتر، فأجاب «لا يمكننا قبول ذلك»، ويقصد بكلامه الضربات الجوية الإسرائيلية. كنت آمل في أن تبقى مصر وسيطًا مهمًّا وتمثّل صوت السلام كما تعودناها، بعدما تسلّم الرئاسة فيها قائد الإخوان المسلمين، مرسي، ليحلّ محل مبارك. احتكمتُ إلى مراعاة عمرو مكانة مصر، وقلت له «أعتقد أن دوركم في هذه القضية مهم جدًّا، وأناشدكم أن تبذلوا ما في وسعكم للتخفيف من حدة الظروف»، مشددةً على ضرورة التحدث إلى حماس ودعوتها إلى وقف القصف على إسرائيل. وفيما أفعال الأخيرة لم تأتِ إلّا في إطار الدفاع عن النفس، بحسب قولي، أضفت «ليس في استطاعة أي دولةٍ على وجه الأرض أن تجلس مكتوفةً وتتفرّج على الصواريخ تدك شعبها». وافق عمرو على المحاولة وقال «آمل في أن نتمكن كلانا من فعل شيء لوقف هذا الجنون. نحن في حاجة إلى توطيد جهودنا الثنائية».

بقيتُ والرئيس أوباما على اتصالٍ حثيث، خلال جولتي التي استكملتها من بيرث إلى أديلايد،

فسنغافورة، وعملنا على تنسيق الضغوط التي نمارسها على نظرائنا في الشرق الأوسط. فاعتمد الرئيس على مرسي وأجرى مشاوراتٍ مع رئيسي الوزراء نتنياهو وأردوغان، مناشدًا جميع الأطراف الدفع في اتجاه وقف إطلاق النار. وخلال تبادلنا وجهات النظر، تساءلنا هل يؤتي التدخل المباشر ثمارًا؟ وهل من الأفضل أن أسافر إلى الشرق الأوسط لمحاولة إنهاء العنف؟

لم نظن كلانا أن توجهي إلى هناك هو السلوك الأكثر حكمة. فأولًا، كان علينا التوجه إلى آسيا في رحلة عمل جدية. كنت أنوي، بعد توقفي السريع في سنغافورة، أن أتوجه إلى تايلندا للقاء الرئيس أوباما، ثم نسافر معًا إلى بورما في زيارة تاريخية، دعمًا للانفتاح الديمقراطي الناشئ في تلك الدولة، تليها رحلةٌ إلى كمبوديا لحضور قمّة مهمة للقادة الآسيويين، كان من المتوقع أن تغلب عليها الدبلوماسية الدقيقة في شأن بحر الصين الجنوبي. فآسيا تعوّل على اهتمامنا الشخصي بأمرها، ومن شأن مغادرتي الآن أن تكون مكلفة.

لم ينقضِ الأمر على ذلك وحسب، إذ أبدى الرئيس حذرًا مفهومًا حيال أدائنا دور الوسيط المباشر في نزاع فوضوي آخر، في الشرق الأوسط. فإذا توسطنا من أجل وقف إطلاق النار وباءت محاولتنا بالفشل، وهو الأمر المرجح، فسيقضي ذلك على هيبة أميركا وصدقيتها في المنطقة. وكان ثمة احتمال كبير أن يقوّض تدخل الولايات المتحدة المباشر عملية السلام، ويزيد من حدة النزاع، ويدفع بالطَّرفين نحو التشدد في مواقفهما التفاوضية. لم أرد والرئيس حدوث أمر كهذا، البتة، فيما أميركا أيضًا كانت في غنًى عنه.

تابعتُ جولتي في آسيا كما كان مخططًا، وأمضيتُ كل الوقت المتاح لي، عبر الهاتف، مع القادة البارزين في الشرق الأوسط وحلفائنا الأوروبيين المهتمين بالقضية، وأكدتُ في كل مكالماتي أن المسار المتقدم الأفضل يكون بالتزام إسرائيل وحماس وقف تبادل إطلاق النار.

كانت المخاطر مرتفعة. استدعى مجلس الوزراء الإسرائيلي خمسةً وسبعين ألف جندي احتياطي، لاجتياحٍ بري محتمل لغزة. وكما كنا نخشى، كانت الأوضاع تتجه إلى تكرار حرب كانون الثاني/يناير ٢٠٠٩، التي جاءت حصيلتها مروّعةً على شعب غزة وعلى سمعة إسرائيل عالميًّا. كان من الملح جدًّا حل هذه الأزمة قبل أن تتحول حربًا برية. الخبر السار الوحيد كان إبلاغنا أن نظام الدفاع الجوي، القبة الحديدية، الذي ساعدْنا على إنشائه لحماية إسرائيل من الصواريخ، يعمل بطريقة أفضل من تلك التي توقعناها. فأفاد الجيش الإسرائيلي أن القبة الحديدية نجحت في تلافي الصواريخ بنسبة تفوق الثمانين في المئة، وإن كانت التقديرات مضخَّمة، يبقى معدل النجاح مذهلًا. ومع ذلك، كثرت الأهداف التي أصابتها الصواريخ المطلقة من غزة، بينما صمّم الإسرائيليون على ملاحقة المخازن والموانئ لديها.

عندما انضممتُ إلى أوباما في بانكوك، في ١٨ تشرين الثاني/نوفمبر، أفدتُه أن دبلوماسيتي الهاتفية تواجه واقعًا صعبًا: لم يُرِدْ أي من الطرفين أن يكون أول من يرضخ، وكان الرئيس يعاني الأمر نفسه في اتصالاته. لذا كنتُ أسعى إلى الدفع في اتجاه وقف متبادل لإطلاق النار، يوفره انسحاب الطرفين من ساحة المعركة، في وقتٍ واحد.

حذرتُ «آيتش بي دجي» بعد ساعة من وصولي إلى بانكوك من أن «حماس كانت تحاول طرح شروط، قبل وقف إطلاق النار، لكن إسرائيل لن ترضى ذلك أبدًا. لا نملك سوى ثمانٍ وأربعين ساعة قبل أن تقدم إسرائيل على هجوم بري مدمِّر».

في بانكوك، وفي زيارةٍ خاصةٍ وهادئة، عُدتُ والرئيس ملكَ تايلندا المريض، في المستشفى، وتمشينا معًا حول معبد وات فو، حيث يرتفع أكبر تمثال من الذهب لـ «بوذا المستلقي»، بطول أكثر من ١٥٠ قدمًا. وعلى الرغم من المعالم المحيطة بنا، بقيت محادثاتنا منصبَّة على غزة، وكنا واثقين جدًّا بأن إسرائيل تملك حق الدفاع عن النفس. لكننا كنا نعلم أيضًا، في المقابل، أن الاجتياح البري سيكون كارثيًّا على جميع الأطراف المعنيين.

أصبح الوضع رهيبًا، بعد يومين، إلى حدّ أنني قررتُ التطرق مجددًا مع الرئيس إلى مسألة مغادرتي آسيا إلى الشرق الأوسط، لأتدخل شخصيًّا في حل النزاع المحفوف بالمخاطر، على الرغم من احتمال فشلنا، إذ يبقى خطر اتساع رقعة الحرب الوشيكة كبيرًا جدًّا. أول ما قمت به ذلك الصباح، أني صعدت إلى جناح الرئيس الكائن في فندق رافيلز - لو رويال، في بنوم بنه، في كمبوديا. كان يستحم، فانتظرته بضع دقائق. تحدثنا في ما علينا فعله خلال احتسائه القهوة، في حين بقي هو على حذره. كم تبلغ فرص نجاح زيارتي في وقف العنف؟ هل يبدو الأمر كأننا نقلِّل شأنَ إسرائيل؟ ما العواقب غير المقصودة المترتّبة على الولايات المتحدة بزجّها في هذه الفوضى؟ ناقشنا كل هذه التساؤلات وغيرها، واتفقنا في الختام على أن السلام في الشرق الأوسط يشكل أولوية حتمية في إطار الأمن القومي؛ وهو مهم لتفادي حرب برية أخرى في غزة؛ وأن لا بديل من القيادة الأميركية.

لم يكن الرئيس قد اقتنع بهذه الفكرة مئة في المئة، لكنه وافق على أن من واجبي أن أتحضر للانطلاق. هرول هوما، وفريقنا المرافق، منكبّين على التحضيرات اللوجستية لتوفير الانتقال من كمبوديا إلى إسرائيل، ليس عبر الخط التقليدي الذي يسلكونه. سبق ذلك عيد الشكر بيومين، ولم يكن أحد يتكهّن كم ستطول المسألة، فنصحتُ لأعضاء الفريق الراغبين في العودة إلى ديارهم، بالتطفّل على الرئيس والعودة معه إلى الولايات المتحدة، في الطائرة الرئاسية.

لاحقًا، ذاك الصباح، اجتمعتُ مع الرئيس مرة أخرى في قاعة الانتظار التابعة لقصر السلام

الضخم للمؤتمرات في بنوم بنه، وفي مساحة ضيقة مطوّقة بالأنابيب والستائر، طرحنا مجددًا الإيجابيات والسلبيات. انضمّ إلينا جايك سوليفان وطوم دونيلون وبن رودز في جولة ختامية. كان دونيلون متوترًا، بعدما خاض مرات، طوال سنين، مغامراتٍ فاشلة في الشرق الأوسط، لكنه سلّم في النهاية بواجب ذهابي. استمع الرئيس إلى وجهات النظر كافة، قبل أن يصدر قراره بأنّ حان وقت التحرك. من الممكن ألا ننجح، لكننا سنمضي في المحاولة.

قال الرئيس إنه سيتصل بكلٍّ من مرسي وبيبي من الطائرة الرئاسية، في طريق عودته إلى واشنطن، في محاولة منه لإحداث بعض التقدم قبل أن تطأ قدماي المنطقة، فضلًا عن كلماته المشجعة المألوفة، لحظة الوداع. ووسط مفاوضاتنا في شأن مصير الضرير المنشق تشن غوانغتشنغ، الناشط في مجال حقوق الإنسان، كانت رسالة الرئيس واضحةً: «لا تفشلوا! لم أكن أخطط لذلك».

فكرتُ طويلًا ومليًّا في التعقيدات التي تشوب الأزمة، خلال رحلتي التي استغرقت إحدى عشرة ساعة من كمبوديا إلى إسرائيل. لم يكن ممكنًا أن تفهموا ما كان يحدث في غزة من دون أن تفهموا أيضًا المسار الذي اتخذته هذه الصواريخ قبل إطلاقها، بعدما أتت من إيران عبر السودان وصولًا إلى حماس، وما الذي مثّلته تلك الروابط بالنسبة إلى أمن المنطقة. كان عليكم أيضًا فهم الدور المهم والمتنامي الذي أدته التكنولوجيا، مما أدى إلى تطوّر تلك الصواريخ. إلا أن دفاعات إسرائيل الجوية، في المقابل، لم تكن أقلّ تقدّمًا. أي منهما سيقدر على حسم الأمور؟ ثم، كان عليك أن تأخذ في الحسبان كيف أن النزاع في سوريا كان يخلق شرخًا بين حماس السُّنية من جهة، ورعاتها الشيعة في دمشق وطهران، منذ زمن، من جهةٍ أخرى، تزامنًا مع نهضة الإخوان المسلمين السُّنّة في القاهرة واستمرار الحرب الأهلية السورية. ماذا عن عدم الاستقرار المتفاقم في سيناء والضغط الذي كان يولّده على الحكومة المصرية الجديدة؟ كانت إسرائيل تتّجه نحو إجراء الانتخابات فيما ائتلاف نتنياهو لم يكن ثابتًا قط. كيف لسياسة إسرائيل الداخلية أن تؤثر في موقفها من غزة؟ كانت كل هذه الأسئلة وغيرها حاضرة وسط محاولتي التفاوض من أجل وقف إطلاق النار.

اتصلتُ من الطائرة بوزير الخارجية الألمانية غيدو فسترفيليه الذي كان يجري مشاوراتٍ في القدس، فقال لي «أنا جالسٌ هنا، في الفندق الذي ستنزلين فيه – ورد علينا للتو إنذار عن إطلاق صاروخ، وتوجّب علينا تركُ غرفنا. لا يمكنكِ أن تتصوّري مدى توتّر الوضع».

هبطت الطائرة قرابة العاشرة من ليل ٢٠ تشرين الثاني/نوفمبر، في مطار بن غوريون الدولي في تل أبيب، واستغرق الوصول إلى مكتب نتنياهو في القدس، ثلاثين دقيقة. توجّهتُ إلى الطبقة

العليا، وجلستُ مع رئيس الوزراء ومجموعة مصغّرة من مساعدينا. أخبرَنا الإسرائيليون أنهم انطلقوا مع المصريين، ممثّلي حماس، في محادثاتٍ متعثّرة في شأن القضايا الشائكة والصعبة، المتعلقة بالحصار الإسرائيلي على غزة، وحرية تنقل سكانها، وحقهم في صيد السمك قبالة الساحل، وقضايا أخرى تثير توترًا. كان بيبي وفريقه شديدي التفاؤل بإمكان التوصل إلى اتفاق، وقالوا إنهم جادّون في القيام بغزو بري لغزة، إذا بقيت الأمور على حالها. هم منحوني القليل من الوقت، فكان عليَّ، الآن، أن أعمل على مدار الساعة.

مع توالي الساعات، كان طاقم رئيس الوزراء يأتي بعربات الطعام المملوءة بسندويشات الجبنة المشوية وقطع الحلوى الصغيرة. ما يوفره الطعام من راحة، وسط التوتر العالي، لم يجعل أحدًا منّا ينظر إلى ساعته. كنتُ أقدر لبيبي وفريقه عدم التستّر على الكلام أمامي، فكانوا يقاطعون ويناقضون بعضهم بعضًا، بمن فيهم رئيس الوزراء.

كان نتنياهو يتعرّض للضغوط من أجل الغزو، فيما استطلاعات الرأي في إسرائيل تحبّذ، في قوّة، هذه الخطوة، خصوصًا قاعدة بيبي الليكودية. لكن قادة الجيش الإسرائيلي كانوا يحذرون من أعداد الخسائر البشرية العالية، فضلًا عن تخوف نتنياهو من العواقب التي ستترتّب على المنطقة. كيف سيكون ردّ فعل مصر؟ هل يشن حزب اللّه هجومًا من لبنان؟ كان نتنياهو يعلم أيضًا أن الجيش حقق معظم أهدافه خلال الساعات القليلة الأولى من الغارات الجوية المتواصلة، خصوصًا إضعاف قدرات صواريخ حماس البعيدة المدى، وأن للقبة الحديدية فاعلية في حماية المواطنين الإسرائيليين. لم يرغب بيبي في حرب برية، إنما كان يجد صعوبةً في إيجاد مخرج يوفر لإسرائيل التحرر، والتخفيف من حدة الأوضاع، من دون أن تبدو في حال من التراجع، في مقابل تحدي حماس المستمر، الأمر الذي قد يقود إلى مزيد من العنف لاحقًا. في ذلك الوقت، كان مبارك رحل، ولم يولِ الإسرائيليون أي ثقة بحكومة الإخوان المسلمين في القاهرة، مما عزَّز أهمية دور الولايات المتحدة. وقد أبلغني أحد المسؤولين الإسرائيليين أن هذا القرار هو الأصعب بالنسبة إلى نتنياهو منذ ترؤسه الحكومة.

أخبرتُهم أنني متوجهة في اليوم التالي إلى القاهرة وعازمة طرح وثيقة، أقدمها إلى مرسي، تكون أساسًا للمفاوضات النهائية. فكّرتُ في أن الأمرَ الأهم يقتضي ورود نقاط يمكن الإسرائيليين تقديم تنازلات في شأنها إذا أُجبروا، فيشعر مرسي أنه توصّل إلى اتفاق جيّد من أجل الفلسطينيين. صلنا وجلنا في التفاصيل، من دون أن نجد تركيبةً مُقدَّرًا لها النجاح.

اختتمنا الاجتماع بعد منتصف الليل، ومضيتُ لأنام بضع ساعاتٍ في فندق الملك داود المتميز، القائم منذ ثمانين عامًا. يبدو مرجحًا أكثر فشلُ هذه المهمة الدبلوماسية واجتياحُ القوات الإسرائيلية غزة. ركبت، صباحًا، سيارةً، متوجّهةً إلى رام اللّه لعقد مشاوراتٍ مع عبّاس

الذي لم أشأ استثناءه، على الرغم من نفوذه الضئيل هنا، رافضةً منح حماس الشرعية في النزاع الفلسطيني على السلطة. كنتُ أعلم أيضًا أن السلطة الفلسطينية تواصل دفع الأجور والرواتب للآلاف من شعب غزة، على الرغم من حكم حماس. لذا، كان مهمًّا الحصول على دعم عباس لوقف إطلاق النار.

في تلك المرحلة، كان مقرّ السلطة الفلسطينية في رام اللّه مألوفًا بالنسبة إلي، ويسمّى أيضًا المقاطعة. بُني أساسًا ليكون حصنًا بريطانيًّا، عام ١٩٢٠، واشتُهر عام ٢٠٠٢، عندما طوّق الجيش الإسرائيلي المجمّع وحوصر بالتالي ياسر عرفات وكبار مساعديه، فدمّر جزءًا كبيرًا منه. أعاد العام ٢٠١٢ إلى الذاكرة بعضًا من سمات ذلك التاريخ العنيف. أعيد إعمار المجمّع، وهو يضم الآن ضريح عرفات المشيَّد بالحجر الجيري، حيث كان يقف أحد حراس الشرف الفلسطينيين ويراقب الزوار الآتين لتقديم العزاء.

كانت سنةً صعبة بالنسبة إلى عباس، إذ كانت شعبيته في تراجع، والاقتصاد في الضفة الغربية يتباطأ. فبعد انقضاء مهلة وقف الاستيطان الإسرائيلي، بحلول نهاية العام ٢٠١٠، وانسحابه من المفاوضات المباشرة، قرر عباس التقدم بالتماسٍ لدى الأمم المتحدة للاعتراف بفلسطين، دولةً مستقلة. هو راهن بمسيرته المهنية من منطلق أن تحقيق الاستقلال ممكن عبر الوسائل السلمية — المناقضة لرؤية حماس المستندة إلى الكفاح المسلح — وأدى فشل المفاوضات إلى زعزعة مكانته السياسية. شعر عباس أن عليه إيجاد سبيل آخر، بعيدًا من العنف، للمضي قدمًا، إذا أراد أن يبقى ممسكًا بزمام السلطة، وأن من واجبه عرض بديل قابل للتطبيق على المتطرفين. لم يكن التصويت الرمزي في الأمم المتحدة ليقدم الكثير إلى الفلسطينيين في حياتهم اليومية، إنما إلصاقه بإسرائيل على الساحة الدولية وعرض عزلتها المتزايدة سيَدعمان عباس وسط شعبه — وعدَّ الفلسطينيون أنه قد يشجع إسرائيل على تقديم تنازلات. غير أن التوجه إلى الأمم المتحدة كان يتعارض والفكرة الرئيسة التي تقول إن عملية السلام لا يمكن أن تتم إلّا عبر مفاوضات بين الطرفين، وتسوية الأوضاع من الجهتين. فالإجراءات الأحادية المتمثلة إما بمحاولةٍ فلسطينية أمام الأمم المتحدة من أجل قيام الدولة، وإما ببناء المستوطنات الإسرائيلية في الضفة الغربية، أضاعت الثقة وصعّبت تعزيز التسوية.

حاولنا إقناع عباس بالتخلي عن عريضته، خلال العام ٢٠١١، ولكن من دون جدوى، عاملين في الوقت عينه على التأكد من عدم توافر العدد المطلوب من الأصوات في مجلس الأمن للمضي قدمًا. (كنا نسعى إلى تجنب استعمال حق النقض إذا أمكن). وتزامنًا، بدأتُ العمل مع كاتي أشتون، من الاتحاد الأوروبي، وطوني بلير، على هيكليةٍ تعيد إطلاق المفاوضات المباشرة، وتكون مبنية على الصلاحيات التي شدد عليها الرئيس أوباما في خطابه في أيار/مايو ٢٠١١. سادت موجة

دبلوماسية في الجمعية العمومية للأمم المتحدة في أيلول/سبتمبر ٢٠١١، لكنها لم تكن كافيةً لثني عباس عن تقديم عريضته وطرح القضية بالقوة. وبفضل التملق الذي لجأنا إليه خلف الكواليس، لم يصل إلى نتيجة في مجلس الأمن. كل ما حصل عليه عباس في مقابل انفعالاته – إلى جانب توتر علاقاته بالولايات المتحدة وإسرائيل – عضويةٌ في اليونسكو، المنظمة الثقافية التابعة للأمم المتحدة. تعهّد العودة، عام ٢٠١٢، وحاول مجددًا.

كانت حماس في ذاك الوقت تتفوق على عباس، في مقاومة لإسرائيل تصدرت عناوين الصحف، وجعلته يبدو منهكًا وضعيفًا أمام شعبه. أعتقد أنه كان مثمنًا زيارتي، لكنه محبطٌ من وضعه. وبعد محادثات عامة بيننا، وافق على دعم جهودي لصنع السلام، وتمنى لي الحظ في زيارتي للقاهرة.

عدتُ من ثمّ إلى القدس لجولةٍ أخرى من المحادثات مع نتنياهو، بعدما اتصل بنا مستشاروه، منتصف الليل، طالبين منا العودة لعقد اجتماعٍ ثانٍ قبل التوجه إلى القاهرة. راجعنا القضايا، واحدةً تلو الأخرى، وأجرينا تقويمًا دقيقًا لمدى تمكن الإسرائيليين من الانعطاف من دون الانهيار، وقدرنا كيف يمكن الأمور أن تسير مع المصريين. وفي نهاية الاجتماع، أصبحنا نملك استراتيجية وبات لديّ خطاب يحظى بموافقة الإسرائيليين لأنتقل به إلى مصر وأبني عليه مفاوضاتي.

ولاحقًا، ذهبتُ إلى المطار، وفي طريقنا، أُفدنا عن تفجيرٍ طاول حافلةً في تل أبيب، هو الأول من نوعه منذ سنوات، وأدى إلى إصابة العشرات. فكان ذلك تذكيرًا مشؤومًا بالحاجة الملحة إلى مهمتي.

وصلتُ، بعد ظهر ٢١ من تشرين الثاني/نوفمبر، إلى القصر الرئاسي في القاهرة، حيث التقيتُ مبارك مراتٍ سابقًا. كان المبنى والعاملون فيه على حالهم، ولكن مع تسلّم الإخوان المسلمين الآن زمام السلطة. إلى هنا، كان مرسي داعمًا اتفاق كامب دافيد من أجل السلام مع إسرائيل، الذي شكل الركن الأساس لاستقرار المنطقة طوال عقود، ولكن إلى متى سيستمر الوضع كذلك، في حال إقدام إسرائيل على اجتياح غزة مجددًا؟ هل يسعى مرسي إلى تأكيد دور مصر التاريخي كوسيطٍ وصانع سلام، ويفرض نفسه رجلَ دولةٍ على المستوى العالمي؟ أم ينتقل إلى استغلال الغضب الشعبي وينصّب نفسه الرجل الوحيد في الشرق الأوسط الذي استطاع أن يقف في وجه إسرائيل؟ كنّا على وشك اختباره.

كان مرسي سياسيًّا استثنائيًّا، قذفه التاريخ من الغرفة الخلفية إلى كرسي الرئاسة، منكبًّا بطرائق كثيرة، على تعلم سبل الحكم من النقطة الصفر، فيما الأوضاع متأزمة جدًّا. كان واضحًا عليه عشقُه للسلطة التي يوفرها له منصبه الجديد، متقدمًا على وقع السياسة (إلى أن استنفدته لاحقًا). ارتحتُ إلى اهتمامه لأن يكون صانع صفقات أكثر من ميله إلى الغوغائية. فالتقينا في

مكتبه مع فريقه الاستشاري المصغَّر وشرعنا في درس الوثيقة التي أخذتُها من رئيس الوزراء الإسرائيلي، بندًا تلو الآخر.

شجعتُ مرسي على التفكير في دور مصر على الصعيدين الاستراتيجي والتاريخي في المنطقة. أتقن الإنكليزية، هو الحائز شهادة الدكتوراه في العلوم، في جامعة جنوب كاليفورنيا، عام ١٩٨٢، ودرّس في جامعة ولاية كاليفورنيا، نورثريدج، حتى العام ١٩٨٥. دقق في كل جملةٍ واردة في النص، سائلًا «ما يعني ذلك؟ هل هي ترجمة صحيحة؟» وفي مرحلةٍ ما صاح «لا أقبل هذا»، فأجبته «لكنك طرحته في إحدى مسوداتك السابقة»، وردّ «حقًّا؟ حسنًا»، وبهذا أبدى موافقته. حتى إنه ناقض وزير الخارجية عمرو في مرحلةٍ ما في المفاوضات وقدّم تنازلًا رئيسًا.

كان الاقتراح مقتضبًا ومباشَرًا. بالاتفاق على تحديد «الساعة الصفر»، توقف إسرائيل كل إعمالها الحربية في غزة، برًّا وبحرًا وجوًّا، وتوقف الفصائل الفلسطينية عمليات إطلاق الصواريخ والهجومات الأخرى على طول الحدود، على أن تتمتع مصر بدور الضامن والمراقب، إلا أن الجزء الشائك كان متعلقًا بالذي سيحدث لاحقًا. متى يخفف الإسرائيليون وطأة القيود على المعابر الحدودية فيتمكن الفلسطينيون من إدخال المأكل والمستلزمات؟ كيف تتأكد إسرائيل من عدم إعادة حماس بناء ترسانة الصواريخ؟ اقترحنا أن يتمّ التعامل مع هذه القضايا المعقدة «بعد أربع وعشرين ساعة على انطلاق وقف إطلاق النار». كان الأمر غامضًا عن عمد، فيما الفكرة تقوم على تسهيل مصر إجراء محادثات جوهرية لدى انتهاء المعارك، وكان نتنياهو فوض إلي مطلقًا، أمر التفاوض في القضايا المذكورة، خصوصًا في هذه الفقرة، وكنت في حاجة إلى ذلك. شدد مرسي على بعض النقاط وراجعنا معًا اللائحة مرات، وأفضت في النهاية إلى ما يلي: «فتح المعابر، وتسهيل حركة مرور السكان ونقل السلع، والتخفيف من تقييد حرية تنقل المواطنين واستهدافهم في المناطق الحدودية، والتعامل مع هذه الإجراءات التطبيقية خلال مهلة الساعات الأربع والعشرين التي تلي وقف إطلاق النار».

كان الفلسطينيون على اتصال هاتفي بقادة حماس وفصائل فلسطينية متطرفة أخرى في غزة، طوال مدة المفاوضات، من ضمنهم عدد من أولئك الجالسين في مكاتب الخدمات الاستخبارية المصرية في أنحاء المدينة. كان فريق مرسي، الجديد على الحكم، حذِرًا مع الفلسطينيين ولم يكن مرتاحًا إلى الإقدام على لَيِّ أذرعهم للحصول على اتفاق. استمررنا في تذكير رجال الإخوان المسلمين بأنهم يمثلون الآن قوة عُظمى في المنطقة، وأن مسؤولية الخروج بنتيجة كانت ملقاة على عاتقهم.

كنتُ أفيد الرئيس أوباما دومًا بآخر التطورات، وتحدثت إلى نتنياهو مرات. لم يكن ومرسي ليتكلّما معًا مباشرةً، فكنتُ الوسيط في لعبةٍ خطرة جدًّا من المفاوضات الهاتفية، فيما جايك

وسفيرتنا الرائعة في القاهرة آن باترسون، كانا يتعمّقان في بعض التفاصيل الأكثر تعقيدًا مع مستشاري مرسي.

كانت لدى نتنياهو النية أن يكسب الولايات المتحدة والمصريين لمساعدته على إيقاف شحنات الأسلحة الجديدة الوافدة على غزة. لم يكن يرغب في إيقاف الغارات الجوية، وإذا به يجد نفسه مجددًا في موقف لا يحسد عليه، سيدوم سنة أو اثنتين. عندما ضغطتُ على مرسي في هذه النقطة، اتفقنا على أنها تصبّ في مصلحة مصر الأمنية أيضًا، لكنه أراد في المقابل، التزامًا لإعادة فتح حدود غزة وبالتالي إدخال المساعدات الإنسانية وسلع أخرى في أقرب وقتٍ ممكن، إضافةً إلى توفير حركة تنقل أوسع لزوارق الصيد الفلسطينية على الساحل. أظهر نتنياهو استعدادًا لإبداء مرونة في هذه البنود، إذا حصل على ضمانات بإيقاف تدفق الأسلحة والصواريخ. ومع كل منعطف في المحادثات، كنا نقترب أكثر فأكثر من التفاهم.

بعد ساعاتٍ من المفاوضات المكثفة، توصلنا إلى اتفاق. ستدخل الهدنة حيز التنفيذ التاسعة مساءً بالتوقيت المحلي، أي بعد بضع ساعات. (كان تحديد الوقت عشوائيًّا، لكننا كنا في حاجة إلى إيجاد جواب واضح عن السؤال الأهم «متى يتوقف العنف؟») إنما قبل أن نتمكن من إعلان النجاح، كان هناك جزء من الأعمال علينا بلوغه. اتفقنا على أن يتصل الرئيس أوباما ببيبي، ليسأله شخصيًّا الموافقة على وقف إطلاق النار واعدًا إياه بزيادة المساعدة الأميركية لمنع تهريب الأسلحة إلى غزة. هل شكل ذلك غطاءً سياسيًّا يتيح لبيبي القول لمجلس وزرائه وناخبيه إنه صرف النظر عن الغزو لأن أهم حليف بالنسبة إلى إسرائيل توسّل إليه؟ أم أنه شعر شخصيًّا بالرضى بعدما جعل الرئيس يفعل الكثير من أجل الحصول على النتيجة التي يريدها؟ في الحالين، إذا كان هذا من مسلتزمات إبرام الإتفاق، وجب علينا السير به.

وتزامنًا، كان فريقي يراقب الساعة قلقًا. كانت الساعة تجاوزت السادسة في القاهرة، في الليلة التي سبقت يوم عيد الشكر. كان أفراد الطاقم على وشك أن ينالوا قسطهم من الراحة، بحسب ما تنصّ عليه أنظمة السلاح الجوي، مما كان يعني أننا لن نتمكن من السفر قبل اليوم التالي. لكننا إذا سافرنا بعد قليل، وفي اللحظة الأخيرة، قد نصل على الوقت ونوفر لأفراد الطاقم والفريق المرافق تمضية العيد مع عائلاتهم. وفي حال مواجهتنا أي عقبة، لن نتمكن، في مناسبة العيد، سوى تناول سلطة التاكو بالحبش الشهيرة التي تُقدّم إلى طاقم السلاح الجوي. لم يكن بالطبع هذا العيد الأول الذي تتهدده متطلبات الدبلوماسية الدولية الجنونية، ولم يكن أحد من فريقي يشكو؛ جلّ ما أرادوه، إتمام العملية.

في النهاية، أصبح كلُّ جزء في مكانه، فأجري الاتصال، وحصلنا على الضوء الأخضر من القدس وواشنطن. جثا مستشار الأمن القومي لدى مرسي، عصام الحداد، على ركبتيه شاكرًا

اللّه. توجهت ووزير الخارجية عمرو إلى مؤتمر صحافي حاشد، وأعلنّا إتمام الاتفاق على وقف إطلاق النار، مما أثار حالًا من الهرج والمرج، وتفجّرًا للمشاعر. تحدّث عمرو عن «مسؤولية مصر التاريخية تجاه القضية الفلسطينية» و«حرصها على وقف حمام الدم»، والحفاظ على الاستقرار في المنطقة. لن تبدو حكومة الإخوان المسلمين الجديدة صادقةً مجددًا كما بدت ذاك اليوم. شكرتُ للرئيس مرسي وساطته، مشيدةً بالاتفاق، ومحذرةً في الوقت عينه من أن «لا بديل من السلام العادل والدائم» الذي «يزيد الأمن والكرامة وتطلعات الفلسطينيين والإسرائيليين الشرعية». إذًا، كان ينقص الكثير بعد لإتمام عملنا. تعهّدتُ أن «تعمل الولايات المتحدة، في الأيام المقبلة، مع شركائها في كل أنحاء المنطقة، على تعزيز هذا التطور، وتحسين أوضاع شعب غزة، وتوفير الأمن لشعب إسرائيل».

وبينما سار موكبنا في شوارع القاهرة، في تلك الليلة، تساءلتُ إلى متى تستمر هذه الهدنة – أو هل تطبّق حتى. كانت المنطقة تعاني سلسلة من أعمال العنف والآمال المتقطّعة، ولا يتطلب الأمر سوى بعض المتطرفين وراجمةٍ لإشعال المعركة. على الطرفين العمل جاهديَن، للحفاظ على السلام. وحتى ولو نجحا، ستُجرى محادثاتٌ متعثّرة خلال الأيام المقبلة تتناول كل القضايا الشائكة المرجأة في الاتفاق، وقد تكون عودتي في وقتٍ قريب سهلةً إلى هناك، لمحاولة جمع الأجزاء من جديد.

هدأت أجواء غزة، التاسعة مساءً، كما كان مقررًا، بينما نزل آلاف الفلسطينيين إلى الشوارع، احتفالًا. أما قادة حماس الذين تفادوا بأعجوبة غزوًا إسرائيليًّا مدمرًا آخر، فأعلنوا انتصارهم. وفي إسرائيل، اعتمد نتنياهو لهجةً حزينة، متكهنًا أن «من المحتمل جدًّا» أن يُدفع بالإسرائيليين إلى القيام «بعملية عسكرية أشد قسوة» إذا لم تستمر الهدنة. وبعد، وعلى الرغم من ردود الفعل المتناقضة، بدا لي أن النتيجتين الاستراتيجيتين الأهم في هذا النزاع كانتا بشرى سارة لإسرائيل. أولًا، بقيت مصر شريكًا في عملية السلام، أقلّه حتى الآن، الأمر الذي شككنا فيه جديًّا منذ سقوط مبارك. وتمثلت النتيجة الثانية بنجاح القبة الحديدية في إسقاط الصواريخ المعادية مما قوّى «التفوق العسكري النوعي» لإسرائيل وأبطل تهديدات حماس العسكرية.

عندما ركبنا الطائرة، سألتُ جايك، ممازحة، هل لا يزال الاتفاق قائمًا. فأكد لي الأمر، وتوجهتُ في رحلة طويلة، عائدةً إلى بلادي.

كما اتضح لاحقًا، طال وقف إطلاق النار أكثر مما كان متوقعًا. وتمتعت إسرائيل، عام ٢٠١٣، بالسنة الأكثر هدوءًا منذ عقد من الزمن. وباح لي لاحقًا أحد المسؤولين الإسرائيليين بأن حكومته كانت على وشك القيام باجتياح بري في غزة خلال ثمانٍ وأربعين ساعة، وبأن تدخلي الدبلوماسي كان الأمر الوحيد الذي أوقفها عن تفجير الأوضاع. بالطبع، لا أزال واثقةً تمامًا بأن ما من شيء

يضمن مستقبل إسرائيل، على المدى البعيد، كدولةٍ يهودية ديمقراطية، سوى تفاهم سلمي مبني على قيام دولتين، لشعبين.

الجزء السّادس

المستقبل الذي نريد

الفصل الحادي والعشرون

تغيُّر المناخ: كلُّنا معنيّ بهذا الأمر

«لا، لا، لا»، قال المسؤول الصيني، ملوّحًا بيديه في المدخل. كان رئيس الولايات المتحدة، ومن دون دعوة، يُقحم نفسه في اجتماع مغلق يعقده رئيس وزراء الصين – ولم يكن ثمة مجال لإيقافه.

عندما تكون مسؤولًا كبيرًا يمثل الولايات المتحدة في الخارج، رئيسًا أم وزير خارجية، تُخطّط لكل تحركاتك في دقّة، ويُفتح لك كل باب عند الإشارة. تتعود التنقل في المواكب وسط زحمة المدن، وتجاوزَ الجمارك والأمن في المطار، ولا تضطر أبدًا إلى الانتظار على باب المصعد. ولكن، في بعض الأحيان، يتوارى البروتوكول وتنزلق الدبلوماسية في الفوضى. عندئذٍ، عليك الارتجال، وهذا ما كانت عليه الحال هذه المرة.

كنتُ أبحث والرئيس أوباما عن رئيس الوزراء الصيني، وِن جياباو، خلال مؤتمر عالمي كبير عن التغيّر المناخي في كوبنهاغن، في الدنمارك. كانت هذه المدينة الخلابة باردةً ومظلمة ومتوتّرة على نحوٍ غير معهود، في كانون الثاني/ديسمبر ٢٠٠٩، وعلمنا أن السبيل الوحيد إلى إبرام اتفاق مجدٍ في شأن التغيّر المناخي، يكون بجلوس قادة الدول، المسببة بمعظم انبثاقات غازات الاحتباس الحراري، معًا، والتوصل إلى تسوية – خصوصًا الولايات المتحدة والصين. سنواجه خياراتٍ ومقايضاتٍ صعبة؛ قد تتيح لنا تكنولوجيات الطاقة النظيفة الجديدة وفاعليتها الكبرى، الحد من الانبعاثات، وفي الوقت عينه، خلق فرص عمل وقطاعاتٍ جديدة مغرية، فضلًا عن مساعدة

الاقتصادات الناشئة على تخطي أقذر مراحل التطور الصناعي؛ ولكن، لم يكن هناك مجال للشك في أن مكافحة التغيّر المناخي ستكون مسألة صعبة على المستوى السياسي، في وقتٍ يترنّح العالم من جراء أزمةٍ مالية دولية. كانت كل الصناعات تعتمد، في الدرجة الأولى، على الوقود الأحفوري لتشغيلها، ويتطلّب أي تغيير على هذا الصعيد قيادةً جريئة وتعاونًا عالميًّا.

لكن الصينيين كانوا يتجنبوننا، وأسوأ من ذلك، فقد علمنا أنّ وِن دعا إلى اجتماع «سرّي» يضمّ الهند والبرازيل وأفريقيا الجنوبية، لمنع إتمام الاتفاق الذي كانت الولايات المتحدة تسعى إليه، أو على الأقل للتمكن من إضعافه. وعندما تعذّر علينا إيجاد أيٍّ من قادة تلك الدول، علمنا بحدوث أمرٍ ما، فأرسلنا أفرادًا من فريقنا لاستكشاف مركز المؤتمرات، إلى أن عثروا على مكان اللقاء.

بعدما تبادلتُ والرئيس أوباما النظرات التي تؤكد تشابه ظنوننا، هممنا نحو الممرات الطويلة التي تربط بين الأجنحة المتفرعة في مركز المؤتمرات، نورديك، مع مجموعة خبراء ومستشارين، تدافعوا للمواكبة. أطلقنا النكات لاحقًا عن هذا الإقدام المرتجل، إذ كنا تمامًا كموكبٍ سيار من دون عربات. لكنني كنتُ مركّزةً، في ذلك الوقت، على التحدي الدبلوماسي الذي ينتظرنا في النهاية. وهكذا، أكملنا السير واستخدمنا السلالم صعودًا، لمواجهة المسؤولين الصينيين المتفاجئين، بعدما حاولوا صرفنا، بإرشادهم إيانا إلى الاتجاه المعاكس. إنما ما من شيء ردعنا، فوصفتنا «نيوزويك» لاحقًا بـ «النسخة الدبلوماسية لستارسكي وهاتش».

عندما وصلنا أمام قاعة الاجتماع، وجدنا جمعًا من المساعدين يتجادلون في ما بينهم، ومن العناصر الأمنيين المتوترين. تشابك الناطق الرسمي باسم البيت الأبيض روبرت جيبس، مع أحد الحراس الصينيين، ووسط حالٍ من الاضطراب، أطلّ الرئيس من الباب وصرخ «دولة الرئيس»، بصوتٍ عالٍ جدًّا، مما استرعى انتباه الجميع. ثم حاول الحراس الصينيون إيصاد الباب مجددًا، لكنني تمكنتُ من الدخول.

في قاعة اجتماعاتٍ موقتة، غطت الستائر جدرانها الزجاجية لتوفير الخصوصية بعيدًا من أعين المتطفّلين، وجدنا وِن جالسًا إلى طاولة طويلة مع رئيس الوزراء الهندي مانموهان سينغ، ورئيسي جمهورية البرازيل لويس إيناسيو لولا دا سيلفا، وأفريقيا الجنوبية جاكوب زوما. فدهشوا لدى رؤيتنا.

«هل أنتم جاهزون»؟ قال الرئيس أوباما راسمًا ابتسامة عريضة. الآن، يمكن البدء بالمفاوضات الحقيقية.

حانت اللحظة التي استغرق التحضير لها سنةً كاملةً على الأقل. ففي حملتنا الانتخابية، عام ٢٠٠٨،

سلَّطتُ والرئيس أوباما الضوء على التغير المناخي، من منطلق أنه يشكل تحديًا طارئًا لبلادنا والعالم، وعرَضْنا، على السواء، لخططٍ للحدّ من الانبعاثات، وتحسين فاعلية الطاقة، وتطوير تكنولوجيات الطاقة النظيفة. حاولنا التمهيد، أمام الشعب الأميركي، للخيارات الصعبة المقبلة، واستثنينا ضرورة الاختيار بين الاقتصاد والبيئة، الذي كان سائدًا قديمًا، وخاطئًا.

كانت المشكلات الصادرة عن الاحتباس الحراري العالمي جليّةً، على الرغم من نكران البعض للموضوع، وكان ثمة كَمٌّ هائل من البيانات العلمية الدامغة عن الآثار الجانبية الضارّة لثاني أُكسيد الكربون، والميثان، والغازات المسببة للاحتباس الحراري.

من أصل الأعوام الأربعة عشر التي شهدت أعلى درجات الحرارة على الإطلاق، كانت ثلاثة عشر منها بعد العام ٢٠٠٠. فالظواهر الجوية القصوى ترتفع نسبيًّا، ومنها الحرائق، وموجات الحر، والجفاف، وإذا أكملت على هذا النحو، فمن شأنها توليد تحديات إضافية، وتهجير ملايين الأشخاص، والتحريض على المنافسة على الموارد الشحيحة كالمياه العذبة، وزعزعة استقرار الدول الهشة.

لدى تسلمنا مهامنا، اتفقتُ والرئيس أوباما على أن التغير المناخي يشكّل تهديدًا خطيرًا للأمن القومي واختبارًا أساسيًّا للقيادة الأميركية، وعلمنا أن الأمم المتحدة ستنظّم مؤتمرًا كبيرًا عن المناخ، نهاية العام الأول من ولايتنا، يشكل فرصةً لحشد تحرّك عالمي واسع. فبدأنا بترتيب أرضية العمل.

كان هذا جزءًا من قصة أكبر تتناول طريقة تغيير سياستنا الخارجية. خلال الحرب الباردة، كان وزراء خارجية أميركا يصبّون كلّ اهتمامهم تقريبًا على القضايا التقليدية المتعلّقة بالحرب والسلم، كمراقبة الأسلحة النووية. ومن واجبنا، في القرن الحادي والعشرين، أن نعير أهمية للتحديات المستجدّة عالميًّا وتأثيراتها في كل واحدٍ منّا في هذا العالم المترابط: الأمراض الوبائية، والعدوى المالية، والإرهاب الدولي، والشبكات الإجرامية العابرة للحدود، والاتجار بالبشر والحيوانات البرية – وطبعًا التغير المناخي.

بدأ، سريعًا، الحراك على الصعيد المحلي، عام ٢٠٠٩، بمباشرة إدارة أوباما العمل مع الكونغرس على تشريعٍ طموح هو «تبادل حقوق إطلاق الانبعاثات»، من شأنه خلقُ سوق للتسعير ولشراء انبعاثات الكربون وبيعها، واتخاذ إجراءاتٍ مباشرة من خلال الوكالات الفدرالية، مثل وكالة حماية البيئة، وتمرير التشريعات التي توفِّر حوافز لتوليد المزيد من الطاقة الشمسية وطاقة الرياح. وشعرنا بالحماسة الشديدة لدى إقرار مشروع قانون في مجلس النواب، في حزيران/يونيو، بقيادة عضوي الكونغرس هنري واكسمان من كاليفورنيا وإد ماركي من ماساتشوستس، لكنه سرعان ما أُسقِط في مجلس الشيوخ.

عالميًّا، كان مشوارنا صعبًا، وعلمتُ منذ البداية أن علينا التحلي بالدبلوماسية الخلّاقة والمستمرّة لإنشاء شبكة تضمّ شركاء دوليين مستعدّين لمعالجة مسألة التغير المناخي معًا. ويعدُّ تشكيل ائتلاف من هذا النوع شديد الصعوبة، خصوصًا عندما تكون الخيارات السياسية معقّدة جدًّا. كانت الخطوة الأولى تشمل عمليات التفاوض العالمية التي تُطلق عليها تسمية هيكلية عمل اتفاق الأمم المتحدة المتعلق بالتغير المناخي، الذي سمح لكل الدول المشاركة بمناقشة هذا التحدي المشترك في مكانٍ واحد. وكان الهدف يقضي بالتئام الجميع في كوبنهاغن، في كانون الثاني/ديسمبر ٢٠٠٩، ومحاولة إبرام اتفاق بين الدول النامية والأخرى المتقدّمة.

كنتُ محتاجةً إلى مفاوضٍ متمرّس، ذي خبرةٍ في قضيتَي المناخ والطاقة، لقيادة هذه الجهود، فسألتُ تود ستيرن أن يكون المبعوث الخاص للتغير المناخي. أعرف تود من خلال عمله، في التسعينات، كمفاوضٍ على اتفاق كيوتو الذي كان بطله نائب الرئيس، آل غور، ووقّعه بيل، إلّا أن مجلس الشيوخ لم يوافق عليه قط. تود، بمظهره الهادئ، هو فعلًا دبلوماسي متحمّس ومتابع، وعمل في جدّ، خلال عهد بوش، على قضيتَي المناخ والطاقة، في مركز التقدم الأميركي. وعليه الآن أن يستخدم كل مهاراته لإقناع الدول المتردِّدة بالتفاوض للتوصل إلى تسوية. وددتُ تزويده ما أمكن من الأدوات لمباشرة عمله، فاصطحبتُه في رحلتي الأولى إلى آسيا. إذا لم نقنع الصين واليابان وكوريا الجنوبية وأندونيسيا بتبنّي سياساتٍ مناخية أفضل، فسيكون من شبه المستحيل بالنسبة إلينا التوصل إلى اتفاق ثقة عالمي.

زرتُ وتود، في بكين، محطة الطاقة الحرارية تيانغونغ، بتكنولوجيتها الفائقة العاملة على الغاز، والتي ينبعث منها نصف كميّة ثاني أُكسيد الكربون التي تصدر عن محطة عاملةٍ على الفحم، وتستعمل كذلك ثلث كمية المياه. بعدما عاينّا التوربينات المتطوّرة قلبًا وقالبًا، والتي صنعتها جنرال إلكتريك، وجّهتُ كلمةً أمام جمهورٍ صيني عن الخيارات الاقتصادية التي تنتج عن معالجة تحديات التغير المناخي. وكانت الحكومة الصينية بدأت باستثمارات ضخمة في الطاقة النظيفة، خصوصًا الطاقة الشمسية وطاقة الرياح، لكنها كانت تعارض أي اتفاق دولي ملزِم عن الانبثاقات. وأمضى تود ساعاتٍ لاحقًا، محاولًا إقناع الصينيين بالعدول عن رأيهم.

لم يأتِ تركيزنا على الصين من باب المصادفة، إذ كانت، بفضل نموّها الاقتصادي الهائل خلال العقد المنصرم، في طور التحول السريع لتصبح أكبر باعث في العالم للغازات المسببة للاحتباس الحراري. (كان المسؤولون الصينيون دومًا على أهبة الاستعداد للإشارة إلى أن معدل الانبعاثات للفرد الواحد في بلادهم يعدُّ متدنيًا جدًّا بالنسبة إلى دول الغرب الصناعية، ولاسيما منها الولايات المتحدة. وكانوا يحاولون اللحاق بنا سريعًا). كانت الصين، أيضًا، القوّة العظمى والأكثر تأثيرًا ضمن مجموعة جديدة تشمل قوى نافذة في المنطقة والعالم، وتضم البرازيل والهند

وأندونيسيا وتركيا وأفريقيا الجنوبية، وهي الدول المكتسبة نفوذًا عالميًّا مرتبطًا أكثر باقتصادها المتوسع من ارتباطه بقوتها العسكرية الخاصة. وسيشكل تعاونها عنصرًا مهمًّا لإتمام أي اتفاق شامل في شأن التغير المناخي.

كانت هذه الدول تتعامل مع آثار نفوذها وثقلها المتزايدَين، كلٌّ منها على طريقتها الخاصة. فعلى سبيل المثال، أخرجت الصين مئات الملايين من شعبها من دائرة الفقر، مذ شرّع أبوابها دينغ زياو بينغ على العالم، عام ١٩٧٨. ولكن، وبحلول العام ٢٠٠٩، كان لا يزال مئة مليون شخص يعانون مستوى معيشيًّا قُدّر بأقلّ من دولارٍ واحد للفرد، يوميًّا. ارتكز التزامُ الحزب الشيوعي زيادةَ المداخيل وخفض حدّة الفقر، على زيادة الإنتاج الصناعي، مما طرح خيارًا صعبًا: هل تتمكن الصين من معالجة مسألة التغير المناخي فيما الملايين من شعبها يعانون الفقر؟ وهل تتمكن من اتباع مسار التنمية، متّكلةً على طاقة أكثر تجددًا وفاعلية، تحدّ من الفقر؟ لم تكن الصين الدولة الوحيدة التي تكافح من أجل هذه المسألة. عندما تحكُم بلدًا يعاني عدمَ مساواة عميقة وفقرًا، يصبح مقبولًا تفكيرك في أن ليس في إمكانك تحمّل الحد من نموّك، لمجرّد أن القوى الصناعية تسببت بالتلوث، خلال القرنين التاسع عشر والعشرين، في طريقها إلى الازدهار. كيف كان للهند أن تختار مسارًا مختلفًا، لو استطاعت أن تحسّن حياة الملايين من مواطنيها بتسريع عجلة نموّها الصناعي؟ الأجوبة التي ستصدر عن هذه الدول، سواء كانت إيجابية لجهة مشاركتها في مكافحة التغير المناخي أو عدمها، حتى وإن لم تكن وراء حدوثه، ستحدّد نجاح دبلوماسيتنا أو فشلها.

توجهتُ وتود، آخذَين ذلك في الحسبان، إلى الهند صيف العام ٢٠٠٩. فاجأنا وزير البيئة جَيرَم رامش خلال خطاباتنا العامَّة بكلمة ناريّة، بعدما أرانا فخورًا أحد المباني الأكثر اخضرارًا، في إطار الحفاظ على البيئة، قرب دلهي، مقدمًا إليَّ طوقًا من الزهر. فقال إن المسؤولية في اتخاذ خطوات لمعالجة التغير المناخي تقع على عاتق البلدان الثرية كالولايات المتحدة، لا على عاتق القوى الناشئة كالهند التي تملك كمًّا أكبر من الضغوط الداخلية لتقلق في شأنها. وشدد رامش، في محادثاتنا الجانبية، على أن معدّل انبثاقات الفرد الواحد في الهند أقل من معدّل الانبثاقات الفردية في الدول المتقدِّمة، وجادل أن لا أساس شرعيًّا للضغوط الدولية الممارسة على الهند مع اقتراب موعد الذهاب إلى كوبنهاغن.

ولكن، في الواقع، كان يستحيل وقف ارتفاع درجات الحرارة عالميًّا، إذا أصرّت هذه الدول السريعة النمو على أدائها، وفقًا للقواعد القديمة، وضخّها كميات هائلة من الكربون في الجو. وحتى وإن أقدمت الولايات المتحدة، بطريقةٍ ما، على خفض انبثاقاتها إلى الدرجة الصفر، غدًا، سيبقى مجموع المستويات العالمية أكثر بكثير من الحدّ المطلوب، إذا فشلت الصين والهند ودول أخرى في احتواء انبثاقاتها الخاصة. لا بل أكثر، فالفقراء أنفسهم، الذين كان الوزير الهندي

قلقًا في شأن مساعدتهم، هم الأكثر عرضةً لويلات التغير المناخي. فأكدتُ، في إطار ردي على تعليقاته، أن الولايات المتحدة ستتمّم الشق المتعلق بها، بتطوير تكنولوجياتٍ نظيفة، من شأنها دفع النمو الاقتصادي ومحاربة الفقر، وخفض الانبعاثات، في الوقت عينه. لكنني شددتُ على الأهمية القصوى لاحتضان هذه المسألة بالنسبة إلى العالم أجمع، في إطار التعاون في المهمّة وتقاسم المسؤولية. تويع هذا النقاش في الأشهر التالية، وشكّل المواقف التفاوضية في اجتماع الدول في مؤتمر الأمم المتحدة للتغير المناخي، في الدنمارك، في كانون الثاني/ديسمبر، وأنتج الاجتماع السري الذي أقدمتُ والرئيس على تعطيله.

كوبنهاغن مدينةٌ خلّابة، تعج بالشوارع المرصوفة بالحصي، وبالمتنَزّهات. عندما وصلتُ في فصل الشتاء الميت، وسط العواصف الثلجية والبرد القارس، الثالثة فجر السابع عشر من كانون الثاني/ديسمبر ٢٠٠٩، كانت المفاوضات لا تزال مجمّدةً، إلى أقصى حد. فالمؤتمر سينتهي في غضون يومين، وبدا أن هذه الفرصة ستطير من أيدي العالم.

كانت القوى الناشئة أو «البواعث الناشئة»، كما بدأتُ أفكر فيها، في صفٍّ واحد من النقاش، تنظر في حصتها من إجمالي إنتاج ثاني أُكسيد الكربون المتنامية سريعًا، بينما كان معظمها يسعى إلى تفادي اتفاق ملزِم يقيّد نموّها. أما في الجهة المقابلة، فكان الأوروبيون، وما زالوا يأملون في تمديد اتفاق كيوتو الذي حمّل الدول الثرية أعباء ثقيلة مانحًا، في شكلٍ خاص، البلدان النامية، كالصين والهند، ممرًّا مجانيًّا. بينما كان عددٌ من الدول الصغيرة والفقيرة، خصوصًا الدول الجُزر، يائسًا من إبرام اتفاقٍ يساعده على درء التغيرات المناخية التي كان يعانيها، أو على الأقل التخفيف منها.

كانت الولايات المتحدة تدفع في اتجاه ما عددناه نتيجة واقعية يمكن تحقيقها: اتفاق دبلوماسي، يوافق عليه القادة (بدلًا من معاهدة قانونية تقرها المجالس النيابية وتنفذها المحاكم)، مما سيرتّب على كل دولة كبيرة، متقدّمةً كانت أم نامية، اتخاذ خطواتٍ ثابتة، لكبح انبثاقات الكربون ورفع تقارير شفافة عن تقدّمها على هذا الصعيد – وكلا الأمرين لم يحدث قط من قبل. لم نكن نتوقع أن تتخذ كل الدول الخطوات عينها أو حتى أن تخفض الانبثاقات بكميات متساوية، إنما كنّا نسعى إلى اتفاقٍ يفرض تولّي كل دولةٍ بعض المسؤولية لخفض الانبثاقات.

التقيتُ في أحد اجتماعاتي الأولى في كوبنهاغن تحالف الدول الجزر الصغيرة. إذ يقدَّر أنّ مستويات البحر في العالم ارتفعت بمقدار ٦،٧ إنش خلال القرن العشرين. ومع استمرار ذوبان الجليد في القطب الشمالي، سيستمرّ ارتفاع منسوب البحار بمعدّلٍ متزايد، مهدّدًا بوجود بعضٍ من

هذه الدول الصغيرة. عندما زرتُ جزر الكوك، عام ٢٠١٢، لحضور اجتماع لمنتدى جزر المحيط الهادئ، أبلغ إليّ القادة هناك أن التغير المناخي يشكّل التهديد الوحيد والأكبر لدولهم.

تحتل الجزر والدول الواطئة الخطوط الأمامية في هذا النضال، لكنّ سائر الدول ليست ببعيدة عنها. إذ يشكل سكان السواحل نسبة أربعين في المئة من سكان البشرية ويعيشون على مساحة تبلغ ستين ميلًا، فيما المدن المترامية الأطراف بالقرب من دلتا الساحلية، وأنهار المسيسيبي والنيل والغانغ وميكونغ ضمنًا، هي في خطر. علينا التخطيط للمستقبل والتفكير في الآتي، وسط استمرار المناخ بالتغيّر ومنسوب البحار بالارتفاع. ماذا سيحدث لمليارات العالم هناك، إذا أصبحت منازلهم ومدنهم غير قابلة للسكن؟ إلى أين يذهبون؟ من يساعدهم؟

تخيّل العنف الذي قد ينتج عن حال كهذه، عقب موجات الجفاف الأكثر شدةً وافتقار الدول الهشّة إلى الطعام والمياه، أو التأثيرات التي تطاول التجارة العالمية مع تحطّم المزارع والبنى التحتية، من جراء الفيضانات والعواصف. كيف سيكون وقعها على التجارة العالمية والاستقرار، في وقت تتّسع الفجوة بين الدول الثرية والفقيرة؟ عندما التقيتُ رئيس الوزراء الأثيوبي ملس زيناوي، في كوبنهاغن، وقد اتّخذ صفة المتحدث الرسمي باسم بعض الدول الأكثر ضعفًا أمام تأثيرات التغيّر المناخي، والأقل قدرةً على التعامل معها، قال لي إنّ العالم يتوقّع منّا الكثير، وإنّ الوقت يتطلّب الآن قيادةً أميركية.

على الرغم من الآمال المرتفعة التي أوصلتنا إلى هذه القمّة، وربّما إلى مرحلةٍ ما منها، انطلقت الأمور سيئة منذ البداية. تصادمت المصالح، وتوتّرت الأعصاب، وبدت التسوية بعيدة المنال. كنّا في حاجة إلى تغيير الديناميكية، بطريقةٍ ما. ودعوتُ، باكرًا، صباح السابع عشر من كانون الثاني/ ديسمبر، إلى مؤتمر صحافي. وجد فريقنا في قاعة المؤتمرات، صالةً كبيرة مع منصّة ومقاعد، ولدى وصولي، وجدتُ حشدًا من مئات الصحافيين من العالم أجمع، يتطلّعون للحصول على خبرٍ ما يبشّر بكسر الجمود. أخبرتُ الحضور أن الولايات المتحدة حاضرة لقيادة جهود جماعية تبذلها الدول المتقدّمة، لتخصيص ١٠٠ مليار دولار سنويًّا، بحلول العام ٢٠٢٠، تُجمع من مصادر عامّة وخاصّة، لمساعدة الدول الأكثر فقرًا والأقلّ تحصّنًا، على التخفيف من أضرار التغير المناخي — إذا تمكنّا أيضًا من التوصل إلى اتفاق واسع النطاق للحدّ من الانبثاقات.

انطلقت الفكرة مع الأوروبيين، خصوصًا مع رئيس الوزراء البريطاني غوردن براون، الذي اقترح اتفاقًا مماثلًا في الصيف. وقبيل وصولي إلى كوبنهاغن، أوصاني تود ونائب مستشار الأمن القومي مايك فرومان، بأن الاقتراح في جَيبي الخلفية، في حال استلزم الأمر الشروع سريعًا في المفاوضات. أملتُ في بثّ حياةٍ جديدة في المحادثات بتقديمي التزامًا ملموسًا، وفي ممارسة الضغط على الصين و«البواعث الناشئة» للاستجابة، وفي كسب دعم الدول النامية التي من شأنها

الترحيب بهذه المساعدة الجديدة. أثار الصحافيون والموفودون صخبًا فورًا، وشعر كثرٌ بالحماسة. أسَرَ رئيس الوزراء الدنماركي انتباههم قائلًا «ثمة شعور بين المفاوضين أن علينا الآن التطرق إلى الأعمال، وعلينا الآن أن نكون مرنين، وعلينا الآن أن نحاول التوصل إلى تسوياتٍ حقيقية، بكل ما أوتينا من قوة».

لكن المشاعر الإيجابية لم تدم طويلًا. راوحت أسباب الأزمة مكانها. تلك الليلة، ولم يكن الرئيس أوباما قد وصل بعد إلى كوبنهاغن، انضممتُ إلى قادة عالميين آخرين في نقاشٍ حادّ، طال إلى وقتٍ متقدم من الليل، في صالةٍ صغيرة وحارّة جدًّا. لم يتنازل الصينيون قيد أنملة، كذلك الهنود والبرازيليون، بينما كان بعض الأوروبيين يعلّي السقف جدًّا. خرجنا محبطين ومنهكين، قرابة الثانية فجرًا، من دون أي اتفاق. هرع رؤساء الجمهورية ورؤساء الوزراء نحو المخرج، ليجدوا زحمة سيرٍ خلّفتها المواكب وسيارات الأمن. فوقفنا هناك، حيث الوضع مشابه لخطّ سيارات الأجرة الأكثر غرابةً في العالم. بدأ الصبر ينفد، وكنا جائعين وناعِسين جميعنا، وما من شيء في أيدينا يدلّ إلى جهودنا. لم يسبق للمؤتمرات المناخية أن شهدت حشدًا من القادة على المستوى الرفيع، بينما لم نقترب بعد من التوصل إلى اتفاق. في النهاية، لم يكن في استطاعة الرئيس الفرنسي ساركوزي التحمل أكثر، فتطلّع بنظرة مبالغة جدًّا، وأعلن بالإنكليزية «أريد أن أموت»! فهمنا جميعًا ما كان يعني بذلك.

كم يمكن أن يحدث تغييرٌ في نهار واحد. جلستُ إلى جانب الرئيس أوباما، في اجتماع القادة المصغّر، الذي خرقناه لتوّنا، آملةً في التوصل إلى أمرٍ ما، أخيرًا. جلت بنظري حول الطاولة، في اتجاه وِن جيا باو، وقادة الهند والبرازيل وأفريقيا الجنوبية. كانوا يمثلون نحو أربعين في المئة من سكان الأرض، وجلوسهم إلى هذه الطاولة يعني تحولًا جذريًّا في النفوذ العالمي. فالدول التي كانت تؤدي دورًا هامشيًّا في الشؤون العالمية، أصبحت تصدر الآن قراراتٍ حاسمة.

مع مراقبتي لغة أجساد هؤلاء القادة، سُررتُ بقرار الرئيس أوباما المجيء إلى الدنمارك. كان من المقرّر أساسًا أن يحطّ في كوبنهاغن، صباح الجمعة، أي في اليوم الأخير من المفاوضات، وكنا نأمل في أن يكون بين أيدينا اتفاق جاهز لدى وصوله، لكن المفاوضات المتأزمة حالت دون ذلك. ارتفعت حدة عصبية مستشاريه في البيت الأبيض، ونظرًا إلى تعثر المحادثات، تساءلوا هل الأمر جدير بوقت الرئيس للقيام بالرحلة؟ لكن الظرف بدا مغايرًا عندما فكرتُ أن من واجبنا «الانشغال في المحاولة». اتصلتُ بالرئيس وأكدتُ له أن تدخله الشخصي قد يحقق الدفع الذي نحتاج إليه للخروج من المأزق. وافق، وما لبثت الطائرة الرئاسية أن حطّت في كوبنهاغن الجليدية.

كنا نبذل هنا، جهدًا أخيرًا، ومن ضمن النقاط العالقة ما يأتي: كيف لنا مراقبة الالتزامات وفرضها، إذا وافقت الدول على الحد من انبعاثاتها؟ كان الصينيون، المتحسّسون دائمًا من التدقيق الخارجي، يقاومون كل ما يتطلّب تقارير إلزامية أو آليات تَحَقُّق، فيما الهنود كانوا مطواعين أكثر. فرئيس وزرائهم، المعسول الكلام، مانموهان سينغ، كان يصد اعتراضات الصينيين، فيما رئيس أفريقيا الجنوبية جاكوب زوما، الذي شكل إحدى محطات انتقاداتنا الحادة في الاجتماعات السابقة، كان بنّاءً أكثر وتصالحيًّا.

شعرنا وغيرنا بالزخم في الصالة. ففي عرضٍ مفاجئ، بدأ أحد أفراد الوفد الصيني، وهو دبلوماسي موهوب تربطنا به عمومًا علاقات وديةٍ جدًّا، بتوبيخ رئيس الوزراء الذي كان يعلوه بمناصب. كان مهتاجًا من احتمال إبرام الإتفاق. أُحرج وِن وأوصى مترجمه بعدم تفسير كلامه. وفي محاولةٍ لإعادة الأمور إلى نصابها، سأل الرئيس أوباما، وِن، بطريقته الهادئة، عمّا تفوّه به المسؤول الصيني، فنظر إلينا قائلًا «هذا ليس مهمًّا».

في النهاية، وبعد الكثير من التملق والنقاش والمساومة، صاغ القادة في تلك الصالة اتفاقًا، أنقذ القمة من الفشل، على الرغم من كونه بعيدًا من الكمال، ووضَعَنا على سكة التقدم. كانت المرة الأولى التي تتخللها موافقة كل الاقتصادات الكبرى، في البلدان النامية والمتقدّمة على السواء، على التقيّد بالتزاماتٍ وطنية للحدّ من انبثاقات الكربون بحلول العام ٢٠٢٠، ورفع تقارير شفافة عن جهودها الرامية إلى التخفيف منها. بدأ زوال الانقسام بين البلدان النامية والبلدان المتقدّمة التي حدّدت اتفاق كيوتو، وشكل الأمر أساسًا يُبنى عليه.

هذا ما قلتُه والرئيس لأصدقائنا الأوروبيين عندما التقيناهم لإطلاعهم على التطورات. اكتظت إحدى الغرف الضيقة، بكلّ من براون وساركوزي ورؤساء وزراء ألمانيا أنجيلا ميركل، والسويد فريدريك رينفلت، والدنمارك لارس راسموسن، ورئيس المفوّضية الأوروبية خوسيه مانويل باروسو، الذين أصغوا في إمعان إلى الرئيس أوباما. هم أرادوا إصدار معاهدة شرعية من كوبنهاغن، ولم يُعجبوا بتسويتنا. ومع ذلك، قبلوا دعمها، على مضض، بما أننا لم نكن نملك خيارًا آخر. كان الأوروبيون على حق، لأننا لم ننجز كلّ ما أردناه في كوبنهاغن، إلا أنها طبيعة التسوية.

وبالفعل، اقترحت عشرات الدول، بما فيها البلدان النامية الكبرى جميعًا، خلال الأشهر اللاحقة، خططًا للحد من الانبثاقات. وأفضل ما يمكننا قوله إنها كانت تتحرّك لتطبيق هذه الخطط. بنينا على هذا الأساس، واستمررنا في عقد المؤتمرات طوال الأعوام الأربعة التالية، في كانكون ودوربان والدوحة، وأفضت كلها إلى اجتماع آخر في باريس، على أن يُعقد عام ٢٠١٥، مع الأمل في إنجاز اتفاق أقوى يتمكن الجميع من تطبيقه.

بعد كوبنهاغن، بدأتُ أنظر في سبلٍ لمتابعة التطور، وإن حالت المعارضة السياسية في الكونغرس والخلافات مع الصين وغيرها على المستوى العالمي دون تسهيل الأمور، بغية إنجاز هذا النوع من الإصلاحات الشاملة التي احتجنا إليها لمكافحة التغير المناخي. بصفة كوني فتاةً في إلينوي، رميتُ نصيبي من الكرات، وأحد الدروس التي علقت في ذهني، أنك لدى محاولتك تسديد الكرات في المكان الصحيح، فحسب، ستزيد فرص خروجك من اللعبة، إنما بالتقدم إلى القاعدة الأولى فالثانية، وحتى بالسير، قد تتوصّلين إلى تحقيق نتيجة أكبر.

كانت هذه الفكرة وراء «الائتلاف من أجل المناخ والجو النظيف»، بحسب تصريح لي في شباط/فبراير ٢٠١٢، وهي تهدف إلى التخفيف ممّا نسمّيه «الملوّثات العظمى». ويُنسب أكثر من ٣٠ في المئة من الاحتباس الحراري العالمي إلى هذه الجُسيمات التي تضمّ غاز الميثان، والكربون الأسود، ومركبات الكربون الهيدرو فلورية التي تَنتج من فضلات الحيوانات، ومكبات النّفايات الحضرية، ووحدات تكييف الهواء، وإحراق الحقول، وحرائق الطبخ، وإنتاج النفط والغاز، إضافةً إلى أمورٍ أخرى. الملوّثات مضرّة جدًّا أيضًا بالنظام التنفسي لدى الأشخاص. لكن الخبر السار هو انتشار الغازات الدفيئة هذه في الجو، أسرع من انتشار ثاني أكسيد الكربون، إذًا، يمكن جهدًا مكثفًا لتقليلها أن يحد من التغير المناخي في شكلٍ أسرع. وبحسب إحدى الدراسات، «من شأن خفضٍ حاد في انبعاث الملوّثات التي يكون عمرها أقصر من غيرها، بدءًا من العام ٢٠١٥، أن يُحدث تغييرًا في ارتفاع درجات الحرارة بنسبة تصل إلى خمسين في المئة، بحلول العام ٢٠٥٠».

بهذه الطريقة، يمكن العالم الإفادة من الوقت الثمين، من جهة، لتطوير تكنولوجياتٍ حديثة، ومن الإرادة السياسية، من جهةٍ أخرى، للتعامل مع مشكلاتٍ كربونية أصعب. انطلقتُ في محادثاتٍ مع الحكومات التي تشاطرنا الرأي، خصوصًا السكاندينافيين، عمّا يمكننا فعله، فقرّرنا تشكيل شركة على المستويين العام والخاص، تشمل حكوماتٍ وأعمالًا وعلماء ومؤسسات. نظّمتُ حدثًا، في وزارة الخارجية، مع وزراء البيئة في كلٍّ من بنغلادش وكندا والمكسيك والسويد، إضافةً إلى السفير الغاني، ومديرة الوكالة الأميركية لحماية البيئة ليزا جاكسون، لإطلاق الائتلاف من أجل المناخ والجو النظيف. عام ٢٠١٤، وصل عدد الشركاء إلى سبعٍ وثلاثين دولة، وأربعة وأربعين شريكًا غير حكوميين، بينما يتخذ الائتلاف خطوات واسعة ومهمّة في اتجاه خفض انبثاقات الميثان من إنتاج النفط والغاز، والكربون الأسود من أبخرة الديزل ومصادر أخرى. قد تبقى على الحياد معالجة إدارة النّفيات في المدن، من نيجيريا إلى ماليزيا، وخفض الكربون الأسود من إنتاج القرميد في أماكن مثل كولومبيا والمكسيك، والحد من انبعاثات الميثان في بنغلادش وغانا، لكن خطوات كهذه تُحدث فارقًا في الجهود العالمية لمعالجة التغير المناخي.

كان أحد شركائي في هذه الجهود، وزير الخارجية النروجية جوناس غار ستور، وقد دعاني

إلى زيارة النروج ورؤية تأثيرات التغير المناخي في تقلص الأنهار الجليدية في القطب الشمالي. وصلتُ إلى المدينة النروجية الخلّابة ترومسو، التي تقع شمال دائرة القطب الشمالي، في حزيران/يونيو ٢٠١٢. ترتفع درجاتُ الحرارة هناك إلى أربعين، ويبقى ضوء النهار طالعًا كل الليل تقريبًا. أقلتنا، معًا، سفينة أبحاث القطب الشمالي، هِلمِر هانسِن، في رحلةٍ فوق المضيق البحري لمعاينة ذوبان الجليد عن قرب. كان الهواء نظيفًا جدًّا ونقيًّا، إلى حد يصعب تصديقه. بدت الجبال، ولا يزال معظمها مغطى بالثلوج، ناتئةً من المياه الجليدية. دلّني جوناس، قلقًا، إلى انحسار الأنهار الجليدية. كان ذوبان الجليد في الصيف يخلي أجزاءً من المحيط المتجمّد الشمالي من الجليد، لأسابيع، كل مرة. والحقيقة أن الأنهار الجليدية كانت تتقلّص في كل أنحاء العالم تقريبًا، وفي جبال الألب والهيملايا والأنديز والروكي وألاسكا، وأفريقيا، ضمنًا.

تشهد ألاسكا ارتفاعًا في درجات الحرارة يوازي ضعفي ما تشهده سائر مناطق الولايات المتحدة، ويُضطر التآكل وذوبان الجليد الأبدي وارتفاع منسوب المياه المجتمعاتِ القاطنة على الساحل إلى الانتقال في اتجاه الداخل.

انضممتُ، عام ٢٠٠٥، إلى السيناتور ماكين وسيناتورَين جمهوريَّين آخرين، ليندسي غراهام وسوزان كولّينز، في رحلةٍ إلى وايت هورس في كندا، وبارو في ألاسكا، وهي أعلى نقطة شمالَ الولايات المتحدة. قابلنا علماء وقادة محلّيين، وشيوخ الأمم الأولى (أي شعوب كندا الأصليين) للاطلاع منهم على تأثيرات التغيّر المناخي. بتحليقنا فوق غابات الصنوبر في يوكون، تمكّنتُ من رؤية مساحات بُنّيّةٍ شاسعة من أشجار الصنوبر الميتة، التي قتلها انتشار خنافس اللحاء، وقد انتقلت شمالًا بسبب ارتفاع درجات الحرارة، خصوصًا خلال الشتاء الأكثر اعتدالًا. شكلت هذه الأشجار الميتة مواد ملتهبة تسهّل اندلاع الحرائق في الغابات، الأمر الذي يحدث في شكلٍ متكرر على ما أخبرنا الكنديّون. وكنا نرى الدخان مقبلًا إلينا بما أنه يتصاعَد من حريق قريب.

في الواقع، كل من تحدثتُ معه خلال تلك الرحلة، كان واعيًا بما يدور من حوله. سرد أحد شيوخ العشائر كيف عاد إلى البحيرة حيث كان يصطاد في طفولته، ليجدها جافة. التقيتُ مشتركين في سباق تزلج الكلاب على مدًى طويل، فأخبروني أنهم ما عادوا في حاجةٍ حتى إلى ارتداء قفازات. في بارو، كان البحر يتجمّد وصولًا إلى القطب الشمالي، بحلول تشرين الثاني/نوفمبر، أما الآن، فروى لنا السكان أنهم وجدوا الطين مكان الثلج. أطلعنا الجوّالة، في المتنزَّه الوطني لخلجان كيناي، قياساتِ تقلص الأنهار الجليدية، وكانت في حالٍ يرثى لها إلى حدّ عدم تمكنك حتى من رؤية الثلج من مركز الزوار المبني منذ عقود للتمتع بالمنظر المذهل.

بعد سبع سنواتٍ، كنتُ ألتمس براهين أكبر في النروج عن مسيرة التغير المناخي الثابتة.

أعجبتُ بجوناس ولفتتني حماسته لحماية النظام البيئي الثمين في بلاده. ولسوء الحظ، لم تكن النروج لتفعل الكثير بمفردها، فانكبّ على العمل الدبلوماسي المكثف لجمع كل قوى القطب الشمالي معًا. ناقشتُ معه جهودنا المشتركة في مجلس القطب الشمالي، وهو المنظمة الدولية المسؤولة عن تحديد القواعد لحماية المنطقة، ومقرّها الرئيس الدائم في ترومسو. يضمّ المجلس اللاعبين الأساسيين جميعًا: الولايات المتحدة وكندا والدنمارك وفنلندا وإيسلندا والنروج وروسيا والسويد. رافقتُ جوناس إلى اجتماعه في المجلس، وأصبحتُ، عام ٢٠١١، أول وزير خارجية أميركية يحضر اجتماعا رسميًّا للمجلس يُعقد في نوك، العاصمة النائية لغرويننلندا. وكانت إحدى حليفاتي التي دفعت إلى مشاركة أميركية أكبر في مجلس القطب الشمالي، السيناتورة الجمهورية من ألاسكا، ليزا مركوسكي، وقد رافقتني في الرحلة مع وزير الداخلية كِن سالازار. وقّعتُ أول اتفاق دولي ملزِمٍ شرعيًّا بين دول القطب الشمالي الثماني، ووضعنا خططًا لمهام البحث عن السفن الواقعة في محنة وإنقاذها. كانت تلك، الانطلاقة، آملين في أن تعبّد الطريق لتعاون مستقبلي في شؤون التغير المناخي، والطاقة والأمن.

كان ذوبان الجليد يفتح آفاقًا جديدة للإبحار، والتنقيب عن النفط والغاز في أنحاء القطب الشمالي، مما تسبب بالصراع على الموارد والحقوق الإقليمية. كان يمكن بعض احتياطات الطاقة أن تكون هائلة، وكانت عين الرئيس الروسي فلاديمير بوتين، على المنطقة. فأعطى توجيهاتٍ لجيشه بالعودة إلى عددٍ من القواعد السوفياتية القديمة في القطب الشمالي. وعام ٢٠٠٧، غرست غوّاصةٌ روسية العلم الروسي في قعر المحيط، قرب القطب الشمالي. رفعت التحركات الروسية من احتمال السباق المسلّح في المنطقة و«عسكرة» العلاقات هناك. قال رئيس الوزراء الكندي ستيفن هاربر إن بلاده تحتاج إلى «قوًى على الأرض، وسفنٍ في البحر، ومراقبة صحيحة» لـ «الحفاظ على السيادة الوطنية» في القطب الشمالي. أما الصين فتتوق، أيضًا، إلى كسب نفوذٍ في المنطقة. فهي متعطشة إلى الطاقة، ومتحمّسة لآفاق ملاحية جديدة للشحن، من شأنها اختصار آلاف الأميال بين مرافئ شنغهاي وهونغ كونغ والأسواق الأوروبية. انطلقت الصين في رحلات بحث كثيرة في القطب الشمالي، وأنشأت مركز أبحاث لها في النروج، ووسّعت استثماراتها في أوروبا الشمالية، ووقعت معاهدةً تجارية مع إيسلندا، واكتسبت صفة مراقب في مجلس القطب الشمالي.

ناقشتُ وجوناس ضرورة الوقوف في وجه البلدان التي أَثْرَتْ حديثًا، من اكتساح النظام البيئي الهش في القطب الشمالي، وتسريع عجلة التغير المناخي. لا مفرّ من تزايد النشاط الاقتصادي، ويمكن مواكبته بمسؤولية، إن ثبُتنا حذرين. إنما من شأن ارتفاع أعداد السفن والتنقيب وانتشار القوات العسكرية في المنطقة، أن يؤدي إلى التعجيل في إلحاق الضرر بالبيئة. تخيّل، فحسب، تأثير التسرّب النفطي في القطب الشمالي، كما حدث في خليج المكسيك، عام ٢٠١٠. إذا فسحنا في

المجال أمام القطب الشمالي أن يصير كالغرب المتوحش، فستكون حال كوكبنا وأمنه الذاتي في دائرة الخطر.

آمل في أن يتمكن مجلس القطب الشمالي من التوصل إلى اتفاق، مستقبلًا، عن طريقة حماية القطب الشمالي والتعامل معه. قد لا يحفز هذا التحدي الرأي العام اليوم، لكنه يشكل إحدى أهم القضايا التي سنواجهها على المدى البعيد.

وعلى الرغم من الدعوة الصارخة إلى التحرك التي أطلقها الرئيس أوباما في خطابه الافتتاحي لولايته الثانية، كانت الاستجابة الجدية والشاملة لمسألة التغير المناخي في وضع حرج، بسبب المعارضة السياسية الراسخة في بلادنا. قد يكون الركود أسهم في الحد من مجموع انبعاثاتنا، لكنه أيضًا صعّب تعبئة الإرادة السياسية للدفع في اتجاه تغيير يكون أكثر فائدة. عندما يتسبب الاقتصاد بالضرر ويبحث الناس عن عمل، تتلاشى اهتمامات أخرى كثيرة، ويُطرح، مجددًا، الخيار القديم الخاطئ بين تعزيز الاقتصاد والحفاظ على البيئة، باستثناء أمر واحد، قضى بالانتقال السريع من الفحم إلى الغاز الطبيعي في زمن الكهرباء. ينبثق من إحراق الغاز الطبيعي، فحسب، حوالى نصف الغازات المسببة الاحتباس الحراري التي يصدرها الفحم، إذا استوفينا شرط منع تسرّب الميثان من آبار الغاز، مع العلم أن إنتاجها يحمل مخاطر بيئية أخرى. وللإفادة كليًّا من موارد الغاز الطبيعي الضخمة لدينا، ستحتاج الولايات والحكومة الفدرالية إلى توفير أنظمةٍ أفضل، وشفافيةٍ أكبر، وتطبيقٍ صارم.

أتمنّى لو أننا حققنا المزيد لمكافحة التغير المناخي خلال الأعوام الأربعة لإدارة أوباما. فقد شكلت خسارتنا في الكونغرس عائقًا أمامنا، لأن الغالبية الجمهورية، على عكس الأحزاب المحافظة في بلدانٍ أخرى، ارتكزت في جزءٍ من برنامجها على نكران عامل التغيّر المناخي وعدم الاستجابة لما فيه خير الاقتصاد. ولكن، لا يمكننا أن نُحبَط من جراء حجم المشكلة أو عناد المعارضة، وعلينا المضي قدمًا في اتخاذ خطواتٍ عمليّة فاعلةٍ حقًّا. قال لي رئيس وزراء أثيوبيا، خلال اجتماعنا في كوبنهاغن، إن العالم يتطلّع إلى الولايات المتحدة لقيادة المسيرة المتعلقة بالتغيّر المناخي، وأعتقدُ أنها مسؤولية علينا قبولها، وفرصةٌ من واجبنا التقاطها. ففي النهايةِ، لا نزال نملك أكبر اقتصاد، ونأتي في المرتبة الثانية على لائحة أكثر الدول الباعثة لثاني أُكسيد الكربون. وكلما ارتفعت مخاطر آثار التغير المناخي، زادت أهمية القيادة بالنسبة إلينا. وتتكون الابتكارات الحيوية التي ستساعد على مواجهة هذا التحدي، والمتمثلة إن بتكنولوجيات الطاقة النظيفة، وإن بتقنيات عزل الكربون، وإن بسبل زيادة فاعلية الطاقة لدينا، على الأرجح، على أيدي علمائنا وانطلاقًا من مختبراتنا. ويمكن أن يشكل تغيير طريقة إنتاجنا الطاقة والحفاظ عليها إسهامًا كبيرًا في اقتصادنا.

يتّخذ القادة الصينيون خطواتٍ مهمّة في بلادهم للاستثمار في الطاقة النظيفة وللبدء

بمعالجة مشكلاتهم البيئية، على الرغم من موقفهم المتشدد في المحافل الدولية. فقد شهدنا، طوال سنين، زيادة الضغوط التي يمارسها الشعب الصيني والمتعلقة بقضايا التلوّث ونوعيّة الهواء والمياه النظيفة. في كانون الثاني/يناير ٢٠١٣، ساءت جودة الهواء إلى حدّ بعيد، في بكين وفي أكثر من عشرين مدينة أخرى في الصين، من جراء التلوث – كان في بكين أكبر خمسًا وعشرين مرةً من المستوى الذي تعدُّه أيٌّ من الولايات الأميركية آمنًا – إلى أن أطلق عليه الناس اسم Air-pocalypse [1]. أدت سفارتنا في بكين دورًا رئيسًا في نقل المعلومات عن التلوث، إلى العلن، ومن ضمنها تحديثاتٌ كل ساعة عبر تويتر. أصبحت الأوضاع وخيمةً إلى حدّ إقدام القيادة الصينية على الاعتراف بالتلوّث وبتهديده استقرار البلاد، وبدأت بمراقبته وبإعلان أرقامها عن جودة الهواء.

وقّع الرئيس أوباما ونظيره الصيني اتفاقًا، في حزيران/يونيو ٢٠١٣، للعمل معًا من أجل القضاء على بعض «الملوّثات العظمى» من مركّبات الكربون الناتجة، في معظمها، عن وحدات تكييف الهواء. كان هذا الاتفاق الأول بين الولايات المتحدة والصين، للقيام بأمر محدَّد متعلق بالتغيّر المناخي. فقد يساعد نجاح هذه الخطوات على إقناع الصين بأن تضافر الحراك العالمي في وجه التغير المناخي، يصبّ في مصلحتها على المدى الطويل. وسيكون التفاهم بين الولايات المتحدة والصين جوهريًّا، لإبرام اتفاقٍ عالمي.

يأتي الإنجاز الدولي الكبير المقبل عام ٢٠١٥، في باريس، على أمل أن تبلغ الإجراءات التي انطلقت من كوبنهاغن ذروتَها وتتجسّد في اتفاق قانوني على الانبثاقات والحد منها، يكون قابلًا للتطبيق في كل بلدان العالم. وكما تعلّمنا، لن يكون من السهل بلوغ الهدف، لكن الاتفاق يمثّل فرصةً حقيقية للتطور.

تتوقف قدرة أميركا على القيادة على ما نحن مستعدون لفعله في بلادنا. لن تقدم أيُّ دولةٍ على الاصطفاف لمجرّد أننا طلبنا منها ذلك. تريد الدول أن تعاين اتخاذنا خطوات مهمّة من جانبنا – وعلينا أن نسعى إلى الأمر عينه. ففشلُنا في تمرير مشروع قانون شامل عن المناخ في مجلس الشيوخ، عام ٢٠٠٩، زاد من صعوبة عملنا التفاوضي، في كوبنهاغن. وعلينا، لتحقيق النجاح في باريس، أن نتمكن من إظهار نتائج حقيقية في بلادنا. تشكل الخطة التي وضعها الرئيس أوباما من أجل المناخ، في حزيران/يونيو ٢٠١٣، خطوةً مهمة في الاتجاه الصحيح، وعلى الرغم من الجمود في الكونغرس، يتابع الرئيس تقدّمه بإجراءات تنفيذية قوية. ضاعفنا تقريبًا إنتاج الطاقة النظيفة المتجدِّدة، منذ العام ٢٠٠٨، من الطاقة الشمسية وطاقة الرياح ومصادر الطاقة الحرارية الأرضية؛ وحسَّنّا فاعلية الوقود للمركبات؛ وبدأنا، للمرّة الأولى، بقياس انبعاثات الغازات المسببة

(١) نهاية العالم التي يسببها الضباب الدخاني. (المترجم)

للاحتباس الحراري، من أكبر مصادرنا. انخفضت انبثاقات الكربون في الولايات المتحدة، عام ٢٠١٢، إلى أدنى مستوًى لها، خلال عشرين عامًا. ولكن، يبقى هناك الكثير للقيام به، إذ لن يكون من السهل إرساء توافق وطني واسع لمواجهة التهديد المناخي الملحّ، ولا فرض الاستجابة الجريئة والشاملة.

أهم الأصوات التي يفترض بنا الإصغاء إليها في هذه المسألة، هي أصوات أولئك الذين تقع أرواحهم ومعيشتهم أسيرة الخطر الشديد من جراء التغيّر المناخي: شيوخ القبائل في ألاسكا يشاهدون البؤر التي كانوا يصطادون السمك فيها، تجفّ، والأرض تحت قراهم، تتآكل؛ قادة الدول الجزر يحاولون دقّ ناقوس الخطر قبل أن تغمر المياه بيوتهم إلى الأبد؛ المخططون العسكريون ومحللو الاستخبارات يتحضرون للصراعات المستقبلية والأزمات الناتجة عن تغيّر المناخ؛ فضلًا عن كل تلك العائلات والأعمال والمجتمعات التي أذاها الطقس القاسي. في مؤتمر كوبنهاغن، عام ٢٠٠٩، أتت التوسلات الأكثر إلحاحًا للعمل، على ألسنة قادة الدول الجزر الصغيرة التي تواجه خسارة أراضيها بسبب ارتفاع منسوب المحيطات. وقد قال أحدهم «إذا سارت الأمور التجارية كما العادة، لن نعيش، بل سنموت. وستُمحى بلادنا من الوجود».

الفصل الثاني والعشرون

الوظائف والطاقة: حقل العمل الرئيس

تُعدّ الجزائر من الدول المعقّدة التي تجبر الولايات المتحدة على تحقيق التوازن بين مصالحها وقيمها. هي كانت حليفًا مهمًّا في المعركة ضد القاعدة، وقوّةً محتملة للإسهام في تثبيت الاستقرار في أفريقيا الشمالية، عندما انزلقت ليبيا ومالي إلى حالٍ من الفوضى. لكن الجزائر تملك، في المقابل، سجلًّا سيئًا في مجال حقوق الإنسان واقتصادًا مغلقًا نسبيًّا.

من منطلق حاجتنا إلى الاستمرار في تعاوننا الأمني، ولأن ما يلي هو الشيء الصحيح للقيام به، سعت الولايات المتحدة إلى التشجيع على إدخال تحسينات في مجال حقوق الإنسان وعلى اتباع الجزائر اقتصادًا أكثر انفتاحًا. وعندما قرّرت الحكومة الجزائرية استطلاع عروض خارجية لإنشاء محطات لتوليد الطاقة وتحديث القطاع، رأيتُ في الأمر مناسبةً لرفع نسبة الازدهار في الجزائر وفرصةً نقتنصها لمصلحة الأعمال الأميركية. كانت شركة جنرال إلكتريك تخوض منافسةً من أجل الفوز بالصفقة التي تزيد قيمتها عن ٢,٥ مليار دولار أميركي، وكنتُ لاحظتُ أن الشركات الأميركية التي لا تحبذ المجازفة، تتجنب الأسواق الناشئة أو تلك التي تطرح التحديات، بينما تستفيد الشركات الآسيوية والأوروبية من الصفقات وتحقق المكاسب. أما الشركات، خصوصًا التي تملكها الدولة أو تلك التي تسيطر عليها، فبرزت منافسًا قويًّا، بما أنها تعمل وفقًا لقواعدها الخاصة، بموارد غير محدودة، ومن دون أن يرفّ لها جفنٌ أثناء اغتصابها المعايير الدولية المتعلقة بالرشوة والفساد. وعندما كان النمو في بلادنا لا يزال بطيئًا، ومعدل البطالة مرتفعًا، لم يكن في وسعنا

التخلي عن الفرص الجيّدة أو تحمّل المنافسة غير المشروعة. فكان دخول جنرال إلكتريك على خطّ المنافسة في الجزائر، بمثابة خطوةٍ جريئة قامت بها شركة أميركية رائدة، يمكن من خلالها تحقيق فوائد اقتصادية للولايات المتحدة ومنافع استراتيجية لأفريقيا الشمالية.

عدتُ إلى الجزائر في تشرين الأول/أكتوبر ٢٠١٢، لحثّ الحكومة على متابعة الإصلاحات السياسية، وتوسيع مجال التعاون الأمني في مالي، وأخذ جنرال إلكتريك في الحسبان وإبرام الصفقة معها. رحّب بي الرئيس عبد العزيز بو تفليقة على السجادة الحمراء، أمام قصر المرادية، وهو كناية عن فيلا بيضاء، متعددة الأجنحة، ومصمَّمة مع قناطر على الطراز المغربي. وكانت وراءه، ثلّةٌ من الفرسان اليقظين، في ستراتهم الحمر التقليدية وسراويلهم الخضر. بعدما سار معي بو تفليقة، متجاوزَين حرس الشرف إلى داخل القصر، أمضينا ثلاث ساعاتٍ معًا في محادثاتٍ شاملة، راوحت بين تأثيرات التغيّر المناخي وتهديدات القاعدة. وسألتُ، كذلك، عن جنرال إلكتريك، وعدتُ بعدئذٍ من الجزائر، متفائلةً بإمكان حصول الشركة على فرصة عادلة للفوز بالمناقصة.

هكذا، وبعد أقل من سنة، وقّعت جنرال إلكتريك الصفقة، لتسهم في إنشاء ستّ محطات توليد كهربائية بالغاز الطبيعي، ويُتوقّع أن تزيد قدرة الجزائر على توليد الكهرباء بنسبة تقارب السبعين في المئة. وستبني، في السنوات القليلة المقبلة، مولّدات وتوربينات ضخمة لهذه المحطات، في كلٍّ من شنيكتادي ونيويورك وغرينفيل وكارولاينا الجنوبية، متيحةً آلاف الوظائف الصناعية. وعلى ما قال أحد ممثلي الاتحاد المحلي في شنيكتادي، لصحيفة تايمز يونيون: «هذا يظهر للجميع أننا ما زلنا في المرتبة الأولى عالميًّا في صناعة الطاقة». أما بالنسبة إلي، فجاءت الصفقة تأكيدًا للنظرة التي ارتكز عليها عملنا في وزارة الخارجية، خلال الأعوام الأربعة الأخيرة: بما أن الطاقة والاقتصاد يقعان في صلب تحدياتنا الاستراتيجية، من البديهي أن يشكلا أيضًا جزءًا رئيسًا من الدبلوماسية الأميركية.

عندما استلمت مهام وزير الخارجية، عام ٢٠٠٩، ركّزت على سؤالين مهمّين متعلّقَين بالاقتصاد العالمي: هل يمكننا توفير الدعم، وإيجاد فرص عمل جيّدة في بلادنا، والإسهام في تسريع عجلة تعافينا بفتح أسواقٍ جديدة وزيادة الصادرات؟ وهل نسمح للصين، ولأسواق أخرى مغلقة نسبيًّا، بالاستمرار في إعادة صياغة قوانين الاقتصاد العالمي في شكلٍ يسيء، بالطبع، إلى عمّالنا وشركاتنا؟ تقطع الإجابات شوطًا طويلًا، لتحدّد هل تستمرّ أميركا في قيادة الاقتصاد العالمي وهل تستعيد الازدهار لشعبها؟

لا تشكل، عادةً، التجارة والطاقة والاقتصاد الدولي أولويةً بالنسبة إلى وزراء الخارجية الأميركية. ففي النهاية، لدينا ممثل التجارة الأميركية ووزارتا التجارة والطاقة، ووزارة الخزانة.

لكنّ الأزمة المالية العالمية جعلت هذا التقسيم غير عمليّ. كان واضحًا، أكثر من ذي قبل، أن قوة الاقتصاد الأميركي وقيادتنا العالمية، تركيبة متكاملة، ولا يمكننا امتلاك الواحدة دون الأخرى.

سمّيتُ جهودنا «فنَّ الإدارة الاقتصادية»، ودعوتُ دبلوماسيينا في العالم إلى جعله أولوية. كان لدينا تمثيل دبلوماسي في أكثر من ٢٧٠ مدينةً في العالم، ونملك في معظمها ممثلين اقتصاديين مقيمين. أردتُ أن أستفيد من تلك المصادر لخلق فرصٍ جديدة للنمو والازدهار المشترك. وخلال الأعوام الأربعة اللاحقة، قاومنا الحمائية (وهي السياسة الاقتصادية لتقييد التجارة بين الدول) والاتجارية (وهي نزعة للمتاجرة من دون الاهتمام بأي شيء آخر)، وساعدنا الشركات الأميركية والعمال، وسعَينا إلى جذب المزيد من الاستثمارات الأجنبية المباشرة إلى بلادنا، والإفادة من ثورة الطاقة التي كانت تساعدنا على استرجاع عافيتنا في الداخل الأميركي، وتعيد رسم معالم الاستراتيجية العالمية.

عملت أميركا، طوال عقودٍ، على خلق اقتصاد عالمي حرٍّ ونزيه، وانفتاحٍ وشفافية على مستويي التجارة والاستثمار، وقواعد واضحة للسير بها، يفيد منها الجميع.

لا يستوفي نظام التجارة العالمية الراهن ذلك المعيار في شكلٍ تامّ. فهو محرّف، لا لأنه يتخلّل عوائق تصعِّب طَرق باب الاقتصادات المتقدمة والنامية وحسب، بل ولأنه قائمٌ على قوة المصالح الخاصة لدى الدول المتقدّمة، ومنها الولايات المتحدة. ثم إن من غير العادل أن تبقي الدول الأخرى منتوجاتنا وخدماتنا خارج أسواقها، ولا تحرّك ساكنًا في هذا السياق، إلا إذا طلبت الرشاوى أو سرقت ملكياتنا الفكرية في المقابل، وليس من العدل أيضًا استخدام قوانين براءات الاختراع الأميركية، لمنع توفير الأدوية المنقذة للحياة العامة للفقراء من البلدان ذات الدخل المتدني. (يُثبت العمل الذي تقوم به مؤسسة كلينتون لخفض الأسعار وزيادة كمّيات أدوية الإيدز، من خلال مبادرة كلينتون الصحية، أن ثمة سبلًا لإنقاذ الأرواح، ولحماية المصالح الاقتصادية الشرعية). وبغية جعل التجارة أكثر إنصافًا وحريةً، على الدول النامية أن تقوم بعملٍ أفضل، تحسّن من خلاله الإنتاج وظروف العمل، وتوفر حماية البيئة. كذلك، على الولايات المتحدة بذل جهدٍ لتوفير فرص عمل جيدة لأولئك المشرّدين بسبب أعمال التجارة.

تفاوض الولايات المتحدة راهنًا على اتفاقاتٍ شاملة مع إحدى عشرة دولةً في آسيا وأميركا الشمالية والجنوبية، ومع الاتحاد الأوروبي. ومن واجبنا أن نركّز اهتمامنا على إنهاء التلاعب بالعملة، والهدم البيئي، وظروف العمل السيئة في الدول النامية، وعلى مواءمة الأنظمة مع الاتحاد الأوروبي. كذلك، علينا تفادي بعض الأحكام التي تفرضها المصالح التجارية، ومن ضمنها مصالحنا، مثل

إعطائها أو إعطاء مستثمريها قوةً لمقاضاة الحكومات الأجنبية، نظرًا إلى إضعافها قوانين البيئة والصحة العامة، مثلما تحاول شركة فيليب موريس فعله في أستراليا. وعلى الولايات المتحدة الدفع في اتجاه مستوى معيّن من النزاهة، لا نحو امتيازاتٍ خاصة.

خلال خمسٍ وثلاثين سنة، وأكثر من أي وقتٍ مضى، انتشل النظام التجاري الأكثر انفتاحًا، عددًا أكبر من الأشخاص من الفقر، على الرغم من المشكلات التي تعتريه. ويشوب تجارتَنا مع الدول التي نفقد اتفاقاتٍ معها، مثل كندا والمكسيك، خللٌ أقل من تلك التي لا يربطنا بها اتفاق، كالصين. ومن شأن جعلِ النظام المنفتح يعمل في شكلٍ أفضل، أن يساعد، أكثر من ذي قبل، عددًا أكبر من الناس ممّا تفعله رأسمالية الدولة، والرأسمالية النفطية، والتلاعب بالعملة، والصفقات الفاسدة.

تزامنًا، كنتُ مصمّمةً على فعل كل ما أمكنني لمساعدة الأعمال الأميركية والعمال للإفادة أكثر من الفرص الشرعية المتاحة أساسًا، فعاكستنا الرياح العاتية من الدول التي أرادت نظامًا مختلفًا تمامًا.

أصبحت الصين الداعي الرئيس إلى نموذج اقتصادي يسمّى «رأسمالية الدولة»، وترتكز فيه الشركات المملوكة، من جهة، أو المدعومة، من جهةٍ أخرى، من الدولة، على المال العام، للسيطرة على الأسواق وتعزيز المصالح الاستراتيجية. رأسمالية الدولة، فضلًا عن مجموعة أنماط جديدة من الحمائية، القائمة على رفع الحواجز على الحدود – كالأنظمة غير العادلة، والتمييز ضد الشركات الأجنبية، ونقل التكنولوجيا القسري – فرضت كلها تهديدًا متفاقمًا لقدرة الشركات الأميركية على المنافسة في الأسواق الرئيسة. تعارضت هذه السياسات مباشرةً مع القيم والمبادئ التي عملنا على تضمينها الاقتصاد العالمي، وكنا متأكدين أن اعتماد نظامٍ منفتح وحر وشفاف وعادل، بقواعد واضحة للسبل المتبعة، سيصبّ في مصلحة الجميع.

ومع أن الصين كانت المعتدي الأكبر على نماذج جديدة من الحمائية ورأسمالية الدولة، إلا أنها لم تكن الوحيدة. بحلول العام ٢٠١١، زادت استثمارات صناديق الثروة السيادية، التي تملكها الحكومة وتديرها، وعادةً ما تأتي من أرباح صادرات النفط والغاز الطبيعي، للسيطرة على نسبة ١٢ في المئة تقريبًا من مجموع الاستثمارات العالمية. وتصاعديًّا، لم تكن الشركات المملوكة وتلك المدعومة من الدولة تعمل في نطاق أسواقها المحلية وحسب، بل في العالم أيضًا، وفي شكلٍ سرّي أحيانًا، وكثيرًا ما تفتقر إلى الشفافية والمساءلة اللتين توفرهما القوانين وحَمَلة الأسهم. كنا نرى شركاتٍ هجينة تتنكّر بمظهر فاعلياتٍ تجارية، وهي بالفعل تسيطر عليها الدول وتعمل بأهمية استراتيجية، مثل غازبروم الروسية.

حين كنت سيناتورة، نبّهتُ إلى أنّ الصين، وهي عضوٌ في منظمة التجارة العالمية، «تحتاج إلى الاقتناع بالعمل وفقًا للقوانين في الأسواق العالمية»، وكنتُ قلقةً من أن فلسفة إدارة بوش، التي سمحت بإزالة القيود، كانت هي وراء اتباعها نهج كف اليد. عام ٢٠٠٤، تواصل معي مديرون تنفيذيون في شركة معروفة، في نيويورك، هي كورنينغ غلاس، في شأن مشكلةٍ، سلّطت الضوء على التحديات التي نواجهها. وقد اشتهرت كورنينغ، التي أُسست عام ١٨٥١، وهي مصنع زجاج مقرّه كورنينغ في نيويورك، بصناعة الزجاج المضاد للخدش «غوريلا غلاس»، الذي تستخدمه أكثر من ثلاثٍ وثلاثين ماركة رائدة من الهواتف الذكية، والحواسيب اللوحية، والحواسيب المحمولة، ومنها آي فون التابع لشركة آبل. أنتجت كورنينغ، أيضًا، شاشات الكريستال السائل المتطورة لأجهزة الكمبيوتر والتلفزيون، إضافةً إلى الألياف البصرية والكابلات لقطاع الاتصالات، وفيلترات التنظيف لمحرّكات الديزل، ومجموعة واسعة من المنتوجات المبتكرة. صرفت أكثر من ٧٠٠ مليون دولار أميركي سنويًّا على الأبحاث، وكانت تقنياتها ومنتوجاتها جيّدة إلى حدّ أن منافسيها في الصين شعروا بالحاجة إلى ميزة غير عادلة لمنافستها. فطلبوا من أصدقائهم في الحكومة الصينية، إما منع دخول كورنينغ أسواقهم بالكامل، وإما توجيه ضربة إلى أليافها البصرية برفع تعرفتها في شكلٍ خيالي. وكانت هناك أيضًا محاولات وقحة لسرقة الملكية الفكرية للشركة.

لم يكن الأمر عادلًا، وشكل تهديدًا لمستقبل الشركة التي وظّفت آلاف الأشخاص في نيويورك. دعوتُ في نيسان/أبريل ٢٠٠٤، السفير الصيني إلى مكتبي، في مجلس الشيوخ، وبعثتُ برسالةٍ شديدة اللهجة إلى وزير التجارة الصينية. كذلك، حاولت بكل الطرائق الممكنة حثَّ إدارة بوش على مساندتي. وبعد فشلي في الاستحواذ على اهتمام كبير من البيت الأبيض، تطرقتُ إلى قضية كورنينغ، مع الرئيس بوش مباشرةً، لدى تدشين مكتبة زوجي الرئاسية في ليتل روك، في أركنساس، قائلةً «هي شركة أميركية ضخمة تتعرّض للتهديد». وأضفتُ «من شأن إدارتكم مساعدتي، ومساعدتهم». وافق الرئيس بوش على النظر في المشكلة، وهذا ما فعله. وفي كانون الأول/ديسمبر، خفضت الصين التعرفة التمييزية، وأصبح متاحًا لكورنينغ المنافسة على مستوًى متكافئ، مما أدّى إلى ازدهار أعمالها.

واجهت شركاتٌ أميركية أخرى التحديات نفسها. ففي تشرين الأول/أكتوبر ٢٠٠٩، دخلت قوانين بريدية صينية جديدة حيّز التنفيذ، فارضةً تصاريح تشغيل محليّة لشركات خدمة التوصيل السريع. بدا الأمر جليًّا أنه مخطط وضعته الحكومة الصينية لتوسيع خدمة توصيلها السريع التي توفرها شاينا بوست، المسيطَر عليها من الدولة.

كانت الشركات الأميركية الكبرى للتوصيل، مثل فيديكس ويو بي أس، تمارس أعمالها في الصين منذ سنوات، وقبل العام ٢٠٠٩، كانت فيديكس تملك أذوناتٍ للعمل في ثمانيةٍ وخمسين

موقعًا هناك، وفيديكس في ثلاثين. خافت كلتا الشركتين من أن تقدم الحكومة الصينية على إصدار تراخيص مقيّدة جدًّا. تناول سفيرا الولايات المتحدة في بكين، جون هنتسمان، ومن ثم غاري لوك (الذي بصفة كونه وزيرًا سابقًا للتجارة، فهم تحديدًا أهمية الموضوع)، القضية مع الحكومة الصينية، ولكن من دون جدوى. فاتصل بي في النهاية، الرئيس التنفيذي لـفيديكس فريد سميث، طالبًا مساعدتي.

رفعتُ الموضوع مباشرةً إلى نائب رئيس الوزراء الصيني، المسؤول عن الاقتصاد، وانغ كيشان، وهو شخص تعرّفتُ إليه وكسب احترامي. فتابعتُ ووزير التجارة جون برايسون، المسألة في رسالةٍ مشتركة. وعقب الجهود التي بذلناها، أبلغ الصينيون إلى فيديكس منحها التراخيص أخيرًا، للعمل في ثماني مدن في الصين فقط، في مقابل خمس مدنٍ، لـيو بي أس. كانت هذه البداية، لكنها غير كافية قط. وجّهتُ رسالةً أخرى إلى نائب رئيس الوزراء، ون، وتعهّد الصينيون، في نهاية المطاف، أن يمنحوهما، خلال ثلاث سنوات، كمرحلةٍ موقتة، التراخيص للعمل في المدن المتبقية. وأعلمتنا السفارة أن المسؤولين الصينيين فوجئوا بالمتابعة الحثيثة التي قامت بها الحكومة الأميركية، على مستوًى رفيع. وإلى حين كتابة هذه السطور، تمكنت الشركتان من الحفاظ على وضع عملهما في الصين، إذ إن الصينيين وفوا بوعدهم بزيادة التراخيص، إلا أن كلتا الشركتين قلقة على قدرة نموّها هناك، مستقبلًا.

كنتُ جاهزةً للنضال في سبيل الشركات الأميركية الفردية، ولكن من واجبنا، في إطار هذا التحدي، التفكير على نطاقٍ أوسع. قررتُ، صيف العام ٢٠١١، أن أوضح هدف الولايات المتحدة الرامي إلى الدفاع عن نظام اقتصادي عالمي عادل. توجهتُ إلى هونغ كونغ، وهي جزيرةُ رأسماليةِ ريادةِ الأعمال، ومرتبطةٌ باقتصاد الصين المتطور الذي تسيطر عليه الدولة. بدت هونغ كونغ المكان الأفضل لإجراء محادثات تتناول تكافؤ الفرص ووضع مجموعةٍ مشتركة من القواعد الاقتصادية العالمية. قمتُ بزيارتي الأولى للمدينة، عام ١٩٨٠، خلال مرافقتي بيل في مهمّة تجارية لتسويق أعمال أركنساس وصادراتها، إلا أنني كنتُ أحاول، هذه المرة، بيع أكثر من فول الصويا، بل كنتُ أبيع النموذج الأميركي للأسواق الحرة، من الأشخاص الأحرار. كان هذا النموذج تلقى ضربةً، في عيون العالم، خلال الأزمة المالية، وكان عددٌ متزايد من الدول يرمق بنظرة جديدة النموذج الصيني، القائم على رأسمالية الدولة والاستبداد، والذي استمرّ في توليد إنماء اقتصادي مثيرٍ للإعجاب، في الصين. وخلال خطاب وجّهتُه، في فندق شانغريلا، أمام حشد كبير من كبار رجال الأعمال من كل أنحاء المنطقة، طرحتُ قضيتي.

قلت آنذاك «علينا البدء بالمهمة الأكثر إلحاحًا: إعادة تنظيم اقتصاداتنا، عقب الأزمة المالية العالمية، مما يعني اتباع استراتيجية أكثر توازنًا من أجل النمو الاقتصادي العالمي». ستحتاج الدول

المتقدّمة، كالولايات المتحدة، إلى تعزيز أعمالها المحلية وزيادة صادراتها (مما يؤدي إلى خلق فرص عمل، والفسح في المجال أمام تعافينا، ومساعدتنا على زيادة النمو في سائر أنحاء العالم). وتزامنًا، على الدول النامية التي جمّعت مدخراتٍ كبيرة، في شكلٍ سريع، في آسيا وغيرها، أن ترفع نسبة مشترياتها – وتقوي سياساتها المالية والتجارية وتحدّثها، لتوفير فرص متكافئة أكثر على الصعيد الاقتصادي، واستقرارٍ أكبر في الأسواق العالمية.

أعترفُ بوجود التحديات التي تواجهها الاقتصادات الناشئة، فيما تبقى أمامها مسؤولية انتشال مئات الملايين من الفقر. كانت حجج الصين تصبُ غالبًا في أن تلبية هذا الواجب تفوق أي التزام لاتباع القواعد الدولية المعمول بها في ما يتعلّق بمجالي الأعمال، والعمل، وبممارسات حقوق الإنسان. لكنني راهنتُ على أن الصين واقتصاداتٍ ناشئة أخرى، أفادت في شكلٍ هائل من النظام العالمي الذي ساعدت الولاياتُ المتحدة على وضعه، ومن ضمنه عضويتها في منظمة التجارة العالمية. وهي الآن تحتاج إلى تحمل شق المسؤولية المتعلق بها، للحفاظ على هذه العضوية. إلى ذلك، كانت هذه الطريقة الفضلى لضمان استمرار النمو والازدهار، ولمساعدة عدد أكبر من الأشخاص على الخروج من الفقر والارتقاء إلى الطبقة الوسطى في الدول المتقدّمة والنامية، على حد سواء.

ففي النهاية، تسعى شركات التصنيع الماليزية، مثل الصناعيين الأميركيين، إلى دخول الأسواق ما وراء البحار، بينما تطالب الشركات الهندية بمعاملة عادلة، في ما يتعلق باستثمارها في الخارج، وهي مطالبنا أيضًا، فيما إرادة الفنانين الصينيين ترتكز على حماية إبداعاتهم من القرصنة. فكل مجتمعٍ يتطلّع إلى تطوير قطاعِ أبحاثٍ وتقنياتٍ متين، يحتاج إلى حماية ملكياته الفكرية، لأن الابتكارات من دونها، تتعرض لدرجةٍ أعلى من المخاطر وتجلب عددًا أقل من المكافآت. ورفضتُ، صراحةً، فكرة وجود مجموعةٍ من القواعد للاقتصادات الصناعية الكبرى، مثل الولايات المتحدة، وقوانين أخرى خاصة بالأسواق الناشئة، مثل الصين، وقلت «إن التجارة العالمية تتمّ على قدرٍ كافٍ مع الدول النامية، وتركُ هذه الدول خارج دائرة القواعد المثبتة، يجعل النظام غير قابل للتطبيق. وفي النهاية، سيتسبب ذلك بإفقار الجميع».

لسوء الحظ، لم يكن الاهتمام منصبًّا، ذاك اليوم، على التجارة، بل على المأساة الواقعة على بعد آلاف الأميال، في واشنطن، مهدّدةً بتقويض حجّتي وثقةِ العالم بالقيادة الاقتصادية الأميركية.

لامست حكومة الولايات المتحدة سقف الديون، منتصف أيار/مايو ٢٠٠١، ولم يكن أمام الرئيس والكونغرس سوى وقتٍ محدّد لرفع السقف أو المخاطرة بالتخلف عن دفع الديون الأميركية، مما يرتّب علينا وعلى الاقتصاد العالمي عواقبَ وخيمة. على الرغم من الرهانات العالية، كانت القضية صعبة الفهم بالنسبة إلى كثيرين. ظنّ عددٌ من الأميركيين أن الكونغرس يناقش مسألة

السماح لذاته بصرف مبلغ كبير من المال وتحمّل ديونٍ جديدة. ولكن، لم يكن الأمر على هذا النحو، بل كان السؤال الحقيقي هل يصوّت الكونغرس لدفع ديونه التي سبق أن مرّرها في مشاريع قانون الإنفاق التي تحوّلت قوانين. وبما أن العدد الأكبر من الدول لا يتطلّب خطوةً إضافية كتلك، فكان من الصعب لسائر العالم أن يفهم ما الذي يحدث.

بعضُ من كان في الكونغرس قال بالفعل إن علينا رفض تسديد ديوننا، للمرّة الأولى في التاريخ، وترك بلادنا تقصّر، على الرغم من كل العواقب التي ستترتّب على الاقتصاد العالمي وعلى صدقية أميركا ومكانتها القيادية. عبّر القادة الأجانب، في كل أصقاع الأرض، عن مخاوف شديدة، وكانت الصين متوترةً بعدما استثمرت أكثر من تريليون دولار في الأوراق المالية الحكومية الأميركية. فعكست صحيفة كزينهوا التي تملكها الدولة الصينية، الموقف السائد، إذ كتبت: «نظرًا إلى مقام الولايات المتحدة كأكبر اقتصاد في العالم، وكمصدّر مهيمن على عملة الاحتياط الدولية، تُعدّ سياسة حافة الهاوية في واشنطن تصرفًا غير مسؤول وخطر». عندما تكرّر هذا السيناريو، عام ٢٠١٣، مضى الصينيون قدمًا، وبدأوا بالكلام على «اجتثاث الأمْرَكة من العالم» واقترحوا أن الوقت حان للنظر في عُملة احتياطٍ أخرى إلى جانب الدولار. وبالطبع، بما أن الصين تملك قسمًا كبيرًا من ديوننا، كانت في موقف قوي لجعل حدوث هذا الأمر محتملاً.

عندما وصلتُ إلى هونغ كونغ، كانت الأزمة في ذروتها، واستيقظتُ على عنوانٍ في الصحيفة المحلية الناطقة باللغة الإنكليزية «لن تظهر نتائج المحادثات في شأن الديون الأميركية قبل اللحظة الأخيرة، فيما الأحزاب تتصارع». رحّب بي الرئيس التنفيذي، دونالد تسانغ، بابتسامته المعهودة وعقدة فراشته، في مقرّ الحكومة في هونغ كونغ، لكنه طرح الأسئلة التي كانت تراود الجميع في آسيا والعالم أجمع: ما الذي يحدث في واشنطن؟ هل يمكن الاستمرار في محض الاقتصاد الأميركي ثقةً؟ وسمعتُ الأسئلة عينها، قبل خطابي، في حفلة استقبالٍ حضرها كبار رجال الأعمال.

كان جوابي بالطبع، أجل، وقلتُ إنني واثقة بالتوصل إلى اتفاق، أما في سرّي، فتمنيتُ لأنفسنا الحظ، راجيةً أن يكون الأمر صحيحًا.

ذكّرتنا هذه التجربة بمدى مراقبة العالم لطريقة اتخاذ الولايات المتحدة قراراتها، وكيف تؤثّر قوة أميركا الوسطى اقتصاديًّا وإرادتها السياسية في قيادتنا العالمية. ينبغي ألّا يكون الإيمان والثقة بالولايات المتحدة محل شكٍ أبدًا، وليس من واجب وزير الخارجية الأميركية أن يطمئن الناس في سائر الدول، علنًا، إلى أننا سندفع مستحقاتنا. يا له من زمن.

كانت خيبة أملي الكبرى لا تزال في انتظاري. عبَرتُ الجسر المؤدي إلى مدينة شنجن الصينية، للقاء نظيري عضو مجلس الدولة الصيني داي بينغ قوه. كان الصينيون يتابعون وضع خللنا السياسي

في حيرة وقلق، وسط حالٍ من الترقب. بالطبع، لم يريدوا حدوث شيء مروّع، لأنهم فهموا إلى أي مدًى أصبح اقتصادانا مترابطين. ولكن، كلما بدت الولايات المتحدة في حال شلل، ظهرت الصين مهمّة في نظر العالم، مما يمكّنها من القول لشركائها المحتملين إن ليس في استطاعتكم الاعتماد على الأميركيين، ولكن يمكنكم دومًا الاتكال علينا. بدا أن داي كان مستمتعًا بالإسهاب في الكلام على مشكلات أميركا المالية، متحدثًا بنبرةٍ تهكمية، بعض الشيء، عن جمودنا السياسي. لم أسترسل في الحديث عن أي من المواضيع معه، بل أجبتُه أن «في إمكاننا تمضية الساعات الست المقبلة في الكلام على التحديات الداخلية التي تواجهها الصين». تركتُ اجتماعي مع داي، باقتناعٍ أكبر بأن على أميركا تجنب الجراح التي تسببت بها لنفسها، وترتيب الداخل.

على الرغم من المأساة المستمرة في واشنطن، استغللتُ خطابي في هونغ كونغ، لأشدّد على أهمية اتّباع القواعد الاقتصادية المسلّم بها دوليًّا. لكن حاجتنا إلى الأفعال كانت أكثر منها إلى الكلام. وفي خطاب الرئيس عن حال الاتحاد لعام ٢٠١٢ [١]، أعلن الرئيس أوباما «أنني لن أقف جانبًا عندما يتخلّف منافسونا عن التزام القواعد». كانت إدارته تعمل على رفع دعاوى تنفيذ تجارية ضد الصين، توازي ضعفي ما قامت به إدارة بوش. والآن، ستكون هناك وحدة تنفيذ تجاري، جديدة وخاصة، لملاحقة الممارسات التجارية غير العادلة، كلما أقدموا على ضرب مصالحنا وعمل الأسواق الحرة. وعندما توفّر دولٌ أخرى تمويلًا غير عادل لصادراتها، ستقدّم الولايات المتحدة دعمًا مطابقًا إلى شركاتها.

يتوقّف عددٌ كبير من الوظائف الأميركية الجيدة على تكافؤ الفرص وقواعد واضحة وعادلة ومتّبعة. ففي المعدل، كل حجمٍ تصديري لبضائعنا، بقيمة مليار دولار، يدعم ما بين ٥,٠٠٠ وظيفة و٥,٤٠٠، وتوفر هذه الوظائف رواتب أعلى نسبيًّا، تراوح بين ١٣ في المئة و١٨، من الوظائف الأخرى التي لا تمتّ إلى التصدير بصلة. وضع الرئيس أوباما، عام ٢٠١٠، هدفًا يقضي بمضاعفة الصادرات الأميركية، خلال السنوات الخمس التالية، وعملت إدارته جاهدةً على تحسين الاتفاقات التجارية التي تمّ التفاوض عليها خلال عهد بوش، وتوقيعها مع كوريا الجنوبية وكولومبيا وبنما، وأطلقت كذلك محادثاتٍ تجارية جديدة مع عددٍ من الدول في المحيط الهادئ، ومع الاتحاد الأوروبي.

جعلتُ من ترويج الصادرات مهمتي الشخصية. فكثيرًا ما انحزت، خلال رحلاتي، إلى أحد المنتوجات أو الأعمال الأميركية، مثل جنرال إلكتريك، في الجزائر. وعلى سبيل المثال، زرتُ، في

(١) الخطاب السنوي الذي يلقيه الرئيس الأميركي في جلسة مشتركة لمجلسي النواب والشيوخ. (المترجم)

تشرين الأول/أكتوبر، مركز تصميم طائرات بوينغ في موسكو، لأن بوينغ كانت تحاول أن تبرم عقدًا مع الروس، على طائراتٍ جديدة.

عرضتُ لمسألة أن تحدِّد طائرات بوينغ معيار الذهب الدولي، وبعد رحيلي، أبقت سفارتنا هناك على الأمر. عام ٢٠١٠، وافق الروس على شراء ٥٠ طائرة من طراز بوينغ ٧٣٧، بقيمة ٤ مليارات تقريبًا، مما فسح في المجال أمام آلاف الوظائف الأميركية. لم تنحصر جهودنا بالشركات الكبرى على مثال بوينغ وجنرال إلكتريك – بل وساندنا، في كل أنحاء البلاد، الشركات الصغيرة والمتوسطة الحجم التي تحاول الانفتاح نحو العالمية.

ارتكزنا على الشق الإبداعي، من خلال مبادراتٍ كالخط المباشَر الذي سمح لسفرائنا باستقبال المكالمات الهاتفية ودردشات الفيديو مع الشركات الأميركية التواقة إلى اقتحام أسواقٍ جديدة. تلقى سفير الولايات المتحدة في إسبانيا مكالمةً جمعت ثلاثين شركة لمناقشة حماية حقوق الملكية الفكرية، على سبيل المثال، بينما أجرى سفيرنا في تشيلي اتصالاً تناول الفرص المتاحة المتعلّقة بالطاقة المتجدِّدة هناك.

عملت وزارة الخارجية ووزارة التجارة الأميركيتان، إلى جانب مسؤولي الدولة والمسؤولين المحليين، على برنامج سمي «اخترِ الولايات المتحدة»، أطلقه الرئيس أوباما في حزيرن/يونيو ٢٠١١، لجذب المزيد من الاستثمارات الأجنبية المباشرة إلى بلادنا، مما أدّى إلى دعم أكثر من ٥ ملايين وظيفة أميركية، بينها مليونان وظيفة في القطاع الصناعي. أتت النتائج الأوّلية مشجِّعة، وفي تشرين الأول/أكتوبر ٢٠١٣، سلّط الرئيس أوباما الضوء على ٢٢٠ وظيفة جديدة في مصنع قطع غيار السيارات، وهو تابع لشركةٍ نمسوية في كارترزفيل في ولاية جورجيا، وعلى استثمار بقيمة ٦٠٠ مليون دولار قامت به الشركة الكنديّة، بومبارديية، في ويتشيتا، في كنساس.

تمثّلت إحدى الأدوات غير المألوفة والتي أثبتت فاعليتها، بالدبلوماسية المتعلقة بالطيران الأميركي. وخلال سنواتي الأربع، فاوض خبراؤنا على خمسة عشر اتفاقًا للأجواء المفتوحة، مع كل دول العالم، ووصل بذلك المجموع إلى أكثر من مئة اتفاق، مما أتاح فتح خطوط جديدة لشركات النقل الجوي الأميركية. ووفقًا لتقديرات مستقلّة، أثمرت العلاقة المباشرة بين ممفيس وأمستردام سنويًّا ما قيمته ١٢٠ مليون دولار، على اقتصاد تينيسي، وشكلت دعمًا لأكثر من ٢،٢٠٠ وظيفة محلية. وعندما بدأت الخطوط الجوية الأميركية بالطيران المباشر إلى مدريد، عادت بمئة مليون دولار سنويًّا على اقتصاد مدينتي دالاس وفورت وُرث.

منذ العام ٢٠٠٩، زادت الصادرات الأميركية بنسبة ٥٠ في المئة، مما يعني أن نموّها تضاعف أربع مرات عن سرعة عجلة الاقتصاد ككلّ. أسهمت هذه المبيعات ما وراء البحار، جميعًا، بنحو

٧٠٠ مليار دولار من مجموع ناتجنا الاقتصادي، وأفضت إلى ثلث نموّنا الاقتصادي، داعمةً ما يقدَّر بـ ١,٦ مليون وظيفة في القطاع الخاص. ومع أن ملايين الأميركيين لا يزالون عاطلين من العمل، إلا أن النتائج تلك مهمة.

شكّل تقليص الحواجز للعبور إلى الشركات الأميركية جزءًا كبيرًا من جهودنا. كذلك كان الأمر بالنسبة إلى رفع المعايير في الأسواق الأجنبية المتعلّقة بقضايا رئيسة مثل حقوق العمال، وحماية البيئة، وسلوك الشركات المملوكة من الدولة، والملكية الفكرية. وسبق أن استوفت الشركات في الولايات المتحدة هذه المعايير، لكن الشركات في الدول الأخرى لم تفعل. كنا في حاجةٍ إلى جعل الفرص متكافئةً وإلى تحسين حياة أشخاص كثر في العالم. نحن نعاين منذ زمن إقفال شركاتٍ مصانعها وتركها الولايات المتحدة نظرًا إلى تمكنها من مزاولة أعمالها بتكاليف أقل في الخارج، حيث ليس عليها أن تدفع أجور العمال أو التقيّد بالقواعد الأميركية الخاصة بالتلوّث. أفضى اتباع الأساليب الدبلوماسية والمفاوضات التجارية من أجل رفع المعايير في الخارج، إلى الإسهام في تغيير هذه الحسابات.

كنتُ شديدة الحماسة لتحسين شروط العمل في العالم. وعلى مرّ الأعوام، التقيتُ عمالًا، معظمهم من النساء، والأولاد حتى، عملوا في ظلّ ظروف فظيعة، والأكثر إيلامًا أنهم كانوا ضحايا الاتجار بالبشر والسخرة، وقد أودت بهم أوضاعهم إلى عبوديّة العصر الحديث.

في أحد الأيام، في تموز/يونيو ٢٠١٢، اجتمعتُ مع عددٍ من النساء العاملات والناشطات في شيام ريب، في كمبوديا، إلى جانب ممثلٍ محلي عن منظمةٍ تُسمى مركز التضامن، مموّلة جزئيًّا من الاتحاد الأميركي للعمل ومؤتمر المنظمات الصناعية، بغية تحسين حقوق العمال في العالم. فأخبرتني النساء الكمبوديات عن التحديات الكثيرة التي واجهتهنّ. لجأ عددٌ كبير من أرباب العمل إلى أساليب مختلفة من الإكراه لإجبار العمال على البقاء ساعات طويلة في العمل، في ظروفٍ خطرة أحيانًا. وأُجبر كثرٌ من الأطفال على الاهتمام بالحقول، وتحميص القرميد، والاستعطاء في الشوارع. وتمّ الاتجار بالأطفال الريفيين فبيعوا في المدن، كي يستغلهم جنسيًّا، رجال أجانب، في معظم الأحيان، مستعدّين لدفع آلاف الدولارات في مقابل فتياتٍ عذارى أو للتورط في أشكالٍ أخرى من السياحة الجنسية للأطفال. وافتقر عددٌ كبير من رجال الشرطة، من أي رتبةٍ كانوا، إلى التدريب المُجدي، إذا ما تدربوا أساسًا، ليتمكنوا من معالجة تلك المشكلات أو لحماية الناجين، بينما غضّ النظر عن الموضوع كثرٌ من المسؤولين الحكوميين، أو فعلوا ما هو أسوأ، فأفادوا من الاتجار بالبشر.

خلال وجودي في سيام ريب، عام ٢٠١٠، زرتُ مأوًى، هو أيضًا مركز تعافٍ، مخصّصٍ للناجين من الاتجار بالبشر، تديره امرأةٌ شجاعة اسمها سومالي مام. اغتُصبت، بعدما بيعت من بيت

دعارة في طفولتها، وأُسيئت معاملتها في شكلٍ متكرّر، إلى حين تمكّنت أخيرًا من الهرب. وبدأت، عام ١٩٩٦، بالتحرّك لإنقاذ الفتيات المتاجَر بهنّ ولدعمهّن، بغية إعادة بناء حياتهنّ، كما فعلت هي. وعام ٢٠١٠، شغَّلت منظمتها، المموَّلة جزئيًّا من وزارة الخارجية الأميركية، ثلاثة ملاجئ في أنحاء كمبوديا، وفّرت الأمن والرعاية وإعادة التأهيل والتدريب المهني ليعود الناجون إلى الانخراط في المجتمع.

كان مروّعًا جدًّا سنّ الفتيات اليافعات اللواتي التقيتهنّ ليكنّ ناجياتٍ من الجرائم الفظيعة، لكنني عاينتُ مقدار الحبّ والتنشئة اللذين كانا يتوفران لهنّ، ما أعاد البريق إلى عيونهنّ. بعضهنّ جلنَ معي في حماسة في المكان، فيما آثرت أخرياتٌ، أكثر حياءً، المراقبة الحذرة ليستعلمنَ عن أسباب هذه الضوضاء.

لا ينحصر جرم الاتجار بالبشر بكمبوديا أو بجنوب شرقيّ آسيا، بل يعيش قرابة ثلاثين مليون نسمة في العالم، في حالٍ من عبودية العصر الحديث، في شكلٍ أو في آخر، بعدما وقعوا في شرك الدعارة أو الأعمال الشاقة في الحقول أو المصانع أو قوارب الصيد. والولايات المتحدة غير مستثناة. فعام ٢٠١٠، أُلقيت التهمة على ستة «مشغِّلين» في هاواي، في أكبر قضية اتجار بالبشر في تاريخ الولايات المتحدة. فقد أرغموا ٤٠٠ تايلندي على العمل في الزراعة، بعد مصادرة جوازات سفرهم وتهديدهم بالترحيل إذا اشتكوا.

وبصفة كوني وزيرةً، عيّنتُ النائب العام الاتحادي السابق، الحائز وسامًا، لويس دي باكا، لتكثيف جهودنا العالمية لمكافحة الاتجار، ولإعداد تقارير عن تطبيق قوانين مكافحة الاتجار في ١٧٧ بلدًا. كذلك طلبتُ منه أن يلقي نظرةً على بلادنا، وهو أمرٌ لم تفعله الوزارة من قبل، من منطلق إيماني بأهمية ارتقائنا إلى المعايير نفسها التي نتوقعها من الغير. وبموجب القانون، أدّت نتائج هذه التقارير إلى فرض عقوباتٍ على الدول التي فشلت في إحراز التقدّم، وأصبحت بالتالي أداةً دبلوماسية نافذة تشجّع على اتخاذ إجراءاتٍ ملموسة.

إلى جانب الاتجار، كنتُ قلقةً أيضًا من عديمي الضمائر، أرباب العمل المجرمين الذين يتلقّون المساعدة والتحريض من الحكومات التي استغلّت عمّالها، كبارًا وصغارًا، على حدٍّ سواء. كان هذا الأمر أحد دواعي مناصرتي القوية حقَّ العمال في تنظيم الاتحادات. شكّل العمال في أميركا، بعد سنواتٍ من النضال، اتحاداتٍ قويّة بما فيه الكفاية، من أجل حماية حقوقهم وتحقيق التطور، كالتزام العمل ثماني ساعات في اليوم والحدّ الأدنى من الأجور، وهي إنجازاتٌ أسهمت في خلق الطبقة الوسطى الأميركية والحفاظ عليها.

لا تزال الاتحاداتُ في الكثير من الدول في العالم مقموعةً ولا يملك العمال سوى حقوق ضئيلة،

إذا وُجدت. هذا سيئ بالنسبة إليهم، وبالنسبة إلى العمال الأميركيين أيضًا، إذ يخلق منافسةً غير عادلة تقود إلى خفض أجور الجميع. فبعكس ما قد تظنّه بعض الحكومات وأرباب العمل، تُظهر الأبحاث أن احترام حقوق العمال يُترجم بنتائج اقتصادية إيجابية على المدى الطويل، وتشمل ارتفاع مستويات الاستثمارات الأجنبية المباشرة. فضخُّ أعدادٍ أكبر من العمال في الاقتصاد الرسمي (الذي تتولى الحكومة ضبطه) وتوفير الحماية العادلة لهم، يأتي بتأثيراتٍ إيجابية متتالية في المجتمع، وتتراجع، بذلك، اللامساواة في مقابل ازدهار الحركة. فتُدفع الضرائب، وتصبح الدول والمجتمعات أقوى، وأكثر قابليةً للارتقاء إلى مستوى توقعات الشعب وتطلعاته. يصحّ أيضًا الوجه الآخر: نكران العمّال حقوقهم، يكلّف المجتمعات ثمنًا باهظًا في فقدان الإنتاجية والابتكار والنمو، ويقوّض سيادة القانون ويزرع بذور عدم الاستقرار. ويتحوّل الأمر سيئًا بالنسبة إلينا، عندما يكون العمال الأجانب فقراء جدًّا إلى حدٍّ تمنُّعهم عن شراء المنتجات الأميركية.

بالعودة إلى العام ١٩٩٩، طرحتُ بعضًا من هذه الأسئلة في خطابٍ ألقيتُه في جامعة السوربون، في باريس، عنوانه «العولمة في الألفية المقبلة». هل تقود زيادة الاعتماد الاقتصادي المتبادل إلى نموّ واستقرار وابتكار أكبر؟ أم أنه يؤدي، فحسب، إلى «سباقٍ نحو القعر» في السلم الاقتصادي بالنسبة إلى مليارات الأشخاص؟ هل يساعد على زيادة الفرص لجميع المواطنين، أم يكافئ، فحسب، المحظوظين أساسًا بيننا، لامتلاكهم مهاراتٍ تمكّنهم من الولوج إلى عصر المعلوماتية؟ واقترحتُ أن الوقت حان لمعالجة «آثار الرأسمالية العالمية الجامحة، الأكثر ضررًا» و«إضفاء الطابع الإنساني على الاقتصاد الدولي، عبر منح العمال، أينما كانوا، حصةً في نجاحه، وإعدادهم لجني مكافآته»، تزامنًا مع توفير «شبكات الأمان الاجتماعي للأكثر ضعفًا». لم تكن هذه المخاوف الملحّة إلا لتزداد، بعد عقدٍ من الزمن.

ثمّة دائرة موجودة منذ مدّة طويلة في وزارة الخارجية الأميركية، تُعنى بالديمقراطية وبحقوق الإنسان وبحقوق العمّال، حتّى وإن كان الشق الأخير مُهملًا. وددتُ تغيير ذلك، تمامًا كما أراد أيضًا مساعدي، مايكل بوسنر، وهو ناشط في مجال حقوق الإنسان، ساعد على تأسيس رابطة العمل العادل، في التسعينات. وبقيادة مايك، كثّفت الولايات المتحدة دعمها للبرامج التدريبية وورش العمل التي تناولت معايير العمل الدولية لمنظّمي الاتحادات، وأرباب العمل، والمسؤولين الحكوميين. رعينا عمليات التبادل في إطار الفسح في المجال أمام أكاديميي العمل، في العالم، للتعلم بعضهم من بعض، وساعدنا الشرطة والنيابة العامة على ملاحقة الاتجار بالبشر والعمل الجبري، وأطلقنا محادثاتٍ دبلوماسية جديدة مع وزارات العمل، ووقّعنا اتفاقاتٍ مع الدول الرئيسة مثل فيتنام والصين، لتوفير مساعدةٍ تقنيّة في مجموعة من القضايا العمّالية، بدءًا من السلامة في المناجم، وصولًا إلى الضمان الاجتماعي.

سألتني ناشطةٌ عمّالية، خلال اجتماع عُقد في أيار/مايو ٢٠١٢، في مبنى بلدية دكا، في بنغلادش، ماذا يمكن للبنغلادشيين أن يفعلوا لتحسين حقوقهم وظروف العمّال، خصوصًا وسط ازدهار بلادهم في صناعة الألبسة. وقالت: «نواجه مختلف أنواع العوائق مع الشرطة والعصابات والغوغائيين، والادّعاءات الكاذبة في المحاكم. وبالفعل، قُتل أحد قادتنا، أمين الإسلام، بوحشيّة مطلقة».

تناولتُ هذه المسألة عنوةً مع حكومة بنغلادش، لأنني فكّرتُ في أن مقتل رئيس النقابة العمّالية هو بمثابة اختبار حقيقي لنظام العدالة في البلاد، وسيادة القانون. وردًّا على السؤال، انتقلتُ إلى الطرح الأكبر المتعلق بحقوق العمال في الدول النامية:

> ثمة قوًى طاغية تعاكس تنظيم العمّال أنفسهم. هذا الأمر سائدٌ في بلادي أيضًا. بالعودة إلى القرن التاسع عشر، ومطلع القرن العشرين، عندما كانت الاتحادات العمّالية في بداية انطلاقتها، كانت تنشط العصابات والبلطجة والقتل وأعمال الشغب وتسود الظروف الرهيبة. مرّرنا القوانين المناهضة لعمالة الأطفال، وساعات العمل الطويلة، بداية القرن العشرين، لكنّ الأمور استغرقت وقتًا لتطوير حسّ الإرادة السياسية بمعالجة هذه القضايا. أنتم شرعتم في ذلك، ونضالكم مهمّ جدًّا... أنتم تقومون بعملٍ رائع. لا لتثبيط العزيمة، ولا للحياء. تستحقون أن تحصلوا على الدعم من حكومتكم ومجتمعكم.

ثمّ عرضتُ لبعض جهودنا المبذولة في العالم تأييدًا لحقوق العمّال:

> عملنا من كولومبيا إلى كمبوديا مع أصحاب مصانع وشركات، لمساعدتهم على أن يستوعبوا كيف لهم أن يستمرّوا في جني نسبة عالية من الأرباح توازيًا مع تخصيص أُجرائهم بمعاملة حسنة... هذا جزءٌ من ارتقاء بلدٍ إلى الطبقة الوسطى. يستحقّ العمّال أن يحصلوا على الاحترام لعملهم وأن يُدفع في مقابله راتبٌ عادل. ويستحق أصحاب المصانع أن يحصلوا على ما يدفعون من أجله، أي على يوم عملٍ مستقيم، نظرًا إلى الأجور المدفوعة. إذًا ثمة مجال لتلبية هذه المصالح، وقد عاينّاه، ويمكننا الاستمرار في العمل معكم في محاولةٍ لإنجازها.

هناك مساحة واحدة يشكل فيها الاقتصاد، في موازاة الجغرافيا السياسية، قدرةً أكبر – حيثُ تكون الحاجة أكبر إلى القيادة الأميركية – وهي الطاقة. وقد انبثق عددٌ من التحديات العالمية التي تعاملتُ معها خلال أعوامي الأربعة، في شكلٍ مباشر أو غير مباشر، من نهم العالم إلى الطاقة

ومن الديناميكيات المتحوّلة التي تولّدها المصادر والإمدادات المتوافرة حديثًا. أنظر كيف تؤدي الطاقة، في كثير من الأحيان، دورًا في الأحداث المذكورة في هذا الكتاب: النزاع الأليم على النفط بين السودان وجنوب السودان؛ والادعاءات التنافسية في بحري الصين الجنوبية والشرقية التي كانت من أجل السيطرة على المصادر الكامنة في قاع البحر وعلى التجارة على سطح المياه، على حدٍّ سواء؛ والجهود المكثفة لفرض العقوبات على صادرات إيران النفطية؛ وبالطبع، الجهد الدولي للحدّ من انبثاقات الغاز الناتجة عن الاحتباس الحراري، ومعالجة مشكلة التغيّر المناخي.

ما فتئت الطاقة تشكل عاملًا مهمًّا في الأعمال الدولية، إنما أضفت عليها سلسلةٌ من التطورات مغزًى جديدًا في السنوات الأخيرة: فالاقتصادات المزدهرة في الصين والهند والأسواق الناشئة الأخرى ولّدت طلبًا هائلًا؛ فتحت الابتكارات التكنولوجية مصادر نفط وغاز طبيعي، يتعذّر بلوغها، وجعلت مصادر الطاقة المتجددة فاعلةً من حيث تكاليفها، مثل الرياح والطاقة الشمسية، موفِّرة أدواتٍ جديدة للطاقة تنافس بها قوى البترول التقليدية، مثل روسيا والسعودية؛ وحفّزت الحاجة الملحّة إلى مكافحة التغير المناخي على تطوير خياراتٍ نظيفة بديلة من الوقود الأحفوري، وعلى تحسين فاعليتها.

كان من المحتمل أن يؤدي الاندفاع نحو مصادر جديدة للطاقة، إما إلى المزيد من النزاع وإما إلى المزيد من التعاون في العالم كلّه. فكّرتُ في أن الولايات المتحدة ستتمكن من الابتعاد عمّا كان سائدًا آنفًا، والتوجّه نحو التالي، باللجوء إلى الاستراتيجية والأدوات الصحيحة. وبغية خدمتنا على نحو أفضل، أوجدتُ دائرةً في وزارة الخارجية مخصّصة لدبلوماسية الطاقة، وطلبتُ من السفير كارلوس باسكوال إدارتها. عمل وفريقه في شكلٍ حثيث مع وزارة الطاقة التي كانت تملك خبرةً تقنيةً لا تقدّر بثمن، إنما أقلّ مما يَسمح لها بالانتشار عالميًّا. فغالبية دبلوماسية الطاقة لدينا، كانت مرتكزةً على خمسة تحدياتٍ خارجية.

في المقام الأول، حاولنا أن نحلّ الخلافات بين الدول التي إما تطالب بأحقية المصادر نفسها، وإما يُفرض عليها التعاون لاستخدامها. على سبيل المثال، تذكّر أن جنوب السودان يملك احتياطات نفطية ضخمة، فيما الأمر لا ينطبق على جاره الشمالي، السودان. إنما للسودان تسهيلات في التكرير والشحن البحري، يفتقر إليها الجنوب، مما يعني أن على هاتين الدولتين، العمل معًا، على الرغم من عدائهما المستمر.

ثانيًا، عملنا على تراجع استعمال إمدادات الطاقة من دولةٍ تعمد إلى ترغيب الدولة الأخرى أو ترهيبها. فالبلطجة التي تمارسها روسيا على أوكرانيا ودولٍ أوروبية أخرى، من خلال التلاعب بأسعار الغاز الطبيعي، وقطع الإمدادت، هو مثال جيد على ذلك.

ثالثًا، نفّذنا عقوبات تستهدف قطاع النفط الإيراني وعملنا مع شركاء لنا في كل أنحاء العالم لخفض وارداتهم من النفط الإيراني الخام، في شكلٍ ملحوظ، وتزود إمداداتٍ جديدة من أماكن أخرى.

رابعًا، روّجنا لمصادر الطاقة النظيفة مثل الشمسية والمائية والحرارية الأرضية وطاقة الرياح، والغاز الطبيعي (الذي ليس مثاليًا لكنه أنظف من الفحم)، وقد ساعدتنا كلها على الحد من تأثيرات التغير المناخي.

خامسًا، عملنا على منع ما يسمّى لعنة الموارد، أو الحد منها، بالترويج للشفافية والمساءلة في الصناعات المتعلقة باستخراج المواد، ومن خلال العمل مع شركائنا الحكوميين على استثمار موارد الدخل، بطريقةٍ مسؤولة، وتجنب الفساد. لم تعانِ أي من الدول لعنةَ الموارد أكثر من نيجيريا. وعندما زرتها، عامي ٢٠٠٩ و٢٠١٢، شدّدتُ على الضرورة الملحّة لمعالجة النيجيريين قضية الفساد واستثمار الإيرادات في تحسين حياة الملايين من الأشخاص، لا في تضخيم الثروات الشخصية. كان يمكن نيجيريا أن تكون عضوًا في مجموعة العشرين، وصوتًا دوليًا نافذًا، لو أنها اتخذت القرار الصعب بالتغلّب على اللعنة.

وفي وقتٍ كنا نتعقّب كل هذا العمل في الخارج، شهدت الولايات المتحدة تطوراتٍ مثيرة. كانت الابتكارات الأميركية في طليعة روّاد إمدادات جديدة للطاقة، سواء النفط والغاز اللذان يصعب استخراجهما، وإن كانا أحدث مصادر الطاقة المتجدِّدة. قيل، عام ٢٠١٣، إن الولايات المتحدة تخطّت السعودية وروسيا لتقود العالم في إنتاج النفط والغاز. وزادت نسبة توليد الكهرباء بالطاقة الشمسية وطاقة الرياح أكثر من الضعفين بين العامين ٢٠٠٩ و٢٠١٣.

وقد هيأ ازدهار إنتاج الطاقة المحلية، خصوصًا على صعيد الغاز الطبيعي، لفرصٍ جمّة في بلادنا، اقتصاديًا واستراتيجيًا.

وفَّر توسّع إنتاج الطاقة عشرات آلاف فرص العمل، من منصّات البترول شمال داكوتا، إلى مصانع التوربينات العاملة على طاقة الرياح في كارولاينا الجنوبية. ويساعد الغاز الطبيعي، المتوافر في كثرة، وبسعر زهيد، في خفض التكاليف بالنسبة إلى مصنّعي الطاقة المركَّزة، وفي منح الولايات المتحدة أفضلية تنافسية على أماكن مثل اليابان وأوروبا، حيث تبقى أسعار الطاقة أعلى بكثير. تصوّر الباحثون أن التأثيرات المتتالية الناتجة عن ثورة طاقتنا المحليّة ستتمكّن من توفير ما يصل إلى ١,٧ مليون وظيفة دائمة، بحلول العام ٢٠٢٠، ومن زيادة نسبة تراوح بين ٢ في المئة و٤ من إجمالي الناتج المحلي السنوي. ويساعد التحول إلى الغاز الطبيعي أيضًا على خفض انبثاقات الكربون، لأنه أنظف من الفحم، فيما ارتفاع الإنتاج المحلي يقلل اتّكالنا على النفط

الأجنبي، ويخفّف عبئًا استراتيجيًّا كبيرًا، ويبقي الإمدادات في أماكن أخرى متوافرة، ويساعد بذلك حلفاءنا الأوروبيين على خفض درجة اعتمادهم على روسيا.

ثمة مخاوف منطقية، مرتبطة بالتغير المناخي، الناتج عن استخراج المواد الحديثة وأثرها في الإمدادات المحلية من المياه والتربة والهواء. تسرّب الميثان خلال إنتاج الغاز الطبيعي ونقله، مقلق في شكلٍ خاص، لذا، من المهمّ وضع أنظمة ذكيّة وتطبيقها، بما في ذلك عدم اللجوء إلى الحفر عندما تكون المخاطر عالية جدًّا.

إذا تعاملنا مع هذا التحدي بطريقة مسؤولة، وقمنا بالاستثمارات الصحيحة في البنى التحتية والتكنولوجيا وحماية البيئة، يمكن أميركا أن تكون القوة العظمى في الطاقة النظيفة في القرن الحادي والعشرين. وهذا يعني توفير بيئة إيجابية للقطاع الخاص للابتكار والمجازفة، مع استهداف الحوافز الضريبية، وبيئة لالتزام الأبحاث والتطوير، وبيئة للسياسات المشجّعة، بدلًا من تقويض عملية الانتقال إلى مصادر الطاقة النظيفة والمتجددة. ويعني كذلك الاستثمار في البنى التحتية المستقبلية، من ضمنها الجيل المقبل من محطات توليد الطاقة لإنتاج الكهرباء بطريقة أكثر نظافةً، وشبكاتٍ ذكية لتحقيق ذلك على نحو فاعل أكثر، ومباني خُضرًا لفاعلية أكبر. وسبق أن بدأت الصين وغيرها بسباق الرهانات على مصادر الطاقة المتجددة. لا يمكننا التنازل عن القيادة في هذه المنطقة، خصوصًا منذ حمل الابتكار الأميركي المفتاح المؤدي إلى الجيل المقبل من التقدم، ولا حدود لقدرتنا على توظيفه في الداخل الأميركي، وفي قارتنا. ستزداد درجة تعافينا الاقتصادي، وجهودنا في مواجهة التغير المناخي، وموقعنا الاستراتيجي في العالم، إذا استطعنا مدّ الجسور نحو اقتصاد الطاقة النظيفة.

عندما نواجه بعض الاتجاهات العالمية الكبرى في الطاقة والاقتصاد، يسهل النسيان كم تؤثر في حياة الأفراد والعائلات اليومية، في العالم. وأحد الأمثلة الذي أوضح لي الأمور فعلًا، كان مسألة مواقد الطهو البسيطة ولكن المغفل عنها، والتي تسبب مخاوف متعلقة بالطاقة والبيئة والاقتصاد والصحة العامة على المستوى المحلي. وبرهنت كيف تمكّنت المقاربة الخلاقة للتطور والدبلوماسية في القرن الحادي والعشرين من حلّ المشكلات وتحسين الحياة بطرائق غير متوقعة.

إذا أضرمتَ النار، خلال إقامتك مخيّمًا، أو حاولتَ الطهو في الهواء الطلق، لا بدّ من أن تكون قد اختبرت الشعور الذي يخالجك عندما تغيّر الريح وجهتها ويدخل الدخان الأسود إلى رئتيك، وتدمع عيناك. الآن، تخيّل أن الأمر يتعدّى نشاطًا نادرًا في الهواء الطلق إلى عمل تؤديه يوميًّا داخل منزلك. هذا ما يحصل لثلاثة مليارات شخص في العالم، يجتمعون كل يوم حول النار، في الهواء

الطلق، أو حول الأفران القديمة والعديمة الفاعلية في مطابخ ضيقة داخل منازل ضعيفة التهوئة. تعمل النساء على هذه المواقد ساعاتٍ، فيما أولادهنّ ملتصقون بهنّ في الكثير من الأحيان، ويمضينَ وقتًا طويلًا في جمع الحطب للوقود. وتختلف المأكولات التي يحضّرنَها بين قارّة وأخرى، لكن الهواء الذي يتنشّقنه هو عينه: مزيج سام من المواد الكيميائية ناتج عن احتراق الخشب أو غيره من الوقود الصلب، ويمكن أن يبلغ مئتي ضعف الكمية التي تعدُّها وكالة حماية البيئة الأميركية آمنة. عند قيام السيدات بالطبخ، يدخل الدخان رئاتهنّ ويبدأ تفاعل المواد السامة في أجسادهنّ وأجساد أطفالهنّ. ويسهم الكربون الأسود، والميثان، وغيرهما من «الملوّثات العظمى» المنبثقة من هذا الدخان، في التغيّر المناخي.

نتائج التعرض اليومي مدمّرة. وقد نشرت منظمة الصحة العالمية بياناتٍ، في آذار/مارس ٢٠١٤، تظهر مسؤولية تلويث الهواء المنزلي عن ٤,٣ من حالات الموت المبكر، عام ٢٠١٢، وهو رقم يوازي أكثر من ضعفي حصيلة الموت بسبب الملاريا والسلّ مجتمعَين. هذا ما يجعل من هذا الدخان القذر أحد أسوأ المخاطر الصحية في الدول النامية. ومع أن الناس ينكبّون على الطهو على النار وعلى المواقد القذرة منذ بدء التاريخ، إلا أننا الآن نعلم أنه يتسبب بالموت البطيء للملايين.

طلبتُ من ممثلي الخاص في مبادرة الشركة العالمية، كريس بالدرستون، قيادة الجهود لمعالجة التحدي التبعي الذي يمرّ مرور الكرام لكنه مقلق بالفعل. وفي أيلول/سبتمبر ٢٠١٠، وخلال الاجتماع السنوي لمبادرة كلينتون العالمية، أطلقتُ التحالف الدولي من أجل مواقد طهو نظيفة مع تسعة عشر شريكًا مؤسسًا من حكوماتٍ، وعالم الأعمال، والمؤسسات الدولية، والأكاديميات، وفاعلي الخير. وقرّر هذا التحالف متابعة النهج القائم على السوق لإقناع الشركات بصناعة أفران ووقود نظيفة وفاعلة وبأسعار معقولة. وضعنا هدفًا طموحًا: التوصل إلى ١٠٠ مليون منزل تُستخدم فيها أفران ووقود جديدة ونظيفة، بحلول العام ٢٠٢٠. علمنا مدى صعوبة الأمر، من الناحية التقنية، التي تفرض تصميم أفران بسعرٍ زهيد، تكون آمنة ونظيفة ومتينة، وأيضًا لجهة التحدي اللوجستي القاضي بتوزيعها في كل أنحاء العالم، فضلًا عن التحدي الاجتماعي القائم على إقناع المستهلكين باقتنائها. لكننا أملنا في أن تتيح لنا هذه الإنجازات، وتنامي انخراط القطاع الخاص، فرصةً للنجاح. وتعهّدتُ، باسم الحكومة الأميركية، تقديم خمسين مليون دولار لاستمرار هذه الجهود.

كنتُ سعيدةً بالسرعة وبمدى التقدّم اللذين حققناهما في العالم. فوُزِّع أكثر من ٨ ملايين موقد طهو نظيفًا، عام ٢٠١٢، أي أكثر من ضعفي الرقم الذي وصلنا إليه عام ٢٠١١ وقبل بلوغ الرقم الذي خططنا له وهو ١٠٠ مليون. وازداد حجم التحالف، نهاية العام ٢٠١٣، ليشمل أكثر من ٨٠٠ شريك، ورفعت الحكومة الأميركية التزامها إلى حدود ١٢٥ مليون دولار.

منذ تركي وزارة الخارجية، تابعتُ عملي مع التحالف، بصفة كوني رئيسته الفخرية، وثمة

مشاريع لنا في بنغلادش والصين وغانا وكينيا ونيجيريا وأوغندا، تزامنًا مع انطلاق الجهود في الهند وغواتيمالا. ويدعم التحالف الآن ثلاثين مركز اختبار في كل أنحاء العالم، ووَضع معايير عالمية جديدة لمواقد الطهو، مقدّمًا إلى المصنّعين والموزّعين والمشترين، مبادئ توجيهية عن النظافة والأمان ومعايير الفاعلية. فهذه الخطوة مهمة في إنشاء سوق قابلة للحياة توفّر أفرانًا نظيفة للمستهلكين الذين سيستخدمونها بالفعل.

ينشب، في الأزمنة العصيبة اقتصاديًا، توتّر حاد بين رغبتنا في انتشال شعوب العالم من الفقر وإيصالهم إلى الطبقة الوسطى، وحاجتنا إلى حماية طبقتنا الوسطى المضنية. إذا كان الاقتصاد العالمي مباراةً بتعادل سلبي، فبروز أسواقٍ أخرى، ونموّ الطبقات الوسطى في بلدانٍ ثانية، يأتي دائمًا على حسابنا. ولكن، يجب ألّا يكون الأمر على هذا النحو. أنا واثقةٌ بأن ازدهارنا نحن يعتمد على امتلاكنا شركاء نتاجر معهم، وبأن ثرواتنا مرتبطةٌ في شكلٍ وثيق بثروات سائر العالم. وأنا مقتنعة بأن ازدياد أعداد الفقراء المرتقين إلى الطبقة الوسطى، سيصب في مصلحة أميركا، ما دامت المنافسة عادلةً.

هذا الاقتناع متجذرٌ في واقع تجاربي الخاصّة، من جرّاء نشوئي في عائلةٍ أميركية، تنتمي إلى الطبقة الوسطى. فعقب الحرب العالمية الثانية، فتح والدي هيوغ رودهام، شركةً صغيرة للنسيج والأقمشة، وعمل ساعاتٍ طويلة، ولجأ أحيانًا إلى تشغيل عمالٍ مياومين. وكثيرًا ما جنّدني ووالدتي وإخوتي لمساعدته على الطباعة على الحرير. آمن والداي بالاعتماد على الذات وبالعمل الدؤوب، وحرصا على أن يلقّنونا قيمة الدولار الواحد وأن نقدر منزلة العمل المتقن.

فزت بأول وظيفةٍ لي، إلى جانب مجالستي الأطفال، عندما كنتُ في الثالثة عشرة من عمري. عملتُ في متنزَّه بارك ريدج في منطقة بارك، في ساعات الصباح، ثلاث مراتٍ في الأسبوع، إذ كنتُ أشرف على متنزه صغير، بعيدٍ بضعة أميال عن منزلي. وبما أن والدي كان يذهب باكرًا في السيارة الوحيدة التي نملكها، كان عليّ السير إلى مكان عملي، وأنا أجرُّ، ذهابًا وإيابًا، عربةً مملوءةً بالطابات والمَضارب وحبال القفز وأدواتٍ أخرى. ومنذ ذلك العام، لم أنقطع عن العمل خلال عطل الصيف والأعياد، مما ساعدني على دفع أقساط مدرستي وجامعة الحقوق. فأنا مدينة للتضحيات التي قدّمها والداي، والفرص التي وضعاها أمامنا، ولم تُتحْ لهما قط، وهكذا بذلتُ وبيل ما في وسعنا لتتحلّى تشيلسي بالقيم نفسها، وبينها الأخلاقيات المهنية القوية. شعرنا أن للموضوع أهميةً خاصة لأنها كانت تنشأ في ظروف غير اعتيادية، بدءًا من قصر المحافظ ومن ثمّ في البيت الأبيض. لو كان والداي على قيد الحياة اليوم، لكانا فخورين جدًّا بحفيدتهما القوية، وصاحبة المبادئ، والعاملة في جدّ، مثلما أنا فخورة بها.

تغيّر العالم كثيرًا منذ مرحلة نشوئي، لكنّ الطبقة الوسطى في أميركا تبقى المحرّك الاقتصادي الأكبر في التاريخ، وصلب الحلم الأميركي، ونجاحها يكمن في المعادلة الأساسية القائمة على تحقيق الازدهار في مقابل العمل الجاد، وفقًا للقواعد؛ ويعني ذلك، أنك إذا كنت مبتكرًا وخلوقًا وبنّاءً، فلا حدود عندئذٍ لما يمكنك إنجازه. ودائمًا ما تُحدَّد الطبقة الوسطى تبعًا للقيم والتطلعات التي نتقاسمها، بقدر ما تُحدَّد استنادًا إلى السلع التي تبتعاها.

تزامن وجودي في وزارة الخارجية الأميركية مع قفزة شعوبٍ نوعية إلى الطبقة الوسطى، لكنه حدثٌ شهدته بلدان أخرى، وتمثل بارتقاء مئات الملايين من حال الفقر، للمرة الأولى. كانت التقديرات مذهلةً، ويُتوقّع أن يتضاعف حجم الطبقة الوسطى في العالم، بحلول العام ٢٠٣٥، ليصل إلى ٥ مليارات، بينما يرتقب أن ينتقل ثلثا الشعب الصيني، وأكثر من ٤٠ في المئة من مجموع الهنود، ونصف سكان البرازيل، إلى الطبقة الوسطى. إنها المرة الأولى في التاريخ، يُقدّر لغالبية سكان الأرض الارتقاء من مستوى الفقر إلى الطبقة الوسطى، بحلول العام ٢٠٢٢.

يطرح هذا النمو الهائل تساؤلاتٍ عن قدرة كوكبنا على الحفاظ على المستوى الاستهلاكي الذي حدّدناه بالنسبة إلى نمط عيش الطبقة الوسطى، خصوصًا في ما يتعلّق بالسيارات والطاقة والمياه. سيجبرنا تغيّر المناخ والشحّ في الموارد والتلوث المحلي على إحداث تغييراتٍ جذرية في أنماط الإنتاج والاستهلاك. ولكن، إذا تمكّنا من إتمام التغيير على نحوٍ صائب، فمن شأنه أن يوفّر فرص عملٍ وأعمالًا جديدة، ومستوى حياة أفضل. ويعني كل ذلك، أن بروز الطبقة الوسطى دوليًّا سيكون إيجابيًّا للعالم بأسره، وللأميركيين أيضًا. فارتفاع الأجور والمداخيل في الخارج، يؤدي إلى زيادة عدد القادرين على شراء سلعنا وخدماتنا ويقلل حوافز الشركات للاستعانة بمصادر خارجية للقيام بوظائفنا. وبعد سنواتٍ من الركود في المداخيل وتراجع الحراك الاجتماعي والاقتصادي، نحن في حاجةٍ إلى ذلك.

تميل الطبقة الوسطى في العالم إلى مشاركتنا قيمنا، ويريد الأشخاص، أينما كانوا على وجه الأرض، الشيء عينه من الحياة: صحة جيدة، وعمل شريف، ومجتمع آمن، ومجال لتوفير العلم والفرص لأولادهم. هم يعوّلون على الكرامة، وتكافؤ الفرص، والإجراءات القانونية في نظام قضائي عادل. عندما يتمكن الناس من الارتقاء إلى الطبقة الوسطى، وتخفّ الضغوط الناتجة عن الاحتياجات الملحّة للبقاء على قيد الحياة، يميلون إلى المطالبة بنظام حكم مسؤول، وبخدماتٍ فاعلة، وبتعليم أفضل، وبرعاية صحية أهم، وببيئةٍ نظيفة، وبالسلام. وقلّماً يكترث بعضهم إلى تجاذبات التطرّف السياسي المزيّفة. وتشكل الطبقة الوسطى العالمية جمهورًا انتخابيًّا بديهيًّا، بالنسبة إلى أميركا، ومن مصلحتنا أن نراها تتوسّع لتشمل أعدادًا أكبر، ومن واجبنا كذلك أن نفعل كل ما يمكن، لانتشار الطبقة الوسطى في الولايات المتحدة والعالم.

٧١

أزور والرئيس أوباما مسجد السلطان حسن في القاهرة، مصر، في حزيران/يونيو ٢٠٠٩. ألقى الرئيس خطابًا في جامعة القاهرة لاحقًا ذلك النهار، أعاد فيه تقويم العلاقة بين أميركا والعالم الإسلامي في شكلٍ طموح وبليغ.

٧٢

مع نجود علي، الفتاة اليمنية التي كافحت للحصول على الطلاق في العاشرة من عمرها ونجحت، خلال زيارتي لصنعاء، اليمن، في كانون الثاني/يناير ٢٠١١. في الاجتماع العام مع الطلاب والنشطاء، اقترحت أن تلهم قصة نجود اليمن لوضع حد لزواج الأطفال.

٧٣

٧٤

أعلى الصفحة: أمشي مع المبعوث الخاص لعملية السلام في الشرق الأوسط جورج ميتشل ليدلي الرئيس أوباما بتصريحه في حديقة الزهور في البيت الأبيض في ١ أيلول/سبتمبر ٢٠١٠، بعد استئناف مفاوضات السلام المباشرة بين الإسرائيليين والفلسطينيين.

أسفل الصفحة: تلك الليلة، استضاف الرئيس أوباما عشاء عمل في غرفة طعام العائلة القديمة في البيت الأبيض. من اليسار إلى اليمين (قريبًا من الكاميرا)، ملك الأردن عبدالله الثاني؛ الرئيس أوباما؛ الرئيس المصري حسني مبارك. من اليسار إلى اليمين (بعيدًا عن الكاميرا): أنا؛ رئيس الوزراء الإسرائيلي بنيامين نتنياهو؛ رئيس السلطة الفلسطينية محمود عباس، ومبعوث اللجنة الرباعية توني بلير.

٧٥

استضفت في ٢ أيلول/سبتمبر ٢٠١٠ الجولة الأولى من ثلاث جولات من المحادثات المباشرة بين رئيس السلطة الفلسطينية محمود عباس ورئيس الوزراء الإسرائيلي بنيامين نتنياهو في وزارة الداخلية. بعد ذلك، انضممت إليهما مع المبعوث الخاص جورج ميتشل لدردشة في مكتبي قبل أن نتركهما وحدهما ليتحدثا.

٧٦

على ما يحدث غالبًا، كنت المرأة الوحيدة في القاعة في كانون الثاني/يناير ٢٠١١ في اجتماع مجلس التعاون الخليجي في الدوحة، قطر. في اليوم التالي، حذرت القادة العرب: «في أماكن كثيرة، وبطرائق مختلفة، دعائم المنطقة تغرق في الرمال». أجلس بين وزير خارجية الإمارات العربية المتحدة عبداللّٰه بن زايد آل نهيان (إلى اليسار)، ورئيس الوزراء القطري حمد بن جاسم (إلى اليمين).

٧٧

أقف في غرفة عمليات البيت الأبيض مع الرئيس أوباما، ومستشار الأمن القومي توم دونيلون، ووزير الخزانة تيم غيثنر، ومدير الاستخبارات الوطنية جيم كلابر (جميعهم يجلسون)، فيما نشاهد الرئيس المصري حسني مبارك محاولًا الاستجابة إلى مطالب المحتجين في ١ شباط/فبراير ٢٠١١. أتى إعلانه دون المطلوب، ومتأخرًا كثيرًا.

٧٨

أصافح طفلة مصرية في ميدان التحرير في القاهرة، نواة الربيع العربي، في ١٦ آذار/مارس ٢٠١١.

٧٩

بعد فرار معمر القذافي من طرابلس، قررت أن أزور ليبيا لتقديم الدعم الأميركي إلى الحكومة الانتقالية الجديدة وأحث أعضاءها على بسط الأمن سريعًا. تصورت مع مجموعة من مقاتلي الميليشيا بعدما حطت الطائرة في طرابلس في تشرين الأول/أكتوبر ٢٠١١.

٨٠

أشهد على قسم كريس ستيفنز سفيرًا أميركيًّا جديدًا في ليبيا في غرفة المؤتمرات في وزارة الخارجية في ١٤ أيَّار/مايو ٢٠١٢، فيما والده يراقبنا. كان كريس موظفًا عامًّا موهوبًا التزم المساعدة في إعادة بناء ليبيا الجديدة بعد الفوضى التي خلفها نظام القذافي.

٨١

متظاهرون يُنزلون العلم الأميركي ويمزقونه في سفارتنا في القاهرة في ١١ أيلول/سبتمبر ٢٠١٢، بعد بث شريط فيديو مسيء إلى النبي محمد، ما أشعل الغضب في أنحاء العالم الإسلامي.

٨٢

الرئيس أوباما يوقع كتاب تعزية أمام الجدار التذكاري في وزارة الخارجية بعد يوم على الهجمات الرهيبة في بنغازي، ليبيا. زار الرئيس الوزارة لمواساة زملاء السفير كريس ستيفنز وسين سميث المحزونين.

٨٣

مع الرئيس أوباما والقسيس الكولونيل جاي. ويسلس سميث في قاعدة أندرو المشتركة، ماريلاند، في ١٤ أيلول/سبتمبر ٢٠١٢، نتحضر لاستقبال نعوش زملائنا المغدورين في بنغازي وتأدية تحية الشرف لهم.

٨٤

أدلي بشهادة أمام لجنة العلاقات الخارجية في مجلس الشيوخ في كانون الثاني/يناير ٢٠١٣ عن الهجوم على مجمعنا في بنغازي.

٨٥

مع السلطان قابوس في مسقط، عُمان، في تشرين الأول/أكتوبر ٢٠١١. ساعدنا السلطان على استرجاع ثلاثة مشاة أميركيين محتجزين في إيران، وفتح قناة دبلوماسية سرية لمناقشة برنامج إيران النووي.

٨٦

أتحدث في اجتماع مجلس الأمن في الأمم المتحدة عن الأزمة السورية في مدينة نيويورك في كانون الثاني/يناير ٢٠١٢. اعترضت روسيا تحركات الأمم المتحدة لوقف العنف الرهيب في سوريا على الرغم من تدهور الوضع. ظل عدد القتلى إلى ارتفاع، فيما هُجِّر الملايين من منازلهم.

٨٧

مع الرئيس أوباما في جناحه في فندق في بنوم بنه، كمبوديا، نناقش هل يجب عليَّ السفر إلى الشرق الأوسط للسعي إلى وقف لإطلاق النار بين الإسرائيليين والفلسطينيين في غزة. يقف وراءنا (من اليسار إلى اليمين): مديري لسياسة التخطيط جاك سوليفان، نائب مستشار الأمن القومي بن رود، ومستشار الأمن القومي توم دونيلون.

٨٨

أتفاوض مع الرئيس المصري محمد مرسي في القاهرة، مصر، في تشرين الثاني/نوفمبر ٢٠١٢، في محاولة لوقف العنف في غزة. ساعدني مرسي على المفاوضة في شأن وقف لإطلاق النار بين إسرائيل وحماس ما زال صامدًا إلى اليوم.

٨٩

أنا والرئيس أوباما نتدخل في اجتماع في كوبنهاغن، الدانمارك، خلال مؤتمر تغير المناخ للأمم المتحدة، في كانون الأول/ديسمبر ٢٠٠٩. اعترضنا كلام رئيس الوزراء الصيني ون جياباو، الرئيس البرازيلي لولا دي سيلفا، رئيس الوزراء الهندي مانموهن سينغ، ورئيس جنوب أفريقيا جاكوب زوما إلى الطاولة المحتشدة.

٩٠

أناقش ووزير الخارجية النروجية جوناس غار ستور أثر تغير المناخ على متن سفينة أبحاث القطب الشمالي هلمر هانسن خلال رحلة في المضيق البحري على شواطئ ترومسو، النروج، في حزيران/يونيو ٢٠١٢.

أزور معرضًا لمواقد الطهو الجديدة والقديمة مع الدكتورة كالبانا بالاكريشنان، الباحثة في الموضوع، خلال زيارتي لشيناي، الهند، في تموز/يوليو ٢٠١١. ناصرت دومًا مواقد الطهو التي تحرق الطعام ولا تُصدر تلوثًا في أنحاء العالم، بدلًا من المواقد التقليدية التي تعمل على الحطب أو الفحم الحجري وينبعث منها بخار سام يتسبب بمقتل الملايين كل عام، خصوصًا النساء والأطفال.

٩٢

وصلت إلى هايتي بعد أيام أربعة على الزلزال المدمر في كانون الثاني/يناير ٢٠١٠، واجتمعت في خيمة مع رئيس الوزراء الهاييتي جان ماكس بيليريف، والرئيس الهاييتي رينيه بريفال، والسفير الأميركي في هايتي كن مرتن، وكبيرة موظفيّ ومستشارتي شيريل ميلز، ومدير الوكالة الأميركية للتنمية راج شاه، والجنرال كن كين، للبحث في سبل مساعدة هايتي وإنعاشها في شكل طارئ.

٩٣

استقبلني المحتجون أمام مطار بورت أو برانس في كانون الثاني/يناير ٢٠١١، خلال انتخابات هايتي المتنازع عليها، بعد عام على الزلزال. عانى الهايتيون كثيراً، ويستحقون أن تُحتسب أصواتهم وأن يتم تسليم السلطة سلميًا، وهو ما حصلوا عليه أخيرًا.

٩٤
أنا وبيل يحوطنا العمال في الاحتفال الافتتاحي لمدينة كاراكول الصناعية الجديدة في هايتي في تشرين الأول/أكتوبر ٢٠١٢. وكان مشروع كاراكول نواة جهودنا لإعادة تفعيل اقتصاد هايتي، تماشيًا مع توجهنا التنموي الأوسع والجديد في العالم بتحويل تركيزنا من المساعدات إلى الاستثمار.

٩٥
أتكلم على حرية الإنترنت في نيوزيوم في واشنطن في كانون الثاني/يناير ٢٠١٠. أنذرت دولًا مثل الصين وروسيا وإيران، أن الولايات المتحدة ستعزز الإنترنت وتدافع عنه حيث تُحمى حقوق الناس، ويكون منفتحًا على التحديث، وقابلًا للتشغيل المتبادل في مختلف أنحاء العالم، وآمنًا بما يكفي لكسب ثقة الناس، وفاعلًا بما يكفي لدعم أعمالهم.

٩٦

بعد حوالي عشرين عامًا على خطابي في بكين في أيلول/سبتمبر ١٩٩٥ في المؤتمر العالمي الرابع للمرأة الذي نظمته الأمم المتحدة، ما زالت حقوق المرأة «عملًا غير منجز» في القرن الحادي والعشرين. ركزت، كوزيرة، على الدفاع عن الحريات المكرسة في الإعلان العالمي لحقوق الإنسان وتحويلها واقعًا في حياة الناس في مختلف أنحاء العالم.

٩٧

مع ميلان فرفير بعد أدائها اليمين سفيرةً متجولة أولى لشؤون المرأة العالمية. ساعدتني ميلان في حبك «أجندة المشاركة الكاملة» في نسيج السياسة الخارجية الأميركية.

٩٨

إحدى خطواتنا الأولى لتعزيز حقوق الإنسان كانت الانضمام مجددًا إلى مجلس حقوق الإنسان في الأمم المتحدة. ألقيت خطابًا في المجلس، في جينيف، سويسرا، في كانون الأول/ديسمبر ٢٠١١، دافعت فيه عن حقوق المثليين في مختلف أنحاء العالم.

٩٩

في أيلول/سبتمبر ٢٠١٢، شاهدت، على بعد ١٠,٠٠٠ ميل في تيمور ليست، بيل يلقي الخطاب الذي سيكسبه لقب «وزير شرح الأشياء» في المؤتمر الوطني الديمقراطي في شارلوت، كارولاينا الشمالية. لم تتوافر محطة سي أن أن والإنترنت محدود، لكننا استطعنا وصل الفيديو بكمبيوتر سفيرنا.

نائبا الوزير آن توم نيدز (إلى اليسار) وبيل بيرنز وسكرتير الوزير الثاني بات كنيدي (إلى اليمين) انضما إلي وأنا أودع الرجال والنساء الرائعين في وزارة الخارجية في يوم ولايتي الأخير، ١ شباط/فبراير ٢٠١٣. خرجت من الباب نفسه الذي دخلته قبل أعوام أربعة، فخورة بكل الإنجازات التي حققتها.

الفصل الثالث والعشرون

هايتي: كوارث وتنمية

بعد أربعة أيام على زلزال هايتي، كان المدرج الوحيد الذي ما زال يعمل في بورت أو برنس يشهد فوضى على صعيد النشاطات. ترجّلت من طائرة سي – ١٣٠ التابعة لخفر السواحل الأميركي، ورأيت منصات نقل الإمدادات على أرض المدرج ولم يكن قد مسّها أحد، بينما كانت طائرات أخرى محمّلة بالمزيد من مواد الإغاثة تحلّق فوقنا في انتظار أن يحين دورها للهبوط. وكانت محطة الطيران هذه مظلمة ومهجورة، وزجاج النوافذ المحطّمة متناثر على أرضها. وقد اتخذت عائلات منكوبة من أرض المطار ملجأً لها، فغالبية الهايتيين أرادوا البقاء في العراء في ظلّ تواصل الهزّات الأرضية الخفيفة وعدم وجود ما يكفي من المباني الآمنة لإيواء أكثر من مليون شخص ممّن خسروا منازلهم.

هذا الزلزال الذي ضرب هايتي في ١٢ كانون الثاني/يناير ٢٠١٠ بلغت قوته ٧ درجات على مقياس ريختر، وأدى إلى مقتل أكثر من ٢٣٠٬٠٠٠ شخص في بلد يضم ١٠ ملايين نسمة، وإلى جرح ٣٠٠٬٠٠٠ آخرين على الأقل. لقد كانت هايتي أفقر دولة في النصف الغربي للكرة الأرضية، وهي باتت الآن تواجه كارثة إنسانية كبيرة. وعليه، ستشكل الحاجة إلى إغاثة فورية وخطة إعادة إعمار على المدى الطويل اختبارًا لقدرتنا على المساعدة، وستُظهر مدى أهمية انتهاج أسلوب جديد في التنمية الدولية للقرن الحادي والعشرين.

٥١٣

رافقتني في ذلك اليوم مستشارتي التي لا تعرف الكلال، رئيسة فريق العمل المعاون لي شيريل ميلز، والمدير الجديد للوكالة الأميركية للتنمية الدولية الدكتور راج شاه الذي كان أدّى اليمين القانونية قبل تسعة أيام فقط. كانت شيريل تتولى مراجعة سياستنا مع هايتي خلال العام المنصرم، وعندما ضرب الزلزال، تحرّكت على الفور للحصول على استجابة من الحكومة الأميركية. وشكلت الخارجية الأميركية خليّة أزمة تعمل على مدار الساعة في مركز عملياتها، لتواكب على أعلى مستوى تدفق المعلومات وطلبات الإغاثة. عملت القنصليات كذلك على مدار الساعة لتحديد مواقع حوالى ٤٥٬٠٠٠ مواطن أميركي في هايتي، واستجابت أكثر من ٥٠٠٬٠٠٠ شخص من الأصدقاء والأحباء الذين كانوا يستعلمون عنهم.

منتصف تلك الليلة الأولى، علمنا أن بعثة الأمم المتحدة في هايتي لم تستطع تحديد أماكن الكثيرين من الأشخاص. وبحلول الصباح، علمنا أن رئيس البعثة ونائبه الرئيس و ١٠١ من موظفي الأمم المتحدة قُتلوا، مما شكّل خسائر مأسوية لنا جميعًا وحدّ من قدرة المجتمع الدولي على التنسيق والتعامل مع هذه الكارثة.

لم يكن أحد تقريبًا قادرًا على الوصول إلى هايتي في الساعات الثماني والأربعين الأولى، وكان العالم بأسره يستعد لإرسال المساعدات، ولكن لم يكن هناك ترتيب لإيصالها إلى هناك أو توزيعها ما إن تصل. وقد أجبر تدمير مرفأ بورت أو برنس سفن الشحن على أن ترسو على بعد أكثر من مئة ميل من العاصمة، في وقتٍ كانت الطريق التي يربط جمهورية الدومينيكان بهايتي غير سالكة، حالها حال طرق كثيرة في مختلف أنحاء البلاد. ولم يبقَ سوى عدد قليل من مراقبي الملاحة الجوية في هذا المطار المدمّر لتنسيق حركة الطائرات التي تأتي بالمساعدات. سادت حالٌ من الفوضى.

عندما تلقيت خبر وقوع الزلزال كنت في هاواي في طريقي إلى آسيا للقيام بجولة تشمل أربع دول، وما إن أدركت مدى الضرر في هايتي حتى ألغيت الرحلة وعدت إلى واشنطن للإشراف على جهود الإغاثة. كانت خيبة أمل لعددٍ من الزعماء الآسيويين، ولكن سرعان ما أدركوا حجم الأزمة، وعرض الكثيرون منهم المساعدة بأي وسيلة ممكنة.

في بالي ذكريات كثيرة عن هايتي تعود إلى زيارتي الأولى لها عام ١٩٧٥ أثناء جولة شهر العسل مع بيل. لقد اختبرنا حينذاك التناقض بين جمال المكان – الناس والألوان والطعام والفن – والفقر وهشاشة المؤسسات. غير أن أكثر تجربة ما زالت ماثلة في ذهنينا هي لقاء كاهن فودو محليّ اسمه ماكس بوفوار، والمثير للدهشة أنه درس في سيتي كولدج في نيويورك وفي جامعة السوربون، وحاز شهادات في الكيمياء والكيمياء الحيوية. دعانا الكاهن إلى حضور أحد احتفالاته، فرأينا هايتيين قد تملّكتهم الأرواح، وراحوا يمشون على الجمر، ويقضمون رؤوس فراخ دجاج ما زالت

حيّة، ويمضغون الزجاج ثم يبصقونه ولا ينزفون. وفي نهاية الاحتفال، ادّعى المشاركون أن الأرواح المظلمة رحلت.

ورأينا أيضًا قوات الأمن السيئة الصيت التابعة للدكتاتور «بيبي دوك» دوفالييه، تتبختر في أرجاء المدينة مع نظارات شمسية بزجاج مرآة وأسلحة أوتوماتيكية. حتى إننا رأينا بيبي دوك نفسه، يقود سيارته في اتجاه قصره، وهو القصر الرئاسي عينه الذي سيدمَّر في الزلزال بعد خمس وثلاثين سنة.

عندما عدت إلى واشنطن عقب وقوع الزلزال، رأيت أن لا جدوى من ذهابي إلى بورت أو برنس على الفور. فبعد المشاركة في عمليات الإغاثة أثناء الكوارث على مرّ السنين، أدركت أن من أهمّ مسؤوليات الموظفين الحكوميين الفسح في المجال أمام عمال الإنقاذ لكي يقوموا بمهماتهم. لم نكن نريد أن نزيد العبء على سلطات هايتي الغارقة في المصيبة أو نجعل مواردها المحدودة تحيد عن مسارها لدعم زيارة رفيعة المستوى، فيما الأولوية لإنقاذ أكبر عدد من الأرواح.

ولكن بعد يومين من وقوع الزلزال تحدث شيريل مع رئيس هايتي رينيه بريفال، فقال لها إنني الشخص الأجنبي الوحيد الذي يثق به. «أنا في حاجة إلى هيلاري، أنا في حاجة إليها هي، لا إلى أي شخص آخر» على ما قال، فكان ذلك بمثابة تذكير بمدى أهمية العلاقات الشخصية، حتى على أعلى المستويات الدبلوماسية والحكومية.

سافرت إلى بورتوريكو، السبت ١٦ كانون الثاني/يناير، حيث ركبت طائرة شحن تابعة لخفر السواحل، تفاديًا لإضاعة الوقت في مناقشة طريقة هبوط طائرتي من طراز بوينغ ٧٥٧ في المطار المدمّر. وعندما وصلنا إلى بورت أو برنس كان السفير كن مرتن في انتظاري على أرض المدرج.

كان فريقه في السفارة يعمل بطريقة مذهلة، وإحدى ممرضات السفارة هي من الذين خسروا منازلهم، وقد عملت من دون توقف حوالى ثمانٍ وأربعين ساعة في وحدةٍ موقّتة لجراحة الرضوخ، لمعالجة الأميركيين المصابين بجروح خطرة والذين أتوا إلى السفارة طلبًا للمساعدة. كذلك ذهب موظّف أمن برفقة أفراد من قوات الحرس المحلية بحثًا عن المفقودين من الموظفين الأميركيين، فوجد اثنين من زملائه مصابين بجروح، وقد هوى منزلهما في وادٍ سحيق، فحملوهما سيرًا، ست ساعات، على عربة لنقل السلالم وخراطيم المياه، إلى أن وصلوا إلى الوحدة الصحيّة في السفارة.

لقد فقدنا عددًا من كوادر سفارتنا وأفراد أسرهم في هايتي، ومن بينهم الموظفة في الشؤون الثقافية فيكتوريا ديلونغ، وزوجة أندرو ويلي وطفليه، وهو موظف في الخارجية الأميركية حائز وسامًا ويعمل مع الأمم المتحدة.

كان فريق العمل في سفارتنا يعمل في شكل وثيق مع طاقمنا في واشنطن لتنسيق المساعدات،

وجرّبنا تباعًا فكرة مبتكرة مع غوغل وعدد من شركات الاتصالات لجمع طلبات الإغاثة وتنظيمها، ووصل الكثير منها عن طريق الرسائل القصيرة عبر الخط الساخن، ثم تم تبادلها مع فرق الإنقاذ الميدانية.

كان خبراء من الحكومة الأميركية جمعاء يحاولون الوصول إلى هايتي للمساعدة. وانخرطت الوكالة الفدرالية لإدارة الطوارئ في العمل، فأرسلت أطباء وخبراء في الصحة العامة من الوكالة الأميركية للتنمية الدولية ووزارة الصحة والخدمات الإنسانية ومراكز مكافحة الأمراض واتّقائها. كذلك أرسلت إدارة الطيران الفدرالية برج مراقبة للمطار متنقلًا. وتوجهت إلى هناك ستة فرق بحث وإنقاذ تضم رجال إطفاء وضباط شرطة ومهندسين من كاليفورنيا وفلوريدا ونيويورك وفرجينيا.

عندما استقبلني السفير مرتن في المطار، رافقه نائب قائد القيادة الأميركية الجنوبية الجنرال كن كين الذين كان في هايتي عندما ضرب الزلزال. وهما كانا يقفان على الشرفة الخلفية لمنزل السفير عندما بدأت الأرض تهتز، ولحسن الحظ لم يتضرر المنزل، وسرعان ما أصبح نقطة تجمّع لموظفي السفارة ووزراء حكومة هايتي، وأيضًا صلة الوصل بين الجنرال كين والقيادة الأميركية الجنوبية في ميامي بما أنه كان ينظّم دور العسكريين.

كان ضباط خفر السواحل أول العسكريين الأميركيين الذين نزلوا على الأرض، وانخرط في أعمال البحث والإنقاذ أكثر من عشرين ألف مدنيّ وعسكري أميركي. لقد أعادوا تأهيل المطارات والموانئ، وقدموا الخدمات الطبية ولبّوا الاحتياجات الأساسية للهايتيين لكي يبقوا على قيد الحياة. كذلك قدّمت السفينة المستشفى يو آس آن آس كومفورت، العلاج إلى مئات المرضى. وكانت القوات الأميركية تتعامل مع الهايتيين بكل رحابة صدر، فراح الشعب وحكومته يتوسّلون إليهم كي لا يغادروا البلاد. وقد شعر الجنود الذين خدموا في هايتي من ضمن عمليات انتشار متعددة في العراق وأفغانستان، بتغيير إيجابي بعدما تبيّن لهم أنهم مرغوب فيهم على أرضٍ أجنبية.

رأيت أيضًا على المدرج وجهًا آخر مألوفًا، وهو نائب مستشار الأمن القومي دنيس ماكدونو الذي ركب طائرة عسكرية قبل يوم للمساعدة على تنسيق جهود الإغاثة المعقدة. كان يتصبّب عرقًا بقميصه البولو باللون الكاكي وهو يسهم في تنظيم حركة المرور على مدرج المطار. لقد ترجم وجوده مدى التزام الرئيس أوباما شخصيًّا تجاه هايتي. كنت واقفة مع الرئيس في البيت الأبيض قبل يومين، عندما تعهد علنًا تقديم المساعدة. كانت المرة الأولى أرى الرئيس أوباما يجاهد للسيطرة على مشاعره.

كان الأمر الأول على جدول أعمالي التشاور مع الرئيس بريفال. التقينا في خيمة في المطار،

وسرعان ما فهمت لماذا رأت شيريل أنّ من المهم جدًّا أن آتي شخصيًّا. لقد رأيت في ملامح وجهه دمار البلاد ويأس شعبها.

عندما ضرب الزلزال، كان بريفال وزوجته على وشك الوصول إلى منزلهما الخاص على إحدى التلال، فشاهدا انهيار المنزل أمام أعينهما. كذلك لحقت أضرار كبيرة بمكتبه في القصر الرئاسي، ولم يتمكن من معرفة مصير الكثيرين من وزرائه، فيما أصيب آخرون بجروح خطرة أو قُتلوا. ووفقًا للتقارير، قتل ١٨ في المئة من موظفي الخدمة المدنية الهايتيين في بورت أو برنس، ودُمّر ثمانية وعشرون مبنًى حكوميًّا من أصل تسعةٍ وعشرين، فيما عُدّ وزراء ونواب في عداد المفقودين أو القتلى. كان الوضع مزريًا والحكومة مشلولة.

عندما أصبح بريفال رئيسًا لم يكن يتمتع إلا بالقليل من الخبرة السياسية، ولكن عندما ضرب الزلزال كان أصبح متضلعًا من السياسة الهايتية. ومع ذلك، بقي متحفظًا عقب حدوث الزلزال ووجد صعوبةً في الخروج بين شعبه الذي يريد أن يرى قائده ويلمسه ويتحدث إليه.

وبينما كنت جالسة في الخيمة مع بريفال، حاولت أن أفهم كيف كان قادرًا على أن يصمد في وجه كارثة كهذه. كانت هناك إجراءات طارئة علينا اتخاذها، وكانت جهود الإغاثة الدولية عالقة في المطار، فاقترحت أن يتولى الجيش الأميركي العمليات هناك في أسرع ما يمكن بما يتيح الشروع في تدفّق المساعدات. لم يكن بريفال متأكدًا هل يريد ذلك أم لا، فعلى غرار كل الدول، أرادت هايتي المحافظة على سيادتها. حتى في الحالات الطارئة، بقيت ذكرى التدخلات العسكرية الأميركية السابقة حاضرة في الأذهان. طمأنته إلى أن قواتنا لن تأتي لتسيّر دوريات في الشوارع أو تحل محل قوات الأمم المتحدة التي تعمل على استعادة القانون والنظام، بل الهدف هو إعادة تشغيل المطار لتتمكن الطائرات من الهبوط فتصل بذلك المساعدات. كانت شيريل أعدّت مع فريقنا اتفاقًا قانونيًّا ليوقّع عليه بريفال، يخوّل الجيش الأميركي موقتًا تولّي مسؤولية المطار والمرفأ. أطلعنا على الاتفاق سطرًا سطرًا، واعترف بأن هايتي في حاجة إلى كل مساعدة ممكنة، لكنه أدرك أيضًا أن البلدان الأخرى وخصومه السياسيين سينتقدونه لأنه سلّم بلاده إلى الأميركيين. كان هذا أحد قرارات مؤلمة كثيرة، يجب عليه اتخاذها في الأيام المقبلة.

وقّع بريفال الاتفاق، واضعًا ثقته بي، بقدر ما وضعها في بلدنا. نظر في عينيّ وقال: «هيلاري، أريدك أن تكوني أنت هايتي من أجل هايتي، لأننا في الوقت الراهن عاجزون عن ذلك»، فأكدت له أنّ في إمكانه الاعتماد على أميركا وعليّ، وقلت: «سنكون هنا اليوم وغدًا وفي الأيام المقبلة، ما دمتم في حاجةٍ إلينا». وسرعان ما بدأ المطار والمرفأ باستقبال البضائع أكثر من ذي قبل بعشرة أضعاف نتيجة مساعدة الولايات المتحدة، وبدأت المساعدات تصل إلى من هم أكثر حاجة إليها في هايتي.

في اجتماع ثانٍ موسّع مع فرق مساعدات أميركية ودولية، كان بريفال أقل تعاونًا، ورفض، في شدة، اقتراح إقامة مخيّمات كبيرة لإيواء مئات آلاف الهايتيين المشردين، لأنه تخوّف من ألا تتمكن هايتي من التخلص من تلك المخيمات إذا ما أقيمت، وطلب بدلًا من ذلك أن نعطي الناس الخيم والأغطية لكي يبقوا في أحيائهم. غير أن فريق الأمم المتحدة رأى أنّ توزيع الطعام والماء على الناس وهم مشتتون سيكون أصعب بكثير، موضحًا أن المخيمات أكثر فاعلية، لذلك تشكل جزءًا من الاستجابة الدولية النموذجية للكوارث. عندما أقلعنا من مطار بورت أو برنس في وقتٍ لاحق من ذلك اليوم، أقللنا معنا في الطائرة أكبر عدد ممكن من الناس، وبذلك تمكنّا من نقل أربعةٍ وعشرين أميركيًّا في هايتي إلى برّ الأمان. تحدّثت مع شيريل عن كل الأعمال التي تنتظرنا؛ فإذا كنا سنفي بوعدي لبريفال - أن أكون هايتي من أجل هايتي - لن تكون جهود الإغاثة أمرًا سريع المنال، بل علينا أن نكون على استعداد للعمل طويلًا.

في الحالات الطارئة، أول ما يقوم به الأميركيون غريزيًّا هو تقديم المساعدة. لا أحد منا ممّن عاش الأيام المظلمة بعد أحداث ١١ أيلول/سبتمبر ينسى كيف اصطفّ الناس في كل أنحاء البلاد للتبرّع بالدم. وهذا الأمر تجلّى أيضًا عقب إعصار كاترينا، عندما شرّعت الأسر في هيوستن وغيرها منازلها للسكان النازحين من نيو أورليانز، وبعد إعصار ساندي عندما التفّ الناس لمساعدة نيو جيرسي ونيويورك. عندما ضرب زلزال هايتي، عملت وزارة الخارجية الأميركية مع شركة تقنية اسمها mGive لتمكين الأميركيين من تقديم التبرعات مباشرةً إلى الصليب الأحمر من خلال رسالة نصيّة، مما أدى إلى جمع أكثر من ٣٠ مليون دولار في أقل من ثلاثة أسابيع من أكثر من ٣ ملايين أميركي، وقد أسهم الأميركيون بمليار دولار أميركي لمساعدة الهايتيين بعد الزلزال.

بالنسبة إلى بلدنا، ليس التدخل في الحالات الطارئة، فحسب، الأمر الصائب الذي ينبغي لنا القيام به، إنما هو أيضًا خطوة استراتيجية ذكية. فعلى سبيل المثال، عندما وقع تسونامي المحيط الهندي عام ٢٠٠٤ وقدّمنا الكثير من الإغاثة، تراكمت في الأذهان صورة عن إظهارنا الكثير من حسن النيّة. في أندونيسيا التي كانت الأكثر تضرّرًا جراء هذا التسونامي، قال حوالى ثمانية أشخاص من أصل عشرة إن المساعدة التي قدمناها حسّنت نظرتهم إلى الولايات المتحدة، وارتفعت نسبة التأييد لنا من ١٥ في المئة، عام ٢٠٠٣ خلال وجودنا في العراق، إلى ٣٨ في المئة عام ٢٠٠٥. وتكررت هذه الظاهرة عام ٢٠١١، عندما هرعت الولايات المتحدة لتقديم المساعدة إلى اليابان بعد الكارثة الثلاثية التي ضربتها، الزلزال والتسونامي ومفاعل فوكوشيما النووي. وعلى الأثر، ارتفعت نسبة تأييد اليابانيين لنا من ٦٦ في المئة إلى ٨٥ في المئة، وهي أعلى نسبة لدولةٍ شملتها الاستطلاعات.

كثُرٌ منا يستجيبون الحالات الطارئة أثناء الكوارث، في حين يبدو من الصعب حشد الجهود عندما يتعلق الأمر بالمآسي الأخرى كالفقر والجوع والأمراض، التي تبدو أقل إلحاحًا من الحالات الطارئة التي قد يفرضها حدوث تسونامي مثلًا. مساعدة هايتي عقب الزلزال المدمّر فرضت نفسها، ولكن ماذا عمّا قبل وقوع الكارثة، عندما كانت هايتي غارقة في فقرها المدقع وهو الأعلى نسبةً في الأميركيَتين؟ أو بعد ذلك، عندما واجهت سنواتٍ صعبة لإعادة البناء؟ ما هو الدور الذي ينبغي للولايات المتحدة أن تضطلع به في إطار هذه الجهود؟

لطالما كان الأميركيون فاعلي خير. في الأيام الأولى لأمّتنا، كتب ألكسيس دو توكفيل عن «عادات القلب» التي جعلت ديمقراطيتنا ممكنة وأتت بالأسر من خلف الحدود لتقيم الحظائر وتحيك الأغطية. كانت أمي واحدة من عشرات الآلاف من الأميركيين الذين أرسلوا صناديق الإعاشة إلى الأسر الجائعة في أوروبا بعد الحرب العالمية الثانية، وكانت تتضمن المواد الغذائية الأساسية مثل الحليب المجفّف ولحم الخنزير المقدد والشوكولا ومعلّبات «سبام». لطالما أذهلني ميل من يُعرفون بجيل الألفية إلى الأعمال الخيرية. ووفقًا لإحدى الدراسات، تطوع حوالى ثلاثة أرباع الأميركيين الشباب في منظمات غير ربحية عام ٢٠١٢.

دارت مناقشات كثيرة على المساعدات الخارجية، وبخاصة المساعدة على المدى الطويل بدلًا من الإغاثة القصيرة الأجل، فتساءل أميركيون كثر لماذا هذا السخاء مع الخارج في وقتٍ هناك الكثير من العمل للقيام به في بلادنا. عندما تكون الموازنة محدودة والتحديات الداخلية كبيرة، تصبح هناك خيارات صعبة يجب اتخاذها، ولكن لا بدّ من توضيح الحقائق. فقد أظهرت استطلاعات الرأي أن الأميركيين بالغوا كثيرًا في تقدير حجم الموازنة الفدرالية المخصصة للمساعدات الخارجية. ففي تشرين الثاني/نوفمبر ٢٠١٣، خلُصت دراسة استقصائية لمؤسسة كيزر فاميلي فاونديشن إلى أن الأميركيين يعتقدون أن ٢٨ في المئة من الموازنة الفدرالية تُنفق على المساعدات الخارجية، وأكثر من ٦٠ في المئة يرون أن ذلك يتخطى اللازم. ولكن في الواقع نحن ننفق أقل من ١ في المئة من الموازنة على المساعدات الخارجية. عندما يدرك الناس الحقيقة، تنحسر المعارضة إلى نصف ما كانت عليه.

طوال عقود، كان هناك تجاذب فلسفي في مقاربتنا للتنمية الدولية. هل يجب التفاني عندما نقدّم المساعدات الخارجية، لكي نخفّف المعاناة حيث يجب، أم أنّ تلك المساعدات هي جزء من استراتيجيتنا للتنافس على القلوب والعقول في صراعات أيديولوجية طويلة مثل الحرب الباردة؟ أو هي لمعالجة اليأس والعزلة اللذين يغذّيان التطرف والتمرد الواقعين الآن؟ لقد ألهم الرئيس كنيدي جيلًا من خلال دعوته إلى الخدمة في «النضال ضد العدو المشترك للإنسانية: الطغيان والفقر والمرض والحرب في حدّ ذاتها»، على ما قال في خطاب تنصيبه. وهو لم يبتعد يومًا عن هذا

السياق الاستراتيجي. بدأت فكرة برنامج «فرق السلام» بكلمة مقتضبة خلال الحملة الانتخابية، الثانية صباحًا، في جامعة ميشيغن في تشرين الأول/أكتوبر ١٩٦٠. وسأل الطلاب الذين تجمعوا، منتصف الليل، لسماعه «كم واحدًا منكم، أنتم الذين ستصبحون أطباء، مستعدٌّ لتمضية أيامه في غانا؟ أعتقد أن الإجابة عن سؤال هل يعتمد المجتمع الحر قادر على المنافسة، على مدى استعدادكم للقيام بذلك، وليس مجرد الخدمة سنةً واحدة أو سنتين، بل استعدادكم لتقديم جزء من حياتكم إلى هذا البلد». حتى في الثانية صباحًا كان يفكر كيف يمكن التنمية أن تعزز مصالح الولايات المتحدة.

لقد اعتقدت دائمًا أن النقاش بين مسألة «المساعدة من أجل المساعدة» و«المساعدة لأهداف استراتيجية» كان إلى حدٍّ ما خارجًا عن الموضوع؛ علينا القيام بالاثنين معًا. كنت والرئيس أوباما ملتزمين زيادة التنمية جنبًا إلى جنب مع الدبلوماسية والدفاع كركائز أساسية للقوة الأميركية، ولكن كان هناك الكثير من هذه النقاشات داخل الإدارة. عندما باشر البيت الأبيض وضع سياسة الإدارة الأميركية للتنمية، شددت على ضرورة إقامة علاقة وصل واضحة بين جهود المساعدة التي نقوم بها، والأمن القومي الأميركي، فخالفني الرأي بعض خبراء التنمية، لكنّ الرئيس وافق في نهاية المطاف، على فرضية أنّ الكوارث الطبيعية والفقر والمرض في بلدان أخرى هي أيضًا تهديدات للمصالح الاستراتيجية الأميركية.

كانت هايتي خير مثال على ذلك؛ وبدت مساعدتها على الوقوف على قدميها متطابقة مع الأسباب الإنسانية والاستراتيجية على حدٍّ سواء.

من المستحيل ألّا تؤثّر فيك معاناة الهايتيين الذين يعيشون في الأحياء الفقيرة والمكتظة في بورت أو برنس، مع فرص اقتصادية وتعليميّة محدودة، وفي ظل تعاقب حكومات فاسدة ومتقلّبة ودكتاتورية. يتمتع الشعب الهايتي بالكثير من المواهب وبالقدرة على المثابرة، ولكن كان عليه تحمّل الفقر المدقع وخيبات الأمل التي تستنزف روح أي شخص. لا بدّ من أن تهتز ضمائرنا لرؤية الأطفال ينمون على مقربة من شواطئنا في مثل هذه الظروف القاسية.

أن نسمح بوجود معقل للفقر والاتجار بالمخدرات وعدم الاستقرار السياسي على بعد سبعمئة ميل فقط من فلوريدا، أي ما يفوق المسافة بين واشنطن وأتلانتا بقليل، لهو أمر خطر. كل عام، يفرّ الكثيرون من اللاجئين من هايتي، محاولين الوصول إلى الولايات المتحدة عبر المياه الخطرة حيث تكثر بأسماك القرش، وفي قوارب متهالكة. ومقارنةً بالتدخل العسكري ومعالجة تدفق الكمّ الهائل من اللاجئين اليائسين، يبدو تقديمُ مساعدات التنمية صفقة رابحة. حتى قبل الزلزال، كانت هايتي أولوية بالنسبة إلي. فعندما تولّيت منصب وزيرة الخارجية، طلبت من شيريل إلقاء نظرة على سياستنا تجاه هايتي والخروج باستراتيجية للتنمية الاقتصادية شديدة التأثير، من شأنها أن

تُحدث فارقًا في حياة الهايتيين. ورأيت في ذلك فرصةً لاختبار نهج جديد للتنمية يمكن تطبيقه على نطاق أوسع في مختلف أنحاء العالم. كانت هايتي تمتلك الكثير من المكوّنات الضرورية للنجاح، على الرغم مما تواجهه من تحديات. فهي لم تكن تعاني الانقسامات الدينية أو الطائفية، وتتشارك جزيرة مع بلد مستقر وديمقراطي وهو جمهورية الدومينيكان، وتتمتع بقربها من الولايات المتحدة، ولديها مغتربون كثر في الولايات المتحدة وكندا. في اختصار، لدى هايتي الكثير مما لا تملكه بقية البلدان الفقيرة اليائسة، وإذا استطعنا مساعدتها على الإفادة من هذه الميزات، تستطيع، حينذك، أن تستثمر ما لديها من إمكانات.

يوم ضرب الزلزال في كانون الثاني/يناير ٢٠١٠، كانت شيريل تضع مع فريقها اللمسات الأخيرة على تقرير سيُرسل إلى البيت الأبيض مع مجموعة كاملة من التوصيات في شأن هايتي، استنادًا إلى أولويات حدّدها الهايتيون أنفسهم. في الأسابيع التي تلت، كان تركيز الجميع على استجابة الحال الطارئة، ولكن سرعان ما سيكون علينا التفكير في متطلبات إعادة الإعمار والتنمية على المدى الطويل، لذلك دعوت شيريل إلى أن تنفض الغبار عن تقريرها وتباشر العمل.

كم كان صعبًا التحدي المتمثل بـ «إعادة البناء في شكل أفضل»، وهي عبارة مستعارة من زوجي عندما عمل مع الرئيس جورج بوش الأب عقب وقوع تسونامي المحيط الهندي عام ٢٠٠٤. كان الزلزال كارثة على نطاق لم يسبق له مثيل، دمّر مركز هايتي الاقتصادي وجزءًا كبيرًا من بنيتها التحتية الإنتاجية، بما في ذلك المرفأ الرئيس والمطار وخطوط الكهرباء والمحطات الفرعية والطرق الرئيسة المهمة. أدرك بريفال ورئيس وزرائه جان ماكس بيلريف الحاجة إلى استراتيجية تنمية اقتصادية جريئة تستخدم أموال المساعدات لإدخال تحسينات دائمة على حياة الشعب الهايتي. وتوافرت أمامهما اقتراحات كثيرة للاختيار من بينها، بما أن هايتي كانت محور النقاشات الدائرة في شأن التنمية والدور الذي يمكن أن تؤديه المساعدات الخارجية في تحريك الاقتصاد وتحسين وضع الحكومة.

برزت استراتيجية تنمية أعدتها حكومة هايتي، وكانت بمثابة مرجع لإعادة الإعمار. وكان أبرز مسؤولَين وفّرا فرصًا اقتصادية في مناطق هي بمثابة ممرات نموّ خارج نطاق بورت أو برنس المزدحمة، وزيادة فرص العمل في الزراعة والصناعات الخفيفة، بمثابة خطوة حملت بصمة المساعدة الأميركية لهايتي.

لم تكن فكرة ترك الحكومة المحلية تحدّد أولوياتها وإدارة التنمية بالأمر الجديد. في خطابه الشهير لإطلاق خطة مارشال، عام ١٩٤٧، قال جورج مارشال «لن يكون مناسبًا ولا فاعلًا أن تضع

هذه الحكومة منفردةً برنامجًا يهدف إلى النهوض بأوروبا اقتصاديًّا». أُغفلت حكمة مارشال في العقود التي تلت. فانقضّت الدول المانحة والمنظمات غير الحكومية على البلدان النامية، بخططها وأفكارها الخاصة. كان هذا الاندفاع مفهومًا، نظرًا إلى أن الحكومات المحلية كانت في الكثير من الأحيان تطلب مشورة الخبراء، لكنه كثيرًا ما أدى إلى نتائج غير تلك المرجوّة. تذمّر عمّال الإنقاذ على الأرض من اتّباع مسؤولين في واشنطن ومختلف العواصم الأوروبية أسلوب إدارة الأمور عن بعد؛ فالخطط التي تبدو جيّدة على الورق كانت تتعثّر عند تطبيقها في الواقع، ولم تُترجم من دون التعاون المحلي وتزوّد ما يلزم.

في نهاية المطاف، وجد مجتمع التنمية الدولي مجددًا في توجيهات مارشال ركيزةً أساسية لعمل الدول المساعِدة، ونحن وضعناها في صلب جهودنا في هايتي وفي العالم. هذه المساعدة تعني أن نعمل قدر الإمكان مع المسؤولين المحليين والوزارات على الاحتياجات التي يحدّدونها، لمساعدتهم على بناء قدراتهم، وضمان اتّباع نهج موحّد مع جميع الجهات المانحة والمنظمات التي تعمل معًا وفق هذه الأهداف، بدلًا من العمل بالتوازي أو بالمنافسة. لا يمكن أن يتبع نموذجنا للتنمية صيغة محددة واحدة، فما يصلح في بابوا غينيا الجديدة قد لا يصلح في بيرو. كان علينا أن نتعامل مع كل حال على حدة، وكل بلد على حدة، وحتى كل قرية، لدراسة الاحتياجات وتقويم الفرص والاستثمارات والشركات لنحقّق أكبر قدرٍ من التأثير.

الأداة الأساسية لأعمالنا التنموية، في هايتي وغيرها، هي الوكالة الأميركية للتنمية الدولية التي تضم موظفين يتمتعون بالكثير من العزم، لكنها تعاني منذ سنوات تضاؤلًا في الموارد وسوءًا في التركيز. ففي التسعينات، طالب الجمهوريون في الكونغرس، برئاسة السيناتور عن ولاية كارولاينا الشمالية جيسي هيلمز، بإبطال عمل الوكالة نهائيًّا، بحجة أن نهاية الحرب الباردة أدت إلى انتفاء السبب الاستراتيجي لتقديم مساعدات خارجية على نطاق واسع. وعلى الرغم من أن هيلمز فشل في تفكيك الوكالة، استطاع خفض موازنتها إلى حدٍّ كبير. كان تضعضُع النقاشات السبب الحقيقي للانسحاب وترك المشكلات تتفاقم، خصوصًا في أماكن مثل أفغانستان. عندما غادرت الولايات المتحدة بعد الانسحاب السوفياتي عام ١٩٨٩، فسحت في المجال أمام طالبان كي تخرج إلى النور. كان ذلك خطأً مكلفًا.

المثير أن السيناتور هيلمز، وعشية انتهاء ولاية زوجي الرئاسية، جاء لدعم مبادرة بيل بإلغاء ديون البلدان الفقيرة في حال أنفقت المدّخرات على الرعاية الصحية والتعليم والتنمية الاقتصادية. ويعود الكثير من الفضل في ذلك إلى بونو المغني الرئيس في فرقة U2، بونو الذي أقنع السيناتور المشاكس.

كان لإدارة بوش نهجها الخاص في التنمية. فاتباع الرئيس فلسفة «المحافظين الرحماء» جعله

يستثمر في برامج تنمية جديدة خارج البيروقراطية المعتمدة في الوكالة الأميركية للتنمية الدولية، الأمر الذي كان له أثر كبير، وبخاصةٍ في أفريقيا جنوب الصحراء الكبرى. قدمت «مؤسسة تحدي الألفية» مساعدات سخية إلى البلدان التي لبّت معايير معينة وقامت بإصلاحات على صعيد الفساد والسلطة. وأفضت «خطة الطوارئ للإغاثة من الإيدز» التي أطلقها الرئيس بوش إلى إنشاء عيادات طبية وتوزيع أدوية وإنقاذ أرواح في كل أنحاء أفريقيا. كان ذلك نجاحًا مذهلًا.

عندما توليت وزارة الخارجية، كانت إعادة بناء الوكالة الأميركية للتنمية الدولية في مقدم أولوياتي. لولا الإصلاحات، بما في ذلك خفض اعتمادنا على المتعهدين من الخارج وزيادة قدرتنا على الابتكار والتنفيذ، لكنا أمام خطر أن تسبقنا البلدان الأخرى وتتفوق علينا. كانت دول أوروبية كثيرة تمتلك برامج تنمية ممتازة، تعمل أكثر مع شركات محلية، وبنفقات أقل من تلك التي تتطلبها الجهود النموذجية المتبعة في الوكالة الأميركية للتنمية الدولية. كذلك كانت الصين تنفق مبالغ ضخمة في كل الدول النامية. ربما لم ننظر بالكثير من التقدير إلى أساليبها التي تعطي الأولوية لاختيار الموارد وتوظيف الأشخاص الذين يخصونها بدلًا من توفير قيمة مضافة وزيادة فرص العمل وحماية البيئة، ولكن لم يكن هناك جدال في شأن نطاق مشاركتها وحجمها. وعلى ما لاحظت في مختلف أنحاء العالم، يمكن عددًا قليلًا من الناس، التعرف إلى الشعارات الملموسة للمساعدات الأميركية، ولكن في الكثير من الدول يمرّ أشخاص كل يوم أمام حلبة بنتها الصين أو على طريق سريعة. لم نكن نريد أن نسير بنهجهم أو نقلل قيمة مشاريع أقل مرئية، خصوصًا تلك التي تعزز إنتاج المحاصيل الزراعية وتحدّ من الوفيات بسبب الإيدز والسل والملاريا. ولكن كان علينا أن نواصل التحسين والابتكار لتبقى برامج التنمية الأميركية الأعلى تقديرًا في العالم.

وقد وقع اختيارنا، لإدارة الوكالة الأميركية للتنمية الدولية، على شاب موهوب وعميق التفكير في وزارة الزراعة، هو الدكتور راجيف شاه، الطبيب المتمرّس والخبير في اقتصاديات الصحة. كان يدير برامج أساسية في مؤسسة غايتس، وسرعان ما أصبح راج شريكًا مهمًّا تقاسم معنا التزامنا لإصلاح الوكالة والارتقاء بالتنمية في إطار سياستنا الخارجية. اقترحت إدارة أوباما مضاعفة المساعدات الخارجية بحلول العام ٢٠١٤. لكننا، بالمقدار نفسه من الأهمية، خططنا لإصلاح طريقة إنفاق هذه الأموال، والتأكد من أن نسبةً أقل تُصرف على الرواتب ونفقات المقاولين الذين يتقاضون الأموال، ونسبة أكبر تذهب مباشرةً إلى مصلحة البرامج على الأرض. وأردت أيضًا أن أحدّ من «هجرة الأدمغة» في الوكالة، من خلال زيادة عدد المحترفين في مجال التنمية، وجعلها مرة أخرى مكانًا مغريًا للعمل.

رأيتُ وراج أن تحقيق النجاح في الوكالة يتطلب التركيز على الابتكار والاستثمار وتحقيق الاكتفاء الذاتي. وبدأنا نبحث عن سبل جديدة للخروج بأفضل الأفكار التنموية ودعمها من خارج

الحكومة، لكي تساعدنا على حلّ المشكلات في مختلف أنحاء العالم، خصوصًا الحلول القائمة على متطلبات السوق التي من شأنها تشجيع الناس وحثّهم على الإبداع. أطلقت الوكالة الأميركية للتنمية الدولية مسابقة «التحديات الكبرى»، لدعم الابتكارات التي قد تغيّر قواعد اللعبة. كذلك أقمنا «رأس مال مجازفًا» للاستثمار في الأفكار البارزة التي يمكن أن تسفر عن نتائج بارزة. فدعمت الجولة الأولى من التمويل مشاريع مثل الإنارة بالطاقة الشمسية في المناطق الريفية في أوغندا، والخدمات الصحية المتنقلة في الهند. وبدأت شركات جديدة مع «مؤسسة العلوم الوطنية» و«المعاهد الصحية الوطنية»، وأخذت تصل علماء أميركيين يعملون على أبحاث التنمية بنظرائهم في كل أنحاء العالم. وأدت الزمالات العلمية الجديدة إلى جلب المزيد من الباحثين والمهندسين والأطباء للعمل مع الوكالة. وعام ٢٠٠٨، أنفقت الوكالة حوالى ١٢٧ مليون دولار لدعم البحوث والتنمية، وبحلول العام ٢٠١٤ وصل المبلغ إلى ٦١١ مليون دولار. وبدءًا من العام ٢٠١١، بدأتُ مع راج بمناقشة مشروع مركزي لهذا الابتكار: مختبر تنمية متقدّم تقنيًا، تديره الوكالة بالشركة مع الجامعات البحثية والمنظمات غير الحكومية ومجتمع التكنولوجيا والشركات الأميركية. بعد ثلاث سنوات من التحضير، شعرت بالفخر للانضمام إلى راج، مطلع أبريل/نيسان ٢٠١٤ لمساعدته على إطلاق ما يُعرف الآن بالمختبر الأميركي للتنمية العالمية، وهو يركّز عمله على إيجاد حلول بارزة في مجالات المياه والصحة والتغذية والطاقة والتعليم وتغيّر المناخ، بهدف مساعدة ٢٠٠ مليون شخص في السنوات الخمس الأولى.

كان أحد الدوافع الأساسية إيجاد سبل جديدة لتحفيز الاستثمارات في القطاع الخاص في البلدان النامية. كثيرًا ما كانت الشركات الأميركية تجد صعوبة في اجتياز مجموعة الوكالات الأميركية التي تشارك في الاستثمار والتجارة الدوليَين، ومن بينها شركة الاستثمار الخاص الخارجي ووزارة الخارجية وهيئة القروض التنموية في الوكالة الأميركية للتنمية الدولية ووكالة التجارة والتنمية وبنك التصدير والاستيراد. قبل أن أغادر منصبي، قدمت إلى الرئيس أوباما خطة لتطوير شركة الاستثمار الخاص الخارجي كي تصبح «مؤسسة لتمويل التنمية» واسعة النطاق، تسهم في حشد الموارد في مختلف القطاعات الحكومية لتحفيز استثمارات القطاع الخاص التي لا تحتاج إلى مموّل إضافي. فلدى الدول الأخرى هذا النوع من المؤسسات، وبالتالي ينبغي لنا أن نمتلك مثلها، فهي مفيدة للشركات الأميركية والدول الشريكة لنا.

في وقتٍ كنا نعزّز قدراتنا التنموية، بدا لنا من الضروري مساعدة شركائنا لتحسين قدراتهم أيضًا. كنت قلقة خصوصًا إزاء الفساد وسوء أداء الأنظمة الضريبية في البلدان النامية التي كنا نحاول مساعدتها. المساعدات الخارجية هي أمرٌ من الصعب إقناع الآخرين بتبنّيه في ظل أفضل الظروف، وهو يزداد صعوبة عندما تحاول أبرز الدول الشريكة لنا قدر المستطاع تجنّب إعطاء

حصتها من الإسهام. رأيت هذا النهج يسود في كل أنحاء العالم، مما أثار غضبي. عندما تنتهج دولة ما إصلاحات لتحسين جباية الضرائب وزيادة الشفافية ومحاربة الفساد، تحفّز على قيام سلسلة تغيّرات إيجابية. وعندذاك، يمكن المموِلين أن يروا بأنفسهم ما تجنيه لهم أموالهم. فزيادة الإيرادات تتيح للحكومات توفير خدمات أفضل ودفع أجور عادلة لموظفي القطاع العام، ويشيع ذلك في المقابل مناخًا إيجابيًا للمستثمرين الأجانب والمانحين، ويسير بالدول نحو الاكتفاء الذاتي.

ستكون إعادة إعمار هايتي بمثابة اختبار أساسي للوكالة الأميركية للتنمية الدولية، ولمدى قدرتنا على العمل مع الحكومة الهايتية وفي الوقت نفسه زيادة قدراتها والتنسيق مع جميع شركائنا الدوليين، بمن فيهم الحكومات والمنظمات غير الحكومية والمؤسسات.

فور وقوع الزلزال، باشرتُ الاتصال بالقادة في مختلف أنحاء العالم، بدءًا بوزراء خارجية فرنسا والبرازيل وكندا وجمهورية الدومينيكان. في مؤتمر للمانحين من أجل هايتي، ربيع العام ٢٠١٠، بدأت الولايات المتحدة بتخصيص أكثر من ٣,٥ مليارات دولار من المساعدات، وشجّعت الدول الأخرى على أن تحذو حذوها. وفي الحصيلة، أدى المؤتمر إلى جمع ما يزيد عن ٩ مليارات دولار في إطار التعهدات الحكومية لتنمية طويلة الأجل، فضلًا عن التزامات كبيرة من القطاع الخاص. شاركت كل دول نصف الكرة الغربي في هذه القضية، وكنت سعيدة جدًّا لرؤية جمهورية الدومينيكان تهبّ للمساعدة، وهي التي تتقاسم جزيرة هيسبانيولا مع هايتي ولم تكن دائمًا على علاقة جيدة مع جارتها. حتى إننا تعاونا مع كوبا وفنزويلا.

كان الأمين العام للأمم المتحدة بان كي مون طلب من بيل أن يكون مبعوثه الخاص إلى هايتي بدءًا من مايو/أيار ٢٠٠٩، وهو منصب شغله حتى العام ٢٠١٣. ثم طلب الرئيس أوباما منه ومن الرئيس السابق جورج دبليو بوش إطلاق حملة عقب الزلزال، أدت في ما بعد إلى جمع عشرات ملايين الدولارات للبدء بمشاريع جديدة وزيادة فرص العمل. كان إلى جانب بيل في هذه المهمة الدكتور بول فارمر، وهو أحد مؤسسي منظمة «شركاء في الصحة»، وكان بيل طلب منه أن يتولى منصب نائب المبعوث الخاص للأمم المتحدة في أغسطس/آب ٢٠٠٩. بدأت منظمة «شركاء في الصحة» بالعمل في هايتي عام ١٩٨٣، ووضعت نموذجًا فريدًا لتوفير الرعاية الجيدة وبموارد محدودة للفقراء في المناطق الريفية. بعد الزلزال، تمكن بول وفريقه من بناء مستشفى جامعي متكامل هو «مستشفى ميرباليه الجامعي» في ميرباليه في هايتي، وهو أيضًا أكبر مبنى مزوّد الطاقة الشمسية في البلاد.

أثمرت الجهود الدولية للإغاثة وإعادة الإعمار الكثير من النتائج الجيدة، وبخاصةٍ عقب

الزلزال، لكنّ هذه الجهود لم تخلُ من بعض الشوائب. فقد أقام عشرات الآلاف من موظفي الإغاثة مخيمات جعلت المدينة تبدو كأنها تحت الحصار، وهي لم تكن دائمًا منسّقة في شكل جيد. وعمل عدد كبير جدًا من المنظمات غير الحكومية على سدّ الثغر. ولكن، وفي تطور مفجع وغير منتظر، بدأ وباء الكوليرا الذي ظهر خريف العام ٢٠١٠ بالانتشار عبر قوات حفظ السلام النيبالية على الأرجح.

أخطأت الوكالة الأميركية للتنمية الدولية الهدف في بعض الأماكن المهمة. فقد صمم خبراء الصحة لدينا شبكة للمستشفيات، غير أنها لم تتحقق، والسبب الأبرز في ذلك هو التجاذبات الداخلية البيروقراطية. وفي مجال الطاقة، بنت الولايات المتحدة محطة لتوليد الكهرباء وقامت بإصلاحات كثيرة، لكنّ خططنا لتحوّل الطاقة لم تؤتِ ثمارها.

ومع ذلك، تحققت نجاحات مهمة. فبدءًا من أول كانون الثاني/يناير ٢٠١٣، أزيل ٧,٤ مليون متر مكعب من الأنقاض، تولت ثلثها الحكومة الأميركية. وانخفض عدد الهايتيين الذين يعيشون في المخيمات من حوالى ١,٦ مليون إلى أقل من ٢٠٠,٠٠٠. كذلك وجد أكثر من ٣٠٠,٠٠٠ شخص مساكن آمنة بفضل البرامج الممولة من الوكالة الأميركية للتنمية الدولية. أمّا عمليات التصدي للكوليرا واللقاحات التي تولّتها «مراكز مكافحة الأمراض واتقائها»، فساعدت على خفض معدل الوفيات من جراء هذا الوباء من ٩ في المئة إلى ما يزيد على ١ في المئة بقليل. ودعمت الولايات المتحدة ٢٥١ مركزًا للرعاية الأولية و٥٢ آخر للرعاية الثانوية في كل أنحاء هايتي، لكي تلبي جميعًا احتياجات الرعاية الصحية لحوالى ٥٠ في المئة من سكان هايتي. كذلك ساعدنا حوالى عشرة آلاف مزارع للحصول على البذور والأسمدة الجيدة وإدخال تقنيات جديدة لتحسين الإنتاج. ونتيجة ذلك، ارتفع محصول الرزّ إلى أكثر من الضعفين، والذرة إلى أكثر من أربعة أضعاف.

كان الهدف الأساس لاستراتيجية التنمية التي انتهجناها في هايتي على المدى الطويل هو النهوض بالاقتصاد، وإيجاد فرص عمل من شأنها أن توفر أجورًا عادلة، وتقليص الاعتماد على المساعدات الخارجية، بمرور الوقت. ومن أبرز المشاريع التي أقمناها، منطقة صناعية، كلفت ٣٠٠ مليون دولار في كاراكول، في الجزء الشمالي من هايتي، بتمويل مشترك من وزارة الخارجية والوكالة الأميركية للتنمية الدولية والحكومة الهايتية وبنك التنمية للبلدان الأميركية. وسرعان ما أصبح هذا المشروع جهدًا عالميًا، مع الشركة الكورية للمنسوجات ساي-إيه ترادينغ كو، التي تعهدت بناء مصنع هناك وتشغيله لصناعة قمصان وقطع أخرى لوول مارت وكولز وتارغت. عندما ذهبت للمشاركة في التدشين في تشرين الأول/أكتوبر ٢٠١٢، كان ١,٠٥٠ هايتيًا بدأوا العمل هناك، وكان سيوظّف أيضًا عدد أكبر قريبًا.

جاء مشروع كاراكول تماشيًا مع الاتجاه الذي رحنا نسلكه في أعمال التنمية في مختلف أنحاء العالم. فقد كنا نحوّل تركيزنا من المساعدات إلى الاستثمار. في الستينيات، عندما أنشأ الرئيس

كنيدي الوكالة الأميركية للتنمية الدولية، كانت المساعدات الإنمائية الرسمية من بلدانٍ مثل الولايات المتحدة تمثّل ٧٠ في المئة من تدفق الأموال في البلدان النامية. ومذذاك، وعلى الرغم من أن البلدان زادت موازنات التنمية، أصبحت هذه المساعدات تمثّل فقط ١٣ في المئة من تلك التدفقات المالية. ويعود ذلك أساسًا إلى زيادة الاستثمار الخاص والتجارة في الأسواق الناشئة، مما يشكل أخبارًا جيدة. ونظرًا إلى هذا التحول، كان من المنطقي إعادة النظر في نهجنا التنموي، لكي نشغِّل الأسواق في شكل أفضل ونوظّف استثمارات القطاع العام الذكية التي يمكن أن تحفز النمو الاقتصادي الدائم.

لم تتخلَّ الولايات المتحدة عن المساعدات التقليدية، مثل أكياس الرزّ أو علب الأدوية. إذ ما زال هذا النوع من المساعدات أداةً حيوية، خصوصًا كجزء من الاستجابة الطارئة للكوارث. ولكن من خلال الاستثمار أردنا إلغاء التبعية التي يمكن أن تسببها المساعدات، من خلال مساعدة الدول على بناء مؤسساتها وقدراتها لكي تقدّم الخدمات الأساسية. المساعدة تلاحق الحاجة؛ والاستثمار يلاحق الفرص.

بحلول نهاية العام ٢٠١٣، وبعد عام فقط على افتتاحها، أصبحت المنطقة الصناعية في كاراكول توفّر فرص عمل لحوالى ٢٠٠٠ هايتيّ. وباتت تضم ستة مستأجرين من القطاع الخاص، ومليون قدم مربع من المصانع والمكاتب المؤجّرة، وتصدر سنويًّا ٢٦ مليون دولار. وخلال عام ٢٠١٤، أوشك عدد الموظفين والصادرات تخطي ضعفي ما كان عليه، في وقتٍ كانت الشركات المصنعة تنتقل إلى مصانع أُنجزت حديثًا. كذلك أصبح لديها محطة متطورة لمعالجة مياه الصرف الصحي، وشبكة كهربائية جديدة توفّر الطاقة للبلدات المحيطة بها للمرة الأولى، وأيضًا مساكن جديدة ومدارس وعيادات صحية.

في عمود نُشر في صحيفة فايننشال تايمز عام ٢٠١٣، أشار رئيس وزراء هايتي لوران لاموث إلى أن غالبية الأسر الهايتية تجني حوالى ٧٠٠ دولار أميركي سنويًّا من زراعة الكفاف، وهي «لا تدري متى تهطل الأمطار الغزيرة وتقضي على محاصيلها». وعندما افتُتحت المنطقة الصناعية في كاراكول، ورد خمسون طلب عمل لكل وظيفة. وكتب لاموث أن «الأم العازبة في كاراكول تكسب الآن ١٨٢٠ دولارًا كمتوسط راتب سنوي، في أول وظيفة لها مدفوعة الأجر. وإذا حصلت على ترقية وأصبحت مشرفة، تستطيع أن تكسب أكثر من ذلك بـ ٥٠ في المئة. فبعدما كانت عاطلة من العمل، أصبح في إمكانها الآن أن ترسل أطفالها إلى المدرسة، وأن تدفع تكاليف هاتف محمول وكهرباء متوافرة ٧/٢٤، فضلًا عن بعض المدخرات. وهي بذلك حصلت أيضًا على إجازة مدفوعة الأجر وعلى الرعاية الصحية وواحد من أفضل حقوق العمال وأنظمة سلامة العمال في العالم».

لقد شكّل تدشين كاراكول في تشرين الأول/أكتوبر ٢٠١٢ فرصة بالنسبة إلينا جميعًا، نحن

من عشنا أحلك أيام هايتي، لنحتفل بأخبار جيدة قليلًا، ولم يكن أحد يستحق التصفيق أكثر من بريفال نفسه. كان، حينذاك، غادر منصبه منذ أكثر من سنة، ولم تكن علاقته بالرئيس الجديد على أفضل ما يرام.

ويعود هذا الاستياء إلى انتخابات تشرين الثاني/نوفمبر ٢٠١٠، بعد عشرة أشهر فقط على الزلزال. إذ أدت حسابات كلٍّ من الحكومة ومنظمة الدول الأميركية إلى استنتاجات مختلفة في شأن المرشحين الذين يجب أن يتقدموا خلال الجولة الانتخابية الثانية. ثار كُثر من الهايتيين الذين عانوا الأمرّين غضبًا، تخوّفًا من ألّا تحتسب أصواتهم بعد كل ما قاسوه، وامتلأت الشوارع احتجاجًا.

قررت أن أذهب إلى هايتي للقاء بريفال والمرشحين، لنبحث في إمكان حلٍّ سلمي يجنب البلاد أزمة، في وقتٍ كان لا يزال هناك الكثير من العمل عقب الزلزال. وقال المرشح المفضل لدى بريفال، والذي أعلنت منظمة الدول الأميركية أنه حلّ في المرتبة الثالثة، إن المجتمع الدولي حاول إخراجه من السباق الرئاسي، فأكدتُ أن الأمر لم يكن كذلك، شارحةً أن الناس حاولوا إخراجي أنا من السباق عندما ترشحت إلى الرئاسة عام ٢٠٠٨. تمامًا كما فعلت أنا والرئيس أوباما، كان عليه وعلى المرشحَين الآخرَين احترام خيار الناخبين. وتوجهت إليه بالقول: «لقد خضت الانتخابات وفزت مرتين، ثم خسرت جولة كبيرة، لذا أدرك تمامًا هذا الشعور، ولكنّ الأهم هو المحافظة على الديمقراطية». على عكس أي دبلوماسي مهني أو أكاديمي أو رجل أعمال، استطعت أن أضع نفسي مكان هؤلاء المرشحين». يمكن الانتخابات أن تكون مؤلمة، والديمقراطية أمر صعب. ففي بعض الأماكن يمكن أن تُقتل لأنك تريد أن تترشح أو تصوّت، أو يمكن أن تُسجن أو تُفلس. يجب عليك فهم المخاطر التي يتكبّدها الناس، والمخاوف التي يعيشونها، وحاجتهم إلى الشعور أنهم محترمون.

التقيت بريفال في مقر إقامته الموقّت، وجلسنا قريبين وجهًا لوجه، على كراسٍ مخملية. ورحت أتحدث عن أهمية التفكير ليس في الغد وحسب، بل أيضًا على الأمد الطويل، وشرحت أنها لحظة حاسمة بالنسبة إليه؛ إما أنه سيُذكر على أنه كان رئيسًا لا يختلف عن غيره من القادة الهايتيين السابقين الذين رفضوا الاستماع إلى شعبهم، وإما أنه سيُذكر على أنه الرئيس الذي سمح للديمقراطية بأن تترسخ. كان عليه أن يختار. وقلت له: «أنا لا أتحدث إليك كصديقة وحسب، ولكن أيضًا كشخص يحب بلده واضطر إلى القيام بالكثير من الأمور الصعبة. قُم بما هو صعب، لأنه سيكون في نهاية المطاف في مصلحة بلدك ومصلحتك أنت، وإن كنت لن تشعر بذلك قبل أن تصبح قادرًا على أن تبتعد وتنظر خلفك». ختم الاجتماع قائلًا: «حسنًا، لقد أعطيتني الكثير لأفكر فيه، وسأرى ما يمكنني القيام به». بعد مدّة وجيزة، قبِل بريفال وجميع المرشحين الثلاثة نتائج منظمة الدول الأميركية. فاز الموسيقار المشهور ميشال مارتيلي المعروف باسم «سويت ميكي» في

الجولة الثانية، وتقاعد بريفال. عادةً، يكون الفائز في الانتخابات هو من يتلقى التهانئ، ولكن في هذه الحال رأيت أن البطل هو الرجل الذي تنحى في عزة وكرامة، على الرغم من أن بلاده كانت لا تزال ترزح تحت وطأة الكارثة التي ألمّت بها. كانت المرة الأولى في تاريخ هايتي يتنحى رئيس عن السلطة في شكل سلمي لمصلحة شخص من الحزب المنافس له. كان ذلك بمثابة مؤشر جيد جدًّا إلى مستقبل البلاد. فقد أصبحت الصلة بين التنمية المستدامة والحكم الرشيد راسخة، لذلك وضعناها في صلب الكثير من برامج المساعدات التي نقيمها، وأبرزها مؤسسة تحدي الألفية. كانت مواجهة هايتي متاعب على جبهتين خير مثال على ذلك، وكان لدينا مثال هو نقيضٌ له. فقد ضرب التشيلي زلزال أكثر قوة بعد شهر فقط على زلزال هايتي، ولكن بخلاف هذه الأخيرة، كانت التشيلي تمتلك بنية تحتية وموارد ومؤسسات حكم قادرة على الصمود في وجه مثل هذا الحدث المدمّر والتحرك في سرعة وفاعلية. من أجل «إعادة البناء في شكل أفضل»، كانت هايتي تحتاج إلى أكثر من رفع الأنقاض وتحريك عجلة الاقتصاد. كانت في حاجة إلى ديمقراطية قوية وحكومة مسؤولة وسريعة الاستجابة. وكانت الخطوة الأولى الأساسية الانتقال السلمي للسلطة.

سُررت برؤية بريفال أثناء قص شريط الافتتاح لمشروع كاراكول، ولكن رحت أتساءل كيف سيكون التفاعل بينه وبين مارتيلي، إلى أن فوجئت وفرحت برؤية مارتيلي يصافح بريفال ويجعله يعتلي خشبة المسرح، ليشبكا من ثم أيديهما عاليًا في الاحتفال. كانت لفتة بسيطة ومألوفة لدى الأميركيين، ولكن لم يسبق أن قام رئيسان في هايتي بمثل هذه الخطوة من قبل، ويعود السبب في ذلك إلى أن التحولات السلمية نادرًا ما حدثت في هذا البلد. جعلني ذلك أؤمن بأن هايتي بدأت أخيرًا تسلك مسارًا أفضل على الرغم من كل الصراعات.

في أعمال التنمية الدولية، من السهل أن تكون متشائمًا ومحبطًا، ولكن عُد إلى الوراء وانظر إلى التاريخ، وستدرك كم كانت بارزة الإسهامات التي قدمها بلدنا. ففي السنوات التي عشتها أنا وحسب حتى الآن، أسهمت الولايات المتحدة الأميركية في استئصال مرض الجدري والحدّ من شلل الأطفال والملاريا. كذلك ساعدنا على إنقاذ الملايين من خلال علاجات التمنيع، وإنقاذ الأرواح بمكافحتنا الإيدز، ومعالجة الجفاف عن طريق الفم، مما أدى إلى خفض الوفيات من الرضّع والأطفال إلى حدٍّ كبير. كذلك أسهمنا في تثقيف ملايين الشباب، وقدمنا دعمًا كبيرًا إلى بلدان كانت فقيرة، وما إن ازدهرت حتى أصبحت بدورها من الجهات المانحة السخية، مثل كوريا الجنوبية. يجب أن يفخر الأميركيون بهذه الإنجازات التي لم تساعد الإنسانية فحسب، بل ساعدت أيضًا أمتنا على إبراز قيمها وتعزيز دورها القيادي في العالم.

الفصل الرابع والعشرون

فن الحكم في القرن الحادي والعشرين: الدبلوماسية الرقمية في عالم الشبكة العنكبوتية

«فلتذهب الحكومة إلى الجحيم!» هذا ما قالته المرأة الشابة في إطار التحدي. سألتُ ناشطةً مؤيّدةً للديمقراطية من بيلاروسيا هل هي قلقةٌ من مواجهة العواقب التي تنتظرها لدى عودتها إلى بلدها، من المخيم الصيفي التثقيفي، وهو كناية عن دورة تدريبية في مجال التكنولوجيا، نظمتها وزارة الخارجية الأميركية في جوار ليتوانيا، في حزيران/يونيو ٢٠١١. لجأنا إلى تلك الدورات لمساعدة أفراد منظمات المجتمع المدني في المنطقة، على تعلّم طريقة استخدام التكنولوجيا، بغية تطوير أعمالهم ومواجهة الاضطهاد الذي ساد، في بيلاروسيا، أحد الأنظمة الأكثر قمعًا بين الدول التي انبثقت من الاتحاد السوفياتي السابق. لكن هذه المرأة لم تكن خائفةً، بحسب ما أكدت لي، فهي أتت إلى ليتوانيا لتكتسب مهاراتٍ جديدة تساعدها على البقاء متقدّمةً خطوة على الرقابة والمباحث في بلادها، فأحببتُ أسلوبها. اكتظّت القاعة الصغيرة في فيلنيوس، طوال يومين، بحوالى ثمانين ناشطًا آخرين، آتين من ثماني عشرة دولة، تلقوا تدريباتٍ استمرت إحدى عشرة ساعة يوميًّا. لم يكونوا في غالبيتهم، مثاليين أو مكرّسين أنفسهم للتكنولوجيا، بل منشقون ومنظِّمون، وتواقون إلى تزود أي أداةٍ حديثة تساعدهم

على التعبير عن آرائهم والتنظيم والتحايل على الرقابة. وكان فريق من الخبراء من وزارة الخارجية حاضرًا ليشرح طريقة حماية الناشطين لخصوصيتهم، وعدم الكشف عن أسمائهم عبر الإنترنت، وإحباط جدار الحماية الإلكتروني الذي تفرضه الحكومة المقيِّدة. كان بيننا أيضًا مديرون تنفيذيون من تويتر وفايسبوك ومايكروسوفت وسكايب.

تحدث بعض النشطاء عن الطريقة التي يراقب بها نظام بشار الأسد في سوريا علامات المربع/هاشتاغ التي يستعملها مستخدمو تويتر المعارضون، وأغرق الشبكة، بعدئذٍ، بالبريد المزعج باستخدام تلك العلامات، من أجل التصدي للذين يحاولون متابعة المعارضة. هل من أمر يستطيعون فعله لتجنب ذلك؟ بينما أراد آخرون الإسهام في رسم خارطة مفصّلة عن التظاهرات وحملات القمع في شكلٍ مباشر خلال الأزمات.

اصطحبتُ، ذلك المساء، أعضاء وفدي المرافق إلى عشاء في مطعم محلي في فيلنيوس. وخلال احتسائنا البيرة الليتوانية، سألتهم رأيهم في مجريات التدريب. كان كبير المستشارين للشؤون الابتكارية لديّ، أليك روس، مسرورًا جدًّا، هو الذي أسهم في إيصال حملة أوباما، عام ٢٠٠٨، إلى سيليكون فالي وعبّرها إلى قطاع التكنولوجيا الأوسع. وعندما تبوأتُ منصبي في الوزارة، طلبتُ منه مساعدتي على إدخال وزارة الخارجية القرنَ الحادي والعشرين. أنا لستُ ملمّةً شخصيًّا بالأمور التكنولوجية – ومع ذلك فاجأتُ ابنتي وفريقي بوقوعي في حبّ الآي باد الذي أحمله الآن في كل رحلاتي – لكنني وعيت أن التقنيات الحديثة تعيد صياغة أسلوب ممارستنا للدبلوماسية والتطور، وتغيّر في كل مكان، طريقة تواصل الأشخاص، وقيامهم بعملهم وتنظيمهم وألعابهم.

تكلّمنا على أن هذه الأدوات العصريّة وذات القيمة المجردة، يمكنها أن تكون في بساطة، قوّةً تُستخدم للشر كما للخير، تمامًا مثلما يُستعمل الفولاذ في بناء المستشفيات وصنع الدبابات في آنٍ، والطاقة النووية في تشغيل مدينةٍ أو هدمها. كان علينا القيام بعملٍ مسؤول لزيادة فوائد التكنولوجيا - وخفض المخاطر.

كانت التكنولوجيا تفتح قنواتٍ جديدة تسهم في حل المشكلات، وتعزيز مصالح أميركا وقيمها، فيما نحن عازمون معاونة المجتمع المدني، في كل أنحاء العالم، لاستغلال تكنولوجيا الهاتف النقال ووسائل التواصل الاجتماعي، بهدف وضع الحكومات تحت المساءلة، وتوثيق الانتهاكات، وتقوية الجماعات المهمّشة، وبينها النساء والشباب. عاينتُ عن كثب كيف تنتشل الابتكارات أناسًا من الفقر، متيحةً لهم التحكم أكثر بحياتهم الشخصية. لاحظ المزارعون في كينيا ارتفاعًا في مداخيلهم بنسبة تصل إلى ٣٠ في المئة، بعدما لجأوا إلى التكنولوجيا المصرفية عبر أجهزتهم الخلوية، وإلى تعلم طريقة حماية محاصيلهم الزراعية من الأوبئة، في شكلٍ أفضل. وفي بنغلادش، تسجّل أكثر من ٣٠٠ ألف شخص لتعلّم الإنكليزية بواسطة هواتفهم الخلوية. كان يُستعمل حوالى

أربعة مليارات هاتف خلوي في العالم النامي، يستخدم عددًا كبيرًا منها المزارعون، والباعة في الأسواق، وسائقو الريكاشة[1] وغيرهم من الذين افتقروا تاريخيًّا إلى العلم وتوافر الفرص.

وأثبتت دراساتٌ متنوعة أن ارتفاع معدل اختراق الهواتف الخلوية بلدًا ناميًا بنسبة ١٠ في المئة، يزيد إجمالي الناتج المحلي للفرد الواحد، بنسبة تراوح بين ٠,٦ في المئة و١,٢، مما يُترجَم مليارات الدولارات، وأعدادًا لا تحصى من الوظائف. لكننا رأينا أيضًا الجانب السيئ للثورة الرقمية. فالصفات التي جعلت من الإنترنت قوّةً لتفعيل التطور على نحوٍ غير مسبوق – في انفتاحه وفاعليته وانتشاره وسرعته - هي عينها التي أتاحت ارتكاب المخالفات في شكلٍ غير مسبوق أيضًا. وكما هو معلومٌ، يشكل الإنترنت مصدرًا للمعلومات المضلِّلة من جهة، وتلك المؤكَّدة من جهة أخرى، في مستويين متوازيين تقريبًا. لكنها ليست سوى البداية. يلجأ الإرهابيون والجماعات المتطرفة إلى الإنترنت للتحريض على الكراهية، ولتجنيد عناصر وللتآمر ولتنفيذ هجمات. وفي الوقت عينه، يستخدمه المتاجرون بالبشر لإغراء ضحاياهم وسوقها إلى عبودية العصر الحديث، بينما يعمل أشخاص من خلاله على استغلال الأطفال إباحيًّا، ويقتحم عبره القراصنة المؤسسات المالية والتجار وشبكات الهواتف الخلوية وعناوين البريد الإلكتروني. وتحضِّر العصابات الإجرامية، كما الدول، لحرب إلكترونية مسيئة ولامتلاك قدراتٍ تجسسية في المجال الصناعي. وتصبح البنى التحتية الحرجة كشبكات الكهرباء وأنظمة مراقبة الحركة الجوية، أكثر عرضةً للهجمات الإلكترونية.

شكلت وزارة الخارجية الأميركية، مرارًا وتكرارًا، هدفًا للهجمات الإلكترونية، حالها حال غيرها من الهيئات الحكومية الحساسة، وكان على مسؤولي الوزارات صدُّ الخروق التي تجتاح رسائلهم الإلكترونية، والتصدي لمحاولات اصطياد المعلومات، التي تتطور شيئًا فشيئًا. عندما وصلنا إلى وزارة الخارجية، كانت هذه المحاولات شبيهةً بما يختبره الأميركيون من جراء الرسائل الإلكترونية المخادعة التي تصل إلى حواسيبهم الخاصة في منازلهم. ومع الكشف عن معظم المستخدمين، من خلال الإنكليزية الركيكة التي ميّزت الاحتيال المصرفي النيجيري الشائن، سهُل الاكتشاف المبكر للمحاولات القذرة والمتكررة لخرق أنظمتنا الآمنة. ولكن، بحلول العام ٢٠١٢، تطوّر الغش والإتقان في شكلٍ لافت، مع انتحال المهاجمين صفات المسؤولين في وزارة الخارجية، في محاولةٍ منهم لخداع زملائهم ودفعهم إلى فتح مرفقاتٍ تبدو شرعية في الظاهر.

كنا نتلقى، خلال سفرنا إلى بلدانٍ حساسة، كروسيا، تحذيرات من مسؤولي الأمن الوزاري لترك هواتف البلاكبيري وحواسيبنا المحمولة - مما يعني أي وسيلة تواصل مع العالم الخارجي

(١) نوع من عربات التاكسي. (المترجم)

- في الطائرة، مع التأكد من نزع بطارياتها لتجنب قيام الاستخبارات الأجنبية بفضح ما في داخلها. كنا، حتى في الجلسات الودية، نقوم بأعمالنا في ظل تدابير وقائية صارمة، متنبهين إلى المكان والزمان اللذين نقرأ فيهما المواد السرية ونستخدم تكنولوجياتنا. وكانت إحدى وسائل حماية المواد، قراءتها داخل خيمةٍ غير شفافة في غرفة الفندق. ويُطلب منّا الارتجال، إذا لم يتوافر العتاد اللازم، فنقرأ المواد الحساسة، واضعين غطاءً فوق رؤوسنا. شعرتُ أنني مجددًا في سنّ العاشرة، أقرأ في الخفاء تحت الغطاء، وقت النوم، وفي يدي مصباح. ونبّهوني، في أكثر من مناسبة، إلى عدم التكلم في حرية، داخل غرفتي الخاصة في الفندق. لم تكن وحدها وكالات الحكومة الأميركية مستهدفةً، بل شكلت الشركات الأميركية أيضًا محور اهتمام. فوردت عليَّ اتصالاتٌ من رؤساء تنفيذيين محبطين يشكون السرقة العدوانية على مستوى ممتلكاتهم الفكرية وأسرارهم التجارية، والخروق التي تجتاح حواسيبهم المنزلية. وبغية تركيز جهودنا، في شكلٍ أفضل، على مواجهة هذا التهديد الخطِر والمتنامي، عيّنتُ أوّل منسق للوزارة للشؤون الإلكترونية، في شباط/فبراير ٢٠١١.

بدأت دولٌ في العالم بإقامة الحواجز الإلكترونية لنهي شعوبها عن استخدام الإنترنت في شكلٍ حرٍّ وتامّ. فحذفت الرقابة الكلمات والأسماء والجمل من نتائج محرّك البحث، ومارست القمع على المواطنين المشاركين في الخطابات السياسية اللاعنفيّة، في حين لم تقتصر الإجراءات على المراحل التي تشهد الاضطرابات والتظاهرات الحاشدة، وحسب. كانت الصين أحد أبرز الأمثلة التي ضمّت، بدءًا من العام ٢٠١٣، قرابة ستمئة مليون مستخدم للإنترنت، وفرضت، في الوقت نفسه، قيودًا قمعية على حرية استخدامه، و«جدار الحماية العظيم» الذي أقامته على المواقع الإلكترونية الأجنبية، وبعض الصفحات الخاصة التي عُدَّ أنها تحوي ما يهدّد الحزب الشيوعي. وثمة تقارير تقدر توظيف الصين حوالى مئة ألف رقيب لحراسة الشبكة. حتى إن الحكومة أوقفت الإنترنت بالكامل، عام ٢٠٠٩، عشرة أشهر، شمال غربي مقاطعة شينجيانغ، بعد أعمال شغب في صفوف الشعب الأويغوري الإثني.

في حزيران/يونيو من ذاك العام، استخدم شباب إيرانيون المواقع الإلكترونية ومواقع التواصل الاجتماعي لإيصال رسائلهم خلال التظاهرات، عقب الانتخابات المتنازع عليها. ولدى إطلاق القوات شبه العسكرية التابعة للحكومة النار، في وحشية، على شابة في السادسة والعشرين من عمرها، اسمها ندى آغا سلطان، صوّر المشهد بلقطاتٍ مشوشة، فنُشرت عبر شبكة الإنترنت لتتناقلها أعداد هائلة عبر تويتر وفايسبوك. وتمكّن الملايين، خلال ساعاتٍ، من مشاهدة ندى تُحتضر في بركة الدم، في أحد شوارع طهران. وصفت مجلة تايم الأمر بأنه «على الأرجح، أكثر حادث موتٍ يستأثر بهذه النسبة العالية من المشاهدة في تاريخ البشرية». وساعد الفيديو على إثارة الغضب العالمي لمصلحة المحتجين.

كان المسؤولون في وزارة الخارجية الأميركية، المتتبعون جهود المعارضة الإيرانية على شبكة الإنترنت، اكتشفوا أمرًا مقلقًا، قبل خمسة أيام من الحادث، إذ كان تويتر يخطط لوقف خدمته عالميًّا لأمور صيانة مقرّرة مسبقًا، وصودف هذا التوقيت مع انتصاف النهار في إيران. كان لدى جارد كوهن وجهة اتصال بتويتر، وهو فردٌ من فريق التخطيط السياسي، في السابعة والعشرين من عمره، نظّم في نيسان/أبريل رحلةً إلى بغداد لأحد مؤسسي الشركة، جاك دورسي، ومديرين تقنيين آخرين. فتمكن سريعًا من الاتصال بدورسي لإعلامه بالتشويش الذي سيتسبب به وقف تويتر بالنسبة إلى النشطاء الإيرانيين. وهكذا، أجل تويتر أعمال الصيانة إلى منتصف ليل اليوم التالي، ونشر في المدوّنة «بلوغ» أن سبب التأخير عائد إلى أن «تويتر يشكّل راهنًا أداةَ تواصلٍ مهمة في إيران».

لكن الحكومة الإيرانية، في المقابل، أظهرت مهارة في استخدام هذه الأدوات التكنولوجية، لأغراض خاصة. فلاحق الحرس الثوري قادة المعارضة من خلال بياناتهم الشخصية على الإنترنت. فعندما نشر إيرانيون مقيمون في الخارج انتقاداتٍ للنظام، تلقى أفراد عائلاتهم في إيران، العقاب. وفي نهاية المطاف، أوقفت السلطات شبكات الإنترنت والهاتف الخلوي بالكامل، واعتمدت كذلك وسائل تقليدية للتهويل ودبّ الذعر. فانهار المحتجون أمام هذه الحملات العنيفة لفرض النظام.

ارتعبتُ مما حدث في إيران والاضطهاد القائم في الدول الاستبدادية في العالم، ضد النشطاء الفاعلين عبر الإنترنت. وتوجّهتُ إلى نائب مساعد وزيرة الخارجية للشؤون الديمقراطية وحقوق الإنسان والعمل دان باير، الذي وظّفتُه على خلفية عمله كأستاذ جامعي في جورج تاون، حيث كان يقوم بالأبحاث، ويعلّم تقاطع الطرق بين الأخلاق والاقتصاد وحقوق الإنسان. طلبتُ من دان العمل مع أليك وفريقه لإيجاد سبلٍ تمكننا من تقديم المساعدة. أعلموني أن ثمة تقنيات قوية ناشئة، يمكننا تمويلها، تساعد المنشقين على التحايل على إشراف الدولة ورقابتها. يمكن أن تؤدي استثماراتنا دورًا محوريًّا في توسيع نطاق وسائل كهذه، وجعلها متوافرةً للنشطاء، فيما هم في أمسّ الحاجة إليها. لكن ثمة تبعاتٍ سلبية: يمكن المجرمين والقراصنة استخدام هذه الأدوات لعدم كشفهم، وستواجه استخباراتنا ووكالات تنفيذ القانون لدينا صعوبةً في المواكبة. هل نكون فتحنا بذلك صندوق باندورا للنشاط المحظور عبر الإنترنت؟ هل يستأهل الأمر المجازفة لتقوية النشطاء وحمايتهم؟

أخذتُ هذه المخاوف على محمل الجد، نظرًا إلى تأثيرها الفعلي في أمننا القومي. لم يكن الأمر سهلًا، لكنني قررتُ أن توجيه ضربة إلى حرية التعبير وحرية تكوين الجماعات في العالم، يستحق المخاطرة. سيجد المجرمون دائمًا طرائق لاستغلال التقنيات الحديثة؛ فما من سببٍ

للبقاء مكتوفين، ومن هنا، أعطيتُ الضوء الأخضر للمضي قدمًا. انكبّ فريقنا على العمل، وإلى حين زيارتي ليتوانيا، عام ٢٠١١، كنّا استثمرنا أكثر من ٤٥ مليون دولار في تلك الوسائل إسهامًا منا في توفير حماية المنشقين عبر الإنترنت، ودرّبنا أكثر من خمسة آلاف ناشط في العالم، دربوا بدورهم آلافًا غيرهم. وعملنا مع مصممين لابتكار تطبيقات وأجهزةٍ جديدة، مثل زر الذعر الذي يمكن المحتج من الضغط على الهاتف لإرسال إشارة إلى أصدقائه لإعلامهم أنه أوقف، فتمحى في الوقت عينه ذاكرة أرقامه والجهات التي اتصل بها.

شكلت أجندة التكنولوجيا هذه جزءًا من جهودنا لملاءمة وزارة الخارجية الأميركية وسياستها الخارجية مع القرن الحادي والعشرين. وقرأتُ خلال المرحلة الانتقالية، قبل أن أتبوأ منصبي الوزاري، مقالةً في صحيفة فورييين أفيرز تحت عنوان «اتجاه أميركا: قوة في عصر الترابط»، كتبته عميدة كلية وودرو ويلسون للشؤون العامة والدولية، في جامعة برينستون، آن ماري سلوفتر. فِكرتها عن الشبكات مرتبطةٌ بهندسة الإنترنت، لكن الأمور أبعد من ذلك، إذ إنها متعلقة بكل السبل التي ينظّم فيها الأشخاص أنفسهم في القرن الحادي والعشرين على صعد التعاون والتواصل والتجارة وحتى القتال. وشرحَت أن المجتمعات المتنوعة وذات الطابع العالمي، في هذا العالم المترابط، ستتحلى بميزات مهمة تتفوق من خلالها على المجتمعات المتجانسة والمنغلقة، وسيكون وضعها أفضل لناحية الإفادة من توسع شبكاتها التجارية والثقافية والتكنولوجية واستغلال الفرص المتاحة عبر الترابط العالمي. وأضافت أن هذه الأخبار سارّة بالنسبة إلى الولايات المتحدة، وإلى شعبها المتعدد الثقافات، والمبدع، والمعتمد أعلى درجات التواصل.

عام ٢٠٠٩، كان عدد المهاجرين أنفسهم إلى الولايات المتحدة أو أبنائهم يفوق الخمسة وخمسين مليون أميركي. شكل هؤلاء الأميركيون من الجيل الأول - أو الثاني - جهات اتصال قيّمة كل ببلده الأم، وقد أسهموا في أسس الحياة الاقتصادية والثقافية والسياسية الأميركية. ساعدت الهجرة إلى الولايات المتحدة على إبقاء سكانها شبابًا وديناميكيين، في وقتٍ كانت أعداد كبيرة من سكان البلدان الأخرى، أشركاءنا كانوا أم خصومنا، في سن الشيخوخة. فكانت روسيا، على وجه الخصوص، تواجه ما سمّاه الرئيس بوتين بنفسه «أزمة ديمغرافية»، فيما الصين حتى ،كانت متجهةً نحو منحدرٍ ديمغرافي، بسبب انتهاجها «سياسة الطفل الواحد». وجل ما كنت أتمناه، أن يمرَّر في مجلس النواب مشروعُ القانون القائم على إصلاح القوانين المتعلقة بالهجرة، بعدما حاز موافقة الحزبين في الكونغرس، عام ٢٠١٣.

وفي حين حافظتُ على الاحترام اللازم تجاه أشكال السلطة، وافقتُ تحليل آن ماري عن الأفضلية الأميركية لدى مقارنتها بغيرها، في العالم المترابط. أتى الموضوع ردًّا على القلق

المفرط من الهوة القائمة بين التقاليد الأميركية القديمة والابتكارات الحديثة. طلبتُ من آن ماري أن تحظى بإجازة من العمل في برينستون لتنضم إلي في وزارة الخارجية، مديرةً للتخطيط السياسي، وهو مركز أبحاثنا الداخلي. وساعدت كذلك على القيام بمراجعة شاملة عن وزارة الخارجية والوكالة الأميركية للتنمية الدولية التي أطلقنا عليها اسم عرض الدبلوماسية والتطور كل أربعة أعوام، واستوحيناه من مراجعة وزارة الدفاع الرباعية في البنتاغون، التي تآلفتُ معها على خلفية عضويتي في لجنة الخدمات المسلحة في مجلس الشيوخ. وهدفت هذه المراجعة إلى تحديد طريقة وضع القوة الذكية حيز التنفيذ، في دقة، واستعمال ما بدأتُ بمناداته «فن الحكم في القرن الحادي والعشرين». ويشمل ذلك تسخير التقنيات الحديثة، والشركات بين القطاعين العام والخاص، وشبكات الجاليات، وأدواتٍ جديدة أخرى. وما لبثنا أن انتقلنا إلى مجالات تفوق الدبلوماسية التقليدية، خصوصًا في الطاقة والاقتصاد.

أنشأ مكتب الشؤون العامة في وزارة الخارجية قسمًا رقميًّا لتوسيع نطاق مراسلاتنا عبر مجموعة شاسعة من البرامج، منها تويتر وفايسبوك وفليكر وتمبلر وغوغل+. وبحلول العام ٢٠١٣، تبع أكثر من ٢,٦ مليون مستخدم عبر تويتر ٣٠١ خبر رسمي في إحدى عشرة لغة بينها العربية والصينية والفارسية والروسية والتركية والأردوية. شجعتُ دبلوماسيينا في سفاراتنا في كل البلدان على تطوير صفحاتهم الخاصة على حساباتهم على فايسبوك وتويتر، وعلى أن تكون لهم إطلالاتٌ على شاشات التلفزة المحلية، وعلى الانخراط، بكل الوسائل المتاحة أمامهم. وبالمقدار نفسه من الأهمية، أردتُهم أن يسمعوا تعليقات سكان البلد الذي يعيشون فيه، وما يعبرون عنه في وسائل التواصل الاجتماعي. وفي المرحلة التي اقتضت خلالها المخاطرُ الأمنية الحدَّ من التواصل مع المواطنين الأجانب، وفّرت وسائل التواصل الاجتماعي طريقةً للاستماع إلى الناس مباشرةً، حتى في المجتمعات المنغلقة نسبيًّا. ويستعمل الآن أكثر من ملياري شخص الإنترنت، مما يوازي تقريبًا ثلث البشرية، بصفة كونه اليوم المساحة العامة للقرن الحادي والعشرين، وساحة البلدة العالمية، وحُجرة الدراسة، والسوق التجارية، والمقهى، وعلى الدبلوماسيين الأميركيين أن يكونوا موجودين هناك أيضًا.

عندما كان الأستاذ الجامعي في العلوم السياسية في جامعة ستانفورد، الخبير في الشؤون الروسية في مجلس الأمن القومي مايك ماك فول، يتحضّر للانتقال إلى موسكو كسفيرٍ للولايات المتحدة، أطلعتُه على وجوب إيجاد سبلٍ خلاقة للالتفاف على العوائق الحكومية والتواصل مباشرةً مع الشعب الروسي، قائلةً «تذكر يا مايك هذه الأمور الثلاثة: كن قويًّا، انخرط أيضًا مع الأشخاص من خارج دائرة النخبة، ولا تخف من استخدام كل ما أمكنك من وسائل تكنولوجية للوصول إلى أكبر عددٍ من الناس». وسرعان ما تعرّض مايك للمضايقات والذم من وسائل الإعلام التي يسيطر

عليها الكرملين. حرصتُ على الاتصال به ذات ليلة من خط مفتوح، وكلّمتُه في وضوح، ليتمكن جواسيس التنصت الروس من الاستماع إلى كلامي، وأشدتُ بعمله.

صار مايك يتلهف لاستخدام وسائل التواصل الاجتماعي، وانتهى به الأمر إلى جذب أكثر من ٧٠ ألف متتبع عبر تويتر وأصبح بذلك من بين الأصوات العشرة الأولى الأكثر تأثيرًا عبر الإنترنت في روسيا، وفقًا لأعداد من تابعوه من المستخدمين والقراء.

عرفه كثرٌ من الروس أساسًا بـ @ماك فول، ودُهشوا بصراحته المفاجئة واستعداده للجدال مع الجميع. ووسط شرحه السياسات الأميركية وتسليطه الضوء على بعض الاعتداءات التي يقوم بها الكرملين، عمد مايك إلى نشر أفكاره وصوره في شكلٍ متواصل. بات الروس ينظرون إلى السفير الأميركي بصفة كونه إنسانًا، يهوى باليه البولشوي، ويصطحب أقرباءه الزوار إلى الميدان الأحمر، ويتعافى من كسر في إصبعه أصيب به خلال مباراة في كرة السلة. وبعد الحادث بقليل، سأل رئيس الوزراء ديميتري مدفيديف مايك عن يده، خلال اجتماع رسمي. وعندما بدأ يروي تفاصيل الحادث، قاطعه مدفيديف بالقول «أعرف كل ما حدث. قرأتُه في الإنترنت».

كانت لمايك في بداية ولايته صولات وجولات حامية عبر تويتر مع وزير الخارجية الروسية، فدخل على الخط وزير خارجية السويد كارل بيلدت، الذي يتبعه أكثر من ٢٥٠ ألف شخص، مغرّدًا من تلقاء نفسه: «أرى أن وزير الخارجية الروسية انطلق في حربٍ، على تويتر، ضد السفير الأميركي @ماك فول. هذا هو العالم الجديد - المتتبعون عوضًا عن الأسلحة النووية. هذا أفضل». أعتقد أن مايك كان أول الموافقين على الأمر.

إذا كان الاتصال المفرط في العالم المترابط أدّى دورًا لمصلحة قوة أميركا ووفّر لها الفرص لممارسة قوةٍ ذكية، وبالتالي تطوير مصالحنا، فهو قدّم من ناحية أخرى تحديات جديدة ومهمة لأمننا وقيمنا.

تجلّت هذه التحديات الأليمة، في تشرين الثاني/نوفمبر ٢٠١٠، حين أقدمت المنظمة العاملة عبر الإنترنت، ويكيليكس، ووسائل إعلام أخرى في العالم، على نشر أولى الوثائق المسروقة التي فاق عددها المئتين وخمسين ألفًا، والعائدة إلى وزارة الخارجية الأميركية، وتضمّن عدد منها ملاحظات ومعلومات استخبارية حساسة واردة من دبلوماسيينا في العالم.

أقدم جندي شاب في الاستخبارات العسكرية، اسمه برادلي مانينغ، ومركزه في العراق، على تحميل الوثائق السرية من حاسوبٍ خاص بوزارة الدفاع الأميركية، وسلّمها إلى ويكيليكس والمشرف عليها الأسترالي جوليان أسانج، الذي نال هو ومانينغ إعجاب البعض من الذين رأوا فيهما بطلي

الشفافية، منتهجين تقليدًا نبيلًا قائمًا على عرض ممارسات الحكومة الخاطئة، وشبهوهما بدانيال إلسبيرغ، الذي سرَّب أوراق البنتاغون خلال حرب فيتنام. لم أرَ الأمر على هذا النحو، وكما قلتُ وقتذاك، إن أصحاب النيات الحسنة يتفهمون الحاجة إلى الرسائل الدبلوماسية الحساسة، بغية حماية المصلحة الوطنية والمصلحة العالمية المشتَركة. يجب أن تتمكن كل الدول، بما فيها الولايات المتحدة، من التطرق إلى أحاديث نزيهة عن الأشخاص والدول الذين تتعامل معهم، بينما أظهرت عمومًا آلاف الوثائق المسروقة أن الدبلوماسيين الأميركيين يقومون بعملهم على أفضل وجه، وغالبًا في ظروف حرجة.

تضمنت أيضًا الوثائق محتويات فاضحة، فتناولت إحداها، على سبيل المثال، لقاء أحد الدبلوماسيين وزيرًا من آسيا الوسطى، وصل إلى الاجتماع ثملًا، «مرتخيًا في كرسيه مطلقًا شتائم بكل النعوت الروسية»، فيما وصف آخر مشهد عرسٍ في داغستان، في روسيا، حيث نثر المدعوون عملات من فئة المئة دولار على الراقصات القاصرات، كأنه «عيّنة من العلاقات الاجتماعية والسياسية السائدة شمال القوقاز». كثيرًا ما يملك الدبلوماسيون تبصرًا تجاه قادة العالم، كما ذكرت وثيقة عن طاغية زيمبابوي روبرت موغابي، «جهله العميق القضايا الاقتصادية (مضافةً إليه ثقته بأن شهادات الدكتوراه الثماني عشرة التي يحوزها، تمنحه السلطة لتعليق القوانين الاقتصادية)».

تبعت نشر هذه التقارير عواقب غير مقصودة، أظهرت كم يجدّ مسؤولو السلك الخارجي في العمل، وإلى أي مدى يظهر بعضهم أنهم مراقبون فطنون وكتاب موهوبون. ولكن، أساء بعضٌ من التعليقات غير المصوغة جيدًا، إلى العلاقات التي بناها دبلوماسيونا، في عناية، طوال سنوات. عمد دبلوماسيونا روتينيًّا إلى رفع تقارير عن محادثاتهم مع نشطاء في مجال حقوق الإنسان ومنشقين ورواد أعمال، وحتى مع مسؤولين في الحكومات الأجنبية من المعرضين لمواجهة الاضطهاد والعقاب إذا تمّ الكشف عن أسمائهم.

دنْتُ إفشاء المعلومات السرية غير الشرعي، مباشرةً بعد تلك التسريبات، وعددت أنه «يعرّض حياة الناس للخطر، ويهدّد أمننا القومي، ويقوّض جهودنا للعمل مع بلدانٍ أخرى لحلّ مشكلاتنا المشتركة». ثمّ، انتقلتُ إلى مواجهة العواقب الدبلوماسية مع حلفائنا المتضررين وشركائنا الغاضبين.

طلبتُ من نائب وزيرة الخارجية للشؤون الإدارية بات كنيدي، تشكيل فريق عمل لتحليل الوثائق المسرَّبة، واحدةً تلو الأخرى، والتحديد الدقيق للمعلومات موضع الشبهة ولعواقب هذه الفضائح على مصالحنا وموظفينا وشركائنا. وسارعنا إلى تطوير منهج نحدد من خلاله المصادر الواقعة في دائرة الخطر، ونساعدها على البقاء آمنة، إذا كان من داعٍ لذلك.

بدأتُ بإجراء عشرات الاتصالات من منزلي، في الليلة التي سبقت عيد الشكر عام ٢٠١٠، في شاباكوا، وكان أولها بصديقي وزير الخارجية الأسترالية رئيس الوزراء السابق، كيفن رود. استهللنا كلامنا بمواضيعنا المألوفة التي تشكل موضع اهتمام مشترك، وفي مقدّمها مسألة كوريا الشمالية. ثمّ قلتُ له «إن الموضوع الثاني الذي أود التطرق إليه هو ويكيليكس».

كان سفيرنا في أستراليا أبلغ رود أن بعض أحاديثنا السرية التي تناولت مسائل المنطقة، بينها الأنشطة الصينية، قد تكون موضع شبهة. وكانت الحكومة الأسترالية شكلت، في المقابل، فريق عمل خاصًّا بها للتعامل مع الوضع. فقال «يمكن أن تكون المشكلة فعلية»، أما أنا فأجبتُه أن «عواقبها مروعة. نحن آسفون جدًّا لحدوث ذلك، ونشعر أننا أخذنا على حين غفلة». ووعدتُه بفعل كل ما أمكننا من أجل المساعدة للسيطرة على هذا الأذى.

طالت عطلة عيد الشكر، وأنا أشغل خط الهاتف وأقدِّم الاعتذارات. وتحدثتُ خلال الأيام التالية مع عدد من وزراء الخارجية، وأحد رؤساء الحكومة، وأحد رؤساء الجمهورية. ومع أن الاتصالات تناولت شؤونًا أخرى أيضًا، إلا أنني شرحتُ في كل المكالمات، نشر محتويات الوثائق السرية الخطير، وطلبتُ منهم تفهّم الموضوع. بعضهم ثار غضبه وتأذى، بينما رأى آخرون فرصةً لاكتساب نفوذ على الولايات المتحدة، محاولين استغلالها، لكن معظمهم كان لطيفًا. فأجابني وزير الخارجية الألمانية غيدو فيسترفيله «أقدر لك اتصالك شخصيًّا»، أما نظيري الصيني يانغ، فواساني قائلًا «لا يمكنني أن أتوقع ردّ الفعل الجماهيري، ولكن من المهم للطرفين تعزيز الثقة المتبادلة. هذه هي الكلمة السحرية للعلاقة الثنائية بين الصين والولايات المتحدة». حتى إن أحد القادة ردّ ممازحًا «عليكِ أن تسمعي ما نقوله نحن عنكِ».

كانت أصعب المحادثات وجهًا لوجه. في الأسبوع الأول من كانون الثاني/ديسمبر، حضرتُ قمّة لمنظمة الأمن والتعاون في أوروبا، في أستانا في كازاخستان، إلى جانب عدد كبير من قادة العالم. كان رئيس الوزراء الإيطالي سيلفيو برلسكوني تحول مهزلةً في الصفحات الأولى من الصحف الإيطالية، بعدما طاول عددٌ من الوثائق المسرّبة سلوكَه، وكان منزعجًا جدًّا. فسألني لدى جلوسنا معًا «لمَ تقولون هذه الأشياء عني؟» وشدد على أن «ليس لدى أميركا صديق أفضل مني. تعرفينني، وأعرف عائلتك». وأخبرني قصة مثيرة كيف كان والده يصطحبه إلى مقابر الجنود الأميركيين الذين ضحوا بأنفسهم من أجل إيطاليا، وقال «لم أنسَ الأمر قط». لم يكن برلوسكوني غريبًا عن الدعايات المسيئة، ويثبت تكدّس المقتطفات الصحافية عنه صحة هذا القول. لكن الطريقة التي ينظر إليه فيها نظراؤه، والولايات المتحدة خصوصًا، كانت محور اهتمام كبير بالنسبة إليه. وكان الوضع محرجًا.

قدمتُ إليه اعتذاري مرّةً جديدة. لم يكن أحد يتمنى لو بقيت هذه الوثائق سرية، بقدر ما كنتُ

أنا أتمنى. فطلب مني أن أقف إلى جانبه أمام الكاميرات وأدلي بتصريح قوي عن أهمية العلاقة الأميركية - الإيطالية، وهذا ما فعلتُه. مع كل نقاط ضعف برلوسكوني، هو أحب أميركا في صدق. وشكلت إيطاليا أيضًا حليفًا رئيسًا في الناتو، لا غنى لنا عن الدعم الذي تقدمه على المستوى العالمي، وضمنها الحملة العسكرية المقبلة على ليبيا. ففعلتُ كل ما أمكنني لإعادة ترسيخ الثقة والاحترام.

وأخيرًا، تمكنتُ وفريقي من التواصل، تقريبًا، مع كل قائد برز اسمه في الوثائق السرية. بدا أن تكتيكنا الدفاعي قلل الضرر الدائم، وقد يكون حتى، في بعض الحالات، أفضى صدق اعتذارنا إلى بعدٍ أعمق في علاقاتنا التي تعذّر علينا تصحيحها مع الجميع.

وقد جعلت التقارير المشتعلة التي رفعها السفير جين كريتز في ليبيا، عن العقيد معمر القذافي، منه شخصًا غير مرغوب فيه في طرابلس، حتى إنه تعرض للتهديد من غوغائيي القذافي، مما دفعني إلى استدعائه إلى الولايات المتحدة، حفاظًا على سلامته. أما في الجارة تونس فأُجبر المستبد على الهرب، إذ أسهم نشر التقارير السرية الأميركية التي تناولت فساد النظام، في تعبئة الشارع الغاضب، فتطور إلى ثورة أسقطت بن علي من منصبه.

في النهاية، كانت عواقب ويكيليكس الدبلوماسية سيئة، ولكن غير معطِّلة؛ ومع ذلك، شكلت إنذارًا لخرق آخر، أخطر بكثير، ومن نوعٍ مختلف جدًّا، تحقق بعدما تركتُ منصبي في الوزارة. إذ سرق المتعاقد مع وكالة الأمن القومي، المسؤول الرئيس عن مراقبة عملية التواصل مع الخارج، إدوارد سنودن، كمية كبيرة من المستندات الفائقة السرية، ومرّرها إلى الصحافيين. هرب سنودن إلى هونغ كونغ، أولًا، ثم إلى روسيا التي منحته حق اللجوء. وقد كشفت تسريباته بعضًا من برامج المعلومات السرية الأميركية الأكثر حساسية. واشتعل الغضب العالمي من المراقبة المزعومة التي تجريها الولايات المتحدة على المكالمات الشخصية لشركائها مثل المستشارة الألمانية أنجلا ميركل والرئيسة البرازيلية ديلما روسيف. وكانت ثمة مخاوف من تغيير الإرهابيين والمجرمين طريقة تواصلهم، بعدما أصبحوا أكثر اطّلاعًا على معلومات متعلّقة بمصادر مجتمع الاستخبارات الأميركي وأساليبه.

تركز اهتمامنا في الولايات المتحدة على طريقة تأثير برامج جمع البيانات التابعة لوكالة الأمن القومي في المواطنين الأميركيين. واستأثر الفحص الدقيق خصوصًا بالجزء الأكبر من مجموعة السجلات الهاتفية، ولا يمكن فحص مضمون المكالمات ولا هويات المتصلين، بل بيانات تضم أرقام الهواتف، وتوقيت الاتصالات ومدّتها، في حال كان ثمة اشتباه منطقي بأن يكون رقم معيّن مرتبطًا بالإرهاب. ومذذاك، دعا الرئيس أوباما الكونغرس إلى القيام بإصلاحات كثيرة، فلا تحتفظ الحكومة بعد اليوم ببياناتٍ كهذه.

مع الاستمرار في الدفاع عن الحاجة إلى المراقبة الخارجية والعمليات الاستخبارية، أجرى الرئيس نقاشًا عامًّا لطريقة توفير التوازن على صعد الأمن والحرية والخصوصية، بعد أكثر من عشرة أعوام على أحداث ١١ أيلول/سبتمبر. من الصعب تصور محادثاتٍ كهذه في روسيا أو الصين. وللمفارقة، أدلى الرئيس بخطاب مهم عن سياسة الأمن القومي، قبل أسابيع قليلة من قضية سنودن، قال فيه «بعد عقدٍ من الخبرة نستخلص منه العبر اليوم، حان الوقتُ لنطرح على أنفسنا أسئلةً صعبة - عن طبيعة التهديدات الراهنة وسبل مواجهتها... يمكن خيارات الحرب التي نقوم بها أن تؤثر - بطرائق غير مقصودة أحيانًا - في الانفتاح والحرية اللذين تعتمد عليهما حياتنا».

الحياة العامة التي عشتُها سنوات، جعلتني أقدر كثيرًا الخصوصية والحاجة إلى حمايتها. ومع أن التقنيات طرأت حديثًا، إلا أن التحدي المتمثل بإرساء توازن بين الحرية والأمن ليس بجديد. فبالعودة إلى العام ١٧٥٥، كتب بنيامين فرنكلين «هؤلاء الذين يودّون التنازل عن الحرية الأساسية، لشراء القليل من الأمان الموقت، لا يستحقون لا الحرية ولا الأمان». لا تكون مسألة الحرية والأمان قائمة على أن زيادة أحدهما تؤدي إلى الانتقاص من الآخر. أنا أعتقدُ في الحقيقة، أنهما يتكاملان: فمن دون الأمن تكون الحرية هشّة، ومن دون الحرية، يكون الأمن قمعيًّا. ويقوم التحدي على إيجاد التوازن الطبيعي: قدرٌ كافٍ من الأمن لحماية حرياتنا، لأن الكثير منه (أو القليل) يعرض الحريات للخطر.

وبصفة كوني وزيرة الخارجية، ركّزتُ على حماية الخصوصية، والأمن والحرية عبر الإنترنت. فقد أعلن غوغل، في كانون الثاني/يناير ٢٠١٠، أنه اكتشف محاولة السلطات الصينية خرق حسابات المنشقين على الجي مايل، وقالت الشركة إن ردّها قد يأتي عبر تحويل مسار الحركة الصينية[1] نحو الخوادم في هونغ كونغ بعيدًا من «جدار الحماية العظيم».

جاء ردّ فعل الحكومة في بكين غاضبًا، ومن حيثُ لا ندري، دخلنا مجريات حادث عالمي من نوعٍ جديد كليًّا. عملتُ قليلًا على نص خطاب يعرض لالتزام أميركا حرية الإنترنت؛ إذ تتجلى اليوم أهمية دق ناقوس الخطر أكثر من أي وقتٍ مضى في شأن القمع عبر الإنترنت. توجهتُ في ٢١ كانون الثاني/يناير ٢٠١٠، إلى متحف التقنيات العالية، نيوزيام، الذي يعرض لتاريخ الصحافة ومستقبلها، في واشنطن، حيث رفعتُ قضية «حرية التواصل». وقلتُ إن الحقوق عينها التي نثمّنها في منازلنا وساحاتنا العامة - الحق في التجمع والتعبير والإبداع والدفاع - موجودة عبر الإنترنت. الفكرة، بالنسبة إلى الأميركيين، متجذّرة بالتعديل الأول الذي لحق بالدستور الأميركي، ونُقشت

(١) تدفق المعطيات عبر الإنترنت. (المترجم)

كلماته على ٥٠ طنًّا من رخام تينيسي على واجهة نيوزيام. لكن حرية التواصل لم تكن قيمةً أميركية وحسب، إذ يؤكد الإعلان العالمي لحقوق الإنسان أن لدى جميع الناس الحق، أينما وُجدوا، «في السعي إلى المعلومات والأفكار وتلقّيها ونقلها عبر أي وسيلةٍ إعلامية، من دون التقيّد بالحدود».

وأردتُ أن أرسل إشعارًا إلى دول مثل الصين وروسيا وإيران، أن الولايات المتحدة ستروّج للإنترنت وتدافع عنه إذا حمى حقوق الناس، خصوصًا إذا كان قابلًا للابتكار وللتشغيل المتبادل، وآمنًا بما فيه الكفاية ليستحوذ على ائتمان الناس، ويكون موضع ثقة لمساندتهم في أعمالهم. وسنعارض محاولات منع الوصول إليه أو إعادة كتابة القوانين الدولية المسيطرة على بنية الإنترنت، وندعم النشطاء والمبتكرين في محاولتهم تدمير جدار الحماية. أراد بعض هذه البلدان تغيير النهج القائم على تعددية أصحاب الشأن في إدارة الإنترنت، والمنشأ في التسعينيات، والذي يجمع الحكومات والقطاع الخاص والمؤسسات والمواطنين، ويدعم التدفق الحر للمعلومات عبر شبكة عالمية واحدة، في سعيٍ منه إلى وضعه في المقابل تحت سيطرة الحكومات وحسب. أرادت تلك الدول أن تتمكن كل حكومةٍ من إبرام قوانينها الخاصة، فتقيم بذلك حواجز في الفضاء الإلكتروني. لكن من شأن هذا النهج أن يكون كارثيًّا على حرية الإنترنت والتجارة، فأعطيتُ توجيهاتٍ لدبلوماسيينا بصد تلك المحاولات في كل المنتديات، ولو صغيرةً.

أثار الخطاب ضجةً، خصوصًا عبر الإنترنت، في حين وصفته منظمة «هيومان رايتس واتش» بـ «غير المسبوق». تمنيتُ فعلًا أن نكون قد انطلقنا في حوارٍ يغير طريقة تفكير العالم في ما يتعلق بحرية الإنترنت. وأكثر ما أردتُه، هو التأكد من أن تكون الولايات المتحدة رائدةً في مجالات حقوق الإنسان في القرن الحادي والعشرين، كما كانت في القرن العشرين.

الفصل الخامس والعشرون

حقوق الإنسان: عملٌ غير مكتمل

كنتُ أرودُ، كل أحد، خلال نشأتي في بارك ريدج، في إيلينوي، مدرسةً تابعة لكنيستنا الميثودية. كان والداي مؤمنَين، لكن أساليب ممارستهما الإيمان كانت مختلفة، فكافحتُ في أوقاتٍ معيّنة لأوفّق بين إصرار والدي على الاعتماد على الذات، وقلق أمي من العدالة الاجتماعية. وإذا بكاهن جديد، ديناميكي وشاب، يصل إلى كنيستنا، عام ١٩٦١، اسمه دون جونز، فساعدني أكثر على فهم دور الإيمان الذي أردتُه في حياتي. علّمني أن أعتنق «الإيمان في التصرفات» وأن أفتح عينيّ على الظلم في العالم، خارج مجتمعي المستور المنتمي إلى الطبقة الوسطى، وأعطاني عددًا من الكتب لأطالعها، واصطحب مجموعتنا الشبابية لزيارة كنائس السود واللاتين في المدينة الداخلية، في شيكاغو. وجدنا تماهيًا كبيرًا بيننا وبين الفتيات والشبان في سراديب تلك الكنائس، على الرغم من الاختلاف الواسع في التجارب الحياتية. ومن خلال تلك الأحاديث، بدأتُ أهتم بتوسيع معرفتي بحركة الحقوق المدنية. لم أكن وزملائي في الدراسة متعودين قراءة اسمَي روزا باركس والدكتور مارتن لوثر كينغ في عناوين الصحف أو السماع بهما خلال نشرات الأخبار المسائية التي كان أهلنا يشاهدونها، إلّا أن الكثيرين من الأطفال الذين التقيتهم في رحلاتنا الكنسية تلك، شكّلوا مصدر أملٍ وإلهام.

أعلن دون، في أحد الأيام، عزمه اصطحابنا للاستماع إلى كلام الدكتور كينغ، في شيكاغو. لم يكن من الصعب إقناع أهلي ليأذنوا لي بالذهاب، لكن بعضًا من أهالي رفاقي كانوا يعتقدون أن

الدكتور كينغ «محرّض على الغوغاء» ولم يسمحوا لأولادهم بحضور اللقاء. كنتُ متحمسةً لكنني لم أكن واثقةً مما ينتظرني. وعندما وصلنا إلى قاعة أوركسترا، وبدأ الدكتور كينغ بالكلام، أصابني الذهول. كان الخطاب تحت عنوان «البقاء يقظين خلال الثورات»، ورفع معنا تحديًا، ذاك المساء، للبقاء منخرطين في قضية العدالة وعدم الهجوع في وقت يتغيّر العالم من حولنا.

وقفتُ بعدئذٍ في صفٍ طويل لمصافحة الدكتور كينغ، وها هي العاطفة التي تحلّى بها وكذلك وضوحه الأخلاقي الثاقب، يطبعانني إلى الأبد. نشأتُ أكنّ احترامًا عميقًا لقيم الديمقراطية الأميركية، ومثّل إعلان استقلالنا وامتلاكنا شرعة الحقوق، من وجهة نظر والدي الجمهوري والمتحجّر في مناهضته الشيوعية، سمةً حدّدت الصراع الأيديولوجي للحرب الباردة، على عكس السوفيات. كان يفترض بالوعود بالحرية والمساواة التي أُطلقت في وثائقنا التأسيسية أن تكون مقدّسة، لكنني وعَيتُ الآن أن عددًا من الأميركيين لا يزال محرومًا الحقوق التي اعتقدتُ أنها ممنوحة للجميع. هذا الدرس، وقوّة كلمات الدكتور كينغ، أضرما النار في قلبي، وقد غذتها تعاليم الكنيسة عن العدالة الاجتماعية التي تلقّيتُها. وفهمتُ، كما لم يسبق لي أن فعلت، معنى الرسالة التي تهدف إلى التعبير عن حبّنا للّه من خلال الأعمال الصالحة والأفعال الاجتماعية.

من جهةٍ أخرى، ألهمتني لقاءاتي السابقة مع ماريان رايت إدلمان، خرّيجة جامعة ييل للحقوق، عام ١٩٦٣، الأفريقية - الأميركية الأولى التي قُبلت في مجلس القضاء في ميسيسيبي وقد عملت محاميةً للحقوق المدنية لدى المنظّمة الوطنية لتطور الأفراد من ألوان بشرة مختلفة، في جاكسون. فتح لي كلام ماريان الذي استمعتُ إليه خلال فصلي الأول في جامعة ييل، الباب على حياةٍ كرّستُها للدفاع عن حقوق الإنسان على الصعد القانوني والاجتماعي والسياسي، خصوصًا في ما يتعلق بالنساء والأطفال.

عملتُ لدى ماريان على تمويل منظمة الدفاع عن الأطفال، في إطار أولى الوظائف التي شغلتها بعد تخرجي في جامعة الحقوق. وطلبت مني، وقتذاك، المساعدة على الاستقصاء عن لغز: يبقى عددٌ مهول من الأولاد خارج نطاق التعليم، في الكثير من المجتمعات. علمنا من خلال الإحصاء الرسمي أنهم فعلًا موجودون، فما الذي يحدث؟ قرعتُ الأبواب في نيو بدفورد، في ماساشوستس، لأتحدث إلى العائلات، في سياق دراسةٍ شملت أنحاء البلاد كافةً، فوجدنا أن بعض الأولاد يلازمون المنازل للاهتمام بإخوتهم الصغار فيما أهاليهم يعملون، بينما خرج أولاد آخرون من المدرسة ليعملوا ويساندوا عائلاتهم، ووجدنا خصوصًا أطفالًا من ذوي الاحتياجات الخاصة قابعين في بيوتهم لأن المدارس العامة تفتقر إلى التسهيلات الخاصة بهم. رأينا منهم العميان والصّمّ، وآخرين على الكراسي المتحركة، وأولادًا يعانون عجزًا في النمو، وأطفالًا لا تقدر عائلاتهم على توفير تكاليف العلاج اللازم لهم. أذكر أنني التقيتُ فتاةً على كرسي متحرّك، على الشرفة الخلفية

الصغيرة لمنزلها، حيث جلسنا وتكلمنا تحت العريشة. كانت تتوق إلى الذهاب إلى المدرسة، للمشاركة وتحصيل العلم - لكن الأمر بدا مستحيلًا.

جمعتُ بيانات الإحصاءات، إلى جانب شركاء كثر في أنحاء البلاد، وأرسلناها إلى واشنطن، فسنّ الكونغرس، أخيرًا، تشريعًا يقرّ بحقّ جميع الأطفال في الولايات المتحدة في التعلم، بمن فيهم ذوو الاحتياجات الخاصة. شكّل الأمر بالنسبة إليّ بداية التزامي الدائم حقوق الأطفال، بينما مضيتُ في تعهّدي قضية الأشخاص ذوي الاحتياجات الخاصة، وعيّنتُ، في وزارة الخارجية، أول مستشارٍ خاص لحقوق المعوّقين الدولية، لتشجيع الحكومات الأخرى على حماية حقوق الأفراد من ذوي الاحتياجات الخاصة. وكنتُ فخورةً بوقوفي إلى جانب الرئيس أوباما في البيت الأبيض، وهو يعلن أن الولايات المتحدة ستوقّع ميثاق الأمم المتحدة في شأن حقوق الأفراد من ذوي الاحتياجات الخاصة، المصوغ على غرار قانون الأميركيين المعوّقين، وستكون هذه المعاهدة الجديدة، الأولى التي تتناول حقوق الإنسان في القرن الحادي والعشرين. وارتعبتُ عندما عملت مجموعةٌ من أعضاء مجلس الشيوخ على منع إقرار الميثاق في كانون الأول/ديسمبر ٢٠١٢، على الرغم من توسلات الزعيم السابق للغالبية الجمهورية في الكونغرس، بطل الحرب المعوّق، بوب دول.

كانت المرة الأولى تسنح لي الفرصة لاتخاذ موقف لمصلحة حقوق الإنسان، على مرأى من العالم أجمع، في أيلول/سبتمبر ١٩٩٥، حين كنتُ أرأس، كسيدة أولى، الوفد الأميركي إلى المؤتمر العالمي الرابع عن النساء في بكين، حيث كان مقررًا أن ألقي خطابًا رئيسًا أمام ممثلين لـ ١٨٩ دولةً، وآلاف الصحافيين والنشطاء.

وبينما كنتُ أعمل على مسودة كلمتي مع كاتبة خطاباتي الموهوبة، ليسا موسكاتين، سألتني مادلين أولبرايت «ما الذي تنوين إنجازه؟» أجبتها أنني «أريد الدفع قدر المستطاع في اتّجاه مصلحة النساء والفتيات». وددتُ أن يكون خطابي بسيطًا وحيويًّا وأن يتضمّن رسالةً قوية تفيد أن حقوق النساء ليست منفصلة ولا تشكل فرعًا من حقوق الإنسان التي يجب أن يتمتع بها الجميع.

عاينتُ مباشرةً العراقيل التي تواجهها النساء والفتيات، خلال رحلاتي كسيّدة أولى: كيف تقيّدهنّ القوانين والعادات بعدم متابعة الدراسة أو الحصول على الرعاية الصحية أو المشاركة الفاعلة في سياسة بلدهن واقتصاده؛ كيف يعانينَ العنف والاعتداء المنزليين. أردتُ تسليط الضوء على تلك العقبات وتشجيع العالم على الشروع في إزالتها، ونويتُ أن أكون صوت النساء والفتيات اللواتي يرغبنَ في التعلّم والرعاية الصحية والاستقلال المادي والحقوق الشرعية والمشاركة السياسية - وإيجاد التوازن الصحيح بين النظر إلى النساء كضحايا تمييز ورؤيتهنّ كعوامل

تغيير. أردتُ كذلك أن أستخدم صوتي لا لأروي قصص النساء اللواتي التقيتهنّ وحسب، بل وقصص ملايين النساء الأخريات التي لن يسمع بها أحد إلّا أذا أخبرتُها أنا وغيري من الناس.

تضمّن الخطاب موقفًا واضحًا لا ريب فيه، ومع ذلك، لم يؤتَ على ذكره على الساحة الدولية، منذ زمن بعيد. فقلتُ وقتذاك «إذا كانت ثمة رسالة واحدة سيخرج بها هذا المؤتمر، فلتكن أن حقوق الإنسان هي حقوق النساء وأن حقوق النساء هي حقوق الإنسان، مرّةً واحدة وإلى الأبد».

وعرضتُ للائحة تشمل الاعتداءات وبينها حالات عنف منزلي، ودعارة بالإكراه، وعمليات اغتصاب أتت من ضمن تكتيكات الحروب أو مكافآتها، وبتر الأعضاء التناسلية، وحرق العرائس[1]، وكل الحالات التي تُغتصب فيها حقوق المرأة والإنسان عمومًا، وألححتُ على ضرورة أن يَدين العالم هذه الممارسات بصوتٍ واحد. تكلّمتُ على بعض النساء البارزات اللواتي التقيتهنّ: أمهات حديثات في أندونيسيا واظبنَ على التلاقي في قريتهن لمناقشة مواضيع متعلقة بالتغذية وتنظيم الأسرة والاعتناء بالأطفال؛ ونساء في الهند وبنغلادش لجأن إلى قروض التمويل الصغير لشراء حليب البقر والعربات والخيوط ولوازم أخرى، ليطوّرن مشاريع أعمال صغيرة؛ ونساء من أفريقيا الجنوبية ساعدنَ على إنهاء التمييز العنصري وبتنَ يسهمنَ في بناء ديمقراطية جديدة.

انتهى خطابي بدعوةٍ إلى العمل، فيعود كلٌّ منّا إلى بلاده ويحدّث جهوده لإدخال التحسينات على مجالات التعليم والصحة والقانون والاقتصاد والفرص السياسية للمرأة. وما إن لفظتُ الكلمات الأخيرة، حتى وقف الموفدون يصفقون لي، وما إن خرجت من القاعة، حتى سارعت النساء المصطفات على الدرابزين إلى نزول الدرج لمصافحتي. كان لخطابي صدًى لدى النساء في بكين، لكنني لم أتوقع أي حد سيبلغ تأثير خطاب الدقائق الإحدى والعشرين. طوال حوالى عشرين عامًا، اقتبست نساء في العالم كلماتي وردّدنها على مسمعيّ، أو طلبنَ منّي توقيعًا على نسخ من خطبي، أو شاركنَني قصصهنّ الشخصية، بعدما ألهمهنّ كلامي وعملنَ من أجل التغيير.

وأهم من ذلك كلّه موافقة الدول الـ ١٨٩، الممثّلة في المؤتمر، على منهج طموح ومفصّل للعمل، دعا إلى «مشاركة النساء في شكلٍ كامل ومتساوٍ في الحياة السياسية، والمدنية والاقتصادية والاجتماعية والثقافية».

وفور عودتي إلى البيت الأبيض، جمعتُ فريقي وأبلغتُه رغبتي في مباشرة العمل بناءً على ما أنجزناه في بكين. بدأنا بتنظيم جلساتٍ استراتيجية منتظمة، وكنا نجتمع، في بعض الأحيان، في قاعة الخرائط الكائنة في الطبقة الأولى من المقرّ الذي تابع منه الرئيس فرنكلين روزفلت تحرّك

(١) الجرائم الرائجة في المنطقة التي تحيط بشبه القارة الهندية، ويقتل فيها العريس أو عائلته العروس حرقًا لأن أهلها لم يرفعوا قيمة المهر. (المترجم)

جيشنا، خلال الحرب العالمية الثانية. مضى وقتٌ طويل على اختفاء معظم الخرائط (وجدتُ واحدةً من نسخ روزفلت الأصلية، تظهر تمركز جيوشنا الحليفة في أوروبا، عام ١٩٤٥، وعلّقتُها فوق المدفأة)، إنّما لا يزال المكان يوحي بأنه مناسب للتخطيط لحملةٍ عالمية. لم نكن نحارب هذه المرّة لا الفاشيّة ولا الشيوعية، لكنّ هدفنا كان كبيرًا وواضحًا: الدفع في اتجاه حصول نصف شعوب العالم على حقوقها وفرصها.

في هذا السياق، يمكنكَ النظر إلى خارطة العالم بطرائق مختلفة. كان من السهل رؤية المشكلة تلو الأخرى. إن وجّهتَ سهمًا إلى الخارطة فستصيب، بالتأكيد، بلدًا تعاني فيه النساء العنف والاعتداء، أو اقتصادًا نساؤه محرومات فرص المشاركة والازدهار، أو نظامًا سياسيًّا يستثني المرأة. وليست مصادفةً أن تكون الأماكن التي تُنتقص فيها قيمة المرأة، واقعة في المناطق التي عانت عدم الاستقرار والنزاع والتطرف والفقر.

مرّ الأمر مرور الكرام بالنسبة إلى الكثيرين من الرجال العاملين على ترسيخ السياسة الخارجية لواشنطن، لكنني توصّلتُ، طوال سنوات، إلى رؤيته كإحدى الحجج الدامغة التي تفيد أن مناصرة النساء والفتيات لم تكن، فحسب، الأمر الصحيح للقيام به، بل وكانت أمرًا فطنًا واستراتيجيًّا. لم يكن، طبعًا، سوء معاملة النساء، هو القضية الوحيدة أو الأساسية لمشكلاتنا في أفغانستان، حيث صرفت طالبان الفتيات من المدارس وأجبرت النساء على العيش في ظروف أشبه بظروف القرون الوسطى، أو في أفريقيا الوسطى، حيث أصبح الاغتصاب أحد أسلحة الحرب المألوفة. لا يمكن نكران الترابط بين الأمرين، في حين أظهرت مجموعة متزايدة من الأبحاث أن تحسين ظروف النساء أسهم في حلّ النزاعات واستقرار المجتمعات. منذ وقتٍ طويل و«قضايا النساء» مُهمّشة في سياسة الولايات المتحدة الخارجية ودبلوماسيتها الدولية، فعدَّت أنها، في أفضل الحالات، أمرًا جيدًا للعمل من أجله، لكنه ليس من الضرورات. أما أنا فبتُّ مقتنعةً تمامًا بأن المسألة مُضرَّة بأمننا القومي.

كانت هناك طريقة أخرى للنظر إلى الخارطة، وبدلًا من المشكلات، يمكنك رؤية الفرص. كان العالم يعج بالنساء اللواتي يجدنَ سبلًا جديدة لحلّ المشكلات السابقة. كنَّ متلهّفاتٍ للذهاب إلى المدرسة، وامتلاك أرضٍ، وتأسيس عمل، والتوجه إلى المكتب، وكانت ثمة حاجة إلى إقامة شركات وتنشئة قادة، إذا كنّا عازمين القيام بهذه الخطوة. حثثتُ حكومتنا والقطاع الخاص ومجتمع المنظمات غير الحكومية والمؤسسات العالمية على رفع هذا التحدي والتطلّع إلى النساء، لا بصفة كونهنّ ضحايا يُنقذنَ، بل شريكاتٌ يُحتضنَّ.

كنتُ محاطةً برئيسَي أركان في البيت الأبيض، لا غنى عنهما في رحلاتي. ماغي وليامز التي عملت معي على تمويل منظمة الدفاع عن الأطفال في التسعينيات، وهي تتقن فن التواصل في براعة، ومن أكثر الذين التقيتهم في حياتي إبداعًا ونزاهةً. ساعدت على تحديد مسيرتي كسيدة أولى،

وبقيت صديقةً مقرّبة وكاتمة أسراري مذذاك. وميلان فرفير، وكانت نائبة ماغي في الولاية الأولى، وخلفتها في الثانية، وكثيرًا ما كنا نبدي احترامًا إحدانا لعمل الأخرى. درست ميلان وزوجها، فيل، مع بيل في جورج تاون، ومضت لتصبح نجمةً في كابيتول هيل وفي جماعة «الناس على الطريقة الأميركية»(*) طاقتها ونباهتها لا تنضبان، وعشقها للعمل لمصلحة النساء والفتيات لا مثيل له.

شهدت السنوات التي تلت مؤتمر بكين، تطورًا مهمًّا. إذ نُقضت في عددٍ من الدول القوانين التي سمحت بالمعاملة غير العادلة للنساء والفتيات، وشكلت الأمم المتحدة هيئةً جديدة تسمى نساء الأمم المتحدة، بينما مرّر مجلس الأمن قراراتٍ تعترف بالدور الرئيس الذي تؤديه النساء في صنع السلام والأمن. كذلك وسّع الباحثون في البنك الدولي وفي صندوق النقد الدولي ومؤسسات أخرى دراساتهم عن إمكانات النساء غير المستغَلّة، لدفع عجلة نمو الاقتصاد والتطور الاجتماعي. وبعدما حظيت النساء بفرص العمل والتعلم والمشاركة في مجتمعاتهن، تضاعفت نسبة تعاونهنّ على الصعد الاقتصادي والاجتماعي والسياسي.

وبعد، فعلى الرغم من هذا التقدّم، لا تزال النساء والفتيات يشكّلن القسم الأكبر من الأفراد غير المتمتعين بالرعاية الصحية، والمفتقرين إلى الطعام والأجور. ونهاية العام ٢٠١٣، بلغت نسبة النساء في مجالس النواب والهيئات التشريعية، أقل من ٢٢ في المئة، على مستوى العالم أجمع. ففي بعض الأماكن، لا يمكن المرأة فتح حساب مصرفي أو توقيع اتفاق، ولا يزال أكثر من ١٠٠ بلد تتبع قوانين تحدّ من مشاركة النساء في الاقتصاد، أو تنهاها عنها حتى. كانت النساء الأميركيات يتقاضين، قبل عشرين عامًا، ٠,٧٢ دولار، أما الآن، فالمساواة ليست في متناولهنّ أيضًا. تشغل النساء معظم الوظائف ذات الرواتب الزهيدة لدينا، وقرابة ثلاثة أرباع الوظائف التي يُتّكل فيها على البقشيش مثل النادلات والساقيات في الحانات، ومصففات الشعر – ويُدفع فيها، بالساعة، بدل أتعاب أقل من المعدّل حتى. تزامنًا، تشكل النساء نسبة ضئيلة فقط من الرؤساء التنفيذيين الذين تصدر أسماؤهم في لائحة فورتشون، لأهم ٥٠٠ شركة في العام. في اختصار، الرحلة إلى مشاركة النساء والفتيات في شكلٍ تام لن تنتهي في وقتٍ قريب.

في صدد هذه الحقائق القاتمة، يسهل الشعور بالرغبة في التراجع. ففي البيت الأبيض، وعقب مؤتمر بكين، عندما كان يعتريني الشعور بالرعب أحيانًا من حجم التحديات التي نعمل على التغلب عليها، كنتُ أجد نفسي محدّقةً إلى لوحة تجسّد إليانور روزفلت أبقيتها في مكتبي، وهي توفّر لي الراحة. كان المثال الذي أعطته كسيدة أولى لا تهاب شيئًا، وكمحارِبة شجاعة من أجل حقوق الإنسان، بمثابة إلهام وحافز لي. فبعد موت فرنكلين روزفلت، وانتهاء الحرب العالمية الثانية، مثّلت إليانور دولتنا، كموفدة إلى الأمم المتحدة التي أسهمت في تطويرها. وخلال الاجتماع الأول للجمعية

(*) جماعة تنادي بالحرية والعدالة على الطريقة الأميركية. (المترجم)

العمومية للأمم المتحدة، في لندن، مطلع العام ١٩٤٦، انضمت إلى النساء الموفدات الست عشرة لنشر «رسالة مفتوحة إلى نساء العالم»، أكّدنَ فيها أن «النساء في كل أصقاع الأرض، يشاركنَ في مستويات مختلفة في حياة مجتمعاتهنّ» لكنّ «هدف المشاركة الكاملة في الحياة، ومسؤوليات بلادهن والمجتمع الدولي، هو هدف مشترك، وعلى نساء العالم مساندة بعضهنّ بعضًا لبلوغه». وكان يتردد دائمًا في ذهني تعبير إليانور عن «المشاركة الكاملة» الذي كان له صداه في منهج العمل في بكين، قبل حوالى ٥٠ عامًا.

كذلك هي الحال مع الكثير من عباراتها، إذ علّقت، ذات مرّة، في امتعاض: «المرأة ككيس الشاي. لا يمكنك أن تدرك حجم قوتها إلّا عندما تكون في الماء الساخن». أحببتُ ذلك، واختبرتُه في تجربتي الخاصة. كانت إليانور تقدمت في السن، عام ١٩٥٩، بعدما أصبحت في نهاية حياتها، امرأةَ دولة موقّرة، فاستخدمت أحد أعمدتها في الصحيفة، لتوجيه دعوةٍ للعمل إلى الشعب الأميركي: «لم ننجح بعد في ديمقراطيتنا القائمة على إعطاء كلٍّ من مواطنينا مقدارًا عادلًا من الحرية والفرص، وهذا هو عملنا غير المنجز بعد». ولدى غوصي في العمل لمصلحة نساء العالم وفتياته، بدأت بوصف المطالبة بالحقوق المتساوية والمشاركة التامّة للنساء بـ «العمل غير المكتمل» في زماننا. وكان ذلك تذكيرًا للمستمعين – ولي أنا – بأنّ الرحلة لا تزال طويلة.

تجسّد إنجاز إليانور روزفلت العظيم، بالإعلان العالمي لحقوق الإنسان، وهو الاتفاق الملزم الأول الذي يتناول حقوق البشر. عقب الحرب العالمية الثانية والهولوكوست، كانت دول كثيرة تضغط لإصدار بيان من هذا النوع، تأكيدًا للابتعاد عن الأعمال الوحشية وحماية الإنسانية وكرامة جميع الشعوب. أما النازيون، فتمكنوا من مواصلة جرائمهم لأنهم استطاعوا، شيئًا فشيئًا، تقليصَ دائرة الذين يعدونهم بشرًا. لم تكن بالطبع هذه الناحية الباردة والقاتمة من النفس البشرية محصورةً بألمانيا النازية فحسب، يلغي خلالها الناس التفاهم، ثم التعاطف، وتصل بهم الأمور إلى سحب الصفة البشرية من إنسانٍ آخر، بل ظهرت مجددًا هذه النزعة إلى تجريد الفرد من صفة الإنسان، في مجرى التاريخ، وكانت تحديدًا ما أمل العاملون على مسودّة الإعلان العالمي في وقفه.

هم تناقشوا، ونصّوا، وأعادوا النظر، وصحّحوا، وأعادوا الكتابة، وأدرجوا اقتراحاتٍ وتصحيحات تلقوها من الحكومات والمنظمات والأفراد في العالم، وهذا يدلّ إلى أن صياغة مسودّة الإعلان العالمي تخلّلها جدال حتى في شأن حقوق المرأة. فقد أوردت النسخة الأساسية من المادة الأولى أنّ «جميع الرجال خُلقوا متساوين»، مما استدعى تعليقًا من النساء، الأعضاء في المفوضية برئاسة هنسا مهتا من الهند، هو أن عبارة «جميع الرجال» قد تفهم أنها تستثني النساء. وبعد جدال طويل، تغيّر التعبير إلى «وُلد جميع الناس أحرارًا ومتساوين في الكرامة والحقوق».

الثالثة صباح العاشر من كانون الأول/ديسمبر ١٩٤٨، أي بعد حوالى سنتين على صياغة المسودة، وعقب ليلة طويلة من النقاش، دعا رئيس الجمعية العمومية في الأمم المتحدة إلى التصويت على النص النهائي. فأدلت ٤٨ دولة بصوتها لمصلحته، وامتنعت ثماني دول عن التصويت، فيما لم يسجِّل أحد اعتراضه عليه. وهكذا، تمّ تبني الإعلان العالمي لحقوق الإنسان. كان واضحًا في النص أن حقوقنا لم تمنحنا إياها الحكومات، بل أُعطيت لجميع الناس منذ ولادتهم. لا يهمّ في أي بلد نعيش، أو من هم زعماؤنا، أو من نكون حتى. وبما أننا بشر، يعني ذلك أن لنا حقوقًا. ولأننا نملك حقوقًا، فالحكومات ملزَمةٌ حمايتها.

جعل الاهتمام الأميركي بحقوق الإنسان من بلادنا، خلال الحرب الباردة، مصدر أمل وإلهام بالنسبة إلى ملايين الأشخاص في العالم، لكن سياساتنا وممارساتنا لم تأتِ دائمًا على قدر مثالياتنا. ففي الولايات المتحدة، كان موقفًا شجاعًا أن ترفض امرأة التخلي عن مقعدها في الحافلة العمومية، وأن يرفض واعظ السكوت عن «العنف الأعمى الواقع الآن»، وأن يرفض آخرون كثر تحمل التمييز العنصري والتعصب، لإجبار أميركا على الاعتراف بالحقوق المدنية لجميع مواطنينا. ولطالما بدّت حكومتنا الأمن ومصالحها الاستراتيجية العالمية على الاهتمام بحقوق الإنسان، موفّرةً الدعم لدكتاتوريين بغضاء، في حال شاركوها معارضتها للشيوعية.

كان هناك جدلٌ دائم، على مرّ تاريخ السياسة الخارجية الأميركية، بين الذين تُطلق عليهم تَسمِيَتا الواقعيين من جهة، والمثاليين، من جهة أخرى. فالواقعيون يقال إنهم يبدّون الأمن القومي على حقوق الإنسان، فيما المثاليون يفعلون العكس. هاتان الفئتان بالنسبة إلي ساذجتان. لا يمكن أحدًا أن يتخيل خطورة التهديدات الأمنية التي تواجهها أميركا، وبصفة كوني وزيرةً، لم تكن لدي مسؤولية أكبر من حماية مواطنينا وبلدنا. ولكن، في الوقت عينه، يأتي التمسك بالقيم العالمية وبحقوق الإنسان في قلب معنى أن يكون المرء أميركيًّا. إذا ضحّينا بهذه القيم، وتركنا سياساتنا تنحرف كثيرًا عن مثالياتنا، فستتلاشى تأثيراتنا ويتوقف بلدنا عن أن يكون ما سمّاه أبراهام لينكولن «آخر أفضل أمل للأرض»، بل وأكثر، فالدفاع عن قيمنا ومصالحنا لا يخضع عادةً لضغط كبير كما تبدو عليه الحال أحيانًا. فعلى المدى البعيد، يقوّض القمعُ الاستقرارَ ويخلق تهديدات جديدة، فيما الديمقراطية واحترام حقوق الإنسان يولّدان مجتمعات قويّة ومستقرّة.

وكما رأيتم في صفحات هذا الكتاب، تأتي أوقاتٌ تفرض علينا تقديم تنازلاتٍ صعبة. يتمثل تحدينا برؤية العالم في وضوح كما هو، من دون أن نغفل عما نريده للعالمِ أن يكون عليه. لذا، لا أمانع وَصْفي على مر السنين بالواقعية والمثالية على حد سواء، وأفضِّل أن أُعدَّ هجينة، أي واقعية ومثالية في آن، لأنني، كما بلادي، أجسّد النزعتين.

ويعود أحد أفضل الأمثلة بالنسبة إلي عن أن تأييد حقوق الإنسان يدعم مصالحنا الاستراتيجية،

إلى السبعينيات من القرن العشرين، عندما وقّعت الولايات المتحدة في عهد الرئيس جيرالد فورد اتفاق هلسنكي مع الاتحاد السوفياتي. رفض بعض المعلّقين في الغرب أحكام حقوق الإنسان في الاتفاق، على أنها قمة غباء المثاليين، ولا تستأهل حتى ثمن الورقة التي طُبعت عليها، أما السوفيات فتجاهلوا الموضوع، بطبيعة الحال.

ثمّ حدث ما لم يكن متوقّعًا. فخلف الستار الحديدي، شعر النشطاء والمنشقون أنهم مُنحوا سلطةً للبدء بالعمل من أجل التغيير، من منطلق أن اتفاق هلسنكي وفّر لهم الغطاء للكلام على حقوق الإنسان. ووقع المسؤولون الشيوعيون في مأزق. لم يتكمنوا من إدانة وثيقة موقّعة من الكرملين، لكنهم إذا طبقوا أحكامها فسينهار النظام الاستبدادي بالكامل. وفي السنوات اللاحقة، تمسّك عمال «التضامن» في ورش بناء السفن في بولندا، والإصلاحيون في المجر، والمتظاهرون في براغ، بالحقوق الجوهرية المحددة في هلسنكي. فحاسبوا حكوماتهم لعدم ارتقائها إلى المعايير التي اتُّفق عليها. وأثبت اتفاق هلسنكي أنه حصان طروادة أسهم في انهيار الشيوعية، من دون أي «ليونة».

حاولتُ ألا أنسى أبدًا الحكمة من هلسنكي، والأثر الاستراتيجي الذي يمكن أن تولّده حقوق الإنسان. وكلما احتجتُ إلى تذكر الموضوع، كنتُ أنظر إلى لوحة مرسومة لوجه إليانور روزفلت كنتُ لا أزال أحتفظ بها إلى جانب طاولة مكتبي.

دعتني الولايات المتحدة، نهاية العام ١٩٩٧، أي بعد عامين على مؤتمر بكين، إلى الإسهام في انطلاق الاحتفالات بالذكرى الخمسين للإعلان العالمي لحقوق الإنسان. فتوجّهتُ إلى مقرّ الأمم المتحدة في نيويورك، في ١٠ كانون الأول/ديسمبر، التاريخ الذي بات يُعرف بيوم حقوق الإنسان، وألقيتُ خطابًا عن مسؤوليتنا المشتركة لحمل توصيات الإعلان إلى الألفية الجديدة. ثمّنتُ التقدّم الذي أحرزه العالم منذ العام ١٩٤٨، لكنني أشرتُ إلى أننا «لم نوسّع دائرة الكرامة الإنسانية بما فيه الكفاية. لا يزال عددٌ كبير من الرجال والنساء مستثنين من الحقوق الجوهرية التي ينصّ عليها الإعلان، من الذين قسّينا قلوبنا عليهم – أولئك الذين نفشل تمامًا في رؤية معاناتهم الإنسانية وسماعها والشعور بها». أوليتُ اهتمامًا خاصًا للنساء والفتيات في العالم اللواتي كنّ لا يزلنَ محروماتٍ عمليًا حقوقهنّ ومستَبعدات من فرص المشاركة في مجتمعاتهنّ. وقلتُ إن «الإعتاق الكامل لحقوق النساء هو عملٌ لم ينتهِ في هذا القرن المضطرب» وكان كلامي هذا، صدى لجملة إليانور. «إذ إن في كل عصر أماكن ظلامية، علينا عدُّها عملَنا غير المنتهي، الآن، فيما نحن على مشارف الألفية الجديدة الأكثر إلحاحًا. علينا أن نعيد تكريس أنفسنا لتشمل دائرة حقوق الإنسان الجميع، لمرّةٍ حاسمة ونهائية».

عندما أصبحتُ وزيرةً للخارجية الأميركية عام ٢٠٠٩، كنتُ مصممةً على وضع «العمل غير المنتهي» في طليعة جدول أعمالي. استدعيتُ، في الدرجة الأولى، ميلان فرفير، التي أمضت السنوات الثماني السابقة في منظمة الأصوات الحيوية التي أطلقتُها وإياها مع مادلين أولبرايت، لإيجاد النساء القياديات، الناشئات في العالم، ودعمهنّ. طلبتُ من ميلان أن تكون أول سفيرةٍ لقضايا المرأة العالمية، وتساعدني على صياغة «أجندة للمشاركة التامة» وإدخالها في نسيج السياسة الأميركية الخارجية والأمن القومي. كان علينا حثّ المكاتب والوكالات التي تضع القواعد وتحدد الأعراف، على التفكير في طريقة مختلفة لدور النساء في النزاعات وصنع السلاح، والتطور الاقتصادي والديمقراطي، والرعاية الصحية، وغيرها. لم أودّ أن ينحصر العمل هذا بمكتب ميلان، بل أردتُ أن يكون جزءًا من الروتين اليومي لدبلوماسيينا وخبراء التطور في كل مكان.

أطلقت وزارة الخارجية الأميركية والوكالة الأميركية للتنمية الدولية مجموعةً واسعة من المبادرات في المنطقة والعالم، بينها برامج تساعد رائدات الأعمال على الإفادة من التدريبات، ودخول الأسواق، والحصول على المال والتسليفات؛ وشركةٌ مع بعض أفضل الكليات والجامعات الأميركية النسائية لاكتشاف النساء العاملات في القطاع العام في العالم، وتقديم الاستشارات إليهنّ، وتدريبهن؛ وبذل الجهود لمساعدة عددٍ أكبر من النساء على استخدام تكنولوجيا الهاتف النقال في كل الأمور، من الأمان المصرفي حتى توثيق العنف ضد المرأة. قامت ميلان بجولات في كل أنحاء العالم من دون كلال، لإيجاد شركاء محليين، والتأكد من ترسّخ هذه الجهود في المجتمعات والعواصم. كنتُ أقول لها على سبيل المزاح، إنها قد تكون الشخص الوحيد الذي أعرفه وقد سجّل أميالًا في السفر أكثر مني، (إذا ما أتاحه لها سلاح الجو!).

صعقتُ قبل سنواتٍ، عندما قمتُ برحلةٍ إلى أفريقيا، ورأيتُ النساء يعملنَ في الحقول، أينما حللتُ، ويحملنَ المياه والحطب ويعملن في الأكشاك في السوق. كنتُ أتحدث إلى اقتصاديين وسألتهم «كيف تقوّمون الإسهامات النسائية، اقتصاديًّا»؟ فردّ أحدهم قائلًا «لا نقوّمها لأننا لا نعدّ أنهن يشاركن في الاقتصاد»، وعنى بذلك الاقتصاد الرسمي القائم في المكاتب والمصانع. إنما، إذا توقفت جميع النساء في العالم عن العمل يومًا ما، من دون إنذار مسبق، فسيكتشف هؤلاء الخبراء سريعًا أن النساء يسهمن كثيرًا في الاقتصاد، وفي سلام مجتمعاتهن وأمنها.

صادفتُ هذا السلوك في كل أصقاع الأرض. لا أستطيع أن أخبر كم مرة جلستُ مع أحد رؤساء الجمهورية أو رؤساء الحكومة، وكيف حملق بي لدى تطرقي إلى قضية حقوق النساء والفرص المتاحة لهنّ في بلاده. كنتُ أتتبع، في صمت، عدد النساء القياديات أو المستشارات اللواتي انضممن إلى تلك الاجتماعات. لم يكن الأمر صعبًا، لأنني بالكاد التقيتُهن.

كانت أكثر أحاديثي الفاضحة، مع قائد جاهل، في تشرين الثاني/نوفمبر ٢٠١٠، في دولة بابوا

غينيا الجديدة، وهي جزيرة نائية جنوب شرقي آسيا. هو بلد غامضٌ ومعطاء، على وشك التطور، لكنه كارثي لجهة احتلاله إحدى المراتب الأولى في قائمة أعلى نسب العنف ضد النساء في العالم. وبحسب التقدير، يُرجح تعرض ٧٠ في المئة من نساء بابوا غينيا الجديدة للاغتصاب والعنف الجسدي في حياتهن. سأل أحد الصحافيين الأميركيين رئيسَ الوزراء السير مايكل سوماري، خلال مؤتمرنا الصحافي المشترك، ما ردّه على تلك الإحصاءات المقلقة. زعم سوماري أن المشكلات «يضخمها الذين يكتبون عنّا». هو اعترف بوجود بعض حالات العنف، لكنه أضاف «أملك خبرة سنوات، وأعرف أن الخلافات تنشب أحيانًا بين الرجال والنساء، وتدخل الجدالات على الخط، ولكن من دون عنفٍ شديد». ثمة قوانين لدينا، بحسب قوله. «نجد حالات سكر... لا يمكن للمرء تمالك نفسه عندما يكون تحت تأثير الكحول». أقل ما يقال، إن جوابه فاجأني وأربكني، وحتى هيئة الصحافة الأميركية المنهكة، عُقد لسانها. بعد ذلك، كما لك أن تتصوّر، توجّهتُ وميلان إلى العمل على وضع برامج وشركات جديدة مع المجتمع المدني في بابوا غينيا الجديدة، في محاولةٍ لرفع صوت النساء وتوفير برامج جديدة لهنّ للمشاركة. وسررتُ بلجوء رئيس وزراء جديد، بيتر أونيل، في أيار/مايو ٢٠١٣، إلى الاعتذار من نساء بلاده بسبب تعرّضهن للعنف، ووعد بجعل العقوبات الجنائية أكثر حدّةً.

حتى في واشنطن، كان عملنا لمصلحة النساء يُعدّ، في الكثير من الأحيان، ممارسةً بين هلالين، منفصلة في شكلٍ ما عن عمل السياسة الخارجية المهم. في أحد مقالات واشنطن بوست عن جهودنا مع نساء أفغانستان، اكتشف أحد المسؤولين الكبار في الإدارة، لم يشأ الكشف عن اسمه، بحسِّه، «تراجع عملنا على قضايا الجندر فسحًا في المجال أمام الأولويات الأخرى... لن نتمكن من النجاح إذا تمسّكنا بكل مصلحة خاصة ومشروع شخصي. كل الأمور الشخصية عبءٌ علينا، وتشدّ بنا نحو الأسفل». لم أفاجأ بخوف المسؤول من ذكر اسمه بعدما أدلى بتعليقٍ مماثل. وبدأتُ وميلان نفعِّل مشغَلها في مكتب الأمور الشخصية وتابعنا العمل.

عليَّ الاعتراف بأنني أصبتُ بالإرهاق من جراء رؤيتي الناس من الذين لا يشاركونني الرأي يبتسمون فحسب، ويهزون رؤوسهم كأنهم موافقون عندما أتطرق معهم إلى المخاوف السائدة في شأن النساء والفتيات. مضى عشرون عامًا وأنا أدافع عن هذه القضايا على الساحة الدولية، وشعرتُ أحيانًا أن كلّ ما أفعله كان وعظًا أمام الناس. لذا، قررتُ أن نضاعف جهودنا لتقوية قضيتنا في شكلٍ يمكننا من إقناع المشككين، بناءً على بياناتٍ صلبة وتحليلات واضحة، بأن إيجاد الفرص للنساء والفتيات في العالم، سيدعم مباشرةً أمن الجميع وازدهارهم، وعليه أن يكون جزءًا من دبلوماسيتنا وعملنا في سبيل التطور.

باشر فريق ميلان المطابَقة بين البيانات كافةً التي جمعتها المؤسسات، كالبنك الدولي

وصندوق النقد الدولي، وتأكد سريعًا من درس بعض أوجه المشاركة النسائية، خصوصًا الفوائد الناجمة عن جلب عددٍ أكبر من النساء إلى القوة العاملة، والعوائق التي كانت تحول دون إقدامهنّ على ذلك، بينما كانت أوجه أخرى لا تزال قيد البحث. كانت أماكن كثيرة في العالم تفتقر إلى البيانات المنتظمة وذات الصدقية، حتى تلك المتعلقة بالوقائع البديهية عن حياة النساء والفتيات، مثل مسألة امتلاكهن شهادات ميلاد أو عدمه، أو في أي سنٍّ رُزقن بالطفل الأول، أو كم ساعة مدفوعة وغير مدفوعة عملنَ، أو حتى إذا كنَّ يمتلكنَ الأرض التي يعملنَ فيها.

كنتُ دائمًا مؤمنةً بأن القرارات الجيدة التي تُتخذ في الحكومة، وفي العمل، وفي الحياة، ترتكز على البراهين لا على العقائد. وينطبق هذا الأمر تمامًا على السياسات التي تؤثر في ملايين الأشخاص. علينا إجراء البحث وتسجيل الأرقام، فنخفف، بهذه الطريقة من المخاطرة ونرفع من قوة التأثير. ونحن نحتفظ، اليوم، بالإحصاءات عن كل الأمور التي تهمّنا، من قياس ضربات اللاعبين في مباريات البايسبول، إلى عائدات الاستثمار في مجال الأعمال. هناك مقولة في الدوائر الإدارية: «ما يتمّ قياسه، يُنجز». إذًا، إذا كنّا جدّيين في مساعدة عددٍ أكبر من الفتيات والنساء لتحقيق كل إمكاناتهنّ، علينا أن نكون جديين أيضًا في جمع البيانات عن ظروفهن وإسهاماتهن، وتحليلها. لسنا في حاجةٍ إلى الإكثار من البيانات وحسب، بل نسعى أيضًا إلى جعلها أفضل، ووضعها في متناول الباحثين وصناع القرارات السياسية، لتساعدهم على اتخاذ القرارات الجيدة. وفي هذا الإطار، أطلقت وزارة الخارجية مجموعة مبادرات لسدّ الثُّغَر في البيانات، وعملت مع الأمم المتحدة والبنك الدولي ومنظمة التعاون الاقتصادي والتنمية، وغيرها.

(فوجئت عمومًا بعدد الأشخاص الهائل العاملين في «منطقة خالية من الدلائل»، في واشنطن حيث يتم تجاهل البيانات والعلوم. وقد علّق يومًا أحد كبار مستشاري الرئيس بوش، في استخفاف، على ما سمّاه «المجتمع المرتكز على الواقع» المؤلف من أشخاص «يؤمنون بأن الحلول تنبثق من الدروس العاقلة للواقع الملموس». كنتُ دائمًا أعتقد أن هذا هو السبيل الصحيح لحل المشكلات. وتابع مساعد بوش «لم يعد العالم يعمل حقًّا بهذه الطريقة... نحن أمبراطورية الآن، ومن خلال عملنا، نخلق واقعنا الخاص». هذا السلوك ساعد على تفسير الكثير من الأخطاء المرتكبة في تلك السنوات).

لم يكن علينا الانتظار ريثما تثمر تلك المشاريع لنفصح عن البيانات التي لدينا، بخاصة تلك المتعلقة بالنساء وبالاقتصاد. ولم يكن عليك النظر بعيدًا. بداية السبعينات، شغلت النساء ٣٧ في المئة من مجموع الوظائف الأميركية، مقارنةً بـ ٤٧ في المئة، عام ٢٠٠٩. وتبلغ الأرباح الإنتاجية التي نعزوها إلى هذا الارتفاع، أكثر من ٣,٥ تريليون في نمو الناتج المحلي الإجمالي، طوال أربع سنوات.

كانت هذه حال بعض الاقتصادات الأقل تقدمًا أيضًا. فقد ضاعفت أميركا اللاتينية وجزر البحر الكاريبي، على سبيل المثال، على نحو منتظم، مشاركة النساء في سوق العمل بدءًا من التسعينات. وقدَّر البنك الدولي أن يكون الفقر الشديد تراجع بنسبة ٣٠ في المئة، نتيجة المكاسب الجديدة.

تضاف هذه النتائج وشبيهاتها كحجة مقنعة بأن زيادة المشاركة النسائية في الاقتصاد وإزالة الحواجز التي تحول دون ذلك، تصب في مصلحة الجميع. في أيلول/سبتمير ٢٠١١، جمعتُ ما أمكنني من البيانات وأطلقتُ هذه الحجة في قمة لقادة آسيا والمحيط الهادئ في سان فرنسيسكو حيث قلت للموفدين «بغية إنجاز التوسع الاقتصادي الذي نسعى إليه جميعًا، علينا تحرير مصدر نمو حيوي من شأنه أن يقوي اقتصاداتنا في العقود المقبلة. النساء هنّ مصدر النمو الحيوي هذا، ومع النماذج الاقتصادية الموجودة في كل ناحية من العالم، لن يتمكن أحد منا من تحمل تأبيد الحواجز التي تواجهها النساء في القوى العاملة».

سررتُ عندما أعلن رئيس وزراء اليابان شينزو أبه، أنه سيضمّن زيادة مشاركة النساء اقتصاديًّا في أجندته الاقتصادية الطموحة الجديدة، التي أطلق عليها اسم «اقتصاد النساء». هو وضع خططًا تفصيلية لتحسين القدرة على توفير الرعاية للأطفال وإطالة الإجازة الأبوية، لتشجيع النساء على الالتحاق بالقوى العاملة. كذلك طلب أبه من كبرى الشركات في البلاد أن تَشغَل، في كل واحدةٍ منها، امرأةٌ على الأقل منصبًا تنفيذيًّا. نحتاج إلى قيادات بعيدة النظر كتلك التي في الولايات المتحدة والعالم.

ركّزنا جهودنا أيضًا على جانبٍ آخر، متمثلٍ بدور النساء في صنع السلام والحفاظ عليه، وعاينّا أمثلةً ملهمةً كثيرة عن نساء يسهمن في شكلٍ فريد في إنهاء النزاعات وإعادة بناء مجتمعات محطَّمة في ليبيريا وكولومبيا ورَواندا وإيرلندا الشمالية، وأماكن أخرى. أتذكر جيدًا زيارتي لمطعم السمك والبطاطا في بلفاست، عام ١٩٩٥، إذ سنحت لي فرصة للجلوس وشرب الشاي مع امرأتين، إحداهما كاثوليكية والثانية بروتستانتية، تعبتا من الاضطرابات، وهما تتوقان إلى السلام. ومع أنهما ترتادان كنيستين مختلفتين أيام الآحاد، إلا أن كلتيهما تتلو صلوات صامتة طوال أيام الأسبوع من أجل سلامةِ عودة ولد من المدرسة، أو زوج من مهمّةٍ في البلدة. قالت إحداهما، جويس ماك كارتن: «ثمة حاجة إلى النساء لإعادة الرجال إلى رشدهم»، هي التي أسَّست، عام ١٩٨٧، مركزًا للنساء يزرنه حين يشأن، بعدما قتل ابنها بالرصاص، وهو في السابعة عشرة من عمره.

عندما تشارك النساء في عمليات السلام، يملنَ إلى تركيز محادثاتهنّ على قضايا مثل حقوق الإنسان والعدالة والمصالحة الوطنية والتجدد الاقتصادي، وكلّها مواضيع جوهرية لصنع السلام. هنّ يشكّلنَ، عمومًا، التحالفات العابرة للأعراق والطوائف، ويرفعن الصوت لمصلحة الجماعات المهمَّشة الأخرى، ويعملنَ وسيطات، ويساعدن على تعزيز التسويات.

وعلى الرغم من كل ما يمكن النساء فعله، إلا أنهنّ في أكثر الأحيان مستثنَيات. من بين مئات معاهدات السلام الموقَّعة منذ مطلع التسعينات، ضمّت أقل من ١٠ في المئة منها نساءً مفاوِضات، وأقل من ٣ في المئة نساء موقِّعات، وقلّةٌ قليلة منها شملت مرجعًا نسائيًّا واحدًا. إذًا، ليس مفاجئًا أن تُمنى أكثر من نصف معاهدات السلام، خلال خمسة أعوام، بالفشل.

أمضيتُ سنواتٍ وأنا أحاول توفير تفاعلِ جنرالات ودبلوماسيين وصناع السياسة الأمنية القومية في بلادنا وفي العالم، مع هذه الحقيقة. وجدتُ حلفاء متعاطفين في البنتاغون وفي البيت الأبيض، من ضمنهم مساعدة وزير الدفاع للشؤون السياسية، ميشيل فلورنوي، ونائب رئيس هيئة الأركان المشتركة الأميرال ساندي وينيفيلد. فكان على وزارتي الخارجية والدفاع، والوكالة الأميركية للتنمية الدولية، العمل على خطة تغيِّر الطريقة التي يتفاعل فيها الدبلوماسيون وخبراء التنمية والعسكريون، مع النساء اللواتي يعايشن الصراعات والمراحل التي تليها. وسيكون هناك تشديدٌ جديد على وقف عمليات الاغتصاب والعنف ضدّ المرأة وعلى تمكين النساء من صنع السلام والحفاظ عليه. وأطلقنا على المشروع اسم خطة العمل الوطنية من أجل النساء والسلام والأمن.

أصدر الرئيس أوباما، في كانون الأول/ديسمبر ٢٠١١، أمرًا تنفيذيًّا بإطلاق الخطة. انضمّ إليّ فلورنوي ووينيفيلد في جورج تاون لشرحها على الملأ، فنظرتُ إلى الأميرال في زي القوات البحرية، خلال مؤتمر عن النساء صانعات السلام، وأملتُ في أن نكون دوّرنا أخيرًا إحدى الزوايا، أقله في بلادي.

مع مشارفة مهمتي في وزارة الخارجية الانتهاء، أردتُ التأكد من عدم تراجع التغييرات التي قمنا بها لربط قضايا الذكور والإناث بكل جوانب السياسة الخارجية الأميركية، بعد رحيلي. يكون صعبًا تطبيع الإصلاحات في كل النظم البيروقراطية، وهذا ما كان الأمر عليه طبعًا في الولايات المتحدة. عملنا، طوال أشهر، مع البيت الأبيض تحضيرًا لمذكّرة رئاسية تجعل من منصب ميلان، كسفيرة لقضايا المرأة العالمية، منصبًا دائمًا، والتأكد من ارتباط خلفائها مباشرةً بوزارة الخارجية الأميركية. اضطررنا إلى اللجوء إلى الضغط لإدخال الإجراء في نظام البيت الأبيض، ولكن لحسن الحظ أن نائبي السابق في الوزارة، جاك لو، أصبح كبير الموظفين في إدارة أوباما، وكنا بذلك نملك حليفًا لنا في المكان المناسب. في ٣٠ كانون الثاني/يناير، أحد الأيام الأخيرة لولايتي، تناولتُ الغداء مع الرئيس أوباما، في غرفة طعامه الخاصة في المكتب البيضوي، وعندما هممتُ بالرحيل، استمهلني لأعاين توقيعه المذكّرة. كانت هذه أفضل طريقة للوداع.

كان عملنا لمصلحة النساء والفتيات في العالم جزءًا لا يتجزأ من أجندة أوسع في مجال حقوق الإنسان، هدفُها الدفاع عن الحريات المكرَّسة في الإعلان العالمي حقوق الإنسان وتحقيقها في حياة كل فرد على وجه الأرض.

لا يمكن أن ننكر اختلال التوازن بعض الشيء في المقاربة الأميركية لحقوق الإنسان، عام ٢٠٠٩. إذ أصدر الرئيس أوباما، في يومه الثاني الذي أمضاه كله في المكتب، أمرًا تنفيذيًّا يمنع أي مسؤول أميركي من استخدام التعذيب أو الوحشية في الأطر الرسمية، وأمر بإغلاق معتقل غوانتانامو (هدفٌ لم يتحقق حتى الآن)، وتعهّد إعادة قضية حقوق الإنسان إلى صلب سياستنا الخارجية.

كما وصفتُ سابقًا، أصبحت الولايات المتحدة بطلة الحرية عبر الإنترنت، وزادت المساعدات للمعارضين المحاولين التهرب من الرقابة وتجاوز الجدران النارية. دافعنا عن الصحافيين المرميين في السجون لإعلانهم حقائق لا تروق الأنظمة القمعية، ومددنا يد العون إلى الناجين من الاتجار بالبشر ليخرجوا من الظلمة، وعملنا من أجل حقوق العمال ومعايير العمل المنصفة. وخلف هذه العناوين العريضة، تأتي الأعمال الدبلوماسية اليومية: الضغط على الحكومات الأجنبية، ودعم المعارضين، وإشراك المجتمع المدني، والتأكد من أن تبقي الحكومة الأميركية حقوق الإنسان في طليعة مناقشاتها السياسية.

تمثلت إحدى خطواتنا الأولى بالانضمام مجددًا إلى مجلس الأمم المتحدة لحقوق الإنسان، المؤلف من سبعةٍ وأربعين عضوًا، وأُسِّس عام ٢٠٠٦، لمراقبة الاعتداءات الحاصلة على الصعيد العالمي. حلّ هذا المجلس محل لجنة الأمم المتحدة لحقوق الإنسان التي أسهمت إليانور روزفلت في تأسيسها وقيادتها، نهاية الأربعينيات، إلا أنها تحوّلت مع الوقت أضحوكة، على أثر انتخاب مغتصبي حقوق الإنسان، السيئي السمعة، أعضاءً، مثل السودان وزيمبابوي. واجهت المنظمة الجديدة المشكلات عينها؛ حتى إن كوبا فازت بمقعد. رفضت إدارة بوش المشاركة، وبدا أن المجلس يمضي معظم وقته في إدانة إسرائيل. فلمَ الانضمام إليه؟ لم يكن الأمر من منطلق أن الرئيس أوباما لا يرى عيوب المجلس، لكننا وجدنا أننا، عبر المشاركة، سنُمنح الفرصة الفضلى ليكون لنا تأثير بنّاء ولإعادته إلى السبيل الصحيح.

استمرت المشكلات الخطيرة في المجلس، لكنه أثبت أنه منبر مفيد لدعم أجندتنا. عندما كان معمّر القذافي يستخدم العنف الشديد ضدّ المدنيين في ليبيا، مطلع العام ٢٠١١، توجّهتُ إلى المجلس في جنيف، لحشد العالم ضد فظاعاته. وخلال وجودي هناك، تطرقتُ علنًا إلى الانحياز القائم ضدّ إسرائيل، وألححتُ على المجلس لتجاوز جدال استمر عشر سنوات في مناقشة هل يجب حظر الإهانات الموجهة إلى الأديان أم تجريمها، وقلتُ «حان وقت التغلب على الانقسام الزائف

الذي يعمق الحساسيات الدينية ضد حرية التعبير ومتابعة مقاربة جديدة مبنية على خطوات ملموسة لمحاربة التعصب حيثما يقع».

دفعت دول ذات غالبية مسلمة في المجلس، طوال سنوات، في اتجاه قراراتٍ تعارضها الولايات المتحدة وغيرها، وتشكل خطرًا على حرية التعبير بحجة منع «تشويه» الدين. لم تكن مجرّد ممارسة نظرية، إذا أخذنا في الحسبان، العاصفة النارية التي تنفجر كلما نشر أحدهم رسومًا كرتونيةً أو شريط فيديو عبر الإنترنت تسيء إلى النبي محمد. فكرتُ أن في إمكاننا الخروج من المأزق عبر الاعتراف بأن تقبّل الآخر والحرية قيمتان أساسيتان تتطلبان الحماية. ومن أجل التوصل إلى التسوية، كنا في حاجةٍ إلى شريكٍ مستعدٍّ لتخطّي الأسئلة السياسية والأيديولوجية الاتهامية التي تعكّر أجواء النقاش.

وجدنا ذلك الشريك في منظمة التعاون الإسلامي التي تمثل حوالى ستين دولةً. كان رئيسها، الدبلوماسي والباحث التركي، أكمل الدين إحسان أوغلو، وهو رجلٌ عميق التقيته في التسعينيات، عندما كان مدير مركز الأبحاث للتاريخ والفنون والثقافة الإسلامية في اسطنبول. وافق إحسان أوغلو على العمل معي على قرارٍ جديد في مجلس حقوق الإنسان، نحمّله موقفًا قويًّا داعمًا لحرية التعبير والعبادة، ومناهضًا التمييز العنصري والعنف في ما يتعلق بالدين أو المعتقد، ونتفادى من خلاله الحظر على حرية التعبير الذي نصّت عليه القرارات «الافترائية» السابقة. وبدأ أفرقاؤنا في جينيف بصياغة النص، إلى أن تبنّاه المجلس بالإجماع، نهاية آذار/مارس ٢٠١١.

الحرية الدينية هي حقٌّ في حدّ ذاته، متعلّقٌ بحقوق أخرى أيضًا، منها حقّ الأشخاص في حرية التفكير، وفي التعبير عن آرائهم، والمشاركة مع الآخرين، والتجمع سلميًّا من دون أن تتبّعهم الدولة أو تنهاهم عن هذه الأمور. يوضح الإعلان العالمي لحقوق الإنسان أن كلًّا منّا وُلد حرًّا ليتبع أيًّا من الأديان، أو ليغيّر دينه، أو ليقرّر عدم الانتماء إلى أي دين، بينما لا يمكن أي دولة منح هذه الحريات على أنها امتيازات، أو فرض العقاب عليها.

تنشر وزارة الخارجية الأميركية، كل عام، تقريرًا مفصلًا عن حالات الاضطهاد الديني في العالم. ففي إيران، على سبيل المثال، تقمع السلطات المسلمين الصوفيين، والمسيحيين الإنجيليين، واليهود، والبهائيين، والسنّة، والأحمديين، وغيرهم من الذين لا يشاركون الحكومة معتقداتها الدينية.

تعقّبنا أيضًا عودة الظهور المقلق لمعادي السامية في بعض المناطق الأوروبية؛ ففي دول كفرنسا وبولندا وهولندا رُسمت الصلبان المعقوفة على مقابر اليهود ومدارسهم ومعابدهم ومحالهم.

وفي الصين، اتخذت الحكومة إجراءاتٍ صارمة ضد «الكنائس المنزلية» غير المسجَّلة

وضدّ المسيحيين الذين مارسوا عباداتهم فيها، كذلك الأمر مع المسلمين الأوغوريين والبوذيين التيبتيين. فحضرتُ، خلال زيارتي الأولى للصين بصفتي الوزارية، في شباط/فبراير ٢٠٠٩، قداسًا في إحدى الكنائس المنزلية، أردتُ منه توجيه رسالةٍ إلى الحكومة تفيد بحرية المعتقد الديني.

كان حرصنا على حماية حرية المعتقد الديني وحقوق الأقليات أبعد من حجة أخلاقية، بل قامت أيضًا على اعتباراتٍ استراتيجية مهمّة، خصوصًا في المجتمعات التي تشهد مرحلةً انتقالية. عندما زرتُ مصر، عام ٢٠١٢، تساءل المسيحيون الأقباط هل يُمنحون الحقوق عينها التي توفّرها الحكومة لسائر المصريين ويحظون بالاحترام. وفي بورما، لا تزال جماعة الروهينغيا الإثنية المسلمة محرومةً المواطَنة الكاملة وتكافؤ الفرص في التعليم والعمل والسفر. ما تقرّره مصر وبورما والدول الأخرى في شأن حماية هذه الأقليات الدينية سيكون له أثرٌ كبير في حياة هؤلاء الأشخاص، وسيُحدَّد على المدى البعيد هل هذه الدول قادرةٌ على إرساء الاستقرار والديمقراطية. نستنتج تاريخيًّا أن المجتمعات التي تكون فيها حقوق الأقليات محفوظة، يسودها استقرار أكثر، لما فيه خير الجميع. وكما قلتُ في الاسكندرية، في مصر، صيف العام ٢٠١٢ الحار والمضطرب: «تعني الديمقراطية الحقيقية أن يتمتع جميع المواطنين بالحق في العيش والعمل والعبادة، كلٌّ على هواه، أرجلًا كان أم امرأة، مسلمًا أم مسيحيًّا، أم منتميًا إلى أي دين آخر. تعني الديمقراطية الحقيقية أن ليس في استطاعة أي جماعةٍ أو فصيلٍ أو قائد فرض إرادته، وأيديولوجيته، ودينه، ورغباته على أي شخصٍ آخر».

اقتبستُ تكرارًا، على مرّ السنين، مقطعًا من خطابي في الأمم المتحدة لمناسبة الذكرى الخمسين للإعلان العالمي لحقوق الإنسان: «نحن اليوم على مشارف نهاية القرن العشرين، وهو قرنٌ حافلٌ بالحروب المتكررة. إن علّمَنا تاريخ هذا القرن شيئًا، فهو أن متى تمّت المساومة على كرامة مطلق فردٍ أو جماعة، عبر الانتقاص من شخصه أو من بعض السمات الأساسية التي يملكها، نكون فسحنا في المجال بذلك أمام الكوابيس لملاحقتنا». أصررتُ على أن نتلقّن الدرس ونوسّع دائرة الكرامة في المواطنة والإنسانية فتشمل الجميع من دون استثناء.

عندما صرّحتُ تلك الكلمات، لم أكن أضمر النساء والفتيات في العالم اللواتي ما زلنَ مهمّشات بطرائق شتى، فحسب، بل وأولئك «غير المنظورين» من الأقليات الدينية والعرقية، والأشخاص من ذوي الاحتياجات الخاصة، وصولاً إلى مثليّي الجنس ومثلياته وذوي الهوية الجنسية الثنائية والمتحوِّلين جنسيًّا. ومتى عدتُ في الذاكرة إلى المرحلة التي كنتُ خلالها وزيرةً، شعرتُ بالفخر بالعمل الذي قمنا به لتوسيع دائرة الكرامة الإنسانية وحقوق الإنسان لتشمل الأشخاص المستثنين تاريخيًّا.

سمع العالم، في كانون الثاني/يناير ٢٠١١، بدافيد كاتو. كان ناشطًا مثليَّ الجنس في أوغندا، واشتهر على الصعيد المحلي، وفي دوائر المناصرة العالمية. تلقى تهديدات كثيرة، أحدها في الصفحة الأولى من صحيفة أوغندية، نشرت صورةً لدافيد وغيره، مُعنونةً «علِّقوا مشانقهم». أخيرًا، نفّذ أحدهم التهديد، وقُتل دافيد، في جريمةٍ قالت الشرطة إنها تمّت بدافع السرقة، لكنه على الأرجح مات إعدامًا.

ارتعبتُ، شأني شأن كثيرين في أوغندا والعالم، من أن الشرطة والحكومة لم تفعلا الكثير لحماية دافيد بعد الدعوات العلنية إلى قتله. لكن الأمر فاق عجز الشرطة. كان مجلس النواب الأوغندي ينظر في مشروع قانون يعدّ المثلية الجنسية جريمة يعاقَب عليها بالإعدام. أُجريَت مقابلةٌ مع مسؤول حكومي رفيع المستوى — وزير الأخلاق والنزاهة، بذاته — قال فيها بلا مبالاة «يستطيع مثليو الجنس نسيان حقوقهم الإنسانية». كان الشاذون جنسيًّا في أوغندا يتعرّضون دائمًا للتحرش والتهجم، ولم تحرّك السلطات ساكنًا لإيقافهما عمليًّا. عندما تناولتُ هذه القضايا مع الرئيس الأوغندي يووري موسيفيني، سخر من مخاوفي، قائلًا «آه هيلاري، ها أنت تكرّرين الموضوع». لم تكن وفاة دافيد حادثًا فرديًّا، بل أتت نتيجة حملةٍ على امتداد الوطن تنادي بقمع الشاذين جنسيًّا بكل الوسائل اللازمة، وقد شكلت الحكومة جزءًا من هذه الحملة.

طلبتُ ملخصًا عن حياة دافيد، وعن أعماله، وقرأتُ مقابلةً أُجريت معه، عام ٢٠٠٩، قال فيها إنه يريد أن يكون «مدافعًا جيدًا عن حقوق الإنسان، لا مدافعًا ميتًا بل على قيد الحياة». سُلبت منه تلك الفرصة، لكنّ آخرين كانوا يتابعون عمله، وأردتُ أن تقف الولايات المتحدة حازمةً في صفّهم.

لا يقتصر الاعتداء على الشاذين، في أي شكلٍ، على أوغندا وحسب. حتى كتابة هذه السطور، كانت أكثر من ثمانين دولة في العالم جرّمت حال الشذوذ، بطريقةٍ أو أخرى، من جزر الكاريبي إلى الشرق الأوسط فجنوب آسيا. يُسجن الناس لقيامهم بعلاقاتٍ جنسية مثليّة، أو لارتدائهم ثيابًا لا تتطابق والمعايير النموذجية لجنسهم، أو لمجرّد الكشف عن شذوذهم. كان الرجال، المثليو الجنس، يُرسلون في كينيا، جارة أوغندا، إلى السجون ليقبعوا فيها أعوامًا، أما في شمال نيجيريا فيتعرّضون للقتل رشقًا بالحجارة. وفي الكاميرون، سُجن، عام ٢٠١٢، رجل لمجرّد أنه بعث برسالة إلى رجلٍ آخر يعبّر له فيها عن حبّه الرومانسي. انزعجتُ جدًّا عندما وقَّع رئيسا نيجيريا، غودلاك جوناثان، وأوغندا، موسيفيني، مشروع قانون مناهضًا للشذوذ الجنسي، قاسيًا وقمعيًّا، مطلع العام ٢٠١٤. ومع أن الشذوذ الجنسي كان يُعدّ، أساسًا، جريمةً في هذين البلدين، جاء القانون النيجيري الجديد ليعاقب المشاركين في علاقة مثلية بالسجن أربعة عشر عامًا، وأولئك المدافعين عن الشاذين بالسجن عشرة أعوام، فيما يعاقب القانون الأوغندي الجديد على بعض الأفعال بالإعدام.

سنّ نظام فلاديمير بوتين في روسيا سلسلة قوانين مناهضة للمثلية الجنسية، تمنع تبني أي

ثنائي مثلي طفلًا روسيًّا أو أي ثنائي آخر من بلدٍ يُسمح فيه بزواج المثليين، وتضع التسويق لحقوق المثليين والتحدث عن الشذوذ الجنسية على مسامع الأطفال، في خانة الجرائم. عندما ألحثُ على وزير الخارجية الروسية سيرغي لافروف، لفعل المزيد من أجل حماية حقوق الشاذين، تحوّل هذا الدبلوماسي الذي يتحلى برباطة الجأش وضبط النفس، بغيضًا، وقال لي إن ليس لدى الروس أي مشكلة مع الشاذين، بل مع «الدعاية» للشاذين. «لم على «هؤلاء الأشخاص» التجول متباهين بوضعهم؟ ليس على الروس تحمّل ذلك». كان لافروف مزدريًا فكرة أن نكون «من الجهة الصحيحة التي سيذكرنا فيها التاريخ» في هذه القضية؛ كان الموضوع مجرّد «هراء عاطفي». حاولتُ أن أشرح له الخطوات التي كنا نتخذها لإبطال «لا تسأل، لا تقلْ»[1] وللفسح في المجال أمام أعضاء الخدمة من المثليين للالتحاق بالجيش، وطلبتُ من ممثل وزارة الدفاع الأميركية المرافق الأميرال هاري هاريس، أن يطلعهم على التفاصيل. بدأ الجانب الروسي الجالس إلى الطاولة بالضحك وهمس أحدهم «هل هو مثليّ الجنس؟». هاري ليس كذلك، ولم يهتمّ البتة بسخرية الروس، لكنني صُعقتُ من ترداد نظرائي الروس المعقَّدين نقاط الحديث المسيء، في شكلٍ عرضيّ وقاسٍ.

كان وضع حقوق الشاذين الكئيب في العالم يأخذ حيزًا مهمًّا في مجال حقوق الإنسان في الولايات المتحدة منذ بعض الوقت. عندما أُعلن تغيير التعليمات لتشمل الميول الجنسية، منذ العام ١٩٩٣، سلّطت وزارة الخارجية الضوء على الاعتداءات التي تواجهها الجماعات الشاذة في العالم في تقريرها السنوي عن حقوق الإنسان، وتناولت القضية خلال اتفاقاتنا مع الحكومات الأخرى، كما فعلتُ أنا مع لافروف وموسيفيني وغيرهما. قمنا كذلك ببعض الأمور مع الشاذين من خلال بيبفار (خطة الرئيس الطارئة) مما لم يسهم في إنقاذ الملايين وحسب، بل وحقق انخراط الأشخاص المنبوذين في الحياة العامة.

لكنني قرّرتُ رفع مستوى جهودنا في مجال حقوق الإنسان. كانت الدلالات كثيرة إلى أن الأجواء المحيطة بالشاذين تتردى في أماكن كثيرة في العالم، مما كان مخالفًا تمامًا للتطور الواقع في مناطق أخرى، منها الولايات المتحدة. كانت المفارقة رهيبة: حياة الشاذين، في بعض الأماكن، أفضل من أي وقتٍ مضى، فيما لم يكن من الممكن في بلدانٍ أخرى، أن تكون حالهم أسوأ من ذلك.

بحثتُ، تزامنًا، عن سبلٍ لجعل التطور أقرب إلينا في الولايات المتحدة، بتوفير دعم أكبر للشاذين من أفراد أسرة وزارة الخارجية. كان تُفرض الاستقالة على الأجيال السابقة من العناصر الموهوبين، العاملين في الشؤون الخارجية، في حال انتشرت حقيقة ميولهم الجنسي. انقضت تلك الأيام، ولكن، لا تزال هناك قواعد كثيرة تضيّق على زملائنا الشاذين. فعام ٢٠٠٩، وسّعتُ مجموعة

(١) السياسة الرسمية للولايات المتحدة تجاه المثليين الذين يخدمون في الجيش الأميركي من العام ١٩٩٣ وحتى العام ٢٠١١، ومنعتهم من البوح بعلاقاتهم أثناء الخدمة. (المترجم)

المنافع والمخصصات الكاملة المتاحة قانونًا للمتعاشرين من الجنس نفسه، العاملين ضمن طاقم الشؤون الخارجية في البلدان الأخرى. وعام ٢٠١٠، أعطيتُ توجيهاتٍ لكي توفر سياسة المساواة في فرص العمل في وزارة الخارجية صراحةً، الحمايةَ ضد التمييز في معاملة الموظفين وطالبي العمل، وفقًا لهوياتهم الجنسية. سهّلنا كذلك للأميركيين تغيير جنسهم المدرج على جوازات السفر وسمحنا للأزواج من الجنس نفسه بالحصول على جوازات تدوّن فيها أسماؤهم المعترف بها من ولايتهم من خلال وضعهم الزوجي. وبغية دعم حركة مكافحة التهديد التي أطلقها الصحافي دان سافاج، سجّلتُ شريط فيديو تحت عنوان «الوضع إلى تحسّن» لاقى انتشارًا واسعًا عبر الإنترنت. لا أعلم هل وصلت كلماتي المطمئنة والمشجعة إلى مسامع أحد المراهقين المعرّضين للخطر، لكنني أرجو ذلك.

دعمتُ، في وزارة الخارجية الأميركية، حدث الاعتزاز السنوي الذي تقيمه جماعة تُسمى المثليين جنسيًّا والسحاقيات، في وكالات الشؤون الخارجية. وكما يشير الاسم، تضمّ هذه المجموعة الشاذين جنسيًّا من العاملين في الشؤون الخارجية الأميركية، ليحوزوا ركيزة مهنية قوية من أجل تحسين الأجواء المحيطة بالشاذين في الخارج، كما في الداخل. يتّسم احتفال الاعتزاز الذي يقيمونه سنويًّا في وزارة الخارجية بالمرح ويكون هادفًا. في حفلة العام ٢٠١٠، وبعد عرض ملخص للتطور الذي أحدثناه معًا، العام المنصرم، تطرقتُ إلى الأذى الفظيع الذي لا يزال يعانيه الشاذون عالميًّا، وقلتُ «هذه المخاطر ليست قضايا المثليين – هي قضايا حقوق الإنسان»، مما أدى إلى انطلاق الصيحات والهتافات في القاعة. وتابعتُ «تمامًا كما كنتُ فخورةً في بكين، منذ أكثر من خمسة عشر عامًا، بالقول جليًّا إن حقوق الإنسان هي حقوق النساء وحقوق النساء هي حقوق الإنسان، دعوني أقول اليوم إن حقوق الإنسان هي حقوق المثليين وحقوق المثليين هي حقوق الإنسان، مرّة واحدة وأخيرة». فطال التصفيق الحار مجددًا. كنتُ آملُ بالطبع في أن يرحبوا بتصريحي، لكنني فوجئتُ بردّ الفعل الحماسي الذي أبداه الحضور. من الواضح أن الناس كانوا متشوقين إلى سماع هذا الكلام أكثر بكثيرٍ ممّا كنتُ أتوقع، وأكّد لي هذا الأمر، لاحقًا، عنصرٌ فاعل في جماعة المثليين جنسيًّا والسحاقيات في وكالات الشؤون الخارجية، قائلًا «عليك إعلان ذلك عالميًّا».

وهكذا، بدأ العمل لصياغة أحد أبرز خطاباتي التي ألقيتُها كوزيرة خارجية.

كانت معظم خطاباتي التي تناولتُ فيها السياسة الخارجية صعبة الفهم، بطبيعة الحال، خلال وجودي في الوزارة، وقد عرضتُ خلالها لاستراتيجيات القضايا الشائكة بجوانبها المتعددة، وطوال سنوات. وكثيرًا ما انطوت على لهجةٍ تحذيرية، وإنذاراتٍ مشفَّرة، وبعض المصطلحات الدبلوماسية. جهد كتبة خطبي في تبسيطها من أجل أن يفهمها أكبر عدد ممكن من المستمعين،

إلا أن الحقيقة تبقى واحدة: تميل خطابات السياسة الخارجية إلى التقلّب، وتستهوي المستمعين والقرّاء من المتخصصين في السياسة الخارجية، أي المسؤولين الحكوميين، أو خبراء الأبحاث، أو الصحافيين المتضلعين من هذا المجال.

أردتُ أن يكون هذا الخطاب مختلفًا، وموجّهًا إلى الشاذين في مختلف ظروفهم - لا إلى النشطاء في الخطوط الأمامية المتمكنين من مصطلحات حقوق الإنسان وحسب، بل وإلى المراهقين المعرضين للترهيب في أرياف أميركا أو أرمينيا، أو الجزائر. أردتُه أن يكون بسيطًا ومباشرًا - معاكسًا تمامًا لما ورد أعلاه، وللغة المحزنة التي يكثر فيها النواح على المثليين. أردتُه أن يتحلّى بفرصةٍ، أقلّه، لإقناع المستمعين المشككين، فوَجبَ أن يكون منطقيًّا ومتسمًا بالاحترام، من دون التراجع قيد أنملة عن الغاية منه في الدفاع عن حقوق الإنسان. وأكثر ما أردتُه، توجيه رسالةٍ واضحة إلى قادة البلدان في كل أصقاع الأرض: تشكّلُ حماية مواطنيهم الشاذين جزءًا من التزامهم حقوق الإنسان، وكل العالم يتفرّج للتأكد من وفائهم بها.

قبل أن نباشر صياغة الخطاب، كان علي أن أتصور الموقع الذي سألقيه فيه، بما أن المكان والزمان يؤثران أكثر من العادة في موضوعٍ بهذه الحساسية. كنا، مطلع العام ٢٠١١، وكان من المقرر أن أقوم برحلات إلى كل مناطق العالم تقريبًا في الأشهر المقبلة. هل تكون إحدى هذه الرحلات مناسِبة؟ كنتُ متوجهةً إلى أفريقيا، في آب/أغسطس، ونظرنا في أمر الذهاب إلى أوغندا وإلقاء الخطاب في ذكرى دافيد كاتو، ولكن سرعان ما ألغينا الفكرة. كنتُ أسعى، مهما كلّف الأمر، إلى تجنب الإيحاء بأن العنف ضد الشاذين يقتصر على أفريقيا، من دون سائر العالم، أو منح المتعصبين المحليين عذرًا للشكوى من التهديد الأميركي. بل أردتُ أن يكون الخطاب هو الحدث الأساس.

تطلّعنا إلى الروزنامة؛ ربما علينا الاختيار وفقًا لأهمية التاريخ، بدلًا من أهمية المكان. فليكن احتفال الاعتزاز للعام ٢٠١١ في حزيران/يونيو. لا - إذا ألقيتُ الخطاب في الولايات المتحدة، لن يكون له الوقع الذي تصوّرته، وستغطيه الصحافة من منظار السياسة الداخلية، إذا ما غطته أصلًا. (الكلام على حقوق الشاذين خلال شهر الاعتزاز لا يحظى بأهمية إخبارية). ولن يكون له الأثر نفسه.

وأخيرًا، خطرت الفكرةُ عينها لجايك سوليفان ودان باير: يجب إلقاء الخطاب في جينيف، في مقرّ مجلس الأمم المتحدة لحقوق الإنسان. فما من مكانٍ أفضل، إذا أردتُ فعلًا ترسيخ حقوق الشاذين في إطار عمل المجتمع الدولي لحقوق الإنسان.

إذًا، لدينا مكانٌ، ولكن ماذا عن التاريخ؟ قررنا أن يقع في الأسبوع الأول من كانون الأول/

ديسمبر، لمناسبة ذكرى توقيع الإعلان العالمي لحقوق الإنسان، تمامًا كما فعلتُ عام ١٩٩٧. فالأهمية التاريخية تحمل مغزى؛ عمليًا، كان من المقرّر أن أكون في أوروبا في ذلك الأسبوع لحضور اجتماعاتٍ في مقرّ الناتو في بروكسل، وسيكون من السهل لنا التوقف في جينيف.

لم تكن صياغة الخطاب سهلةً. أردتُ أن أدحض الخرافات الفاضحة جدًّا التي ينشرها المتعصبون ضدّ المثليين على أنها حقائق، بينها ما قاله لي وزراء، بكل جدية، عندما حثثتهم على معاملة الشاذين إنسانيًا. أجرَت كاتبة خطبي، ميغان روني، بحثًا عن الأمثلة الأكثر غرابةً، وما أكثرها: المثليون مختلّون عقليًا ويعتدون على الأطفال؛ أللّه أراد منا رفضهم وعزلهم؛ ليس في إمكان البلدان الفقيرة أن تعير حقوق الإنسان اهتمامًا؛ هذه البلدان لا تضمّ أبدًا شاذّين جنسيًّا. هذا ما قاله الرئيس الإيراني محمود أحمدي نجاد أمام الجمهور في جامعة كولومبيا، عام ٢٠٠٧، «ليس لدينا شاذون في إيران، كما عندكم»، وتردّد على مسمعي كلامٌ مشابه في الأحاديث الخاصة.

ذكرنا في مسودتنا الأولى خمس خرافات، ثمّ فندناها كاشفين زيفها. تطوّرَ الخطاب تدريجًا بعد أكثر من مسودة، لكننا اعتمدنا في الختام الهيكلية الأساس التي وردت فيها جميعًا. عرفتُ أن الخطاب يحتاج إلى أن يكون هادئًا وموزونًا إلى أقصى حدّ، إذا أردنا به تغيير ذهنية أحدهم، فتركّزت معظم تعديلاتي على ذلك؛ فعلى سبيل المثال، استخدمت تعبير «خمس مسائل» بدلًا من «خمس خرافات». ووجدت أن من المهمّ الاعتراف بأن الكثير من الآراء المتعلقة بالشاذين متجذّرةٌ في التقاليد الدينية والثقافية التي تحملُ معاني كبيرة في حياة الناس ولا يمكن التطرق إليها في ازدراء. فكتبتُ «أتيت إلى هنا لأقف أمامكم في احترام، وتفهّم، وتواضع»، بينما لم تنتقص هذه اللهجة الأكثر ترويًا من قوّة الأفكار المُدرجة.

طلبتُ من ميغان الاستعانة بخطابي الذي ألقيتُه عام ١٩٩٥، في بكين، لبلورة الخطاب الجديد، بما أنني أتطلّع إلى اعتماد أسلوبٍ مشابه هنا: تسمية الأشياء القبيحة التي تحصل لهذه الجماعة والإعلان أنها اغتصابٌ لحقوق الإنسان، من منطلق أن هؤلاء الأشخاص هم كائناتٌ بشرية. وهكذا كان: لا حجج معقّدة، ولا بلاغة مدوية، بل تأكيداتٌ بسيطة طال انتظارها.

كانت ثمة أسئلةٌ استراتيجية تحتاج إلى أجوبتنا. أولًا: هل «نسمّي ونُخجِل» الدول التي اتبعت خطواتٍ في الاتجاه الخاطئ؟ حملت إحدى مسودات الخطاب صرخةً إلى بعض البلدان، في مقدّمها أوغندا، إلا أنني رأيتُ في الأمر خطأً، وأن اللائحة ستبقى ناقصةً؛ وأدركتُ أيضًا أن الدول المنتقَدة ستشعر أنها مجبرةٌ على الرد، بطريقةٍ دفاعية وغاضبة، على الأرجح. فالولايات المتحدة قامت بخطواتٍ، ولكن يُفترض بنا الاستمرار في العمل على تحقيق المساواة بالنسبة إلى الشاذين الأميركيين. أردتُ أن أدفع القادة من خلال هذا الخطاب إلى التفكير، لا إلى شنّ الهجوم.

في المقابل، بحثنا عن أمثلةٍ في دولٍ ليست غربية وتمكنت مع ذلك من إحراز تقدم مهم في مجال حقوق الشاذين. أي طريقةٍ أفضل من تلك لدحض الخرافات التي تقول إن دعم الشاذين ممارسة غربية واستعمارية؟ كان لدينا، لحسن الحظ، عدد من تلك البلدان لنختار بينها، وفي النهاية أشدتُ بمونغوليا ونيبال وأفريقيا الجنوبية والهند والأرجنتين وكولومبيا، واقتبستُ عن رئيس بوتسوانا السابق.

السؤال الثاني: كيف نعلن الخطاب؟ إذا ذكرنا أنه يتناول حقوق الشاذين، فسيتجنب بعض الأشخاص الاستماع إليه – تحديدًا، أولئك الذين نتوجّه إليهم. فقررنا أن نعلن أنه، في بساطة، خطاب عن حقوق الإنسان لمناسبة ذكرى الإعلان العالمي، وحسب.

في الأسابيع التي سبقت الخطاب، وبعدما كنا أتممنا معظمه، بقيتُ مستعدّةً لتلقّي القصص والأفكار التي يمكن إضافتها. فأخبر قائد قوات مشاة البحرية، في اجتماع في البيت الأبيض، حكايةً عن إبطال «لا تسأل، لا تقلْ»، مؤكدًا لي «كنتُ ضدّه وجهرت بالأمر وقتذاك. ولكن ما إن حدث، حتى شعرتُ أن لا أساس لصحة مخاوفي»، مضيفًا أن سلاح مشاة البحرية احتضن التغيير في احترافٍ يستدعي الفخر، وبدوري، أضفتُ القصة إلى خطابي. واقترح مستشاري القانوني، هارولد قوه، أن نزيد شيئًا عن أهمية التعاطف، وأن نضع أنفسنا مكان الآخرين، فانتهى الأمر بأن كان هذا الشق من أروع ما ورد في الخطاب.

أخيرًا، سافرنا إلى أوروبا. حلّت سويسرا ثالثةً على جدول الرحلات إلى خمس دول، بمعدل زيارة تستمر يومًا واحدًا لكل منها. فرئستُ الوفد الأميركي في مؤتمرٍ عن أفغانستان، في ألمانيا. أما في ليتوانيا، فحضرتُ اجتماعًا لمنظمة الأمن والتعاون في أوروبا. وعندما وصلنا أخيرًا إلى الفندق الصغير والساحر حيث نبيتُ في فيلنيوس، توجّه عددٌ من الوفد المرافق ليلًا إلى حانة الفندق لتناول وجبةٍ من الأطباق الليتوانية، ولو متأخرة. لكن ميغان وجايك كانا متوترين جدًّا من تصريح اليوم التالي، ليتمكنا من الاسترخاء. فدخلا غرفة ميغان، وجلسا على الأرض، ودقّقا، هاتفيًّا، في كل ما ورد في الخطاب مع دان باير (الذي كان في جينيف)، ولم ينهيا العمل إلا قبل انبثاق الفجر بقليل.

علمتُ باكرًا، صباح اليوم التالي، أن البيت الأبيض وافق أخيرًا على إجراء التعديل في السياسة، بعدما أقدمنا على مناقشته، ومن الآن فصاعدًا، ستأخذ الولايات المتحدة في الحسبان سجلات الدول عن حقوق الشاذين، قبل تخصيصها بالمساعدات الخارجية. ويوفّر هذا النوع من السياسة فرصةً حقيقية للتأثير في أعمال الحكومات الأخرى، في حين كنتُ أتطلّع إلى إضافة هذه النقطة إلى خطابي.

سافرنا، في كانون الأول/ديسمبر، إلى جينيف متوجهين إلى قصر الأمم الذي كان يبدو فخمًا أكثر من عادته، مع العلم أنه مثيرٌ للإعجاب في كل الأوقات. فقد شيِّد المبنى خصيصًا ليكون مقرًّا لعصبة الأمم، وافتُتح عام ١٩٣٦، في لحظات التفاؤل الأخيرة التي سبقت تفكك أوروبا. هنا، تمّ الفصل في كبرى المسائل الدبلوماسية في القرن العشرين، من نزع السلاح النووي إلى استقلال الدول المتحررة من الاستعمار. ودائمًا ما تكون أروقة المبنى وغرفه مزدحمةً، إنما كانت تعجّ هذه المرة بحشود غفيرة.

اعتليت المنبر، وبدأت.

> أودّ اليوم أن أتكلّم على العمل المتبقي أمامنا لحماية مجموعةٍ من الأشخاص غير المتمتعين بحقوق الإنسان حتى الآن، في كثيرٍ من الأماكن في العالم. هم يشكلون، في جوانب كثيرة، قلة غير مرئية. يتعرّضون للتوقيف والضرب والإرهاب والإعدام حتى. يُعامَل بعض المواطنين كثرًا منهم في احتقار وعنف، بينما تغض السلطات المنوط بها حمايتهم النظر، أو تشارك في كثيرٍ من الأحيان في الاعتداء عليهم. هم محرومون فرص العمل والعلم، ويُطردون من منازلهم وبلادهم، مجبرين على التكتم على حقيقتهم أو التنكر لها، لحماية أنفسهم من الأذى.

كان الفضول واضحًا على وجوه بعض الحاضرين. إلى أين سيقود الخطاب؟

وتابعتُ «أنا أتكلم على مثليي الجنس والسحاقيات والثنائيي الميل الجنسي والمتحوِّلين جنسيًّا».

كنتُ فخورةً بإلقائي كل كلمةٍ في هذا الخطاب، إنما علقت بعض السطور في ذهني. استذكرتُ دافيد كاتو، وتوجّهتُ مباشرةً إلى جميع النشطاء الشاذين الشجعان الذين يخوضون معارك ضارية في أماكن خطرة وموحشة في العالم: «لديكم حليف في الولايات المتحدة الأميركية. ولديكم ملايين الأصدقاء في صفوف الشعب الأميركي».

وبالعودة إلى كل المحادثات التي أجريتُها مع قادة أجانب، عبّروا عن أن الأمور خارجة عن إرادتهم، قائلين إن «شعبنا يكره المثليين، ويدعم هذه القوانين، فما الذي يمكننا فعله؟» فتوجّهتُ مباشرةً إلى أولئك السياسيين: «تقوم القيادة، بمعناها الصحيح، على الخروج أمام الشعب عندما تدعو الحاجة. تعني القيادة مناصرة كرامة جميع المواطنين وإقناع شعبكم بالقيام بالمثل».

وفي إطار ترددي لخطابي في بكين، وكلمتي في وزارة الخارجية قبل عام، قلتُ «كما المرأة، وكما التمييز العنصري للأقليات العرقية والدينية والقبلية، لا يجعلك الشذوذ الجنسي أقلّ إنسانيةً. لذا، فحقوق المثليين هي حقوق الإنسان، وحقوق الإنسان هي حقوق المثليين».

استيقظت صباح اليوم التالي على الدليل الأول إلى أن خطابي كان مفصليًّا: ركع المثليّ الذي كان يصفف شعري في ذلك اليوم، استعراضيًّا، على ركبتيه يشكرني. فضحكتُ وطلبتُ منه الوقوف، حبًّا باللّه. فعلى جاري العادة، شعري لا ينتظر.

ترددت أصداء خطابي في العالم أجمع، وامتلأ هاتفي بالرسائل. تابع الخطابَ عددٌ كبير من الناس، عبر الإنترنت، وشعرتُ بالارتياح، لأسباب شتى. وعلى الرغم من أنني توقعتُ انسحاب بعض الموفدين الأفارقة الموجودين بين الحضور، ذاك اليوم، إلا أنهم لم يفعلوا. تصدّر تعبير «حقوق المثليين هي حقوق الإنسان» أعدادًا لا تُحصى من المنشورات واللافتات والقمصان، بحسب ما رأيتُ في الصور ومقاطع الفيديو التي أرسلها إلي أشخاص من حفلات الاعتزاز التي أقيمت في العالم. كنتُ فخورةً بأن أميركا أيّدت مرةً جديدة حقوق الإنسان، كما فعلت في مناسبات كثيرة في السابق.

تلقيتُ، في مرحلةٍ لاحقة من ولايتي في وزارة الخارجية، رسالةً من مسؤول في الشؤون الخارجية، مركزه في أميركا اللاتينية، فأصبَحَتْ جزءًا ثمينًا من مقتنياتي: «أكتب إليكم لا بصفة كوني موظفًا في وزارة الخارجية يراسل الوزيرة، بل كزوجٍ وأبٍ يتوجّه بالشكر، إلى شخصكم، لكلّ ما فعلتموه لعائلتنا في الأعوام الأربعة الأخيرة. حلمتُ طويلًا أن أصبح مسؤولًا في الشؤون الخارجية، إلا أنني لم أقدم على هذه الخطوة، إلا حين أصبحتم وزيرة خارجيتنا. في اللحظة التي أعطيتم فيها توجيهاتكم للوزارة للاعتراف بانتماء الأزواج المثليين إلى العائلة، تلاشى فجأةً المانع لدي ولم يعد يشكّل عائقًا أمامي». وتابع بوصف سعادته بتمكّن زوجه الذي تستمر علاقته به منذ سبعة أعوام، بالانضمام إليه أثناء تأديته وظيفته خارج البلاد، مما سمح لهما بالتالي بتبني توأمين. وأرفق الرسالة بصورة عائلتهما السعيدة، مضيفًا «ما كان يصعب تخيّله منذ ثلاث سنوات... أن نكون دبلوماسيين يمثلون بلدهم، وأن تعترف الحكومة بعلاقاتنا، وأن نصبح آباء، تحقق كله الآن».

عندما تركتُ وزارة الخارجية، عام ٢٠١٣، وبدأتُ بالعمل في مؤسسة كلينتون في نيويورك، علمتُ أنني أودّ متابعة «عمل القرن الحادي والعشرين العظيم الذي لم ينتهِ بعد». ساعدني اقتراب الذكرى العشرين للمؤتمر العالمي الرابع عن المرأة في بكين، لتحديد أفكاري. كنتُ فخورةً بالكثير الذي أُنجز في ذلك الوقت، ومع ذلك، لم يكن هناك أدنى شك في أن الطريق أمامنا ما زالت طويلة لتحقيق هدفنا بـ «المشاركة الكاملة والمتساوية».

افتتحت ميلان مركزًا أكاديميًّا يُعنى بالمرأة والسلام والأمن في جامعة جورج تاون، وقبلتُ أن أكون الرئيسة الفخرية للمؤسّسة. وبعدما توقفنا عن التجول في كل أنحاء العالم، يومًا تلو آخر،

وجدنا أننا نتكلّم أكثر ونفكر في إجراء مسح لتاريخ حراكنا الذي كرّسنا له سنواتٍ طويلة ومستقبله. اتصلتُ بماغي ويليامز وطلبتُ منها المجيء لنضع الاستراتيجية معًا. وهكذا، توصّلنا إلى وضع مخطط، مع تشيلسي وفريقنا الرائع في مؤسسة كلينتون، بينهم جين كلاين وراتيشل فوغلشتاين اللتان أدتا دورين رئيسين في وزارة الخارجية.

وفي الاجتماع السنوي لمبادرة كلينتون العالمية، في نيويورك، في أيلول/سبتمبر ٢٠١٣، أعلنتُ أن مؤسسة كلينتون عازمةٌ التعبئة من أجل بذل جهد واسع النطاق لتقويم التطور الذي قامت به النساء والفتيات منذ مؤتمر بكين، ولرسم المسار في اتجاه إنجاز مشاركةٍ كاملة ومتساوية لهنّ. قلتُ إن الوقت حان للنظر في وضوح، في مدى الذي وصلنا إليه، وكم يبقى أمامنا لتحقيق مرادنا، وما الذي خططنا لفعله في شأن العمل غير المنتهي.

وبدأنا بالعمل، مع شركاء كمؤسسة غايتس، لـ «مراجعة شاملة» رقمية تتناول أوضاع النساء والفتيات، تستمر إلى حين بلوغ الذكرى العشرين لمؤتمر بكين، في أيلول/سبتمبر ٢٠١٥. أردتُ أن تظهر المكاسب التي حققناها والفجوات التي بقيت، على الملأ. سنقدّم معلوماتٍ يسهل الوصول إليها ويمكن التشارك فيها ووضعها في خدمة المحامين والأكاديميين والقادة السياسيين لتصوّر الإصلاحات وإجراء تغيير حقيقي.

أردتُ أيضًا أن أرتكز على برنامج العمل الذي أيّده العالم في بكين، وطرح أجندة القرن الحادي والعشرين لتسريع عجلة المشاركة الكاملة للنساء والفتيات في العالم، بينها المناطق التي كانت لا تزال، عام ١٩٩٥، بعيدة المنال. فعلى سبيل المثال، لم يكن أحدٌ منّا في بكين ليتخيّل التحولات التي سيحدثها الإنترنت وتكنولوجيا الهواتف النقالة في عالمنا، أو ليفهم ما يعني أن يكون عدد النساء على الإنترنت أقل من عدد الرجال بمئتي مليون نسمة في العالم النامي. ومن شأن ردم هذه «الهوة الرقمية» توفير فرصٍ واسعة جديدة للمشاركة الاقتصادية والسياسية.

أخيرًا بدأنا نطلق على مبادرتنا الجديدة «بلا سقوف» اسم: مشروع المشاركة الكاملة. وأتت التسمية كصدًى مرح لـ «١٨ مليون تصدّع في السقف الزجاجي»، وقد حازت شهرة في ختام حملتي الرئاسية، لكنها عَنَت أكثر من ذلك بكثيرٍ. لم يكن من الضروري أن تكونَ في أعلى المستويات في مجالَي السياسة أو الأعمال؛ كانت النساء والفتيات في كل أنحاء العالم لا يزلنَ يواجهنَ كل أنواع السقوف التي أوقفت طموحاتهنّ وتطلعاتهن وصعّبت عليهن ملاحقة أحلامهنّ، إن لم تجعل الأمر مستحيلًا بالنسبة إليهن.

لم يمضِ سوى وقت قليل على إعلاني «بلا سقوف»، حتى سمعتُ قصّة مفاجِئة. صودف وجود زميل في البيت الأبيض خلال ولاية كلينتون، هو ستيفن ماسي، في بكين، متجوّلًا في إحدى

المكتبات الشاسعة والعصرية إنما كانت هادئة وشبه فارغة. فسمع ستيفن من مكبرات الصوت في المتجر ما لم يقوَ على تصديقه، وهو الجملة المألوفة لديه: «حقوق الإنسان هي حقوق النساء وحقوق النساء هي حقوق الإنسان، مرّةً أولى وأخيرة». كان صوتي، وكانوا يعيدون خطابي المسجّل في المتجر كلّه. شتّان ما بين عشرين سنةً مرت ويومنا هذا! فعام ١٩٩٥، أغلقت الحكومة الصينية الدائرة التلفزيونية المغلقة التي يُبث خطابي منها. أما اليوم، فأصبحت هذه الكلمات المثيرة للجدل «موسيقا خلفية» للزبائن، وجزءًا من نسيج الحياة اليومية. أخرج ستيفن هاتفه الذكي، وصوّر مقطع فيديو، وأرسله إلي في أميركا بالبريد الإلكتروني. عندما رأيتُه، ما كان أمامي سوى الضحك. هل هذه الطريقة مجدية فعلًا لبيع الكتب؟ وفي الصين تحديدًا؟!

صارت رسالة بكين، والعمر الذي أمضيناه في العمل من أجلها، جزءًا مهمًّا من هويتي، ومن حمضي النووي حتى. سررتُ بانتشارها على المستوى الثقافي، في الأماكن التي كانت في يومٍ من الأيام معاديةً للقضية. فحماية حقوق الإنسان وتوسيع حلقتها، أمرٌ ملحٌّ وضروري إلى أقصى حدّ، ولا يمكن إحراز تقدم من دون القيادة الأميركية المستمرة.

في شباط/فبراير ٢٠١٤، دعت الحملة من أجل حقوق الإنسان ابنتي تشيلسي إلى إلقاء كلمةٍ في المؤتمر عن حقوق المثليين، فأوردت فيها جملةً مألوفةً، أعطتها حيزًا جديدًا، قائلةً «كثيرًا ما تقول أمي إن قضية النساء هي عمل القرن الحادي والعشرين الذي لم ينتهِ. هذا صحيح بكل تأكيد. لكن هذا ما هي عليه أيضًا حقوق الشاذين، عمل القرن الحادي والعشرين غير المنجز». هي على حقّ من دون شك، ولم يكن ممكنًا لي أن أشعر بفخرٍ أكبر بها، بتعبيرها عن موقف قوي مؤيدٍ للمساواة بين الجميع وقائم لإتاحة الفرص لهم.

وصفتُ سابقًا عمل السياسة الخارجية الأميركية بسباق التتابع. تُسلّم العصا إلى القادة، ويُطلب منّا الركض في براعة قدر المستطاع ووضع العدّاء التالي في أفضل مركز ممكن بهدف النجاح. العائلات مشابهةٌ لسباق التتابع أيضًا. أدركتُ، منذ اللحظة التي حملتُ فيها تشيلسي في المستشفى في ليتل روك، أن مهمّتي في الحياة تكون إتاحة كل الفرص أمامها لتتطور. وعندما كبرت وانطلقت في حياتها الخاصة، تغيرت مسؤولياتي. وبما أنها تنتظر الآن طفلًا، أتهيأ بدوري لتأدية دور انتظرتُه سنوات، وهو أن أصبح جدّة. ووجدتُ أنني أفكر كثيرًا في علاقتي مع أمي، في كبري وفي صغري، وفي الدروس التي تعلّمتُها منها.

عندما أصبحتُ وزيرةً للخارجية، كانت أمي تشارف عامها التسعين. كانت تعيش معنا في واشنطن خلال السنوات القليلة المنصرمة، مذ استصعبت وحدتها في شقتها المطلّة على حديقة

الحيوانات، في جادّة كونيتيكت. حالي هي حال الكثيرين من أبناء جيلي الأميركيين، فشعرتُ بالبركة لإفادتي من هذه السنوات الإضافية مع أحد الوالدَين المسنّ، وبالمسؤولية في التأكد من أنها مرتاحة وتلقى العناية التامة. منحتني أمي حبًّا ودعمًا غير مشروطَين خلال نشأتي في بارك ريدج، وحان دوري اليوم لمساندتها. بالطبع لم أكن لأسمح بأن تسمع وصفي هذا للوضع. كانت دوروثي هويل رودهام امرأةً مستقلة جدًّا، ولا يمكنها تقبّل فكرة أن تكون عبئًا على أحد.

بات قربها مني مصدر راحة كبيرة لي، خصوصًا خلال المرحلة الصعبة التي تلت نهاية الحملة الانتخابية، عام ٢٠٠٨. كنتُ أعود إلى المنزل بعد يوم طويل في مجلس الشيوخ أو وزارة الخارجية، وأجلس إلى جانبها إلى الطاولة الصغيرة المخصصةً للفطور، وأبوح بكل ما لدي.

كانت أمي تعشق الروايات الغامضة، والمأكولات المكسيكية، والبرنامج التلفزيوني الرقص مع النجوم، (وتمكنّا مرةً من إرسالها لحضور تصوير العرض)، وأغلى ما على قلبها، أحفادها. كانت مدرسة ابن أخي، زاك رودهام، تبعد خمس دقائق، وكان يأتي أحيانًا كثيرة لزيارتها بعد الظهر، بينما كانت تشعر بفرح عارم لدى تمضية وقتها مع أصغر أحفادها، فيونا وسيمون رودهام. أما بالنسبة إلى تشيلسي، فكانت جدتها إحدى أهم الشخصيات في حياتها، هي التي ساعدتها على مواجهة تحديات نشأتها في الحياة العامة، وشجّعتها عندما أصبحت جاهزة على متابعة عشقها للخدمة والأعمال الخيرية. حتى في التسعين من عمرها، لم تتوانَ أمي عن التزامها العدالة الاجتماعية، مما كان له أثرٌ في قولبتي وإلهامي خلال المرحلة التي كنتُ أكبر فيها. وراقني أنها كانت تفعل الشيء نفسه مع تشيلسي، حتى إنني لا أذكر يومًا رأيتُ أمي سعيدةً بقدر ما كانت عليه يوم زفاف تشيلسي. سارت فخورةً في الممشى متأبطةً ذراع زاك، وهلّلت لحفيدتها الفرحة والمتألقة.

شهدت طفولة أمي صدمات نفسية وتخليًّا عنها. كان والداها، في شيكاغو، يتعاركان في استمرار، وتطلقا بينما كانت هي وأختها يافعتين. لم يُرِدْ أي من الوالدين الاهتمام بالفتاتين، فأُرسلتا في القطار إلى كاليفورنيا للعيش مع جدَّيهما لأبيهما في ألهامبرا، وهي مدينة قرب جبال سان غابريال، شرق لوس أنجليس. كان الثنائي العجوز متشددًا وغير محب. وذات مرة، حبسا أمي في غرفتها سنةً كاملة باستثناء ساعات وجودها في المدرسة، بعدما قبضا عليها في احتفال الهالوين تلعب مع أصحابها خدعة «أم حلوى»(١). ومُنعت من الجلوس إلى طاولة الطعام في المطبخ أو من اللعب في الفناء. وعندما بلغت أمي الرابعة عشرة، لم تعد تستطيع تحمّل العيش في منزل جدتها، فانتقلت ووجدت عملًا كمدبّرة منزل ومربية لدى امرأة شفوقة في سان غابريال، فوفرت لها المسكن والطعام و٣ دولارات أسبوعيًّا وحثتها على الذهاب إلى المدرسة الثانوية. كانت أول مرة ترى كيف يعتني الأهل المحبون بأولادهم - كان الأمر مفاجئًا بالنسبة إليها.

(١) تقليد خاص بالمناسبة يقرع فيه الأولاد أبواب المنازل طالبين الحلوى. (المترجم)

بعد تخرّج أمي في المدرسة الثانوية، انتقلت مجددًا إلى شيكاغو آملةً في أن تتواصل مع أمها. ومن المحزن أنها طُردت مرة أخرى. فعملت، مكسورة القلب، سكرتيرةً خمس سنوات قبل أن تلتقي والدي، هْيو رودهام، ويتزوجا. وبنت لنفسها حياةً جديدة كربّة منزل، تمضي أيامها في إغداق الحب عليّ وعلى أخويّ الأصغر مني.

عندما أصبحتُ في سن تسمح لي باستيعاب كل تلك الأمور، سألتُ أمي كيف نجت من الاعتداءات وتجاوزت أمر التخلي عنها، من دون أن تصبح ساخطة ومنغلقة عاطفيًّا. كيف خرجت من تلك الحياة التي كانت فيها وحيدةً في صغرها وتحوّلت امرأةً تحمل كل هذا الحب والرزانة؟ لن أنسى أبدًا جوابها حين قالت «في أوقاتي العصيبة، عاملني أحدهم في لطف». قد يبدو الأمر بسيطًا أحيانًا، لكنه يحمل معاني كبيرة – لاحظت معلمتها في المدرسة الابتدائية أنها لا تملك المال لشراء الحليب، فكانت تشتري كل يوم علبتي حليب وتسألها «دوروثي، لا أستطيع أن أشرب علبة الحليب الثانية. هل تريدينها»؟ أو المرأة التي وظفتها مربية وأصرّت على أن تتسجل في المدرسة الثانوية. لاحظت، ذات يوم، أن أمي لا تملك سوى قميص واحد تغسله كل يوم فقالت لها «دوروثي، هذا القميص ضيِّق علي، وأرفض التخلص منه. هل تريدينه؟».

كانت أمي مفعمةً بالحيوية والإيجابية، حتى في سن التسعين. لكن سنَّها بدأت تخذلها؛ عانت مشكلات في قلبها. خريف العام ٢٠١١، كنتُ قلقةً جدًّا من تركها وحيدةً، وكنتُ أجهّز نفسي، مساء ٣١ تشرين الأول/أكتوبر، المصادف ليلة هالوين، للتوجه إلى لندن وتركيا، بينما كان فريقي المرافق منتظرًا في الطائرة إلى حين وصولي، للإقلاع. تلقيتُ، في تلك اللحظة، اتصالًا يفيد بنقل أمي إلى مستشفى جامعة جورج واشنطن، فألغيتُ الرحلة على الفور وأسرعتُ إلى ملاقاتها، في حين حضر بيل وتشيلسي ومارك على عجل من نيويورك، ووصل أخواي وزوجتاهما، هيو وماريا وطوني وميغان، في سرعةٍ فائقة. ناضلت أمي طوال حياتها، لكن الأمور وصلت إلى خواتيمها. جلستُ قرب سريرها وأمسكتُ بيدها للمرة الأخيرة. ما من أحدٍ كان له أثرٌ أكبر في حياتي أو فعل أكثر مما فعلت هي، لأصبح الشخص الذي أنا عليه اليوم.

عندما فقدتُ والدي، عام ١٩٩٣، شعرتُ أنه رحل باكرًا، وأصابني الحزن لكل الأمور التي لم يعشْ ليراها ويفعلها. هنا، كان الوضع مختلفًا، إذ عاشت أمي حياةً طويلة وحافلة، ولم أبكِ بسبب الأشياء التي ستفوتها، بل لأنني سأشتاق إليها كثيرًا.

أمضيتُ الأيام القليلة التي تلت موتها، بالتنقل بين أغراضها في المنزل، أتصفح كتابًا، أحدق في صورةٍ قديمة، ألامس قطعة مجوهرات عزيزة. وجدتُ نفسي جالسةً إلى جانب كرسيها الفارغ إلى طاولة الفطور، وأكثر ما أتمناه لو أن في إمكاني التكلم معها ومعانقتها مرةً أخرى.

أقمنا مراسم تأبين متواضعة لها في المنزل مع العائلة والأصدقاء المقربين، وطلبنا من الكاهن، بيل شيلادي، الذي زوَّج تشيلسي ومارك أن يقيم القداس. كان كلام تشيلسي عليها مؤثرًا، تمامًا مثل كلام عددٍ من أصدقاء أمي، والعائلة. قرأتُ بضعة سطور للشاعرة ماري أوليفر، التي عشقتُ وأمي كتاباتها.

وبينما كنت واقفةً هناك، وإلى جانبي بيل وتشيلسي، حاولتُ أن أودّعها للمرة الأخيرة. فتذكّرتُ حكمةً قالتها صديقةٌ لي تكبرني سنًّا في سنواتها الأخيرة، تنطبق تمامًا على ما عاشته أمي وعلى الحياة التي أودّ أن أعيشها أنا: «أَحبَبتُ وأُحبِبت؛ وكل ما تبقى هو موسيقا خلفية».

نظرتُ إلى تشيلسي وأنا أفكر كم كانت والدتي فخورةً بها، هي التي وقفت حياتها الخاصة على مدى قدرتها على مساعدتنا وخدمة الآخرين، وأدركتُ لو أنها معنا اليوم، لكانت حثتنا على فعل الشيء نفسه. لا تَنَمْ قط على أمجادك، ولا تستقِلْ، ولا تتوقفْ عن العمل، لتجعل العالم مكانًا أفضل. هذا هو عملنا الذي لم ينتهِ بعد.

الخاتمة

«أين ذهبت هيلاري؟» سأل الرئيس وهو يتطلّع في كلّ الاتجاهات، باحثًا عني، في وقت كان يلقي كلمةً مقتضبة عن الديمقرطية في بورما، وهو واقفٌ على شرفة منزل أون سان سو تشي، في رانغون. «أين هي؟»

كنّا في تشرين الثاني/نوفمبر ٢٠١٢، وكانت تلك الرحلة الأخيرة نقوم بها معًا كرئيسٍ ووزيرة خارجية. لوّحتُ له من بعيد، فرآني، وقال «ها هي». وعندما وجّه إلي الشكر، خطر لي كم مضى من الوقت، عقب ذاك اليوم الذي كنا فيه في غرفة جلوس ديان فاينشتاين، قبل أكثر أربعة أعوام. فكما جاءت رحلتنا الأخيرة بكل تفاصيلها، كانت تلك اللحظة ممزوجةً بالحنين، بحلوه ومرّه، وبالرضى عما أنجزناه، وبالسرور بعلاقة الشركة التي ربطت بيننا، وبالحزن لمشارفتها النهاية.

أُعيد، قبل بضعة أيام، انتخاب الرئيس، من دون أن أتمكن هذه المرة من قيادة حملة لمصلحته، على عكس ما قمتُ به عام ٢٠٠٨، من منطلق عدم السماح لوزراء الخارجية بالتدخل في السياسة الداخلية، وفقًا للقانون والتقاليد. فسجّلتُ بذلك أول غيابٍ لي عن المؤتمر الوطني الديمقراطي في شارلوت، في كارولاينا الجنوبية، منذ العام ١٩٧٦. وفّر لي ذلك المؤتمر الذي عُقد في دنفر، عام ٢٠٠٨، فرصةً لمساندة الرئيس أوباما والإسهام في توحيد الديمقراطيين، عقب حملة الانتخابات التمهيدية الطويلة. لكنني كنتُ بعيدةً جدًّا، خلال مؤتمر العام ٢٠١٢، نظرًا إلى تمثيلي بلادنا، في آسيا، ضمن مهمّة دبلوماسية.

وليلة سمّى زوجي الرئيس رسميًّا، خلال خطابه في المؤتمر، كنتُ موجودةً في أحدث بلاد آسيا، تيمور الشرقية، عقب فوزها في النضال من أجل استقلالها عن أندونيسيا، عام ٢٠٠٢.

انسحبتُ خلسةً للاختلاء بنفسي، بعض الوقت، في مقرّ سفيرنا، بعد يوم دبلوماسي أمضيته في العاصمة ديلي، قبيل سفري إلى بروناي لعقد لقاءٍ مع السلطان حسن البلقية وتناول العشاء

معه. وإذ لم يكن ممكنًا التقاط محطة سي أن أن، ولضعف تردد الإنترنت، استطاع فيليب رينز الاتصال بمسجّل الفيديو الرقمي الخاص به في واشنطن، تيفو، لنتمكن من المشاهدة المتأخرة، على كمبيوتر السفير، لتسجيل وقائع خطاب بيل الذي انتهى لتوّه. جسلتُ أشاهد، فيما سائر أفراد فريق عملي محتشدون خلفي.

ما كان لي إلّا أن أبتسم لدى رؤيته واقفًا على المنبر أمام الجمهور المتحمس. مضى ستة عشر عامًا على حملة بيل الانتخابية الأخيرة، إلا أنه ما زال يعشق الإثارة التي ترافق اللحظات السياسية المهمة.كمحامٍ متطوّع يسرد الحقائق أمام هيئة المحلّفين، شرح بيل إلى أي حد كان اقتصادنا ومكانتنا العالميّة متدهورين عام ٢٠٠٩، وكيف بدأت إدارة أوباما بتغيير الأوضاع. وفي ختام كلمته، طرح سؤاله عن التراجع والنهضة اللذين طاولا أميركا، قائلًا «منذ أكثر من مئتي سنة، وأميركا تنهض مجددًا بعد كل أزمة. توقع الناس زوالنا مذ انتُقد جورج واشنطن لكونه مسّاحًا متواضعًا ذا أسنان اصطناعية خشبية سيئة. وحتى اليوم، خسر ماله كل من راهن ضدّ أميركا، لأننا نتمكن دائمًا من النهوض. فبعد كل أزمة تلم بنا، نعود أقوى وأفضل بقليل». فاجأنا الرئيس أوباما، بعد انتهاء كلمة بيل، بالصعود إلى المنصة لشكره. وبينما كان الرئيسان يتعانقان، ثار الجمهور حماسةً. وأثناء مشاهدتي الأجواء السائدة على بعد عشرات آلاف الأميال، شعرتُ بالاعتزاز بالرئيس السابق الذي تزوجته، وبالرئيس الراهن الذي خدمته، وبالبلد الذي أحببناه جميعًا.

بعد اختتام نهارنا في بورما، صعدتُ والرئيس إلى طائرته للتوجه إلى كمبوديا، وحضور قمّة آسيا الشرقية واجتماع قادة أسيان (اتحاد دول جنوب شرقي آسيا)، في اختبارٍ جوهري آخر لاستراتيجيتنا المحورية. أما تزامنًا، فكان الصراع في غزة بلغ ذروته بين إسرائيل وحماس، وكان علينا أن نقرر هل أقطع رحلتي بغية السفر إلى المنطقة، في محاولةٍ للتوسط من أجل وقف إطلاق النار. فطلب مني الرئيس الانضمام إليه في مكتبه، في مقدّم طائرته الرئاسية، لكثرة المواضيع التي أراد مناقشتها معي.

جلستُ أمام مكتبه الخشبي الكبير ورحنا نناقش الدبلوماسية الحساسة التي تنتظرنا. وعلى الرغم من كل الأحداث الدائرة حولنا، شعرنا بالحنين. استطاعت هذه السنوات الأربع أن تغيّر كلًّا منا على نحوٍ لم نكن نتوقعه. رأينا أشياء معًا وقمنا بأمورٍ ساعدتنا على فهم كل منا نفسه، وفهم أحدنا الآخر، وفهم العالم في شكلٍ أكبر، وهو أمرٌ لم نكن نتحلّى به من قبل.

ولكن، لم يخطر في بالي، مع كل الوقت الذي أمضيناه معًا، أن تحين لحظة يسألني فيها الرئيس «هل تفكرين في البقاء في منصب وزير الخارجية؟».

مذ قبلتُ هذه الوظيفة، قلتُ في نفسي «ولاية واحدة فقط»، وهذا ما صرّحتُه علنًا أيضًا. وبقدر ما أحببتُ أن أكون وزيرةً للخارجية، كنتُ أتوق في المقابل إلى ترك الحياة العامة وتمضية وقتٍ أكثر مع عائلتي، ومعاودة التواصل مع أصدقائي، والقيام بالأمور اليومية التي أفتقدها. سيكون جيدًا البقاء في منطقة زمنية واحدة، من دون الحاجة إلى إضافة خمس ساعاتٍ أو عشرًا أو أربع عشرة إلى الوقت، أو تأخيره، كلما استيقظت.

هنا، شعرتُ باندفاع في «جيناتي الخدماتية»، كما حدث منذ أربعة أعوام، وسمعتُ ذاك الصوت الذي يقول لي إن ما من دعوةٍ أسمى وهدفٍ أنبل من خدمة الوطن. كيف لك أن تمانع، عندما يطلب منك رئيس الولايات المتحدة الالتحاق بالخدمة؟ في وقتٍ لا يزال أمامنا الكثير من العمل لإنهائه، كالقمة في كمبوديا والصراع في غزة، على سبيل المثال لا الحصر. ما مصير الديمقراطية في بورما؟ وما مصير مفاوضاتنا السرية مع إيران؟ وكيف نوجه ضربةً مضادة إلى التحدي المتنامي الذي يشكله بوتين في روسيا؟

لكن الديمقراطية هي سباق تتابع، وقد شارف دوري النهاية.

فأجبته «آسفة، سيدي الرئيس. لا يمكنني».

تبادلنا الوداع، بعد أشهر قليلة. تناولتُ الغداء مع الرئيس أوباما في غرفة طعامه الخاصة، قبالة المكتب البيضوي، وكان طبقًا من تاكو السمك، وناقشنا مذكّرةً حضّرتُها في ٢٠ صفحة، تحمل توصياتٍ لولايته الثانية، مبنيةً على المواضيع التي بدأنا بها، فضلًا عن مبادرات جديدة. توقفنا قليلًا في المكتب البيضوي لدى خروجنا، وكنتُ أتمزّق من الداخل، فعانقتُ الرئيس وعبّرتُ له عمّا عناه لي عملنا معًا وصداقتنا، وقلتُ له إنني جاهزة دائمًا، إذا ما احتاج إليَّ.

جلستُ في آخر يوم عملٍ لي في الوزارة، في فوغي بوتوم، إلى طاولتي، في مكتبي الصغير بديكوره المصنوع من الخشب الكرزي، وكتبتُ رسالةً لجون كيري، تركتها في المكان عينه حيث وجدتُ رسالة كوندي لي، قبل أربع سنوات، ثمّ وقّعتُ كتاب استقالتي للرئيس. هي المرة الأولى، منذ عشرين عامًا، لا يكون لي دورٌ في الحكومة، بعدما كنتُ سيدة أولى، وسيناتورة، ووزيرة خارجية.

وآخر ما قمتُ به، نزولي إلى الردهة – حيث رُحِّب بي في أول يوم تسلمتُ مهامي، عام ٢٠٠٩ – لأودّع الرجال والنساء العاملين في وزارة الخارجية والوكالة الأميركية للتنمية الدولية. لم يكن كافيًا أن أشكر لهم تفانيهم في الخدمة، لكنني فعلتُ ما في وسعي. رأيتُ مجددًا الجدران الرخامية حيث حُفرت أسماء الزملاء الذين فقدناهم، وقد سقطوا أثناء خدمتهم البلاد، فرفعتُ صلاةً

صامتةً إليهم وإلى عائلاتهم. وكان أشخاص كثرٌ اكتسبوا مع الوقت محبتي واحترامي، احتشدوا في الردهة، وكنتُ سعيدةً باستمرارهم في خدمة الولايات المتحدة في ذكاء ومثابرة وشجاعة.

على الأميركيين أن يقرروا، في السنوات المقبلة، هل نحن جاهزون لاستخلاص العبر من تاريخنا والدعوة إليها، وللنهوض مجددًا دفاعًا عن قيمنا ومصالحنا. هذه ليست دعوة إلى المواجهة ولا إلى حربٍ باردة جديدة – تعلّمنا في شكلٍ أليم أن القوة ملاذُنا الأخير، لا نلجأ إليها أبدًا في البداية. بل على العكس، هو نداءٌ للوقوف حازمين وموحَّدين في سعينا إلى عالمٍ أكثر عدالة وحرية وسلامًا. وحدهم الأميركيون يستطيعون اتخاذ قرارٍ كهذا.

فقوتنا الخارجية تتوقف، في النهاية، على عزيمتنا وصمودنا في الداخل. ويجب على المواطنين، والقادة، على السواء، اتخاذ الخيارات المتاحة أمامهم عن شكل الدولة التي نريد أن نعيش فيها، ونسلمها إلى الأجيال التالية. فمداخيل الطبقة الوسطى إلى تراجع منذ أكثر من عقد، ومستوى الفقر إلى ارتفاع، فيما كل أرباح النمو تقريبًا أصبحت ملكًا للموجودين في أعلى القِمّة. نحن في حاجةٍ إلى توافر عددٍ أكبر من الوظائف الجيدة التي تكافئ العمل الدؤوب، على أن ترافقها زيادة في الأجور، واحترام للكرامات، فتشكل سلّمًا نحو حياةٍ أفضل. نحن في حاجةٍ كذلك إلى استثماراتٍ، من أجل بناء اقتصاد يليق بالقرن الحادي والعشرين، تتخلله فرص أكثر وعدم مساواة أقل، وإلى إنهاء الخلل السياسي في واشنطن المؤدي إلى إعاقة تطورنا والحطّ من ديمقراطيتنا. وهذا يعني تقوية جيراننا ومواطنينا، للمشاركة الكاملة في اقتصادنا وديمقراطيتنا، فنتمكن، بهذه الطريقة وحسب، من استعادة الحلم الأميركي وتحقيق ازدهارنا، واستمرار قيادتنا على مستوى العالم، على المدى البعيد.

لن يسهل علينا تحقيق ذلك في أجوائنا السياسية الراهنة. لكنني أقتبس من أحد أفلامي المفضّلة A League on their own استشهادًا خاصًّا بالأميركيين: «من المفترض أن يكون قاسيًا... القساوة تجعل منه عظيمًا». وعليه، يحقق القيام بالأمور الصعبة لبلدنا الاستمرار في عظمته.

دوّنتُ هذا الكتاب خلال العام ٢٠١٣ ومطلع العام ٢٠١٤، وأنجزت معظم كتاباتي في مكتبٍ حميم ومشمس، في الطبقة الثالثة من منزلنا الكائن في شاباكوا في نيويورك. يحتوي المكتب بساطًا سميكًا وكرسيًّا مريحًا، وأستطيع من نافذته أن أتأمل رؤوس الأشجار. وأخيرًا، أُتيح لي الوقت للمطالعة، وتعويض ساعات النوم القليلة، والسير مسافاتٍ طويلة مع زوجي وكلابنا، ورؤية عائلتي أكثر، والتفكير في المستقبل.

تلقيتُ وبيل، مطلع العام ٢٠١٤، خبرًا سارًّا جدًّا، كنا ننتظره بصبر نافد: سنصبح جدّين. غمرنا فرح عارم من أجل تشيلسي ومارك، وأصابنا الدوار من دون خجل حيال هذا الخبر. كنتُ شديدة التوتر لدى ولادة تشيلسي – لم أكن بعد جاهزة لهذه المعجزة الهائلة، وللمسؤولية التي تترتب على الأمومة، على الرغم من كل الكتب التي قرأتها، ومن عملي في مركز دراسة الطفل في ييل. صلّيتُ لكي أكون أمًّا جيدة بما فيه الكفاية، وما لبثتُ أن شعرت أننا عندما نُرزق بطفل يكون الأمر شبيهًا بأن تدع «قلبك يتجوّل خارج جسمك»، وفقًا للإطار الذي وضعته فيه الكاتبة إليزابيث ستون. هو أمر رائع ومرعب، في آن. أما اليوم، وأنا مقبلةٌ على أن أصبح جدّة، بعد كل تلك الأعوام، لا تتملكني سوى مشاعر الإثارة والترقب. وأتذكر ما قالته ماغاريت ميد، إن الأولاد يجعلون مخيلتنا أكثر نشاطًا، وقلبنا شابًّا، ويدفعوننا إلى العمل من أجل مستقبل أفضل.

يترسخ المستقبل في ذهني، الآن، أكثر من أي وقت مضى. أكثر سؤالٍ طُرح علي خلال الجولة التي قمتُ بها مجددًا العام الماضي في بلادنا: هل أترشح إلى الرئاسة عام ٢٠١٦؟

الجواب هو أنني لم أقرر بعد.

ولكن، كل مرّة يتطرق أحدهم إلى الموضوع، أتشرّف بالطاقة والحماسة اللتين يبديهما لي كل من يشجعني على الترشح، بل وأيضًا من خلال إيمانهم بأنني أستطيع أن أتولى القيادة التي تحتاج إليها بلادنا.

أما راهنًا، فأعتقدُ أن من واجبنا التركيز على الأعمال الملحّة في البلاد، والتي لا يمكن أن تنتظر حتى العام ٢٠١٦. لا يزال كثرٌ من مواطنينا الأميركيين تحت تأثير الأذى الذي لحق بهم من جرّاء الركود الاقتصادي الكبير، وما زال عددٌ فائق من شبابنا رازحًا تحت ديون الأقساط الدراسية فيما هم مقبلون على فرص عمل صغيرة في المقابل. وستجرى، من جهةٍ أخرى، انتخاباتٌ مهمة، عام ٢٠١٤، يتقرر من خلالها من سيسيطر على الكونغرس، الأمر الذي سيرتّب عواقب حقيقية على اقتصادنا ومستقبلنا. فلا يمكننا تجاهل هذه الانتخابات أو البقاء خارجها[1].

مشيتُ وبيل، منذ وقتٍ غير بعيد، في إحدى نزهاتنا الطويلة قرب المنزل، مع كلابنا الثلاثة، هذه المرّة. طال فصل الشتاء، على غير عادة، واقترب فصل الربيع مع بدء ذوبان الجليد. مشينا، وتكلمنا، وأكملنا حديثًا مستمرًّا منذ أكثر من أربعين عامًا، كنا بدأناه في جامعة ييل للحقوق.

كلانا يعلم أن ثمة قرارًا مهمًّا ينتظرني.

فبعد ترشحي إلى الانتخابات، في مرحلةٍ سابقة، بتُّ أعي تمامًا ما هي التحديات المطروحة

(١) أجريت الانتخابات فحقق فيها الجمهوريون فوزًا على الديمقراطيين. (المترجم)

من كل الجوانب - لا على المرشحين وحسب، بل وعلى عائلاتهم. وأعلم كذلك، بعد ما مُنيت بالخسارة عام ٢٠٠٨، أن ما من شيء مفروغ منه أو مضمون. وأدرك أيضًا أن أهم الأسئلة التي يجب على المصرين على الترشح إيجاد الأجوبة عنها، ليس «هل ترغب في أن تصبح رئيسًا؟» أو «هل تتمكن من الفوز؟» بل «ما هي رؤيتك لأميركا؟» و«هل يمكنك أن تقودنا إلى هناك؟» ويقوم هذا التحدي على التمكن من القيادة على نحوٍ يوحّدنا جميعًا، مرةً أخرى، ويجدد الحلم الأميركي. هذا هو العائق الكبير أمامنا.

يجب أن تتماهى نتائج العام ٢٠١٦، أخيرًا، مع نوع المستقبل الذي يتوق إليه الأميركيون، لأنفسهم ولأولادهم - وأحفادهم - وأتمنى أن نختار السياسة الشاملة والهدف الواحد، لإطلاق العنان للإبداع والإمكانات والفرص التي تجعل من أميركا بلدًا استثنائيًّا. فهذا ما يستحقه جميع الأميركيين.

أكنُّ على الدوام عرفانًا للفرصة التي سنحت لي لأمثل أميركا في العالم، أيًّا يكن قراري المقبل. تعلمتُ من جديد كم أن شعبنا صالح وبلادنا عظيمة، وأشعر بالبركة والشكر حيال ذلك. مستقبلنا غني بالإمكانات، فيما ننتظر كعائلة استقبال فردٍ إضافي، هو أميركي آخر يستحق أفضل مستقبل يمكننا توفيره.

لكنني، في هذه المرحلة أقلّه، لا أريد سوى أن أمدّد ساقيّ وأتمتع بالربيع. كل ما يدور من حولي مفعمٌ بحياة جديدة، وقليلًا ما مرّت عليَّ أوقاتٌ بهذا الهدوء، مما يجعلني راغبةً في التمتع بها، مع اقتراب موعد اتخاذي قرارًا صعبًا آخر.

شكر وتقدير

شعار مؤسسة كلينتون «نحن جميعًا معنيّون سويًّا». هو تعبير بسيط عن الوحدة، في عالم مملوء بالانقسامات. وهو أيضًا، كما لمستُ، وصفٌ مناسب لما يلزم بغية تأليف كتاب. أنا مدينةٌ لجميع الذين ساعدوني، خلال أعوامي الأربعة في وزارة الخارجية الأميركية، وطوال أكثر من عام من الكتابة والتحرير. ولعلّ أسهل خيارٍ اتخذته كان طلبي من دان شويرين وإثان جيلبير وتيد وايدمر، تأليف فريق العمل لتدوين كتابي، ولم يكن ممكنًا أن أكون أكثر حظًّا، بما أننا عملنا ليل نهار.

باشر دان شويرين عمله معي في مجلس الشيوخ واحتلّ منصب أحد كتاب خطبي في وزارة الخارجية. كان شريكي الرئيس، يتعبُ معي ما امتدت الجمل والصفحات، ويلتقط أفكاري ويساعدني على تدوينها في ترابطٍ منطقي. هو ليس كاتبًا موهوبًا وحسب، بل هو أيضًا زميلٌ رائع. إثان جيلبير «الرجل الذي لا غنى عنه»، الذي أدار تشعّب الكتابة وعملية التحرير، وجسّد معاني خربشاتي، وجعل ذكرياتي واضحةً، وأبقاني عاقلة، فيما المسودات تتكدس. لم أكن لأتمكن من القيام بالأمر من دونه. تيد وايدمر، مؤرخ بارع ومعاون قدير، عرض للسياق ووجهة النظر، وأضفى جرعاتٍ ضرورية جدًّا من الفكاهة والإنسانية.

قدّمَت هوما عابدين وشيريل ميلز وفيليب رينز وجايك سوليفان الكثير إليَّ وإلى بلادنا، خلال وجودنا في وزارة الخارجية، وكانوا مستشارين وملهمين أساسيين، مستعدين للتدقيق في الحقائق طوال مرحلة الكتابة. اعتمدتُ أيضًا على مساعدة كورت كامبل وليسا موسكاتين وميغان روني، وعلى مشورتهم، هم الذين لم يتقاعسوا في قراءة المسودات وإسداء النصائح.

كلّ شكري لدار النشر، سيمون أند شوستر، خصوصًا الرئيسة التنفيذية كارولين رايدي، وناشر كتابي المحرر جوناثان كارب. أصدرتُ إلى الآن مع كارولين خمسة كتبٍ، وشكل الأمر متعةً لي، هذه المرة أيضًا. أما جوناثان، فأجاد الجمع بين التشجيع والانتقاد، وكان، حقًّا، ذا سمعةٍ بأنه محرّر

بناء يقوم بعمله في عناية. أقدر أيضًا جميع أفراد فريق العمل: إيرين خيرادي، وجوناثان إيفانز، وليزا إروين، وبات غلين، وجينا دي ماسيا، وفيج كابلان، وإنجي ماس، وجوديث هوفر، وفيليب باشي، وجوي أوميرا، وجاكي سياو، ولورا ويس، ونيكولاس غرين، ومايكل سيليك، وليز بيرل، وغاري أوردا، وكولين شيلدز، وبولا أمندولارا، وسيث روسو، ولانس فيتزجيرالد، وماري فلوريو، وكريستوفر لينش، ودافيد هيلمان، وهيلي هيرشهورن، وأدريان نورمان، وسو فليمينغ، وآدم روثبيرغ، وجيف ويلسون، وإلينا فايسبيين، وكاري غولدشتاين، وجوليا بروسر، وريتشارد رورير.

وأعبر عن عرفاني، مرّةً أخرى، لمحاميّ الذي لا مثيل له، مرشدي في عالم النشر بوب بارنيت، وللمحامي المتعاقد الذي برع في مساعدته مايكل أوكونور.

شكل الكتاب فرصة لإعادة الاتصال بأصدقائي وزملائي ولاستعادة ذكرياتنا معًا، وكان هذا الشق أحد أفضل الأمور التي رافقت تدوين هذا الكتاب. أوجّه شكري إلى كل الذين شاركوني الذكريات والملاحظات ووجهات النظر، وبينهم كارولين أدلير، ودان باير، وكريس بالدرستون، وديارا بالنجر، وجيريمي باش، ودان بن نعيم، ودان بنيامين، وجاريت بْلان، وجوني كارسون، وساره دافاي، وأليكس دجيراسي، وبوب إينهورن، ودان فيلدمان، وجيف فيلتمان، ودافيد هيل، وهاموس هوشتاين، وفريد هوف، وساره هورفيتز، وجيم كنيدي، وكايتلين كليفوريك، وبن كوبرين، وهارولد قوه، ودان كورتز فيلان، وكابريسيا مارشال، ومايك ماك فول، وجوديث ماك هيل، وجورج ميتشل، وديك مورنينغستار، وكارلوس باسكوال، ونيراف باتل، وجون بودستا، ومايك بوسنر، وبن رودز، وأليك روس، ودنيس روس، وفرانك روجيرو، وهيثر ساموليسن، وطوم شانون، وأندرو شابيرو، وآن ماري سلوفتر، وتود ستيرن، وبونيت تالوار، وتوميكا تيلمان، وميلان فرفير، وماتيو والش، وآشلي وولهيتر. وأيضًا لكلارينس فيناي، ولأمناء الأرشيف الدؤوبين العاملين معه، وجون هاكيت، وتشاك داريس، وألدن فاهي، وبهار غوداني، وبول هيلبورن، وشانيكا نيلسون، ونقاد الكتابات الدقيقين في وزارة الخارجية وفي مجلس الأمن القومي.

كنتُ محظوظةً بالعمل برفقة فريقٍ ملتزم من الكبار: مساعدو وزراء الخارجية الأميركية بيل بيرنز، وجاك لو، وطوم نايدز، وجيم شتاينبرغ، وسفيرة الولايات المتحدة في الأمم المتحدة سوزان رايس، ومدير الوكالة الأميركية للتنمية الدولية راج شاه، ومنسق برنامج الطوارئ الأميركي لمكافحة الإيدز (بيبفار) إريك غوسبي، والرئيس التنفيذي لمؤسسة تحدي الألفية دانيال يوهانس، والرئيسة المديرة التنفيذية لمؤسسة الاستثمار الخاص ما وراء البحار (أوبيك) إليزابث ليتلفيلد.

وسأحتفظ دائمًا بمكانٍ في قلبي لجميع أفراد «عائلة س»، الظاهرة في الصورة الرقم ١٠، ولضباط الخدمة الخارجية وموظفي الخدمة المدنية، المكرَّسين للاهتمام الرائع بالوزراء، منهم نيما أبسزاده، ودانييلا بالو-آريس، وكورتني بيل، وكريستوفر بيشوب، وكلير كولمان، وجين دايفس، وليندا ديوان، وشيلا دايسون، ودان فوغارتي، ولورين جيلوتي، وبروك جونسون، ونيل لاركينز،

وجوان لاشيتش، ولورا لوكاس، وجو مكمانوس، ولوري ماك لين، وبرناديت ميهان، ولورانس راندولف، وماريا ساند، وجان ماري سميث، وزيا سييد، ونورا تُويف، وأليس ويلز، فضلًا عن الأمانة التنفيذية، وفريق لاين الرائع.

أتوجّه بشكري إلى الإدارة العليا لوزارة الخارجية، والوكالة الأميركية للتنمية الدولية، وبيبفار، ومؤسسة تحدي الألفية، وتضمّ دايف آدامز، وطوم آدامز، وإليزابث باغلي، وجويس بار، وريك بارتون، وجون باس، وبوب بلايك، وإريك بوزويل، وإستر بريمر، وبيل براونفيلد، وسوزان بورك، وبايير كامبل، وفيليب كارتر، وموراً كونيلي، ومايكل كوربن، وطوم كاونتريمان، وهايدي كريبو-رديكر، وبي جاي كراولي، ولويس دي باكا، وآيفو دادلر، وجوش دانيال، وغلين دايفيز، وإيلين دوناهو-شمبرلين، وخوسيه فرنانديز، وألونزو فولغام، وفيل غولدبرغ، ودافيد غولدوين، وفيل غوردون، وروز غوتيمولر، ومارك غروسمان، ومايكل هامر، ولورين هاريتون، وجودي هيومان، وكريستوفر هيل، وبوب هورماتس، ورشاد حسين، وجانيس جاكوبز، وروبرتا جاكوبسون، وبوني جنكينز، وسوزان جونسون كوك، وكاري آن جونز، وبيث جونز، وبول جونز، وديكلان كيلي، ويان كيلي، ولورا كنيدي، وبات كنيدي، وروبرت كينغ، وريتا جو لويس، وكارمن لوملين، وبرينستون ليمان، ودون ماك كال، وكين ميرتن، وستيف مول، وطوريا نيولاند، وماريا أوتيرو، وفرح بانديث، ونانسي باول، ولويس قوام، وستيفن راب، وجوليسا راينوزو، وآن ريتشارد، وجون روبنسون، وميغيل رودريغز، وهانا روزنتال، وإريك شوارتز، وباربارا شايلور، ووبندي شيرمان، ودان سميث، وتارا سوننشاين، ودون شتاينبرغ، وكارين ستيوارت، وآن ستوك، وإلين توشر، وليندا طوماس - غرينفيلد، وأرتورو فالنزويلا، وريتش فيرما، وفيل فرفير، وجايك والز، وباميلا وايت، وبول وولرز.

أودّ أن أذكر خصوصًا ضباط الأمن الدبلوماسي الشجعان والمكرَّسين لحمايتي وحماية التابعين لنا في العالم. وكان أمن الدبلوماسيين، خلال ولايتي، بقيادة فريد كتشوم، وكورت أولسون.

خلال هذه المسيرة، وفّرت مجموعة ملتزمة من المساعدين والمستشارين الدعم لكتابي وسائر أعمالي، بلا كلال، بينما كنتُ أسابق الوقت لإنهاء العمل. شكرًا لمونيك آيكن، وبرين كرايغ، وكاتي دوود، وأوسكار فلورس، ومونيكا هانلي، وجين كلاين، ومدهوري كوماريدي، وبيركا جو، وماريزا ماك أوليف، وتيري ماك كولو، ونيك ميريل، وباتي ميلر، وطوماس موران، وآن أوليري، ومورا بالي، وشيلبا بيزارو، وروبرت روسو، ومارينا سانتوس، ولونا فالمورو، وراتشيل فوغلشتاين.

أشكر مجددًا للرئيس أوباما وضعه ثقته بي، متيحًا لي فرصة تمثيل بلادنا، وأيضًا لنائب الرئيس بايدن ولطاقم مجلس الأمن القومي، شراكتهم.

في الختام، الشكر، كما العادة، لبيل وتشيلسي، لإمضائهما سنة كاملة في الإصغاء إلي في تأنٍّ، وقراءة المسودة تلو الأخرى في صبر، ولمعاونتهما لي على استخلاص أربع سنواتٍ مفعمة بالأحداث، وشرحها. فقد أغرقاني مرّةً جديدة بالدعم والحب.

سلسلة السّياسة